LA FANTAISIE
DE
VICTOR HUGO

*

1802-1851

En Préparation :

La Fantaisie de Victor Hugo ** 1851-1885

Sous Presse :

La Fantaisie de Victor Hugo *** Thèmes et Motifs

Jean-Bertrand BARRÈRE

LA FANTAISIE

DE

VICTOR HUGO

1802-1851

> Tous les matins, chacun fait son paquet de rêveries et part pour la Californie des songes.
> ... Nul passant sur cette terre qui n'ait sa fantaisie...
> V. HUGO, *Promontorium Somnii*.
>
> Je suis un latin, j'aime le soleil.
> V. HUGO, *Lettre à Albert Lacroix*, 14 février 1864.

JOSÉ CORTI
—
1949

DE CET OUVRAGE, ACHEVÉ D'IMPRIMER
SUR LES PRESSES DES MAITRES IMPRIMEURS
ARRAULT ET CIE, A TOURS, LE VINGT-
TROIS DÉCEMBRE MIL NEUF CENT
QUARANTE-HUIT, IL A ÉTÉ TIRÉ SIX
EXEMPLAIRES SUR PAPIER LAFUMA DONT
DEUX EXEMPLAIRES HORS COMMERCE.

*

A M. Maurice LEVAILLANT

Professeur a la Sorbonne

en hommage respectueux

PRÉFACE

Soyons historiens. Être historien, ce
n'est pas mettre en contact des dates et
des faits bruts et nouer entre ces éléments
inertes des dates arbitraires. Telle année,
telle pièce de vers. Donc la pièce est le reflet,
la conséquence, la suite de la rencontre.
Mille fois non! La pièce est le reflet
d'une âme. Qui s'est nourrie, au cours d'une
longue vie, de toute une série d'aliments
empruntés de tous côtés, et qu'elle a faits
siens.

Lucien FEBVRE, *Autour de l'Heptaméron*,
p. 280.

On revient à Victor Hugo. Depuis 1940, plusieurs excellentes études
lui ont été consacrées, tant en France qu'en Suisse, en Angleterre, aux
États-Unis. Des critiques, Albert Béguin, Georges Cattaui, Thierry
Maulnier et Marcel Raymond, Paul Zumthor; les professeurs Elliott
M. Grant, Herbert J. Hunt et Denis Saurat, entre autres, ont manifesté
que Victor Hugo leur proposait toujours de nouveaux problèmes. Au
temps où je l'abordai par une étude de stylistique (1936-37), dominaient
les ouvrages de Paul Berret, Joseph Vianey et Louis Guimbaud, sans
parler de ceux de Fernand Gregh et de Bellessort, pour se borner à quelques-uns : je n'aurai garde d'oublier de leur rendre hommage, mais je
dois dire qu'ils n'entamaient pas mon propos. Ayant conçu le projet de
ce travail vers 1935, mais sans avoir été en mesure de m'y attacher
avant 1940 ni guère de l'écrire avant 1945, j'ai pu craindre d'être devancé.
J'ai eu, chemin faisant, l'heureuse surprise de voir cette conception se
dessiner dans quelques esprits et M. Raymond désigner nommément
la fantaisie de Victor Hugo comme une des grandes veines d'inspiration
de ce poète. Une phrase de M. Cattaui me laisse un espoir, ainsi qu'à
tous ceux qui viendront après moi : « Hugo demeure cependant pour une
bonne part de sa production un auteur inconnu. Comme les pays trop
vastes, il a ses régions inexplorées. Et ce n'est pas au meilleur de son
œuvre que va la popularité (1). » La fantaisie reste de ces terres mal
reconnues : et je n'ai pas prétendu à l'un de ces fulgurants essais, qui

(1) Préface à *Victor Hugo, Prose*, p. 9.

n'ont déjà point manqué de briller, mais à une laborieuse étude, toute de patience et de familiarité, qui, à l'heure où j'écris ces lignes, n'a pas en son genre été prévenue.

C'est aussi sa servitude. Il en aura été, je crains, de cet ouvrage, comme il arrive de certaines peintures : l'esquisse avait du charme et me parut captivante et allègre ; mais elle a peu à peu disparu sous les formes, les masses, les plans et les couleurs que sont les documents, les analyses, les preuves et les constructions dont j'ai cru bon, en chemin, de la surcharger pour la rendre convaincante ; et maintenant, voilà qu'il n'apparaît plus rien du dessin primitif et des fraîches touches du début, qu'un tableau empâté et composite d'où, comme je le prévoyais dans mon *Introduction*, la fantaisie s'est évanouie à force d'être sollicitée.

Encore ai-je été contraint de scinder ce travail en deux tomes et de borner celui que je présente aujourd'hui à la date de 1851, sous peine d'imposer au lecteur, et d'abord au jury de cette thèse, un effort d'attention bien trop prolongé, ou de diminuer, si je l'avais réduit, la rigueur et les services que j'en attendais. Je demande donc encore un peu de patience avant qu'on arrête définitivement son jugement.

Telle qu'elle est, cette étude ne saurait être prise pour ce qu'elle n'est ni ne prétend être, je veux dire une étude complète et exhaustive du génie de Victor Hugo. Elle ne l'aborde au contraire et, si possible, ne l'atteint que par un de ses aspects.

***

Longtemps, et encore au moment même où j'entreprenais ce travail, Victor Hugo était resté une manière de poète national, rhétoriqueur verbeux mais puissant, le grand-père, le père et le bonhomme Hugo, comme continuaient ou innovaient de dire ceux qui avaient perdu le sens de ces expressions, grand patriote, chacun sait, et auteur anthologique commode de poésies propres à des festivités tant publiques que privées : *Waterloo ! Waterloo ! morne plaine...*, *... le cercle de famille*, sans oublier *Caïn !* De quoi s'autorisaient lecteurs et poètes distingués pour faire la petite bouche : Farrère se récriait sur sa bêtise, Gide soupirait et ce soupir équivoque appelait de longs commentaires, Claudel instituait des analogies entre un lourd monument de bronze et le génie qu'il commémorait ; bref, tous, des petits aux grands, et avec d'innombrables nuances, s'accordaient à lui dénier l'intelligence et la fraîcheur, mais à lui reconnaître une verve un peu lassante, certainement recommandable car inoffensive aux écoliers, mais vraiment peu fréquentable à l'âge où l'on passe à tort ou à raison pour acquérir du goût.

Cette vue est simple : j'en fais grâce, comme le temps en a fait justice. « Les pauvres grands hommes, a écrit justement Pierre Gaxotte, ne sont pour nous ni ce qu'ils ont été, ni ce qu'ils ont voulu être. Nous ne les connaissons qu'enveloppés d'une carapace, d'une gangue, comme si on les avait déposés dans une fontaine pétrifiante, pour se recouvrir peu à peu de jugements hâtifs, de formules toutes faites et de contresens rendus respectables par l'âge et par la répétition. » Le temps d'éclipse passé pour Hugo, comme il paraît de règle pour certains poètes trop célébrés de leur vivant, on a entrepris de se pencher sur son œuvre et sa vie avec plus d'attention. Mais cette attention n'en a pas été moins dirigée. On a regardé notre poète, si je puis dire, avec l'œil de Caïn — *L'œil était dans la tombe...* — on a concentré nos regards sur le poète de *la Bouche d'ombre* et de *la Fin de Satan* (1). Peut-être, à force d'attention et par goût de le rendre accessible ou même attirant, l'a-t-on modernisé. On l'a découvert à travers Baudelaire et Rimbaud (2). A leur suite, on a reconnu en lui un voyant, un visionnaire, un poète halluciné, qu'il est, mais qu'il n'est pas seulement. Ainsi à une vue sommaire a succédé une vue partielle. Depuis lors, Hugo est devenu une proie : les occultistes ont exploré sa poésie en fonction de sa crise de spiritisme et de sa croyance aux communications de l'au-delà ; les surréalistes se sont avisés qu'il était un adepte de l'écriture automatique, noir et gratuit, grand faiseur de *Jérimadeth* (3) ; les psychanalystes ont scruté et interprété ses vers au point de nous en faire presque oublier la lettre. Tout cela n'était pas mauvais et montrait en tout cas que le phénomène Hugo existe, infiniment plus complexe qu'on ne le supposait. A travers les ombres qui se sont répandues sur son visage, on n'a pourtant pas fini de le découvrir.

Il me souvient d'avoir vu une très curieuse décomposition photographique d'un masque de Gœthe, qui faisait ressortir la dissymétrie de ses deux profils, l'un pathétique, l'autre serein. Deux masques jumeaux étaient ainsi reconstitués d'après chacun de ces profils, le premier exprimant la détresse et la mort, le second la vie et la joie (4). C'est le premier qu'on a présenté de Victor Hugo depuis quelque dix ans : j'ai voulu éclairer le second. Aucun d'eux n'est complet sans l'autre. J'ai tâché constamment de me souvenir que l'autre existait, et j'en avais trop besoin pour expliquer son complémentaire, je ne risquais pas de l'oublier. C'est donc, d'une certaine manière, une étude de profil.

Par ce biais, c'est le vrai visage du poète Hugo que j'ai tenté de restituer : celui d'un homme sain, d'un tempérament ardent, vivant, aussi doué pour la joie, le plaisir et le goût de la vie que pour la douleur et la méditation de l'abîme, d'un poète inspiré et travailleur (5), triste à de certaines heures de sa vie et aussi enjoué spontanément à d'autres qui abondent dans son existence et dans son œuvre. C'est surtout celle-ci qui m'a guidé. On ne doute pas que je l'aime. J'aime Hugo. Et aussi bien, il n'est pas nécessaire de détester ou mépriser son auteur pour en bien traiter, n'est-il pas vrai ? Hugo a eu l'infortune d'être souvent étudié par des hommes qui ne l'aimaient guère ou qui ne se résignaient pas à l'accepter tel qu'il fut. C'est là une mauvaise disposition pour comprendre. L'hypothèque de l'envie ou de la méprise n'est pas encore levée de l'œuvre de Victor Hugo. Cette œuvre pourtant est pleine de témoignages artis-

(1) Cf. l'anthologie publiée chez Gallimard, 1942, sous le titre : *Poèmes de la Bouche d'ombre* et P. ZUMTHOR, *Victor Hugo poète de Satan.*
(2) Voir BÉGUIN, CATTAUI et notamment M. RAYMOND, *De Baudelaire au Surréalisme*, p. 12-13, où les jugements de Baudelaire et Rimbaud sont naturellement invoqués.
(3) Cf. BERRET, *Victor Hugo*, p. 470 et l'article cité de M. RAT, *Figaro littéraire*, 6 janvier 1948, qui en présente un commentaire raisonnable.
(4) Cf. *Gœthe*, n⁰ spécial d'*Europe*, avril 1932, voir P. ABRAHAM, *Figures de Gœthe*, p. 232 sq. et la planche « les Gœthe jumeaux ».
(5) Combien vrai le jugement de Jules Janin, qui l'a connu de près et apprécié : « Il était né un improvisateur..., et plus que tout autre il s'est méfié de l'improvisation stérile. » *Histoire de la Littérature dramatique*, t. IV, p. 359, Paris, 1854.

tiques du ravissement d'enfant que ce poète éprouve en face de la nature
et de la vie. Sa vie, son tempérament ne démentent pas le caractère spontané de ce penchant à la joie. « Hugo — écrivait Alphonse Karr, qui
l'avait connu — était extrêmement gai, quelquefois même jovial. » A
cette tentative pour l'assombrir et le « germaniser », Hugo du reste a
répondu par avance lui-même, lorsque l'éditeur Lacroix prétendait lui
faire inclure parmi les grandes œuvres de l'humanité les livres sacrés
de l'Inde dans son *William Shakespeare :* « Il y a beaucoup de fatras.
Je suis un latin, j'aime le soleil (1). »

Entre l'homme, c'est-à-dire ce qu'on peut savoir ou deviner de lui,
et cette œuvre de fantaisie se pose le problème de la création. Après
Louis Gillet et Abel Lefranc, nous citons à notre tour les termes de
Friedrich Gundolf : « Dans l'ensemble, le problème (de la vie profonde
du poète) se ramène toujours à la relation qu'on suppose ou qu'on croit
découvrir entre l'auteur et son ouvrage, entre la *Dichtung* et la *Wahrheit*.
C'est à peu près tout le mystère de la création poétique, de savoir ce que
le poète y met de sa personne (en tant que celle-ci n'est pas exprimée
par son style, ce qui est peut-être en définitive ce que nous avons de plus
à nous) (2). » La réserve est d'importance : je me la suis formulée souvent
et il est possible que, revenant sur la première étude que je fis du style
de Hugo dans le domaine de sa fantaisie, j'ajoute un jour un volume à
cet ouvrage *(Langue et Style)* pour compléter ces efforts convergents
d'explication. Je ne dirai peut-être pas « tout le mystère de la création
poétique », à beaucoup près, mais, au moins en gros, le problème est
posé, et c'est ce qui m'amène à dire quelques mots des méthodes par
lesquelles j'ai essayé, sinon de le résoudre, du moins de l'élucider.

*
* *

Notre humaine suffisance me frappe, celle des critiques littéraires
aussi bien que des chercheurs érudits, qui feignent de ne se connaître
que pour échanger des propos désagréables. Dieu me garde de verser dans
cette humeur sectaire et de croire que j'ai résolu les problèmes! J'ai seulement tenté de les approcher. On me reprochera peut-être d'avoir été
par toutes les voies. Je souscris d'avance à ce reproche : je n'ai jamais
compris, ni estimé nécessaire qu'une méthode exclût l'autre.

Ceci n'est donc pas une étude de Victor Hugo complet, mais une
recherche sur un côté important de l'homme, susceptible d'éclairer les
autres, d'en fixer la juste part, et auquel à mon gré on n'a pas porté
encore l'attention qu'il méritait. Une orientation de recherches, plus
encore qu'une recherche achevée avec le dernier mot. Je ne la déclare
pas terminée, j'espère que d'autres, sinon moi, la poursuivront dans le
détail, comme j'ai tenté ailleurs de le faire (3).

Ceci n'est pas une biographie, ni une étude de sources, ni un essai
d'esthétique, non plus que de stylistique. Les études littéraires présentent

---

(1) *W. S.*, Historique, p. 413. Cf. Préf. des *R. O.*, 24 avril 1840, p. 535 : « Il
aime le soleil. »
(2) Cité par A. Lefranc, *A la découverte de W. Shakespeare*, Albin Michel, 1946.
(3) Dans l'étude : *Promenade dans un album de voyage de Victor Hugo* (1865),
cf. Bibliographie.

une grande variété de moyens d'investigation, je crois que je n'en ai
a priori écarté aucun, les utilisant tour à tour ou de front lorsque j'en
voyais l'opportunité. Hugo a insisté en 1876 sur la continuité des différentes veines de son inspiration telles qu'il les voyait se poursuivre du
début à la fin de son œuvre (1). Je ne peux dire que cet avis du poète
sur son œuvre ne m'ait pas guidé. Je présente donc un essai pour démêler
dans cette trame les fils continus de ce que j'appelle la fantaisie de Victor
Hugo. Le mot pourrait se passer de définition : lorsqu'on parle du badinage de Marot, de la fantaisie de Musset, on n'éprouve pas à l'ordinaire
cet embarras. Pourtant j'ai tenu à essayer de la cerner dans les quinze
premières pages de l'Introduction qui va suivre : c'est, en gros, le jeu de
l'imagination poétique. Mais la véritable « définition », on s'en doute,
se poursuit dans tout ce livre. Souligner la continuité de ce phénomène
poétique, ou mieux, de cette disposition du génie, dans son expression,
c'est dire que cette étude est inséparable du temps et, dans cette mesure,
historique.

Dans une première période qui va jusqu'aux environs de 1830, le poète,
plus docile qu'on ne pense, se cherche dans le cadre des conventions
à la mode, fantastiques, médiévales, orientales. C'est après la rencontre
de Juliette Drouet en 1833-34 que son imagination se renouvelle, dans
les voyages qui prennent chaque été plus d'importance jusqu'à produire
le Rhin, que Balzac déclarait avec raison un chef-d'œuvre (2). A y réfléchir, cette période (1834-43) me semble avoir été décisive pour son évolution poétique ; ces lettres de voyage m'apparaissent comme le laboratoire où se préparait le Hugo de l'exil : on en voit les premiers effets
entre 1834 et 1850, dans ses écrits de cette période, publiés ou non.
Là s'arrête ce premier volume. Après 1850, les images accumulées, triées,
stylisées par un travail plus ou moins inconscient s'offrent d'elles-mêmes
au poète et reparaissent de façon presque systématique. C'est l'époque
où, dans le noir comme dans le bleu, pour reprendre les divisions du
Satyre, l'imagination de Victor Hugo connaît son épanouissement et
subit en même temps l'effet d'un entraînement poétique inusité. Tel
est le schéma auquel cette étude m'a conduit.

Le principe de cette étude implique qu'on se soit adressé, pour suivre
cette continuité, aux dates de création, et non à celles de publication.
C'est-à-dire qu'une décomposition des recueils a été nécessaire pour
retrouver ce qu'on croyait être l'ordre intérieur de la création. Je me suis
expliqué ailleurs sur les aléas de cette restitution ; j'y renvoie (3). Mais
enfin les avantages l'emportent sur les inconvénients inhérents aux erreurs
possibles d'attribution. Lorsqu'il s'agissait de pièces de date probléma-
tique, je n'ai pas manqué, au passage, de le signaler, évitant de faire
reposer sur elles l'essentiel de ma construction. Une autre objection
serait celle-ci : peut-être, après tout, est-il vain de suivre cet « ordre
restauré », puisque l'œuvre ce sont les recueils. Loin de moi le ridicule
de refuser au poète la liberté de reconstruire son œuvre, comme Hugo
l'a fait, selon un ordre indifférent au cours réel de sa création. Je souligne

(1) Voir Introduction.
(2) Lettres à l'Étrangère, 17 avril 1842.
(3) Conclusion de mon article cité ci-dessus et préface de la Fantaisie, Thèmes
et Motifs.

qu'il a sa signification, plus hasardeuse encore à établir : certaines de
ces dates portées dans l'édition, sinon la plupart, ont perdu leur sens
pour nous. Je peux dire une chose : c'est qu'apparemment l'œuvre du
poète, telle qu'il la créait à mesure, m'a paru plus propre à mon étude
que son œuvre, telle qu'elle se présente dans son architecture définitive.
Je constate qu'on n'a guère tenté cette entreprise avant moi, et certainement pas en l'étendant à toute l'œuvre comme je fais. C'est, je pense,
que ce démembrement suivi d'un remembrement représentait un certain
travail : le coup en valait-il la balle, comme on dit ? Sans doute l'ai-je
cru.

Les études du XXe siècle sont tributaires de la philosophie, comme
celles du XIXe l'étaient de l'histoire. Dans le cadre que je viens d'exposer,
j'ai désiré faire une étude qui fût d'abord *littéraire* et qui gardât son autonomie à l'égard de la philosophie comme de l'histoire sans en négliger
éventuellement les services. C'est Edmond de Goncourt qui souhaitait
« un catalogue où le peintre raconterait la genèse et l'histoire de ses tableaux,
et ce qu'il y a de sa vie intime et psychique mêlé à chacune de ses compositions (1) ». Mais le créateur n'a pas le goût ni le temps de se faire son
propre historiographe : il en laisse parfois les éléments et il n'est pas
défendu de chercher à les ordonner pour lui. C'est un peu ce que j'ai
essayé de faire pour Hugo.

**

Enfin, si l'interprétation est tendancieuse, au moins restera-t-il des
faits et des textes tout assemblés pour le lecteur. On ne peut passer plusieurs années à préparer cette sorte d'ouvrage sans qu'il reflète l'évolution de votre pensée sur les méthodes. Au début, je ne me fiais qu'au
texte. Pour plusieurs raisons, j'avais commencé par écrire la partie centrale de mon étude, qui en constituait aussi le pivot. Puis, à mesure
que j'avançais dans la connaissance de Victor Hugo et de ses contemporains, il s'est passé ceci : je me laissais entraîner à tenir de plus en plus
compte de ces derniers, non pas comme de « sources », mais comme de
« témoins » permettant la comparaison pour moi et formant pour Hugo
une ambiance à laquelle il lui était difficile d'échapper, dont il put recevoir des éveils, voire des reflets ou des réfractions de lui-même, et dont
je ne devais pas me désintéresser dans le cas d'un auteur, si indépendant
fût-il, dont tout ce qu'on sait de lui montre combien il fut attentif au
mouvement des lettres de son temps. La première partie tout entière
et la deuxième section de la seconde partie pourront s'être ressenties
de cet état d'esprit. Je fus amené à réviser dans le même esprit la première
section de celle-ci, cette période des voyages qui m'avait servi de point
de départ : elle a été moins retouchée, car il s'agissait du poète en voyage,
plus abandonné à lui-même et aux choses que dans sa vie littéraire.
Mais à mesure que j'approche de la fin et au seuil de cette troisième
partie que je vois se dessiner sous mes yeux dans son ensemble et ses
détails, je suis moins tenté de croire aux filières, aux influences, et davantage à l'indépendance de l'écrivain dans les limites de la nature humaine

(1) Cité par J. POMMIER, *Paul Valéry et la création intellectuelle*, p. 30.

qui fait se rencontrer divers esprits plus souvent qu'on ne pense. « En général — a écrit de lui-même Romain Rolland — les critiques se trompent en attribuant aux livres une influence prépondérante sur la formation de l'âme. Si cette âme vaut jamais quelque chose, elle le doit à son propre fond, à ses profondes aspirations (1). » Je ne crois pas que la vérité en ce domaine soit comme un trou où il faut envoyer la boule, faute de quoi on est dans l'erreur. Ce scepticisme de fondement et d'aboutissement m'empêche seulement d'accorder plus d'importance qu'il ne convient à mes inductions ou déductions et me convie à la prudence. On avouera qu'une telle disposition de refus à l'égard d'aucun dogmatisme n'est pas déplacée pour qui s'occupe, même sérieusement, de fantaisie. On est si vite prisonnier de ce qu'on a fait ou dit que cette sincérité, si l'on m'en tient rigueur, me sauvera au moins d'être ma propre dupe.

Rien ne me serait sensible comme de m'exposer aux griefs justifiés et piquants d'un poète anglais contemporain qui pratique aussi une certaine critique intérieure :

« Nous devons résister à cette habitude du critique, aussi forte aujourd'hui que jamais, de répartir les poètes en équipes et de les faire jouer les uns contre les autres — hélas, pauvre critique, chargé d'arbitrer une épreuve où les joueurs constamment fraternisent, échangent leurs couleurs, courent à contre-sens et tournent les règles à l'anarchie !...

« A mesure qu'il avance hors du petit monde intime où son mot poétique faisait loi, ...le poète pénètre dans un pays étrange. Au premier abord, il peut lui sembler assez familier, une réplique du monde qu'il vient de quitter. Mais bientôt il y trouve de la différence : les papillons sont piqués sur les fleurs et chaque fleur est étiquetée ; les courants dans lesquels il se baignait en toute innocence ont grossi et sont devenus des fleuves enflés — il apprend qu'on les appelle dans ce pays influences ; les haies sont beaucoup plus soignées assurément, mais quel est donc cet avis qu'on aperçoit de leur côté ? — « Défense de marcher sur les « pelouses! Défense de cueillir des jonquilles ! Propriété de M. Words- « worth ! » ...Tout est à la fois plus simple et plus compliqué, plus solennel et cependant moins sérieux (2). »

Sous un tour humoristique, c'est un très sérieux danger que ces avertissements dénoncent et dont le ridicule apparent devrait au moins guérir notre bon sens d'y donner prise par des vues, des synthèses, simplistes ou illusoires. Il convient de nous pénétrer de l'idée que ce ne sont pas des minéraux que nous traitons, mais des tissus vivants. Et c'est en définitive le spectacle et le sentiment de cette forme supérieure de la vie qu'est la création poétique, qui m'a retenu, je l'espère, de céder à des généralisations faciles ou de me laisser gagner par l'esprit de système et dont on voudrait bien qu'un reflet glissât encore sur les pages qui vont suivre pour les rendre moins dissemblables de leur modèle.

Qu'à la fin ce livre ne soit pas séparé de son auteur sans oublier d'emporter avec soi comme un viatique dans le monde où il va vivre d'une vie désormais distincte, comme l'enfant des parents, les noms de ses nom-

---

(1) R. A. WILSON, *The Pre-War Biographies of Romain Rolland*, Humphrey Milford, 1939, appendice, lettre à l'auteur, 29 juin 1936.
(2) C. DAY LEWIS, *The Poetic Image*, Jonathan Cape, London, 1947, que je prends la liberté de traduire.

breux parrains qui de près ou de loin se sont intéressés à sa croissance : certains ont déjà disparu, comme les regrettés MM. Georges Ascoli et Albert Pauphilet ; d'autres l'ont suivi avec une lointaine mais cordiale sympathie, mon vieux maître Camille Aymonier, MM. Jean Bayet, Jean Bonnerot, P. Clarac, R. Jasinski, R. Le Senne, J. Pommier, J. Sergent, P. Souchon ; le Professeur Hunt, toujours secourable ; et de plus près MM. Levaillant et Bruneau, qui ont dirigé mon travail, mon ami Pierre Castex, qui s'est chargé de le revoir, sans oublier M. Albert Bayet, qui le premier m'a fait connaître le *Théâtre en liberté*, ni même aucun de ceux dont la curiosité avait été piquée à l'énoncé de mon sujet et qui, moitié défi, moitié encouragement, m'avaient donné rendez-vous au point d'orgue que je désespérai parfois de jamais atteindre : nous y voici.

Esher, 2-4 février 1948.

ABRÉVIATIONS UTILISÉES DANS L'OUVRAGE
POUR DÉSIGNER LES TITRES DES ŒUVRES DE V. HUGO

A.	*L'Ane.*
A. F.	*Les Années funestes.*
A. G. P.	*L'Art d'être grand-père.*
Ang.	*Angelo.*
A. P.	*Actes et Paroles.*
A. R.	*Amy Robsart.*
A. T.	*L'Année terrible.*
B.	*Les Ballades.*
B. J.	*Bug-Jargal.*
Burg.	*Les Burgraves.*
C.	*Les Contemplations.*
C. C.	*Les Chants du Crépuscule.*
C. G.	*Claude Gueux.*
C. R. B.	*Les Chansons des rues et des bois.*
Ch.	*Châtiments* (1).
Ch. v., I et II.	*Choses vues,* t. I et II.
C. L.	*Le Conservateur littéraire.*
Corresp., I, II.	*Correspondance* (éd. Calmann-Lévy), t. I, II.
Cr.	*Cromwell.*
D.	*Dieu.*
D. G.	*Dernière Gerbe.*
D. J.	*Le Dernier Jour d'un Condamné.*
E.	*L'Épée.*
F. A.	*Les Feuilles d'automne.*
F. M.	*La Forêt mouillée.*
F. S.	*La Fin de Satan.*
G. M.	*La Grand'Mère.*
H.	*Hernani.*
H. C.	*Histoire d'un Crime.*
H. I.	*Han d'Islande.*
H. Q. R.	*L'Homme qui rit.*

(1) « L'article *les* n'est pas indifférent... Je dis *Châtiments* et *les Contemplations.* » Victor Hugo, lettre à Noël Parfait, citée par M. LEVAILLANT, *Victor Hugo, Juliette Drouet et « Tristesse d'Olympio »,* p. 105, n. 25.

2

J.	*Les Jumeaux.*
L. B.	*Lucrèce Borgia.*
L. aux B.	*Lettres aux Bertin.*
L. F.	*Lettres à la Fiancée.*
L. Ph. m.	*Littérature et Philosophie mêlées.*
L. S., P. S., N. S.	*La Légende des Siècles, Première Série, Nouvelle Série.*
L. S., D. S.	*La Légende des Siècles, Dernière Série.*
M. F.	*La Muse française.*
M. F. R.	*Mille francs de récompense.*
M. I.	*Mangeront-ils?*
Mis.	*Les Misérables.*
M. L.	*Marion de Lorme.*
M. T.	*Marie Tudor.*
N. D. P.	*Notre-Dame de Paris.*
N. P.	*Napoléon-le-Petit.*
O.	*Odes.*
O. B.	*Odes et Ballades.*
Oc.	*Océan.*
Or.	*Les Orientales.*
P.	*Le Pape.*
Pa.	*Paris.*
P. S.	*La Pitié suprême.*
P. S. V.	*Post-Scriptum de ma Vie.*
Prom. Somn.	*Promontorium Somnii.*
Q. V. E.	*Les Quatre Vents de l'Esprit.*
Q. V. T.	*Quatrevingt-treize.*
R. A.	*Le Roi s'amuse.*
R. B.	*Ruy Blas.*
R. O.	*Les Rayons et les Ombres.*
R. R.	*Religions et Religion.*
Rel.	*Reliquat.*
Rh.	*Le Rhin.*
T.	*Torquemada.*
Tas.	*Tas de pierres.*
T. L.	*Toute la Lyre.*
T. M.	*Les Travailleurs de la mer.*
Th. J.	*Théâtre de Jeunesse.*
Th. lib.	*Théâtre en liberté.*
V., II.	*En voyage, t. II (France et Belgique, Alpes et Pyrénées, etc.).*
V. I.	*Les Voix intérieures.*
V. H. rac.	*Victor Hugo raconté par un témoin de sa vie.*
W. S.	*William Shakespeare.*

N. B. — J'ai, dans la toujours délicate typographie des titres, autant que possible respecté les majuscules et les minuscules de l'auteur lui-même.

Tous les textes sont cités d'après l'édition dite de l'Imprimerie Nationale, Ollendorff-Albin Michel éditeur, à l'exception de la *Correspondance*, dont le tome I vient seulement de paraître cette année (1948).

INTRODUCTION

> Shakespeare a ce maniement souverain
> de la réalité qui lui permet de se passer
> avec elle son caprice. Et ce caprice lui-
> même est une variété du vrai. Variété qu'il
> faut méditer. A quoi ressemble la destinée,
> si ce n'est à une fantaisie ? Rien de plus
> incohérent en apparence... C'est dans
> cette logique-là qu'est puisée la fantaisie
> du poète... A un pôle Lady Macbeth, à
> l'autre Titania.
>
> W. S., II, 1, 2, p. 110.

Rupture avec ce qui *grandit*.

Quand parurent en octobre 1865 *les Chansons des rues et des bois*, ce
fut un tolle général. On crut à un caprice de sexagénaire, et la critique
s'en débarrassa comme d'un scandale éphémère. Quoi! le mage s'abaissait
aux gambades dans la folle avoine, le proscrit s'oubliait à siffloter sur un
« pipeau de carnaval », comme dit d'Aurevilly ! C'en était trop pour les
critiques qui, surpris par le caractère inattendu de l'ouvrage, crièrent
au « tarte-à-la crème » et n'y virent qu'une passade, brillante ou exécrable.
Pontmartin, méprisant, constatait qu'après avoir duré six jours, *les Chansons* étaient réduites à « la carcasse d'un feu d'artifice (1) ». Montégut,
plutôt favorable, prenant au moins le poète au sérieux, protestait contre
ces censeurs qui attribuaient « ses nouvelles poésies à un accès de cette
sensualité maladive qui sévit quelquefois, aux approches de l'âge austère »,
mais parlait du « nuage » sous lequel son génie s'était peut-être trouvé
pendant qu'il écrivait ce livre (2). Ces deux images se rejoignent : qu'il
fût bon, qu'il fût mauvais, l'ouvrage se désignait à l'attention par sa
nouveauté promise à l'oubli.

Y a-t-il un *mystère des* Chansons ?

C'est une courte vue, qui manquait de perspective. L'animosité rend
parfois plus clairvoyant. Les deux seuls qui y comprirent quelque chose
comptaient parmi ses ennemis. Louis Veuillot, adversaire implacable,

(1) *Nouveaux Samedis*, décembre 1865, C. R. B., Historique, p. 478.
(2) *Revue des Deux Mondes*, 15 décembre 1865, *ibid.*, p. 468.

en flétrissant cette sincérité à la Diogène et ces chansons dignes des vieillards de Suzanne, apparentait dans son abomination *les Chansons* aux *Châtiments* (1). Il avait raison : les deux œuvres sont un déchaînement, une libération. Futur rival en longévité, Barbey d'Aurevilly, après avoir bafoué le « gigantesque trompette-major » travesti en « Tircis littéraire », dénonçait l' « inconséquence... de ceux qui ont admiré *les Contemplations* » et ne craignent pas « de cingler si fort un livre qui, évidemment, continue *les Contemplations! (2) ».

On a signalé — écrivait-il — dans le nouveau livre de M. Victor Hugo, comme des modèles de ridicule inattendu, des défauts qui n'avaient de nouveau que la critique qu'on en faisait. On a parlé pour la première fois, sans respect, de choses qui n'auraient dû étonner personne, tant elles font partie du genre de talent de M. Hugo, tant elles participent à la double essence de l'homme et de l'écrivain!

Par delà *les Contemplations*, rendant justice à la virtuosité de l'artiste parvenu à « la souveraineté absolue de l'instrumentiste sur son instrument », ce bilieux critique rattachait judicieusement *les Chansons* aux *Orientales*, aux *Djinns* et à *Sara la Baigneuse*, aux conquêtes du rythme et du caprice et retrouvait par là la continuité méconnue, l'unité d'inspiration du poète.

De nos jours, Bellessort, réfutant Montégut, l'a bien marqué : « *Les Chansons des rues et des bois* ne sont ni un caprice passager, ni le calcul d'une ambition littéraire qui prétend s'annexer un genre de plus (3)... Veuillot me paraît avoir vu beaucoup plus juste quand il a rapproché *les Chansons* des *Châtiments*. Les deux livres partent en effet du même tempérament, non pas grossier, mais ardent et que les années et la vie d'exil semblent avoir plus fortifié qu'assagi (4). »

Victor Hugo lui-même s'était rendu compte de ces parentés, de ces diverses familles qui se poursuivent dans son œuvre. En relisant la table des matières de sa *Légende des Siècles (Nouvelle Série)*, il y notait en 1876 cette remarque : « Dans mon œuvre, les livres se mêlent comme les arbres dans une forêt. Il y a des branches des *Châtiments* dans *les Feuilles d'automne* et des branches de *la Légende des Siècles* dans *les Orientales* et *les Burgraves* (5). » Il aurait pu ajouter qu'il y a des branches des *Chansons* dans *les Contemplations* et dans *la Légende*, comme dans *Toute la Lyre*, c'est-à-dire avant et après.

Cette continuité dans le caprice, que Barbey d'Aurevilly avait bien raison de ne pas limiter au poète, cette « double essence de l'homme et de l'écrivain », c'est la fantaisie de Victor Hugo.

Certes, je ne prétendrai pas à l'inverse qu'elle soit son seul profil.

(1) *Les Odeurs de Paris, ibid.*, p. 468.
(2) *Le Nain Jaune*, 15 novembre 1865, *ibid.*, p. 466.
(3) Émile Montégut avait écrit : « Le poète a obéi à un mouvement d'ambition excessive, et non pas à une émotion vulgaire des sens. Ce n'est pas pour le plaisir équivoque de promener son imagination sur des sujets chatouilleux, ni pour la satisfaction d'une fatuité rétrospective, qu'il a créé cette longue galerie de petits tableaux galants : c'est tout simplement parce qu'il ne faut pas qu'il y ait une seule corde de l'âme humaine que sa main n'ait fait résonner, depuis la plus haute jusqu'à la plus basse, depuis la plus éclatante jusqu'à la plus sourde, depuis la plus suave jusqu'à la plus criarde. » (Article cité.)
(4) Conférence du 20 mars 1929, *C. R. B.*, Historique, p. 481.
(5) *Toute la Lyre*, t. I, Historique, p. 469.

Ce serait aussi faux que d'en nier l'existence. Mais je citerai encore en témoignage cette intuition d'un autre critique du temps, André Lefèvre (1), qui, troublé par cette nouveauté, ne s'en délivrait pas aussi vite que les autres et y reconnaissait « l'empreinte et la volonté de Victor Hugo ». Il poursuivait : « Il n'y a pas à s'y tromper. Est-ce un défaut, est-ce une qualité? L'avenir en décidera. Notre génération est encore trop proche du poète et de l'écrivain pour le juger page à page. Il faut laisser le lointain se faire, et se dessiner l'ensemble de cette grande figure. »

Ce recul, nous l'avons. Cette perspective nous attend.

* *
*

Les quatre parties du Moi.

Victor Hugo le premier nous invite à ne pas simplifier sa complexe personnalité poétique. Une note de lui, bien romantique, éclaire ses diverses tendances, telles qu'il les reconnaissait dès avant l'exil.

Mon moi se décompose en

Olympio	la lyre,
Hermann	l'amour,
Maglia	le rire,
Hierro	le combat (2).

Donc, « *Maglia*, le rire ». Au risque de paraître impertinent, je reprendrai Hugo et corrigerai *rire* en *fantaisie*. S'il ne l'a pas fait, c'est qu'il voulait pour lui-même des figures de médaille, à l'emporte-pièce. Olympio-Eschyle, l'écho sonore au frémissement du monde ; Hermann l'amour, cavalier méditatif des *Contemplations*, et l'on se demande si Hugo n'aurait pu intervertir les rôles ; Hierro, le fer, c'est-à-dire, le combat, mot d'ordre et symbole de la bataille d'*Hernani* ; Maglia-Rabelais enfin, franche gaîté déployée. La sienne, au vrai, avait plus de mesure, mais non moins d'humeur spontanée.

Maglia est, on le sait, le personnage imaginaire auquel Hugo délègue les saillies et les bons mots, les coq-à-l'âne et les calembours, parfois les sentences, que lui souffle sa verve ou, pour le dire, sa fantaisie. Son nom apparaît en 1838 avec celui de César de Bazan dont il est le frère inséparable — don César-Maglia, écrit souvent Hugo — et le cortège des gueux philosophes (3). Synonyme de fantaisie, il hante le *Théâtre en liberté* et ses innombrables dérivés, et il pourrait être l'auteur des *Chansons des rues et des bois*. Si j'ai introduit cette étude par ce livre, ce n'est pas au hasard : il est au cœur du sujet, et de l'homme. « Il n'y a pas de livre, confiait Hugo à Claretie, où je me sois montré plus moi-même (4). » Mais ce n'est pas le seul où il se soit découvert, et là aussi c'est Hugo qui nous invite à trouver Maglia sur tous les chemins de son œuvre, s'il est vrai que le *moi*, comme il dit plaisamment, est « cette mauvaise herbe qui repousse toujours sous la plume de l'écrivain livré aux épanchements familiers (5) ».

Mon intention n'est pas de fixer ici le portrait de l'homme qui, on

(1) *L'Illustration*, 6 novembre 1865, C. R. B., Historique, p. 475.
(2) *Oc.*, p. 243.
(3) Voir Maria Ley-Deutsch, *le Gueux chez Victor Hugo.*
(4) *La Légende des Siècles*, nouvelle série, éd. Berret, t. III, Introduction, p. x.
(5) Préface du *Rhin*, janvier 1842.

l'espère, se dessinera à mesure, tel que le temps l'a pu modifier, dans les pages qui suivront. Je me contente de ce bref regard qu'Orphée au moment d'entrer dans l'enfer de l'exil jette en se retournant sur l'objet de ses soins, qui est sa propre image. Il me suffit d'y constater la place qu'il y fait à Maglia, côté souriant de sa nature, généreuse en tout et surtout dans la joie.

Un supplément de vie.

Nous sommes victimes d'une fausse perspective du temps lorsque, au seul nom de V. Hugo, nous nous représentons le grand-père à barbe blanche, vieux poète lauréat de la jeune Troisième République, discoureur officiel des Assemblées. C'est la même erreur qui fait de Boileau, en réalité le plus jeune des classiques, pour la génération de 1715 qui en fixa cette image, leur arbitre et comme leur aîné, parce qu'il était le seul à survivre à ses contemporains avec l'autorité particulière que confère l'âge, lorsqu'il est auréolé de gloire. La même illusion nous renvoie de Voltaire le cliché du vieillard d'*Irène* dans sa loge au Théâtre-Français.

Il faut se détourner de ce médaillon philatélique, pour revenir au portrait de Louis Boulanger, aux dessins d'Achille Devéria, sinon au buste de David d'Angers, aux images que nous en ont proposées des artistes, ses amis, qui le connaissaient bien. La barbe que le poète a laissée, sur ordonnance de son médecin, envahir son visage nous l'a aussi défiguré. Sous ce masque bonhomme qui lui attire un auditoire d'enfants et de sénateurs, son sang a continué de circuler, aussi impétueux que dans sa jeunesse, et le même en vérité.

Bellessort nous le dit : « ... même tempérament, non pas grossier, mais *ardent* et que les années et la vie d'exil semblent avoir plus fortifié qu'assagi ». C'était ce que nous appellerions familièrement *une nature*. Les témoignages de ses intimes en font une constante observation : ce qui frappait en lui, c'était l'ardeur juvénile de son tempérament, cet appétit de manger, de boire, de voir, d'entendre, d'aimer, de vivre en un mot le plus intensément possible et de saisir la vie à plein dans tous ses débordements. On conte qu'il mangeait le homard avec sa carapace et les oranges dans leur écorce. On l'imagine mordant, croquant à belles dents le fruit vert de sa vie. Cette image n'est pas une fantaisie : il y a de l'ogre et du faune dans ce visage large, au front moins vaste par proportion qu'il n'apparaît à première vue, un peu animal, aux yeux impérieux, à la bouche vorace. Tout ce qu'il faisait, sentait, pensait, voyait, c'était avec excès, comme s'il eût eu un surcroît de soi-même à épancher à tout propos et hors de propos. Sa nature disposait d'un véritable supplément de vie. Comme Chateaubriand, il aurait pu dire : « J'étais accablé d'une surabondance de vie. » Mais avec cette différence : loin d'en souffrir, il en jouissait profondément.

C'est de ce côté que se place sa fantaisie.

Qu'est-ce que la fantaisie ?

Il n'est pas facile d'appréhender cette notion, fuyante et fluide par nature, où la nuance est maîtresse, et qui au surplus est passée successivement par des sens voisins, mais distincts. C'est, assurément, un mot très vivant. Autant vouloir prendre une anguille avec les mains, quand

elle se coule d'un rocher, attraper le chardonneret qui vient de se poser
sur la plus haute branche, faire des avances à l'écureuil, arrêter ce clair
ruisseau où se glisse une truite, approcher par la prairie la jeune biche
qui vient y gambader le matin dans la brume ou saisir la fumée d'une ciga-
rette comme l'enfant qui tend les doigts vers elle et les referme sur le
vide. Il faut pourtant bien s'y essayer, mais c'est au risque d'en laisser
échapper le charme : la peau de l'anguille perd son brillant, dans la cage
l'oiseau oublie son chant, l'écureuil tourne monotone, le ruisseau s'ennuie
à mourir sans la truite qui l'a déserté et le faon s'apprivoise à moins
qu'il dépérisse. Tout ce qu'il y a d'ingénu, de sauvage, d'imprévu les
a quittés et ils sentent, dirait-on, la paille qui les attend après leur fin
prochaine. Cette fée que j'ai surprise, dansant au clair de lune dans la
clairière, j'ai bien peur qu'en l'approchant, je ne tienne plus entre mes
bras qu'une vieille femme fagotière, comme Pécopin Beauldour, une
fois jeté son talisman.

Imagination en liberté.

Voltaire nous donne un excellent point de départ : « Fantaisie signi-
fiait autrefois *l'imagination*, et on ne se servait guère de ce mot que pour
exprimer cette faculté de l'âme qui reçoit les objets sensibles (1). » C'est
la différence que les psychologues contemporains font entre l'imagination créatrice et l'imagination représentative. Il s'agit donc de la première,
de cette faculté inventrice d'images : c'est le sens étymologique. *L'imagination*, voilà donc l'élément de base de cette notion.

Mais le mot a évolué, constate Voltaire : « Fantaisie veut dire aujour-
d'hui un *désir singulier*, un *goût passager :* il a eu la fantaisie d'aller à la
Chine ; la fantaisie du jeu, du bal lui a passé. » Cette acception du mot
vit toujours : elle est même la plus fréquente dans l'usage courant. C'est
en ce sens que nous le trouvons sous la plume de Victor Hugo, au seuil
du volume de voyage de *France et Belgique :* « La fantaisie a tourné,
mon Adèle, je suis à Meulan... (2). » En effet, comme l'indique la suite
de la lettre, le voyageur se proposait d'aller à la Roche-Guyon, Montlhéry et Soissons : « ce sera pour une autre occasion ». Cette fantaisie
qui le conduit en Bretagne, tournant le dos à son projet, semble à vrai
dire influencée par les circonstances. Voici au contraire un emploi du
mot qui correspond mieux au « désir singulier » de Voltaire. Il prend
au poète la « fantaisie » d'aller se promener le soir, à Barfleur, sur le port.

Je ne réponds pas, écrit-il, qu'à neuf heures du soir, au moment de partir,
sur le port même, vous ne trouverez point en travers de votre fantaisie
Jocrisse maire de village, Jocrisse pacha enguirlandé d'un chiffon tricolore
qui, nonobstant passeports, visas et autres paperasses officielles, vous prendra,
selon le sexe, pour Madame la duchesse de Berry déguisée en homme ou
pour Robespierre travesti en femme, et, son gendarme au poing, en présence
d'une trentaine de pauvres serfs abrutis qu'il appelle ses administrés, vous
interdira quoi ? le droit d'aller vous promener (3).

(1) *Dictionnaire philosophique*, article *Fantaisie*.
(2) *V.*, II, p. 17, lettre du 23 juillet 1834.
(3) *Ibid.*, p. 65. Par une curieuse et significative contradiction, il y a de la *fantaisie* dans la caricature du bonhomme qui a eu l'outrecuidance de s'opposer à *une
fantaisie* du poète. Le libre citoyen berné par la loi prend sa revanche. Nous dirons
au paragraphe suivant que *les* fantaisies sont nées de *la* fantaisie. On voit ici que,
« la mère » venge « ses filles ».

L'exemple me paraît excellent pour permettre d'enrichir notre connaissance de la fantaisie. « Moins que _bizarrerie_ et que _caprice_ », dit Voltaire. Mais ce n'en est pas loin. C'est un désir qui sort de l'ordinaire et rencontre l'incompréhensive, mais inébranlable opposition de l'autorité. Il y a bien là de ce fait du caprice — celui de la chèvre qui gambade — et précisément dans la mesure où il se heurte à la loi sous l'une de ses innombrables formes. Il y a de l'arbitraire — qui se rattache à libre arbitre — c'est-à-dire un choix apparemment sans raison. On voit par là que la notion de fantaisie est inséparable de celle de _liberté._

Avant de continuer notre route, arrêtons-nous encore un peu, avec Voltaire, sur l'idée de _durée_, qui est importante. « Un goût passager », dit-il. Il insiste : « Avoir des fantaisies, c'est avoir des goûts extraordinaires, qui ne sont pas de durée. » Sinon, ces fantaisies, tournant à l'habitude, n'en seraient plus ou dégénéreraient en manies qui sont aussi une forme pervertie de l'habitude. Toutefois Voltaire reconnaît, en formulant de nouvelles réserves sur le sens, que ces désirs éphémères, possibles chez tout le monde, peuvent tenir à un caractère particulier. « Il y a encore des nuances entre avoir des fantaisies et être fantasque : le fantasque approche beaucoup du bizarre. Le mot désigne un caractère inégal et brusque. L'idée d'agrément est exclue du mot _fantasque_, tandis qu'il y a des fantaisies agréables. » C'est dire qu'il peut y avoir une certaine disposition aux fantaisies, un élément de constance : le fantasque est celui qui par nature est disposé à se livrer aux caprices d'un moment. Cette constance, où la voir sinon au plus profond de l'être même, dans l'inconscient, dont les « fantaisies » ne sont que les affleurements discontinus ? Ainsi d'une rocaille sous-marine ne saisit-on que les écueils : elle n'en existe pas moins. Ces fantaisies sont des manifestations de _la fantaisie._

Ce détour, pour nous avoir apparemment égarés dans ces sous-bois psychologiques, n'aura pas été inutile : tout en maintenant l'aspect inattendu d'une fantaisie, il l'explique par une disposition qui peut être marquée de façon permanente dans le tempérament de certains individus, sinon de tous.

En marge et au delà du réel.

Contre quoi donc une fantaisie peut-elle être une manifestation de liberté, une manière de rébellion ? Là encore suivons Voltaire. « Un peintre, dit-il, fait un portrait de fantaisie qui n'est d'après aucun modèle. » C'est dire qu'il est de pure imagination — nous retrouvons notre élément de base — et qu'il s'écarte du réel. Cette liberté est celle que l'esprit prend de résister à toute autorité, qu'elle vienne du monde sensible — le portrait imaginaire — ou de la société figurée dans le cas du poète par le gendarme de Barfleur. C'est une loi de la cité ou de la raison que la fantaisie heurte et à qui, si l'on peut ainsi parler, elle fait la grimace. Par défi volontaire ou non, la fantaisie sort gaillardement du commun et de l'ordinaire.

Victor Hugo connaît bien cette valeur du mot. Ainsi dit-il de l'Hôtel de Ville de Bruxelles, « comparable à la flèche de Chartres », qu'il est « une éblouissante fantaisie de poète tombée de la tête d'un architecte (1) ».

(1) _V._, II, p. 86, Bruxelles, 17 août 1837.

Avisant du côté d'Anvers la dernière conquête de l'homme, le chemin
de fer, il est saisi par la puissance qui s'en dégage. Mais il déplore aussitôt
que la réalité déçoive les promesses de l'imagination, et la vue les suggestions de l'ouïe : « A l'entendre, c'est un monstre, à le voir, ce n'est qu'une
machine. Voilà la triste infirmité de notre temps ; l'utile tout sec, jamais
le beau (1). » Le cas est intéressant et assez instructif pour qu'on prenne
la peine de lire la suite.

Quelle chimère magnifique nos pères eussent fait avec ce que nous appelons chaudière ! Te figures-tu cela (2) ? De cette chaudière, ils eussent fait
un ventre écaillé et monstrueux, une carapace énorme ; de la cheminée une
corne fumante ou un long cou portant une gueule pleine de braise ; ils eussent
caché les roues sous d'immenses nageoires ou sous de grandes ailes tombantes ;
les wagons eussent eu aussi cent formes fantastiques, et, le soir, on eût vu
passer près des villes tantôt une colossale gargouille aux ailes déployées,
tantôt un dragon vomissant le feu, tantôt un éléphant la trompe haute, haletant et rugissant ; effarés, ardents, fumants, formidables, traînant après eux
comme des proies cent autres monstres enchaînés, et traversant les plaines
avec la vitesse, le bruit et la figure de la foudre. C'eût été grand.

Malheureusement pour le poète, il n'en est rien. « Mais nous, constate-t-il, nous sommes de bons marchands bien bêtes et bien fiers de notre
bêtise. Nous ne comprenons ni l'art, ni la nature, ni l'intelligence, *ni
la fantaisie*, ni la beauté, et ce que nous ne comprenons pas, nous le
déclarons inutile du haut de notre petitesse. » On le voit, dans l'apologie
de cette « fantaisie » il y a la réaction contre le matérialisme bourgeois
de son époque et le procès de toute une génération et de sa conception
de la vie. Il y avait de cette fantaisie, poussée à l'excès, chez les Jeune-
France, il y en eut chez les indépendants du Romantisme qui, comme
Gautier, rebutés par les ambitions publiques de cette école et ses visées
d'utilité, fût-ce sociale, s'en détournent dès 1830 pour s'adonner à des
inventions gratuites destinées dans leur pensée à sauver l'art de toute
contagion en le mettant à la chambre de l'imagination.

Ainsi, telle que nous la voyons dans l'exemple du dragon ferroviaire,
la fantaisie ne perd pas tout contact avec le réel : elle consiste à se ménager
un écart suffisant pour le transformer. Cette valeur rejoint un sens forcé
qu'on prête souvent au mot dans l'usage courant : c'est de la fantaisie,
dit-on pour signifier que c'est le contraire de la vérité. Une « traduction
fantaisiste » veut dire une traduction qui se méprend sur le sens du texte
et même le méprise assez pour suivre la première piste offerte par une
imagination vagabonde. On reprendra un témoin pour la « version fantaisiste » qu'il présente d'un événement, ce qui signifie que sa relation
est brodée, modifiée, détournée par l'imagination de l'interprétation
fidèle des faits, c'est-à-dire de la réalité.

Si je m'arrête un moment à cette nuance, c'est qu'on pourrait l'appliquer parfois à Victor Hugo. J'ai été surpris, un jour que j'entretenais
quelqu'un de ce sujet, que le mot lui évoquât plutôt que *la Fête chez
Thérèse* une pièce des *Rayons et les Ombres* qui s'intitule *A M. le D.
de***** (3) et commence par ce vers :

Jules, votre château, tour vieille et maison neuve,...

(1) *Ibid.*, p. 93 sq., Anvers, 22 août 1837.
(2) La lettre est adressée à Adèle Hugo.
(3) *R. O.*, VIII.

N'ayant pas trouvé l'original de la description, il l'attribuait à une étrange combinaison du duc d'Orléans et d'un gentilhomme obscur, du château d'Amboise et d'un manoir plus humble, mais plus familier au poète et d'ailleurs jusqu'ici inconnu. Il voyait donc dans « fantaisie » une manière de mystification innocente, un remaniement du réel, obtenu en mêlant des images étrangères les unes aux autres, combinaison quasi frauduleuse destinée à donner le change. Il y a peut-être de cette fantaisie dans l'œuvre de Hugo. Mais elle me semble d'un dessein moins machiavélique. La véritable fantaisie me paraît plutôt suivre une humeur qu'obéir à une préméditation. A ce jeu, elle y perdrait son nom.

Toutefois, il est bon de considérer un sens-limite (1). Comme une caricature éclaire parfois l'essentiel d'un visage, cette exagération souligne les traits caractéristiques du concept. Sans parler de l'épitaphe du chevalier décapité (2) démentie par Barrès et de plus d'un « duc Jules », il y a du mensonge dans la fantaisie, à la manière que Platon en trouvait dans la poésie. Faire parler bêtes, oiseaux et végétaux, donner un uniforme galonné à la guêpe, c'est bien trahir la vérité, au moins la vérité admise, c'est interpréter largement la réalité et lui prêter une intention de signification excessive. Découvrir un commerce amoureux dans les jeux de l'abeille butinant la fleur — une lettre changée fait « lutinant » — c'est laisser à l'imagination la liberté d'interpréter à sa mode les chansons sans paroles qui lui sont soumises. Voir dans un parc, « fêtes galantes », se promener les amants du temps passé, c'est en un sens encore mentir en se livrant au rêve du passé et en se complaisant à le prendre apparemment pour réalité. La part du mensonge dans la fantaisie, c'est devant une image de se donner la liberté de changer la légende et pour une chanson de confier à l'imagination le soin de trouver les paroles. Paroles et légende qui trahissent le sens ordinaire accordé à l'image ou à la chanson qu'elles sont chargées de commenter et d'expliquer. Voilà la part de tromperie. La fantaisie en comporte plus ou moins, suivant qu'elle dérive plus ou moins d'un parti pris, c'est-à-dire qu'elle est réfléchie ou spontanée. C'est une distinction sur laquelle on aura l'occasion de revenir. La véritable fantaisie en est marquée au minimum : elle ne tromperait que les innocents.

L'essentiel de la fantaisie consiste donc, nous y voici arrivés, dans l'imagination en liberté, jouant en marge du réel, c'est-à-dire, des règles de la logique et de l'usage (3).

Quand je dis que la fantaisie s'écarte du réel ou, plus prudemment, qu'elle est en marge du réel, il ne faudrait pas me faire dire plus que je ne veux : que le poète part de la réalité avec l'intention de la nier et tourne délibérément le dos à la logique pour aboutir, par réaction, à la fantaisie. Il peut en être ainsi, mais il n'y a pas là, et moins qu'ailleurs, de règle

(1) Il arrive que Hugo emploie le mot dans ce sens : « C'est une gracieuse fantaisie de la tradition que celle qui attache cette belle dame (la duchesse de Longueville) au bout d'une échelle de corde à toutes les jolies fenêtres de la Renaissance. » (*V.*, II, p. 36.) Aussi éprouve-t-il le besoin de le corriger par l'adjonction de l'épithète.

(2) *Rh.*, XX, p. 169.

(3) Elle répugne si fort à toute règle, qu'elle ne s'astreint à aucune limitation. Une « fantaisie » en musique est une composition qui ne répond à aucun genre précis, ni sonate, ni concerto, ni symphonie. Ainsi s'exerce-t-elle aussi bien dans une comédie, une chanson ou une pièce de vers, le récit d'un voyage ou un roman.

générale ni de comportement unique : autant de poètes, autant de tempéraments, autant de fantaisies. Souvent le poète, comme l'enfant, vit dans un monde d'imagination et de fantaisie et n'a pas toujours, ni ne cherche à avoir une conscience claire du mouvement de son génie. Fantasio, qui lui doit son nom, se désespère de ne pouvoir sauter d'un balcon sans se casser probablement une jambe et regrette que deux plus trois ne donnent pas de temps en temps six. A la nostalgie de Fantasio pour un monde débarrassé de ses lois physiques et mathématiques répond la belle ignorance de Pécopin, insoucieux du vide où le sultan le pousse. Musset avec Fantasio est peut-être plus délibéré et plus raffiné dans sa fantaisie, Hugo *a priori* plus naturel et plus spontané. Encore ne peut-on prendre le dernier tout d'une pièce et a-t-il évolué en cela comme dans le reste. C'est cette évolution qui fait précisément l'objet de cette étude.

Du moins ces fantaisies ont-elles un commun dénominateur : c'est la nouveauté. Ce monde dégagé qu'elles livrent au poète, nous le reconnaissons, c'est le monde de l'enfant, c'est le monde du rêve, qui, s'il a ses lois, ne connaît pas toutes les nôtres. Cet enfant que je vois de ma fenêtre, en culottes courtes, balançant d'une main l'étui de son violon, et agitant l'autre avec une frénésie gratuite en sautillant sur les pelouses interdites du jardin public, musant une chanson intérieure dont personne que lui ne perçoit les inflexions, il est assurément dans son monde et personne ne le remarque. Qui ne voit qu'un homme au contraire ne pourrait se donner cette fantaisie sans attirer aussitôt l'attention ? Ce dernier avance là-bas, dans la rue, le long du même parc, par cet enchaînement sans fin de chutes évitées qu'on appelle la marche. Que, au lieu de poser un pied devant l'autre, il se mette à esquisser des pointes, tout le monde le croirait fou, et bien davantage s'il s'était par surcroît déguisé ; ou plutôt on chercherait à son comportement un sens que ne trouvant pas, on déclarerait folie cette tromperie de nos habitudes. « Deux choses contraires — dit La Bruyère — nous préviennent également : l'habitude et la nouveauté (1). »

Le poète, dans sa fantaisie, porte sur le monde qui l'entoure un regard dépouillé de l'habitude. Il retrouve le regard neuf de l'enfant, sur un monde qui ne le déçoit pas encore. Inlassablement Hugo feuillette, selon son mot favori, « le livre de la nature », qui n'a pas fini de l'émerveiller. Cette nouveauté est inséparable de toute fantaisie, qui est rupture volontaire ou spontanée de l'habitude.

Inversement, Hugo pouvait noter l'emprise du rêve sur nous et sa place dans notre vie quotidienne. Dans un texte capital, au titre significatif, *Promontorium Somnii* (2), écrit vers 1864, et qui est le manifeste après coup et comme la *Préface de Cromwell a posteriori* de son œuvre de fantaisie, Victor Hugo raconte la révélation qu'il eut en 1834 à l'Observatoire. Arago l'avait invité un soir d'été à venir contempler avec lui la lune. Au premier abord, fort désappointé, il n'aperçut qu'un « trou dans l'obscur ». « Puis la visibilité augmenta, on ne sait quelles arborescences se ramifièrent, il se fit des compartiments dans cette lividité, le pâle à côté du noir, de vagues fils insaisissables marquèrent dans ce que j'avais

---

(1) *Caractères, Des Jugements.*
(2) *William Shakespeare*, Reliquat, p. 297 sq. C'est le nom d'un des volcans que la lunette d'Arago lui découvre : le « Promontoire des Songes ».

sous les yeux des régions et des zones comme si l'on voyait des frontières dans un rêve (1). » Il voyait « l'inexplicable ». Alors, il comprit.

Nous passons notre vie à avoir besoin de révélations. Il nous faut à chaque instant la secousse du réel. Le saisissement que la lune est un monde n'est pas l'impression habituelle que nous donne cette chose ronde inégalement éclairée paraissant et disparaissant à notre horizon. L'esprit, même l'esprit du songeur, a des habitudes ; quant au bourgeois, il a des centons dans la mémoire, *la reine des nuits*, *la pâle courrière*, la lune des romances. Le clair de lune n'évoque pour le peuple qu'Arlequin et Pierrot.

N'est-ce pas rendre hommage à la fantaisie, reconnaître son empire et constater que le monde où nous vivons ne lui échappe pas même tout entier ? L'éloignement et l'ignorance suppléent à notre défaut d'invention. L'image que forme le poète ou l'imagination populaire s'impose peu à peu à nos yeux à l'égal de la réalité et en sa place ; elle nous montre comme nous vivons éloignés du réel, au moment même où nous nous en croyons le plus près. Trente ans plus tard, Hugo garde dans l'esprit, aussi précise et prestigieuse qu'au premier jour, cette vision, « un de mes profonds souvenirs » : « pas de plus mystérieux spectacle que cette irruption de l'aube dans un univers couvert d'obscurité ». Où est la véritable réalité ? Hugo pour sa part n'en doute plus. Elle n'est pas plus dans la science que dans les commodités simplifiées de notre monde quotidien. « Les poètes ont créé une lune métaphorique et les savants une lune algébrique. La lune réelle est entre les deux. » C'est le monde révélé par la contemplation magique (2).

Ce monde révélé, cet univers que l'enfant, l'homme qui rêve et l'homme qui observe avec des yeux nouveaux ont en patrimoine commun appartient donc aussi au poète. « Ce Promontoire du Songe, dont nous venons de parler, il est dans Shakespeare, il est dans tous les grands poëtes. Dans le monde mystérieux de l'art, comme dans cette lune où notre regard abordait tout à l'heure, il y a la cime du rêve (3). » Hugo voit l'échelle de Jacob appuyée à cette cime. Au pied de l'échelle, le poëte, « ce dormeur qui a les yeux de l'âme ouverts ». En haut, le firmament, c'est-à-dire,

(1) *Ibid.*, p. 298.
(2) Sans préjuger de ce que nous pourrons conclure au retour de notre voyage « au pays de fantaisie », comme répète après Montaigne Hugo, retenons dès à présent son opinion sur la réalité de « ce monde imaginaire ».
« Tout songeur a en lui ce monde imaginaire » (302). Le poète n'est pas le seul. « L'homme a besoin du rêve », affirme Hugo à deux reprises (316, 325). « De là dans la poésie une sorte de monde à part. C'est le monde qui n'est pas et qui est. Niez donc la réalité de Caliban. Contestez donc l'existence du Petit Poucet. Tâchez donc, à moins que vous ne soyez Boileau en personne, le vrai Boileau, Nicolas, fils de Gilles, tâchez donc de ne pas vous intéresser à *l'Homme sans Ombre*. Dites à Titania : Tu n'es pas ! Si vous lui donnez un soufflet, elle vous le rendra. C'est vous, bourgeois, qui n'êtes pas ! » (302). Sans insister sur ce que ce morceau de bravoure a de délibérément agressif — Hugo, même sérieux, ne résiste pas à sa verve et s'en amuse — *ce monde qui n'est pas et qui est*, c'est-à-dire qui est fait d'une réalité transcendante à celle des phénomènes (des apparences) ouvre, on ne peut pas ne pas le remarquer, une large voie à la poésie moderne, qui a bénéficié, sans s'en douter, de cette paternité. Hugo a prévu le *surréalisme* auquel il donnait un nom peu différent : « Le poète complet, écrit-il, se compose de ces trois visions : Humanité, Nature, *Surnaturalisme*. Pour l'Humanité et la Nature, la Vision est observation ; *pour le Surnaturalisme, la Vision est intuition.* » (309.) Il s'agit bien dans son esprit, influencé par des théories qui se réclament plus ou moins de l'illuminisme, d'une réalité supérieure ou transcendante, c'est-à-dire d'une *surréalité.*
(3) *Ibid.*, p. 302.

l'idéal. Entre les deux, les créations du poète *gravissent* cette échelle mystique, « formes blanches ou ténébreuses », émises par le cerveau créateur et aspirées par l'idéal, non pas vraiment la propriété de l'un ou de l'autre, mais les manifestations de cet itinéraire à double sens qui est la contemplation d'un monde supérieur par une imagination libérée des liens du réel tel que l'entendent les « charnels (1) », à la fois science et réalité.

« *Fantastique riant.* »

C'est ici que se divise la route suivie par l'imagination en liberté. Hugo devait y venir. Déjà « formes blanches ou ténébreuses » présumaient de cette divergence et, comme dans le poème de *Booz*, l'échelle de Jacob à laquelle songe le poète se mue insensiblement en un chêne aux deux maîtresses branches. L'enfant a ses fées et ses épouvantails, le dormeur des cauchemars ou des rêves gracieux, peuplés d'aimables grotesques.

Cette cime du Rêve est un des sommets qui dominent l'horizon de l'art. Toute une poésie singulière et spéciale en découle. D'un côté le fantastique ; de l'autre le fantasque, qui n'est autre chose que le fantastique riant.

Pareille déclaration est une aubaine inespérée. Quand, après de longues promenades dans la forêt hugolienne, je l'ai rencontrée au détour de ce taillis perdu, je n'ai pu réprimer, je l'avoue, un mouvement de joie et de triomphe, et j'en ai éprouvé un immense encouragement à poursuivre mon chemin. Ainsi Hugo a lui-même considéré la difficulté et reconnu la différence. Une telle distinction, exprimée par l'auteur, fait autorité pour son œuvre. Voltaire l'avait pressenti — « il y a des fantaisies agréables » — quiconque étudie les questions de cet ordre y est nécessairement conduit, il fallait que Hugo en convînt. Qu'il l'ait prévu indique au surplus qu'il a réfléchi au problème, qu'il en a pris conscience. Outre que cette prise de position adoptée sur le sujet par l'auteur lui-même entraîne comme corollaire la question subsidiaire de savoir si la fantaisie de Hugo procède d'un mouvement spontané, d'un effet étudié de son art ou d'une combinaison des deux, question qui se trouvera fatalement au premier plan de nos préoccupations et inséparable de cette étude, une opinion aussi nette montre la place que Victor Hugo, parvenu à l'âge mur, a accordée, aussi bien pour lui-même que pour les autres, à ce *monde imaginaire* que « tout songeur a en lui (2) ».

En effet, si Hugo, par goût de la symétrie, a opposé au fantastique le fantasque — terme que Voltaire assimilait à *bizarre*, lunatique, proche de la folie — il n'est pas douteux qu'il entende par là ce que j'appelle fantaisie. Lui-même, insistant sur cette « séparation des genres », la reprend en prononçant le mot. « Ce que les pédants nomment caprice, les imbéciles déraison, les ignorants hallucination, ce qui s'appelait jadis fureur

---

(1) Cf. *V. I.*, XV, *la Vache* :
    Ainsi, tous à la fois, mystiques et charnels,
    Cherchant l'ombre et le lait sous tes flancs éternels,
    Nous sommes là, savants, poètes, pêle-mêle,
    Pendus de toute part à ta forte mamelle.

(2) *Prom. Somn.*, p. 302.

sacrée, *ce qui s'appelle aujourd'hui, selon que c'est l'un ou l'autre versant du rêve, mélancolie ou fantaisie,*... est nécessaire à la vie profonde de l'art (1). »
Cette fois, en revanche, le terme de mélancolie paraît moins juste et moins heureux (2). Mais la pensée de Victor Hugo n'est pas douteuse : bien que ces deux jumeaux se nourrissent à la même mamelle, ils gardent chacun en soi un esprit distinct. Même domaine : le rêve. Mais le principe est différent : le fantastique a pour principe le mystère et l'épouvante, la fantaisie a pour principe la grâce et la joie. Tout est sombre dans l'un, tout est clair dans l'autre : « formes blanches ou ténébreuses ». Tout sourit ici, là tout effraie. On le devine pourtant, dans un génie aussi entier que celui de Victor Hugo, la distinction n'est pas toujours aussi nette qu'il la pose en théorie. Il y a des nuances et parfois il sera malaisé de séparer les deux tons. L'essentiel est que cette différence ne vient pas de nous, mais du poète lui-même. Même si elle est contestable et un peu grosse, elle vaut pour lui.

Au surplus, s'il était nécessaire, Hugo a fourni toute une série d'exemples au service de cette analyse. Ces trente grandes pages fourmillent de trésors inexplorés, d'aperçus nouveaux et profonds, d'éclairs abandonnés. Comme s'il avait trop de richesses, son esprit les a jetées là, pêle-mêle, dans cette caverne de Simbad, presque insoucieux de les exploiter. Il entraîne magistralement dans la révolution onirique Shakespeare, Milton, Cervantès, saint Jean, Rabelais, Watteau, Catulle, le maréchal de Saxe et le czar Pierre III, Titania et Bottom, Ariel à côté de Voltaire, que sais-je encore ? Il embrasse dans l'orbe de la fantaisie la mythologie retrouvée, le « chimérisme gothique », les pastorales de Longus ou Lancret, le royaume microscopique des fleurs, des mousses et des insectes, tout un monde charmant et mêlé, où « l'écureuil, menuisier de la reine Mab, cause avec le ciron, carrossier des fées » et où les nymphes se rencontrent avec les lutins dans la danse d'Eros.

Ces exemples si divers et si riches trouveront place en leur temps. Ils surchargeraient inutilement cette définition qui nous a conduits à explorer le beau domaine inconnu. Je me contenterai de citer à l'appui de cette distinction une page écrite par Victor Hugo en 1840, lors de son second voyage au Rhin, dans un de ces albums à dessin qu'il portait toujours avec lui. Il y décrit la Forêt-Noire, ou plutôt les deux images que son imagination s'en est successivement formées. Le texte est long sans doute, mais il achèvera de dissiper les doutes, s'il en restait, et son inédite beauté mêlée à tant de lucidité me fera pardonner, je l'espère, de le citer ici.

Lorsque j'étais enfant, ce mot, *Forêt-Noire*, éveillait dans mon esprit une de ces idées complètes comme l'enfance les aime. Je me figurais une forêt prodigieuse, impénétrable, effrayante, une futaie pleine de ténèbres avec des profondeurs brumeuses, des sentiers étroits cheminant à travers une herbe épaisse peuplée de reptiles invisibles, sous des arbres géants ; partout des racines tortueuses sortant à demi de terre comme des poignées de serpents ; de sinistres branchages épineux, des fouillis de sarments hideux se

---

(1) *Ibid.*, p. 309. C'est nous qui soulignons.
(2) Peut-être était-ce un souvenir de la terminologie en honneur dans les années 1820, quand Charles Nodier parlait de « l'école mélancolique dont Gœthe est le chef » (*les Débats*, 19 avril 1817, cité par R. BRAY, *Chronologie du Romantisme*, p. 25).

découpant comme des filets d'encre sur le ciel livide et y traçant çà et là l'inextricable paraphe du démon ; des silhouettes immobiles de chats-huants perchées dans ces réseaux noirs ; des yeux de braise flambant dans l'ombre comme des trous au mur de l'enfer ; tantôt forêt lugubre d'Albert Dürer, tantôt forêt sinistre de Salvator Rosa ; tantôt des bruits affreux, tantôt un silence horrible ; les râles des chouettes, les huées des hiboux ou la morne taciturnité du sépulcre ; le jour, une vague lueur ; la nuit, une obscurité effroyable, avec quelques étoiles, pareilles à des prunelles effarées, dans les intervalles des arbres ou un blanc rayon de pleine lune au bout des branches (1).

C'était une vision à faire peur : voilà ce que j'appelle « fantastique ». C'est si noir et crépusculaire que les brumes empêchent de discerner les détails et de reconnaître les êtres vivants, animaux ou végétaux, dont la vision précise dissiperait aussitôt le fantôme : ce vague est nécessaire au mystère. Aussi Hugo ajoute-t-il avec une superbe véridique : « Du reste les arbres de cette forêt de mes rêves n'étaient ni des sapins, ni des ormes, ni des chênes ; c'étaient des arbres. »

Plus tard, continue-t-il, *quand un peu plus de vie réelle commença à pénétrer dans mon imagination et à s'y mêler aux fantômes* (2), ce ne fut plus la Forêt-Noire, ce fut la Forêt-Sombre. Elle était bien encore formidable et lugubre par endroits, mais un fantastique rayon de soleil y tombait dans des clairières profondes entrevues à travers une colonnade d'énormes troncs d'arbres. Dans ces clairières paissaient des troupeaux frissonnants de biches et de daims, et de petits ruisseaux d'argent, où les fées venaient la nuit laver leurs pieds nus, y coulaient sur un joyeux gazon vert. Les arbres avaient pris un feuillage distinct, et étaient devenus des chênes immenses. Sous les branchages qui avaient encore je ne sais quoi de surnaturel, erraient des figures, des visions, des apparitions tantôt charmantes, tantôt redoutables. C'étaient la duchesse Ottilia, ou l'abbesse Margaretha, ou le sévère Hermann Ier, rhingrave de Freiburg au onzième siècle, marchant gravement, le casque en tête, avec sa longue barbe, vêtu d'une robe blanche et d'un scapulaire noir, un bâton dans une main, un livre dans l'autre, ou l'antique Berthold, landgrave du Brisgau, duc de Souabe, marquis de Vérone et de Bade, entièrement habillé de fer et secouant un lion sur sa bannière, ou le jeune margrave Jacob passant sous les futaies avec son morion ducal d'où sortaient deux cornes de cerf, ou le Freischutz avec ses spectres, ou Schinderhannes avec ses bandits.

Voilà qui est plus près de la fantaisie, si elle n'est pas toujours pure. Hugo s'en aperçoit bien : « C'était encore — achève-t-il — comme vous voyez, une Forêt-Noire fort peu habitable. Cependant j'y voyais des bûcherons et j'y entendais le bruit des cognées. Cette seconde Forêt-Noire de mes rêves était évidemment située sur un plateau de l'enfer moins éloigné du ciel que la première. » Sans doute ce n'est pas le paradis de la fantaisie pure : il est encore hanté de spectres, mais le gazon y est *joyeux* et reçoit la visite des fées. Tout s'apprivoise, même les biches timides. La nature est prête à sourire. Mais les visions de l'histoire le retiennent encore à cette fantaisie laborieuse qui est celle des *Ballades*.

Encore un peu de temps, la vraie fantaisie, spontanée, se fera jour. Qu'il s'y rende, en Forêt-Noire, que le soleil disperse les dernières

(1) Bibliothèque Nationale, Fonds Victor Hugo, album n° 3. Cité *in V.*, II, p. 469-470.
(2) Phrase soulignée par moi : elle montre bien l'importance des voyages et du contact avec la réalité dans la fantaisie de Victor Hugo et cet enrichissement réciproque de l'imagination et de l'observation que nous étudierons en particulier dans la IIe partie, Ire section, notamment chap. I et II.

brumes éperdument accrochées aux branches des arbres serrés, alors la fantaisie trouvera sans effort son royaume. Il découvrira cette Forêt-Noire infiniment plus riante que son nom ne le laisse à penser, où il se promènera à l'aventure de son émerveillement en suivant les méandres de ces vertes vallées où la route borde de clairs ruisseaux caillouteux dont la vue rafraîchit et transporte : Gegenbach, Biberach, Haslach, noms de villages dont la révélation balaiera, comme naguère pour nous, la légende d'épouvante qui n'appartient qu'à la nuit.

Alors, la fantaisie apparaît ce qu'elle est, l'imagination en liberté qui se porte du côté du riant, le sourire de l'imagination laissée à elle-même, ou selon la brillante et poétique intuition de Nodier, qui fut l'un des premiers maîtres de fantaisie de Victor Hugo :

O fantaisie!... mère des fables riantes, des génies et des fées! enchanteresse aux brillants mensonges, toi qui te balances d'un pied léger sur les créneaux des vieilles tours, et qui t'égares au clair de la lune avec ton cortège d'illusions dans les domaines immenses de l'inconnu; toi qui laisses tomber en passant tant de délicieuses rêveries sur les veillées du village et qui entoures d'apparitions charmantes la couche virginale des jeunes filles... (1).

Une telle fantaisie ne manque pas d'artifice. Comme il y a des fleurs cultivées — en serre ou à l'air libre — les mêmes existent à l'état sauvage. « Qu'est-ce, demande Hugo, que *la Tempête, Troïlus et Cressida, les Gentilshommes de Vérone, les Commères de Windsor, le Songe d'été, le Songe d'hiver?* » Il répond : « c'est la fantaisie, c'est l'arabesque. L'arabesque dans l'art est le même phénomène que la végétation dans la nature. L'arabesque pousse, croît, se noue, s'exfolie, se multiplie, verdit, fleurit, s'embranche à tous les rêves (2) ». A aucun âge de la vie de l'homme la fantaisie n'apparaît aussi naturelle et spontanée que dans l'enfance et la prime jeunesse dont elle est la fleur. Cette enfance, le poète la prolonge et la féconde. Il en retrouve parfois le pouvoir d'étonnement en de rares circonstances privilégiées, lorsque le dépaysement du voyage ou les surprises de l'amour lui rendent des regards neufs. On s'aperçoit alors que V. Hugo n'a peut-être jamais aussi simplement et pleinement défini sa fantaisie que lorsqu'il exaltait « l'imagination ailée, opulente et joyeuse d'un homme à pied (3) ».

(1) *La Fée aux Miettes, Contes fantastiques,* éd. Larousse, p. 51.
(2) *W. S.,* II, 1, 2, p. 110.
(3) *Rh.,* XX, p. 154. Il est évident que cette définition ne saurait être exhaustive : comme le portrait même du poète, et parallèlement, elle se poursuivra en chemin et ne sera complète qu'à la fin de ce livre, dans la conclusion.

PREMIÈRE PARTIE

RECHERCHE

> Continuer à être étonné ; continuer à
> être neuf et jusqu'au bout devant ce qui
> est neuf. Ne pas céder à l'habitude, qui
> est usure et usure progressive... Il faudrait
> que l'homme ajoutât à l'enfant sans se dé-
> prendre de lui, que l'enfant subsistât au
> dedans de l'homme, qu'il fût une base où
> construire par adjonctions successives,
> mais qui ne la détruiraient pas comme il
> arrive. Il ne faut pas être seulement un
> primitif, mais il faut être *aussi* un primitif.
> Rester « premier » en présence des choses
> premières ; élémentaire devant l'élémen-
> taire... livré comme l'enfant totalement
> à l'extérieur ; mais avec ce retour à soi-
> même que n'a pas l'enfant, et vers un
> intérieur où on recueille, où on ordonne.
>
> RAMUZ, *Journal* (1939-1942), Lausanne,
> Mermod, 1943, p. 388.

Première Section

« AVANT MA NAISSANCE »
1802-1822

« La vie de l'homme, a écrit Pascal, est misérablement courte. On la compte depuis la première entrée au monde ; pour moi, je ne voudrais la compter que depuis la naissance de la raison,... ce qui n'arrive pas ordinairement avant vingt ans. Devant ce terme, l'on est enfant, et un enfant n'est pas un homme (1). » Peut-être Hugo se souvint-il de ces lignes ou retrouva-t-il leur esprit, lorsqu'il écrivit sur la première page du dernier et meilleur cahier de ses essais de jeunesse ce titre : *les Bêtises que je faisais avant ma naissance* (2). Ce jugement s'accompagnait d'un dessin représentant un œuf « dans lequel on voit quelque chose d'informe et d'horrible, au bas de quoi il y a : *oiseau* (3) ». De ce trait de plume, il condamnait ces œuvres à ne concerner que la seule curiosité de ceux « que la formation de l'oiseau intéresse et qui y voient déjà le commencement du vol (4) », voulant marquer par là que sa vie littéraire s'ouvrait une fois ce cahier fermé. Si l'on prêtait à ce verdict du poète sur lui-même force de testament, on se détournerait d'abord de ses vingt premières années.

---

(1) *Pascal ou l'auteur du Discours sur les passions de l'amour*, op. 11, éd. Brunschvicg Minor, p. 124.
(2) Cf. dans le même sens, *Mon enfance*, O., V, 9 :
         J'errai, je parcourus la terre *avant la vie*...

(3) *V. H. rac.*, chap. xxviii. Il faut s'entendre une fois sur la valeur de ce livre. Biré, Séché n'ont pas eu de peine à y relever des erreurs involontaires ou non. Paul Berret fait la part des souvenirs racontés ou écrits par le père de V. Hugo et des anecdotes personnelles qui sont demeurées dans la mémoire de l'enfant. Pour nous, ce qui nous y intéresse, c'est ce que V. Hugo a voulu que l'on crût de lui. Par là, en dépit de ses inexactitudes et parfois à cause d'elles, il demeure un document précieux pour cette étude.
(4) *Ibid.*

I

NÉ DE LA MER ET DE LA MONTAGNE
(1802)

« *Enfantillages héraldiques et filiations de famille.* »

Pourtant, on se refuse rarement au plaisir assuré de découvrir *a posteriori* dans l'enfance d'un grand homme des prémonitions singulières. C'est même une règle, depuis Taine, peut-être arbitraire, de remonter au delà, jusqu'aux origines et au caractère des parents, pour en faire dériver des traits de leur héritier. Comment ne pas céder aux tentations d'une géographie littéraire, toujours ingénieuse, qui nous invite à célébrer dans l'enfant Victor le mariage de la Bretagne et de la Lorraine, de l'aventure marine avec l'âpreté des montagnes, de l'invention et du labeur, inscrit par le miracle providentiel d'une garnison à Besançon, « vieille ville espagnole », et destiné à se parfaire et s'illustrer dans Paris, capitale du monde ?

Encore faut-il s'entendre sur ces ancêtres dont Victor Hugo, par la plume de sa femme, a voulu ne nous présenter qu'une longue dynastie d'officiers et d'abbesses (1), contestée dès son temps. Depuis les hargneuses mises au point de Biré (2), on ne fait pas mystère que le grand-père de Victor Hugo était maître menuisier, établi à Nancy, père de douze enfants de deux lits différents et couronné comme tel à la Fête des Époux en 1797, l'année même du mariage de son fils Léopold-Sigisbert, qui signait Brutus depuis la chute du tyran. Aussi ne s'est-on pas privé de retrouver chez l'artisan de poésie le sens et la conscience du métier, un prudent opportunisme dans ses opinions politiques comme dans la conduite de son patrimoine, la défense du peuple, de ses intérêts et de ses sentiments, à côté de mesquins travers, d'une prétendue âpreté au gain, ou de la lecture du *Petit Journal* dont il faisait ses candides délices. Le reste de la généalogie se perd dans la paysannerie lorraine. On a été ainsi jusqu'à exhumer un certain Claude Hugo, fossoyeur de son métier, appelé « le Hollandais » et domicilié à Damviller ou Dom-

---

(1) Voir *V. H. rac.*, chap. I.
(2) Edmond BIRÉ, *Victor Hugo avant* 1830, chap. I.

vallier (1), où il aurait ainsi fixé le berceau des Hugo peuple à côté de celui des Hugo nobles (2).

Eh bien, pour ma part, je regretterai la galerie des portraits que le poète s'était à peu de frais constituée. Les amateurs d'hérédités y eussent trouvé leur compte assurément. Qu'il eût été commode et joli de rattacher à Charles-Louis, abbé d'Etival et auteur d'un *Sacrae antiquitatis monumenta*, son goût de l'archéologie. A Joseph-Antoine, tombé à la bataille de Denain, à travers son père et ses oncles authentiques Francis-Juste et Louis-Joseph, deux généraux pour un major, il aurait dû ce qu'il y a de militaire et de militant, de combatif dans son tempérament (3). Et Louis-Antoine, guillotiné « pour modérantisme », lui aurait montré le chemin de ces causes perdues dont Hugo, ni à droite, ni à gauche, n'a pas craint de se faire l'avocat, le soldat, et, l'eût-il fallu, le martyr.

Au lieu de cela, il faut se contenter pour la poésie de l'oncle Juste. Dans une réprimande adressée à son fils au sujet de son peu d'assiduité aux cours, le général Hugo lui trouvait une excuse dans « les goûts, nés avec vous, pour la littérature, dans ton penchant pour la poésie, penchant qui m'a fait tant gronder ton oncle Juste, parce qu'il le détournait des devoirs de son état, penchant qui m'entraîne souvent aussi, mais que tu justifies par des vers vraiment admirables (4) ». Léon Séché l'a fort bien expliqué : jusqu'aux *Misérables*, Hugo s'était habitué à se bercer de ces origines flatteuses, qui sont de tradition dans certaines familles sans que personne se hasarde à les vérifier et que son père avait contribué à entretenir (5). Après, il n'en avait cure et était prêt à reconnaître le « savetier laborieux » préférable au « roi fainéant (6) ». Comme Rousseau troquant sa livrée de cour contre un habit grossier après le premier *Discours*, Hugo éprouvait le besoin de conformer ses origines à sa pensée et déclarait « n'attacher aucune importance aux questions généalogiques (6) ». « Notre siècle de virilité, avait-il écrit à un correspondant, répudie ces enfantillages héraldiques, mais n'est pas insensible aux filiations de famille (7). »

Il n'était pas insensible non plus à ces « enfantillages héraldiques » et les initiales entrelacées, les dates, les armes et allusions de toute sorte

---

(1) Cf. Havelock ELLIS, *From Rousseau to Proust*, p. 259 sq. Certaines remarques ne manquent pas d'ingéniosité et notamment ce constant souci d'élévation dans l'échelle sociale que l'auteur discerne chez la famille Hugo et le poète lui-même. D'un certain point de vue, en effet, on peut dire que la vie du poète jusqu'en 1850 est une ascension mondaine et manifeste l'ambition et le plan d'une carrière glorieuse dans et par les lettres — comme Balzac aussi, Lamartine et Vigny, c'est d'époque — avec les attributs qu'elle comporte, une maîtresse actrice, l'Académie et la Chambre, selon le cas, des Pairs ou des Députés.

(2) Sur ces derniers, BIRÉ, *op. cit.*, p. 21 sq.

(3) « On n'aurait peut-être pas l'explication complète du caractère si *militant* de la vie littéraire et politique de M. Victor Hugo, si l'on ne connaissait pas sa famille toute militaire, père et oncles. » *V. H. rac.*, chap. XII.

(4) Lettre du 19 novembre 1821, citée par Raymond ESCHOLIER, *Victor Hugo raconté par ceux qui l'ont vu*, p. 11.

(5) Léon SÉCHÉ, *le Cénacle de Joseph Delorme*, I, p. 16 sq. Il cite, p. 17, un passage d'une lettre inédite de Mme V. Hugo à sa sœur Mme Chenay : « Léopold m'a remis l'arbre généalogique des Hugo, travail curieux et bien fait, qui me servira pour mes Mémoires. » Ces lignes étaient écrites, lorsque je lus le livre de Ch. BAUDOUIN, *Psychanalyse de Victor Hugo*. J'ai constaté avec plaisir que nous étions parvenus chacun de notre côté à la même conclusion. Cf. *op. cit.*, p. 169-170 et p. 170, n. 1.

(6) Lettre à Albert Caise (20 mars 1867), citée *ibid.*, p. 19.

(7) Lettre à Soulas, 1853, *ibid.*, p. 18.

dont il orne les livres et les meubles faits de sa main, héritage du grand-
père Joseph, en témoignent assez. Imaginaires ou non, ils lui souriaient.
Et cette raison suffisait sans doute pour qu'il y crût. Il devait plaire à
son amour des contrastes que le descendant d'un Hugo de Lorraine
eût servi dans les armées de la Révolution et que le fils suivît son père
dans celles de l'esprit. Hugo s'est penché avec tendresse sur le peuple,
mais il n'en était pas. Et le tremblement dont furent saisis tous ceux
qui, comme Théophile Gautier, montèrent ici ou là son escalier, surpris
de trouver un sévère jeune homme vêtu de drap noir et de linge blanc,
est là pour nous le rappeler. Il eut en lui, profondément, une conscience
aristocratique de son génie. Noblesse d'esprit qui le portait à adhérer
au mirage invérifié d'une noblesse de sang. Grand bourgeois ou grand
seigneur, Gillenormand et Lantenac, loin d'être bafoués dans des œuvres
d'inspiration populaire, seront compris avec tendresse et campés à leur
honneur. Volontaire ou non, cette fiction répond à bien autre chose qu'une
vanité mal placée. Elle a ses mobiles incontrôlés dans le subconscient.
C'est de l'art sur la vie et déjà une certaine fantaisie. A ce titre, et pour
notre propos, il importe presque moins de savoir quels furent ses ancêtres
authentiques que de considérer ceux qu'il a voulu se donner.

Du côté de sa mère, la vérité subit aussi quelques entorses. Elle était
née Sophie-Françoise Trébuchet. François Trébuchet le père figure
sur l'acte de baptême de celle-ci comme capitaine de navire (1). Il est
devenu, dans le récit du « témoin », « un de ces honnêtes bourgeois qui
ne sortent jamais de leur ville ni de leur opinion (2) ». Il sortait si peu
qu'il mourut en 1783 à l'Ile-de-France où le portait le *Comte-de-Grasse*.
Il ne lui était donc pas davantage possible d'assister quatorze ans après
au mariage de sa fille. Qui trouva intérêt à faire du marin un paisible
armateur, de sa fille ou de son gendre et de ses petits-enfants posthumes,
peu importe. On aurait eu certes quelque peine à reconnaître dans cette
mère, royaliste libérale et voltairienne à l'ancienne mode, prudente par
nature et par la nécessité des temps — les massacres de Nantes — contrainte enfin par son mariage à une vie nomade à laquelle elle ne se fit
jamais, ce sang de corsaire ou de chouans et cette aspiration au grand
large dont, après le « témoin », font état certains auteurs (3). Le jeune
Hugo sut fort bien s'en passer jusqu'à trente ans, et il n'a guère commencé
d'en ressentir l'appel qu'à partir de 1834. Comme dans le jeu de la carto-
mancienne, ce voyageur qui revient de loin était entouré d'hommes de loi
et j'imagine que le sang des Le Normand tempéra l'ardeur possible des
Trébuchet, natifs d'Auverné, arrondissement de Châteaubriant, c'est-
à-dire de la campagne bretonne.

Ainsi les deux familles présentent un visage d'une composition à peu
près semblable. Des deux côtés, une majorité d'éléments placides où
surgit un jour l'appel de l'inconnu. La souche solidement enterrée pousse
un surgeon d'aventure : c'est l'histoire du marin et des frères soldats.

(1) L. Séché, *op. cit.*, p. 21 sq., à qui sont empruntées les précisions qui suivent.
(2) *V. H. rac.*, chap. II.
(3) Havelock Ellis entre autres attribue à la Bretagne les tendances libérales,
voire « libre-penseur » *(freethinking)*, de Mme Hugo mère, qui aurait apporté à
son fils les « instincts raciaux d'un peuple poétique et marin », chimie généalogique
fort contestable.

Du côté maternel, François Trébuchet quitte les champs d'Auverné pour courir les mers, mais l'alliance du navigateur avec les hommes de loi a tourné, dans sa fille, au profit de ces derniers. Du côté paternel, après des générations fixées au travail de la terre, la dernière d'entre elles retrouve ce ferment d'aventure déposé à l'origine, si l'on en croit la tradition légendaire, par l'émigrant Claude le Hollandais. Déjà le grand-père, rêvant de s'élever à un art plus noble, a laissé les champs pour la ville et la charrue pour le rabot. A leur tour, cédant en partie aux événements, le père et les deux oncles, Francis et Louis, tournent le dos à l'artisanat pour conquérir la gloire des armes, et se mettent délibérément en marche vers un destin hasardeux et éclatant. Dans les splendeurs du palais Masserano, où il goûte les triomphes de l'occupation, Bivar oublie la paix laborieuse et le sol natal qu'il n'aura pas même la curiosité de retrouver, sa carrière finie, se fixant au hasard d'une maison « blanche et carrée » à Blois.

Telles sont les « filiations familiales » de Victor Hugo : générations de bourgeois et de paysans aboutissant à quelques glorieux ou modestes déracinés. Si on voulait leur prêter un sens, on le trouverait dans l'équilibre animé de leur descendant, dans ce partage fondamental entre le goût du succès et l'appel de l'héroïsme, entre M. Madeleine, parvenu par son mérite industriel et maire, et Jean Valjean, qui connaîtra toujours quelque innocent d'Arras à délivrer au prix de sa propre liberté, entre celui qui brigua selon un progrès prévu l'Académie, la Pairie, peut-être un ministère pour finir au Sénat et celui qui s'isole vingt années durant dans un exil volontaire et farouche, assuré que, s'il y meurt, il *mourra accru* (1).

Provinces de l'esprit.

Ce serait pareillement un jeu d'épiloguer sur la Bretagne et la Lorraine. Les vraies provinces sont celles de l'esprit et du caractère. Les régions ne font que favoriser ou contraindre l'épanouissement des personnalités qui, faibles, en subissent le modelage, ou, fortes, s'y dérobent, pour n'en garder que l'inévitable héritage. Bretagne et Lorraine n'ont agi sur le jeune Hugo que dans la mesure indirecte où elles avaient nourri et marqué les générations antérieures qui ont elles-mêmes fini par s'en détacher. Ses vraies provinces sont la rudesse et la fraîcheur. Elles se rejoignent en quelque chose de primitif, d'élémentaire comme la montagne et comme la mer, vieux comme cette terre hercynienne massée par l'érosion et jeune éternellement comme ce rire scintillant de la mer au soleil. Qui croit pouvoir assurer la coïncidence respective de ces forces avec la Bretagne et la Lorraine, qu'il s'en flatte. On n'aurait pas de peine, semble-t-il, à trouver de semblables combinaisons qui n'ont jamais produit aucun Victor Hugo.

Pour que l'esprit d'une province puisse imprimer sa marque à ses enfants, encore faut-il qu'ils y demeurent le temps de cette enfance : or, ce ne fut le cas ni pour la Lorraine paternelle, ni pour la Bretagne maternelle, ni même pour cette Franche-Comté de sa naissance. Moins de deux ans après celle-ci, le jeune Victor venait rejoindre sa mère au 24 de la rue de Clichy, où il devait habiter jusqu'en 1807. Son enfance fut parisienne

(1) *Oc., Moi*, p. 254.

ou voyageuse. Les ponts étaient coupés d'avec ces provinces auxquelles il ne devait plus se sentir attaché que par un artifice de rhétorique.

Le poète n'y manqua d'ailleurs pas. En voici sans doute le plus bel exemple :

> Car Dieu, qui, dans mon sang, composé de trois races,
> Mit Bretagne et Lorraine et la Franche-Comté,
> D'un triple entêtement forma ma volonté (1).

On croit entendre Michelet : « race celtique, la plus obstinée de l'ancien monde (2) ». « Nantes, dit-il, est un demi-Bordeaux, moins brillant et plus sage, mêlé d'opulence coloniale et de sobriété bretonne (3). » Et encore, parlant des Vosges et de la Franche-Comté : « leur vie morale et leur poésie, à ces hommes de la frontière, du reste raisonneurs et intéressés, c'est la guerre (4) ».

C'est par artifice littéraire que le général Hugo rappelait à son fils qu'il avait été conçu sur les Vosges : « Créé, non sur le Pinde, mais sur un des pics les plus élevés des Vosges, lors d'un voyage de Lunéville à Besançon, tu sembles te ressentir de cette origine presque aérienne (5). » Pure figure de style, si Hugo attribuait au fait d'avoir été conçu face à Dieu sur les Vosges ce regard panoramique qui comprenait la France, l'Allemagne et la Suisse (6). Pourtant il est indéniable qu'il a toujours été attiré par cet « héroïque Rhin », comme disait Michelet, au courant duquel ce dernier craignait de se laisser emporter une fois qu'il l'aurait aperçu (7) : les sources mères de leur imagination surtout étaient là pour les y appeler, et la *lorelei*, sirène romantique.

Toutefois, la Bretagne — *Oh! la Bretagne antique* (8) — est restée la province dont il se réclamait le plus volontiers : Léon Séché l'a remarqué, sa mère, sa femme et sa maîtresse y étaient nées ainsi que les deux hommes qui eurent le plus d'influence sur lui, Chateaubriand et Lamennais. Hugo séjourna dans sa jeunesse chez son grand-oncle à Saint-Herblain, où il retrouvait son cousin de Nantes, Adolphe Trébuchet. J'ajouterai qu'il réserva à la Bretagne, un peu par la force des circonstances, comme on verra, le premier de ces voyages de détente qui devaient à partir de 1834 le révéler à lui-même. Enfin, séparé d'elle, il en rêva dans ses romans, *les Travailleurs de la mer* (9) et *Quatrevingt-treize*. Elle est la patrie de ses amours, celle qu'il élut dans son cœur (10).

(1) *Ibid.*, p. 246.
(2) *Tableau de la France*, éd. les Belles-Lettres, p. 17.
(3) *Ibid.*, p. 19.
(4) *Ibid.*, p. 54.
(5) Cf. lettre citée du 19 novembre 1821.
(6) La référence exacte de ce souvenir a échappé à mes recherches ; un peu dans le même genre, voir *Rh.*, XXIX, p. 353.
(7) *Tableau*, p. 59.
(8) *O.*, V, 25.
(9) Cf. le témoignage oral recueilli par Léon Séché (*op. cit.*, p. 47) : en 1772, le navire du capitaine Trébuchet avait été attaqué par une « licorne de mer ». Séché supposait que ce récit fait par Hugo à ses amis pouvait être à l'origine d'un poème publié par Soumet en 1832 où l'on trouve le combat d'un navire avec « le Poulpe » :
> Le Monstre autour de lui jette un vivant orage,
> Des rameaux de ses bras tout entier il l'ombrage.
A son tour, le poème retrouvé avait pu faire germer le projet de ce roman épique dans l'esprit du poète. Ou bien une de ces estampes courantes qui représentent des naufrages. Et surtout la vie quotidienne à Guernesey.
(10) D'Auverné il tire le pseudonyme littéraire de ses débuts, Vicomte d'Auverney, à l'époque du *Conservateur littéraire*, et le nom de son premier héros, Léopold d'Auverney, dans *Bug-Jargal*.

Né de la mer et de la montagne, le fier acte de naissance pour un poète!
Plus largement, il est juste d'observer que Victor Hugo est attaché aux
frontières maritimes ou terrestres de son pays par toutes sortes de liens
obscurs. Hugo est un homme des Marches. De naissance, il tient à la
Franche-Comté, la Lorraine et la Bretagne. Son enfance l'a promené
dans le sud et le sud-est, en Corse, en Italie et en Espagne. Ses voyages,
dès qu'il les entreprend, le conduisent successivement aux Alpes, en
Bretagne et en Normandie, aux Ardennes, au Rhin, sur les Alpes encore
et les Pyrénées, aux bords de la Méditerranée et de l'Atlantique. Son
exil enfin l'a rejeté vers le nord et l'est, en Belgique, en Angleterre, en
Hollande et au Luxembourg. Tout le centre, au sens large, l'a peu retenu :
il n'a fait que le traverser dans les diligences qui, sans autre arrêt que les
relais, le portaient droit aux frontières. Du fruit, il a laissé la pulpe, il
n'a pris que l'écorce. Il y a là un curieux phénomène que, sans approfondir
autrement, on se contente de signaler. C'est la seule raison pour laquelle
on serait tenté de prendre un peu au sérieux ses origines limitrophes.

Quant à sa fantaisie, on voit qu'elle est déjà dans le choix qu'il a fait
de ses ancêtres comme de sa province élective. Tout au plus pourrait-on
relever dans l'un et l'autre sangs cet appel de l'aventure, oublié de sa
mère et retrouvé par son père, qui aurait ainsi cheminé jusqu'à lui. Mais
ce ne serait aussi, je le crains, qu'un jeu de l'esprit et, pour le dire, pure
fantaisie.

II

L'ENFANT ET LES SORTILÈGES
(1802-1818)

> Je rêvais, comme si j'avais, durant mes jours,
> Rencontré sur mes pas les magiques fontaines
> Dont l'onde enivre pour toujours...
>
> Mes souvenirs germaient dans mon âme échauffée ;
> J'allais, chantant des vers d'une voix étouffée ;
> Et ma mère, en secret observant tous mes pas,
> Pleurait et souriait, disant : C'est une fée
> Qui lui parle, et qu'on ne voit pas !
>
> *O., V, 9, Mon enfance, 1823.*

Il n'est pas interdit en revanche de se pencher sur l'enfance d'un poète toujours préoccupé d'en retrouver le chemin perdu. Il est permis de rêver sur cet « Album de Jeunesse » et de discerner parfois dans certaines de ses images de secrètes promesses, de mystérieux avertissements.

Album du premier âge.

La première qui nous soit offerte est celle d'une excessive sensibilité. Elle remonte aux années 1803-1804, troublées par d'incessants déplacements entre l'île d'Elbe et la Corse. « On le trouvait dans des coins, pleurant silencieusement, sans qu'on sût pourquoi (1). » Il n'est pas indifférent d'observer que le robuste et impétueux vieillard, qu'on imagine, enfant, turbulent et batailleur, a commencé par être ce petit moribond que le médecin a, un moment, désespéré de maintenir en vie, souffrant d'être perpétuellement ballotté entre deux îles, « toujours languissant, ce qui lui donnait une tristesse rare pour son âge ». Ainsi Chateaubriand, dernier né lui aussi, fut en ses toutes premières années un enfant chétif et souffreteux. Tous deux, en ce sens, sont des survivants, portés à une précoce lassitude et pourtant acharnés à vivre et à lutter. Cette image fixe, dès le premier âge, un versant de son caractère que sa prodigieuse vitalité nous cache volontiers (2) : un penchant naturel à

---

(1) *V. H. rac.*, chap. IV.
(2) Cf. *Corresp.*, t. I, p. 96, à Armand Carrel, 15 mars 1830 : « ... ces occasions de rencontres avec d'autres hommes que j'évite volontiers par goût de la solitude et par tristesse de caractère... ».

la mélancolie, une prescience des automnes et des crépuscules qui les lui fait annoncer dans sa propre vie bien avant leur saison, une aptitude à la souffrance, plus d'une fois mise en cause par les événements, qui n'a d'égale que sa volonté de s'en relever. Ces dispositions le portent à rêver.

Cette sensibilité s'accompagne d'une curiosité sensuelle tout aussi précoce. Rue du Mont-Blanc, Mlle Rose, la fille du maître d'école, le faisait asseoir sur son lit et « quand elle se levait, il la regardait mettre ses bas (1) ». Un jour de fête que les enfants jouaient avec elle *Geneviève de Brabant*, le petit Victor, affublé d'une peau de mouton armée d'une griffe de fer, s'ennuyant sans doute, plante sa griffe dans les mollets de la reine Geneviève, qui le gratifie d'un retentissant « Petit vilain ! ». On ne peut encore parler d'amours enfantines, mais c'est la première manifestation de l'attrait qu'il éprouvera toujours pour la présence féminine.

Ces premières images d'un enfant sensible et sensuel rappellent irrésistiblement les sensations que connut Jean-Jacques auprès de la sœur du pasteur Lambercier. L'auteur des *Confessions* restitua aux souvenirs d'enfance et de jeunesse cette émotion secrète dont les biographies étaient pauvres avant lui et qui en fait la poésie, ou, pour parler comme Hugo, la magie. Ce n'est pas la seule occasion que nous aurons de le remarquer : il y a un côté Rousseau dans Victor Hugo.

Les leçons du jardin.

L'année 1808 interrompit le séjour à Paris. Intermède en Italie : le colonel Hugo, gouverneur d'Avellino, rappelait sa famille. Le voyage que le jeune Victor fit pour s'y rendre lui laissa peu de souvenirs. Les images de *Mon enfance* (2), « vieux glaçons » du Mont-Cenis et « pourpre en lambeaux » de Rome, ne masquent pas les lacunes de sa mémoire derrière ces pauvretés apprises des poètes post-classiques. Plus tard, il lui revint des impressions qu'il confia au « témoin de sa vie » ; on découvre pour la première fois ce type de vision caractéristique qu'il gardera toujours et qui consiste à fixer la physionomie d'un paysage ou d'une ville dans un détail entrevu, parfois dépourvu de tout rapport avec elle. Deux choses l'ont frappé : le Mont-Cenis et Rome. Voici du moins ce que son œil en a gardé. « Le Mont-Cenis, pour lui, ce fut un traîneau où il monta avec sa mère (3). » Les vitres étaient faites de plaques de corne, sur lesquelles l'enfant s'amusait à coller des brins de paille en forme de croix. Comme les voyageurs passaient devant les corps des bandits pendus aux arbres de la route, le « témoin » ne peut retenir ce commentaire : « Les trois enfants ne se rendaient pas compte de l'objection qu'ils faisaient à la peine de mort en collant devant tous ces gibets le gibet du Christ. » Cette réflexion porte la marque du maître, qui l'a dictée ou soufflée, et n'est pas étrangère aux préoccupations constantes du poète, qui viennent encore de lui inspirer en 1860 la fresque intitulée

---

(1) *V. H. rac.*, chap. IV.
(2) *O.*, V, IX.
(3) *V. H. rac.*, chap. VI. Voir ici, p. 224, les visions en diligence de Tours, Angoulême, etc., où le même verbe *être* traduit l'identification complète de la ville à son symbole.

le Gibet dans *la Fin de Satan* (1). Quant à Rome, c'est le pouce de saint
Pierre qu'il baisa, si « usé par les lèvres » qu'il était « devenu un petit
doigt ». Mais la famille Hugo ne devait pas rester longtemps en Italie :
« ces vacances duraient depuis quelques mois à peine », le destin du roi
Joseph, guidé par la décision de l'empereur, entraîne à sa suite le colonel
et ramène les enfants avec leur mère à Paris pour la fin de l'année.

Ces « vacances » n'avaient pas été perdues et le mot convenait certes.
« Plus d'école, liberté entière. » Le climat permettait aux enfants de rester
tout le jour dehors. Le palais et son parc devaient les changer de la maison
parisienne et des prés limités de Montmartre. Ici s'impose une précision :
le récit du témoin laisse croire qu'il s'agit du palais d'Avellino. Il semble
que Mme Hugo resta avec ses enfants à Naples (2). Peu importe : Naples
avait assez de palais pour loger la femme d'un colonel gouverneur et, à
défaut, la maison meublée où ils habitèrent a pu facilement, dans l'imagination des enfants, faire figure de palais sous un ciel étranger et son
jardin de parc. Ils avaient la place pour jouer, c'était l'essentiel. Donc le
palais de marbre, « tout crevassé par le temps et par les tremblements
de terre », leur offrait dans ses lézardes des cachettes toutes trouvées.
« Hors du palais, un ravin profond tout ombragé de noisetiers compléta
le bonheur des enfants. Dès le premier jour, ils y passèrent leur vie, se
laissant rouler sur la pente ou grimpant aux arbres (3). » Ce ravin ombreux
— le terme est bien de Hugo qui s'en sert pour désigner les coins de verdure où sa fantaisie s'épanouit (4) — c'est le premier de ses jardins et
la préfiguration des Feuillantines. Il en a les fruits et, j'imagine, les retraites,
la saveur et le mystère, ces deux gourmandises de l'enfance. L'enfant
de six ans y retrouvait surtout la liberté, trésor perdu de ses premiers
ans, dans son décor, la nature. Dans son souvenir, en 1860, Hugo en
gardait ce goût de « vacances ». Pour sa fantaisie, un parc valait bien
l'école : au fait, il en était une.

> J'eus dans ma blonde enfance, hélas! trop éphémère,
> Trois maîtres : un jardin, un vieux prêtre et ma mère (5).

C'est le jardin des Feuillantines dont il s'agit. En effet, de retour
à Paris, Mme Hugo avait cherché un logement dans le « quartier des
études ». Indifférente à la grande nature, semble-t-il, « elle adorait les
jardins (6) ». « Pourquoi toujours les champs et jamais les jardins? »
demandera plus tard Victor Hugo, qui apprit là à les aimer (7). Il n'en

---

(1) *Hors de la Terre*, II. Notamment la division III, *le Crucifix*, où Hugo montre
que la malédiction

> Dè ce gibet où pend l'être appelé Jésus

poursuit depuis ce jour jusqu'aux nôtres

> La morne humanité sur qui pèse la honte
> Des justes condamnés et des méchants absous.

Cette partie a été écrite en 1860 et le *Victor Hugo raconté* a été publié en 1863.
(2) *Mémoires du général Hugo*, Introduction par Louis Guimbaud, p. 25.
(3) *V. H. rac.*, chap. VI.
(4) Cf. *Rh.*, XVII, p. 136-137, le ravin de Saint-Goarshausen.
(5) *R. O.*, XIX, 31 mai 1839.
(6) *V. H. rac.*, chap. VII.
(7) *T. L.*, II, XXXVII, 19 juin 1839. Les dates parlent (cf. note 5) : il songeait aux
Feuillantines.

fallut pas davantage pour que, séduite, elle se fixât aux « vertes Feuillantines ».

Je me revois enfant, écolier rieur et frais, jouant, courant, criant avec mes frères dans la grande allée verte de ce jardin sauvage où ont coulé nos premières années... (1).

L'homme n'est pas près de l'oublier. Pour le décrire, il trouvera sans effort les accents d'un cœur simple et sa fidèle mémoire visuelle (2).

> Le jardin était grand, profond, mystérieux,
> Fermé par de hauts murs aux regards curieux... (3).

C'était le jardin d'un couvent devenu *Propriété Nationale*, « ancien enclos de religieuses », dont il gardait le calme et le secret. Par-dessus les « hauts » murs, veillait la coupole austère du Val-de-Grâce, qui paraissait à son imagination d'enfant une mosquée d'Orient (4). Des arbres, « des marronniers », y poussaient à leur guise, et pêle-mêle les fleurs les plus simples, de ces boutons d'or qui lui rappelleront toujours le jardin de son enfance, « boutons d'or que j'ai vus jadis aux Feuillantines (5) », et puis pâquerettes, liserons et pervenches, et des fruits défendus aux espaliers incultes, et des raisins permis aux treilles du propriétaire. Le jardin n'était plus entretenu, il était abandonné à la nature qui l'avait repris. La broussaille l'avait envahi et croissait follement, ajoutant à son charme sauvage. « Ce n'était pas un jardin, c'était un parc, un bois, une campagne (6). » Il y gagnait en profondeur et offrait aux enfants de quoi se perdre. Au fond du jardin, une chapelle en ruines se dessinait derrière les arbres. La défense d'en approcher l'entourait de mystère et, tremblant, j'imagine, de son audace, l'enfant *considérait* « la vieille chapelle dont les vitres déformées laissaient voir la muraille intérieure bizarrement incrustée de coquillages marins (7) ». Elle offrait aux yeux de l'enfant le premier exemple de cette intrusion de la nature dans l'art, ou plutôt de son immixtion, de son insertion intime dans les œuvres de l'homme, dont sa fantaisie devait plus tard tirer tant de motifs pour sa jouissance : fleurs greffées sur les ruines, dont elles forcent à sourire le visage rechigné, chapelle en pleine nature, chapelle de la nature, l'une et l'autre ayant fini par se pénétrer : « les oiseaux entraient et sortaient par les fenêtres. Ils étaient là comme chez eux. Dieu et les oiseaux, cela va ensemble (8) ». Il n'y avait pas seulement des oiseaux, il y avait aussi des insectes, qu'il observait longtemps avant de les pourchasser.

(1) *D. J.*, chap. XXXIII.
(2) L'expression *je me revois* est symptomatique et doit être prise dans son sens plein. Elle revient souvent : « Je revois 1812 », etc. (*Q. V. E.*, III, XII, 5). Victor Hugo eut toujours une étonnante mémoire visuelle. Les témoignages n'en manquent pas ; entre autres, celui-ci, rapporté de son enfance par sa femme : « A Angoulême, Victor remarqua de vieilles tours. Il avait déjà un tel sentiment de l'architecture qu'elles lui sont restées dans la mémoire, et avec assez de précision pour les dessiner sans les avoir revues depuis. » (*V. H. rac.*, chap. XVI.)
(3) *R. O.*, XIX.
(4) *Ibid.* : « le dôme oriental du sombre Val-de-Grâce ». Sa silhouette a frappé l'imagination de V. Hugo définitivement, cf. *Mis.*, IV, II, 1 : « Le Val-de-Grâce, noir, trapu, fantasque, amusant, magnifique. »
(5) *L. S.*, *D. S.*, XIII, III (1860?).
(6) *V. H. rac.*, chap. VII.
(7) *A. P.*, *le Droit et la Loi*, p. 16, juin 1875.
(8) *Ibid.*

Lorsque j'étais enfant, envié par les mères,
Libre dans le jardin et libre dans les bois,
Et que je m'amusais, errant près des chaumières,
A prendre des bourdons dans les roses trémières
En fermant brusquement la fleur avec les doigts... (1).

Jeux cruels de l'enfant, dont le souvenir remonte précisément au
moment où il contemple, comme au temps de son enfance et avec la même
curiosité, un insecte, une fleur, dans un de ces voyages de vacances qui
lui révéleront la permanence de son âme enfantine et les sources lointaines,
mais vives de sa fantaisie. Non pas coïncidence, mais continuité. L'enfant
considérait, dit-il de lui-même, rêvant à soixante ans de ces années vertes,
il regardait, longuement, ce qui constituait dès à présent le « spectacle »
de la nature. Mais ce spectacle n'était pas toujours rassurant et la surprise,
l'étonnement sont des nuances dégradées de l'effroi. Dans ce taillis inextricable et ces recoins, l'œil de l'enfant poursuivait d'obscures et terrifiantes
existences. Comme Jean-Jacques, il n'avait pas tardé à peupler ce décor
préféré « d'êtres selon son cœur ». Mme Hugo écrit, imprégnée de la pensée,
dont elle est le témoin : « Mais ce qu'ils trouvaient encore de plus beau
dans le jardin, c'était ce qui n'y était pas. C'était ce qu'y mettait leur
imagination d'enfant, aussi infatigable que l'imagination de l'homme à
se créer des chimères et des féeries (2). » Il y avait surtout « le sourd »,
ajoute-t-elle, citant l'auteur des *Misérables* qui s'en est effectivement
souvenu : « Il (l'enfant) a son monstre fabuleux qui a des écailles sous le
ventre et qui n'est pas un lézard, qui a des pustules sur le dos et qui n'est
pas un crapaud, qui habite les trous des vieux fours à chaux et des pui-
sards desséchés, noir, velu, visqueux, tantôt lent, tantôt rapide, qui ne
crie pas, mais qui regarde, qui est si terrible que personne ne l'a jamais
vu : il nomme ce monstre « le sourd »... (3). » Le « sourd » est le premier
de ces monstres, créatures aussi présentes qu'imaginaires, qui repoussent
et fascinent à la fois. On finit par ne plus savoir s'ils n'existent pas : on
craint qu'ils n'existent et on en a peur. Tous les enfants ont connu ces
superstitions imaginaires. Comme à Victor son puisard, le clapier la nuit
inspirait à Poil-de-Carotte un mélange de hantise et de tendresse. Un jardin moins vierge de mon enfance avait aussi le coin de la fouine. On n'en
approchait jamais sans des battements de cœur.

Sans doute est-ce là, dans ce jardin, côté puisard, qu'il se fit, d'après
le hallier de ces fourrés, une image des forêts dont les légendes lui étaient
contées. « Lorsque j'étais enfant, ce mot, *Forêt-Noire*, éveillait dans mon
esprit une de ces idées complètes comme l'enfance les aime (4). » C'est
encore en 1840 sur les bords du Rhin, — deuxième coïncidence pro-
metteuse — qu'il écrit ces lignes sur une page de son album à dessin :
« Je me figurais une forêt prodigieuse, impénétrable, effrayante, une
futaie pleine de ténèbres avec des profondeurs brumeuses... »

A la fois fantasque et fantastique, le jardin eut la plus grande influence

---

(1) *T. L.*, V, 5, Bois d'Andernach-sur-le-Rhin, 12 septembre 1840.
(2) *V. H. rac.*, chap. VII.
(3) *Mis.*, III, 1, 2 (1860-62?). Dans ce roman où ont passé bien des souvenirs
d'enfance et de jeunesse, on retrouve aussi dans le couvent des Bernardines les
impressions des Feuillantines, notamment la description de la récréation, « irruption
de jeunesse » dans le calme austère des vieux murs (*Mis.*, II, VI, 4, p. 197).
(4) Cf. *Introduction*, p. xxx.

sur l'enfant et sa formation (1). Ce n'est pas par simple jeu qu'il l'appelle un maître et qu'il a rythmé de ses rappels émus, en élève fidèle et reconnaissant, la poésie du souvenir. 1828, 1837, 1839, 1840, 1847, 1854, 1856, 1860, 1862, 1863, 1871, 1875, ces dates montent la gamme des hommages qu'il lui rendit (2). « Laisse-nous cet enfant », fait dire le poète à la conspiration du jardin, des fleurs, des oiseaux, des insectes « avec l'onde et le vent »...

> Et les bois et les champs, du sage seul compris,
> Font l'éducation de tous les grands esprits (3).

Ce n'est pas une formule de rhétorique. Il désire être pris au mot et il faut comprendre que l'*Emile* portait malgré tout ses fruits et que Hugo reçut là en partie l'éducation que Rousseau avait rêvée. Plus de quinze ans après, sa pensée n'a pas varié :

> Dieu prend par la main l'homme enfant, et le convie
> A la classe qu'au fond des champs, au sein des bois,
> Il fait dans l'ombre à tous les êtres à la fois (4).

Éducation faite pour celui qui ne peut vivre « cloîtré dans Loriquet et muré dans La Harpe (5) ». Il y aurait étouffé. Le jardin lui apportait le grand air et la liberté, le chant des oiseaux, les extases devant les merveilles ailées ou végétales de la nature ; il excitait sa curiosité et son imagination. Il fut son maître de poésie, car là était « *ce doux pays de fantaisie* dont parle Montaigne (6) », et c'est aussi pourquoi souvent, lorsqu'il aura le goût de rêver, il conjurera, avec une inlassable périodicité, ce nom sacré des Feuillantines comme s'il était le mot magique, le *Sésame*, qui devait lui rouvrir le chemin perdu du beau jardin de son enfance (7).

Les jeux et les amours.

C'était aussi le maître des jeux et des amours. « Souvent, les soirs d'été,... » une petite fille venait au jardin, pendant que sa mère, Mme Foucher, l'amie de Nantes, parlait avec Mme Hugo. Elle s'appelait Adèle. Pour l'heure, les enfants terribles ne songeaient qu'à effrayer sa timidité. Jeux garçonniers. On jouait à la balançoire...

> .... une escarpolette
> Qui d'un vieux marronnier fait crier le squelette.

Ou bien ils la voituraient en brouette, « une vieille brouette boiteuse (8) »,

---

(1) « Mais leur maître principal fut le jardin, où leur mère les laissait étudier le premier de tous les livres, la nature. » *V. H. rac.*, chap. XXI. L'expression porte la marque de son auteur : voir *la Fantaisie de V. Hugo, Thèmes et Motifs, Livre de la Nature* et *Leçons du Jardin*.
(2) Voir les citations correspondantes, *ibid.*, *le Jardin des Feuillantines*.
(3) *R. O.*, XIX, 31 mai 1839.
(4) *C.*, V, III, 10 janvier 1855.
(5) *Ibid.*
(6) *Rh.*, préface, p. 3.
(7) Le jardin des Feuillantines a joué pour Victor Hugo à peu près le même rôle que « le beau domaine inconnu » au Berri natal pour Alain-Fournier. Voir le remarquable essai de Walter JÖHR, *Alain-Fournier, le paysage d'une âme*, chap. I, les *Cahiers du Rhône*, 1945.
(8) *V. H. rac.*, chap. VII.

les yeux bandés, et lui faisaient deviner où elle se trouvait. C'étaient des
rires. Parfois ils serraient trop fort le mouchoir, « à lui noircir la peau ».
Alors elle demandait grâce et ils l'abandonnaient pour leurs jeux d'hommes,
sautant, galopant et se battant. Victor la retrouvera, dans le même jardin,
en 1812...

... Quatre ans plus tard, m'y voilà encore, toujours enfant, mais déjà
rêveur et passionné. Il y a une jeune fille dans le solitaire jardin (1).

Mais, pour le moment, il ne rêve encore que de soldats et de batailles
et, pensant devenir un de ces dragons qu'il a vus reluire au soleil dans
la rue, il déchire « gravement » sa culotte pour avoir celle dont on l'a
menacé, une culotte « comme aux dragons ». « J'ai des rêves de guerre... »,
pourrait-il dire déjà. Son âme pourtant ne connaît pas l'inquiétude. Le
hasard seulement des garnisons paternelles va lui en faire prendre le
chemin. Mais sur ce chemin même, il cueillera les fleurs des amours
enfantines.

A Bayonne, pour la première fois vraiment, il rencontre l'idylle. C'est
sous ce titre, *Une Idylle à Bayonne* (2), que l'auteur de *Victor Hugo
raconté* nous rapporte cette découverte que le poète s'est rappelée et
nous a contée lors de son passage en juillet 1843 dans cette ville. « Il y
a trente ans, étant tout enfant, j'ai voyagé dans ce pays. Je me rappelle... (3). » Que se rappelle-t-il ? Bien des choses. Des images, toujours
des images, des « choses vues » et entendues. Des charrettes, beaucoup
de charrettes : les roues enfonçant dans le sable jusqu'au moyeu et le
bruit *effroyable*, délicieux, qu'elles faisaient en avançant péniblement au
pas lent des bœufs. Le grincement retrouvé — *béni* soit « le pauvre bou-
vier inconnu qui a eu le pouvoir mystérieux... » — a fait surgir la *magique
évocation* de son enfance (4). Il compte ses trésors : les chardonnerets
et les verdiers qu'ils achetaient enfants aux petits paysans — il avait
déjà le goût des oiseaux — *les Ruines de Babylone*, avec le troubadour
en pourpoint abricot et la trappe escamoteuse, mélodrame fastidieux
auquel un imprudent abonnement les condamna un mois, et une porte
avec « un gros verrou rouillé, ... un verrou rond, à poignée en queue
de porc » devant laquelle jouent un petit garçon et une petite fille en
madras thé à bordure verte. Un cou « d'une pureté adorable », « le coude
un peu rouge » et les cheveux qui dépassent la coiffure. Elle avait « quatorze ou quinze ans ». Il en avait neuf à dix. Elle lui faisait la lecture.
Quand elle se baissait sur lui, il se troublait. Le fichu entr'ouvert au
soleil rejoint dans le précoce éveil de sa sensualité les mollets de Mlle Rose.
« Eh bien, Victor ! tu n'écoutes pas ? » Ils s'embrassaient, mais il ne commençait pas. Les voitures roulent maintenant sur de bonnes routes.

---

(1) *D. J.*, chap. XXXIII.
(2) Chap. XVI.
(3) Exactement, trente et un ans, au printemps de 1811. *V.*, II, p. 290, p. 298 sq.,
p. 318. En étudiant ces voyages, nous reviendrons sur ces pages du point de vue
du souvenir et de l'art. Pour le moment, nous nous bornons à en dégager les faits
utiles à expliquer comment la fantaisie de l'enfant s'est développée dans un climat
favorable.
(4) Cf. Dans *Mon enfance* (*O.*, V, 9), la même dominante : *les magiques fontaines*.
Sur l'effet produit par ce bruit sur la sensibilité du poète, cf. IIᵉ partie, 1ʳᵉ section,
chap. III, p. 253.

4

Tout change, hélas, Olympio! même la nature sous la main de l'homme. Mais le *vert paradis des amours enfantines*... le cœur, le cœur reste fidèle aux idylles inachevées.

A Madrid, dans le cadre somptueux et austère des appartements du prince

> Dans les grandes chambres peintes
> Du Palais Masserano (1)

Victor a trouvé de nouveaux compagnons de jeux, les enfants du général Lucotte, une fille et un garçon, et surtout leurs amis espagnols, Amato auquel s'était jointe une « nouvelle petite fille » :

> On allait dans la cour, où il y avait une fontaine avec jet d'eau et cascades ; on courait, on se poursuivait, on se déclarait la guerre, on faisait la paix, et le comble de la satisfaction était de se jeter à la figure l'eau du bassin (2).

Prélude à la scène où l'infante à la rose regardera, les yeux perdus, le même bassin peut-être bouleversé par le vent! On l'imagine comme elle, petite, fière et brune, avec des « lèvres de carmin » et « sa riante narine » *froncée*.

> Elle est toute petite ; une duègne la garde.
> Elle tient à la main une rose et regarde...
> Ses yeux bleus sont plus beaux sous son pur sourcil brun (3).

Juste assez petite pour tenir dans l'un des « deux colossaux vases de Chine » de la galerie aux portraits, d'où Poucette émerge comme d'un conte de fées (4).

Elle s'appelait Pepita. C'est du moins le nom que V. Hugo lui donne.

> Et dans le soleil d'Espagne
> Toi dans l'ombre Pepita (5)!

Son père était le marquis de Monte-Hermosa. Le poète a mis en chanson ces amours enfantines avec un humour voilé de regret. Elle avait seize ans, lui un peu plus de neuf, comme dans l'idylle à Bayonne, c'est toujours le même rapport des âges. Sa duègne, si elle existait, n'avait rien de la duchesse d'Albuquerque et savait se faire oublier. Pepita attirait Victor dans sa chambre où ils jouaient aux fiancés.

> Je palpitais dans sa chambre
> Comme un nid près du faucon.
> Elle avait un collier d'ambre
> Un rosier sur son balcon... (6).

Elle avait aussi son officier et son vieux mendiant. Entre les aumônes que son cœur avisé prodiguait au vieillard et à l'innocent, elle dardait un regard brûlant au beau dragon, sombre et radieux, qui l'emportait en soupirant. A ce souvenir, le faune sourira mélancoliquement d'avoir été le chandelier du capitaine. Peut-être a-t-il rêvé cette idylle étrangère

(1) *Q. V. E.*, XIII, XII, 5, 15 janvier 1855.
(2) *V. H. rac.*, chap. XIX.
(3) *L. S., P. S.*, IX, 23 mai 1859.
(4) *V. H. rac.*, chap. XIX.
(5) Cf. note 1.
(6) *Ibid.*

ou l'a-t-il seulement enjolivée? La fierté secrète, ombrageuse des Espagnols, comme le rapporte le témoin d'après les récits de sa belle-mère, s'alliait mal sans doute avec ces libres jeux en pays occupé entre la fille d'un Grand et le fils du Gouverneur. Au moins se moquait-elle de lui. Mais il a vu cette fille ardente et brune et son image a fixé en lui le type de beauté qui le séduira et dont ses vers frémiront longtemps : des yeux bleus, les lèvres rouges dans le hâle du soleil, le cou gracile, flexible et altier. Un air d'infante : on le dira d'Adèle. C'est le portrait que — le cherchait-il? — tout étonné, il retrouvera, un an après, en 1812, à son retour d'Espagne, dans le jardin des Feuillantines.

La petite espagnole, avec ses grands yeux et ses grands cheveux, sa peau brune et dorée, ses lèvres rouges et ses joues roses, l'andalouse de quatorze ans, Pepa (1).

Étrange contamination : la fantaisie prête déjà ses noms, ses fards et ses costumes à l'enfant poète. *La petite espagnole,* c'est Adèle, Adèle Foucher, la petite fille de Nantes à qui, l'an passé, dans le même jardin, on s'amusait à faire peur. « Pourtant, il n'y a encore qu'un an, nous courions, nous luttions ensemble... » Les jeux se sont insensiblement nuancés. « Maintenant, elle s'appuie sur mon bras, et je suis tout fier et tout ému. » Calme trompeur, bouillonnant de troubles inavoués. Elle a aujourd'hui l'avantage. Elle le provoque. On joue à jouer, comme on aime à aimer. « Elle quitta tout à coup mon bras et me dit : Courons! » La course, le gazon où elle s'achève par la défaite recherchée, la lecture à deux — elle a déjà fini qu'il n'a pas commencé — le trouble qui s'empare des haleines, puis des cheveux et des lèvres, la nuit qui tombe du « ciel étoilé ». « Oh! maman, maman, dit-elle en rentrant, si tu savais comme nous avons couru! » Lui demeure silencieux; on lui trouve l'air triste. « J'avais le paradis dans le cœur. C'est une soirée que je me rappellerai toute ma vie. Toute ma vie. » Toute sa vie, en effet, d'homme, et de poète. La fille, feignant de suivre, mène le jeu par ses mensonges charmants, et ses artifices de rouée. Le garçon suit, croyant mener. Mais il est loin de tout perdre à ce jeu, qui lui découvre les étoiles du ciel et celles du cœur. Tel est le cours de ces amours enfantines où le cœur s'éveille et l'imagination s'enrichit.

Impressions d'Espagne.

En effet, cette Espagne, qu'il était prêt à partout retrouver, avait marqué son imagination d'un caractère pour ainsi dire définitif. Elle l'a formée et c'est un maître que, pour ma part, j'ajouterais volontiers aux trois autres : il a dressé son œil à la couleur, son cœur à la violence, qui est la couleur dans l'âme. Rappelant la déception du voyageur revenu à Fontarabie — « Fontarabie m'avait laissé une impression lumineuse. Elle était restée dans mon esprit comme la silhouette d'un village d'or, avec clocher aigu, au fond d'un golfe bleu, dans un éloignement immense. Je ne l'ai pas revue comme je l'avais vue. » — Léopold Mabilleau, le critique, je crois bien, le plus compréhensif de son génie, écrit : « Il reste pourtant une impression d'ensemble, qui, pour toujours, suffit à

(1) *D. J.*, chap. XXXIII.

déterminer son imagination dans le sens des visions colorées et magnifiques (1). » Il conclut avec une vigueur particulièrement heureuse : « On peut vraiment dire que l'esprit de Victor Hugo a été naturalisé par les premières impressions qu'il a subies (1). »

Ces impressions font tout un bric-à-brac. Il y a des noms, de simples noms, noms de village, Ernani, ou de condisciples, Elespuru (2), de pays et d'hommes à la fois, Torre-quemada village calciné, mots de couleur et de force, pleins de bruit, le bruit que font les gaves roulant dans leur gorge éternellement les mêmes cailloux. « Dans une imagination de cette trempe, dit encore Mabilleau, les mots ont une puissance incroyable : il en est, dans l'idiome grave et rude de l'Espagne, qui évoquent instinctivement, mécaniquement pour ainsi dire, des figures grandioses, des émotions violentes, de l'éclat, de la couleur et de la passion. Le poète les a retenus sans s'en apercevoir, et ils surgissent d'eux-mêmes, précisant l'image, forçant l'idée, quand il cherchera à rendre quelque état d'âme analogue (3). » Cette magie du verbe, chère aux poètes de notre temps, Victor Hugo l'a plus qu'aucun autre éprouvée ; il a aimé la violence que les mots font à la pensée, et, nous le voyons, dès son enfance.

Les sensations, les bruits, qui accompagnent ces noms jetés à la halte le soir, l'orchestre de ces *soli*. Le gémissement des charrettes encore (4) : « Les roues des charrettes espagnoles, au lieu d'être à rayons comme en France, sont en bois plein ; ces lourdes masses tournent péniblement et arrachent à l'essieu des grincements douloureux... Victor, lui, trouvait à ce bruit une bizarrerie violente très agréable, et disait que c'était Gargantua dont le pouce faisait des ronds sur une vitre (5). » Il est peu probable que l'enfant eût déjà connaissance de Rabelais et assez pour en tirer cet effet d'humour énorme. C'est un commentaire de l'âge mûr : le témoin en tout cas cède la parole au maître et l'on reconnaît la marque de la fantaisie des années d'exil. Mais le bruit, ce bruit *magique* est le bien propre de l'enfant et le poète entendra longtemps encore son écho perdu résonner sous de lointains portiques (6).

Des paysages aussi, des routes longues, sèches et nues dans la poussière au soleil dur, surtout des villes :

> L'Espagne me montrait ses couvents, ses bastilles ;
> Burgos, sa cathédrale aux gothiques aiguilles ;
> Irun, ses toits de bois ; Vittoria, ses tours ;
> Et toi, Valladolid, tes palais de familles
> Fiers de laisser rouiller des chaînes dans leurs cours (7).

Sans doute, ces souvenirs ont été disposés avec intention, quelque onze à douze ans plus tard ; ils n'en traduisent pas moins, aussi fraîches

---

(1) *Victor Hugo*, éd. Hachette, p. 7-8, où la citation est d'ailleurs fort approximative, cf. *V.*, II, p. 322.
(2) Un des quatre fous dans *Cromwell :* « un affreux grand gaillard, à cheveux crépus, à mains griffues, mal bâti, mal peigné, mal lavé, hargneux et risible » (*V. H. rac.*, chap. xx). Sa chanson, à l'acte III, s'en souvient : « Satan me prit pour un singe. »
(3) *Ibid.* Cf. n. 1.
(4) Cf. ici p. 17, le séjour à Bayonne.
(5) *V. H. rac.*, chap. xviii.
(6) Voir ici p. 253, n. 4.
(7) *Mon enfance*, *O.*, V, 9.

sous le rythme, les premières impressions brèves du type que nous avons déjà rencontré (1). « Irun, ses toits de bois » : « Irun — commente Mme Hugo à la lumière des voyages ultérieurs — ... a l'air d'un canton suisse dépaysé en Espagne (2). » L'Escurial, à Madrid, qu'il prit « pour un tombeau (3) », à cause de son air sévère et de sa forme, comme il verra l'île d'Oléron en 1843 pour cette dernière raison et pressentant son deuil (4). « Ségovie... comme un rêve », « maisons sculptées à mâchicoulis et à clochetons, palais de jaspe et de porphyre, toutes les magnificences et toutes les dentelles de l'architecture gothique et de l'architecture arabe (5) » : déjà le miracle oriental. Et plus que tout cela encore, des curiosités : les grossières armoiries aux portes des maisons de Tolosa (6) et à Burgos, dans la cathédrale, surtout l'horloge et son jaquemart (7), la première peut-être en date de celles qui ne cesseront de rendre au poète son émerveillement d'enfant.

Comme Victor avait le nez en l'air, une porte s'ouvrit dans le mur, un bonhomme bizarrement accoutré, une espèce de figure fantastique, bouffonne et difforme, se montra, fit un signe de croix, frappa trois coups, et disparut.

Victor, ébahi, regarda longtemps la porte refermée.

— « *Señorito mio*, lui dit le donneur d'eau bénite qui leur servait de cicerone, *es papamoscas*. » (Mon petit seigneur, c'est le gobe-mouches.) (7).

C'était la « poupée à ressort » de l'horloge qui annonçait trois heures. L'enfant, poursuit Mme Hugo, demeura frappé de « cette imposante cathédrale... qui faisait dire l'heure aux saints par Polichinelle... Cette *fantaisie* de l'église solennelle retraversa plus d'une fois la pensée de l'auteur de la *Préface de Cromwell* et l'aida à comprendre qu'on pouvait introduire le grotesque dans le tragique sans diminuer la gravité du drame ». Pourquoi ne pas en croire celle à qui le poète a sans doute plus d'une fois répété cette confidence et l'a probablement renouvelée à cette occasion ? Il avait en tout cas l'esprit fait de manière à remarquer et savourer ce contraste, que ce fût dans les choses, dans Shakespeare ou dans Walter Scott. C'est la même fantaisie qu'il retrouvera en 1837 dans les églises flamandes, qui ont précisément subi l'influence espagnole.

Cet étrange personnage nous introduit au monde des silhouettes, le plus riche de sa mémoire, foisonnant d'ombres chinoises (8) et, quand la couleur s'en mêle, de caricatures bariolées qui font tout un picaresque petit théâtre. Il y en a qui datent du séjour en Italie : de fiers bandits, Fra Diavolo, en Italie, l'Empecinado, en Espagne (9) ; de fiers traîtres, comme ce curieux moine Concha (10) ; non pas seulement des individus, mais aussi des effets de foules, les brigands crucifiés sur le bord des routes

(1) Cf. p. 12-13.
(2) *V. H. rac.*, chap. XVII.
(3) *V. H. rac.*, chap. XVIII.
(4) *V.*, II, p. 347.
(5) *V. H. rac.*, chap. XVIII.
(6) *Ibid.*
(7) *Ibid.*
(8) «... Tout à coup on vit surgir au sommet des rochers et se profiler, avec cette grandeur que donnent aux silhouettes les hauteurs et le crépuscule, une troupe d'hommes qui se penchèrent pour écouter et pour épier. » *V. H. rac.*, chap. XVIII.
(9) *V. H. rac.*, chap. V, XV. Mais, comme le suivant, ils sortent moins de sa mémoire que des *Mémoires* de son père.
(10) *Ibid.*, chap. XI.

italiennes, qui lui apparaissaient comme des files de spectres (1), et cette
« gueuserie de Calot », le *régiment d'éclopés*, « collection des soldats que
la guerre avait le plus maltraités et qui ne pouvaient plus servir à rien ».

Pour qui réfléchissait, c'était le plus triste des spectacles ; pour des enfants,
rien n'était plus drôle. C'était une Cour des Miracles, une gueuserie de
Callot ; toutes les infirmités et tous les costumes ; il y en avait de tous les
corps et de toutes les nations ; les cavaliers qui avaient perdu leur cheval
traînaient le pas ; les fantassins qui avaient perdu leurs jambes montaient
gauchement des ânes ou des mulets ; l'aveugle se faisait conduire par le boiteux. Ce qui était plus vraiment comique, c'est que ces pauvres diables,
qui n'avaient plus d'épaulettes à leurs uniformes en guenilles, avaient à la
place quelque animal qu'ils rapportaient au pays, le plus souvent un perroquet ; quelques-uns avaient les deux épaulettes et joignaient au perroquet un
singe (2).

Ajoutez-y les portraits de la galerie des ancêtres qu'il avait prise en
affection au palais Masserano (3) ; le marquis de Saillant si *poudré à
blanc* par la poussière de la route « que lorsqu'il descendit, ils crurent
qu'il avait neigé (4) » ; le *moine ivoirin*, Dom Bazile, au souvenir duquel
s'est sans doute superposée l'image, sinon le nom, du personnage de
Beaumarchais : « Un moine parut, en grande robe noire rougie par le
temps, en rabat blanc et en *sombrero*. Il avait à peu près cinquante ans,
le nez en bec-de-corbin et les yeux très enfoncés. Mais ce qui saisissait
le regard, c'était sa maigreur et sa pâleur. Il était immobile de corps et
de visage ; ses muscles avaient perdu toute leur élasticité et semblaient
s'être ossifiés (5). » Et surtout Corcovita petite bosse, le *sereno* du Collège
des Nobles qui le réveillait par trois coups frappés sur le bois du lit
comme le *papamoscas* de Ségovie : « ...un bossu, rouge de visage, les cheveux tortillés, vêtu d'une veste de laine rouge, d'une culotte de peluche
bleue, de bas jaunes et de souliers couleur cuir de Russie (6) ». Ce messager
du destin, habillé en arc-en-ciel, inaugure dès l'enfance cette galerie
des grotesques que les hasards de la vie et une curiosité éveillée pour
toujours ne cesseront de garnir et qui, passant par les Triboulet et les
Quasimodo évoqués à ce propos par le « témoin » et renouvelés par Perkeo (7), aboutit à Maglia et ses nombreux camarades.

Voilà l'Espagne qu'il a vue et retenue. En ce temps de guerre et de
colère, elle lui a appris la violence et la couleur, plus encore que l'Italie
qui avait sans doute commencé de le faire. Elle a marqué sa vision au
blason sang et or, à peu près celui que le roi Joseph accorda à son père.
Et l'on peut vraiment répéter avec Mabilleau que son imagination a été

(1) *Ibid.*, chap. VI, cf. p. 12.
(2) *Ibid.*, chap. XVIII.
(3) *Ibid.*, chap. XIX : « On l'y trouvait seul, assis dans un coin, regardant en silence
tous ces personnages en qui revivaient les siècles morts ; la fierté des attitudes,
la somptuosité des cadres, l'art mêlé à l'orgueil de la famille et de la nationalité,
tout cet ensemble *remuait l'imagination* du futur auteur d'*Hernani* et y déposait
sourdement le germe de la scène de don Ruy Gomez. » Nous avons déjà rencontré
ces rêveries solitaires dans la plus tendre enfance (p. 11), nous les retrouverons dans
les voyages où Hugo aime à monter s'isoler au haut d'un clocher ou d'une hauteur
pour laisser son imagination s'exercer en liberté à propos d'une *chose vue* ou d'une
pensée quelconque.
(4) *Ibid.*, chap. XX.
(5) *Ibid.*, chap. XVII.
(6) *Ibid.*, chap. XX.
(7) Cf. *Voyages*, chap. II, p. 236.

« naturalisée » par ces impressions d'enfance. C'est là peut-être, au sens
où nous l'avons esquissé, la vraie province de son enfance, dont les oppositions répondaient, en même temps qu'elles les accentuaient, aux tendances de son tempérament.

Mais la voilà déjà qui recule, de toute la vitesse vertigineuse de l'attelage en déroute qui les replie en France. Adieu palais, adieu collège,
adieu Pepa et Corcova! Voici close l'heureuse époque de l'enfance nomade.
L'Espagne s'éloigne, mais elle ne s'efface pas. Car l'absence, comme
souvent, fortifie et assure l'empire du souvenir. Elle va grossir « les magiques fontaines », où le poète puisera inlassablement l'eau toujours
fraîche de sa poésie. A peine perdue, Pepa est retrouvée au cher jardin.
Mais lui-même, ce jardin, n'est pas loin de s'évanouir. Condamné par
le prolongement de la rue d'Ulm, il devait disparaître pour entrer dans
la légende du poète. Revenue d'Espagne en 1812, la famille Hugo, un
an après, quittait de nouveau et pour jamais les Feuillantines et allait
s'établir en face du Conseil de Guerre, au n° 2 de la rue des Vieilles-
Thuileries, aujourd'hui rue du Cherche-Midi (1).

L'école et les livres.

Il fallait bien se remettre à l'étude. « Mme Hugo était pour l'éducation
en liberté (2). » Biré peut la cribler de ses sarcasmes, cette éducation n'eut
pas de si mauvais résultats et semble avoir convenu au tempérament de
l'enfant qu'elle laissait se développer en son propre sens. C'est l'expression *en liberté* que je retiens : cette liberté essentielle à la fantaisie, c'est-
à-dire à l'épanouissement de l'imagination, a présidé à son éducation.
Il est facile de s'en rendre compte.

Jusqu'à cinq ans, l'école enfantine de la rue du Mont-Cenis, sorte de
garderie ou de jardin d'enfants. Aussi se rappelle-t-il surtout la cour :
le puits, l'auge et le saule. « L'enseignement qu'on lui donnait était de
l'asseoir devant une fenêtre (3). » Il y apprit au moins à regarder. Puis
1808, un an de vacances en Italie (4). De 1809 à 1811, entre sept et neuf
ans, Victor commence ses véritables études sous M. La Rivière, ancien
prêtre de l'Oratoire, « un prêtre apostat et... une cuisinière devenue sa
femme », comme dit avec indignation Biré. Il n'eut pas besoin d'apprendre
à lire à l'enfant, « il se trouva qu'il le savait ». Il avait appris, nous dit-on,
« tout seul rien qu'à regarder les lettres (5) ». Ce trait prouve au moins
la part de l'observation dans cette instruction abandonnée à l'aventure.
Fortement concurrencé par le jardin qui lui révélait le respect des boutons d'or et des bêtes à bon Dieu, le vieux prêtre lui enseigna tout de
même « la lecture, l'écriture et un peu d'arithmétique » et « quand il le
fallut, ...le latin et le grec ». Il était aidé en cette tâche par le réfugié

---

(1) Le 31 décembre 1813, cf. chronologie établie par M. Levaillant dans
l'*Œuvre de Victor Hugo*. Cf. les vers de Victor Hugo (1871) :
       Un jardin vieillissait où passe cette rue.
       L'obus achève, hélas, ce qu'a fait le pavé.
                                 (*A. T., Janvier*, VI.)
(2) *V. H. rac.*, chap. XXI, cité par Biré, *op. cit.*, p. 57.
(3) *Ibid.*, chap. IV.
(4) Cf. p. 13.
(5) *V. H. rac.*, chap. VII. Et peut-être aussi un peu, malgré tout, rue du Mont-
Cenis, comme le remarque Berret, *R. D. M.*, 1928, t. XLIII, p. 859-882.

clandestin, le général Lahorie, parrain de l'enfant, qui, si l'on en croit
le *témoin*, fit expliquer Tacite à l'enfant, âgé seulement de huit ans (1).
Ce brusque progrès étonne et laisse un peu sceptique, mais, outre qu'il
s'agit d'un enfant doué, il faut l'admettre si l'on veut s'expliquer l'avance
de Victor sur ses camarades, lorsqu'il entre à Madrid au Collège San
Antonio Abad.

En effet, après six semaines d'une *vie d'oiseaux* — *sautillant* et *chan-*
tant du matin au soir — le général, à son arrivée, avait estimé « qu'il
était grand temps de mettre fin à *toutes ces vacances* (2) ». Pourtant, rue
Ortoleza, ses maîtres espagnols, Dom Bazile que nous connaissons déjà
et Dom Manuel, aussi replet que l'autre était sec, furent surpris de sa
connaissance du latin. Nous le sommes avec eux : à neuf ans, après avoir
commencé le latin deux ans auparavant et travaillé — soit! — Tacite,
Victor Hugo est capable de traduire couramment l'*Epitome*, le *De Viris*,
Justin et Quinte-Curce, plus laborieusement Virgile et Lucrèce : il
n'échoue qu'à Plaute (3). Le plus étonnant n'est pas qu'il se soit adapté
à la langue philosophique de Lucrèce ou à la souplesse de Tacite, mais
bien qu'il ait tiré de ce dernier les règles de grammaire nécessaires pour
comprendre des textes d'une syntaxe plus classique. Force fut donc de
le mettre en rhétorique. Le niveau des études chez les bons pères espagnols et les dispositions particulières de l'enfant peuvent expliquer la
différence, sinon cette prodigieuse facilité.

A peine sorti du Collège de Madrid, où il avait pu également s'exercer
au dessin à l'étonnement de ses maîtres, et, avec moins de succès, au
solfège, l'enfant retrouva pour quelque temps La Rivière et son latin
et découvrit un nouveau maître, la lecture. Mme Hugo, fort libérale —
c'est le moins qu'on puisse dire — laissait aux enfants le soin d'essayer
ses livres. « Elle les envoyait chez son loueur, un nommé Royol, qui était
un bonhomme très particulier et qui avait conservé le costume Louis XVI
dans toute sa pureté, habits de bouracan, culotte courte, bas chinés,
souliers à boucles, cheveux poudrés (4). » Eugène et Victor *fourrageaient*
à leur guise dans le rez-de-chaussée du bonhomme, où on les imagine
vautrés à même le sol, dévorant pêle-mêle Rousseau, Voltaire, Diderot,
Faublas, les Voyages du Capitaine Cook et même Restif de la Bretonne,
si l'on en croit la confidence à Sainte-Beuve (5), sans oublier la Bible.
Cela ressemble fort aux lectures de Rousseau jeune : lectures non dirigées,
sans méthode ni discernement ; leur extrême liberté reposait sur le principe « que les livres n'avaient jamais fait de mal ». On en conçoit, avec
Biré, quelque inquiétude. Sans doute, comme font les enfants, Victor
Hugo trouva-t-il de l'intérêt aux choses qui en avaient pour son âge et
laissa-t-il le reste, qu'il ne comprenait pas. En tout cas, elles ont excité
précocement sa sensualité et développé en lui, avec un esprit raisonneur,
une imagination vagabonde et hardie.

(1) *Ibid.*, chap. VIII.
(2) *Ibid.*, chap. X. Hugo rappelle avec une étonnante précision tous les détails :
« le *lundi* qui suivit l'arrivée de leur père... ». Cf. la visite du proviseur du Collège
Impérial (*V. H. rac.*, chap. XXIII et *R. O.*, XIX, écrit vingt-six ans après).
(3) *Ibid.*, chap. XX : « De difficulté en difficulté, on vint à Virgile, où ils (les enfants
Hugo) furent plus attentifs et moins rapides, ils se tirèrent encore de Lucrèce,
quoique péniblement, et n'échouèrent qu'à Plaute. »
(4) *Ibid.*, chap. XXI.
(5) BIRÉ, *op. cit.*, p. 58.

L'image du Genevois est encore évoquée par Cordier, le directeur de la pension où Hugo le père fit pour ainsi dire enfermer ses deux fils, afin de les soustraire à l'influence jugée néfaste de leur mère et sans doute de leur faire donner une instruction plus suivie : « il était passionné de Jean-Jacques Rousseau, dont il avait adopté jusqu'au costume arménien (1).» Enveloppé dans la houppelande et coiffé du bonnet, armé d'une « énorme tabatière » de métal, il gardait cette maison sans soleil qui, proche de la prison de l'Abbaye, semble avoir respiré le même air. Il était aidé pour l'enseignement par un certain Decotte dont Hugo, qui n'en a pas gardé un bon souvenir, nous a laissé l'image d'un rimailleur hargneux et indélicat. D'octobre 1814 au mois d'août 1818, l'enfant devait grandir là, prisonnier de ces murs d'où il ne s'échappait que pour entendre la messe à Saint-Germain-des-Prés, sans grands élans mystiques, semble-t-il, et, les deux dernières années, pour suivre les cours du Collège Impérial (2).

Virgile.

Que lui a apporté cette prison? Le désir de s'en évader et la répugnance à toute discipline ou contrainte, à tout métier même, plus que jamais la soif du grand air et de la liberté, le goût aussi du commandement que son prestige lui assurait sur ses condisciples, un peu de mathématiques peut-être, mais sans conviction. Elle lui imposa surtout un contact quotidien avec les poètes latins, Virgile et Horace en tête, que, pour composer avec sa passion naissante de la poésie, il s'amusait à traduire en vers. Il y était encouragé par sa mère, qui faisait preuve ainsi d'une rare largeur d'esprit, et par son maître d'études Biscarrat, lui aussi poète ; surtout son propre génie l'y poussait.

Nous verrons dans le chapitre suivant ces premiers essais, contentons-nous pour le moment de remarquer que l'éducation de Victor Hugo a été essentiellement latine et d'observer la part prise par ces poètes dans la formation de son inspiration. Virgile (3), Catulle, Lucain ne sont pas près de disparaître de sa mémoire, il en trouvera constamment la trace : un paysage de Virgile, dira-t-il, ou « voir... les vers de Virgile vivre dans le paysage (4) ». Cette part est en gros celle de la poésie agreste, de la fantaisie pastorale, matérialisée par les illustrations mêmes de l'édition scolaire de la Stéréotypie Herhan qui sont demeurées dans sa mémoire et viennent s'interposer entre certains paysages qu'il rencontre et les plaisirs qu'ils lui procurent : « C'est un chariot, écrit-il, traîné par des bœufs, comme j'en voyais dans les vignettes du Virgile-Herhan que j'expliquais dans mon enfance (5). » Fantaisie mêlée d'amour et qui

(1) *V. H. rac.*, chap. XXVI.
(2) Sur ces études qui n'intéressent pas proprement la fantaisie de Victor Hugo, sur l'enseignement de Maugras, par exemple, voir P. BERRET, *Victor Hugo*, p. 16 sq.
(3) L'influence de Virgile a été étudiée par S. CHABERT, qui a dressé un répertoire de références dans *Virgile et l'œuvre de Victor Hugo*, Grenoble, 1909.
(4) *Rh.*, XXII, Bingen, p. 233 et *ibid.*, XVII, p. 137. Également V., II, p. 178, Lucerne : « on trouve des églogues de Virgile à l'ombre du Rigi. » Voir *la Fantaisie de Victor Hugo, Thèmes et Motifs : Paysages d'églogue virgilienne.*
(5) *Rh.*, XVII, p. 137, la Vallée-Suisse à Saint-Goar, en 1840. Cf. *Voyages*, chap. V, p. 298. Paul Berret a pu voir cet exemplaire (il orthographie différemment le nom de l'éditeur) : « Je l'imagine penché sur ce *Virgile* de l'édition Herren que j'ai tenu pieusement entre mes mains à Guernesey » (*op. cit.*, p. 21). Mais il ne nous a pas dit s'il y avait des illustrations. Pour ma part, je n'ai pas trouvé, à la Bibliothèque Nationale, d'édition *Herhan* illustrée.

n'est pas exempte parfois d'une certaine gaillardise : ce que lui-même
appelle *fantaisie païenne*, en nommant Vénus (1). C'était Virgile précisément qu'on lisait à deux avec Pepa ou Lise, au temps des amours enfantines, au souvenir desquelles il demeure lié :

> Je lui montrais mon Phèdre ou mon Virgile... (2).

Ce sont encore ces poètes latins qu'il travaille couché, lorsque l'accident de son genou l'a contraint à une liberté inespérée du côté de ses
études. La place de tels loisirs, où il retrouve la liberté, est inappréciable
dans sa formation et il nous est précieux de savoir que le nom de Virgile
y reste associé. Ce nom a fixé pour longtemps dans son vocabulaire
personnel un air de liberté, de poésie et de sensualité que ces syllabes
mélodieuses auront le don de lui évoquer aussitôt et de résumer pour
son compte.

***

En effet, ce qui me paraît caractériser ces seize premières années —
on peut arrêter là l'enfance de ce précoce adolescent — c'est cette extrême
liberté, si dédaigneusement soulignée par Biré! Les circonstances y ont
aidé : une femme seule, le père éloigné aux armées, l'incessant va-et-
vient de la France aux frontières et aux territoires occupés, une enfance
errante sur les traces de la Grande Armée victorieuse, de perpétuels
changements de domiciles, d'habitudes, d'écoles et de camarades, des
études coupées de voyages qui sont autant de vacances, tout cela a fait
de la discontinuité la règle et du hasard le maître de cette éducation. Ce
que les circonstances n'ont pas fait, la tolérance d'une mère systématiquement libérale sous son apparente sévérité y suppléait, son amour
des jardins, des lectures à bâtons rompus, comme on aimait dans son
XVIIIᵉ siècle, et ce respect singulier pour une petite bourgeoise de la
poésie en général et de la volonté particulière d'un enfant.

Ce jardin, ces jardins, tant de parcs et de campagnes, des horizons si
variés ont, à mesure qu'ils s'effaçaient, paré son enfance d'un charme
privilégié, qu'il a reconnu dès 1823 :

> Mes souvenirs germaient dans mon âme échauffée ;
> J'allais chantant des vers d'une voix étouffée ;
> Et ma mère, en secret observant tous mes pas,
> Pleurait et souriait, disant : C'est une fée
> Qui lui parle et qu'on ne voit pas (3)!

Outre que le branle est donné par ces souvenirs à son inspiration poétique, tout ce qui touche à son enfance est désormais marqué de ce caractère. Je laisse à Hugo le soin de prononcer le mot : *c'est une fée...*, dit-il,
il parle de *magiques fontaines* et ailleurs de la *magique évocation* opérée
par le grincement de la charrette basque (4). Évanoui, ce passé lui paraît
comme un rêve.

(1) *Rh.*, XVXIII, Heidelberg, p. 311.
(2) *C.*, I, xi.
(3) *Mon enfance*, O., V, 9. Cf. *A. T., Janvier*, VI, *Une Bombe aux Feuillantines :*
         Ce passant rêve. Ici, son âme s'envola
         Chantante................................
(4) Cf. ici p. 11 et 17.

Je revins rapportant de mes courses lointaines
Comme un vague faisceau de lueurs incertaines (1).

Il faudrait dire des *rêves* — le mot reviendra souvent dans les premiers vers de Hugo (2) — qui vont rejoindre tous ceux qu'inventa sa fertile imagination d'enfant. Mêlés, entrelacés entre eux, en sorte qu'on ne distingue plus ce que la pure poésie y ajoute, ils forment une source inépuisable de délices.

Moi, je me sentais heureux, j'avais traversé plusieurs fois l'odeur des liserons qui me rappelle mon enfance, je songeais à tous ceux qui m'aimaient, j'oubliais tous ceux qui me haïssent, et je regardais dans cette ombre, pour ainsi dire, à regard perdu, laissant se mêler à ma rêverie les figures vagues de la nuit qui passaient confusément devant mes yeux (3).

A regard perdu... C'était aussi le temps perdu qu'il retrouvait et dont il respirait, ravi, le parfum oublié. N'est-il pas le premier poète à nous avoir donné cette nostalgie de notre enfance? Ce parfum reconnu dès 1823, il le perdra de nouveau, pour longtemps encore, avant de savoir le ressaisir : ce sera au moment des voyages, du loisir et de la liberté reconquis. Le temps des écoles, des exercices poétiques et des succès brillants aura passé, qui l'en aura détourné. Mais ce temps de l'enfance n'était pas perdu : il attendait son poète. Et le poète, avant de se connaître, allait d'abord se chercher.

(1) *Mon enfance.*
(2) *Ibid.* « J'ai des rêves... » et l'ode intitulée *Rêves*, O., V, 25.
(3) *V.*, II, de Bordeaux à Bayonne, p. 293, 23 juillet 1843.

III

« *UN JEUNE JACOBITE DE* 1819 »
(1818-1822)

> J'ai pour quelques lauriers stériles
> Jeté les fleurs de mon printemps (1).
> Enfants, pourquoi faut-il que vous deveniez hommes (2)?

Adieux à l'enfance.

Cette enfance, il ne la voyait pas sans regrets révolue. En août 1818, le jeune Hugo, quittant la pension Cordier et se rendant parfaitement compte qu'il entrait dans une époque nouvelle de sa vie, les a exprimés dans une pièce fervente et oubliée. Il y regrettait ses jeux, ses libres jeux : *la grêle des fruits pris aux pommiers voisins, l'escarpolette mouvante* et *l'antique échelle* sur laquelle

> Plus fiers que des soldats romains
> Nous assiégions la citadelle
> D'un ancien chenil à lapins (1)!

Ces vers nous montrent qu'il ne manquait alors ni d'humour, ni de fantaisie. C'est peut-être, obscurément, la raison qui les lui a fait garder dans un tiroir, car Hugo n'a jamais aimé gaspiller même les miettes de sa production. Il s'aperçoit que, comme tous les enfants, pour aspirer trop tôt à la toge virile, il a perdu au change. Il soupire au gazon :

> Que ne peux-tu me voir encore
> Me rouler sur tes tapis verts!

Il met peut-être quelque affectation à le reconnaître, mais aussi beaucoup de clairvoyance :

(1) *Mes Adieux à l'enfance*, août 1818, O. B., *Essais et Poésies diverses*, p. 444. Ce poème, d'ailleurs plein de réminiscences classiques dans le mode des regrets élégiaques, n'a été publié que dans le *Victor Hugo raconté* et seulement en partie précisément sous ce titre : *Regrets*.
(2) *A des petits enfants en classe*, juin 1820, pièce publiée dans *Littérature et Philosophie mêlées*, *Journal d'un jeune Jacobite de* 1819, p. 66.

> Trop avide de l'avenir,
> J'ai hâté le cours des années...
> J'ai pour quelques lauriers stériles
> Jeté les fleurs de mon printemps...
> Je vivais gai, content, sans chaînes...

Ces chaînes, il les a cherchées. A seize ans, en effet, Victor Hugo est déjà un poète : au moins a-t-il délibérément pris son parti de le devenir et s'y est-il appliqué en conscience, car s'il a déjà la fécondité, il n'a pas l'originalité, et l'on se prend à regretter le fol enfant aux enfances nomades (1). Non pas que ses vers soient mauvais, ils valent en gros ceux de ses maîtres ; mais c'est peu dire en somme et ceux-ci lui offraient des modèles limités. C'est un poète précocé, mais sage, redoutablement sage et docile au courant de la mode, comme il l'est ailleurs et en même temps à l'enseignement de ses professeurs. Plus élève encore, s'il se peut, en poésie qu'en classe. Le côté de la mère, sa première lectrice, l'emporte, dirait-on, pour le moment sur celui de son père et sur « l'imagination, ardente et vive, attirée par l'extraordinaire, l'effrayant et le grandiose (2) » qui caractérise les œuvres de ce dernier. Victor Hugo en tout cas a claire-ment pris conscience de ce divorce intérieur à ce moment :

> Je me cherche, hélas, et ne voi
> Qu'un fou qui gémit d'être sage.

Se cherchait-il ? Il semblait surtout préoccupé d'écrire pour écrire, moins pour ce qu'il aurait eu à dire, et très vite pour réussir. Ce souci n'est pas le moins du monde méprisable, il constitue indiscutablement le meilleur stimulant, mais il explique que pour assez longtemps se perdent dans une poésie académique, ou mieux dans une poésie d'école, jusque dans la révolte conséquente, les élans de sa fantaisie et que le poète Hugo se présente d'abord sous l'aspect d'un littérateur.

---

(1) Lui-même y rêve avec une nostalgie surprenante pour son âge « en voyant des enfants sortir de l'école » un jour de juin 1820 :
> Je ris quand chaque soir de l'école voisine
> Sort et s'échappe en foule une troupe enfantine...

Suivent des vers, fort abandonnés de ton, qui constituent l'une des premières de ces *Scènes d'enfants* dont son œuvre est parsemée. Le sévère « mentor » s'évertue à rappeler les enfants.
> Il rentre. Alors la bande, avec des cris aigus,
> Se sépare, oubliant les ordres de l'argus.
> Les uns courent sans peur, pendant qu'il fait un somme,
> Simuler des assauts sur le foin du bonhomme ;
> D'autres jusqu'en leurs nids surprennent les oiseaux
> Qui le soir le charmaient, errant sous ses berceaux ;
> Ou, se glissant sans bruit, vont voir avec mystère...
> S'ils ont laissé des noix au clos du presbytère.

Et l'adolescent regrette cet « âge serein » avec sa « naïve ignorance » dont il se sent à présent séparé :
> J'ai passé par l'enfance, et cet âge chéri
> Plaît, même en ses écarts, à mon cœur attendri...
> Et tout paraît charmant aux premiers feux du jour.

S'ils n'étaient datés, ne croirait-on pas ces vers extraits des *Feuilles d'automne* ou des *Contemplations* ? C'était déjà là le vrai poète Hugo, mais, soit défiance de lui-même, soit souci de la mode, Hugo a attendu jusqu'en 1834 pour les publier dans le *Journal d'un jeune Jacobite de* 1819 (L. Ph. m., p. 65. Voir *ibid.*, p. 66, le poème intitulé : *A des petits enfants en classe*).

(2) P. BERRET, *l'Élève Victor Hugo*, art. cité.

« *Un jeune élève de Virgile.* »

A seize ans, il s'y prépare seulement et, en attendant, s'est choisi un bon maître, qui le restera toute sa vie littéraire : c'est Virgile. Il ne manque aucune occasion de lui marquer sa vénération, ainsi qu'à Tibulle, non sans ostentation d'ailleurs, comme on donne des gages de fidélité. Dans *le Bonheur que procure l'étude*, poème destiné au concours de l'Académie Française, le jeune poète écrit avec le sérieux de ses quinze ans :

> Je revois mon foyer, mon bocage tranquille,
> Mon aimable Tibulle et mon tendre Virgile (1).

Il y revient à plusieurs reprises :

> Mes deux auteurs chéris, et Tibulle et Virgile.

Et dans sa réponse à Raynouard, Secrétaire perpétuel de l'Académie, citant quatre fois nommément Virgile toujours présent d'ailleurs, il réitère :

> Un jeune élève de Virgile
> Ose de sa Muse inhabile
> T'adresser les accords nouveaux (2).

Le goût du temps explique ce choix. Il se retrouve, exprimé ou sous-entendu, chez tous les petits poètes de ce début de siècle, demeurés sous l'influence de la seconde Renaissance de la fin du siècle précédent qui n'a fait que s'accentuer sous l'Empire (3). Au delà d'eux, mû autant par l'occasion scolaire que par un sûr instinct, Victor Hugo remonte à l'original familier dont il traduit en vers alexandrins de longs fragments : la Première Églogue, *Tityre-Mélibée*, en octobre 1816, *l'Antre des Cyclopes* et *Cacus*, tous deux tirés du livre VIII de *l'Énéide*, en janvier et février 1817, *le Vieillard du Galèse* (*Géorg.* IV), en avril et *Achéménide* (*Én.* III), en décembre de la même année. Entreprise « absurde, impossible et chimérique, estimera-t-il un ou deux ans plus tard. Et j'en sais quelque chose, moi, qui ai rimé en français (ce que j'ai soigneusement caché jusqu'à ce jour) quatre ou cinq mille vers d'Horace, de Lucain et de Virgile ; moi, qui sais tout ce qui se perd d'un hexamètre qu'on transvase dans un alexandrin » (4). Sa modestie fondée sur une expérience apparemment désabusée n'allait pourtant pas, quoi qu'il en dît, jusqu'à priver de ces essais *le Conservateur littéraire* : mais c'était plutôt pour en grossir la copie, car il les signait d'un pseudonyme — Vicomte d'Auverney — ou d'une simple initiale. Sur son chemin, il retrouvait inévitablement Delille et parfois en de curieuses coïncidences qui ne sont pas isolées, comme en ce vers du *Cacus*, où Hercule, saisissant dans ses bras le monstre,

(1) Le titre exact du sujet mis au concours le 5 avril 1815 par l'Académie Française — redevenue pour les Cent Jours Institut Impérial — est : *Le bonheur que procure l'étude dans toutes les situations de la vie.* Le sujet imposait évidemment cet hommage répété. Ce poème est daté *du 18 mars au 7 avril* 1817. Il a été publié dans le *Victor Hugo raconté*, parmi les *Œuvres de la première jeunesse.* Cf. *O. B., loc. cit.*, p. 399 sq.
(2) *Corresp.*, éd. Calmann-Lévy, t. I, p. 4, Réponse *à Raynouard*, Paris, 31 août 1817.
(3) Voir les travaux connus de CANAT et de DESONAY.
(4) *L. Ph. m.*, p. 64.

Arrête dans sa gorge et son sang et sa vie (1).

Au possessif près, c'est un hommage à « l'interprète de Virgile ». Aussi bien avait-il dû recevoir le même conseil que Lamartine de M. Didot après ses premiers vers : « Lisez nos maîtres, Delille, Parny » (2)... N'est-ce pas au « peintre des *Jardins* » qu'il songe en choisissant l'épisode du *Vieillard de Galèse*, et en rimant ces vers d'ailleurs très frais :

> Poëte des jardins, je chanterais peut-être
> La culture des fleurs et la rose champêtre.
> Je décrirais l'acanthe arrondie en berceaux,
> L'endive, se gonflant du suc des clairs ruisseaux,
> Le myrte, amant des eaux qu'il couvre de son ombre,
> Les contours tortueux de l'énorme concombre,
> Le narcisse tardif, le persil frais et vert,
> Et le lierre rampant dont le chêne est couvert (3).

Il n'entre pas dans notre propos de nous attarder à ces traductions non plus qu'aux vers de l'adolescence, mais seulement d'y voir d'abord que Victor Hugo, ayant rompu, quoique à regret, avec l'enfance qui est une des sources éternelles de la poésie et le sera particulièrement pour lui, tourne le dos résolument à une poésie spontanée qui aurait pu être dès à présent la sienne, pour se plier par contrainte volontaire aux modèles du jour ; d'examiner ensuite quel bénéfice le jeune poète a malgré tout retiré de ces exercices que, selon toute apparence, il considérait comme tels, n'engageant pas même son nom lorsqu'il les publiait.

La première partie de cette démonstration paraît établie. Paul Berret, bon juge en la matière, c'est-à-dire impartial et plutôt favorable, insiste sur la docilité de l'adolescent. Rappelant le jugement perspicace du père sur le fils — « une grande aptitude à étudier... posé... très réfléchi (4) » — il reconnaît que celui-ci « a plié son imagination à suivre l'exemple de ses maîtres ». Il a même eu l'ingénieux souci d'observer les nombreux dessins qui constellent les cahiers de l'écolier poète et n'y discerne rien de plus que « la manière des lithographes de la Restauration ». « Rien n'y révèle, remarque-t-il, la manière vigoureuse du dessinateur des voyages du Rhin et l'on y chercherait vainement des jeux antithétiques d'ombre et de lumière (5). » Autant en pourrait-on dire de l'écriture qui réserve toujours chez Hugo l'occasion de précieux diagnostics caractérologiques : fine et assez molle, elle ressemble aux écritures appliquées, précieuses et menues qu'on retrouve uniformément dans les journaux intimes des

---

(1) *O. B.*, p. 378. Le vers de Delille était : « Arrête dans sa gorge et *le* sang et *la* vie. » Toute la pièce est visiblement influencée par la traduction de Delille. En 1819, Hugo relèvera un schéma semblable dans *l'Aveugle* de Chénier, où Thésée...
  Crie, il y plonge ensemble *et la flamme et la mort.*
Il y retrouve « ce qui constitue l'originalité des poètes anciens, la trivialité dans la grandeur » et découvre ainsi un goût fondamental qui ira en se développant et, éclatant dans la *Préface de Cromwell*, s'y posera en théorie. Cf. *Conservateur littéraire*, 1re livr., déc. 1819, *in L. Ph. m.*, p. 59.
(2) MABILLEAU, *op. cit.*, p. 9.
(3) *O. B.*, p. 411. Dans l'article consacré à Delille (*Conservateur littéraire*, 11e livr., *Œuvres posthumes de J. Delille*), Hugo célébrait « l'imagination du peintre des *Jardins*, l'âme du chantre de la *Pitié*, toutes les qualités poétiques de l'interprète de Virgile ».
(4) *V. H. rac.*, chap. VI.
(5) *L'Élève Victor Hugo*, article cité.

jeunes femmes de l'époque. Elle ne révèle aucune personnalité hardie (1).
« Poète ou dessinateur, il a été l'imitateur des œuvres de son temps. » Et
Berret conclut en dressant un bilan sévère et négatif : « c'est... la rime
de Voltaire, la monotonie des adjectifs et des participes à la fin des vers,
l'épithète noble, mais imprécise et conventionnelle ; c'est aussi la fausse
élégance de Delille et ces agaçantes inversions qui passaient pour des
audaces poétiques. » « C'est après 1818, ajoute-t-il, pendant les dix ans
qui précéderont la préface de *Cromwell*, que s'élaborera véritablement le
génie du poète et du romancier. » Je dirai même après 1822 et je me
garderai d'assurer que cette *élaboration*, celle des rythmes et des thèmes
personnels, fût terminée en 1828 ; puisque je tiens qu'au regard de la
fantaisie, elle n'était pas encore commencée. Reconnaissons que Berret
était d'autant plus libre de formuler ce verdict qu'il admirait profondément l'œuvre de Hugo, qu'il n'était pas en cela plus sévère que le poète
même qui en avait donné l'exemple et qu'enfin il avait relevé les quelques
vers qui lui parussent dignes d'un « enfant sublime », en les faisant suivre
de l'appréciation portée par Biscarrat. Les voici, extraits de *Cacus* :

> S'enivre de carnage et regorge de sang...
> Et sa gorge engloutit le sang des malheureux...
> Faire crier leurs os sous ses dents dévorantes.

La couleur de ces vers, apparentée à la noirceur de *Han d'Islande*, témoignait
selon le maître d'études d'une « vigueur de pinceau que je ne trouve
chez aucun poète ».

Le profit ne se bornait pas cependant à cette vigueur conventionnelle.
Hugo acquit au contact de Virgile la technique du vers assoupli. Pour
le poète latin en effet, l'hexamètre ne constitue pas une unité fermée :
pas plus que la pensée ne s'achève en un vers, la phrase qui l'exprime ne
s'interdit de déborder de l'un sur l'autre. C'est là qu'à suivre docilement
les inflexions du texte latin, le traducteur poète apprit naturellement
l'art des enjambements et des coupes variées (2). Là et dans Chénier qu'il ne
sépare pas des antiques, « romantique parmi les classiques », va-t-il
dire (3). Pourtant, dans l'article du *Conservateur littéraire* qu'il consacra
au poète disparu, Hugo paraissait concéder à la critique des *connaisseurs*
un certain nombre de défauts apparents : « ... ce style incorrect et parfois
barbare, ces idées vagues et incohérentes, cette effervescence d'imagination... cette manie de mutiler la phrase, et, pour ainsi dire, de la tailler
à la grecque... des coupes bizarres... », etc. (4). Mais c'était pour subtilement les défendre : « chacun de ces défauts du poète, ajoutait-il en effet,
est peut-être le germe d'un perfectionnement pour la poésie. » Il l'avait

---

(1) Cette remarque a été confirmée depuis par la curieuse étude graphologique
d'A. CIANA, *Victor Hugo*, p. 10 et 13.
(2) Cf. P. BERRET, *l'Élève Victor Hugo*, art. cité : « Il a dès cette date le sens de la
couleur et du rythme : et c'est dans Virgile que le jeune écolier trouve toutes les
coupes, tous les rejets, tous les effets rythmiques du poète de *la Légende des Siècles*.
Comme Ronsard fit jadis pour les strophes lyriques de Pindare et d'Horace,
Victor Hugo s'efforce déjà de transposer tous les procédés de l'hexamètre virgilien
à l'alexandrin français. » On peut remarquer avec H. J. Hunt que la même pré-
occupation se retrouvait chez des poètes contemporains comme Lemercier, l'auteur
de la *Panhypocrisiade* (1819). Voir *The Epic in Nineteenth-Century France*, p. 67.
(3) Article sur *Lamartine*, dans le *Conservateur littéraire*, 10ᵉ livr., avril 1820.
(4) Article cité sur *Chénier*, p. 84, *L. Ph. m.*, p. 58.

bien senti, et c'était pour y avoir réfléchi lui-même : Chénier lui rendait
l'écho d'une expérience tentée sur le modèle des anciens. Chose remarquable, il admirait moins vivement sa virtuosité poétique que son
originalité dans l'élégie. « La poésie, concluait-il, ce n'est presque que
sentiment. » Il cédait en cela au courant de 1820, au goût des angéliques
tristesses, qui allait faire saluer en même temps que lui Lamartine comme
le poète élu — *André Chénier II*, dira Hugo en lui dédicaçant son volume
d'*Odes et Poésies diverses*. Il n'en est pas moins remarquable que ce qu'il
retenait le plus volontiers pour son propre enseignement du poète des
Bucoliques, c'était précisément cette technique apparemment réprouvée,
dont en 1820 *Moïse sur le Nil*, traité sur le rythme de *la Jeune Captive*,
allait montrer l'influence.

Mais de ces exercices d'assouplissement, pratiqués d'abord sur Virgile,
puis à travers Chénier, toute sa poésie a bénéficié, et non pas seulement
sa poésie de fantaisie. Celle-ci pourtant, à des années de distance, retrouve
dans la fréquentation de Virgile des sources évidentes : c'est principalement l'atmosphère bucolique. Hugo a mesuré beaucoup plus tard l'étendue
de cette dette dans la poésie française. Dans *Promontorium Somnii*, qui
est, nous l'avons dit, comme le manifeste *a posteriori* de son œuvre de
fantaisie, il a observé :

La Renaissance a donné à l'Europe pendant trois siècles la folie payenne.
Théagène et Chariclée et les pastorales de Longus arborent une sorte de civilisation mythologique, galante et bergère. La Fontaine écrit :

> Depuis que la cour d'Amathonte
> S'est enfuie à Bois-le-Vicomte...

... En France, il y avait une sorte d'Olympe gaulois. Les dieux rencontraient les druides dans les oseraies fleuries du Lignon. On poussait la ber-
gerie jusqu'à la bergerade (1).

Cette pastorale a subi des interférences et produit des types divers :
antique et païenne avec Théocrite et Virgile, puis Chénier après Ronsard
et Remi Belleau (2), elle est aussi courtisane et galante avec d'Urfé, populaire et nationale dans les vieilles Chansons, parfois encore au Trianon,
ou bien exotique dans cette même fin du XVIIIe siècle à travers Bernardin
et Parny. Hugo ne songe nullement à les réunir dans une synthèse savoureuse de son tempérament, comme il le fera plus tard dans *les Chansons
des rues et des bois*, mais il se livre séparément à des imitations dans chacune
des diverses formes de ce genre (3).

Tout d'abord il a exprimé des impressions qui, pour rester prisonnières

(1) W. S., Reliquat, p. 305-306.
(2) Voir HULUBEI, *l'Églogue au XVIe siècle*.
(3) Il y faudrait ajouter, si l'on en croit une note du poète attribuée à 1866-1868,
cette *pastorale naturelle* : « C'était vers 1819. J'avais à peu près dix-sept ans. Je vis
près de la Marne, à Créteil, une femme, une fille, une fée, un être charmant qui,
penché sur l'eau, y faisait un petit tapage gracieux », etc... C'est de cette impression
qu'il aurait fait l'églogue intitulée *Choses écrites à Créteil* (C. R. B., I, IV, 7). Mais
il a attendu 1859 ou 1865 pour l'exploiter et l'on ne découvre pas ce motif dans
son œuvre avant les voyages du Rhin et des Pyrénées, où il est en revanche fréquent.
Il était commode, comme il a fait souvent, d'attribuer aux années de sa jeunesse
cette scène d'idylle dont le sujet lui fut peut-être aussi bien inspiré par la peinture
légère du XVIIIe siècle : voir par exemple la série des *Lavandières* de Fragonard.
Hugo dans la *Chanson* reprend précisément ce terme : *O lavandière !*

de la convention, n'en annoncent pas moins déjà un certain sentiment
de la nature :

> Quand la fraîche rosée, au retour de l'aurore,
> Tremble encor sur le sein du lys qui vient d'éclore ;
> Quand les oiseaux joyeux célèbrent par leurs chants
> L'astre aux rayons dorés qui féconde nos champs ;
> Mon Virgile à la main, bocages verts et sombres,
> Que j'aime à m'égarer sous vos paisibles ombres (1) !

Sans doute sur le sujet proposé par Cuvier au Concours Général, « la
théorie de la rosée », s'autorisa-t-il à pratiquer ce mélange de science et
de poésie de bon goût que ne dédaignaient pas alors les savants. Bien
qu'ici Virgile soit nommé, on sent que son nom cache toute la foule des
poètes mineurs ou parfois majeurs du XVIIᵉ et du XVIIIᵉ siècles, qui aimaient
la nature pour goûter le repos et comme ils disaient pour y *rêver*, c'est-
à-dire pour y réfléchir : c'est Delille, et au delà, Chaulieu, Grécourt,
Segrais et aussi La Fontaine, Boileau, ou Voltaire, ou même ce marquis
de La Fare à qui « une belle campagne » inspirait des vers peu différents
où l'on retrouve le même vocabulaire :

> Quand je regarde ces prairies
> Et ces bocages renaissants,
> J'y mêle aux plaisirs de mes sens
> Le charme de mes rêveries (2).

Et, du même poème de jeunesse, ces vers ne rappellent-ils pas les
adieux chers à La Fontaine qu'Hugo pourra retrouver dans Chénier :

> Adieu donc, des forêts dômes touffus et sombres,
> Adieu, ruisseau bruyant qui coule sous leurs ombres,
> Adieu modeste asile, adieu, lieux que j'aimais.
> Je vous fuis, je vous fuis... peut-être pour jamais !

Rien d'étonnant à de tels airs de famille. Ces gentils bucoliques avaient
été réimprimés dans les éditions de la Stéréotypie Herhan sous le Consulat
et l'Empire : La Fare, Chaulieu et d'autres. Ces volumes pouvaient
figurer dans l'inépuisable rez-de-chaussée du bonhomme Royol où Victor
Hugo dut les lire. Ainsi le voit-on citer en épigraphe à l'Élégie du *Jeune
Banni* quatre vers de Chaulieu (3) et celle de *Mes Adieux à l'enfance*,
« *Eheu, Eheu, Postume...* », il l'avait peut-être retrouvée en tête de la célèbre
ode d'Horace traduite par le même La Fare : « Des ans, Postume, hélas,
que la fuite est légère... (4) ».

C'est le même goût des deux siècles, et surtout du dernier, auquel
l'adolescent se conforme en traduisant Horace dont l'Ode *A Lydie* donne
le ton de la bucolique antique :

> Au nom des Dieux dont tu te ris,
> Lydie, en ta folle tendresse,
> Veux-tu donc perdre Sybaris... (5).

(1) *Le bonheur que procure l'étude, O. B., Essais et Poésies diverses*, p. 399.
(2) *Poésies de la Fare, Odes*, I, *Réflexions d'un Philosophe sur une belle campagne*,
éd. Stéréotypie Herhan, 1803, p. 11.
(3) Paru d'abord dans *le Conservateur littéraire*, 16ᵉ livr., juillet 1820.
(4) *Op. cit.*, p. 53.
(5) *O. B., Essais et Poésies diverses*, p. 410 (mai) 1817.

Ne croyons pas d'ailleurs qu'il oppose Horace et Virgile en son esprit. Il ne tardera pas à le faire, mais ce sera artificiellement, sous l'empire de préoccupations nouvelles. « Or nous voulons Virgile, nous, mais nous voulons Horace aussi. Virgile est une moitié de l'art, Horace est l'autre. C'est une loi digne de méditation et d'étude que celle qui place constamment auprès des poètes divins les poètes humains, à côté de Virgile, Horace, à côté de Racine, Molière (1). » Le souci qui s'y lit, l'apologie du comique, bientôt du grotesque, s'apparente trop aux théories de la *Préface de Cromwell* pour que ce fragment soit étranger à leur élaboration. Mais plus tard encore il est facile de voir qu'il les réunira, et avec eux Catulle et Tibulle, pour évoquer une certaine atmosphère, bucolique et sensuelle, dont Virgile reste par simplification le patronyme. Ce côté sensuel se retrouve dans *Lydie* et par conséquent dans l'état d'esprit ou le goût qui a présidé à son choix, d'ailleurs en accord avec celui des choses légères, fort répandu au siècle à peine éteint dont la grâce demeure encore un récent souvenir et une nostalgie.

On s'étonne que ce côté sensuel n'apparaisse pas dans la pastorale exotique, où il serait naturel. Hugo s'est en effet livré à deux essais en ce genre : *la Canadienne*, « suspendant au palmier le corps de son enfant (2) » et *la Fille d'O-Taïti* (3). Ce sont au vrai deux élégies, à la manière de Bertin et Parny, *Arcades ambo*, « deux noms si chéris de la muse des amours », comme écrivait Millevoye, qui lui-même cultiva ce genre (4). Cela explique la prédominance d'une mélancolie affectée que ne relèvent ni « les dépouilles des ours » ni « l'humble bananier ». Elles s'inspirent de la convention exotique, telle qu'elle s'exprimait dans les estampes destinées à populariser les malheurs immérités d'Atala ou de Virginie, sans en retenir, et pour cause, la couleur qui n'appartenait qu'aux deux illustres voyageurs. Ici la Canadienne enterrait son enfant, là *la douce vierge aux paroles plaintives* écoutait tristement « chanter les matelots qui repliaient leur tente (5) ».

Dans le genre enfin de la pastorale rustique et populaire, faussement rustique et faussement populaire, l'adolescent nous donne les premières de ses *Chansons*, d'un tour si libre qu'il renonce à les publier. Elles portent d'ailleurs ce titre. Voici le début de celle qui est datée 12 mai 1818 :

> Un jour, de ses tendres discours
> Le beau Lycas charmait Estelle ;
> Près d'un amant, près de sa belle,
> Hélas ! que les moments sont courts (6) !

Ici l'élève a quitté Virgile pour Parny ou Grécourt. Il s'amuse à leur

---

(1) *L. Ph. m.*, Reliquat, p. 274, sans date. C'est l'idée dont nous trouvons déjà la trace dans l'article sur Chénier : « la trivialité dans la grandeur », *ibid.*, p. 59.

(2) Élégie publiée en partie dans *V. H. rac.*, cf. *O. B.*, p. 451.

(3) *O.*, IV, VII, janvier 1821. Elle est classée comme par un fait exprès immédiatement après l'Ode intitulée *le Génie* et dédiée à M. de Chateaubriand : l'intention est claire.

(4) *Œuvres complètes*, Ladvocat, 1822, t. IV, Préface *Sur l'Élégie*. Ex. *le Mancenillier*, t. IV, p. 194 et *le Nègre*, éd. Garnier, 1865, p. 127.

(5) L'idylle en Haïti de Marie et du Capitaine d'Auverney dans *Bug-Jargal* n'a été ajoutée qu'en 1825 à la première ébauche écrite en 1818 et publiée en 1820 dans *le Conservateur littéraire*.

(6) *O. B.*, p. 428, *Chanson*.

suite sur cet octosyllabe léger et dansant qu'il saura retrouver beaucoup plus tard :

> Près d'une Madelon point gauche
> Un Gros-Pierre point engourdi (1)

Il se divertit de la traditionnelle idylle campagnarde, toujours pittoresque, qu'il rencontrera un jour en *Champagne* :

> On s'aime ; on est toujours Estelle et Nemorin (2).

1818, 1859, 1874. Sans doute l'allure de ces deux dernières années est plus souple, le trait plus gros, et l'on peut dire que le quatrain de Lycas et Estelle reste davantage sous l'influence des petits maîtres, à la fois plus abstrait, moins pittoresque, plus joli et alangui. Mais il y a déjà le refrain alterné, comme dans ces *Chansons* recueillies au livre VI de *Toute la Lyre* (3) :

> Le temps ne fait rien à l'affaire.
> . . . .
> Le temps fait beaucoup à l'affaire.

Et que dire de cette irruption de l'argent à côté de l'amour, qui fait songer, par le thème et par la forme, aux strophes de *Senior est Junior* (4) ?

> Depuis six mois, pour créancier,
> J'ai le vieux Smith, l'homme à proverbes,
> — Que je mange mon blé en herbes,
> Si je n'ai recours à l'huissier !...

Ou de ce quatrain où Glycère apparaît comme dans *les Chansons des rues et des bois* et que la malice d'une note innocente met sur le compte de Virgile ?

> Par deux portes, l'on peut m'en croire,
> Les songes viennent à Paris ;
> Aux amants par celle d'ivoire,
> Par celle de corne aux maris (5).

Certes, le censeur du Collège-Impérial, de Guerne, directeur des *Veillées des Muses* et bel esprit à ses heures qui pratiquait la gaillardise classique, aurait goûté ces vers, comme le suppose Berret. Cependant, il ne vaudrait pas la peine de s'y arrêter une seule minute, s'ils ne témoignaient à dix-huit et à vingt ans d'un génie primesautier dont on ne

---

(1) *C. R. B.*, I, VI, 9.
(2) *T. L.*, II, III, 1874.
(3) Division XXIII. Voici, par exemple, le refrain de *Chanson en Canot*, 27 septembre 1862 :

> Les gueules de loup sont des bêtes
> Les gueules de loup sont des fleurs.

et celui de *Jean, Jeanne et Jeannot* :

> J'entends la roulotte
> De Braine l'Alleud...

(4) *C. R. B.*, I, II, 9.
(5) *O. B.*, p. 419, *Au sommeil, Stances*, nuit du 16 décembre 1817. Voici la note du manuscrit : « *Je veux croire que l'auteur n'a eu d'autre attention que de rappeler les derniers vers du VIe livre de l'Énéide : sunt gemina somni portae, etc. On le sentira en le lisant.* » Nul besoin d'ajouter que dans Virgile il n'est pas plus question d'amants que de maris, mais de portes de l'Enfer.

pourrait autrement s'expliquer la brusque apparition en 1859-65 que
par une lubie précocement sénile.

Ainsi, on le voit, la fantaisie dans son œuvre d'adolescent n'est pas
totalement absente, mais extrêmement restreinte par la loi des genres.
Elle incline parfois vers la satire comme dans le *Télégraphe*. Mais c'est
dans la forme surtout qu'elle se prépare : par la pratique de l'octosyllabe
et du vers assoupli, par l'exercice aussi du duo fondamental de l'idylle
virgilienne que Victor Hugo travaille, à travers Chénier peut-être, dans
deux essais au moins, *l'Enrôleur politique* et *les Deux Ages* (1). Le dialogue
souple et narquois sera utilisé par lui non seulement dans le *Théâtre en
liberté*, mais dans ces courtes saynètes où le poète se divertira à faire
échanger des conceptions opposées de la vie — ce qui est le propre de
toute idylle — à des personnages ou plus souvent à des objets inanimés (2).

Mais la vraie fantaisie n'est pas là, pas même dans le fragment daté
de février 1819 et intitulé *Fantaisie*, où le jeune homme, narguant le
bourgeois, le menace du sort qui eût pu l'exposer dans la Rome de ses
regrets « à être conduit par la ville avec une flûte et deux lanternes, à
peu près comme de nos jours l'âne savant (3) ». Il faut la chercher dans
sa vie, qu'il n'a pas encore eu le temps de modeler à la manière de son
œuvre.

Le voici, tel qu'il apparaîtra encore, pur et grave, dans le beau portrait de 1832 par Louis Boulanger, tel qu'il s'est peint lui-même, dirait-
on, dans cette image de l'adolescence :

Pauvre doux enfant, tu as dix-huit ans, tu prends un air grave, tu as de
grands livres sous le bras... tu lis du grec et du latin... Écoute, dans un an
tu sortiras du collège et tu entreras dans la vie. Tu vivras. Tu iras. Tu con-
naîtras la liberté, la nature, la société, la fantaisie, l'illusion, le plaisir, cette
cime où l'on monte joyeux et d'où l'on descend triste, la nécessité du travail, la fatalité de l'obstacle. Tu riras, tu pleureras, tu auras les éclairs de
joie, les longues heures de découragement et de désespoir. Tu aimeras... (4).

Ethel et Ordener.

Sa vie pendant ces trois années est tout occupée de son amour pour
Adèle. Or, nous aurons plus d'une fois l'occasion de le remarquer par
la suite, la fantaisie de Victor Hugo est liée à l'histoire de ses amours ou
de ses aventures qui semblent l'éveiller. Mais l'amour pour Adèle est
« grave et intime », il l'a dit lui-même (5), pur, exalté, parfois solennel,
de toute la solennité ardente et pudibonde d'une jeunesse qui se respecte,
se tourmente et, en somme, se prend terriblement au sérieux. L'humour
n'existe pas dans les *Lettres à la Fiancée*. Aussi contentons-nous de feuilleter, en quête d'images imprévues, le calendrier de son amour, rendez-
vous ou rencontres dont il consignait laconiquement les dates dans son
Carnet de 1820-1821.

(1) *O. B.*, p. 480 et 492. Les deux pièces furent écrites, la première en
décembre 1819, la seconde en février 1820 ; toutes deux parurent au *Conservateur
littéraire*.
(2) C'est le cas de deux pièces qui furent publiées dans les *Odes* : la *Vision*, duo
du *Siècle* et de *la Voix* (1821, I, 9) et *la Lyre et la Harpe* (avril 1822, IV, 2).
(3) *L. Ph. m.*, p. 50-51.
(4) *Oc.*, p. 202.
(5) *L. F.*, 20 octobre 1821, éd. Charpentier, p. 81.

Depuis sa sortie de pension, au mois d'août 1818, Victor Hugo avait
rejoint sa mère, 18, rue des Petits-Augustins. Ces rendez-vous étaient
chaperonnés et ces rencontres plus ou moins préparées. Pourtant, parfois, les amoureux réussissaient à s'entretenir à l'écart. Ainsi, j'imagine,
le jour des aveux. « C'est le 26 avril 1819 que je t'avouai que je t'aimais...
Il n'y a pas un an encore », écrivait-il au début d'avril 1820 (1).
Quelques jours après, le jour même de ce secret anniversaire si l'on en
croit les *Lettres à la Fiancée*, ils apprenaient que leurs familles, obéissant à
l'amour-propre, à une sagesse mêlée de susceptibilité froissée, avaient
résolu de les séparer (2). Victor, fou de douleur, se perd avec frénésie
dans la revue qu'il avait quatre mois auparavant, en décembre 1819,
fondée avec ses frères. Il s'y multiplie sous des signatures différentes,
tour à tour essayiste, critique dramatique et poète. *Le Conservateur*
littéraire, c'est le nom de la revue, lui sert en même temps d'imprévu
courrier pour correspondre avec Adèle à travers les Foucher auxquels
il prend soin de le faire parvenir. Le jeune homme rêve farouchement
sur les poètes morts dans la fleur de leur âge : André Chénier (3) et Raymond d'Ascoli, poète et amant infortuné, découvert dans une chronique
du xv⁰ siècle (4). Bientôt il pourra s'écrier à son tour :

> Heureux l'humble roseau qu'alors un prompt orage,
> En passant, brise dans sa fleur (5).

C'est le goût de l'époque, prolongé depuis la fin du xvⅢ⁰ siècle. Il
n'a pas fini d'enchanter ces générations jeunes mortes, languissant d'une
vitalité devenue sans emploi, qui vont promenant d'un air fatal ou désabusé un « mal du siècle » à leur nuance. Entre Chénier, son *Jeune Malade*
et ses fiancées perdues en mer, et Vigny réunissant encore en 1832 dans
Stello trois destins poétiques prématurément fauchés, Victor Hugo, navré
et raisonnable, chante et pleure pour sa belle, il jette à la poste du *Con-*
servateur la lettre éplorée de *Raymond à Emma* (6). Elle se recommande

(1) *Ibid.*, p. 27.
(2) « Pour mon compte — écrivit M. Foucher dans ses *Souvenirs* — une carrière
toute littéraire m'avait effrayé d'abord : j'y voyais beaucoup de tribulations et peu
d'argent. Mme Hugo, sans doute pour une raison contraire à la mienne, n'était pas
disposée plus favorablement. » (ASSELINE, *Victor Hugo intime, in* R. ESCHOLIER,
op. cit., p. 99). Mme Hugo, en effet, ne trouvait pas l'alliance enviable pour le fils
d'un général. On trouve un écho de cet orgueil dans la lettre écrite par Victor à sa
fiancée : « Maintenant tu es la fille du général Hugo » (*op. cit.*, p. 26).
(3) Cf. article cité ci-dessus.
(4) Le poème parut dans la 16⁰ livraison du *Conservateur littéraire*, juillet 1820,
sous le titre *le Jeune Banni, Raymond à Emma, Élégie.* Recueilli en 1822 dans les
Odes et Poésies diverses sous le titre simplifié *Raymond d'Ascoli*, il ne passa pas dans
les *Odes et Ballades*. Victor Hugo l'avait écrit dès avant la séparation, comme s'il
la pressentait, en février 1820, cf. *O. B.,* Historique, p. 545, lettre de Pinaud.
La note conjointe du *Conservateur littéraire* expliquait que « ce jeune poète,
mort à dix-huit ans », disciple de Pétrarque, avait dans son sommeil dévoilé à son
père son amour pour Emma Giovanna Stravaggi. Chassé pour cette raison par ce
dernier, il s'était tué de désespoir sur le lieu même de leurs rendez-vous. L'adolescent avait été inspiré par ce destin tragique. Frappé après la rupture par la com-
munauté de leurs sorts — un amour interdit — il y avait trouvé un symbole bien
propre à exprimer sa mélancolie et à toucher Adèle.
(5) *O.,* IV, 3, *Au Vallon de Chérizy,* cf. p. 42.
(6) Voir n. 4. Le nom d'Emma était à la mode, comme le remarquait Sainte-
Beuve, à propos de cette sorte d'épopée élégiaque de Millevoye intitulée *Emma et*
Eginhard : « Son fabliau d'*Emma* et d'*Eginhard* (*sic*) offre toute une allusion chevaleresque aux mœurs de 1812... » Notice *in Œuvres de Millevoye,* Garnier, 1865.

d'une épigraphe de Chaulieu. Le poète y cultive la mélancolie, avec les expressions de l'art le plus conventionnel qui nous livre parfois la fraîcheur de souvenirs précis :

> Dès le matin, errant, plein d'une douce attente,
> A travers ce bosquet, si triste en cet instant,
> J'avais vu les longs plis de ta robe éclatante :
>   Je m'étais retiré content...
> J'ai cultivé les fleurs que mon Emma cultive ;
> Ton frère, encore enfant, jouait sur mes genoux...

Cependant au début de 1821 il déménage encore une fois avec sa mère au 10 de la rue de Mézières qui lui offrira la consolation d'un nouveau jardin. La revue, parvenue à la fin de ses ressources, n'est plus là pour absorber les débordements lyriques de son cœur (1). Ayant apparemment épuisé les poètes désespérés capables d'incarner sa douleur, il en crée un, *selon son cœur*, comme il aurait pu dire avec Rousseau. En mai, il commence *Han d'Islande*, roman noir à la mode du jour, où il ne résiste pas au besoin de prêter à son héros Ordener pour sa fiancée Ethel les émotions amoureuses qu'il éprouve lui-même.

Au mois de mai dernier, écrivait-il à sa fiancée, le besoin d'épancher certaines idées qui me pesaient et que notre vers français ne reçoit pas, me fit entreprendre une espèce de roman en prose. J'avais une âme pleine d'amour, de douleur et de jeunesse, je n'osais en confier les secrets à aucune créature vivante ; je choisis un confident muet, le papier. Je cherchais à déposer quelque part les agitations de mon cœur neuf et brûlant, l'amertume de mes regrets, l'incertitude de mes espérances. Je voulais peindre une jeune fille qui réalisât l'idéal de toutes les imaginations fraîches et poétiques, afin de me consoler tristement en traçant l'image de celle que j'avais perdue et qui ne m'apparaissait plus que dans un avenir bien lointain. Je voulais placer près de cette jeune fille un jeune homme, non tel que je suis, mais tel que je voudrais être (2).

Ces lignes font écho au ton, aux expressions mêmes de René saisi par les incertitudes de l'automne. C'est aussi la seule part du roman qu'il retient, lorsque dix ans plus tard, il reprend, avec une sévérité qui se défend de s'attendrir, ce « livre d'un jeune homme, et d'un très jeune homme » : « Il n'y a dans *Han d'Islande* qu'une chose sentie, l'amour du jeune homme, qu'une chose observée, l'amour de la jeune fille (3). » On le retrouve en effet déjà dans ces contemplations rêveuses où son imagination offre un voyage à ses pensées amoureuses. Ordener rêvant le soir à sa bien-aimée du haut de la tour de Vermund le Proscrit, c'est le fiancé secret d'Adèle monté dès l'aube sur les ruines de la Tour de Guy dans le parc de son nouvel ami, le séminariste duc de Rohan (4).

---

(1) Elle cessa de paraître en mai 1821.
(2) *V. H. rac.*, chap. XXXVII. Le nom d'Ethel, qu'il donne à cette jeune fille idéale, vient sans doute de la célèbre « romance » de Latouche, *Ariel exilé*, dont Ch. Nodier reconnaissait s'être inspiré pour son conte *Trilby ou le lutin d'Argail* : le « sylphe banni » par Titania se réfugiait chez une pure jeune fille nommée *Ethel*.
(3) Préface de la 2ᵉ édition (1833).
(4) « Victor, levé avec le jour, s'en alla seul dans le parc, qui se développait sur la colline derrière le château bâti à mi-côte. Les restes de la *Tour de Guy*, le burg primitif, dont le nom avait fait celui du village... l'attirèrent beaucoup... Cette ruine servit à Victor pour décrire la tour de Vermund le Proscrit dans *Han d'Islande* dont il s'occupait alors » (*V. H. rac.*, chap. XXXV).

En tout autre instant, Ordener eût longtemps laissé errer sa vue et sa rêverie sur la profondeur de l'abîme, accrue de la profondeur de la nuit. Son œil, observant à l'horizon toutes ces grandes ombres, dont une lune nébuleuse blanchissait à peine les sombres contours, eût longtemps cherché à distinguer les vapeurs parmi les rochers et les montagnes parmi les nuages, son imagination eût animé toutes les formes gigantesques, toutes les apparences fantastiques que le clair de lune prête aux monts et aux brouillards. Il eût écouté la plainte confuse du lac et des forêts, mêlée au sifflement aigu des herbes sèches que le vent tourmentait à ses pieds, entre les fentes des pierres ; et son esprit eût donné un langage à toutes ces voix mortes que la nature matérielle élève pendant le sommeil de l'homme et le silence de la nuit. Mais, quoique cette scène agît à son insu sur son être entier, d'autres pensées le remplissaient (1).

Qui ne reconnaît dans Ordener auscultant le ciel pour pronostiquer les animaux qui vont naître des nuées, Victor Hugo lui-même, tel que par son imagination spontanée il sera et a toujours été, prêt à inscrire dans les contours d'un nuage la forme d'un crocodile, comme Hamlet le dos d'une belette, un chameau ou une baleine ?

> Puis, voilà qu'on croit voir, dans le ciel balayé,
> Pendre un gros crocodile au dos large et rayé (2).

Entre les visions d'Ordener et les *soleils couchants* de 1828, le motif de Shakespeare aura pu s'interposer et stimuler son imagination, et dès maintenant déjà. Mais surtout l'amour fait trouver au poète le chemin de lui-même. Il faut renverser la phrase : *d'autres pensées* peuvent le *remplir*, de belles scènes *agissent à son insu sur son être entier*.

Ordener avait en effet aperçu dans la nuit, « comme une étoile rouge », le fanal de Munckholm, qui lui « apportait quelque chose d'Ethel ». Alors le cœur est plus fort et l'on voit bien que le roman est devenu le « confident muet » de sa propre expérience, le style même se transforme, il s'adapte à suivre un tourment trop personnel, il se multiplie en interrogations, en exclamations, adjurations et incises qui mettent l'auteur au premier plan.

Ah ! n'en doutons pas, à travers les temps et les espaces, les âmes ont quelquefois des correspondances mystérieuses. En vain le monde réel élève des barrières entre deux êtres qui s'aiment ; habitants de la vie idéale, ils s'apparaissent dans l'absence, ils s'unissent dans la mort. Que peuvent en effet les séparations corporelles, les distances physiques sur deux cœurs liés invinciblement par une même pensée et un commun désir ? — Le véritable amour peut souffrir, mais non mourir (3).

André, René, Raymond, Ordener, *jeunes bannis*, tendent à ce frère malheureux leurs bras pour l'accueillir dans le cercle de leur danse d'amour et de mort. Cette « robe flottante » que l'amoureux suit éperdu « dans les détours d'une rue déserte », ce « voile blanc tout à coup reconnu dans l'ombre (4) », c'est la robe d'Emma Giovanna, celle d'Ethel, celle d'Adèle, qui, à la suite des amours enfantines, ajoute à leur fraîcheur, à leur pureté, un reflet tragique qui en approfondit le mystère. La mort, en effet, a

(1) *H. I.*, chap. XXIII.
(2) *F. A.*, XXXV, *Soleils couchants*, I.
(3) *H. I.*, loc. cit.
(4) *Ibid.*, cf. ici, p. 39.

fait entre temps son apparition dans la sensibilité de Victor Hugo. « Qui
ne s'est point arrêté, demande l'auteur de *Han*, cent fois durant les nuits
pluvieuses sous quelque fenêtre à peine éclairée? » L'image de ce Roméo
douloureux au carreau est un souvenir authentique. Le 27 juin 1821,
Victor Hugo a perdu sa mère. Il est seul. Les grilles du cimetière se sont
refermées, le rejetant au boulevard, où il erre « accablé et découragé de
vivre ». « Le besoin de se rattacher à une espérance lui fit prendre en revenant la rue du Cherche-Midi. » Il était onze heures. L'hôtel du Conseil
de Guerre, contre son attente, était illuminé. Un groupe d'invités le
heurte en riant aux éclats. Là le deuil, ici la fête : ce douloureux contraste
auquel il est toujours si sensible le frappe personnellement. La scène
est mémorable, tout s'y passe comme en un rêve.

Il hésita un instant ; puis, tout à coup, poussé par l'amère envie de souffrir,
il s'élança dans la cour, monta rapidement le grand escalier, et entra dans
une grande pièce déserte où l'on venait de jouer la comédie et dont le théâtre
fit l'effet d'une autre tombe. Il vit dans une glace son visage, qui avait la
pâleur de la mort, et le crêpe de son chapeau qu'il avait gardé sur sa tête.
Cette vue le rappela à lui, il s'enfuit précipitamment, et s'enfonça dans un
corridor noir, d'où il entendit au-dessus de sa tête les pas de la danse et les
bruits des instruments. Il ne put résister à monter un étage, puis un autre ;
il connaissait la maison et alla à une sorte de vasistas qui éclairait d'en haut
la salle de bal. *Là, seul et dans l'obscurité, il colla ses yeux au carreau et s'enivra*
désespérément du plaisir des autres. Il vit bientôt celle qu'il cherchait ; *elle*
était en robe blanche, coiffée de fleurs, et dansait en souriant (1).

Et Ordener : « Peut-être, murmura-t-il, jette-t-elle un regard indifférent... » On reconnaît là l'enfant qui pleurait dans les coins, nourris-
sant son propre tourment, et aussi le « voyeur », ce côté de lui-même qu'il
a promu en thème sous différentes formes : *pauvres gens*, le nez collé
aux vitres des riches, l'exclu observant un bal, ou surtout le faune suivant dans les sous-bois le voile blanc d'une dryade en fuite. Une pointe
de morbidité n'y est pas étrangère. Mais, ordinairement étouffée, elle
émane du subconscient. On le voit hésiter, puis se presser en noctambule
dont le comportement imprévu semble dicté par le caprice sans doute,
mais ce trait, on le voit, est inscrit au plus profond de son caractère.
    La même décision, inattendue mais impérieuse, l'élan vers l'aventure
se retrouvent bientôt dans un autre épisode de son amour, tout aussi
déterminant : le voyage à Dreux. « Ils se mirent, concluait le témoin,
à sangloter ensemble, et ce furent leurs fiançailles. » A peine un mois après,
le principal obstacle ayant disparu avec la mort de sa mère, Victor par-
tait pour d'autres fiançailles, aussi officieuses, non plus dans les larmes
cette fois, mais dans la joie.

Le voyage à Dreux.

Du fond de la mansarde, au n° 30 rue du Dragon, où il était allé se
réfugier avec son cousin Trébuchet et dont il a donné une évocation si
pittoresque dans la jeunesse de Marius, le jeune homme conçoit le projet de s'évader pour rompre la distance que les parents Foucher ont cru
bon d'interposer entre les deux amoureux. Il manque d'argent : qu'à
cela ne tienne, il ira à pied. Parti le 16, il y sera le 19 juillet 1821. De ce

(1) *V. H. rac.*, chap. XXXIV. C'est moi qui souligne.

voyage, tout imprégné du souffle de l'aventure, Victor Hugo a envoyé
à Vigny une étonnante relation, la première en date, à notre connaissance,
de ces lettres de voyage qui passeront dans son œuvre et nous le livrent
dans son état le plus spontané (1).

J'ai fait tout le voyage à pied, par un soleil ardent et des chemins sans
ombre d'ombre.
Je suis harassé, mais tout glorieux d'avoir fait vingt lieues sur mes jambes ;
je regarde toutes les voitures en pitié ; si vous étiez avec moi en ce moment,
jamais vous n'auriez vu plus insolent bipède...
Je dois beaucoup à ce voyage, Alfred : il m'a un peu distrait. J'étais las
de cette triste maison.

Outre qu'il jouit de se dépenser physiquement, c'est ce goût de liberté
qui lui fait aimer les longues promenades à pied dont il se formulera
l'ordonnance, quelque vingt ans plus tard, pendant la grande période
des voyages au bord du Rhin (2) : il y retrouve ce parfum d'aventure
oublié de son enfance, cette entrée dans le domaine de l'imprévu qui lui
rend le même service qu'il demandera toute sa vie, la *distraction* au sens
où l'entendait Pascal.

Il doit à ce voyage plus qu'il ne pense encore. Sans doute y ménage-
t-il la part de l'amitié, en s'arrêtant un jour à Versailles chez l'ami du
Conservateur, Gaspard de Pons (3) ; celle aussi de l'amour et de la poésie
en « s'asseyant » au *Vallon de Chérizy* (4) pour consacrer à « la vierge au
front si pur, au sourire si beau » des stances lamartiniennes qui reflètent
bien peu l'allure naturelle et dégagée, presque conquérante, de la lettre
à Vigny. Cette ode est de celles que L. Mabilleau qualifie justement
d' « exercices élégants d'un écolier correct et bien doué (5) ». Elle est marquée de cette atmosphère sentimentale que Chateaubriand et Lamartine
ont illustrée (6). *René*, *l'Isolement* et *le Vallon* lui inspirent le mythe
évangélique du *voyageur* et le thème des *orages désirés*. Mais le singulier
spectacle de considérer ce grand garçon limpide s'essayer aux langueurs
religieuses !

(1) *Corresp.*, t. I, p. 17 sq. Lettre datée du 30 juillet 1821, c'est-à-dire du moment
où Victor Hugo est pratiquement assuré du succès de sa diplomatie. Comme il est
naturel, puisque rien n'était encore officiel, il n'y souffle mot du but véritable de
son équipée, prétextant une visite rendue à un ami, M. de Tollry, « qui va partir
pour la Corse et habite momentanément une villa entre Dreux et Nonancourt ».
(2) *Rh.*, XX, p. 154, cité in *Voyages*, chap. Ier : « Rien n'est charmant à mon sens
comme cette manière de voyager : à pied, etc... »
(3) Cf. R. LESCLIDE, *les Propos de table de Victor Hugo*, in R. ESCHOLIER, *op. cit.*,
p. 103 : à propos de son duel, peut-être imaginaire, avec un demi-solde, cet amusant
témoignage très révélateur : « Rêveur, assombri, il courait la campagne, faisant
des vers pour se consoler, fuyant même ses amis. Un jour, il arriva à Versailles,
sans l'avoir fait exprès... »
(4) *O. B.*, IV, 3.
(5) *Op. cit.*, p. 20.
(6) Et qu'il aime, comme il l'a dit dans son article sur ce dernier : « Ils (ces vers)
respirent une harmonie douce et grave ; ils sont riches d'idées... Le véritable amour,
l'amour triste et sérieux y est exprimé avec une mollesse vague et expressive... la
passion terrestre est presque toujours épurée par l'amour divin. » *Conservateur littéraire*, 10e livr., avril 1820. Il le rapproche d'André Chénier — ce qui montre que
pour lui, comme pour ses contemporains, seul compte le poète élégiaque — « seulement, ajoute-t-il, l'un est plus grave et même plus mystique dans ses peintures ;
l'autre a plus d'enjouement, plus de grâce, avec beaucoup moins de goût et de
correction ». C'est cette gravité même qui le séduisait et sur le modèle de laquelle
il se cherchait une contenance.

Cependant, à travers les images conventionnelles, il est aisé de retrouver les fugitives découvertes du promeneur solitaire.

> Ruisseaux, livrez vos bords, ouvrez vos flots dociles
> A ses pieds qu'a souillés la fange de leurs villes,
> Et la poudre de leurs chemins !

En ces vers prédomine évidemment le sens symbolique, mais ce baptême de la sainte nature ne s'impose aussi facilement à son esprit que parce qu'il en a plus d'une fois sur son chemin goûté au propre le bienfait : « Les bords d'une petite rivière où je me suis baigné hier en arrivant sont très frais ; je m'y promenais tout à l'heure sous les trembles et les bouleaux. » Sa vraie fantaisie se cache sous le masque de la pire, celle qui n'appartient à personne en propre, la fantaisie de convention.

Lavé de sa poussière et de sa tristesse, le voyageur reprend son chemin et jette sur les paysages qu'il crée en se déplaçant le regard éminemment impressionnable qu'il possède déjà. Ce sont des détails de construction, des contrastes pittoresques qui le frappent, sans oublier la note d'humour.

> Figurez-vous, écrit-il toujours à Vigny, sur une colline haute et escarpée, de vieilles tours de cailloux noyés dans la chaux, décrénelées, inégales, et liées ensemble par de gros pans de murs où le temps a fait encore plus de brèches que les assauts.
> Au milieu de toutes ces pierres, des blés et des luzernes ; et au-dessus de tout, un télégraphe, à côté duquel on construit la chapelle funèbre des d'Orléans.
> Cette chapelle blanche et inachevée contraste avec la forteresse noire et détruite ; c'est un tombeau qui s'élève sur un palais qui croule.

De la chapelle du jardin des Feuillantines jusqu'aux burgs perdus dans le feuillage, son paysage d'élection ne changera guère et ces notes en témoignent : des ruines et de la verdure, du noir et du blanc, l'interprétation symbolique de ce contraste dans l'opposition du passé et de l'avenir, une cocasserie brochant sur le tout, tous ces éléments caractérisent le paysage susceptible de frapper son imagination et d'y éveiller le reflet de la fantaisie des choses.

« Je dois beaucoup à ce voyage. » C'était vrai : il lui devait une nouvelle révélation de ses goûts, mais il était trop enfoncé dans son apprentissage poétique, pour en apprécier déjà le profit pour sa poésie même. Il lui devait aussi — ce qu'il ne disait pas à son ami — une lumière nouvelle dans son ciel. Elle l'inclinait à la bonne humeur, et, malgré la tristesse déjà dominée dont il se recommandait à Vigny, il concluait gaîment que Vigny comptait « un ami qui s'exerce à rejouer avec le malheur, qui pense comme un homme et qui marche comme un cheval ».

« Le bonheur de Gentilly. »

Au physique, au moral, Victor Hugo s'est en effet transformé. Le deuil l'a mûri, en même temps que délivré d'une affectueuse tutelle. Le voici désormais seul, sans sa mère, qui n'est plus, sans son père, qui est loin et auquel pour le moment il ne demande que le consentement à ses fiançailles que ce dernier lui expédie le 13 mars 1822. Le futur beau-père peut s'étonner de ce changement : « Je l'avais vu dans sa première enfance, malingre, chétif et ne paraissant pas vouloir de la vie. A Gentilly, c'était un jeune homme florissant de santé et vivant dans la plénitude de ses facultés intellectuelles (1). » Son apparition l'avait tout simplement abasourdi : « lorsque je le croyais tranquille à Paris, le jeune poète s'était dirigé à pied vers Dreux... ». On ne résiste pas à une résolution qui s'exprime avec tant de fantaisie. M. Foucher s'était incliné et avait même accepté que le jeune homme vînt passer le printemps près de sa fiancée dans la maison qu'il avait louée à Gentilly. « Tour vieille et maison neuve », aurait-il pu déjà dire : la famille habitait le bâtiment moderne et elle avait affecté à Victor « une vieille tourelle de l'ancienne construction où il y avait une chambre, vrai nid d'oiseau ou de poète (2). » C'était déjà en effet la préfiguration du *look-out* de Hauteville House : « Quatre fenêtres percées aux quatre points cardinaux recevaient le soleil à toute heure. » Il pouvait de là regarder à tout moment du jour la campagne ensoleillée.

Les locataires avaient un vaste terrain bordé à droite et à gauche de deux avenues de peupliers d'une hauteur et d'une épaisseur remarquables. Une partie de ce terrain, livrée à la culture, avait l'aspect joyeux de la pleine campagne ; le reste était en fleurs. Une des plantations de peupliers était longée par la Bièvre, qui séparait l'ancien presbytère de l'église. De l'autre, on voyait la vallée, gaie et verte.

Tel était le cadre où le poète allait retrouver les impressions de son enfance : rien n'y manquait, il avait le jardin, la belle qu'il aimait, et même la note piquante de pittoresque que Victor Hugo n'omet jamais de signaler, parce qu'il y est particulièrement sensible. La propriétaire employait en effet à de menus travaux ménagers les voisins de Bicêtre, fous inoffensifs, peu exigeants sur le salaire : « un entre autres, bègue, louche, brèche-dent, et tout guilleret, qu'elle appelait Coco, et un d'une stupidité sombre et muette ». Ils prenaient place tout naturellement dans sa galerie des grotesques, dont Hugo nous a laissé, dans ses dessins ou ses ébauches du *Théâtre en liberté*, tant d'esquisses vivantes.

Au milieu de cette verdure au printemps, ce *vere novo* comme il dira plus tard, près de sa fiancée, dans la compagnie des deux fous, « le fou lugubre qui, la tête baissée, bêchait la terre, ou Coco, qui, chose plus triste, riait aux éclats », encore impressionnée par les fantastiques personnages qu'il venait de faire vivre dans quelques nouvelles pages de son roman, l'imagination du poète se détendait en s'abandonnant aux inventions les plus folles. « Un jour, Victor apporta à sa fiancée un papier soigneusement plié et épinglé. Elle crut qu'il contenait quelque fleur précieuse et l'ouvrit avec précaution ; il s'en échappa une chauve-souris. Elle eut grand'peur et ne pardonna cette vilaine surprise qu'en lisant les vers écrits sur le papier : *la Chauve-Souris* (3). » C'était le compagnon

---

(1) A. ASSELINE, *op. cit.*, *in* R. ESCHOLIER, *op. cit.*, p. 99.
(2) *V. H. rac.*, chap. XXXVIII.
(3) *Ibid.*, cf. *O. B.*, V, 5, avril 1822. En voici la strophe la plus caractéristique dans le genre fantastique :

> Sors-tu de quelque tour qu'habite le Vertige,
> Nain bizarre et cruel, qui sur les monts voltige,
> Prête aux feux du marais leur errante rougeur,
> Rit dans l'air, des grands pins courbe en criant les cimes
> Et chaque soir, rôdant sur le bord des abîmes,
> Jette aux vautours du gouffre un pâle voyageur.

de son labeur, le confident de ses rêves dans la tourelle solitaire. Les deux épigraphes éclairent cette fantaisie : elles sont tirées de l'*Edda*, recueil des légendes finnoises, et de *Bertram*, drame fantastique de l'irlandais Maturin, dans le goût duquel il composait son *Han d'Islande*. L'humour noir était à la mode dans les années 1820. Mais il ne le séduisait tant que parce qu'il répondait aux tendances de son caractère, partagé dès sa naissance entre la joie et l'effroi, qui sont les réactions d'une sensibilité vive en face du mystère de la nature. On le vit bien quand, cette mode passée, le poète y resta fidèle dans l'œuvre de toute sa vie.

Lorsqu'il revint à Gentilly, l'année suivante, en compagnie de celle qui avait été la *Fiancée* et qui était désormais sa femme, le poète composa l'ode *A G...Y*, qui garde le fidèle reflet de ces années heureuses (1). Elle est placée, ce qui ne peut maintenant nous étonner, pour plus d'une raison, sous le signe de Virgile, avec cette simple épigraphe : *O rus!* qu'il faut rendre sans doute à Horace (2). La confusion ne saurait nous étonner : s'il les distingue encore, « à côté de Virgile, Horace, à côté de Racine, Molière (3) », tous deux finiront par signifier la même chose : l'amour aux champs. Hugo devait à la campagne de lui avoir fait retrouver la joie avec l'amour qui s'y harmonisait si bien. Cette triple harmonie lui rendait le bonheur désappris de son enfance insouciante. Sa fantaisie, tout d'un coup réveillée, retrouvait les mots et les images par lesquels l'enfant désigne et colore ses rêves. C'est le vocabulaire du merveilleux, tout *ruisselant de pierreries* comme dira Hugo un peu plus tard, hanté des raretés du monde animal et végétal, encore retenu certes par les leçons des maîtres classiques et nuancé à leur manière : « le bonheur de Gentilly » a donné des ailes à Pégase qui, pour l'exprimer, emporte son cavalier dans deux strophes d'une étrange envolée.

> Souvent ici, domptant mes douleurs étouffées,
> Mon bonheur s'éleva comme un château de fées,
> Avec ses murs de nacre, aux mobiles couleurs,
> Ses tours, ses portes d'or, ses pièges, ses trophées,
> Et ses fruits merveilleux, et ses magiques fleurs.
>
> Puis soudain tout fuyait : sur d'informes décombres
> Tour à tour à mes yeux passaient de pâles ombres ;
> D'un crêpe nébuleux le ciel était voilé ;
> Et, de spectres en deuil peuplant ces déserts sombres,
> Un tombeau dominait le palais écroulé.

Puis tout se calme dans une effusion lamartinienne :

> Vallon ! j'ai bien souvent laissé dans ta prairie,
> Comme une eau murmurante, errer ma rêverie...

Ce mot de *rêverie*, il allait le reprendre souvent. « Ton souvenir... » ajoutait-il. Ce souvenir ne devait pas s'effacer et les bosquets de Gentilly iraient rejoindre, dans le domaine de sa fantaisie, le jardin des Feuillantines.

***

(1) *O.*, V, 10. L'expression « le bonheur de Gentilly » est de Victor Hugo (*Lettres à la Fiancée*, samedi [30 mars] 1822).
(2) *Satires*, II, 16, v. 60 : *O rus, quando te adspiciam...*
(3) *L. Ph. m.*, Rel., p. 274.

Tout se précipite alors vers la fin de cette année 1822, la publication
de son premier livre, *Odes et Poésies diverses*, au mois de juin, saluée
de la faveur royale, le mariage à Saint-Sulpice en octobre, l'installation
provisoire chez les Foucher, au 10 rue du Cherche-Midi, où l'année
précédente il avait erré solitaire et désemparé. La douleur et la solitude,
le mariage, les débuts littéraires l'ont émancipé. Comme en 1818 il avait
dit adieu à son enfance, on peut estimer clos le cycle de l'adolescence.

Réunissant en 1834 ses écrits en prose de cette époque, il leur donnait
avec quelque condescendance le titre de *Journal d'un Jeune Jacobite
de* 1819. Pourquoi *Jacobite*? Sans doute parce que, monarchiste et catholique, il était du parti de la légitimité (1) en politique, en religion, j'ajouterai
en littérature, où il se conformait aux écoles à la mode. On se doute que
la muse d'un « jacobite » ne pouvait guère se permettre d'autre fantaisie
que celle de convention qui attire le succès, soit, comme il devait l'appeler
dans la préface de *Littérature et Philosophie mêlées* où il publiait ce *Journal*,
« la glorieuse fantaisie du poète ». Elle est loin du compte que l'homme
doit en bonne foi : aussi voyons-nous la véritable fantaisie se réfugier
dans sa vie qu'elle traverse parfois de ses éclairs inattendus. Pourtant il
y aurait à dire. Sa courte préface des *Odes et Poésies diverses* laissait percer
d'étranges pressentiments : « Au reste, écrivait-il, le domaine de la poésie
est illimité. Sous le monde réel, il existe un monde idéal, qui se montre
resplendissant à l'œil de ceux que des méditations graves ont accoutumés
à voir dans les choses plus que les choses... La poésie, c'est tout ce qu'il
y a d'intime dans tout. » *Voir dans les choses plus que les choses*, comme
cela sent Victor Hugo, *tel qu'en lui-même enfin*... Mais cette intimité universelle, il n'était pas encore assez libre pour l'éprouver ; la convention,
sous ses formes diverses, allait offrir à ce chercheur de « magiques fontaines » encore bien des mirages au désert des belles-lettres.

(1) Comme l'avaient été en Angleterre, après la révolution de 1688, les partisans
du roi Jacques II (puis des Stuarts) contre la maison de Hanovre. Toutefois, à la
différence de ceux-ci, dont les efforts de restauration restèrent infructueux, Hugo
se contentait de prendre le parti du pouvoir établi, ou, si l'on veut, « restauré ».

Deuxième Section

« UN BRAVE CHEVALIER ARMÉ »
1823-1829

Le mot est de Charles Nodier, le premier, je crois bien, à avoir appliqué cette image à Victor Hugo entrant dans la lice littéraire. Il faut croire qu'elle avait une part de vérité, car elle revient sous la plume de deux témoins qui ne se sont pas concertés : le critique Nettement, évoquant plus tard l'époque de *Cromwell*, campe « M. Victor Hugo semblable à un conquérant qui entre en campagne (1) » et Philarète Chasles, dans ses *Mémoires*, note que le poète, à la Cour, vers 1840, avait quitté ses « airs d'officier de cavalerie qui enlève un poste (2) ».

La parade de l'imagination.

Cet air martial n'était pas une simple attitude : il exprimait, comme chez Vigny et la plupart des jeunes gens de sa génération, des rêves de guerre, que le poète en 1823, à l'occasion de l'expédition en Espagne, ne s'est pas privé de rappeler :

> Souvent ma muse aventurière,
> S'enivrant de rêves soudains,
> Ceignit la cuirasse guerrière
> Et l'écharpe des paladins... (3).

(1) *Histoire de la Littérature sous la Restauration* (1858), in *Cromwell*, Historique, p. 499.
(2) Louis GUIMBAUD, *Victor Hugo et Mme Biard*, chap. III, p. 43. Cf. le propos tenu, vers 1841, par Victor Cousin à Sainte-Beuve, in *Mes Poisons*, p. 44 : « Oh! s'écria-t-il en riant, il est caparaçonné de pied en cap! Quel cuirassier! » Et Louis de Loménie lui trouve, la même année 1841, lors de sa réception à l'Académie, « une allure de vainqueur entrant dans une ville conquise » (cité par R. ESCHOLIER, *op. cit.*, p. 230).
(3) *O.*, II, 3, *la Bande noire*. Cf. *O.*, II, 4, *A mon Père* :
> Je rêve quelquefois que je saisis ton glaive,
> O mon père!...

et *O.*, V, 9, *Mon Enfance* :
> J'ai des rêves de guerre en mon âme inquiète;
> J'aurais été soldat, si je n'étais poète...

Ces trois pièces sont datées de 1823.
Pour l'interprétation de ce regret, voir le « commentaire inattendu et amusant »

Ils étaient en harmonie, comme l'indique ce dernier vers, avec la mode des romans de chevalerie, à laquelle Hugo a largement payé son tribut. Ils n'y étaient peut-être pas étrangers et on a suffisamment étudié cette psychose de 1815, due à la chute de l'Empire, pour qu'il ne soit pas utile d'insister. Je me contenterai seulement d'observer que le jeune poète marié apporte à la littérature cet allant, ce côté militaire de son tempérament, et qu'il est décidé, comme Nodier le voyait très justement, à forger et exercer de nouvelles armes poétiques.

Dès cette époque en effet, tout en reniant l'épithète de romantique, il rompt avec les genres classiques qui avaient paru l'amuser, « car, écrit-il, nous ne sommes plus au temps des chansons bucoliques (1) ». Sans doute, travaillera-t-il encore à quelques petits tableaux antiques, des « idylles » à la manière de Chénier, où cependant le souci du pittoresque domine. Mais la dernière est de 1825 (2). Sans doute rendra-t-il à Lamartine l'hommage de quelques compositions dans sa manière abstraite et moelleuse, mais elles datent toutes de 1823 (3). Sans doute produira-t-il encore bon nombre d'odes de circonstance. Mais le choc poétique initial de cette année 1823 paraît avoir été un retour à soi-même, à des souvenirs intimes, manifesté par trois pièces qu'il a groupées dans le recueil, *Mon Enfance*, *A G...y*, et *Paysage* (4). Un élément commun à ces trois pièces, c'est l'élan donné à son imagination. Ses rêves semblent avoir été soumis à une mystérieuse alchimie qui les a transposés sur le plan artistique. Un motif commun à ces trois pièces est celui du magique palais, qui s'élève aux yeux du visionnaire et traduit vraisemblablement cet essor de son imagination. Au « château de fées » sous la forme duquel lui apparaissait son bonheur à Gentilly, de semblables évocations viennent s'ajouter de manière à constituer toute une série dispersée de 1823 à 1828 aux quatre coins des futures *Odes et Ballades*.

> Tu penses voir parfois, errant comme un fantôme,
> Ces *magiques palais* qui naissent sous le chaume,
> Dans les beaux contes de l'aïeul (5).

> Reine des ombres léthargiques,
> Je bâtis mes *palais magiques*
> Dans les nuages du couchant (6).

> Ce *magique château* dont l'enfer sait l'histoire... (7).

fourni par les deux documents de janvier 1823 que J. Daumal a récemment découverts dans les Archives Nationales (*Hugo et le service militaire*, R. H. L. F., janvier-mars 1947) et qu'il faut joindre aux deux lettres à M. Pinaud du 11 décembre 1822 et du 8 janvier 1823 : il en ressort que la qualité de poète et de membre de l'Académie des Jeux Floraux a effectivement dispensé — sinon empêché — Hugo d'*être soldat*. A-t-il souri en écrivant ce vers ? Ce sourire prêterait à cette pièce une déconcertante fantaisie en même temps qu'il la daterait.

(1) Article *sur Lord Byron*, *Muse française*, juin 1824, in L. Ph. m., p. 129.
(2) Cf. en 1823, *O.*, II, 5 et 6 ; en 1824, *O.*, IV, 10 et 11 ; en 1825, *O.*, IV, 15.
(3) *O.*, V, 12 et 16.
(4) *O.*, V, 9, 10 et 11.
(5) *O.*, V, 11, 1823.
(6) *B.*, XV, juillet 1824.
(7) *B.*, X, 22 octobre 1825. Cf. également dans *A Trilby*, *B.*, IV, 8-10 avril 1825 :
> Ma cour magique, en alarmes...

et le vers recueilli sur des brouillons de l'*A. G. P.*, *Oc.*, LXV, donc attribuable à 1870 :
> Et du haut de ma tour bâtie avec le rêve...

Une ombre en sort, dans la meilleure tradition d'un moyen âge déjà romantique : la dame de ses pensées, celle pour laquelle ce nouveau Lancelot va entreprendre ses diverses épreuves poétiques et qui les lui inspire ; c'est une fée, la même sans doute *qui lui parlait et qu'on ne voyait pas* (1).

> Que ce soit Urgèle ou Morgane,
> J'aime, en un rêve sans effroi,
> Qu'une *fée*, au corps diaphane,
> Ainsi qu'une fleur qui se fane,
> Vienne pencher son front sur moi (2).

Ces rêves poétiques prennent leur expression définitive, pour cette période du moins, dans la pièce importante qui porte ce titre, *Rêves*, et à laquelle les strophes de cinq hexasyllabes prêtent un air détaché. Il y souhaite « *un manoir dans les bois* » (3)... C'est le cadre qui convient, pense-t-il, à sa poésie et doit favoriser l'essor de son imagination. Car il s'agit bien de cela ou, comme il le dit, de *sa* « muse envolée » :

> Qu'un songe au ciel m'enlève,
> Que plein d'ombre et d'amour,
> Jamais il ne s'achève,
> Et que la nuit je rêve
> A mon rêve du jour !
> . . . .
> Dans la forêt celtique
> Quelque donjon gothique !
> Pourvu que seulement
>
> La tour hospitalière
> Où je pendrai mon nid,
> Ait, vieille chevalière,
> Un panache de lierre
> Sur son front de granit (4).

Et, pour être hantée de « têtes de fantômes », de vierges et d'ombres fugitives de héros, sa fantaisie, sans doute parce que ce n'est qu'un jeu, ne s'y sera pas longtemps laissé assombrir :

---

(1) Cf. *O.*, V, 9, 1823.

(2) *B.*, I, 1824. Cf. *O.*, V, 22, 6 novembre 1825, dédiée à Mlle J.-D. de M. (Julie Duvidal de Montferrier), professeur de dessin d'Adèle et future belle-sœur — elle devait épouser Abel en 1827 — qui avait peint le portrait de Léopoldine, âgée alors d'un an à peine (cf. lettre du 21 mai 1825 à Mme V. Hugo : « Elle m'a montré le portrait de Didine qui est presque achevé et délicieux... »).

> Sans doute quelque *fée*, à ton berceau venue,
> Des sept couleurs que dans la nue
> Suspend le prisme aérien ;
> Des roses de l'aurore humide et matinale,
> Des feux de l'aube boréale,
> Fit une palette idéale
> Pour ton pinceau *magicien !*

La persistance même avec laquelle ces mots *magique* et *magicien* se présentent dans ses écrits de cette époque est révélatrice de l'orientation de ses pensées, de sa conception de la poésie.

(3) *O.*, V, 25, 4 juin 1828. Cf. *F. A.*, XXXV, I, novembre 1828 :

> J'aime les soirs sereins et beaux, j'aime les soirs,
> Soit qu'ils dorent le front des *antiques manoirs...*

(4) *Ibid.*

> Mais, donjon ou chaumière,
> Du monde délié,
> Je vivrai de lumière... (1).

Ces diverses aventures au château des rêves, ou, comme dit Sainte-Beuve du Victor Hugo de ces années-là, « ses excursions et ses voyages au pays des fées (2) », n'auront été que les exercices, les épreuves, voire les prouesses, au sortir desquelles le « brave chevalier armé » peut enfin, assuré de sa dextérité, affronter le monde réel.

(1) *Ibid.*
(2) *F. A., Revue de la Critique,* p. 157.

I

DU FRÉNÉTIQUE AU GROTESQUE

A l'école de Walter Scott : exercice frénétique.

C'est pourtant vers le genre frénétique que l'imagination de V. Hugo
s'est d'abord tournée. Quelles raisons à cela ? Hérédité ? Goût ? Occasion ?
Question de mode. Sans doute son père lui avait montré l'exemple, qui
avait essayé d'assouvir le feu de son imagination dans une tentative
en ce genre (1) ; lui-même prétendait travailler à *Han d'Islande* en
compagnie d'une chauve-souris dans sa tourelle de Gentilly, au pied
de laquelle jardinaient les deux fous de Bicêtre ; et on sait que le jour de
son mariage, la raison de son frère Eugène, qui aimait en secret Adèle,
succomba ; on dut l'enfermer et Victor Hugo s'en montra toujours très
préoccupé dans ses lettres, jusqu'à ce qu'il obtînt en juin 1833 le transfert du malade dans la clinique privée de Saint-Maurice qui dépendait
de Charenton. Mais s'il est vrai que la folie l'entourait alors et que son
génie en était peut-être une forme atténuée (2), sa santé et sa joie y résistent
fort bien. Aussi bien cette tentation n'est pas nouvelle : deux odes, datées
d'avril 1822, *la Chauve-Souris* et surtout *le Cauchemar* (3) en témoignaient
déjà. La première porte une épigraphe extraite du *Bertram* de Maturin
et la seconde en avait deux, tirées l'une du *Songe d'une nuit d'été* et l'autre
du *Smarra* de Nodier. C'est là qu'il faut chercher la vraie raison : la mode
du roman noir.

Laissons provisoirement de côté Shakespeare, auquel il serait curieux,
mais non pas impossible, que Victor Hugo ait été introduit par cet aspect

(1) Cf. GUIMBAUD, Préface aux *Mémoires du Général Hugo*.
(2) Cette thèse a été déjà plus ou moins partiellement esquissée et soutenue.
Je lis, entre autres, dans le *Victor Hugo* d'Albert CIANA (p. 102), à propos des hantises du poète à l'époque des *Contemplations :* « Cette angoisse hallucinante, quand on
y songe, de quel poids héréditaire n'est-elle pas chargée ? La mort apoplectique
de son père, la folie de son frère, la démence de sa fille et les apparitions de peurs
dont son œuvre garde la trame, tout cet abîme de géhenne s'ouvrait la nuit devant
lui et l'appelait, le hantait jusqu'à l'épouvante. » On ne peut pas ne pas être frappé
par cette accumulation de faits convergents. Et peut-être, n'y eût-il pas eu pour
l'équilibrer cette vitalité, cette jovialité charnelle, eût-il à son tour sombré dans
quelque « mélancolie » profonde.
(3) O., V, 5 et 7.

de son théâtre. Les romans du Révérend Maturin, auquel Hugo a plus d'une fois songé en écrivant le sien, comme le montrent certaines épigraphes, ceux d'Anne Radcliffe, de Lewis et de Walter Scott, du côté de l'Angleterre, les traductions de *Sternbald* et surtout de *l'Abbaye de Netley* de Tieck, qui représentaient l'Allemagne, sans oublier le folklore répandu par les poésies, connaissaient la vogue dans ce premier quart du XIXᵉ siècle. Charles Nodier, leur introducteur en France, faisait la liaison entre la tradition française illustrée par Cazotte (*Le Diable amoureux, Olivier*) et les apports de l'étranger. En dehors des adaptations qu'il avait publiées du *Vampire* en 1820 et de *Bertram* en 1821 (1), *Jean Sbogar* (1818) et *Smarra* (1821) ont pu influencer Victor Hugo. Nous n'en savons rien et *Han d'Islande* est antérieur aux relations des deux hommes puisqu'il en fut l'occasion. Mais il est vraisemblable que V. Hugo avait lu ces deux romans de Nodier et il n'est pas impossible, comme l'observe légitimement Mrs. Schenck, qu'ils aient indiqué le chemin à son imagination. Une phrase comme celle-ci, de *Jean Sbogar*, peut être à l'origine de la singulière physionomie du monstre sanguinaire de Vermund-le-Proscrit : « Pourquoi Dieu n'aurait-il pas jeté dans la société des âmes dévorantes et terribles qui ne conçoivent que des pensées de mort comme il a déchaîné dans les déserts ces tigres et ces panthères effroyables qui boivent le sang des animaux sans jamais s'en désaltérer (2)? » Il est également vrai que Bug-Jurgal, dès la première version, est un chef de brigands, aveuglément suivi par sa bande, tout comme Jean Sbogar, et que le nain malveillant Habibrah, qui fait son apparition seulement dans la seconde version de ce roman (1825), doit peut-être quelque chose de son existence à Smarra (1821).

Mais nous aurons l'occasion de revenir bientôt sur l'influence de Nodier et ce n'est pas mon intention de m'attarder à chercher les sources et les emprunts de Victor Hugo dans ce domaine, une fois souligné pour toutes le caractère conventionnel jusque dans l'extraordinaire de ces inventions, où la fantaisie de Victor Hugo à mon sens s'égare. Sans doute peut-on constater dans l'œuvre de Victor Hugo depuis *Han* et même *Cacus* en passant par *Notre-Dame de Paris* jusqu'aux *Travailleurs de la mer* et à

---

(1) *Le Vampire*, titre du récit apocryphe de Byron publié par le Dʳ Polidori. Cf. *Lord Ruthwen ou les Vampires*, roman de C. B. *publié par l'auteur de « Jean Sbogar » et de « Thérèse Aubert »*, dont il reniait la paternité, et *le Vampire*, mélodrame en 3 actes, par Carmouche, le marquis de Jouffroy et Ch. Nodier. *Bertram ou le Château de Saint-Aldobrand, tragédie en 5 actes traduite librement de l'anglais du Rév. R.-C. Maturin par MM. Taylor et Nodier.* Cf. R. BRAY, *Chronologie du Romantisme*, p. 28-29 et 67.

(2) E. M. SCHENCK, ouvrage cité *in Bibliographie*, p. 106. Voir également p. 77 sq. Ne dirait-on pas la réplique de Hugo dans ce dialogue des deux prisonniers Han et Schumacker? Celui-ci parle le premier :

« Écoute ; je hais les hommes, comme toi, parce que je leur ai fait du bien, et qu'ils m'ont fait du mal.

— Tu ne les hais pas comme moi ; je les hais, moi, parce qu'ils m'ont fait du bien, et que je leur ai rendu du mal...

— ... Je leur ai dû tout le malheur de ma vie.

— Tant mieux! je leur ai dû, moi, tout le bonheur de la mienne.

— Quel bonheur?

— Le bonheur de sentir des chairs palpitantes frémir sous ma dent, un sang fumant réchauffer mon gosier altéré ; la volupté de briser des êtres vivants contre des pointes de rochers, et d'entendre le cri de la victime se mêler au bruit des membres fracassés. Voilà les plaisirs que m'ont procurés les hommes. » (*H. I.*, chap. XLVII). Cf. *Cacus*.

l'Homme qui rit, la constance d'une certaine veine *frénétique* et l'indéniable attrait de Victor Hugo pour l'horrible et *ce qui fait peur* (1). Han se retrouve dans Quasimodo et dans Gwynplaine. C'est précisément une des choses qu'il admirait le plus dans Walter Scott. « Nous avons entendu critiquer, écrira-t-il dans l'article qu'il consacre à *Quentin Durward*, comme hideuse et révoltante la peinture de l'orgie. C'est, à notre avis, un des plus beaux chapitres de ce livre. Walter Scott, ayant entrepris de peindre ce fameux brigand surnommé le Sanglier des Ardennes, aurait manqué son tableau s'il n'eût excité l'horreur. Il faut toujours entrer franchement dans une donnée dramatique, et chercher en tout le fond des choses. L'émotion et l'intérêt ne se trouvent que là. Il n'appartient qu'aux esprits timides de capituler avec une conception forte et de reculer dans la voie qu'ils se sont tracée (2). » Victor Hugo n'était pas *timide* certes ; il redoutait plutôt de passer pour tel. Loin de reculer, il a renchéri, laissant galoper son imagination et l'excitant de son mieux. Ce qu'il doit à Walter Scott, ce sont moins des emprunts de détail dans le genre de ceux qu'on a cherchés, comparant son Ethel à la Fenella de *Peveril du Pic*, que l'exemple et le modèle du roman fantastique à structure historique. Les critiques de son temps l'ont bien vu, dénonçant, comme *le Réveil*, cette « composition nouvelle visiblement empreinte du génie original de Sir Walter Scott » ou comme L. Thiessé dans *le Mercure du XIX*e *siècle* ce « fruit d'un songe pénible et prolongé ». Ce dernier admettait avec peine qu'« un sujet étrange ne devait pas être traité en style naturel ». Et Nodier, au milieu des éloges mesurés qu'il décernait à l'auteur, dénonçait « un rival de ce triste romancier anglais [Maturin] assez malheureux pour le surpasser dans l'horrible exagération des moyens et... empressé comme on l'est à son âge de dépenser toutes les ressources de son imagination (3) ». Mais ce qu'il n'a pas vu plus que les autres, louant à tort « cette piquante vérité de couleur locale » ou reconnaissant « une bonne lecture de l'*Edda* », c'est la supercherie de cette documentation.

Dès ce moment, nous constatons la méthode particulière de Victor Hugo, si on peut l'appeler méthode, qui procède à coups de hasards et de rencontres, moins soucieuse d'une nourriture substantielle que de hors-d'œuvre appétissants et poivrés. De la nouvelle de son frère Abel, *Bardon le Roux*, au *Voyage en Norvège* de J. Chr. Fabricius, la « documentation » de l'auteur est dominée non par un souci de vérité historique, mais par le désir d'exciter l'imagination, la sienne d'abord, celle du lecteur ensuite (4). Et s'il connaît l'*Edda*, c'est par des fragments qu'il en a rencontrés dans l'*Histoire de Danemark* de P. H. Mallet. Le livre date du XVIIIe siècle, peu importe ; mieux, on l'aura oublié. Hugo y trouve ensemble

(1) Cf. ce qu'il écrivait à sa femme le 24 mai 1825 à propos de *Han* : « Quand je reviendrai, je t'apporterai la fameuse traduction anglaise de *Han d'Islande*, avec d'admirables gravures à l'eau-forte de Cruikshank. L'effet n'en est pas agréable, *mais elles sont terribles*. » (*Corresp.*, I, p. 242.)

(2) *La Muse française*, 1re livr., juillet 1823. *L. Ph. m.*, p. 121. On saisit dans la dernière phrase cette hardiesse militaire qui se communique au ton et commande les métaphores.

(3) *H. I.*, Historique, p. 350 sq., l'article de *la Quotidienne*, 12 mars 1823.

(4) Cf. S. Pérès, article cité *in Bibliographie*. La nouvelle d'Abel Hugo avait paru dans l'*Étoile* du 26 septembre 1821. Le volume de J. Chr. Fabricius avait été traduit de l'allemand en 1802 ; il donnait entre autres une description de Drontheim et l'*Histoire de Danemark* avait paru à Paris en 1768-1787 (9 vol. in-12).

les noms des chroniqueurs et de leurs personnages dont les sonorités le ravissent : Isleif, Saemond le Sage, Snorro Sturleson, etc., des noms de lieux, des récits comme celui de l'exécution de Griffenfeld (J. Schumacker). Il s'en empare sans pudeur pour en truffer son œuvre. Question d'économie, non de vérité. Économie de son temps, de son travail, surtout de son imagination. Il y a bien, il faut en convenir, quelque chose de froid dans cette frénésie méditée, cravachée à coups de lectures, étouffée parfois sous l'amas d'une érudition de fantaisie, collectée à tort et à travers dans de vieux livres naïfs.

Premiers grotesques : le monstre et son compère.

Mais il nous importe davantage de reconnaître comment la fantaisie de Victor Hugo parvient à percer dans le noir par un certain humour sarcastique et son aptitude à créer des silhouettes de grotesques. « ... La vie, écrit-il à propos de W. Scott, n'est-elle pas un drame bizarre où se mêlent le bon et le mauvais, le beau et le laid, le haut et le bas, loi dont le pouvoir n'expire que hors de la création ? Faudra-t-il donc se borner à composer, comme certains peintres flamands, des tableaux entièrement ténébreux, ou, comme les chinois, des tableaux tout lumineux, quand la nature montre pourtant la lutte de l'ombre et de la lumière (1) ? » Cette curieuse anticipation — dès 1823 — de l'idée centrale de la *Préface de Cromwell* est à retenir. Hugo ne dit pas encore le comique et le pathétique, mais il le pense et un roman comme *Han d'Islande* met déjà en pratique sa conception du drame romantique.

On s'est assez moqué de l'excessive solennité des dialogues hugoliens pour qu'il soit permis de se demander si les moqueurs ne sont pas les dupes. Lorsque le vieux Spiagudry, se voyant soupçonné par Ordener d'avoir profané un mort, se prosterne devant le jeune homme, il y a dans les gestes, les attitudes, et les paroles des deux interlocuteurs, une exagération qu'on ne saurait imputer sérieusement à un romantisme de jeunesse et qui relève d'une parodie plus ou moins consciente, et plutôt plus que moins, de la tragédie et des romans post-classiques. Qu'on en juge par la réponse d'Ordener : « Vieillard, dit-il, relève-toi, et si tu n'as point outragé la mort, n'avilis pas la vieillesse (2). » Comment penser que le jeune auteur n'a point souri intérieurement de satisfaction au contraste de cette maxime cornélienne avec la hideuse silhouette du pauvre gueux agenouillé ?

Et que dire du dialogue heurté d'Ordener et de Han, parodie de la stichomythie cornélienne, qui commence à la manière des duos de *Polyeucte* et se poursuit sur le ton et presque les répliques du célèbre défi lancé par don Rodrigue à don Gormas ?

« C'est moi, dit-il avec un grondement de bête fauve.
— C'est moi, répondit Ordener.
— Je t'attendais.
— Je faisais plus, répartit l'intrépide jeune homme, je te cherchais. »
Le brigand croisa les bras.
« Sais-tu qui je suis ?
— Oui.
— Et tu n'as point de peur ?

(1) Article cité, *L. Ph. m.*, p. 118.
(2) *H. I.*, chap. VIII, p. 59.

— Je n'en ai plus.
— Tu as donc éprouvé une crainte en venant ici? » Et le monstre balançait sa tête d'un air triomphant.
« Celle de ne pas te rencontrer..., etc. (1). »

Voici plus convaincant. Spiagudry, après avoir opposé à la curiosité d'Ordener autant de délais et de métaphores (2) que Phèdre pour révéler le nom d'Hippolyte à Œnone, se décide enfin à dénoncer le profanateur.

« Comment! reprit-il (Ordener), Han! cet exécrable bandit!
— Ne l'appelez pas bandit, car il vit toujours seul (3). »

Cette correction étymologique en un quasi-alexandrin, qui fait du pauvre hère un puriste, est tout bonnement de l'humour. Nul doute que V. Hugo ne s'amuse, comme lorsqu'il plaque un alexandrin sonore, véritable cette fois, au milieu de sa prose : « C'est Nychol Orugix, bourreau du Drontheimhus (4). » Et ne retrouve-t-on pas dans ce sarcasme caractéristique une saillie que V. Hugo pourrait signer vingt ou trente ans plus tard? « Eh bien! qu'est-ce que le tonnerre? un éclat de rire de Satan (5). »
Ces exemples et bien d'autres qu'on pourrait encore relever nous font soupçonner, parallèlement à une supercherie de la documentation, une supercherie du drame, où le romancier, loin de se mêler à ses personnages, ne quitte pas sa position d'observateur et de montreur de marionnettes. Tout cela relève d'un romantisme narquois de Jeune-France, tel que Gautier continuera de le pratiquer et auquel Hugo s'amusera parfois encore, pour mystifier son lecteur bourgeois, quitte à lui imprimer par la suite la griffe plus originale de son grossissement épique.
Tous ces exemples se rattachent pour la plupart à la personne de Spiagudry, où nous n'avons pas de peine à reconnaître le type du bateleur savant et sentencieux tel que Hugo le campera dans une de ses lettres de voyage (6) et le reproduira par exemple dans Ursus, le philosophe de l'Homme qui rit. Dès l'abord, ce singulier personnage qui répond au doux nom de Benignus Spiagudry, provoque un brusque éclat de rire : « le visage hâve, les cheveux rares et sales, les longs doigts et le complet accoutrement de cuir de renne, justifiaient amplement un accueil aussi gai (7) ». C'est le gardien du Spladgest, soit, comme s'empresse de nous l'expliquer l'auteur, de la morgue de Drontheim. A dessein, Hugo n'a pas ménagé les nerfs de son lecteur, en décrivant la salle funèbre, éclairée d'un jour avare qui tombe lugubrement sur les tables de granit où reposent les cadavres (8); à dessein aussi, il le détend par cette dérisoire apparition.

(1) Chap. XXIX, p. 209. Cf. O. B., ms., p. 506, une pièce de vers attribuée à 1822 et intitulée Parodie classique. Ce goût impénitent de la parodie se retrouve dans son œuvre encore après 1850 : le poète y cède aux endroits les plus dramatiques (cf. H., V, 3, le sourire de connivence à Vigny : « Oh! que j'aime bien mieux le cor au fond des bois! »). Cette fantaisie frise la mystification.
(2) Par exemple : « N'avez-vous jamais entendu parler, poursuivit le concierge à voix basse (il s'agit du gardien des morts), d'un homme ou d'un monstre à face humaine... », etc.
(3) Ibid., p. 60.
(4) H. I., chap. XII, p. 98.
(5) Ibid., p. 96.
(6) Cf. Voyages, chap. II, p. 234 (Rh., XX, p. 159 sq.).
(7) H. I., chap. I, p. 19.
(8) « La décomposition s'annonçait dans le corps de la jeune fille par les larges

A mesure qu'il avancera dans le roman, Hugo soulignera le contraste en accentuant l'horreur du drame et le ridicule de cet inégal partenaire. Si, la nuit où Ordener frappe à sa porte, il en fait, pour la circonstance, une silhouette d'épouvante, il ne résiste pas au malin plaisir de l'achever dans le ridicule. « La porte s'ouvrit enfin lentement, et Ordener se trouva face à face avec la longue figure pâle et maigre de Spiagudry, qui, les habits en désordre, l'œil hagard, les cheveux hérissés, les mains ensanglantées, portait une lampe sépulcrale, *dont la flamme tremblait encore moins visiblement que son grand corps* (1). » La morgue devient bientôt une « auberge de cadavres (2) », dont il passe le « concierge (3) ».

La même opposition est exploitée au chapitre XII, lorsque Ordener, curieux et narquois, introduit Spiagudry tremblant dans l'antre redoutable du bourreau Nychol, sur la route de Vygla. Sa silhouette physique s'y complète : « on voit sur son dos une bosse, formée sans doute par une besace que cache un grand manteau noir dont les bords profondément dentelés annoncent les bons et loyaux services. Il n'a d'autre arme qu'un long bâton dont il aide sa marche inégale et précipitée (4) ». C'est déjà le gueux vagabond, véritable pèlerin, peut-on dire, de l'œuvre hugolienne. Le spectre inquiétant du début, sorcier diabolique, a été successivement déchu au rang de valet de brigand, de Sganarelle d'un monstre ; passant au service du loyal Ordener, le voilà réduit au portrait d'un pédagogue verbeux et poltron, boitillant derrière son infatigable maître, comme un Satan usé galoperait derrière un Faust triomphant. Déjà comique avec Han, il l'est davantage avec ce dernier, et tourne au faquin rompu de coups et d'injures, dans la franche scène de comédie où, déguisé, il s'entend juger pour un drôle, plus lâche que méchant, tout juste bon à pendre.

Victor Hugo avait inauguré sa collaboration à *la Muse française* par un article sur Walter Scott : il l'achève avec un hommage funèbre à Lord Byron (5). A un an de distance, le jeune auteur paraît avoir fait son choix et renoncé au genre noir.

Cette littérature cependant, écrit-il de la nouvelle littérature du XIXᵉ siècle à laquelle il ne se décide pas encore à donner le nom de romantique, comme toutes les choses de l'humanité, présente, dans son unité même, son côté sombre et son côté consolant. Deux écoles se sont formées dans son sein... L'une voit tout du haut du ciel, l'autre du fond de l'enfer. La première place au berceau de l'homme un ange qu'il retrouve encore assis au chevet de son lit de mort ; l'autre environne ses pas de démons, de fantômes et d'apparitions sinistres... Toutes deux possèdent également l'art d'esquisser des scènes gracieuses et de crayonner des figures terribles ; mais la première, attentive à ne jamais briser le cœur, donne encore aux plus sombres tableaux je ne sais quel reflet divin ; la seconde, toujours soigneuse d'attrister, répand sur les images les plus riantes, comme une lueur infernale (6).

---

taches bleues et pourprées qui couraient le long des membres sur la place des vaisseaux sanguins. » (*Ibid.*). Ne dirait-on pas déjà la description « clinique » de la mort de Mme Bovary ?

(1) Chap. V, p. 43, souligné par moi. Un des quatre thèmes choisis par Cruikshank pour illustrer la traduction anglaise, *Hans of Iceland*, London, Robins and Cᵒ, 1825, p. 26 ; cf. ici, p. 53. Sur George Cruikshank, voir BAUDELAIRE, *Curiosités esthétiques*, éd. la Pléiade, II, p. 205.

(2) Chap. VI, p. 49.
(3) Chap. XII, p. 104.
(4) P. 87.
(5) *La Muse française*, 12ᵉ livr., juillet 1824. Lord Byron était mort le 24 avril 1824.
(6) *L. Ph. m.*, p. 129-130.

A coup sûr, il serait abusif d'appliquer étroitement ce choix entre Chateaubriand et Byron, l'école angélique et l'école satanique, à la question des contes noirs. Mais, il est possible qu'il ait été pour quelque chose dans l'interruption de ses exercices frénétiques (1). Hugo a opté pour Chateaubriand et le côté consolant. Cela ne veut pas dire qu'il renonce pour autant à laisser courir son imagination sous le pavillon noir, non plus d'ailleurs qu'à emprunter à Byron des thèmes d'inspiration — les *Orientales* lui en doivent au contraire beaucoup — mais la terreur cesse de lui apparaître comme un ressort suffisant ou surtout légitime, si elle ne s'accompagne du rire et de la pitié de façon à restaurer l'image complète de notre monde moral et de la vie même. Ainsi se concevaient dans les expériences les idées du manifeste de 1827.

Charles Nodier surtout, dont il avait fait la connaissance à l'occasion de l'article que ce dernier avait consacré à *Han d'Islande*, ne doit pas être étranger à cette évolution. Lui-même, après avoir écrit des romans noirs qui avaient pu inspirer Hugo, avait renoncé après *Smarra* au genre frénétique, même narquois, pour s'essayer avec *Trilby* au fantastique poétique. Très classique au fond de goût et de formation, bien qu'il passât alors pour le guide des romantiques, il ne prisait point leurs excès. Il est fort possible que cet aîné autorisé et sympathique ait contribué à détourner du genre noir son nouvel et précieux ami qui devait le suivre, comme nous allons le voir, dans ses essais fantastiques (2).

On voit bien l'effet de cette conception hybride dans Habibrah, création de 1825, introduite dans la version refondue de *Bug-Jargal*. Han d'Islande était un nain, mais un monstre qui ne prêtait nullement à rire et Spiagudry moins qu'un autre s'en fût moqué. Il était de ces créatures qu'on ne peut qu'affronter ou trahir. Cependant, il était déjà difforme. Dans *Bug-Jargal* seconde manière, Habibrah représente une expérience de Victor Hugo, un pas vers le mélange des genres et la confusion délibérée des caractères et des apparences. C'était

... un de ces êtres dont la conformation physique est si étrange qu'*ils paraîtraient des monstres, s'ils ne faisaient rire*. Ce nain hideux était gros, court, ventru, et se mouvait avec une rapidité singulière sur deux jambes grêles et fluettes qui, lorsqu'il s'asseyait, se repliaient sous lui comme les bras d'une araignée. Sa tête énorme, lourdement enfoncée entre les épaules, hérissée d'une laine rousse et crépue, était accompagnée de deux oreilles si larges, que ses camarades avaient coutume de dire qu'Habibrah s'en servait pour essuyer ses yeux quand il pleurait. Son visage était toujours une grimace,

(1) Se rattachent à cette veine des vers comme ceux-ci, du *Chant du Tournoi*, O., IV, 12, datés de janvier 1824 :

> Un jour, sur les murs funestes
> De son infâme château,
> On voit pendre ses vils restes
> Aux bras d'un sanglant poteau, etc.

On peut noter que Hugo cède beaucoup moins au goût du macabre dans *le Géant*, B., V, mars 1825, qui en appelait.

(2) Cf. article de *la Quotidienne*, extr. cité ici, p. 53. Lamartine, du même avis, déconseillait à son jeune ami ces excès : « Nous relisons vos ravissantes poésies et votre terrible *Han*. Soit dit en passant, je le trouve aussi trop terrible ; adoucissez votre palette ; l'imagination, comme la lyre, doit caresser l'esprit ; vous frappez trop fort : je vous dis ce mot pour l'avenir, car vous en avez un et je n'en ai plus. » (*Saint-Point, par Mâcon, 8 juin 1823, in* G. SIMON, *Lettres inédites..., op. cit.*, p. 671).

et n'était jamais la même ; bizarre mobilité des traits, qui du moins donnait à sa laideur l'avantage de la variété. Mon oncle l'aimait à cause de sa difformité rare et de sa gaieté inaltérable (1).

On reconnaît là bien des traits que V. Hugo accentuera par la suite dans ses grotesques. Cette perruque crépue, c'est celle qu'il a dessinée pour la tête énorme de Quasimodo. On retrouve cette paire d'oreilles proéminentes dans bien des caricatures de Victor Hugo et notamment elle encadre le mufle de Goulatromba. Cette perpétuelle grimace, c'est elle enfin que, de peur qu'elle ne s'efface, Hugo finira par tailler au fer rouge dans la chair vive, la cicatrice hilare de Gwynplaine. Un rire figé, sculpté pour durer, comme dans la pierre, qui marque le sommet de cette hantise et qui doit peut-être moins encore aux modèles vivants que son œil aux aguets a pu observer et sa mémoire collectionner, comme le bossu du collège San Antonio ou cette idiote de l'Arve rencontrée en 1825 (2), qu'aux gargouilles, aux corbeaux et aux silhouettes grimaçantes, en pierre précisément, écrasées sous les chapiteaux des cathédrales médiévales, auxquelles, dans sa préface de *Cromwell*, l'auteur se réfère d'abord pour faire entendre sa conception du *grotesque*. Lui-même ne l'a peut-être pas encore reconnu clairement, mais il est près de le faire.

Habibrah est aussi un mage, un *obi*. Perfide et violent comme Han, il est sournois comme Spiagudry et sait lire également dans les astres. Ces créatures sauvages de la nature, *bêtes humaines* (3) qui semblent lui avoir échappé en dehors de ses lois, tiennent d'elle à la manière des titans ou des centaures une puissance physique ou spirituelle qui dépasse l'ordinaire. Pour compenser en ridicule ce que ce gnome monstrueux pourrait avoir de terrifiant à l'excès, Hugo l'accoutre à la manière d'un « fou » d'un « grand bonnet pointu orné de sonnettes, sur lequel il avait tracé des figures bizarres en encre rouge ». « Voyez — pourrait-on dire — cet accoutrement ridicule, c'est quelque baladin ou tout au plus un fou (4). » Ainsi ce personnage contient deux incarnations du grotesque, auxquelles Hugo va s'essayer à présent séparément : l'alchimiste astrologue — Démétrius Alasco dans *Amy Robsart* — et le bouffon — Flibbertigibbet dans cette même pièce et les quatre fous de Cromwell.

Grotesques de transition : le sorcier et son apprenti.

On peut dire qu'*Amy Robsart* et *Cromwell* sont des drames jumeaux : ils ont été faits ensemble dans les années 1826-1827. Toutefois l'idée primitive d'*Amy Robsart* remonte à 1822. Hugo en avait, comme pour *Bug-Jargal*, rédigé une première version qu'il a remaniée et complétée en 1826. C'est Alexandre Soumet qui, comme Hugo l'écrivait à Adèle le 16 février 1822, lui avait proposé de « tirer une comédie de l'admirable roman de *Kenilworth* (5) ». La collaboration ne s'établit pas et Hugo garda ses trois actes. Dépité par un second essai infructueux — *Inez*

(1) B. J., chap. IV, p. 384.
(2) Cf. ici, p. 108.
(3) Préface de *Cromwell*, p. 18.
(4) *Amy Robsart*, acte I, sc. 8.
(5) Historique, p. 433. *Kenilworth* figure encore dans la bibliothèque de Hauteville House, t. XXIV des *Œuvres complètes*, Paris, Gosselin, 1822. Bien que la traduction dans son ensemble paraisse attribuée au « traducteur de Lord Byron » (Amédée Pichot), la première traduction de ce volume est la même que celle qui parut en 1835 sous la signature de A. J. B. Defauconpret.

de Castro acceptée, puis interdite par la censure en 1822 — Hugo s'était détourné du théâtre jusqu'à ce mois d'août 1826 où il se mit à son *Cromwell*. La composition de ce drame volumineux connut plusieurs interruptions où la reprise du manuscrit de jeunesse put s'intercaler. Entraîné en effet par l'élan dramaturgique de *Cromwell*, Hugo conçut le projet d'en profiter pour renflouer son premier drame et lancer sur ce bateau de fortune son jeune beau-frère Paul Foucher qui brûlait de se faire un nom (1). La nouvelle version en effet — trois actes terminés en juin, les deux derniers en juillet — fut reçue en octobre 1827 à l'Odéon, dans le même moment que, son autre drame terminé, Hugo composait la préface de *Cromwell*. Aussi les deux drames sont-ils imprégnés des théories de la préface : ils en sont moins des applications à proprement parler que les expériences qui ont permis de les dégager.

Ce qui m'intéresse de ce drame abandonné, c'est qu'il rétablit le chaînon indispensable au développement que nous suivons. Parti de Walter Scott en 1822, Hugo n'a pas persévéré dans l'horrible en 1826. Loin de là, tout comme un an avant il avait ajouté à la nouvelle de 1819 le monstre grotesque d'Habibrah, encore effrayant d'ailleurs, il corrige le caractère unilatéral de ce drame noir en doublant le mage Alasco, qui existait déjà dans la première version, du fantôme bien vivant et bon vivant, franchement joyeux, de son élève, Flibbertigibbet (2). Deux reprises, deux additions, dont la seconde accentue vers le comique le type du grotesque demeuré encore jusque-là sous l'empire des romans noirs et de l'épouvante.

Sans doute n'était-ce qu'une restitution : Flibbertigibbet existait déjà dans *Kenilworth*, bien qu'il eût un moindre rôle, puisqu'il le partageait avec le véritable domestique d'Alasco, Wayland le maréchal ferrant, dont il était d'abord le complice. Hugo a simplifié : des deux il a fait un seul personnage, comme ailleurs il a confondu le courtisan grotesque Blount et le gardien Foster et comme il a supprimé le rôle important de Tressilian. Hugo a augmenté d'autant celui du lutin qui a le dernier mot du drame et qui, s'il ne réussit pas à sauver Amy, châtie du moins ses meurtriers : « C'est moi qui vous châtie. » Sans doute aussi le Flibbertigibbet de Hugo était-il un peu cousin de ses jeunes aînés, les lutins de Nodier, de plus en plus malicieux de *Smarra* à *Trilby*, comme nous aurons bientôt l'occasion d'en juger. Mais, à bien considérer ces transformations, ce serait un vice de méthode caractérisé de ne pas voir là d'abord le signe d'une évolution de Hugo, d'une émancipation progressive à l'égard des modèles et d'une prise de conscience qui dégage peu à peu des brouillards de la mode ses tendances originales.

Démétrius Alasco, astrologue et imposteur, n'ajoute pas grand'chose au type de Spiagudry, « savant oui, sorcier non (3) » protestait ce dernier.

---

(1) C'était dans l'esprit de Hugo, je pense, une sorte de premier essai gratuit avant *Cromwell*, un *test*, en même temps qu'il s'y marque cette tendance que nous retrouverons plus d'une fois à « l'utilisation des restes », qui correspondait ensemble à une exigence de son budget et je pense aussi à une économie de sa création.

(2) Quand on lui demande son nom, le jeune Dick Sludge, dans le roman de W. Scott, répond « lutin » *(Hobgoblin)*. C'est Wayland qui l'appelle *Flibbertigibbet*, du nom d'un des lutins invoqués par les sorcières de *Macbeth*.

(3) *H. I.*, chap. XII, p. 98. Cf. *Amy Robsart*, acte I, sc. 5, *Alasco*, *Varney*. Protestations similaires au chapitre XVIII de *Kenilworth*.

Bafoué comme lui par les arrogants et les forts, « Démétrius Alasco, le
père de la science universelle, le maître futur de la nature occulte » ressent
avec autant d'humiliation les appréciations insultantes de l'écuyer sur
son compte que Spiagudry celles du bourreau. S'il ne fait plus, c'est que
tout comme lui, il est « aussi lâche que méchant (1) » et « plus
lâche qu'avare (2) ». Il éprouve à l'égard de son « lutin » Flibbertigibbet
le même effroi que l'*apparition* du monstre, son complice, inspirait au
gardien du Spladgest. Mais si Han pratiquait parfois le sarcasme avec
un certain humour narquois, Flibbertigibbet n'a pas de peine à être
incomparablement plus facétieux et jovial.

Reprendre un vieux manuscrit est toujours plus ou moins un pensum.
J'imagine que V. Hugo a voulu néanmoins s'y divertir et le « lutin » en est
le fruit et l'occasion. Alasco le décrit ainsi :

> ... un être bizarre, malin et capricieux, le visage d'un gnome, l'esprit
> d'une salamandre, la vive agilité d'un sylphe, une espèce de nain, qui res-
> semblait plus à un enfant qu'à un homme, plus à un lutin qu'à un enfant (3).

Cet apprenti en savait trop sur les secrets de son maître, qui s'en est
défait ou l'a cru. Flibbertigibbet lui apparaît en effet, pour sa plus grande
terreur, en « costume de diable, longue queue, longues griffes, cheveux
rouges en désordre », ou, comme Hugo le résumait à l'intention d'Eugène
Delacroix pour qu'il en fît le dessin, « diable couleur de feu, cheveux
rouges, vêtements collants (4) ». Déguisement de théâtre. Ce surnaturel
ne tient pas longtemps : Varney reconnaît, au portrait que lui en ébauche
Alasco, son « maudit petit comédien » engagé pour « faire le rôle du
diable dans la comédie que le comte (Leicester) veut donner à la reine
Elisabeth » (5) et Amy Robsart le prend pour ce qu'il est, c'est-à-dire un
baladin (6), un de ces « *graciosos* de comédie (7) », qui annonce le
personnage du *Gracieux* dans *Marion de Lorme* (8) et un nouveau modèle
de grotesque.

Au delà de *Marion*, c'est don César lui-même qu'il nous fait pressentir :
il en a les procédés et l'esprit. Son apparition est aussi peu banale : comme

---

(1) *H. I.*, *ibid.*, p. 104.
(2) Chap. VI, p. 48.
(3) *A. R.*, I, 5, p. 274. Cf. son portrait au chapitre IX de *Kenilworth :* « A sa taille,
on ne lui aurait guère donné que douze à treize ans, quoique probablement il en
eût un ou deux de plus. Sa démarche était gauche, il était laid et fait, et cependant avait un air spirituel ou plutôt malin. Ses cheveux roux étaient mal peignés,
son visage tout couvert de taches de rousseur, son menton pointu, et son nez camard.
Ses petits yeux gris n'étaient pas précisément louches, mais ils avaient une bizarre
obliquité de vision. Il était impossible de regarder ce petit bonhomme sans quelque
envie de rire... »
(4) *Ibid.*, I, 6, p. 278 et Historique, p. 435. On retrouve également dans *Kenilworth* le garçon parmi les comédiens, « portant un masque garni d'une paire de
cornes du plus beau rouge, un vêtement collant de serge noire..., des bas rouges », etc.
(5) *Ibid.*, I, 5, p. 275 et 271.
(6) *Ibid.*, I, 8, p. 290.
(7) Préface de *Cromwell*, p. 19.
(8) La ressemblance va d'ailleurs assez loin : Amy et Wayland, poursuivis par
le méchant Varney et son acolyte Lambourne, se mêlent à une troupe de comédiens
ambulants, comme feront Didier et Marion pourchassés par Laffemas. Dans les
deux cas, le comédien, Flibbertigibbet ou le Gracieux, les sauve des limiers par
son bagout. Autre point commun : le duel de Leicester et Tressilian « près de la
résidence de la reine » (*Kenilworth*, chap. XXXVIII) a pu donner à Hugo l'idée de
Marion (premier titre : *Un Duel sous Richelieu*), car il est également interdit et comporte la peine de la main coupée.

Bazan par la cheminée, il « saute par la croisée ouverte » et aussi affamé, il se dirige d'abord vers le buffet, car « il faut que tout le monde vive, même les fantômes (1) », ce qui nous vaut un piquant dialogue à mi-chemin, si l'on peut dire, de l'irréel et du réel et où le premier se fond graduellement dans l'autre. La gouaille du comédien annonce celle du grand seigneur bandit. Comme lui, il raille avec bonne humeur sa défroque misérable : « mon pourpoint d'esprit infernal est décousu en plusieurs endroits et un Belzébuth en guenilles ne peut faire illusion que la nuit (2) » — où Hugo utilise l'effet disparate de cet alternatif chevauchement du réel et de l'irréel, qu'il exploitera plus tard systématiquement. Mais sa verve est aussi prompte et impitoyable comme en témoigne cette vive parade opposée à son gardien Foster :

FOSTER *(pourpoint de velours et bas jaunes).*

D'où viens-tu donc, démon aux crins rouges ?

FLIBBERTIGIBBET, *riant et regardant le costume du concierge.*

Des marais, où j'ai appris l'art d'attraper des oies aux larges pattes et aux pieds jaunes (3).

Sa malice, qui sait poindre à l'occasion, n'est pourtant pas méchante. Elle repose sur un fond de philosophie et de jeunesse, à la fois d'indulgence et de gaminerie. Il ne s'offusque pas de grand'chose ; en apprenant le changement de nom de son maître, il se contente de remarquer : « Bon ! le serpent a fait peau neuve (4) » ; et à sir Hugh Robsart demandant raison à Leicester, il apprend négligemment, quand les choses se gâtent, le mariage d'Amy avec le Lord sur le ton de Gavroche : « A propos, c'est ce que j'avais oublié de vous dire. Je suis si habitué aux mariages bohémiens que je ne prends pas garde à ces choses-là (5). »

Son portrait moral offre encore bien des ressemblances avec celui de don César : escroc né, prêt à tout pour de l'argent et peu scrupuleux sur les moyens, il garde pourtant un curieux fond d'honnêteté, une sorte de loyauté instinctive, comparable à l'honneur de César, qui lui impose des règles intuitives sur lesquelles il ne transige pas (6). Comme don César se saura assez veule pour servir don Salluste, mais non pas au point de trahir une femme, Flibbertigibbet repousse fièrement toutes

(1) *A. R.*, I, 6, p. 278-279. Ce trait appartient en propre à V. Hugo. Dans le roman de W. Scott, le lutin, pour satisfaire sa rancune personnelle contre Wayland, se borne à brouiller les cartes et se repent seulement à la fin des conséquences tragiques de son espièglerie (la lettre d'Amy volée à Wayland), trop tard pour sauver Amy.
(2) *Ibid.* Cf. le pourpoint de don César, ici, p. 337.
(3) Acte I, sc. 8, p. 292. Ces brocards rappellent un peu le mot de Stephano à Trinculo (*la Tempête*, acte II, sc. 12, éd. citée, t. II, p. 58) : « — Cependant tu ne peux nager comme un canard, car tu es fait comme une oie. » Mais le dialogue est repris textuellement de *Kenilworth* (chap. XL), où il a lieu entre le lutin et le courtisan grotesque Blount, affublé d'énormes rosettes à ses souliers et de bas jaunes. Mais c'est d'un autre grotesque, Laneham, que V. Hugo a retenu le « pourpoint de velours noir festonné ». L'important n'est pas que V. Hugo ait fait *des* emprunts à W. Scott, c'est qu'il ait eu le goût de lui faire *ces* emprunts.
(4) Acte I, sc. 6, p. 282.
(5) Acte IV, sc. 10, p. 382.
(6) Cf. *Kenilworth*, chap. XI : Flibbertigibbet « a des qualités qui doivent lui faire pardonner sa malice. S'il aime à jouer quelques tours à ceux qui lui sont étrangers, il est d'une fidélité à toute épreuve pour ceux à qui il est attaché... ».

suggestions de trahir son maître, fût-il un coquin comme Alasco. A la première tentative il répond : « Pour sauver ma vie ? — Ce serait une lâcheté. » A la seconde : « Pour faire ma fortune ? — Ce serait une bassesse (1). » La gradation fait songer au mot de don César qu'on attend presque : « N'ajoutez pas un mot, c'est outrageant ». Flibbertigibbet, qui n'est qu'un « pauvre diable », se borne à braver le puissant Lord : « Celui qui m'a jeté dans ce mauvais pas est même un drôle dont j'eusse été ravi de me venger ; mais j'aime encore mieux vous taquiner (2). » Quitte à l'aider plus tard à déjouer les tortueuses menées de son maître Alasco, quand il aura compris que la victime en est celle-là même qui lui a sauvé la vie.

Tel est le grotesque 1827. Il parvient à dérider un drame qui, sans lui, suerait l'ennui. Flibbertigibbet, lutin, fantôme, nain, bouffon, apprenti sorcier, contient déjà en lui la plupart des variations que Victor Hugo consacrera à ce type. Avec lui, le grotesque quitte sa dépouille fantastique, il s'humanise et devient riant. « Baladins, cédons la place aux mages », lit-on dans Cromwell (3). En fait, ici, ce sont les mages qui cèdent le pas aux comédiens. Ou plutôt, ils reculent dans l'ombre du maléfice pour s'accompagner d'un bouffon grimaçant en pleine lumière. « C'est lui... qui fait gambader Sganarelle autour de don Juan et ramper Méphistophélès autour de Faust... (4). » Y a-t-il songé ou faut-il seulement voir là l'effet de la décomposition de son génie et une application à l'art de l'homo duplex ? Toujours est-il que nous retrouverons désormais le baladin à côté du mage, Flibbertigibbet à côté d'Alasco, Gramadoch derrière Manassé, l'Angely et le Gracieux contre Laffemas, Gringoire et Quasimodo contre Claude Frollo. Et don César, qu'est-il sinon un baladin révolté de servir le maléfique Don Salluste ?

Deux remarques s'imposent. Tout d'abord, le couple Alasco-Flibbertigibbet marque par rapport au précédent, Han-Spiagudry, un décalage du monstrueux au burlesque. Le monstre a disparu et voilà promu à sa place son compère, le sorcier ridicule. D'autre part, en la personne de Flibbertigibbet, d'amateur le grotesque est passé professionnel. Baladin secourable, il tend la main à ce Gracieux, son autre frère, qui joue le visqueux Laffemas, à don César qui nous venge de son maître, et, par Maglia, il rejoint celui dont il est d'ores et déjà le plus proche, mi-elfe, mi-canaille, ce coquin d'Aïrolo, qui devait attendre 1867 pour trouver une comédie à sa mesure (5). La continuité est établie et le grotesque au IIIᵉ acte ne cesse plus de figurer, comme le portrait du donateur au coin des grands tableaux anciens, la part la plus originale peut-être, la plus authentique en tout cas de Victor Hugo. On peut dire cependant que Walter Scott, avec ses docteurs burlesques, Erasme Holyday et Démétrius Alasco, ses courtisans ridicules, Laneham et Blount, et le spadassin ivrogne Lambourne, a réveillé chez Hugo le goût des silhouettes pittoresques. Mais au delà, c'est à Shakespeare, dont W. Scott était imprégné, qu'il faut remonter et il est possible que V. Hugo, en remodelant son per-

---

(1) Acte I, sc. 7, p. 289.
(2) Ibid.
(3) Cr., III, 2, p. 217.
(4) Préface de Cromwell, p. 16.
(5) Th. lib., Mangeront-ils ?

sonnage, se soit souvenu de Puck, ou encore de ce Caliban qu'Elespuru, fou de Cromwell, invoquera dans sa chanson (1).

Nouveaux grotesques : les bouffons de Cromwell.

Hugo, mis en verve, allait exploiter le bouffon de profession. Il ne lui en faut pas moins de quatre pour commencer : ce sont les quatre fous du Protecteur dans *Cromwell*, auxquels il en faut ajouter un cinquième d'une espèce particulière, lord Rochester, « cavalier » fantasque déguisé en puritain sous le nom d'Obededom, qui fait avec dame Guggligoy un couple disparate et grotesque :

> Son nom d'Obededom semble être fait *ad hoc*
> Pour Trick, Elespuru, Giraff et Gramadoch (2).

Ce distique qui a déjà le tour et la manière du *Théâtre en liberté* présente au complet le quatuor professionnel dont l'amateur Rochester fait un quintette désopilant. Que Victor Hugo se soit amusé, cela est trop évident et un tel vers suffirait à le prouver. Bien plus, à ces personnages qui sèment le divertissement tout au long de ce sombre drame, il a voulu consacrer un acte à peu près entier, le troisième, dont le titre porte leur nom : *les Fous*. Ainsi fera-t-il encore avec les baladins qui occupent l'acte III de *Marion de Lorme*, intitulé *la Comédie*. Ce parallèle est tout à fait symptomatique. Chacun de ces actes est dès le départ conçu sous le signe et l'étiquette de la fantaisie.

Les noms mêmes des quatre fous portent, pour la première fois peut-être aussi franchement, la marque de la verve hugolienne. Habibrah, Han, Spiagudry, appartenaient encore à l'onomastique pittoresque et frénétique. Il y a dans ceux-ci le coup de pouce qui exagère la couleur locale à la caricature et l'indice que l'auteur ne doit pas être pris plus au sérieux qu'il ne prétend lui-même. *Trick* doit son nom aux tours qu'il joue — « Bouffon! trouvez-moi donc quelque plaisanterie (3)! » — à son collègue Trinculo de *la Tempête*, mais je ne jurerais pas qu'il ne soit pas associé dans l'esprit du poète avec le nom du conteur allemand Tieck et peut-être est-ce la rime inconsciente qui lui souffle cette bouffée inattendue de la vieille Allemagne, chère au cœur des romantiques :

> Trick, fais-nous apporter de la bière, une pipe (4).

C'est en effet l'Allemagne des tavernes enfumées, des étudiants qu'ils voient, telle que Musset la fixera bientôt dans ses Bavières et ses Tyrols d'opéra-comique ; à quoi il faut ajouter les vieux châteaux des bords du Rhin que Sainte-Beuve ira bientôt visiter et dont Hugo prête son rêve à Cromwell :

> On dit les bords du Rhin fort beaux. Toute ma vie,
> J'ai de les parcourir conservé quelque envie (5).

Impuissant à satisfaire un désir dont la réalisation se fera attendre quelque dix ans encore, Hugo se grise de mots. « Quand on n'a rien à

(1) *Cr.*, III, 1, p. 198.
(2) *Cr.*, III, 1, p. 203.
(3) *Cr.*, III, 2, p. 209.
(4) *Ibid.*
(5) *Cr.*, III, 12, p. 260. Sainte-Beuve devait y aller en 1829 avec Louis Boulanger.

dire, on parle pour parler », observe malicieusement Gramadoch (1)
que l'auteur semble charger de se moquer de lui. *Giraff* est le nom du
second fou. L'homonymie animale est soulignée par le « bariolage jaune
et rouge (2) » de son costume, mais la finale parodie certainement le nom
du bouffon shakespearien Falstaff. D'une telle combinaison, où les bêtes
jouent avec les hommes et le gros le dispute à l'élancé, un enfant seul
peut avoir l'idée, un enfant qui a des lectures et ne craint pas le ridicule.
C'est encore l'enfant qui ressurgit dans le nom de cet autre fou *Elespuru* :
souvenir d'un camarade du Collège des Nobles à Madrid, qui, comme
le peut-être germanique *Trick*, apporte sans aucun doute un parfum
aussi inattendu du pays basque, signalé, si on l'oubliait, par la note « on
prononce *Elespourou* ». C'était, nous dit le *Victor Hugo raconté* (3), un
grand escogriffe sec et noiraud : l'auteur lui a peut-être réservé avec
intention le personnage du fou *noir*, « costume absolument noir, chapeau
à trois cornes noir ». L'enfant Victor ne l'aimait pas et s'en est vengé
dans les vers qu'il fait chanter à son fou :

> Satan me prit pour un singe... (4).

Enfin *Gramadoch*, « porte-queue de S. A. » et meneur de jeu, dont
l'assonance traîne dans les lacs d'Écosse, semble, à l'instar du fameux
Jerimadeth, n'avoir été fait que pour s'inscrire dans ce vers où il rime
avec *ad hoc*. Les noms des Puritains ne sont pas moins réjouissants et
dame Guggligoy, qui sonne comme un gargouillis d'enfant, vaut bien
dame Pluche.

L'amusement ne s'arrête pas là. Hugo s'est diverti, suivant l'exemple
de Shakespeare, à leur mettre dans la bouche des chansons qui ne s'imposaient que pour son plaisir, non pour la nécessité dramatique bien sûr.
Ces chansons ne diffèrent guère des *ballades* que V. Hugo écrivait dans les
mêmes années 1827-1828 et dont il sera question au prochain chapitre.
On y retrouve le même goût de la virtuosité pour elle-même, notamment
dans la ballade de Gramadoch, bâtie sur le même rythme octo-mono-
syllabique que la *Chasse du Burgrave* (5) et *la Blanche Aminte* (6).

> Pourquoi fais-tu tant de vacarme,
> Carme ?
> Rose t'aurait-elle trahi ?
> — Hi !... (7).

Celle de Trick est, à un pied près, du même type que *le Pas d'armes* (8)
et au delà, à l'agencement près des rimes, rejoint dans le temps la
Réponse à l'Esprit des Bois (1859 ou 1865) (9) :

(1) *Cr.*, III, 1, p. 194.
(2) Ces indications sur le costume figurent au début de la scène 1 de l'acte III.
(3) Chap. x.
(4) *Cr.*, III, 1, p. 193.
(5) *B.*, XI, janvier 1828.
(6) *T. L.*, VII, 1, 3 janvier 1829.
(7) *Cr.*, III, 1, p. 194.
(8) *B.*, XII, 24-26 juin 1828.
(9) *C. R., B.* I, VI, 19 :

> Nain qui me railles,
> Gnome aperçu,
> Dans les broussailles,
> Ailé, bossu...

> Siècle bizarre!
> Job et Lazare
> D'or sont cousus... (1).

Et la ballade en heptasyllabes d'Elespuru est un pur jeu sonore sur Nick et Noll, où ces deux sons répétés avec un enchantement de « nègre fou », titubant et s'entrechoquant comme les genoux d'un homme ivre, se répercutent en échos cascadants, à la manière des coups d'estoc ou de ces jaquemarts qui viennent à tour de rôle battre la cloche.

> Dites, — quel est le plus diable,
> Du vieux Nick ou du vieux Noll?
> Sait-on qui Satan préfère
> Des serpents dont il est père?
> C'est l'aspic à la vipère,
> Le basilic à l'aspic,
> Le vieux Nick au basilic,
> Et le vieux Noll au vieux Nick.
> Le vieux Nick est son œil gauche,
> Le vieux Noll est son œil droit;
> Le vieux Nick est bien adroit,
> Mais le vieux Noll n'est point gauche;
> Et Belzébuth dans son vol
> Va du vieux Nick au vieux Noll (2).

Mais l'inspiration de ces ballades est, on le voit, assez différente. Le registre au moins est changé, mettons que le picolo a remplacé le clairon ou le hautbois. Ne dirait-on pas une chanson à boire, telle que V. Hugo pouvait en tourner pour le plaisir de ses amis, au son des « violons de la mère Saguet »? Du fantastique sans doute, mais il est ridiculisé comme dans cette chanson de Gramadoch et, si le seigneur tire de l'épouse adultère le même genre de châtiment que le sultan de *Clair de Lune,* la charge à dessein rend l'effet comique :

> En vain le page et le lévite
> Vite,
> Cherchent à s'enfuir du manoir,
> Noir.
>
> Il les saisit sous la muraille,
> Raille,
> Et les remet à ses varlets,
> Laids.
>
> . . . .
> Que des tours leur corps dans la tombe
> Tombe!
> Qu'ils ne soient que pour les corbeaux
> Beaux!... (3).

D'ailleurs, la rime en écho chatouille inénarrablement l'oreille et le tour de force qu'elle représente impose au poète, plus qu'il ne lui laisse choisir, des à peu près cocasses. Aussi bien le fantastique est loin d'être l'élément essentiel. C'est plus que du romantisme narquois, déjà le ton, de Gautier, dans *le Souper des Armures,* avec la verve plus grosse de Hugo dont l'excès naturel tient à son tempérament.

---

(1) *Cr.*, III, 1, p. 196.
(2) *Ibid.*, p. 198.
(3) *Cr.*, III, 1, p. 195.

Mais ces chansons sont en effet autre chose : rimées sur le modèle
des ballades, elles laissent déjà apparaître un peu de l'esprit des futures
Chansons des rues et des bois ou surtout de ces couplets, que Victor Hugo
aimera mettre dans la bouche de Maglia et autres bouffons. Un éclair
érotique s'y glisse avec cette Rose que nous retrouverons plus tard dans
les Contemplations et dans toute une série des *Chansons* (1). Détail curieux,
tandis que cette histoire de *tours* et de *manoirs* évoquait plutôt un moyen
âge d'ailleurs conventionnel, Cythère semble aussitôt dans l'imagination
du poète attirer à sa suite son cortège galant du grand siècle dont le souci
de la vraisemblance historique n'est pas la raison principale :

> Nul amant, nul de ces Clitandres,
> Tendres,
> Qui font avec leur air trompeur
> Peur,
>
> N'osait parler à la rebelle,
> Belle.
> Elle en avait, quand il revint,
> Vingt (2).

Ce côté de la fantaisie galante est encore représenté dans la chanson
de Trick et dans une réplique de Rochester, dont la combinaison annonce
presque la *bergerade* égypto-*biblique* de *Senior est Junior* (3) et son thème
des présents galants :

> Job et Lazare
> D'or sont cousus (4).

> Que n'ai-je à vous offrir le sceptre des indous !
> Serez-vous aussi dure, avec des yeux si doux,
> Pour un amour si tendre et qui de douze ans date,
> Que la prêtresse Ophis le fut pour Tiridate (5) ?

Dans ce même sens, une surprise plus instructive encore nous est
réservée :

GRAMADOCH

Écoutez. Les Français ont fait cette chanson :

Il chante.

> Par deux portes, on peut m'en croire,
> Les songes viennent à Paris,
> Aux amants par celle d'ivoire,
> Par celle de corne aux maris.

> Cromwell me fait porter sa queue ; eh bien ! sa femme
> Lui fait porter, à lui, ses cornes... (6).

Les deux derniers vers dénotent le même type d'inspiration qui repa-
raîtra en 1865 dans la Chanson du *Marquis de Bade* (7). Mais le quatrain

---

(1) *C. R. B.*, I, VI, 4, 5, 12, 13, 14... La plupart sont de 1865.
(2) *Cr.*, p. 196.
(3) *C. R. B.*, I, II, 9 (1865). Voir les div. II et III.
(4) *Cr.*, p. 196.
(5) *Cr.*, III, 7, p. 239.
(6) *Cr.*, p. 194.
(7) *T. L.*, VII, 15 :
> Le Marquis de Bade a deux cornes,
> Je m'explique, sur son blason.

est une de nos vieilles connaissances. Il provient de ces *Stances au Sommeil*, écrites dès 1817, dont la fantaisie précoce nous avait frappés et que Victor Hugo avait enfouies dans ses cartons sans oser les publier (1). Nous saisissons là une preuve nouvelle, incontestable et précieuse d'un double phénomène que nous avons eu, que nous aurons encore l'occasion de signaler à propos de V. Hugo : d'une part ce goût de ne rien perdre de ce qu'il a écrit, d'autre part une certaine timidité parfois à prendre à son compte les jeux de sa fantaisie. Loin que ce quatrain ait été mis au rebut, il n'est pas même oublié dix ans après et lui paraît tout à fait digne de figurer dans un drame dont il attend la gloire. Est-ce qu'à l'occasion de *Bug-Jargal* et d'*Amy Robsart* il avait feuilleté ses manuscrits de jeunesse ? Cela est possible et même vraisemblable. Mais aussi, cette parodie érotique du vers de Virgile, il n'ose la ressortir que pour la mettre dans la bouche d'un fou. De 1817 à 1827, la veine sensuelle reste cachée ; mais en dix ans un pas est franchi et ce que le futur poète des *Odes* n'osait publier, le jeune dramaturge, fort de l'exemple de Shakespeare, ne craint plus de l'attribuer à un bouffon de cour.

De Gramadoch 1826 à Maglia 1838, un nouveau pas sera encore franchi. Et bien qu'en 1838 le candidat à l'Académie ne juge pas davantage opportun de livrer ses fantaisies au public, il ne les désavouera pas à ses propres yeux et se créera un fou familier, reconnu pour une partie de son Moi : *Maglia, le rire* (2). Après l'exil enfin, bien des scrupules ou des préjugés seront abandonnés ou méprisés et le Mage se jugera assez grand pour rompre cette dissociation périmée : *les Chansons des rues et des bois*, avec leurs gaillardises, porteront le même nom d'auteur que *les Contemplations* et *les Petites Épopées*, dussent les critiques faire, comme il s'y attendait, la moue ou crier au scandale. Sous ces déguisements successifs, c'est à une libération progressive de ses préjugés, à une réintégration lente mais suivie d'une tendance d'abord exclue de lui-même que nous assistons. L'histoire de ce quatrain est un symptôme, une pièce essentielle de cette évolution. Il nous assure que nous sommes dans la bonne voie. Il n'y a pas même jusqu'au côté moins sensuel, plus gris et délicat, mais combien dégagé, de certaines *Chansons* que nous ne retrouvions déjà. Nous ne sommes pas seul à le faire : Barbey d'Aurevilly l'avait observé dès 1865, réservant son admiration au « chansonnier de la délicieuse *Chanson du Fou*, dans *Cromwell* :

> *Au soleil couchant,*
> *Fou qui vas cherchant*
> *Fortune...* » (3).

D'Aurevilly arrêtait là sa citation, mais Elespuru continue de fredonner sa chanson légère, comme la brume au bord de l'eau qu'il évoque et d'une fantaisie si pure, si décantée que je ne résiste pas au plaisir de citer tout entier ce morceau peu connu :

> *Prends garde de choir ;*
> *La terre, le soir,*
> *Est brune.*

(1) *O. B.*, p. 419, 16 décembre 1817. Cf. ici p. 36.
(2) *Oc.*, p. 243. Cf. p. XXI.
(3) *Le Nain Jaune*, 15 novembre 1865, *in C. R. B.*, Historique, p. 467.

> L'océan trompeur
> Couvre de vapeur
>   La dune.
> Vois, à l'horizon,
> Aucune maison,
>   Aucune.
>
> Maint voleur te suit ;
> La chose est, la nuit,
>   Commune.
> Les dames des bois
> Nous gardent parfois
>   Rancune.
>
> Elles vont errer.
> Crains d'en rencontrer
>   Quelqu'une.
> Les lutins de l'air
> Vont danser au clair
>   De lune ! (1).

La grâce décolorée de ces vers, si nonchalante, jure avec la couleur forcenée, l'excès verbal des autres ; je dirais même avec la qualité du personnage auquel ils sont dévolus. Ils conviendraient, n'est-ce pas, plus qu'à Elespuru à quelque Fantasio, et ne dirait-on pas plutôt la Chanson de Fortunio ? Une telle fantaisie, si simple, on l'attend de Musset, mais non pas de Victor Hugo, surtout à la veille de la bataille romantique. Et pourtant Musset n'a que seize ans, Musset est encore un gamin, dont les vues ne vont pas au delà peut-être du Concours Général où il sera couronné l'année suivante pour la dissertation latine. Son aîné cependant jette trop d'étincelles pour qu'on remarque, au milieu d'elles, quelques perles qu'il s'avisera lui-même seulement plus tard de reconnaître, tout étonné de leur éclat, chez quelques-uns de ses disciples ou simplement de ses cadets. On oublie qu'il est capable aussi bien d'esquisser une pochade comme *Rêves*, que cette chanson annonce, ou comme ce *Jour de fête aux environs de Paris* (2). Ces points de repère sont là pour nous le rappeler, il faut encore y prendre garde.

Telles sont les chansons des quatre fous, aussi variées de tons — ce n'est pas par hasard que le mot est commun à la musique et à la peinture — que le bariolage de leurs arlequins dont les rouges, les jaunes et les noirs sont faits pour trancher sur les gris et les bruns des graves Puritains : c'est une figure de leur fonction dans le drame. Mais ils ne sont pas seuls à y entretenir la gaîté. L'acte dit *la Comédie* repose aussi pour une bonne part sur le couple grotesque que V. Hugo introduit de manière pittoresque, parodiant, dirait-on, le vers célèbre de Racine sur la généalogie de Phèdre :

> Messire Obededom et dame Guggligoy (3).

Obededom est le nom biblique sous lequel, caché au milieu des Puritains, lord Rochester conspire contre le Protecteur. Mais ce don Juan

---

(1) *Cr.*, IV, 1, p. 289. Sans doute Hugo l'aimait-il, car il la reproduit en épigraphe à sa Ballade X, *A un Passant*, datée sur l'édition 22 *octobre* 1825.
(2) *O.*, V, 25 (1828) et *C. R. B.*, I, IV, 2 (1859).
(3) *Cr.*, III, 9, p. 248.

mal déguisé tombe amoureux de la fille de Cromwell, Francis, comme il l'est de toutes les femmes, et se trouve réduit pour accéder jusqu'à elle à faire la cour d'abord à sa duègne, qui répond au nom délicieusement fantasque de dame Guggligoy :

> Deux cents vieux jacobus et trois dents presque entières (1).

On comprend que cette perspective ne parvienne pas à dérider le galant lorsque, surpris près de la fille en une posture peu équivoque, il n'a d'autre moyen d'éviter la mortelle colère du père que d'épouser la vieille :

> Un caporal unit la belle avec l'amant (2).

« Et l'heureux hymen est bâclé », serait-on tenté d'ajouter : le mariage de Pancrace avec Lucinde évoque un couple aussi mal assorti, mais dans l'autre sens (3). Le motif cependant reste le même : le couple dépareillé se retrouvera de Gringoire-Esmeralda à Gwynplaine-Dea en passant par les amours des *Burgraves*, Guanhumara-Barberousse et Otbert-Regina. Si on y cherchait de mauvaises raisons, on serait étonné de le rencontrer dès avant l'entrée de Sainte-Beuve dans la vie du poète, si l'on peut ainsi dire. Les psychanalystes auraient beau jeu de l'expliquer par je ne sais quel complexe du père ou de la mère. Il se peut qu'ils aient raison, comme les logiciens qui n'y verront qu'un des aspects de son goût de l'antithèse, sans chercher à le creuser davantage. Pour moi, j'irai encore moins au fond et, constatant que le disparate est par sa négation de toute logique une des clés de la fantaisie, je me bornerai à enregistrer cette nouvelle caricature de la vie dans la galerie des grotesques ; la collection ne fait que de s'ouvrir, mais elle commence, n'est-il pas vrai, à s'enrichir.

Dame Guggligoy n'est là qu'un accessoire. Elle fait figure de porte-manteau. Avec son « teint de mandarin chinois (4) », elle est du bois dont on fait les duchesses d'Albuquerque. Mais Hugo s'est contenté d'y tailler une grossière ébauche. Particularité : elle exagère le style précieux que V. Hugo a dû étudier pour la circonstance. « Quelle glace, soupire-t-elle, à tes flammes succède (5) ? » Est-ce aussi dans Racan, que Rochester prétend son maître :

> Étudiez Racan. Lisez ses *Bergeries*.
> Qu'Aminte avec Tircis erre dans vos prairies,
> Qu'elle y mène un mouton au bout d'un ruban bleu (6).

On croirait par moments que le poète a lu aussi Garnier (7). Et ne dirait-on pas une parodie du lamentable chœur des *Juives* dans les vers que voici ?

---

(1) *Cr.*, III, 12, p. 256.
(2) *Ibid.*
(3) *C. R. B.*, I, II, 5 (1859) :
> Pancrace entre au lit de Lucinde ;
> Et l'heureux hymen est bâclé
> Quand un maire a mis le coq d'Inde
> Avec la fauvette sous clé.

(4) *Cr.*, III, 6, p. 234.
(5) *Cr.*, III, 12, p. 258.
(6) *Cr.*, III, 2, p. 208.
(7) Il ne l'ignorait pas en tout cas, cf. *Marion*, III, 10, p. 77, le mot de Laffemas :
> Le Corneille, après tout, ne vaut pas le Garnier.

> Hélas! je me lamente,
> J'appelle, je languis, je pleure, je me meurs,
> Je pousse à fendre un roc de dolentes clameurs... (1).

Rochester est plus intéressant. Si le côté séducteur de sa personne est apparemment peu fait pour l'apparenter aux grotesques, sa préciosité ridicule et la bouffonnerie de ses conquêtes l'y rangent de droit entre Flibbertigibbet et don César de Bazan. Les situations où le combat de son caractère avec son déguisement le place sont assez paradoxales pour que l'unique salut possible lui vienne de l'inspiration du moment, de sa fantaisie. Comment s'en étonner? Le propre de ces situations est d'être inattendues. Surpris devant Cromwell en flagrant délit de madrigal, émule tragi-comique de Trissotin (2), il se débat entre son amour-propre de poète et son instinct de conservation (scène 2). L'amour de Francis le met en situation de choisir, une autre fois surpris, « la duègne ou la potence » (scènes 6 et 9). Son incurable étourderie enfin le livrera aux mains de Cromwell, qui s'amusera à le faire passer pour lui au moment de l'attentat (acte III, scène 17; acte IV, scène 6). De ces méprises, Rochester se tirera avec une bonne humeur inaltérable, de l'insouciance, des pirouettes, dont seule la répétition lasse de cet *Indifférent* à la mode d'Angleterre. Tout le personnage, partagé entre son apparence et sa vraie figure, repose en effet sur l'usage — et l'abus — du procédé des *a parte*, qui lui permet de s'exprimer en son entier aux yeux du spectateur. Sainte-Beuve devait en faire à l'auteur, avec précaution d'ailleurs, l'amicale et judicieuse critique dans la lettre circonstanciée qu'il lui écrivit sur *Cromwell* :

> ... Je crois que vous avez dépassé la mesure, surtout dans les *a parte* très longs et trop fréquents qu'il fallait, ce me semble, un peu plus sous-entendre ; la parodie devait être moins développée ; elle se devine à demi-mot... Rochester, il est trop ridicule dans la déclaration d'amour à la Scudéri qu'il adresse à Francis, dans la leçon de poésie à la Racan qu'il adresse à Milton. Sans doute, il pouvait, il devait dire ces choses-là, mais les dire plus légèrement, d'un ton moins accentué, et, pour ainsi dire, moins *gascon* (3).

Le mot porte : Rochester sent le midi, celui de don César et même au delà celui de Cyrano qui est pour ainsi dire son descendant direct. Hugo s'est pris à son jeu et la *charge*, que lui reprochait Sainte-Beuve, ne lui était déjà que trop naturelle. Sans doute le tour galant du personnage lui servait d'excuse et de prétexte : mais Hugo l'a vu à travers Molière plus qu'à travers Racan pour ne pas parler de Lyly qu'il ignorait probablement. La vraisemblance, s'il y songeait pour la couleur, l'embarrassait peu pour la psychologie. La langue et le ton dont use Rochester dans ses réflexions démentent l'élégance qu'il est réputé avoir. Le contraste apparaît lorsqu'il passe abruptement de la langue excessivement précieuse qu'il réserve aux autres à l'abandon presque trop familier qu'il retrouve *in petto* :

> Ah! vous êtes charmante, et s'il fallait choisir...

(1) *Cr.*, III, 12, p. 254.
(2) Hugo y a songé puisqu'il compte celui-ci parmi les grotesques, à côté de Dandin, Prusias et Brid'oison, *Préface*, p. 25.
(3) *Cr.*, Historique, p. 482 sq., lettre du 13 mars 1827.

(A part.)
Va-t-elle à ses côtés me faire ici moisir (1)?

C'est Maglia après Rochester. J'aime à penser que Victor Hugo savourait ce contraste. On y saisit en tout cas sur le vif le dialogue de l'affectation et du naturel. La gouaille est en effet si *naturelle* au poète que Cromwell lui-même n'y échappe pas. Quand le Protecteur veut surprendre le secret de Davenant — la lettre du roi que celui-ci tient cachée dans la doublure de son feutre — Hugo, en un moment aussi dramatique et malgré le censeur intime qu'il eût dû posséder, ne résiste pas au badinage que lui souffle sa fantaisie et fait dire à Cromwell :

> Vous avez un chapeau de forme singulière.
> Excusez ma façon peut-être familière;
> Vous plairait-il, Monsieur, le changer pour le mien (2)?

La farce monte en croupe et la mort met le masque de Thalie. C'était moins question de doctrine qu'affaire de tempérament.

Doctrine et tempérament : la théorie du grotesque *dans la Préface de* Cromwell.

Hugo lui-même n'a pu, semble-t-il, réprimer un joyeux étonnement de ce mariage imprévu. Il l'a ressenti à l'égal d'un scandale. Et c'est par bravade, dirait-on, qu'il a chargé par deux fois son interprète Rochester d'en accuser la monstrueuse réalisation.

> Ah, l'horrible grimace! — Est-ce triste ou bouffon (3)?
> . . . .
>   Quelle est cette algarade?
> Avec la tragédie unir la mascarade (4)!

Depuis le ballon d'essai lancé en juillet 1823 à propos de Walter Scott (5), l'idée avait fait son chemin : la théorie de la restitution globale du vrai s'était affirmée et développée dans son esprit. Si Hugo restait fidèle dans sa déclaration de principe au point de départ primitif de sa pensée, réunir dans l'art comme dans la vie le laid et le beau, celui-ci était bien dépassé. Ce n'était plus seulement le laid qu'il fallait placer à côté du beau, mais « le difforme près du gracieux, le grotesque au revers du sublime, le mal avec le bien, l'ombre avec la lumière (6) », le comique et le tragique, la caricature et le pathétique : « La bouffonnerie et le lyrisme, devait écrire plus tard Gautier, s'y coudoyaient selon la formule prescrite; la marotte des fous faisait tinter ses grelots (7). » Autant de variations sur un thème et pour ainsi dire de projections de son tempérament sur divers aspects du monde. C'est que, entre Walter Scott et la Préface de *Cromwell*, l'article de 1823 et le manifeste de 1827, entre l'idée et la formule définitive, les expériences s'étaient glissées, les exemples mul-

(1) *Cr.*, III, 6, p. 232 (Rochester à dame Guggligoy).
(2) *Cr.*, III, 13, p. 262.
(3) *Cr.*, III, 12, p. 254.
(4) *Ibid.*, p. 258.
(5) Cf. p. 54.
(6) Préface de *Cromwell*, p. 14.
(7) Théophile Gautier, *Histoire du Romantisme*, p. 152 : Reprise de *Chatterton*, 1857.

tipliés, des personnages avaient pris corps dans l'imagination du poète, ils s'étaient imposés à lui et avaient modelé peu à peu à leur image un type essentiel, idéal et aussi différent malgré tout de chacun d'eux en particulier que le nez parfait des Bourbons obtenu par la superposition l'est des différents profils de ces princes. Ce n'est pas la théorie qui a fait les fous, c'est des fous qu'elle est sortie. Ce n'est pas par hasard que V. Hugo n'a éprouvé le désir d'écrire la Préface qu'une fois *Cromwell* terminé. Elle est un bilan, la théorie après les essais, et surtout un plaidoyer *pro domo*, une défense de ses créatures, l'apologie d'un tempérament.

De là vient peut-être le caractère confus de cette théorie, cette sorte de piétinement pendant plusieurs pages sans que l'idée progresse en clarté, et surtout cet entassement d'exemples. Était-ce donc pour souligner son audace ou par crainte qu'elle ne se soutînt pas à elle seule, qu'il se retranchait derrière tant de célèbres antécédents, de Thersite à Falstaff? Il cherchait des autorités, c'est une famille qu'il se découvrait et il n'osait croire à son ampleur. Mais, comme dans l'histoire variée des Hugo de Lorraine il poursuivait la même image de lui-même dans une gloire anticipée à travers tant de portaits d'ancêtres, c'est toujours lui-même qu'il interrogeait et son propre portrait seulement dont il affermissait les contours.

« Dans la pensée des modernes, au contraire, le grotesque a un rôle immense. Il y est partout; d'une part, il crée le difforme et l'horrible; de l'autre, le comique et le bouffon (1). » On peut dire que, dès ce moment, Hugo a nettement pris conscience de lui-même; il reconnaît sa dualité et s'accepte tel qu'il est. Le problème de l'antinomie est résolu par l'*ex-aequo*. On ne discute pas le jour et la nuit : ils sont. Après quelques expériences dans des genres plus ou moins convenus, Hugo à vingt-cinq ans se rend compte qu'il ne parvient pas à se diviser; le jour et la nuit se compléteront dans son œuvre, comme ils font dans le monde. Cet argument cosmique était bien fait pour satisfaire et accentuer en lui le sentiment qu'il prend d'être une force de la nature (2).

Mais ce qu'il trouve en revanche dans l'histoire des arts, ce sont moins des justifications de son entreprise que des illustrations de ce qu'il entend : et aussi bien cette catégorie de la pensée ne saurait mieux se définir, Hugo l'a senti tout de suite, que par l'exemple. Les mêmes mots que nous avons été à notre tour réduits à employer apparaissent dans la Préface avec les nuances multiples, peu définies et pourtant différentes, qu'ils impliquent :

C'est lui (le grotesque) qui sème à pleines mains dans l'air, dans l'eau, dans la terre, dans le feu, ces myriades d'êtres intermédiaires que nous retrouvons tout vivants dans les traditions populaires du moyen âge; c'est

---

(1) Préface, p. 16.
(2) La meilleure preuve est qu'il avait déjà appliqué ce rythme à l'histoire littéraire de l'humanité : « ... Tout dans la nature et dans la vie passe par ces trois phrases, du lyrique, de l'épique et du dramatique, parce que tout naît, agit et meurt. S'il n'était pas ridicule de mêler les fantasques rapprochements de l'imagination aux déductions sévères du raisonnement, un poète pourrait dire que le lever du soleil, par exemple, est un hymne, son midi une éclatante épopée, son coucher un sombre drame où luttent le jour et la nuit, la vie et la mort. Mais ce serait là de la poésie, de la folie peut-être   *qu'est-ce que cela prouve?* » *Ibid.*, p. 21.

lui qui fait tourner dans l'ombre la ronde effrayante du sabbat, lui encore qui donne à Satan les cornes, les pieds de bouc, les ailes de chauve-souris... Si du monde idéal il passe au monde réel, il y déroule d'intarissables *parodies* de l'humanité. Ce sont des *créations de sa fantaisie* que ces Scaramouches, ces Crispins, ces Arlequins, grimaçantes *silhouettes* de l'homme... (1).

Le grotesque ou la fantaisie, c'est Callot, c'est « Michel-Ange bur-lesque », le moyen âge et ses gargouilles, ses corbeaux, ses chapiteaux ou les démons tassés de ses miséricordes, Vulcain aussi bien déjà, le faune, et donc la mythologie antique, mais aussi les types de la Comédie ita-lienne, et les *Contes* de Perrault, les personnages de Shakespeare qu'il convoque en grand nombre, Mercutio, Falstaff, Polonius, et toutes les inventions de l'imagination populaire ou artistique, lorsqu'elle est laissée à sa liberté. Tous les personnages familiers de son inspiration présente et future s'y donnent déjà rendez-vous : « les vampires, les ogres, les aulnes, les psylles, les goules, les brucolaques, les aspioles... les fées », avec « les naïades charnues, les robustes tritons, les zéphyrs libertins » qui attendent, frappés d'interdit classique, que Victor Hugo se lasse de la mode médiévale qui lui fait pénétrer pour le moment « la fluidité diaphane de *nos* ondins et de *nos* sylphides (2) ».

A mesure qu'il évoque pêle-mêle ces créatures, il se sent pénétré peu à peu de la cohésion de cette famille et du sens de son histoire. Il entrevoit que le sujet vaudrait la peine qu'il y réfléchît et qu'un peu d'ordre y fût introduit. « C'est une étude curieuse que de suivre l'avène-ment et la marche du grotesque dans l'ère moderne (3). » Les latins eux-mêmes n'y sont pas oubliés avec Perse et Juvénal, Pétrone et Apulée. Puis les chroniqueurs de tous pays, et notamment les espagnols, en sou-venir de son frère Abel (4). Des contes, le grotesque fleurit dans la sculp-ture médiévale. Mais, ne nous y trompons pas, comme le reste de la préface, cette histoire théorique du grotesque est orientée par le souci plus ou moins conscient de sa propre justification : « des arts il passe dans les mœurs ; et tandis qu'il fait applaudir par le peuple les *graciosos* de comédie, il donne aux rois les fous de cour (5) ». La théorie est sédui-sante, mais on voit bien ce qu'elle prépare, les rôles du *Gracieux* d'une part, de l'Angely et de Triboulet de l'autre.

... Tandis que le sublime représentera l'âme telle qu'elle est, épurée par la morale chrétienne, lui jouera le rôle de la *bête humaine*. Le premier type, dégagé de tout alliage impur, aura en apanage tous les charmes, toutes les grâces, toutes les beautés : il faut qu'il puisse créer un jour Juliette, Desdémona, Ophélia. Le second prendra tous les ridicules, toutes les infirmités, toutes les laideurs. Dans ce partage de l'humanité et de la création, c'est à lui que reviendront les passions, les vices, les crimes ; ... c'est lui qui sera tour à tour Iago, Tartufe, Basile ; Polonius, Harpagon, Bartholo ; Falstaff, Scapin, Figaro (6).

(1) *Ibid.*, p. 16. Mots soulignés par moi.
(2) *Ibid.*, p. 18.
(3) *Ibid.*, p. 19.
(4) Traducteur du *Romancero*. Cf. *W. S.*, Rel., p. 250 sq.
(5) *Ibid.*, p. 19. Amédée Pichot fera en 1844 le même rapprochement qu'il avait observé sans doute bien avant : « Combien, sous ce rapport, ses clowns, ou bouffons dramatiques, sont supérieurs au *gracioso* du théâtre espagnol, qui a presque tou-jours le même rôle et le même masque, quelle que soit l'intrigue. » *Galerie des per-sonnages de Shakspeare, les Deux Gentilshommes de Vérone*, p. 3.
(6) *Ibid.*, p. 13.

Ce premier type était déjà contenu dans Amy Robsart, l'âme, et le vice représenté par le trio Flibbertigibbet, Alasco et Varney qui monte la gamme de ses divers tons : la Belle et les Bêtes — Hugo aurait pu dire déjà :

> C'est la vieille histoire éternelle ;
> Faune et Flore ; on pourrait, hélas,
> Presque dire : A quoi bon la belle ?
> Si la bête n'existait pas (1).

Moins libéral, Hugo renie la mythologie, pour le moment du moins : « l'antiquité n'aurait pas fait *la Belle et la Bête* (2) ». Aussi bien éprouve-t-il encore le besoin d'appuyer sa théorie de l'art sur le dogme : on vient de le lire et il ajoute : « Du jour où le christianisme a dit à l'homme : « Tu « es double, tu es composé de deux êtres..., l'un enchaîné par les appétits, « les besoins et les passions, l'autre emporté sur les ailes de l'enthou- « siasme et de la rêverie... (3) » C'est pourquoi il met au compte du mythe chrétien ce qu'il refuse pour lors au mythe païen, auquel il ne dédaignera pas plus tard de recourir lorsqu'il aura pris plus de liberté avec la religion de sa jeunesse. Pour compenser le caractère littérairement sacrilège de cette fusion des genres, Hugo d'instinct accumule les emprunts à la terminologie sacrée. Tout va par trois : les « trois Homères bouffons », Arioste, Cervantès, Rabelais ; trois sources de poésie : la Bible, Homère, Shakespeare ; trois génies dramatiques : Corneille, Molière, Beaumarchais. Le mot qui se faisait pressentir arrive enfin, réservé à Shakespeare « ce *dieu* du théâtre, en qui semblent réunis, *comme dans une trinité*, ces trois grands génies caractéristiques de notre scène... (4) ».

On attendait surtout ce nom : Shakespeare est le grand prêtre de l'unité, mais son unité recouvre une variété incomparablement plus riche et multiforme que cette manière de pacte bilatéral conçu par Hugo à sa propre image. « Car la poésie vraie, la poésie complète, est dans l'harmonie des contraires (5). » « Voilà, ajoute-t-il, ce qu'a su faire entre tous *d'une manière qui lui est propre et qu'il serait aussi inutile qu'impossible d'imiter* Shakspeare, ce dieu du théâtre... (6) » Il ne l'a pas cherché non plus : il a simplifié Shakespeare à la mode de son propre tempérament. Hugo du jour, Hugo de la nuit. « Tantôt il jette du rire, tantôt de l'horreur dans la tragédie. »

Ce que Hugo dit du *grotesque* lui revient de droit. Une fois de plus, Mabilleau a eu l'intuition fine de la vérité et a trouvé des termes si justes pour l'exprimer qu'il convient de les rappeler : « D'abord le mot « grotesque » n'exprime que la formule passagère donnée par la mode à une fantaisie créatrice qui se retrouve la même dans *la Légende des Siècles* que dans *Notre-Dame*, la même dans *Quatrevingt-treize* que dans *les Misérables*.

---

(1) *C. R. B.*, I, II, 5, 5 octobre 1859.
(2) Préface de *Cromwell*, p. 20.
(3) *Ibid.*, p. 23. Les idées sur le merveilleux chrétien et sur la mélancolie, exposées dans la Préface, se trouvaient déjà exprimées par Nodier dans sa préface aux *Œuvres de Lord Byron*, traduction Pichot, 1822, t. I, par exemple : « La mélancolie, espèce de maladie mentale... devint une muse », etc.
(4) *Ibid.*, p. 25.
(5) *Ibid.*, p. 23.
(6) Cf. p. 33, sur le thème originalité dans l'imitation : « Qu'on ne s'y méprenne pas, si quelques-uns de nos poètes ont pu être grands, même en imitant, c'est que, tout en se modelant sur la forme antique, ils ont souvent encore écouté la nature et leur génie, *c'est qu'ils ont été eux-mêmes par un côté.* »

Ensuite, n'est-il pas évident que si Victor Hugo s'est épris de l'art gothique, au moment précis où s'éveillait son génie, c'est qu'il y trouvait comme une réalisation anticipée de ses rêves, l'exemple de ce que peut l'imagination échappée à la règle, la preuve enfin, obscurément cherchée, que le Beau ne réside point uniquement dans l'ordre, la mesure... (1) ».

Mais ce que Victor Hugo n'a pas vu et que Mabilleau oublie de remarquer, c'est que, la division conventionnelle, la fameuse « séparation des genres » qu'il prétendait bannir, il la réintroduisait sous une autre forme, en répartissant entre les deux membres du couple imaginaire la laideur et la beauté, le vice et la vertu. Goethe, lui, ne manquera pas de dénoncer ce mariage arbitraire qui aboutit à des créatures plus symboliques que vivantes : « Ses soi-disant personnages, écrira-t-il à propos de *Notre-Dame de Paris*, ne sont pas des hommes en chair et en os, mais de pauvres marionnettes en bois que l'auteur remue à son gré, en leur faisant faire toutes sortes de contorsions et de grimaces en vue d'obtenir l'effet qu'il se propose (2). » L'ambition de rivaliser avec le démiurge s'y lisait déjà : il créait ses personnages à son image et pour sa commodité. Mais précisément, les grotesques ont quelque chose des marionnettes. Et, je me demande, Hugo visait-il autre chose ? En vain essaiera-t-il en tout cas d'y remédier par le jeu des diagonales et le croisement de la vertu avec la laideur qui s'accentuera de Quasimodo à Gwynplaine. Ses bouffons gardent la marque de l'échoppe où ils sont nés, la scène, et de cette fantaisie inévitablement plus grosse et plus sommaire. L'analyse que Théophile Gautier fit, dans ses *Grotesques*, à propos de *Pyrame et Thisbé* de Théophile de Viau, s'impose ici :

Le théâtre exclut absolument la fantaisie. Les idées bizarres y sont trop en relief, et les quinquets jettent un jour trop vif sur les frêles créatures de l'imagination. Les pages d'un livre sont plus complaisantes ; le fantôme impalpable de l'idée se dresse silencieusement devant le lecteur qui ne le voit que des yeux de l'âme. Au théâtre, l'idée est matérielle, on la touche du doigt dans la personne de l'acteur, l'idée met du plâtre et du rouge, elle porte une perruque, elle se passe un bouchon brûlé sur les sourcils pour se les rendre plus noirs, elle est là sur ses talons, près du trou du souffleur, tendant l'oreille et faisant la grosse voix (3).

Hugo l'avait-il senti ? Il soutenait la gageure, et encore en 1838 et encore en 1843 jusqu'au moment où, renonçant à écrire pour la scène, comme il avait commencé par le faire avec *Cromwell* en 1827 et comme Musset le faisait depuis l'échec de la *Nuit Vénitienne* en 1830, Hugo se tournerait définitivement vers ce théâtre idéal qui n'a pour scène que l'esprit et la fantaisie du poète et auquel il donnerait le nom significatif de *Théâtre en liberté*. L'évolution était logique.

Shakespeare.

Le nom de Shakespeare, inévitablement, a été trop de fois évoqué en ces dernières lignes pour qu'on ne s'arrête pas un moment à considérer son influence. « La première fois que j'ai entendu le nom de Sha-

---

(1) *Op. cit.*, p. 70.
(2) *Entretiens avec Eckermann*, éd. Gallimard, p. 530 : écrit en 1831.
(3) Éd. Michel-Lévy, 1871, p. 75.

kespeare — se souviendra Victor Hugo — c'est de la bouche de Charles
Nodier. Ce fut à Reims, en 1825, pendant le sacre de Charles X (1). » Il
rectifie « Je me trompe, du reste, en disant que je ne connaissais pas
Shakespeare. Je le connaissais comme tout le monde, pour n'en avoir
rien lu, et pour en rire. » Sa mémoire le trahit encore, car il connaissait
l'œuvre de Shakespeare, au moins assez pour en avoir tiré des épigraphes
dès 1822, précisément dans la traduction de Letourneur, retouchée par
Guizot et Pichot, qu'il se défendait de vouloir lire et dont le tome IV
(*Timon d'Athènes, le Songe d'Été* (sic), *Roméo et Juliette*) lui fournit
curieusement la majorité de ses premiers emprunts (2). Mais où il ne
se trompe pas sans doute, c'est en rendant à Nodier l'honneur de le lui
avoir fait comprendre et aimer, à l'occasion de ce voyage à Reims où
celui-ci lui lut *le Roi Jean* (3). L'initiation, on pense, ne s'arrêta pas là :
Cromwell et sa Préface mentionnent Caliban, Polonius, Mercutio, Falstaff, Iago, Desdemona, bien d'autres encore et témoignent d'une connaissance variée du théâtre de Shakespeare. Elle fut complétée par l'exemple,
la venue d'une troupe de comédiens anglais qui représentèrent dans l'original *Hamlet, Othello* et *Roméo et Juliette*, à l'Odéon, en septembre 1827.
L'impression fut si forte que Berlioz s'éprit violemment d'Ophelia-
Miss Smithson.

　Bien que, comme nous l'avons vu, Victor Hugo se défendît d'imiter
Shakespeare, le théâtre de ce dernier eut une influence décisive sur lui :
il l'incita à écrire pour la scène et à adopter la conception du grand dramaturge anglais, telle qu'elle était notamment expliquée dans la *Vie de
Shakespeare* que F. Guizot avait écrite en guise d'introduction à la nouvelle édition des *Œuvres complètes* (4). Bien des idées passèrent de là
dans la Préface de *Cromwell*, notamment le souci de rattacher le théâtre
comme un phénomène social à l'histoire :

　(1) W. S., Rel., p. 250.
　(2) Cf. HEYWOOD-THOMAS, p. 15 sq., et BRAY, *passim*, notamment p. 69. Cinq
sont tirées du *Songe* (O., V, 6 et 7 ; *Han*, chap. VIII, XXII, XXV), trois de *Roméo* (*Han*,
chap. IV, IX, XV) et une de *Timon d'Athènes* (*Han*, chap. XII). Cf. également dans
W. S., Historique, p. 401, lettre du 22 novembre 1868, où il raconte que, Lamennais
croyant reconnaître dans ce qu'il lisait par-dessus son épaule la traduction d'un
vers de Shakespeare et lui demandant s'il l'avait lu, il avait répondu : « Non, je ne
veux pas lire Le Tourneur » (*sic*). Il l'avait lu.
　(3) Cf. W. S., Rel., p. 255, l'exemplaire du *Roi Jean*, « édition de Glascow »,
communiqué par M. Hémonin, député du Doubs, à Charles Nodier pendant le
sacre, au moment exact où le roi s'étendait à terre aux pieds de l'archevêque et qui
le détourna sans doute de prêter attention à ce geste qu'il n'avait pas remarqué
(cf. V. H. rac., chap. XLI) : « Nodier lut. Il savait l'anglais (sans le parler, je crois)
assez pour déchiffrer. Il lisait à haute voix, et tout en lisant traduisait. Dans les
intervalles... je lisais du *Romancero*... Et peu à peu... l'enthousiasme du *Romancero*
gagnait Nodier, et l'admiration de Shakespeare me gagnait. »
　(4) T. I, *op. cit.*, 1821. Tout le développement sur la destination populaire du
théâtre sera repris dans l'article paru dans *l'Europe littéraire*, 29 mai 1833, et reproduit en préface à *Littérature et Philosophie mêlées*. On lit p. IV : « Une représentation
théâtrale est une fête populaire. » et p. VI : « Né ainsi au milieu du peuple et pour
le peuple, mais appelé à l'élever en le charmant, l'art dramatique est devenu dans
tous les siècles, dans tous les pays, et par le caractère même de sa nature, le plaisir
favori des classes supérieures... Plus d'une fois se laissant séduire à cette haute
fortune, il a perdu au compromis son énergie et sa liberté. » Ce sont les idées que, un
siècle plus tard, R. Rolland reprendra dans son *Théâtre du Peuple*. Hugo, il est
vrai, nuançait sa conclusion en admettant « une autre popularité qui se forme du
suffrage successif du petit nombre d'hommes d'élite de chaque génération ; à force
de siècles, cela fait une foule aussi ; c'est là, il faut bien le dire, le vrai peuple du
génie ». L. Ph. m., p. 20.

Quand le théâtre y (dans la littérature) voulut reproduire l'image poétique du monde, la tragédie et la comédie ne s'y séparèrent point... Tel était le caractère de la civilisation que la tragédie, en admettant le comique, ne dérogeait point à la vérité... (la comédie) elle ne s'astreignit point à peindre des mœurs déterminées ni des caractères comiques ; elle ne se proposa point de représenter les choses et les hommes sous un aspect ridicule, mais véritable ; elle devint une œuvre fantastique et romanesque, le refuge de ces amusantes invraisemblances que, dans sa paresse ou sa folie, l'imagination se plaît à réunir par un fil léger pour en former des combinaisons capables de divertir ou d'intéresser sans provoquer le jugement de la raison. Des tableaux gracieux, des surprises, la curiosité qui s'attache au mouvement d'une intrigue, les mécomptes, les quiproquo, les jeux d'esprit que peut amener un travestissement, tel était le fond de ce divertissement sans conséquence (1).

C'était dire le rôle de l'imagination ou mieux de la fantaisie que Guizot désignait, comme on faisait à l'époque, par la périphrase, presque une hendyadis, *fantastique et romanesque*. Hugo a retenu ces observations révélatrices et en a fait son profit, non seulement dans ses œuvres dramatiques, mais même pour ses *Ballades*, auxquelles, comme nous verrons, il a réservé la féerie qui se dégage de nombreuses scènes des comédies de Shakespeare et en particulier des chansons, mi-rêveuses, mi-moqueuses, qui y sont parsemées. « Mais aussi, continuait Guizot, quel mouvement gracieux et rapide! quelle variété de formes et d'effets! quel éclat d'esprit, d'imagination, de poésie employé à faire oublier la monotonie de ces cadres romanesques...! Au milieu de cette fade intrigue interviendront Obéron et son peuple de fées, d'esprits, qui vivent de fleurs, courent sur la pointe des herbes, dansent dans les rayons de la lune, se jouent avec la lumière du matin, et s'enfuient à la suite de la nuit, mêlés aux douteuses lueurs de l'Aurore (2). »

Des comédies en effet comme *le Songe d'une nuit d'été* et *la Tempête* — « tout s'y passe sous l'empire de la féerie (3) » — lui offraient justement l'exemple de ce mélange de merveilleux et de fantastique, indiscernable, avec le côté d'Ariel et de Puck et le côté de Caliban et des sorcières de Macbeth. « Il serait assez difficile, remarquait Guizot dans sa Notice, de déterminer précisément à quel ordre de merveilleux appartient celui qu'a employé Shakespeare dans *la Tempête*. Ariel est un véritable sylphe, mais les esprits que lui soumet Prospero, fées, lutins, farfadets, appartiennent aux superstitions populaires du Nord. Caliban tient à la fois du gnome et du démon ; son existence de brute n'est animée que par une malice infernale (4) ». Han est du côté de Caliban. Quasimodo l'est encore beaucoup. Mais la plupart des grotesques de Hugo sont par rapport à ceux de Shakespeare le produit d'un croisement soit avec Caliban (5), soit avec Ariel. Ils empruntent à Ariel ou mieux à Puck, créatures

(1) *Ibid.*, p. LXXIII et LXXIV.
(2) *Ibid.*, p. LXXVIII. Cf. le même mouvement, *W. S.*, II, IV, 5, p. 157 : « Quelle volonté de rêve! quel parti pris de vertige! quel absolutisme dans l'indécis et le flottant!... »
(3) *Ibid.*, p. LXXX.
(4) *Op. cit.*, t. II, p. VI.
(5) Noter que, dans la Préface de *Cromwell* (p. 22), Hugo réserve le terme de « grotesque » à Caliban et dit « sublime » pour Ariel comme il fait pour Ophélie (p. 13, ici p. 73). Ce second terme, qui convient mal apparemment aux deux, n'est qu'une approximation provisoire pour exprimer ce côté de la grâce, de la pureté et de la joie qu'il désignera plus tard par « fantastique riant ». *(Prom. Somn.)*

de l'air, leur malice et gardent de Caliban, monstrueuse prolifération
de la terre, à laquelle ils appartiennent, sa déformation physique et une
dose variable des vices dont elle est la figure. Il faut dire que ces deux
pièces réunies offraient une gamme à peu près complète de grotesques
du burlesque au terrible. Ariel et Puck d'un côté, nuancés dans la mesure
où le premier est « touché de pitié par ceux qu'il punit » et le second
« étourdi, plein de légèreté et de malice,... rit de ceux qu'il égare (1) »,
correspondent assez aux sylphes de Victor Hugo (2). Mais Flibbertigibbet
est déjà un croisement de Puck avec Trinculo, le bouffon. Stephano
lui-même, le sommelier ivre, pourrait bien verser une rasade de son
tonnelet à don César et au laquais porte-sacoche. Enfin, au bas de l'échelle,
Bottom à la tête des truands, ses acolytes, « suffisant, sérieux et fantasque »,
résume Amédée Pichot (3), offre une image de burlesque accompli dont
l'humour prosaïque ne passera chez Victor Hugo que mélangé et seulement plus tard à l'état pur dans les créations sans issue du *Théâtre en
liberté* ou mieux encore dans les gueux du Reliquat, les Glapieu, les
Vaugirard et les Mouffetard de tant de *comédies cassées*, où les rêveurs
et innocents rappelleront côte à côte Démétrius et Lysandre, les amoureux de Hermia. Un Rochester n'est-il pas dans la ligne des Bénédick,
des Mercutio, dont, à vrai dire, les Fantasio, les Octave de Musset appro-
cheront bien davantage ?

Le personnage qui inspire Hugo le plus directement est le fou authentique, dont le type semble à ses yeux le fou du roi Lear (4), clairvoyant,
philosophe, sceptique, spirituel, bouffon, industrieux, amateur de combinaisons et somme toute pour le bien : c'est lui et ses pareils dont on
retrouve la famille dans les fous du Protecteur, Flibbertigibbet, le Gracieux
et surtout l'Angely. Hugo qui en nomme quelques-uns a dû être frappé,
comme le traducteur de Shakespeare, par leur innombrable variété. « Combien, sous ce rapport — observera ce dernier — ses clowns, ou bouffons
dramatiques, sont supérieurs au *gracioso* du théâtre espagnol, qui a
presque toujours le même rôle et le même masque, quelle que soit
l'intrigue. Ainsi le clown du *Jour des Rois* ne ressemble ni à Costard
des *Peines d'amour perdues* ni à Touchstone de *Comme il vous plaira* (5). »
Touchstone, le fou bariolé et philosophe, rencontré par Jacques le
Mélancolique dans la Forêt d'Arden et Kent, travesti en bouffon du roi
Lear et serviteur d'un maître irascible, sont peut-être ceux qui se rap-
prochent le plus des bouffons d'Hugo. Mais il y faudrait ajouter toute
cette graine de valets, Speed et Lance, Thersite, cité par Hugo à
propos de *l'Iliade* (6) et peut-être revu à travers le « Grec difforme et
lâche » de *Troïlus et Cressida*, et Apemantus, le cynique de *Timou*

(1) *Op. cit.*, t. IV, notice du *Songe d'Été* (*sic*), signée A. P. (Amédée Pichot).
(2) Cf. ici p. 89, 98-99. Voir également la description des lutins par Caliban
(acte II, sc. 2, p. 52), à rapprocher de la définition de Puck : « (les esprits) ils ne
viendront pas sans son ordre me pincer, m'effrayer de leurs figures de lutins, me
tremper dans la mare, ni, luisant comme des brandons de feu, m'égarer dans la nuit
loin de ma route... », etc.
(3) Notice du *Songe d'été*, t. IV.
(4) Préface de *Cromwell*, p. 25.
(5) Publié en 1844, *in Galerie des personnages de Shakespeare, les Deux Gentilshommes de Vérone*, p. 3. Mais la remarque, sous une forme ou une autre, pouvait
figurer dans l'une des nombreuses notices.
(6) Préface, p. 15.

d'Athènes que Victor Hugo avait lu, vrai misanthrope qui réapparaîtra dans Ursus.

Mais Hugo a tenu parole : aucune imitation véritable ne se retrouve dans son théâtre (1). Ses fous ont plus d'esprit, moins d'humour et de fantaisie. Chose curieuse, mais compréhensible, plus la conception dramatique de Hugo s'affermit, moins ils en ont. A part peut-être les fous de Cromwell et encore le Gracieux de *Marion*, ils semblent moins avoir été oubliés, comme chez Shakespeare, en marge d'un drame sur lequel, bon gré, mal gré, ils ouvrent un œil, qu'avoir été conçus en fonction du rôle que l'auteur leur donnait à y jouer. Tout ce que retiendra Hugo, ce sont les suggestions de quelques procédés : l'intervention des Comédiens dans *Hamlet* et dans *le Songe*, ici et là à l'acte III, lui a sans doute donné l'idée des siens dans *Marion ;* les chansons des fous ou des fées sont le modèle assurément de celles de Gramadoch ou du Gracieux ; les discours verbeux et cocasses d'un Polonius, d'un Bottom ou d'un Falstaff lui ont peut-être montré qu'il pouvait lui aussi donner libre cours à sa verve (2). Mais l'important, c'est bien plutôt l'atmosphère générale, où se mêlent bouffons, sylphes, sorcières et fossoyeurs, bavards et benêts, fées, rois en exil, soupirants, valets et princesses. Le théâtre de Shakespeare lui a montré qu'un tel monde restait à créer sur la scène française, et non seulement là, mais aussi dans la poésie française, et que, comme le dit Polonius admirant la vivacité des répliques d'Hamlet, « c'est un bonheur que rencontre souvent la folie, tandis que la saine raison n'a pas l'expression aussi heureuse (3) ». Ce disparate de surface masque de secrètes profondeurs ; cette généreuse gratuité de la fantaisie shakespearienne, au même moment où Hugo la gagne, peut-être l'adapte, à sa poésie, elle semble s'évanouir progressivement de son théâtre ou en tout cas s'y contaminer aux alentours de 1830 à un utilitarisme raisonnable.

(1) Cf. *ibid.*, p. 25 et 32. C'est ce qu'il précise dans quelques notes inutilisées de *William Shakespeare* (Reliquat, p. 375) en se tournant vers ses années romantiques, inséparables en son esprit de Shakespeare : « Quelques critiques bienveillants et considérables ont fait un reproche au mouvement littéraire qui s'est produit après le premier quart de ce siècle et qui a donné l'impulsion et déterminé le courant de la littérature du XIXe siècle ; ils se sont étonnés que ce mouvement d'idées ait, en remettant Shakespeare à son rang, et en le plaçant si haut, semblé — nous citons — « si soigneusement éviter sa trace » et que, par exemple, *le drame contemporain ait pris pour loi la concentration quand la loi du drame de Shakespeare est la dispersion...* Nulle inconséquence ici, qu'on nous permette de le dire. On a arboré, ou pour mieux dire, on a glorifié Shakespeare... la loi de l'art étant... de glorifier, c'est-à-dire, de comprendre tous les génies, et de n'en imiter aucun. » Je souligne l'objection qui rend assez bien compte en effet de l'adaptation logique de Shakespeare par Hugo à la scène française. Je n'irais pourtant aussi loin en ce sens que M. Jasinski, qui écrit (*les Années romantiques de Th. Gautier*, p. 247) : « Au lieu que Hugo cherchait un contraste violent, il (Gautier) prône le grotesque pour lui-même, pour toutes les capricieuses libertés auxquelles celui-ci donne matière. » Je crois avoir montré que la création des *grotesques* lui était naturelle indépendamment de toute autre considération, mais Hugo n'a pas osé lâcher la bride à la fantaisie, il a voulu la maîtriser et l'utiliser, ce qui en altérait la pureté.

(2) *A. R.*, V, 2, p. 391, par exemple.

(3) Ed. citée, t. I, acte II, sc. 2.

II

DU FANTASTIQUE AU MERVEILLEUX

Aimer le gothique

Revenons sur nos pas. En même temps que Victor Hugo évoluait du frénétique au grotesque et se détournait peu à peu, au moins provisoirement, du roman pour se consacrer au théâtre, il n'avait pas abandonné ses exercices poétiques. D'une part, il continuait d'écrire des *odes* de circonstance, célébrant les grands événements contemporains : *Mort de Mlle de Sombreuil, la Guerre d'Espagne, les Funérailles de Louis XVIII* ou *le Sacre de Charles X* (1). N'ayant pas rompu avec les thèmes classiques, demeuré sous l'influence directe de ses maîtres ou de ses aînés, Chénier et Lamartine, il se donnait de-ci de-là encore à l'antique, y mêlant peut-être plus de couleur et de pittoresque (2). Mais surtout, il faisait la part de plus en plus large à l'inspiration médiévale, à la fois romanesque et fantastique, qui était alors de mode et dont il avait de multiples exemples.

C'est cette mode assez complexe des années 1820-1825 que Sainte-Beuve a très subtilement démêlée : « De 1819 à 1824, sous la double influence directe d'André Chénier et des *Méditations*, sous le retentissement des chefs-d'œuvre de Byron et de Scott, au bruit des cris de la Grèce, au fort des illusions religieuses et monarchiques de la Restauration, il se forma un ensemble de préludes où dominait une mélancolie vague, idéale, l'accent chevaleresque, et une grâce de détails curieuse et souvent exquise... (3). » Lamartine, jugeant que son cadet commençait à posséder sa technique, lui conseillait de suivre la mode, avec précaution toutefois, tant il sentait en lui d'impatiente fougue : « ... Vous parlez enfin littérature dans un sens net et vigoureux, vous êtes sorti de l'hémistiche et d : la diphtongue, vous attaquez le vif, il le fallait ; seulement allez doucement dans le début, suivez la pente et le courant de l'opinion qui se forme ;

---

(1) Dans l'ordre : II, 9 (octobre 1823) ; — II, 7 (novembre 1823) ; — III, 3 (septembre 1824) ; — III, 4 (mai-juin 1825).
(2) *Le Repas libre*, II, 5 (1823) ; — *le Chant de l'Arène*, IV, 10 (janvier 1824) ; — *un Chant de fête de Néron*, IV, 15 (mars 1825).
(3) *Portraits contemporains*, t. II, p. 179 (cité en épigraphe, SÉCHÉ, *C. M. F.*, I).

ne le devancez pas trop, autrement vous ferez un haro universel! On vous donnerait un nom et tout serait dit (1). »

Hugo ne recherchait pas encore l'étiquette romantique, il ne la redoutait pas non plus ; au vrai, il ne semblait pas fixé. Mais, ce n'était pas seulement l'effet d'une mode, il était sincèrement attiré par l'art gothique, qu'il a admiré et aimé toute sa vie, parce qu'il correspondait à cette double complexion de son tempérament : « Cet art-là, dira-t-il devant la révélation de la cathédrale de Chartres en 1836, est vraiment fils de la nature. Infini comme elle dans le grand et le petit. Microscopique et gigantesque (2). » De 1823 à 1828, à ne considérer que cette période, il a trop souvent déclaré son amour pour qu'il soit permis de n'y voir qu'une complaisance. Il me frappe qu'il emprunte précisément avec constance la forme d'une déclaration, conjuguée à tous les temps et à toutes les personnes. En voici quelques exemples :

> J'aimais le manoir dont la route
> Cache dans les bois ses détours...
> J'aimais la tour, verte de lierre
> Qu'ébranle la cloche du soir...
> J'aimais le beffroi des alarmes,
> La cour où sonnent les clairons ;
> La salle où, disposant leurs armes,
> Se rassemblaient les hauts barons... (3).
>
> (1823)

> J'aimai les forts tonnants, aux abords difficiles... (4).
>
> (1823)

> Car, vous le savez bien, ma fille, il aime encore
> Ces créneaux, ces portails qu'un art naïf décore... (5).
>
> (5-9 octobre 1825.)

> Je vous aime, ô débris! et surtout quand l'automne
> Prolonge en vos échos sa plainte monotone...
> Je contemple longtemps vos créneaux meurtriers,
> Et la tour octogone et ses briques rougies,
> Et mon œil, à travers vos brèches élargies,
> Voit jouer des enfants où mouraient des guerriers (6).
>
> (Octobre 1825.)

> C'est moi qui t'inspirai d'aimer ces vieux piliers,
> Ces temples où jadis les jeunes chevaliers
> Priaient, armés par leur marraine... (7).
>
> (12 octobre 1825.)

> Si ma muse envolée
> Porte son nid si cher
> Et sa famille ailée
> Dans la salle écroulée
> D'un vieux baron de fer ;

(1) Lettre du 14 septembre 1823 citée par Gustave SIMON, *Lamartine et Victor Hugo, Lettres inédites*, p. 673.
(2) *V.*, II, p. 44, la Louppe, 18 juin 1836.
(3) *O.*, II, 3, *la Bande noire*.
(4) *O.*, V, 9, *Mon enfance*.
(5) *O.*, V, 19, *le Voyage*.
(6) *O.*, V, 18, *Aux Ruines de Montfort-l'Amaury*. C'est vers le 10 octobre 1825 que Victor Hugo alla faire un séjour chez Saint-Valry, son ami de *la Muse française*.
(7) *O.*, V, 20, *Promenade*.

> C'est que j'aime ces âges...
> A leurs débris sauvages
> Je m'attache, et d'ailleurs... (1).
>
> (4 juin 1828.)
>
> J'aime les soirs sereins et beaux, j'aime les soirs,
> Soit qu'ils dorent les toits des antiques manoirs... (2).
>
> (Novembre 1828.)

Et comment aurait-il échappé au courant d'intérêt qui avait remis le moyen âge à la mode ? Dès la fin du XVIIIe siècle, les travaux des érudits, les pastiches des poètes, les compositions des peintres avaient attiré l'intérêt sur un style médiéval de fantaisie, qu'on a appelé le *Genre Troubadour* (3). Sans parler des trois volumes de l'Abbé Millot sur l'*Histoire littéraire des Troubadours* (1774) ou des dépouillements de La Curne de Sainte-Palaye, les adaptations des romans de chevalerie par le comte de Tressan, nées à la cour des princes, rencontraient en émigration les romances de Young et de Lewis et un goût perpétué jusqu'à nos jours des légendes et de l'architecture médiévales qui ne sont peut-être pas étrangers aux célèbres pages où Chateaubriand, au début du siècle, « a restauré la cathédrale gothique », avec quelle fantaisie lui-même, faisant sortir l'église de la forêt des Gaules et l'orgue du murmure des oiseaux (4). Le mouvement, dit M. Baldensperger, eut son apogée sous le Consulat et l'Empire. Le peintre David se plaint vers la même époque de l'abandon de l'antique pour les frivoles héros du roman courtois. En 1814, Creuzé de Lesser réédite ses *Chevaliers de la Table Ronde* et son *Amadis* (5). En 1816, Raynouard, qui devait couronner le jeune Hugo, entreprend son *Choix des Poésies originales des Troubadours*. Marchangy publie de 1814 à 1817 sa fameuse *Gaule Poétique* (6) qui connut plusieurs rééditions en peu d'années, recueil de faits et de légendes historiques choisis depuis les origines jusqu'à François Ier et racontés de façon romanesque. Cette insistance même, partagée avec Chateaubriand, à placer ces légendes sous l'emblème de *la Gaule* montre bien ce qui entrait de convention dans l'imagerie à moitié idéale qu'ils se faisaient de cette époque ; c'était d'une certaine manière un retour à une littérature « nationale », telle que de son côté l'avait prêchée Mme de Staël. Ce mouvement d'intérêt se prolonge sous la Restauration. Entre 1826 et 1829 paraissent les gros volumes de la *Collection des Chroniques Nationales françaises* entreprise par J.-A. Buchon (7) et où Hugo put trouver chez Froissart ou Commines plus d'une épigraphe qu'il cataloguait vaguement *Ancienne Chronique*, comme pour son *Pas d'armes du roi Jean* par exemple. Vigny pourra écrire alors : « Dans ces dernières années (et c'est peut-être une suite de nos mouvements politiques) l'Art s'est empreint d'histoire plus que jamais. Nous avons tous les yeux attachés

---

(1) *O.*, V, 25, *Rêves*.
(2) *F. A.*, XXXV, 1, *Soleils couchants*, novembre 1828.
(3) Voir les études de F. BALDENSPERGER et H. JACOUBET où l'on trouvera les renseignements souhaités. Se rappeler, par exemple, SEDAINE, *Aucassin et Nicolette* (1782), la ballade de Chérubin dans *le Mariage de Figaro*, etc.
(4) *Le Génie du Christianisme*, IIIe partie, I, 8.
(5) 1814 : 3e édit. du premier et 2e du second.
(6) Vigny, entre autres, s'en inspire pour sa poésie intitulée *le Cor* (1825) et peut-être pour *la Neige*.
(7) Chez Verdière, 46 vol. in-8° ; elle continue de paraître après 1828.

sur nos Chroniques (1). » Les peintres s'inspiraient des livres de l'Arioste et Jehan du Seigneur sculptait un *Roland furieux*. Les almanachs, les revues, les keepsakes regorgeaient de ces « romances », mi-galantes, mi-chevaleresques, hésitant entre un pastiche poussé « jusqu'à une prétendue restitution de la langue (2) » et l'influence encore vivace de la manière post-classique, Delille et Bertin.

L'atmosphère incitait donc Hugo à s'essayer à son tour en ce genre. Il n'est naturellement pas question pour nous de rechercher ici les sources nombreuses, souvent complexes de ses poésies, qu'elles lui viennent d'outre-Rhin ou d'outre-Manche, ou même de France. Mais des exemples très précis, non pas seulement des sources, s'offraient à lui de poèmes réalisés sur le mode qu'il devait adopter. Je songe en particulier à Mille-voye, dont parle un peu M. Baldensperger, et à Latouche qu'il oublie : il en faut faire la part pour apprécier exactement le ton original des *Ballades*.

M. Baldensperger indique fort nettement l'évolution du genre après 1800 : « Au lieu de la simple complainte modulée par l'amant, de l'espèce d'héroïde adressée à la maîtresse, nous avons le plus souvent affaire à une « histoire », à une intrusion de l'élément épique dans l'espèce de *lied* qu'était à sa manière la poésie « troubadour » antérieure. La romance tend, pourrait-on dire, à devenir à cette époque la ballade au sens que les Allemands, les Anglais, notre romantisme lui-même donnent à ce mot (3). »

Millevoye.

Cette transition est bien représentée par Millevoye dont Ladvocat venait de réunir les *Œuvres complètes* en 1822 (4). Ce poète au surplus s'était préoccupé de l'aspect technique de la question. Dans sa préface sur l'*Elégie* (5), les poètes qu'il citait, Mme Deshoulières, Clotilde de Surville, Marot, Ronsard et La Fontaine, Bertin et Parny, indiquaient bien d'une part la tradition galante dans laquelle il prétendait prendre place à son tour. Mais si ses *Elégies* tenaient plutôt de Bertin, de Parny et de Florian qu'il semblait se donner pour maîtres, ses *Ballades* ajoutaient précisément aux vagues brumes de l'élégie le dessin anecdotique indispensable. Peut-être, en fait, est-il le premier à avoir employé en France ce terme de *Ballades* que V. Hugo eut la fortune de fixer dans nos mémoires. S'il existait en Allemagne et en Angleterre, le recueil des *Ballades* traduites par Loève-Veimars, grand introducteur avec Nodier et Marmier des littératures « du Nord » en France, ne parut qu'en 1825 (6). Toujours est-il que Millevoye éprouvait le besoin de le préciser par une *note préli-minaire* qui avait l'allure d'un programme :

(1) Préface de *Cinq-Mars*, datée de 1827.
(2) F. BALDENSPERGER, *op. cit.*, p. 131.
(3) *Ibid.*
(4) Je ne prétends pas ici refaire le travail que M. Bauer a commencé de débrouiller dans son étude sur les *Sources des Ballades*, mais seulement choisir quelques exemples topiques susceptibles de définir le climat d'émulation dans lequel Hugo a écrit ses *Ballades*. Millevoye, Latouche et Nodier m'y semblent tenir, tous trois à des titres divers, une place appréciable.
(5) *O. C.*, t. IV. Charles-Hubert Millevoye était né à Abbeville le 24 décembre 1782. Il était mort le 12 août 1816 d'une maladie de poitrine.
(6) Le titre exact, plus développé, semblait témoigner du souci d'expliquer ce terme : *Ballades, Légendes et Chants populaires de l'Angleterre et de l'Ecosse.*

La ballade, telle qu'on la chante encore dans les montagnes d'Écosse, n'a, comme l'on sait, aucun rapport avec les *ballades* que Marot *fit fleurir*. Cette sorte de composition, si connue des peuples du Nord, semble parmi nous tout à fait abandonnée ; on la retrouve à peine dans un petit nombre de nos anciennes romances. Pourquoi ne pas tenter de rajeunir quelques genres vieillis, quand ils ont de la grâce et du charme ? Sommes-nous trop riches, et trop variés (1) ?

L'élément anecdotique, propre aux chansons populaires, se nuançait en effet dans *les Ballades* de Millevoye d'une tristesse vaporeuse qui en était fort éloignée. Voici *la Fiancée*, où le thème des jeunes mortes, cher au xviiiᵉ siècle finissant, se mêle à la poésie fantastique et légendaire d'un *lied* à la manière de Gœthe et de Bürger :

> Le soir brunissait la clairière ;
> L'oiseau se taisait dans les bois ;
> Et la cloche de la prière
> Tintait pour la dernière fois.
> Au sein de la forêt obscure,
> Seul et perdu loin du sentier,
> J'errais encore à l'aventure,
> N'entendant plus dans la nature
> Que le pas de mon destrier (2).

Le cavalier rencontre une bergère et lui demande son chemin. Comme c'est le soir, il lui offre de l'accompagner. Elle est fiancée à Roch, qu'elle doit épouser dans huit jours. Mais elle avait un tendre ami, que son père lui a refusé. Quand le cavalier repasse pour les noces, Lise est « sous la terre — Que foule votre destrier ».

Mais le plus souvent, il faut l'avouer, la ballade de Millevoye tourne au pastiche par la gentillesse convenue du conte, la mièvrerie précieuse des situations et l'imitation non moins conventionnelle du style. C'est le cas du *Festin de la Châtelaine* (3), où « le bel Yvain, chevalier troubadour », retrouve son Hermose mariée. Comment être fidèle à la fois à l'époux et à l'amant ? En partageant avec ce dernier un dictame, qui, comme celui d'Hernani plus tard, les réunit enfin :

> Mort leur advint et dirent : Grand Merci.

C'est aussi le cas de *la Bachelette* (4), romance d'amour et de mort comme les précédentes, d'*Harald aux longs cheveux* (5), presque toutes fidèles aux laisses de décasyllabes des *Chansons de geste*. L'influence de Florian répand sur ces pastiches naïfs une onctueuse mélancolie. « Florian, disait Joseph Dumas dans sa notice, est l'écrivain que Millevoye admirait le plus à cette époque. Il savait par cœur ses jolies fables et la touchante églogue de Ruth ; il ne voyait rien au-dessus d'*Estelle* et de *Galatée* (6). »

(1) *O. C.*, t. IV, p. 248.
(2) *O. C.*, t. IV, p. 249. On retrouve une atmosphère similaire dans les *Ballades* I et IV de Victor Hugo.
(3) *Ibid.*, p. 253.
(4) *Ibid.*, p. 270.
(5) *Ibid.*, p. 267.
(6) *O. C.*, t. I, p. 19. *A cette époque :* c'est-à-dire jeune homme. Hugo lui-même n'a pas oublié Florian et Ruth, *Estelle* et *Galatée*, autant d'idylles, qui se retrouveront plus tard dans son œuvre, transformées par son tempérament et par son humeur du moment. *La touchante églogue de Ruth* s'agrandira jusqu'à prendre les dimensions épiques que l'on sait, et Estelle et Galatée se chargeront de plus de sensualité à travers *les Chansons des rues et des bois*.

Sainte-Beuve notera que ce même Dumas, son professeur, ramena le poète « d'une admiration un peu excessive pour Florian à des modèles plus sérieux et plus solides (1) ».

Il arrive pourtant parfois que Millevoye relève d'une pointe d'ingénuité piquante ces *Ballades* dont Sainte-Beuve trouvait, en termes soigneusement pesés, « l'ensemble élégant, monotone et pâli ». La Romance du *Premier Baron chrétien* (2) marque d'abord un certain effort pour alléger et varier le rythme, qui montre le chemin à Hugo. Elle est écrite en sixains d'octosyllabes coupés d'un refrain ; celui-ci se compose d'un vers de cinq pieds dont la teneur est chaque fois légèrement modifiée et d'un de sept qui répète invariablement le titre. Ce souvenir des vieilles chansons — *Refrain du vieux temps*, comme il intitulera une de ses romances — joint à l'humour à froid, réveille la ballade et la dégage de sa torpide mélancolie. Dans le tournoi pour conquérir Aldine, le premier baron chrétien est défait, mais son page le remplace et gagne sa cause.

> Cependant le combat s'apprête :
> Dans le préau, les deux guerriers,
> La lance au poing, le casque en tête,
> Montent leurs brillants destriers.
> Au premier choc, le baron cède ;
> Et perd l'étrier, son soutien.
>   Dieu n'est plus en aide
> Au premier baron chrétien.
>
> Un page, instruit à ses leçons,
> Sur le coursier soudain s'élance,
> Et s'affermit dans les arçons.
> « En rien, dit-il, je ne te cède,
> Chevalier, mon nom vaut le tien ;
>   Et je viens à l'aide
> Du premier baron chrétien.

Le page voudrait bien continuer de servir d'intercesseur à son maître : ce qui arrive un jour que ce dernier est parti en pèlerinage. Cet esprit d'une fausse, mais gentille naïveté, n'a pas dû échapper à Victor Hugo, qui retrouvera ce Millevoye sur son chemin avec son maître Florian, je pense, vers les années 1859-1860. Ces essais de rythmes anciens, ce plaisir à imaginer une féerie médiévale plus ou moins coûteuse en vocabulaire, devaient, entre autres, exciter sa verve et l'inviter à s'y essayer à son tour. *Le Chant du Tournoi* (3) en 1824, écrit en dizains d'heptasyllabes, bien que plus grave, et de tour héroïque ; en 1825, *la Mêlée* et *la Fiancée du Timbalier* (4) qui retrouve, sous le signe trompeur de Desportes, les élégies pâmées de Millevoye et de ses maîtres à travers ses octosyllabes souplement noués par cinq avec le naturel des vieilles chansons ; jusqu'au lointain *Pas d'armes du roi Jean*, de 1828 (5), dégagé d'allure et de ton, où Hugo passe à une maîtrise toute personnelle ;

---

(1) *Œuvres de Millevoye*, Garnier, 1865 : notice datée 1er juin 1837.
(2) *O. C.*, t. IV, p. 281. Les *Romances* sont de simples répliques des *Ballades*.
(3) *O.*, IV, 12, janvier 1824.
(4) *B.*, IV, 7 (18-19 septembre 1825) et 6 (18 octobre 1828) avec une épigraphe de Desportes. Millevoye avait aussi sa *Fiancée* (cf. ci-dessus) plus près toutefois des *lieds* germaniques, bien que le thème vienne en droite ligne du XVIIIe siècle sur la fin épris de l'*Anthologie*.
(5) *B.*, IV, 12 (24-26 juin 1828).

toutes ces ballades s'inspirent de ces tournois pour une dame et s'inscrivent à la suite des romances de Millevoye.

Pourtant Sainte-Beuve leur préférait cette *Chute des Feuilles* (1) qui « marquait un moment dans l'histoire de la poésie française », pure élégie d'un jeune malade, entre Chénier et Lamartine, ou cette *Romance de Morgane* qui éclaire à vrai dire d'un poétique rayon l'ennuyeux poème épique de *Charlemagne* (2).

> C'était un soir. Au fond de sa tourelle
> Je m'en allais par le vague de l'air...

Une fée à l'instar des antiques sirènes entreprenait de séduire le chevalier :

> Sur un rayon de la lune naissante
> On nous verrait descendre tous les deux.

L'invitation ne le touchait pas seul et je crois bien que de tels vers sont parmi les plus susceptibles d'avoir suscité *le Sylphe*, *la Fée et la Péri*, *Une Fée* (3), et d'attester, ce dont on se doutait bien, que *les Ballades* de Victor Hugo ne constituent pas plus que *Han* ou *Bug-Jargal* d'audacieuses nouveautés, mais des exercices en un genre déjà assez défini. « C'était, comme écrira Sainte-Beuve, le temps de la mode d'Ossian et d'un Charlemagne enjolivé, le temps de la fausse Gaule poétique bien avant Thierry, des Scandinaves bien avant le cours d'Ampère, de la ballade avant Victor Hugo ; c'était le style de 1813 ou de la reine Hortense, le *beau Dunois* de M. Alexandre de Laborde, le *Vous me quittez pour aller à la gloire* de M. de Ségur... Son fabliau d'*Emma* et d'*Eginhard* offre toute une allusion chevaleresque aux mœurs de 1812, sur ce ton... (4). » On ne pouvait mieux évoquer.

Latouche.

Un autre de ces poètes oubliés de transition est Henri de Latouche (5). Séché a pu écrire de lui : « L'année suivante (1819), il avait en quelque sorte pris la tête du mouvement romantique en se faisant l'éditeur des *Poésies* d'André Chénier (6). » Il affectait en tout cas d'en tirer sa seule gloire et ne se reconnaissait d'autre mérite que « celui de mettre en lumière les feuillets sanglants d'André Chénier (7) ». Mais si Gabriel de Chénier s'était adressé à lui, c'était précisément sur la recommandation d'une renommée déjà notoire, qui en faisait un peu plus tard, aux yeux de

---

(1) *O. C.*, t. IV, *Élégies*, livre Ier.
(2) *O. C.*, t. I.
(3) *B.*, II (1823), XV (juillet 1824) et I (1824).
(4) Cf. art. cité.
(5) Hyacinthe-Joseph-Alexandre Thabaud de Latouche, dit Henri de Latouche, était né à la Châtre (Indre) le 3 février 1775 et mourut en 1851. Il appartenait à la génération de Millevoye, de Chateaubriand, très sensiblement l'aîné des jeunes romantiques. Il avait déjà donné contes, poésies, traductions et essais.
(6) SÉCHÉ, *le Cénacle de la Muse française*, p. 66.
(7) *In Dédicace* du recueil *les Adieux*, publié en 1843 sous le millésime 1844. Il disait plaisamment plus tard, mais dans le même sens : « J'ai senti quelquefois un grand plaisir à l'entendre louer, orgueilleux comme le marguilier qui avait sonné le beau sermon d'un prince de son église. » (*Souvenirs et Fantaisies*, cité in SÉCHÉ, *le Cénacle de Joseph Delorme*, I, chap. VI, p. 223.)

Sainte-Beuve, « l'un des hommes de nos jours qui ont le plus écrit depuis quarante ans et de tous les côtés (1) ».

Comme Loève-Veimars, comme Nerval, mais avant eux, il s'était rendu célèbre par ses traductions et adaptations en vers de poètes allemands et anglais. Il avait, nous dit son commentateur M. Ségu, une connaissance précise de plusieurs langues étrangères. « Il savait quelque peu d'espagnol, de portugais, et de polonais ; il rédigeait des lettres en italien ; il donnait des adaptations ou traductions de Burns et de Shakespeare, de Gœthe et de Hoffmann (2). » Il avait aussi traduit en vers la *Lénore* de Bürger, *le Roi des Aulnes* de Gœthe, et ses *Ballades écossaises* de Burns avaient eu un compte rendu laudatif du poète Saint-Valry dans *la Muse française*, dont ses opinions républicaines l'empêchaient de faire partie (3). Même si Hugo, chose impossible, eût méconnu jusque-là cet « huissier du romantisme », alors chef de file, il n'eût pu l'ignorer plus longtemps après cet article d'une revue à laquelle il collaborait activement. Vers la même époque, une autre raison dut imposer les poésies de Latouche à son attention : Nodier reconnaissait très simplement ce que devait à l'*Ariel exilé* de Latouche ce *Trilby* qui devait inspirer à son tour Hugo. Cascade de sources trop courtoisement saluées de part et d'autre pour que le récent admirateur de Nodier s'en fût désintéressé.

Quand j'ai logé le *Lutin d'Argail* dans les pierres du foyer — écrivait ce dernier — et que je l'ai fait converser avec une fileuse qui s'endort, je connaissais depuis longtemps une jolie composition de M. de Latouche, où cette charmante tradition était racontée en vers enchanteurs ; et comme ce poète est, selon moi, dans notre littérature, l'Hésiode des esprits et des fées, je me suis enchaîné à ses inventions avec le respect qu'un homme qui s'est fait auteur doit aux classiques de son école (4).

A quoi Latouche répondait sans doute, comme il le publia plus tard dans une *note* conjointe :

Charles Nodier, dans la préface de *Trilby*, et Mme Marie Nodier-Ménessier, sa gracieuse fille, dans une note de la *Perce-Neige*, recueil de poésies qu'elle a publié en 1836, déclarent que la pièce que voilà a inspiré le roman de *Trilby ou le Lutin d'Argail*. Je n'accepte de cet éloge que le témoignage de la double amitié qu'il renferme (5).

Le poème de Latouche lui-même s'inspirait assez du *Songe d'une nuit d'été*. Il présentait la cour de Titania régnant sur un peuple de lutins :

> ... c'était la cour des sylphes, rois des fleurs...
> Titania commande leur essor.
> Titania, c'est la reine des fées (6).

Le lutin, envoyé par sa reine pour calmer les maux des amants malheureux, oublie un jour sa mission, distrait par une rose :

(1) *Lundis*, 3ᵉ édit., t. III, p. 474.
(2) Ségu, I, p. 70 sq.
(3) T. I, p. 162, septembre 1823.
(4) Préface de *Trilby*, 1822.
(5) *Adieux*, livre III, p. 346.
(6) Latouche ne se servait des capitales qu'au début de chaque phrase et non de chaque vers. On sait que Victor Hugo, au moins sur ses manuscrits postérieurs à 1850, avait aussi cette habitude graphique. Ajoutons qu'il est malaisé de distinguer ses minuscules de ses majuscules, mais il était généralement économe de celles-ci.

> ... lorsqu'une rose, orgueil de ces vallons,
> m'a retenu pour me conter sa peine :
> elle pleurait deux ingrats papillons.

Le « sylphe banni » pour sa pénitence erre dans la contrée et demande refuge à une jeune fille, Ethel. On a vu que Victor Hugo avait donné ce nom à l'héroïne de son *Han d'Islande*. L'exilé se plaignait :

> Jours regrettés! qui me rendra, dit-il,
> mon lit de fleurs, mes mousses odorantes,
> et le miroir de mes eaux transparentes,
> et la prairie où s'éveillait Avril?

Cette mélodieuse complainte à laquelle la jeune fille répondait par ses confidences et que n'eussent pas désavoué les plus timides des poètes post-classiques, la régulière monotonie de ces décasyllabes ne peuvent certes pas s'aligner au jeu merveilleusement capricieux des meilleures ballades hugoliennes de 1828. Mais des poèmes comme celui-ci servaient d'ambassadeur malgré tout à la poésie anglaise et contribuaient à acclimater dans la poésie française cette atmosphère de féerie qui séduisit Victor Hugo à son tour. Latouche la présentait :

> Une muse, à ses sœurs quelquefois étrangère
> et qui, cherchant, le soir, le doux exil des bois...
> écoute ces récits, ces fables du vieil âge
> et la mythologie en honneur au village?
> C'est ma muse (1). . . . .

Tantôt elle hante « les cloîtres glacés », tantôt, « sous le chaume assise à la veillée », elle écoute les récits du pasteur. « Vous la verriez, dit-il... »

> animer la guitare ou les clairons sévères,
> couronner d'une fleur la lance des trouvères,
> aimer, après les luths amoureux ou badins,
> à voir cent paladins heurter cent paladins...

Mais, en dehors de nombreux poèmes nonchalants sur la nature la plus « agreste » selon son mot, c'était surtout le peuple de ces créatures poétiques auquel il revenait le plus volontiers et qui, ajouté aux mélancoliques tournois de Millevoye, forme la matière de l'inspiration des *Ballades*.

> . . . . Et sa voix plus voilée
> dit les sylphes errants sous la voûte étoilée...

Le folklore d'outre-Rhin en regorge, et Latouche n'avait pas non plus négligé ce côté. Il s'était intéressé aux romantiques allemands, transposant Arndt, Bürger, Gœthe, et dédiant « à Ludovic Tiecke » son *Phantasus*, adaptation très libre, dit M. Ségu, du poème « *die Phantasie* » paru dans *Franz Sternbald* en 1798.

> Vieillard toujours enfant, rival de la Raison,
> au bord de la Newa, Phantasus est son nom (2).

---

(1) *Adieux*, livre III, p. 177, *Sylve*.
(2) *Adieux*, livre I, p. 44.

Nous aurons l'occasion de reparler de Ludwig Tieck, dont Hoffmann, mieux connu, a détourné l'attention, bien que ses œuvres aient été traduites en France avant celles de ce dernier (1). Le merveilleux s'y mêlait au fantastique ainsi qu'à l'ordinaire chez les conteurs germaniques qui n'éprouvent guère le besoin de les distinguer. Hugo pouvait en de tels vers trouver ou retrouver la forme de *fantaisie*, c'est bien le cas de le dire, pour laquelle il se sentait le plus de goût.

> Avec le gland du chêne ou l'émail des cristaux,
> il creuse des esquifs, il bâtit des châteaux ;
> il couronne en riant les hautes plates-formes
> de nains, qui, surchargés de leurs têtes énormes,
> appellent un vassal aux accents du beffroi...
> Sous quatre paladins, il courbe un palefroi...
> Sa voix grêle et railleuse évoque des fantômes.

C'était un peu de cette fantaisie frénétique, voire macabre, que, à l'époque où il finissait *Han*, Victor Hugo aimait assez mêler aux tendres accents écossais de son *Sylphe* :

> Damoiselle, entends-moi, de peur que la nuit sombre,
> Comme en un grand filet, ne me prenne en son ombre
> Parmi les spectres blancs et les fantômes noirs...
>
> Voici l'heure où les morts dansent d'un pied débile.
> La lune au pâle front les regarde immobile...
>
> Bientôt, nains monstrueux, noirs de poudre et de cendre,
> Dans leur gouffre sans fond les gnomes vont descendre... (2).

Au surplus, si Hugo eût été disposé à l'écouter, celui qui devait signer à la fin de sa vie « le paysan de la Vallée-aux-Loups » aurait pu lui apprendre que la poésie est un jeu, mais qui se pratique avec noblesse. « La poésie est le seul exercice de l'esprit, écrira-t-il, qui ne soit pas aujourd'hui mercenaire... Deux manières de rester bien seul en ce temps, c'est de cultiver la muse et la probité (3). » Singulier homme en vérité, que ce misanthrope hargneux et jaloux, dit-on, qui vivait de sa plume et si parcimonieusement que Hugo crut avoir, si l'on en croit ses souvenirs, des raisons de « se venger par un déjeuner de deux louis de M. Henri Delatouche (*sic*) qui, l'ayan, invité dans un logis confortable et coquet orné de trépieds et de statuest l'avait nourri de pommes de terre cuites à l'eau et d'une tasse de thé (4) ». Ce trait a le mérite d'attester au moins qu'ils n'étaient pas l'un pour l'autre des inconnus (5) et que dans cet échange d'invitations l'amitié n'avait

---

(1) Cf. *Voyages*, chap. IV, p. 266 sq.
(2) B., II, 1823.
(3) Dédicace des *Adieux*, « à un ami de vingt ans », 1843.
(4) *V. H. rac.*, chap. XXXVIII.
(5) C'est même lui, selon M. Bray, qui le présenta à Émile Deschamps — leurs pères étaient liés — celui-ci devant à son tour lui faire connaître Alfred de Vigny. Mais il y a là une question de dates bien embrouillées à vrai dire. Quand se place exactement cette entrevue avec Latouche ? M. Bray la situe dans l'année 1820 (*Chronologie...*, p. 39) sans préciser, mais la suite de son chapitre tendrait à faire croire qu'elle s'est passée avant le mois d'août 1820 (p. 40). Or, à en croire le *V. H. rac.* (chap. XXXVIII) et comme il paraît probable, Hugo était installé rue du Dragon lorsqu'il connut Latouche : ce qui remet cette rencontre à une date postérieure à la fin de juin 1821, c'est-à-dire après la disparition du *Conservateur littéraire* (mai 1821). Rien ne dit d'ailleurs que ce fût la première. Mais si elle l'était, Hugo

pas de part, mais bien la poésie. Je croirais volontiers que V. Hugo a perdu
à ne pas entrer davantage dans l'intimité de ce Spartiate grincheux et
artiste. Mais leurs opinions les opposaient et leurs revues, s'il est vrai
que *la Muse française* naquit en juillet 1823 des cendres du *Conservateur*
un peu pour faire pièce par son romantisme légitimiste au romantisme
libéral du *Mercure du XIX*e *siècle*, fondé en avril, dont Latouche était
un des principaux collaborateurs. A cette époque, cet indépendant farouche
pouvait passer, l'âge aidant, pour une des têtes de cette littérature romantique qui n'était guère encore que la restauration de genres oubliés, la
réhabilitation de quelques vieux auteurs décriés et une sorte de néo-
gothisme adapté des poètes d'outre-Rhin et d'outre-Manche.

Premières ballades (1823-1824).

C'est précisément en 1823 que Victor Hugo écrit le *Sylphe* (1) qui
parut l'année suivante dans l'édition des *Nouvelles Odes* avec un frontispice de Devéria inspiré de cette première ballade. Elle était encore
composée en strophes de cinq alexandrins et la comparaison avec les
ballades de 1828 montre tout le chemin qui sera parcouru. Si l'épigraphe
empruntée à la fable de l'amour, imitée par La Fontaine d'Anacréon,
montrait une intelligente interférence du motif classique avec la légende
du lutin, c'est celle-ci, telle que l'*Ariel exilé* ou *Trilby* l'avaient jusqu'à
lui transmise, qui est la source directe de ce premier essai. Il me plaît
que la filiation soit aussi directe et évidente : le caractère d'exercice
apparaît mieux. Elle n'empêchait pas d'ailleurs Hugo d'y rencontrer, avec
le souvenir d'une expérience personnelle (2), le motif poétiquement trans-
posé du voyeur qui eut toujours sa prédilection :

> Toi qu'en ces murs, pareille aux rêveuses sylphides,
> Ce vitrage éclairé montre à mes yeux avides,
> Jeune fille, ouvre-moi! Voici la nuit, j'ai peur!
> La nuit, qui, peuplant l'air de figures livides,
> Donne aux âmes des morts des robes de vapeur!

Il y ajoutait, on le voit, un sentiment d'effroi nocturne, tout personnel,
que ne partageait pas apparemment le lutin d'origine, habitué au contraire à errer dans les ténèbres comme en son élément. Il avait aussi
des trouvailles d'une fantaisie un peu précieuse dans le goût de 1824,
aurait dit Sainte-Beuve, mais charmante, telle celle-ci qui semble bien
devoir être mise à son compte :

> Ils ont dans un baiser pris le bout de mon aile,
> Et la nuit est venue avant ma liberté (3).

Mais bien des traits lui venaient de la version de Latouche. Le

---

connaissait déjà Vigny qui collaborait au *Conservateur littéraire*. Et si elle n'était
pas la première rencontre, il reste à savoir quand et comment Latouche et Hugo
se sont connus pour la première fois avant ces repas de Lucullus, ce que M. Bray
ne nous dit pas. La vérité est que toute la chronologie de Victor Hugo demeure
encore brouillée et que, malgré l'ordre que l'estimable ouvrage de M. Bray tente
d'y apporter indirectement, le travail reste à faire.
  (1) *B.*, II.
  (2) Cf. ici, p. 41, Victor Hugo à la fenêtre du bal de la rue du Cherche-Midi.
  (3) *Ils :* les amants.

souvenir de la rose, par exemple, converti de distraction en poétique
refuge :

> Hélas! il est trop tard pour rentrer dans ma rose!

Celui des « mousses odorantes » :

> Il me faudra chercher quelque vieux nid de mousses...

Et peut-être un souvenir de la mission du lutin, qui était de consoler
les amants malheureux, dans ces vers où il s'impatiente de voir son
« haleine en vain *ternir* la vitre humide » :

> O vierge! crois-tu donc que dans la nuit perfide
> La voix du sylphe errant cache un amant trompeur?

Mais les « lézards troublés » appartiennent à Victor Hugo, sauf
dans la mesure où Nodier, comme on verra, a peut-être attiré l'attention du poète sur un petit monde qui le passionnait. Et l'esprit fort
triomphe d'une naïveté empruntée ou honteuse dans le trait narquois
de la fin :

> Bientôt parut la dame à son balcon gothique :
> On ne sait si ce fut au sylphe qu'elle ouvrit...

La Grand'mère (1), datée de la même année, manière de berceuse
lugubre, mêle une pointe macabre au « chant de pauvre troubadour »
que deux enfants attendent de la moribonde. Ce n'était proprement
qu'un léger parfum de mort, assez édulcoré, comme si l'auteur, qui ne
redoutait point de se livrer ailleurs aux imaginations les plus noires, ne
le concevait que dans la forme libre du roman et séparait encore en son
esprit assez les genres pour hésiter à les mêler en des « romances » qui
avaient la faveur des grands et cherchaient celle du public.
Toute trace de frénétique disparaît en tout cas avec *Une Fée*, écrite
l'année suivante et intitulée *Ballade* dans le recueil de 1824 (2) :

> Que ce soit Urgèle ou Morgane,
> J'aime, *en un rêve sans effroi,*
> Qu'une fée au corps diaphane,
> Ainsi qu'une fleur qui se fane,
> Vienne pencher son front sur moi (3).

Réplique, dirait-on, à la *Sylve* (4), où cette fée, muse des trouvères,
qui lui parlait déjà dans son enfance (5), lui redit comme à Latouche
les contes des « bons paladins », vient « se tapir » près de l'âtre, comme
aux *veillées* de Nodier, ou, au matin, sait réveiller « un cor lointain au
fond des bois », le même cor en vérité, peut-être issu de Walter Scott,
peut-être de Marchangy, que son ami Alfred de Vigny fera retentir à
son tour l'année suivante, à Pau, dans des vers célèbres qui porteront

---

(1) *B.*, III.
(2) Dans le recueil, ode XIX.
(3) *B.*, I.
(4) Cf. p. 88, n. 1.
(5) *O.*, V, 9.

précisément le sous-titre *Ballade* (1). On y note pourtant l'emploi de l'octosyllabe déjà pimpant et négligent — « Que ce soit Urgèle ou Morgane... » — qui remplace avec avantage les alexandrins antérieurs, pesants comme des armures, et l'apparition dans un coin de strophe d'un motif qui porte bien la marque du poète, sans qu'il puisse d'ailleurs être pris pour autant que de la fantaisie :

> L'étoile qui s'éteint et brille,
> Comme un œil prêt à s'assoupir...

Faut-il y voir un rappel des lignes de Thomas Moore citées en épigraphe : « Elle apparaît... comme ces figures dont le poète voit les yeux étinceler à travers le feuillage sombre, quand, dans sa promenade du soir, il rêve de l'amour et du ciel? » Ces vers et la citation, en tout cas, continuent de filer, avec le sylphe, le motif du voyeur, en attendant qu'il soit incarné par Habibrah (2) et les chimères d'Albert Dürer.

C'est peut-être le même Thomas Moore qui lui inspire en juillet de la même année d'écrire la ballade de *la Fée et la Péri* (3). Rendant compte de *Laola Rolkh*, Hugo n'écrivait-il pas cinq ans avant : « Des cinq histoires que raconte Feramorz, si celle de *la Péri* est ingénieuse... (4). » Autre parenté : l'octosyllabe y alterne avec l'alexandrin dont le poète tire de savants effets de contraste. Les images se mettent au pair du rythme, plus audacieuses et plus variées. Si certains vers restent d'une facilité sans relief comme :

> Des Péris, je suis la plus belle...

la plupart au contraire cherchent à s'échapper de la banalité par un certain raffinement dans le merveilleux. A ces recherches on pourrait appliquer l'appréciation portée par Sainte-Beuve sur *la Neige* de Vigny, « d'un goût rare et, je crois, plus durable, mais qui a aussi sa teinte particulière de 1824, c'est-à-dire le précieux (5) ». Telle est évoquée, avec une fluidité assez brillante due à l'accumulation étudiée des liquides, la *Fée* bien différente déjà de la pâle image abstraite et conventionnelle, figure de fresque, de la ballade précédente :

> Mon aile bleue est diaphane :
> L'essaim des sylphes enchantés
> Croit voir sur mon dos, quand je plane,
> Frémir deux rayons argentés.
> Ma main luit, rose et transparente ;
> Mon souffle est la brise odorante

---

(1) Écrit en 1825, *le Cor* devait paraître l'année suivante dans les *Annales romantiques*. De *la Plaisance*, où elle était réfugiée, Amy Robsart dans *Kenilworth* (chap. XXXIII) entendait aussi le cor de la chasse royale qu'elle prenait dans son rêve pour « l'air particulier que sonnait son père à la défaite du cerf, et que les chasseurs appellent une *mort* ». Toujours en rêve, « le vieillard regardait Amy avec un sourire affreux ». Hugo pourrait bien s'être souvenu de ce détail au dernier acte d'*Hernani*.

(2) *Bug-Jargal*, chap. VI (version 1826).

(3) *B.*, XV.

(4) *Conservateur littéraire*, juin 1820.

(5) *Plus durable* que les romances de Millevoye. Cf. notice sur Millevoye, 1er juin 1837, *op. cit.*

> Qui, le soir, erre dans les champs ;
> Ma chevelure est radieuse,
> Et ma bouche mélodieuse
> Mêle un sourire à tous ses chants !
>
> J'ai des grottes de coquillages,
> J'ai des tentes de rameaux verts...

A quoi répondent les attraits de la *Péri*, d'une préciosité non moins recherchée, mais peut-être plus pittoresque, sinon moins conventionnelle. Certes, la ceinture du *Cathay*, *Golconde*, *Cachemire*, les éléphants de *Delhy* et les *bayadères* de l'oasis fleurent un exotisme classique, dans le goût de La Fontaine, des récits des pères jésuites ou de ces tapisseries-peintures du XVIII⁰ siècle. Pourtant assez jolie, cette pudique évocation des danseuses, où perce une des premières invitations au voyage, à l'aventure :

> Viens ; nous verrons danser les jeunes bayadères,
> Le soir lorsque les dromadaires
> Près du puits du désert s'arrêtent fatigués.

Mais un effort apparaît pour rendre visibles et caractéristiques, telles au moins qu'il les imagine, les villes d'un Orient de fantaisie et sans doute ne remarquons-nous ces vers que parce qu'ils pouvaient s'inscrire sous l'un de ces dessins où Victor Hugo à la vérité un peu plus tard a débauché les curiosités de son imagination dans un enchevêtrement minutieux de minarets et de coupoles :

> Médine aux mille tours, d'aiguilles hérissées,
> Avec ses flèches d'or, ses kiosques brillants,...
> Élève une forêt de dards étincelants.

Parfois déjà, l'évocation, plus verbale que visuelle, se charge assez de mots pour imposer à notre vision un décor comme celui-ci dont je me demande s'il n'est pas sorti de quelque tasse à thé :

> Là, sous de verts figuiers, sous d'épais sycomores,
> Luit le dôme d'étain du minaret des Maures ;
> La pagode de nacre au toit rose et changeant ;
> La tour de porcelaine aux clochettes dorées ;
> Et, dans les jonques azurées,
> Le palanquin de pourpre aux longs rideaux d'argent.

Ce dernier vers, presque trop bien frappé, trop opulent et somptueux, ne dirait-on pas déjà un vers parnassien ? C'est la pierre de touche et la marque d'une préciosité descriptive que nous n'avions pas encore rencontrée. Aussi bien cette ballade est la première des *Orientales*. Et l'occasion est trop belle pour qu'on manque d'observer au passage qu'il n'y a pas de solution des unes aux autres : aucune différence dans le mode de création poétique ; seul le registre change. Convention, préciosité, virtuosité réunissent les deux séries parallèles, dont le merveilleux gagnera seulement en pittoresque, le vocabulaire en jonglerie et le rythme en habileté. Le sens dont il a chargé cette classique idylle où Ménalque et Damoetas, vantant qui sa flûte, qui son pipeau, sont simplement remplacés par la Fée et la Péri, éclate dans la place qu'il a choisie pour cette pièce en son recueil : la dernière, à la veille de publier

les Orientales et comme pour les appeler, de la même façon que *Novembre*
clôturera ce nouveau recueil pour annoncer *les Feuilles d'automne*.

> Et l'enfant hésitait, et, déjà moins rebelle,
> Écoutait des esprits l'appel fallacieux ;
> La terre qu'il fuyait semblait pourtant si belle !
> Soudain il disparut à leur vue infidèle...
> Il avait entrevu les cieux! (1).

Dénouement postiche, propre à ménager les susceptibilités et les nombreux amateurs de Lamartine. Qu'il en est loin pourtant et comme il
est resté longtemps avec ces démons ! Est-ce tant la religion qu'il regrette,
ou la nature qu'il avait aperçue « si belle » ? Jamais le mot de tentation,
aimé de Giraudoux et tourné par la suite en abus, ne s'est aussi bien
appliqué qu'à ce texte, où Hugo semble avouer qu'il cède à des modes
dont la séduction ne lui cache pas la vanité. Premier symptôme peut-
être d'une gratuité inhérente à sa conception de la poésie et qui ne fera
que s'affirmer davantage, malgré des éclipses, avec le temps, et continûment au moins jusqu'en 1830. D'ores et déjà, ces deux inspirations
méritent le nom qu'il leur donnera : « des caprices (2) ». Nous y reviendrons.

Pour le moment la Fée avait donc gagné sa cause et l'heure de la revanche
n'avait pas encore sonné pour la Péri : ou plutôt le dialogue amorcé devait
se poursuivre en sourdine et s'affirmer seulement dans les années 1828-
1829. La première des *Orientales*, *la Ville prise*, date du séjour à Blois
(avril 1825) : fait significatif, sous le titre *Hymne oriental*, elle se glisse
dans l'édition des *Odes et Ballades* de 1826, comme si elle ne différait
des autres pièces que par le sujet, non par la technique, ballade orientale
comme « bretonne » cette ballade dont Hugo avait noté le plan (3). Et voici
qu'à la veille de quitter Paris pour Blois, après avoir encore donné
des gages à un fantastique quasi frénétique avec *le Géant :*

> Et souvent, dans les cieux épiant leurs passages,
> J'ai pris des aigles dans mes mains ! (4).

Victor Hugo, hommage ou remords, dédie une ballade *A Trilby*, *le
lutin d'Argaïl* (5), double tribut payé à l'amitié et aux modèles de ses
essais. Millevoye lui-même n'y est pas oublié dont l'appel de la fée au
chevalier :

> Sur un rayon de la lune naissante,
> On nous verrait descendre tous les deux (6).

semble recevoir un écho dans la question du poète au lutin :

---

(1) Aucune variante intéressante, susceptible de nous indiquer en quel sens travaille Hugo à cette époque. Celle-ci seulement du premier vers de la 4ᵉ strophe,
div. II :

Mon front est un miroir de joie

bien supérieur à

Mon front porte un turban de soie.

Hugo n'a pas osé conserver le vers symbolique et suggestif, il lui a préféré le vers
descriptif.
(2) Cf. Préf. des *Odes et Ballades*, 1826, et des *Orientales*, 1829.
(3) Voir *O. B.* Reliquat, p. 504. De 1826, *les Têtes du Sérail*.
(4) *B.*, V, mars 1825.
(5) *B.*, IV, 8-10 avril 1825.
(6) *Charlemagne* ch. I, *Chanson de Morgane*.

> Sur ce rayon du couchant
> Es-tu venu ?...

Latouche sous-entendu, Nodier y est nommé. Et c'est moins comme poésie que cette ballade mieux connue que d'autres, peut-être injustement, est intéressante, que parce qu'elle consacre officiellement les rapports qui s'étaient établis entre les deux hommes et dont il est temps de parler autrement que par allusions.

Dans l'amitié de Nodier.

L'histoire de cette amitié est un des lieux communs de la littérature hugolienne (1). En bref, Hugo et Nodier avaient, on se rappelle, noué connaissance en 1823 par l'article de ce dernier sur *Han d'Islande* (2). Nodier avait alors trente-trois ans, Hugo n'en avait que vingt et un. Hugo pesait les *Odes* et *Han*. Nodier représentait une œuvre abondante, diverse et notoire. « Il y avait dix hommes en lui : un entomologiste, un botaniste, un grammairien, un poète, un romancier, un historien, un bibliophile... (3) ». Cette rapide comparaison fixe la nuance de leurs rapports. Nodier offrait, Hugo recevait ; il était aussi reçu, et assidu, à l'Arsenal, où, depuis le mois d'avril 1824, se réunissaient des écrivains à tendance romantique, quand lui-même ne l'était pas encore. Le 8 mars 1824, nouvel article de Nodier, cette fois sur les *Nouvelles Odes*. Enfin, après la disparition de *la Muse française* et Soumet une fois passé à l'Académie, Nodier recueille les restes flottants de l'équipe, l'élargit de ses relations et assure la régence, dit Séché de façon si imagée, « nonchalamment et d'un air lassé, comme il faisait toutes choses, et la garda de même jusqu'à ce que Victor Hugo eût atteint sa grande majorité (4) ». Là-même étaient les germes de discorde. En 1827, quand Hugo publia son manifeste, Nodier put s'étonner d'y retrouver quelques-unes de ses idées — elles l'étaient de beaucoup d'autres — sa modération même, sans son nom (5). Relâchés depuis lors jusqu'en 1829, les rapports se tendirent au mois de novembre, quand Nodier rendit compte des *Orientales*, et un an après, éprouva le besoin de reprendre en quelque sorte possession de ses idées dans l'article *du Fantastique en Littérature*, où *fantastique* remplaçait *grotesque* : les rapports se rétablirent en 1831, à propos des *Feuilles d'automne*, pour se stabiliser dans une cordialité voisine de l'indifférence (6). Mais de 1824 à 1827, l'intimité avait été grande, l'influence de l'aîné inévitable.

---

(1) Cf. Séché, *le Cénacle de la Muse française*, p. 224 sq. ; — Berret, *Victor Hugo*, p. 34 sq. et notamment E. M. Schenk, p. 58 sq.
(2) *La Quotidienne*, 12 mars 1823.
(3) Séché, *op. cit.*, p. 231.
(4) *Ibid.*, p. 227.
(5) A vrai dire, il y figurait bien (p. 33), mais non au-dessous des idées essentielles dont on retrouve la trace dans l'article cité ci-dessous et dans la préface aux *Œuvres de Lord Byron*, cf. ici, p. 74.
(6) Aux diverses pièces de ce dossier, il faut ajouter un *Billet à Charles Nodier* (*D. G.*, I) écrit par Victor Hugo au moment d'*Hernani* pour remercier Nodier de l'envoi du *Roi de Bohème et ses sept châteaux* : il oppose à l'héritage « d'Yorick » ses propres châteaux « en Espagne ». Une note manuscrite attribue ces vers à 1829 (*octobre*). Le ton n'en était ni chaud ni froid, juste conventionnel mais familier.
L'article de *la Quotidienne* sur *les Orientales* est du 1er novembre. La lettre de Hugo est du lendemain : « J'avais perdu depuis longtemps l'habitude de rencontrer votre appui pour mes ouvrages. Je ne m'en plaignais pas... Peu à peu, du silence et de l'indifférence pour moi, je vous ai vu passer à l'éloge et à l'enthousiasme pour mes

Avant tout, c'est à lui principalement que Victor Hugo doit, semble-t-il, les premiers éléments de ce qu'il appellera plus tard en bloc « le chimérisme gothique (1) », c'est-à-dire à la fois l'esprit et les détails de l'architecture, les êtres intermédiaires « tenant de l'ange, de l'homme et de la bête », et les histoires ou les légendes qui réunissent ceux-ci et celle-là. Il est sans doute d'une mauvaise méthode d'expliquer ce qui a été par ce qui n'est pas encore. Je me permettrai néanmoins de citer un passage du *Promontorium Somnii* où Hugo, en quelques touches impressionnistes, a merveilleusement esquissé l'atmosphère qu'il entend par là :

Les apparences crépusculaires abondent... On voit, sur les premiers plans, des abbayes, des châteaux, des villes aiguës, des collines contrefaites, des rochers avec anachorètes, des rivières en serpents, des prairies, d'énormes roses. La mandragore semble un œil éveillé. Des paons font la roue regardés par des femmes nues qui sont peut-être des âmes. Le cerf qui a le crucifix entre les cornes boit dans un lac, à l'écart. L'ange du jugement est debout sur une cime avec sa trompette. Des vieilles filent devant les portes. L'oiseau bleu perche dans les arbres. Le paysage est difforme et charmant. On entend les fleurs chanter.

Entrent en scène les psylles, les nages, les alungles, les démonocéphales, les dives, les solipèdes, les aspioles... (2).

ennemis... c'était une transition naturelle... à une guerre contre moi. » (*Corresp.*, I, p. 83.) Mais il ne semble pas y avoir eu de rupture et certains reproches gardaient une chaleur assez éloignée du ton froidement cérémonieux qu'on affecte dans ces cas (rien du *Je te dis* : « *N'entrez plus, monsieur, dans ma maison* » employé à l'égard de Sainte-Beuve, même posthume, *Oc.*, LVII) : « Ah! Charles! dans un instant pareil, j'avais droit du moins de compter sur votre silence... Ce n'est pas que je réclame contre votre critique. Elle est juste, serrée et vraie. Il y a singulièrement loin des *Orientales* à Lord Byron ; mais, Charles, n'y avait-il pas assez d'ennemis pour le dire en ce moment? » Dans sa longue réponse de justification que me fait remarquer M. Sergent (*in Annales littéraires et administratives des Bibliophiles contemporains*, 1892, Jules Le Petit, *Autour de Victor Hugo*, p. 29-31), Nodier répliquait sur le même ton « Mon cher Victor... », déniait au « malheureux paragraphe » d'un « chiffon de préface » la qualité d'un article de critique et remettait les choses au point. D'une part, il n'avait visé que de trop malheureux rivaux : « Je dis que nos Orientalistes n'ont rien produit qui pût éclipser la gloire de Byron. » D'autre part, il protestait finement d'une vieille amitié qui le laissait, lui Nodier, encore débiteur : « Toute ma vie littéraire est en vous. Si jamais on se souvient de moi, c'est parce que vous l'aurez voulu, parce que j'ai été, non pas même l'obscur précurseur *indigne de dénouer les cordons de vos souliers*, mais un vieil ami qui a chéri votre jeune gloire, et qui a fêté votre berceau... »

En fait, la correspondance continue espacée, en termes courtois mais brefs pour annoncer la naissance d'Adèle (I, p. 99, 28 juillet 1830), envoyer un billet (I, 100, 4 août) ou remercier Mme Ménessier-Nodier de la promesse d'un article de son père sur *Marion* (I, 117, 5 septembre 1831). Charles Nodier envoie un bon article sur *les Feuilles d'automne*, le 11 décembre 1831 ; Victor Hugo se réjouit sincèrement de l'élection de Nodier à l'Académie le 26 octobre 1834 (I, 156) :« C'est une gloire qui entre à l'Académie, chose rare » ; Nodier, si l'on en croit M. Guimbaud qui suit aveuglément Juliette Drouet (*En cabriolet vers l'Académie*, p. 41), n'accueillit pas aussi bien la candidature de Victor Hugo en 1835. Il est cependant tout à fait injuste de le traiter de « faux bonhomme » parce que l'ancien intime du ménage goûtait peu — la moralité a sa part à l'Académie! — la présence de Juliette dans la tournée académique et quelques-unes des dernières poésies de Victor Hugo : « les Chants du Crépuscule, ce sont les chants de l'adultère. » Mais, ni d'un côté ni de l'autre, on ne semble avoir retrouvé le naturel des premiers rapports. C'est plus tard seulement, quand les souvenirs l'emportent sur les mouvements d'humeur, que Victor Hugo se rappelle avec émotion ce qu'ils avaient été tous deux l'un pour l'autre.

(1) *W. S.*, Reliquat, *Prom. Somn.*, p. 317.
(2) *Ibid.* Évidemment, ces « femmes nues qui sont peut-êtres des âmes », « l'ange du jugement » dénotent dans ce tableau une époque plus récente, une manière imprégnée de sens métaphysique sans comparaison possible avec celle des *Ballades*. Mais cette mandragore, ces fleurs qui chantent, c'est la quête même du héros de *la Fée aux Miettes*.

Je fais grâce de la série, où Hugo semble s'être complu à collectionner le plus de termes possible. Sans doute le paysage s'est-il approfondi, la métaphysique, l'imagination du poète en exil l'ont enrichi. Mais à la source, on retrouve des éléments qu'il a connus par Nodier, l'homme ou son œuvre. Quand je dis Nodier, il s'agit aussi de cette mode commune déjà à Millevoye et Latouche, mais dont il reste, pour l'époque, le représentant le plus achevé, il s'agit de tout ce qu'il a assimilé d'outre-Rhin, d'outre-Manche et de France, et ajouté de lui-même, de façon à en contaminer un jeune poète réceptif qui se cherchait encore. Avant de le connaître, Hugo végète dans le genre frénétique, auquel Nodier de son côté a largement sacrifié dans la partie de son œuvre antérieure à 1822. Après 1823, Hugo s'initie aux fées, aux sylphides. Sa fantaisie disponible se prête au fantastique, comme elle avait fait au frénétique, et semble suivre l'évolution que son guide subit au même moment du terrible au gracieux. Cette ballade dédiée *A Trilby* n'en témoigne-t-elle pas? Le Sylphe de 1823 (1), la Fée de 1824 (2), accourent au-devant du Lutin de Nodier — « C'est toi, lutin! Qui t'amène? » — bien moins pour le prévenir d'une défaveur qui ne paraît pas le menacer que pour, dirait-on, lui rendre sous ce prétexte l'hommage de l'auteur. Ils sont pêle-mêle au milieu d'une tribu d'autres « êtres intermédiaires » dont les possessifs répétés revendiquent bien trop haut leur autonomie pour la mériter : *mon follet, ma sylphide, mes ondines, mes gnomes, mes fantômes, mes esprits, mes spectres, mes nains si frêles...*

Voyons les choses d'un peu plus près. Ces aspioles, ces spectres, ces vampires, à la lisière du frénétique et du fantastique, il les a trouvés dans *Jean Sbogar* (1818) et dans *Smarra* (1821); ces follets, ces sylphes, ces lutins d'un *fantastique* plus *riant*, pour reprendre les mots de Victor Hugo, lui viennent de *Smarra* ou de *Trilby* (1822). Il les a reçus, sans les renouveler ni leur donner cette silhouette définie, riche, grimaçante ou truculente, qu'il imaginera plus tard dans ses dessins et ses vers (3). La

(1)   Ils ont de mon Sylphe en larmes
                        Arraché les ailes d'or!
(2)   Leurs mains ont cloué ma Fée
                        Près de ma Chauve-Souris!
Ce rapprochement même semble bien indiquer que dans la pensée de Victor Hugo il y a eu changement d'inspiration, nouvel essai, de l'une à l'autre pièce : ils ont confondu dans leur réprobation, peut-être surfaite d'ailleurs par le poète, le fantastique avec le frénétique.
(3) Mais qui dérivent de cette lointaine origine. Type : *le Roi des Auxcriniers*, texte et dessin voir *T. M.*, p. 555. De même, les listes synonymiques qu'on retrouve souvent dans les brouillons de Victor Hugo, témoin celle-ci (*Oc.*, 528) : *Danses de la nuit.*
« Spectres. — Djinns. — Stryges. — Lamies. — Guivres. — Hydres. — Vampires. — Larves. — Brucolaques. — Drées. — Gargouilles. — Masques. — Gnomes. — Satyres. — Faunes.
« Cyclopes. — Femmes-cygnes. — Nixes. — Wilis. — Walkyries. — Fées. — Elfes. — Sylphes. — Ondins. — Nymphes. — Lémures. — Napées. — Oegipans.
« Myosotis. — Nénuphars. — Glaïeuls. — Sagittaires. — Joncs. — Mandragores. — Gobloblins. — Poulpiquets. — Corrigans. — Bisclavarets. »
Victor Hugo semble y avoir usé d'un principe de classement mystérieux : on dirait que la première série tourne autour du frénétique, la seconde du « fantastique riant », la troisième des végétaux et des fleurs fantastiques. Mais qu'y viennent faire les *Corrigans*, et dans la seconde les *Walkyries* avec les *Cyclopes*, dans la première les *Faunes* d'ordinaire moqueurs, même dans l'œuvre de Hugo? Est-ce l'air, l'eau et la terre? cela semble plus juste. On remarque en tout cas l'évolution du visionnaire : cette liste, non datée, et classée entre 1840 et 1860 d'après l'écriture, appartient bien en tout cas à la période de l'exil, où il faisait la synthèse du folklore des

démonstration de Mrs. Eunice Morgan Schenck n'est pas à refaire :
il suffit d'en reprendre quelques citations exemplaires. Côté fantastique
frénétique :

> ... *Aspioles*, qui ont le corps si frêle, si élancé, surmonté d'une tête difforme,
> mais riante, et qui se balancent sur les ossements de leurs jambes grêles,
> semblables à un chaume stérile agité par le vent ; des *Achrones*, qui n'ont
> point de membres, point de voix, point de figures, point d'âge et qui bon-
> dissent sur la terre gémissante comme des outres gonflées d'air ; des *Psylles*
> qui sucent un venin cruel..., *etc.* (1).

Côté « fantastique riant », l'admirable page sur les *Esprits follets*, que
je n'hésite pas à citer après bien d'autres, parce qu'elle dut, j'imagine,
séduire et réveiller tout ce côté de V. Hugo, encore assoupi, qui m'occupe.

> Ce ne sont point des démons ennemis. Ils dansent, ils se réjouissent, ils
> ont l'abandon et les éclats de la folie. S'ils s'exercent quelquefois à troubler
> le repos des hommes, ce n'est jamais que pour satisfaire, comme un enfant
> étourdi, à de riants caprices. Ils se roulent, malicieux, dans le lin confus qui
> tourne autour du fuseau d'une vieille bergère, croisent, embrouillent les
> fils égarés et multiplient les nœuds contrariants sous les efforts de son adresse
> inutile. Quand un voyageur qui a perdu sa route cherche d'un œil avide
> à travers tout l'horizon de la nuit quelque point lumineux qui lui promette
> un asile, longtemps ils le font errer de sentier en sentier, à la lueur d'un feu
> infidèle, au bruit d'une voix trompeuse ou de l'aboiement éloigné d'un chien
> vigilant qui rôde comme une sentinelle autour de la ferme solitaire ; ils
> abusent ainsi de l'espérance du pauvre voyageur, jusqu'à l'instant où, touchés
> de pitié pour sa fatigue, ils lui présentent tout à coup un gîte inattendu que
> personne n'avait jamais remarqué dans ce désert ; quelquefois même il est
> étonné de trouver à son arrivée un foyer pétillant dont le seul aspect inspire
> la gaieté, des mets rares et délicats que le hasard a procurés à la chaumière
> du pêcheur ou du braconnier et une jeune fille, belle comme les Grâces, qui
> le sert en craignant de lever les yeux car il lui a paru que cet étranger était
> dangereux à regarder. Le lendemain, surpris qu'un si court repos lui ait
> rendu toutes ses forces, il se lève heureux au chant de l'alouette qui salue
> le ciel pur ; il apprend que son erreur favorable a raccourci son chemin de
> vingt stades et demi... (2).

Que Victor Hugo connût *Smarra*, et ce passage en particulier, nous
en avons plus d'une preuve. La moins surprenante, et qu'on ne croit
pas avoir vu citée, n'est pas ce *Chant des Songes*, daté 17 mars 1854 (3), qui
évoque avec une verve infiniment plus gouailleuse (4) les malices du

---

littératures du Nord (anglaise et allemande) et des mythologies de l'antiquité méri-
dionale. Les *Faunes* et leurs congénères étaient pour le jeune poète de 1825 chose
morte, comme le montre la dernière strophe d'*A Trilby*, qui contraste nettement
avec l'élargissement de sa fantaisie après 1850 :

> Ou, pour danser avec Faune,
> Contraignant tes pas tremblants,
> Leurs satyres au pied jaune,
> Leurs vieux sylvains pétulants
> Joindraient tes mains enchaînées
> Aux vieilles mains décharnées
> De leurs naïades fanées,
> Mortes depuis deux mille ans !

(1) *Smarra*, 2e éd., p. 95, cité par E. M. Schenck.
(2) *Smarra*, 2e éd., p. 58 sq. Cf. E. M. SCHENCK, p. 66-68.
(3) *T. L.*, VII, XXIII, 17.
(4) Par exemple :

> Le sergent fait le pied de grue.
> Qui va là ? — Vieux, fais ton devoir.
> Autour de sa tête bourrue
> Nous tourbillonnons dans la rue.

lutin revues par le Hugo des années 1850, et dont voici le refrain, espèce *d'à la manière de soi-même* trente ans après :

> Hurrah! hurrah!
> Toutes les portes sont ouvertes.
> Hurrah! hurrah!
> Pour nous qui sortons des eaux vertes
> Et qui venons du hallier noir.

Que s'est-il passé ce jour-là? A-t-il relu *Smarra*, songé seulement à Nodier, ou est-il tombé en feuilletant d'un air interrogateur où le mépris le disputait à la satisfaction sur la brochure fanée, comme ce jour de l'année précédente où il rédigeait une nouvelle préface pour la réédition des *Odes et Ballades?* Qu'on aimerait savoir, oui, ce qui s'est passé dans l'esprit du poète! Au moins le trait nous montre-t-il au passage que le fil n'est pas rompu et que des folies de jeunesse, des souvenirs, des lectures se retrouveront par la suite accommodés à la fantaisie du moment.

Nous avons une preuve plus précise, comme ne manque pas de le signaler Mrs. E. M. Schenck, la strophe de la ballade *A un Passant*, composée après le retour du voyage aux Alpes en compagnie de Nodier précisément, le 22 octobre 1825 :

> Ne crains-tu pas surtout qu'un follet, à cette heure,
> N'allonge sous tes pas le chemin qui te leurre,
> Et ne te fasse, hélas! ainsi qu'aux anciens jours,
> Rêvant quelque logis dont la vitre scintille
> Et le faisan doré par l'âtre qui pétille,
> Marcher vers des clartés qui reculent toujours? (1).

Mais Nodier lui-même s'était souvenu du *Songe d'une nuit d'été* :

LA FÉE

Ou je me trompe fort sur votre forme et vos façons, ou vous êtes cet esprit fripon, malin, qu'on appelle Robin bon-diable : n'êtes-vous pas lui? N'est-ce pas vous qui effrayez les jeunes filles du village, qui écrémez le lait, et quelquefois faites vos tours dans le moulin à bras, n'est-ce pas vous qui tourmentez la ménagère, fatiguée de battre le beurre en vain, et qui empêchez le levain de la boisson de fermenter? N'est-ce pas vous qui effrayez les voyageurs dans la nuit, et riez de leur peine?... (2).

Or, Hugo connaissait très bien cette comédie, sa source d'épigraphes préférée, dès avant que Nodier lui eût fait les honneurs de Shakespeare, et tout particulièrement cette scène d'où il avait extrait l'épigraphe du *Nuage* (3). Coïncidence plus troublante encore : l'ode suivante, *le Cauchemar*, réunissait en épigraphe le *Songe* et *Smarra* (4). Ch. Nodier connais-

---

(1) *B.*, X.
(2) Acte II, sc. 1, trad. Letourneur, revue et corrigée par F. GUIZOT et A. P. (Amédée PICHOT), *Œuvres complètes*, t. IV, p. 178. Cf. ici, p. 76-78.
(3) A la page précédente, p. 177, de la même édition, dont il reproduit, comme les autres fois, fidèlement le texte :
> J'erre au hasard, en tous lieux,
> D'un mouvement plus doux que la sphère de la lune.
Odes et Poésies diverses, Paris, 1822, p. 185, Ode XXII.
(4) *Ibid.*, p. 189, Ode XXIII :
« Oh! J'ai fait un songe!... Il est au-dessus des facultés de l'homme de dire ce qu'était mon songe... L'œil de l'homme n'a jamais vu, l'oreille de l'homme n'a

sait d'ailleurs fort bien Amédée Pichot, « traducteur de Lord Byron »,
comme il en était le « préfacier », et avec lequel il signa même en collaboration un *Essai critique sur le gaz hydrogène* (1823)! Tout tourne ainsi
en cercle. Bien que les présentations se fussent en somme passées de
lui, Nodier reste un messager, un introducteur de Shakespeare, en ce
sens qu'autour de lui régnait une ambiance de souvenirs et d'amis de
Shakespeare et que ses livres en étaient imprégnés comme d'un parfum
que Victor Hugo pouvait y avoir respiré avant même d'avoir connu
Nodier. C'est en ce sens qu'Hugo lui-même pouvait dire à Trilby :

> Celui qui de ta montagne
> T'a rapporté dans nos champs...

rappelant le voyage d'Écosse en 1821 dont Nodier, à vrai dire, n'avait
pas eu besoin pour imaginer à travers les livres ou même dans les légendes
de sa propre Franche-Comté la gentille population de créatures légères
qu'il aimait à évoquer, dit-on, dans les veillées de l'Arsenal, familièrement
adossé à la légendaire cheminée.

Mais il avait eu le mérite aussi de comprendre, sans le mêler au noir,
ce côté gracieux de Shakespeare, suivant la double pente de son propre
tempérament. Dès 1814, il évoquait dans un article de critique les « concerts
nocturnes de Puck, d'Ariel et de tous les lutins de Shakespeare, lorsque,
nouvellement sortis des fleurs et encore humides de rosée, ils forment
des chants que les hommes n'ont jamais entendus (1) ». Et si les créatures
aériennes de Victor Hugo des années 1824-1825, libérées peu à peu de
la contrainte frénétique, se ressentent de cette allégresse moqueuse
retrouvée au plus authentique du poète, si Nodier peut rattacher les
« fantaisies » de Victor Hugo aux « êtres intermédiaires de Shakespeare (2) »,
c'est à travers lui Nodier, et c'est pure modestie de sa part de ne l'avoir
pas souligné, et de la nôtre, pure justice de le reconnaître. Dès 1818, au
milieu des développements frénétiques de *Jean Sbogar*, Nodier laissait
percer le « fantastique riant » dans le personnage d'Antonia qui ne croyait
pas plus qu'aux géants ténébreux (*le Géant* de Victor Hugo) « aux sylphes
plus légers que l'air qui ont leur palais dans le calice d'une petite fleur
et que le zéphyr emporte en passant... *mais elle aimait les illusions* (3) » ;
elle, c'est-à-dire Nodier, Hugo aussi, qui se dira « pauvre poète
croyeur (4) ». Ce sera la morale des leçons de *la Fée aux Miettes* qu'on
dirait adressées à lui : « Tu t'étonnes de tout, reprit gaiement la Fée aux
Miettes, et c'est une mauvaise disposition pour vivre dans ce monde de
l'imagination et du sentiment qui est le seul où les âmes comme la tienne
puissent respirer, car il n'y a que deux choses qui servent au bonheur :

jamais ouï, la main de l'homme ne peut jamais tâter, ni sa langue concevoir, ni ses
sens exprimer en paroles ce qu'était mon rêve. »

(SHAKESPEARE.)

(*in O. C.*, trad. cit., t. IV, p. 241, acte IV, sc. 1.)
Il soulève sa tête énorme et rit.

(Ch. NODIER, *Smarra.*)

(1) *La Littérature slave* in *Journal des Débats*, 4 février, cité par E. M. SCHENCK,
p. 22.
(2) Article de *la Quotidienne*, 23 août 1826, *ibid.*, p. 46.
(3) *Jean Sbogar*, p. 121, cité *ibid.*, p. 51.
(4) *Rh.*, XX, p. 178.

c'est de croire et d'aimer (1). » Mais à Nodier, sans nul doute, revient le mérite d'avoir développé ce goût, au moment où il eût pu rester enfoui sous les contraintes classiques ou les bravades romantiques. Nodier, ni l'un, ni l'autre, romantique par vocation et classique d'éducation et de génération, fut en ce sens un aussi bon maître que le jardin : à la fois par persuasion discrète, nonchalance naturelle et une certaine affinité des caractères, sa direction fut assez souple pour laisser le jeune poète ardent s'épanouir dans son sens, tout en canalisant son développement, pendant les deux ou trois années que ce dernier acceptait de se confier à lui et tout spécialement dans cette année 1825 qu'il a passée avec lui à Paris et en voyage, et qui se ressent nettement de son influence : heureuse coïncidence, et d'ailleurs symptomatique, que celle-ci ait joué dans la familière liberté de soirées au coin du feu ou d'une escapade de compagnie.

Avec Nodier en voyage : Blois-Reims-les Alpes (1825).

Le premier, pourtant, de ces voyages, il ne le fit pas avec Nodier, mais en famille, à Blois, chez son père. Sa femme en effet l'accompagnait et sa fille Léopoldine, née en août 1824, et ainsi nommée en souvenir et en remplacement de son frère, mort précisément à Blois au mois d'octobre de l'année précédente. Ajoutons, pour faire le point biographique, qu'il avait quitté la rue du Cherche-Midi pour s'installer, enfin émancipé, dans un petit appartement rue de Vaugirard, au n° 90 (juin 1824) et qu'à la veille de partir pour Blois, il apprit qu'il était fait chevalier de la Légion d'Honneur (2), le voyage tournait au pèlerinage : le nouveau chevalier allait recevoir l'accolade de l'ancien. Scène attendrissante à la descente de la voiture, un ruban rouge pour un brevet, et le surlendemain réception « avec le cérémonial d'usage », presque hommage de vassal à suzerain : l'affaire prend avec un peu d'imagination un tour héroïque et médiéval prononcé. Si Nodier n'était pas là, en esprit il était présent.

Cette boutade est plus sérieuse qu'elle n'en a l'air au premier abord. On connaît le vivant souvenir qu'il a transcrit de ce voyage, en août 1864, une année à souvenirs, comme on verra, peut-être parce qu'il vient d'achever son *William Shakespeare* et que Shakespeare, c'est, comme on a vu, Nodier, sa jeunesse romantique, la préface de *Cromwell*. Tout cela a peut-être contribué à tenir en suspens dans son esprit cette poussière de souvenirs où Blois avait sa part ; puis l'occasion, un recueil de planches sur *les Rues et les Maisons du vieux Blois* et une lettre à l'auteur, *lettre à M. Quéroy*, « au très remarquable eau-fortiste de Blois », destinée à être publiée dans *la Gazette des Beaux-Arts*, pour le remercier de la « tristesse douce » qu'il lui avait procurée (3).

Le 17 avril 1825, il y a trente-neuf ans aujourd'hui même (laissez-moi noter cette petite coïncidence, intéressante pour moi), j'arrivais à Blois. C'était le matin. Je venais de Paris. J'avais passé la nuit en malle-poste, et que faire en malle-poste ? J'avais fait la Ballade des *Deux Archers*...

Arrêtons-nous un instant. Cette ballade, bien connue, est datée de

---

(1) Éd. Larousse, I, p. 148.
(2) *V. H. rac.*, chap. XL et lettre à J.-B. Soulié, datée de *Blois*, 27 *avril* 1825, *matin :* « Le roi me nomme chevalier de la Légion d'honneur. »
(3) Cf. *Pendant l'Exil*, 1864, Hauteville House, 17 avril, *in A. P.*, II, p. 206 et Historique, p. 540.

juillet 1825. Est-ce la mémoire qui défaille, ou la date qui a été falsifiée?
Les deux sont également possibles, mais le souvenir est tellement poussé
dans le détail qu'on est tenté de le croire : mettons qu'il l'avait écrite
d'un premier jet et qu'il l'a reprise et achevée trois mois après (1). On
aimerait qu'il l'eût écrite *grosso modo* pendant cette nuit en voiture de
poste, réagissant par l'imagination aux impressions du moment,

> C'était l'instant funèbre où la nuit est si noire... (2).

et inaugurant ainsi un mode de création que nous retrouverons spécialement dans les pièces de fantaisie (3). C'était en tout cas la première ballade
réussie — était-ce l'exaltation du voyage? — la première véritablement,
heureusement fantastique, où un sens nouveau des couleurs et des formes
donne un relief pittoresque à l'anecdote. La présence de Nodier se fait
sentir dans ces vieux manoirs, hantés des hiboux et des chauves-souris,
et cette tour illuminée par le sabbat de Lucifer sous les yeux horrifiés
des deux archers incrédules. Croire, le bonheur « c'est de croire et d'aimer »,
enseignera la Fée aux Miettes. Et c'est la moralité que, suivant la mode
des contes populaires, le poète ajoute à son « histoire », négligemment
et sans trop y croire lui-même :

> Qu'importe! il ne faut pas la juger, mais la croire.
> La croire! Qu'ai-je dit? Ces temps sont loin de nous!

Remarque désabusée où flotte, indécis, le reflet de quelques lignes
de la préface de *Trilby* : « Que signifierait au reste, dans l'état de nos
mœurs et au milieu de l'éblouissante profession de nos lumières, l'histoire
crédule des rêveries d'un peuple enfant? Nous sommes trop perfectionnés
pour jouir de ces mensonges délicieux et nos hameaux sont trop savants
pour qu'il soit possible d'y placer avec vraisemblance aujourd'hui les traditions d'une superstition intéressante (4). » Hugo, il est vrai, songe
surtout à la croyance religieuse, et c'est encore un intérêt de cette ballade
que, s'y dégageant un peu des chemins tracés, il fasse à son propos
un effort personnel pour y composer le médiéval et le fantastique avec
l'ordinaire message religieux, ici presque métaphysique, de ses *Odes*.
C'est alors, continue-t-il de se souvenir, que, s'étant endormi sur ces
vers, il se réveilla devant l'émerveillement de Blois.

Je vis mille fenêtres à la fois, un entassement irrégulier et confus de maisons, des cloches, un château, et sur la colline un couronnement de grands
arbres, et une rangée de façades aiguës à pignons de pierre au bord de l'eau,
toute une belle vieille ville en amphithéâtre, capricieusement répandue sur
les saillies d'un plan incliné... Le soleil se levait sur Blois.

Tous ceux qui ont vu Blois reconnaîtront la qualité de l'observation
et la fidélité du souvenir. Hugo n'eut guère l'occasion d'y repasser souvent : en 1843, en route pour l'Espagne, juste le temps d'apercevoir
« un pont à gauche avec un obélisque Pompadour (5) ». Mais l'image de

---

(1) On a des exemples de ce phénomène. Cf. *Promenade dans un album...*, *passim*.
(2) *B.*, VIII.
(3) Voir n. 1.
(4) Note de M. LEVAILLANT, *l'Œuvre de Victor Hugo*, p. 37.
(5) *V.*, II, p. 279.

ce lever de soleil sur Blois, comme un lever de rideau, a fixé, dans les détails et dans son ensemble à la fois, le spectacle inoubliable d'ailleurs de cette ville *capricieusement répandue sur les saillies d'un plan incliné*, et d'emblée, ce qui lui a plu : *le caprice*. Le mot est à retenir, nous allons le retrouver souvent dans les années qui vont suivre, à propos des *Ballades*, à propos de *Notre-Dame*. Il est juste pour Blois, juste pour Hugo, dont l'œil a toujours été sensible jusqu'au ravissement aux lignes brisées des toits, si variées à Blois ; peut-être l'écart du souvenir à l'impression originale lui a-t-il permis de développer seulement un type d'image que son goût lui aura, comme nous le verrons, donné plus d'une fois l'occasion d'approfondir, mais l'impression première, peut-être moins intégralement enthousiaste, était telle, car nous avons l'heureuse fortune de la posséder. Elle est dans une lettre qu'il écrivit à son ami Alfred de Vigny, le 28 avril 1825 :

> Je suis ici, en attendant mon nouveau départ (1), dans la plus délicieuse ville qu'on puisse voir. Les rues et les maisons sont noires et laides, mais *tout cela est jeté pour le plaisir des yeux sur les deux rives de cette belle Loire;* d'un côté un amphithéâtre de jardins et de ruines, de l'autre une plaine inondée de verdure. A chaque pas un souvenir.

Cette dernière attention vient peut-être du contact avec Nodier et de ses *Voyages pittoresques :* nous allons bientôt y revenir. Il continuait, en donnant la première pochade de la célèbre pièce des *Feuilles d'automne* (2) : « La maison de mon père est en pierres de taille blanches, avec des contrevents verts comme ceux que rêvait Jean-Jacques Rousseau ; elle est entre deux jardins charmants, au pied d'un coteau, entre l'arbre de Gaston et les clochers de Saint-Nicolas. »

C'est encore le caprice qui guide ses excursions, mêlant histoire et fantaisie et élargissant le moyen âge jusqu'à François Ier :

> J'ai visité hier Chambord. Vous ne pouvez vous figurer comme c'est singulièrement beau. Toutes les magies, toutes les poésies, toutes les *folies* même sont représentées dans l'admirable bizarrerie de ce palais de fées et de chevaliers (3).

Est-ce un lointain écho assourdi qui s'entend dans ces vers écrits en 1865 sur quelque route d'Allemagne, au rythme peut-être d'une voiture de poste ?

> Quand de Chambord on approche
> La Sologne a peu d'éclat...

---

(1) *Corresp.*, I, 221. *En attendant mon nouveau départ :* le départ pour Reims, voir ci-dessous.
(2) *F. A.*, II, 4 juin 1830 :
> Cherchez un tertre vert, circulaire, arrondi,
> Que surmonte un grand arbre, un noyer, ce me semble,
> Regardez à vos pieds.
>   Louis, cette maison
> Qu'on voit, bâtie en pierre et d'ardoises couverte,
> Blanche et carrée, au bas de la colline verte,
> Et qui, fermée à peine aux regards étrangers,
> S'épanouit charmante entre ses deux vergers,
> C'est là. — Regardez bien. C'est le toit de mon père.

(3) *Corresp.*, I, 49, à Adolphe de Saint-Valry, Blois, 7 mai 1825.

Pourtant plus loin, on peut voir
Plus de bois et moins de plaines,
D'anciens donjons, et le soir
De clairs étangs sous les chênes.

J'habite à Romorantin
Un bon vieux grenier fidèle
Où mon âme, le matin,
Voisine avec l'hirondelle.

Si l'on veut savoir mes goûts,
J'aime Homère, Glück, Shakspeare,
Le chant celte Ananigous
Et voir des inconnus rire.

J'aime les cœurs sans souci,
Les fleurs, la vieille fayence,
Les prés, l'aube, et j'aime aussi
Les grenadiers de Mayence.

D'abord mon père en était... (1).

Les souvenirs fidèles de l'année 1825, Chambord, son père, Shakespeare sont brouillés à plaisir par la fantaisie de Romorantin et des grenadiers de Mayence. La Sologne reste liée en son esprit à ses goûts et à ses préoccupations littéraires de cette époque. Déjà six ans plus tôt, au lendemain de l'amnistie du 18 août 1859, par quel obscur mouvement de l'âme avait-il projeté cette *Fuite en Sologne* (2), nouvelle « Fuite en Égypte » et au désert, dont toute la seconde division est une litanie des créatures de l'ami Nodier :

L'elfe dans les nymphées
Fait tourner ses fuseaux ;
Ici l'on a des fées
Comme ailleurs des oiseaux.
. . . .
Les follets sont des drôles
Pétris d'ombre et d'azur,
Qui font au creux des saules
Un flamboiement obscur.
. . . .
Le soir un lutin cogne
Aux plafonds des manoirs ;
Les étangs de Sologne
Sont de pâles miroirs.

« Toute cette grande herbe — Où rit Titania » résume bien l'impression que Victor Hugo a gardée de la Sologne dont l'aspect, bien plus sauvage alors et poétique encore qu'il n'avait pu paraître à l'auteur du *Grand Meaulnes*, semble avoir concouru avec l'excitation contemporaine de son imagination pour en faire à ses yeux un lieu d'élection du mystère. De Blois en effet, Victor Hugo gagnait parfois le vieux domaine abandonné de la Miltière où il pourra puiser rétrospectivement une première image du cadre de ses « Fêtes galantes », quand sa fantaisie aura tourné du moyen

---

(1) *C. R. B.*, Reliquat, 347, *in Album* 1865. *Le Chant celte Ananigous :* la vieille chanson bretonne *Ann hini gouz*, cf. le goût des écrivains romantiques, et de Victor Hugo autant qu'un autre pour les vieilles romances populaires, IIe partie, IIe section, chap. II.

(2) *C. R. B.*, I, VI, 2, 19 août 1859.

âge au xviiie siècle. « Un corps de logis, d'un seul étage, n'avait de curieux qu'un balcon de pierre, seul reste d'un vieux château (1), d'où l'on avait sous les pieds un étang poissonneux entouré d'ifs et de chênes. Au delà, ce n'étaient plus que sables, marais, bruyères plantées çà et là de chênes et de peupliers (2). » Sur le plan strictement matériel en effet, Hugo y voit un désert méphitique, comme il ressort de ses recommandations affectueuses adressées à son père vers la même époque : « la chaleur excessive, la solitude et le dénuement de la Miltière... ne pas t'aventurer seul dans cette maison au milieu des déserts de la Sologne. Tu sais comme moi combien les pays humides et sablonneux exhalent de miasmes morbifiques dans les grandes chaleurs (3) ». Mais lui-même avait aimé s'arrêter dans cette solitude où un peu d'effroi peut-être, ajouté au charme inusité du paysage, excitait son imagination. Témoin cette très curieuse lettre où apparaissent à la fois son goût des lignes brisées et son goût des dessins bizarres (4) :

Je suis pour le moment dans une salle de verdure attenante à la Miltière ; le lierre qui en garnit les parois jette sur mon papier des ombres découpées dont je t'envoie le dessin, puisque tu désires que ma lettre contienne quelque chose de pittoresque. Ne va pas rire de ces lignes bizarres jetées comme au hasard sur l'autre côté de la feuille. Aie un peu d'imagination. Suppose tout ce dessin tracé par le soleil et l'ombre et tu verras quelque chose de charmant. Voilà comme procèdent les fous qu'on appelle les poètes (5).

Comme c'est intéressant! Dessins capricieux des *rayons et des ombres* que le poète, prenant ses leçons du hasard, éprouve l'irrésistible besoin de fixer sur le papier, *folies* de Chambord, folies de la Miltière, jusqu'au pressentiment du « pittoresque » vers lequel son imagination se sent obscurément et progressivement appelée, toute la fantaisie du poète, sous la forme présente et à venir, se donne rendez-vous, une après-midi solitaire de printemps, dans un vieux parc abandonné de la Sologne en 1825.

Cependant, il dut repartir seul le 19 mai pour se rendre à Paris et de là à Reims assister au Sacre du Roi auquel il était invité. Bien qu'il dût être secrètement flatté de cette distinction, il n'en laissait paraître que de l'ennui et quittait Blois sans enthousiasme, pour ne pas dire la mort dans l'âme : « Adèle, Adèle, je vais donc voyager encore. A quoi bon voyager? N'ai-je pas rencontré déjà le bonheur (6)? » Regret d'amoureux sans doute. On ne peut s'empêcher de penser à l'entrain avec lequel il entreprendra sa série de voyages en 1834 ; la comparaison, il est vrai, manque de justice autant que de délicatesse, puisqu'il emportait l'amour en croupe. A quoi bon? Nodier, dont il partageait la voiture avec le

---

(1) Voir sous ce titre précisément *Dans un Vieux Château*, une pièce écrite en septembre 1861 (*V. H. rac.* fut publié en 1863) dans le style des *Fêtes galantes*, C. R. B., Rel., 346.
(2) *V. H. rac.*, chap. xl.
(3) *Corresp.*, I, 207, Gentilly, 19 juin 1825. Je m'aperçois que M. de Lima-Barbosa avait déjà fait le rapprochement de ces termes avec *la Fuite en Sologne*, dans une brochure citée *in Bibliographie* et par ailleurs pleine d'erreurs.
(4) Cf. lettre à J.-B. Soulié, déjà citée, du 27 avril 1825 : « votre dessin est d'une *bizarrerie charmante* ». Alliance de mots significative.
(5) *Corresp.*, I, 50, à Paul Foucher, la Miltière, ce mardi 9 ou 10 mai 1825.
(6) *Ibid.*, I, 242, 24 mai 1825, lettre lancée de Paris au moment du départ pour Reims. Sur le voyage, voir *Corresp.*, *passim*, lettres à divers avant son départ (J.-B. Soulié, 27 avril ; A. de Vigny, 28 avril ; M. Foucher, 12 mai...) et pendant le voyage, à Adèle (I, p. 228 sq.) ; *V. H. rac.*, chap. xl et xli ; *W. S.*, Reliquat, p. 250 sq.

peintre Alaux et le poète de Cailleux, allait le lui montrer ou plutôt le lui rappeler. Il n'est pas impossible en effet, comme le suggère M. Bauer, que Nodier, collaborateur avec de Cailleux des *Voyages pittoresques et romantiques dans l'Ancienne France*, fondés par le baron Taylor, lui ait donné, je dirai plus prudemment ait développé en lui ce goût de l'architecture médiévale, cette curiosité des monuments, cette passion d'interroger les vieilles pierres, qui lui deviendront une habitude en voyage, encore que, si l'on en croit les mauvaises langues du souvenir, il fût plutôt fanatique de l'écarté (1). Pourtant, nous l'avons vu, Hugo n'avait eu besoin d'aucun cornac pour apprécier les antiquités de Dreux. Ne le voyons-nous pas débarquer ravi à Paris avec cette disposition à s'étonner, cette fraîcheur d'impression qu'il saura garder aussi neuve toute sa vie? « En entrant à Paris, je l'ai admiré comme un provincial. Il me semblait que ce n'était pas mon pays (2). » Et, du couple formé avec Nodier, il semble ou au moins se donne l'air de se réserver l'amour des vieilles pierres. « Nous étions, Nodier et moi, deux fureteurs. Quand nous voyagions ensemble, ce qui arrivait quelquefois, nous allions à la découverte, lui des bouquins, moi des masures... Nous nous étions donné à chacun un diable. Il me disait : *Vous avez au corps le démon Ogive*. — *Et vous*, lui disais-je, *le diable Elzévir* (3). » Mais il est possible que l'érudition de Nodier lui ait appris, sinon à les aimer, au moins à les connaître et à les distinguer. En tout cas, tout le long du parcours, à Soissons (Saint-Jean surtout), à Braine, à Reims, Hugo ne manque aucune église, admirant les flèches ou les cloîtres, faisant le rapprochement avec telle reproduction des *Voyages pittoresques* de Nodier (4) — ce qui prouve qu'il avait lu et retenu — ou restant « en contemplation », toujours avec Nodier, devant un porche de la cathédrale de Reims (5).

Une chose dont il lui est redevable en particulier, c'est d'avoir appris à rétablir la liaison entre l'architecture et la littérature, entre les châteaux, les églises et leur histoire ou leur légende, les hommes ou les créatures surnaturelles qui les habitaient ou étaient censés les habiter encore. Par la suite, en voyage, il ne pourra plus se défaire de cette habitude, qu'il s'agisse de Frédéric Barberousse à Aix-la-Chapelle ou de l'ondine du Rhin. C'est le fruit de cette application qu'il recueille déjà par le mouvement inverse dans *Notre-Dame de Paris*, bâtissant laborieusement des créatures, Jehan Frollo et Quasimodo, à la taille de ce gigantesque édifice. Hugo note précisément que la visite de Reims « lui servit plus tard pour l'histoire de la Chantefleurie dans *Notre-Dame de Paris* (6) ». Rien ne se perd : la fantaisie n'est plus, en l'air, un jeu inconsistant et gratuit de l'esprit ; fantaisie et réalité s'interpénètrent ;

(1) Cf. *V. H. rac.*, chap. XL. Hugo non plus ne dédaignait pas de faire « l'écarté du samedi » avec quelques amis, dont son ancien maître Biscarrat, *Corresp.*, I, 238.
(2) *Corresp.*, I, 231, à Adèle, vendredi 20 mai 1825.
(3) *W. S.*, Rel., p. 252. Trait rapporté aussi dans *V. H. rac.*, chap. XLIV.
(4) *Corresp.*, I, 246, à Adèle, 26 mai 1825 : Braine « jolie ville bien bâtie, qui a une autre église en ruines, aussi belle que l'abbaye de Jumièges, dont tu as vu les dessins dans le *Voyage pittoresque* de Nodier ».
(5) *Corresp.*, I, 248, 28 (mai 1825) : « J'ai donc été visiter hier la cathédrale. Elle est admirable comme monument d'architecture gothique... Nous avons passé, Charles et moi, un quart d'heure en contemplation devant le cintre d'une porte ; il faudrait un an d'attention pour tout voir et tout admirer. »
(6) *V. H. rac.*, chap. XLI.

la fantaisie se nourrit des surprises de la réalité qu'elle charge par la
suite de ses fioritures.

Dans cette excursion, se rappelle Hugo, nous passions notre temps,
Charles Nodier et moi, à nous raconter les histoires et les romans gothiques
qui ont fait souche à Reims. Nos mémoires, et quelquefois nos imaginations,
se cotisaient. Chacun fournissait sa légende. Reims est une des plus invrai-
semblables villes de la géographie du conte... Les contes pullulent dans
cette Champagne. Presque toute la vieille fable gauloise y est née. Reims est
le pays des chimères. C'est pour cela peut-être qu'on y sacrait les rois (1).

Nos mémoires et nos imaginations : on ne sait plus effectivement à ce
moment quelles sont leurs parts respectives, tant elles sont mêlées en
un même effort ; la fantaisie prend l'habitude d'accompagner l'observation et fait bon ménage avec elle. Cela, c'était l'enseignement de Nodier,
qui l'avait expliqué en 1820 dans son introduction aux *Voyages pittoresques
et romantiques :*

Nous aimons à recueillir dans les vieux donjons la fable de la fée protec-
trice, dans les hameaux celle du lutin familier. Nous retrouverons Mélusine
sur les tours et les follets de Carnac errant en robe de flamme à travers leurs
sauvages pyramides (2).

Le pli est pris désormais. Dans le voyage que Victor Hugo fit au mois
d'août dans les Alpes, toujours en compagnie de Ch. Nodier — « ce
doux voyage de Suisse... un des souvenirs lumineux de ma vie (3) » —
il met une certaine coquetterie, presque de l'affectation à s'en accuser.
Évoquant l'aspect « lugubre et désolé » du *Nant Noir,* il rappelle que,
selon des « traditions étranges », c'est « sur ses rives que les esprits des
Montagnes Maudites tenaient leur sabbat, dans les nuits d'hiver » : de
là, la montagne bouleversée pour y enfouir leurs trésors, les arbres fracassés par leur vol, le sol calciné par le piétinement de leur danse et le
torrent noirci où ils se sont baignés ; un *démon du Nant Noir,* cousin des
lutins de Nodier, « pousse les voyageurs dans le gouffre et rit de les voir
tomber ». Après quoi, il ajoute : « J'avouerai cette infirmité de mon esprit,
il aurait manqué pour moi quelque chose à l'horrible beauté de ce site
sauvage, si quelque tradition populaire ne lui eût empreint un caractère
merveilleux (4). »

Même réaction combinée devant le glacier des Bossons « dont la merveilleuse structure semble d'abord offrir au regard je ne sais quoi d'incroyable et d'impossible » et qu'il compare aussitôt aux alignements de
Carnac dont Nodier précisément parlait plus haut :

Qu'on se figure d'énormes prismes de glace, blancs, verts, violets, azurés,
selon le rayon du soleil qui les frappe, étroitement liés les uns aux autres,
affectant une foule d'attitudes variées, ceux-là inclinés, ceux-ci debout et

---

(1) *W. S.*, Rel., p. 250.
(2) E. M. SCHENCK, *op. cit.*, p. 22.
(3) *Rh.*, XIV, p. 113. Toutefois ce n'était pas Boulanger qui les accompagnait
en qualité de dessinateur, comme il le laisse croire, mais un certain Gué. Sur ce
voyage (1er août-2 septembre 1825), voir : *V. H. rac.*, chap. XLII-XLIV. Le *Fragment
d'un voyage aux Alpes* a été reproduit in *V.*, II, p. 3-14, auquel renvoient nos références.
(4) *V.*, II, p. 6-7.

détachant leurs cônes éblouissants sur le fond des sombres mélèzes. On dirait une ville d'obélisques, de cippes, de colonnes et de pyramides, une cité de temples et de sépulcres, un palais bâti par des fées pour des âmes et des esprits ; et je ne m'étonne pas que les primitifs habitants de ces contrées aient souvent cru voir des êtres surnaturels voltiger entre les flèches de ce glacier à l'heure où le jour vient rendre son éclat à l'albâtre de leurs frontons et ses couleurs à la nacre de leurs pilastres (1).

On voit, le long de ces lignes, l'effort descriptif vers plus de précision et plus d'originalité à la fois aboutir, par l'itinéraire des formes et des couleurs, au déclenchement de l'imagination qui prolonge l'observation et recouvre ses données d'un glacis précieusement irisé. Est-ce l'imagination préparée au jeu qui dispose et éclaire l'observation ou l'observation qui donne le branle à l'imagination ? La nuance est presque indiscernable, tant elles vont presque aussitôt de pair. Au contact de la nature, l'observation du voyageur se libère des contraintes de l'abstraction classique et s'émancipe par le secours d'une imagination entraînée, dont elle subit comme la contagion. La fantaisie se greffe immédiatement sur le pittoresque. Par exemple, si le voyageur aperçoit entre Servoz et Chamonix une vieille femme idiote et infirme, elle lui évoque aussitôt « une de ces fées mendiantes des contes bleus, qui attendaient un aventurier au bord du chemin et décidaient sa perte sur un refus ou son bonheur sur une aumône (2) ». Qui pourrait dire vraiment laquelle a prévenu l'autre, de la vieille entrevue et de la sorcière imaginée, ou bien si Hugo tenait absolument à émailler son récit de quelques visions immatérielles entretenues en lui par la conversation érudite et fantasque de son ami Nodier ?

Il y a juste deux mois que ce dernier lui « révélait », on sait dans quelles conditions (3), « Shakespeare, ses sorcières si redoutables, ses esprits si aériens, ses fées si aimables », comme il écrivait déjà dans l'introduction aux *Voyages pittoresques*. Pour Hugo comme pour Nodier, le nom de Shakespeare reste lié aux voyages : ici et là, l'imagination règne en maîtresse. Le double aspect du monde shakespearien, le côté d'Ariel et le côté de Caliban, le côté de Titania et le côté des sorcières de Macbeth, Hugo les retrouve dans le paysage contrasté du Mont-Blanc et du Lac-Vert. Impression si complexe, où se rencontrent en de secrètes correspondances la nature, Shakespeare et le mystère de son propre tempérament, qu'Hugo d'instinct, pour l'exprimer, choisit ses mots dans le vocabulaire le plus étranger à ses préoccupations ordinaires :

J'ignore par quel fil invisible, par quel conducteur électrique les choses de la nature touchent aux choses de l'art ; mais à l'instant même me revinrent à l'esprit ces grandes créations du vieux Shakespeare, où toujours domine une haute et sombre figure qui, dans un coin du drame, se reflète dans une âme limpide, transparente et pure ; œuvres complètes comme la nature où il y a toujours une Ophélia pour Hamlet, une Desdémona pour Othello, un Lac-Vert pour le Mont-Blanc (4).

---

(1) *V.*, II, p. 12. C'est la première fois que Victor Hugo prête des « attitudes » aux rochers : on verra dans les *Voyages* de 1834 à 1843 qu'il ira infiniment plus loin. Mais c'est le commencement. Noter comme cette ville naturelle annonce les villes imaginaires des *Orientales*.
(2) *Ibid.*, p. 9.
(3) Voir ici chap. 1, p. 76 sq.
(4) *V.*, II, p. 5-6. Hugo reprendra le parallèle entre l'art et la nature dans la préface des *Odes et Ballades* (1826) et dans celle de *Cromwell*.

Ainsi Shakespeare et la nature l'aident à se découvrir et à distinguer le fantastique de ce que lui-même appelle à plusieurs reprises dans ces voyages de 1825 le « merveilleux », vers lequel, peut-être sous l'influence de Nodier, peut-être par l'effet de sa propre évolution, il incline maintenant davantage, de la même manière et en même temps que, selon une évolution parallèle, s'écartant dans ses essais romanesques et dramatiques du frénétique initial, il découvre le « grotesque » qui le sauve du drame noir.

Tel est le bilan complexe de ces premiers voyages, pendant lesquels Hugo a poursuivi, dans les fêtes d'une nature somptueuse, qui était une révélation pour lui, sa double initiation à Shakespeare et au surréel. D'une part, il en prend conscience, l'œuvre d'art fait le pont entre la nature et l'homme et cette même dualité qui se reflète de l'univers dans la vision de Shakespeare est aussi inscrite au plus profond de son propre tempérament ; il s'assure ainsi du caractère fondamental et authentique de cette antithèse intérieure, dont il est prêt désormais à retrouver l'équivalent dans le monde extérieur. D'autre part, dans le même ordre d'idées et comme à la suite, il se persuade du rôle prééminent de l'imagination dans la représentation de la nature et, partant, dans la poésie. De l'imagination à l'observation, c'est un échange, une interaction, un concours incessant qui apparaît si nettement déjà dans les feuillets inédits de ce *Voyage aux Alpes* que Lamennais semble y faire allusion dans sa réponse et l'encourager dans cette voie : « On ne voit guère, il est vrai, quand on ne voit qu'avec les yeux ; ils ne sont guère bons que pour faire des cartes de géographie ; l'imagination, l'esprit seuls saisissent le reste (1). » Le dernier terme de cette évolution serait la liberté : il ne lui reste plus qu'à la gagner pour l'émancipation totale de sa fantaisie. Il commence en effet de la revendiquer dès sa préface de 1826 et chaque nouvelle préface lui est une occasion et répond au besoin de répéter cet appel. Mais par une sorte de paradoxe, qu'il n'est pas maître encore de réduire, c'est à l'intérieur de lui-même, contre une partie de lui-même que Hugo doit la conquérir, contre la séduction même de cette mode à laquelle il cède, et pour laquelle précisément il croit devoir réclamer un droit de cité littéraire qui ne fait déjà plus question.

Le voici prêt à découvrir du merveilleux partout dans la nature ; non plus seulement à le dégager des légendes qui rôdent autour de certains sites ou monuments, mais de la nature même. Il n'y manque pas. Tantôt, c'est un « immense manteau bleuâtre que le Mont-Blanc laisse traîner (2) », tantôt c'est le Lac-Vert comparé à un « miroir de cristal bordé de velours vert (3) ». Réalisations bien timides sans doute, si on les confronte avec cette nature hantée de personnifications où il aura coutume de se mouvoir après de nouveaux voyages. N'importe, c'est un commencement et qu'il consiste en métaphores ou comparaisons ne saurait nous étonner, puisque par définition la fantaisie est l'imagination et que la métaphore ou la

---

(1) *V. H. rac.*, chap. XLIV, à la Chênaie, le 4 novembre 1825. Lui-même semble en donner un exemple dans la suite de sa lettre : « Genève, au bord de son lac, triste, froide, pesante, élevant de temps en temps un cri aigre et discordant, ressemble à un cormoran sur un rocher. »
(2) *V.*, II, p. 11.
(3) *Ibid.*, p. 5.

comparaison en sont les formes d'expression élémentaires admises par la rhétorique. Mais à travers la convention se fait jour parfois une impression originale où s'affirme « la volonté de rêve » du poète, ainsi qu'il dira plus tard de Shakespeare (1), comme celle de cette éclaircie au-dessus du « noir précipice » de l'Arve — paysage contrasté encore :

En ce moment le nuage se déchira au-dessus de nous et cette crevasse nous découvrit, au lieu du ciel, un chalet, un pré vert et quelques chèvres imperceptibles qui paissaient plus haut que les nuées. Je n'ai jamais éprouvé rien d'aussi singulier. A nos pieds, on eût dit un fleuve de l'enfer ; sur nos têtes, une île du paradis (2).

L'imagination joue à l'aise dans cette harmonie noir et vert où aucune convention n'est prévue pour lever son impôt sur une réalité quasi imaginaire. Elle a si peu à se forcer que Victor Hugo découragé renonce à rendre ce mystère communicable : « Il est inutile de peindre cette impression à ceux qui ne l'ont pas sentie ; elle tenait à la fois du rêve et du vertige. » Mais les sujets d'émerveillement peuvent être plus simples encore et, sans courir jusqu'au Mont-Blanc, demander seulement qu'on se penche un peu d'un clocher, pour apercevoir quoi ? « une sorte de cuvette ronde ».

L'eau des pluies s'y était amassée et faisait un étroit miroir au fond, une touffe d'herbes mêlée de fleurs y avait poussé et remuait au vent, une hirondelle s'y était nichée. C'était, dans moins de deux pieds de diamètre, un lac, un jardin et une habitation ; un paradis d'oiseaux. Au moment où je regardais, l'hirondelle faisait boire sa couvée... Ce petit monde heureux, c'était la couronne de pierre d'un vieux roi (3).

Cette curiosité du petit, qui ira par la suite jusqu'à « l'infiniment petit (4) », il est bien possible encore que Nodier l'ait encouragée chez Victor Hugo. Il était grand amateur de sciences naturelles, botaniste et entomologiste surtout : c'est un point sur lequel on ne s'est point avisé, je crois, de son influence probable. De cette autre initiation, il sera question en son temps (5).

Odes et Ballades (1826).

On ne s'étonnera pas qu'après ces voyages avec Nodier et tant de légendes remuées, le poète fût porté à chanter de nouvelle romances. Quelque temps avant son départ pour les Alpes, le 25 juin 1825, il avait signé avec Ladvocat, l'éditeur de Millevoye, Loève-Veimars et de bien d'autres écrivains plus ou moins acquis aux nouvelles tendances, un contrat qui faisait état d'un troisième volume de *poésies diverses*. A son retour de voyage, il se mit décidément à l'ouvrage et composa en deux

(1) *W. S.*, II, III, 5, p. 157.
(2) Hugo en verra bien d'autres, mais la formule « je n'ai jamais rien éprouvé... » reviendra à chaque fois, tant l'impression sera vive (voir dans *Voyages*, le « clair de lune de Mons », p. 245 sq.). De même ce sentiment d'impuissance en face d'un mystère que pourtant, selon le mot de Baudelaire, nul n'était mieux doué que lui pour essayer d'exprimer.
(3) *W. S.*, Rel., p. 253 (écrit vers 1862-1860) : à Reims. Sa fantaisie renverse la causalité en une plaisante finalité. « A quoi donc a servi... ce roi ?... A faire faire cette statue, et à loger cette hirondelle. »
(4) Cf. *P. S. V.*, p. 592 sq.
(5) Voir ici p. 138, 188 et 197.

mois, outre quelques pièces de circonstance, une nouvelle série de ballades d'inspiration médiévale ou fantastique, ou tout ensemble médiévale et fantastique. Après quoi, il se consacra au drame, comme nous l'avons vu.

Aucune de ces compositions n'apportait, soit dans l'inspiration, soit dans la technique poétique, un renouvellement quelconque. Hugo, à peine sorti de la convention par ses voyages, y retombait avec sa poésie. Dans l'ordre, si l'on suit les dates de l'édition, confirmées par les manuscrits, il écrivit d'abord *l'Aveu du Châtelain* (1), manière de *Refrain du vieux temps* (2), qui serait la première des « odes rêveuses » si elle ne feignait un entrain morne et fade, martelé par le retour pseudo-populaire de *Madeleine* à la rime, mais où Hugo nous donne le premier exemple d'un paradoxe plus tard habituel, chantant le printemps à l'automne ; et *la Mêlée* (3), tableau romantique d'une bataille au moyen âge, véritable Musée de l'Armée sans grand intérêt ni autre effort que de faire alterner les alexandrins avec les octosyllabes. *Le Voyage* (4), souvenir du sien, nous promène sur les dalles d'un donjon fatalement moussu, où le poète regrette de n'entendre point courir les « pas légers » de sa compagne. Puis soudain, un coup réussi, *la Fiancée du Timbalier* (5), qui rappelle à vrai dire bien des fiancées jeunes mortes, celle de Millevoye et au delà celle de Chénier — « Elle dit, et sa vue errante Plonge... » — mais tient sur l'octosyllabe clair et net le rythme *allegro* sans aucun essoufflement, grâce en partie au triple roulement de tambour de la rime que le poète satisfait reprendra dans *le Pas d'armes*.

> Mes sœurs, à vous parer si lentes,
> Venez voir près de mon vainqueur
> Ces timbales étincelantes
> Qui, sous sa main toujours tremblantes,
> *Sonnent*, et font bondir le cœur !

La couleur, même locale, y est vive et, cachée derrière un pilier, « l'Égyptienne sacrilège » préfigure, vieillie sans doute, Esmeralda et sa Cour des Miracles. Après la bagatelle jetée *A un Passant* (6), petit hommage *en passant* à Nodier, l'ode *Aux Ruines de Montfort-l'Amaury* (7), en remerciement à l'hôte et ami Souillard dit Adolphe de Saint-Valry. Il y retrouve une « tour octogone », également rouge et sans doute plus belle encore que celle de Blois (8). Là le poète rêve au temps passé et

> Croit qu'une ombre a froissé la gigantesque armure
> D'Amaury, comte de Monfort.

« Premier crayon des ruines de Velmich et de Falkenburg », écrit

---

(1) *B.*, IX, 14 septembre 1825. Ce titre fut remplacé dans les éditions postérieures à 1826 par *Écoute-moi, Madeleine*.
(2) MILLEVOYE, *O. C.*, t. IV, p. 286. Le terme d' « ode rêveuse » est de Sainte-Beuve, cf. chap. III, p. 135.
(3) *B.*, VII, 18-19 septembre 1825.
(4) *O.*, V, 19, 5-9 octobre 1825.
(5) *B.*, VI, 18 octobre 1825, cf. *la Fiancée* de MILLEVOYE, ci-dessus, p. 84.
(6) *B.*, X, 22 octobre 1825, cf. p. 217.
(7) *O.*, V, 18 octobre 1825. Hugo y avait fait un séjour vers le 10 octobre.
(8) *F. A.*, II, juin 1830 : « Admirez, en passant, une tour octogone... » Hugo en placera encore une dans *Or.*, XXXI, 8-10 avril 1828 :
    De sa bastille octogone,
    Tuy se vante, et Tarragone...

M. Levaillant (1). Il y a encore loin sans doute, mais le fait de la constance est là. Enfin *la Ronde du Sabbat* (2), d'un art déjà beaucoup plus
subtil, avec son prélude pesant,

> Voyez devant les murs de ce noir monastère,
> La lune se voiler, comme pour un mystère!
> L'esprit de minuit passe, et, répandant l'effroi,
> Douze fois se balance au battant du beffroi.

Réplique exacte à l'attaque des *Deux Archers* (3), mais du côté de Satan
cette fois. Habile, avec ses sautillantes grappes de pentamètres écartelées
de deux alexandrins monotones qui battent comme un tambour voilé :

> Et leurs pas, ébranlant les arches colossales,
> Troublent les morts couchés sous le pavé des salles.

Au rendez-vous des bêtes d'enfer, des « êtres intermédiaires » dont on
voit de belles séquences : larves, dragons, vampires, gnomes ; « Psylles
aux corps grêles, Aspioles frêles (4) » pour Nodier à qui la pièce est signi-
ficativement dédiée ; Smarra à la fin salué cabalistiquement d'un ABRA-
CADABRA ; et par où « les timbaliers sont passés » et les djinns passeront,
ce cortège qui glisse du fantastique au pittoresque :

> Juifs, par Dieu frappés,
> Zingaris, bohèmes,
> Chargés d'anathèmes,
> Follets, spectres blêmes
> La nuit échappés,
> Glissez sur la brise,
> Montez sur la frise
> Du mur qui se brise,
> Volez, ou rampez!

Déjà le mot pour le son, et le sens pour la rime. *Anathèmes, bohèmes,
blêmes,* on croirait qu'il les a inscrits, comme on trouvera dans ses carnets,
les uns sous les autres, demandant au chapelet sa leçon. Le jeu verbal
et sonore commence, technique, gratuit, *poétique* pour le dire. Un glas
sonne tout au long de ce poème, c'est celui du frénétique. Gageons que,
son poème roulé dans sa poche, le poète s'en va entendre les « vagues
violons de la mère Saguet ».

Après le mois d'octobre, *Cromwell* occupe pour longtemps son esprit.
Mais on se ferait une idée un peu inexacte de son activité en divisant
par genre son travail poétique, comme il en prête d'ailleurs l'apparence
jusque dans ses justifications (5). Tout se tient. Des fils ténus se tissent.
De *Cromwell*, la *Chanson du Fou*, qui fera les délices de Barbey d'Aurevilly, est déléguée en épigraphe à la Ballade X. Un beau jour, il trousse
une *Algérienne*. « Quels sont ces cris ? » Ce sont les *Têtes du Sérail* qui se

---

(1) M. Levaillant, *op. cit.*, p. 32.
(2) *B.*, XIV, octobre 1825.
(3)   C'était l'instant funèbre où la nuit est si sombre,
            Qu'on tremble à chaque pas de réveiller dans l'ombre
            Un démon, ivre encor du banquet des sabbats...
(4) Cf. le passage de Nodier cité p. 98 sq., dont c'est un rappel volontaire.
(5) « Pour la première fois, l'auteur de ce recueil de compositions lyriques, dont
les *Odes et Ballades* forment le troisième volume, a cru devoir séparer les genres de
ces compositions par une division marquée. »

plaignent (1) — en attendant les bruits d'un *Clair de lune* sur le Bosphore ou d'une nuit hantée par les Djinns. Echo lointain donné — « Qui pousse ces clameurs ? » — aux démons du *Sabbat*. Entre temps, il retouche *Amy Robsart* à la lumière de Shakespeare, restituant ce drôle, Flibbertigibbet, qui, bien que signé Walter Scott, rappelle tant Puck dit Robin Goodfellow. Voici justement que Ch. Nodier, satisfait que son influence ait porté des fruits, rattache les « fantaisies » de Victor Hugo aux « êtres intermédiaires » de Shakespeare (2).

Il est temps de se prononcer et Hugo, rédigeant sa préface, fait chorus. Il a mis « plus d'imagination dans ses *Ballades* ». Ce que Nodier dit de certaines de ses créatures vaut pour les pièces où elles apparaissent, ce sont bien des *fantaisies* ou, comme il dit,

> ... des esquisses d'un genre capricieux (3) : tableaux, rêves, scènes, récits, légendes superstitieuses, traditions populaires. L'auteur, en les composant, a essayé de donner quelque idée de ce que pouvaient être les poèmes des premiers troubadours du moyen âge, de ces rapsodes chrétiens qui n'avaient au monde que leur épée et leur guitare, et s'en allaient de château en château, payant l'hospitalité avec des chants (4).

Voilà, en passant, le symbole de futurs caprices : *guitare*. Tout cela n'est bien entendu que pure imagination. Est-il même dupe un moment, on se demande, de ses prétextes historiques ? C'est la mode du genre *troubadour*, dont il ne néglige pas d'insérer le mot dans ces lignes ; le terme même de *Ballade*, il le reprend à Millevoye et pourtant déjà, il lui impose sa marque en sorte que Sainte-Beuve, parlant plus tard de celui-ci, se trouvera réduit à le définir à rebours : « le temps de la ballade avant Victor Hugo ». Cette enchère sur la mode n'échappe pas à Lamartine qui l'en reprend doucement dans la ligne de ses jugements sur *Han* et les premières *Odes :*

> Un conseil sévère encore que je veux en ami vous répéter : ne cherchez pas l'originalité ! Puisque vous êtes original ! laissez cela aux imitateurs. C'est leur seule ressource. Visez au simple plus qu'au sublime, vous serez plus sublime encore. Je vous dis ces deux mots à sujet des ballades. C'est une autre espèce de fable à laquelle on ne croit pas plus aujourd'hui qu'à Junon, sœur et femme de Jupin, et cela n'est donc pas vrai *imaginativement ;* cela n'est donc pas du temps. Examinez si j'ai tort ou raison : c'est un jeu de l'esprit et non pas ce qu'il vous faut (5).

Qu'importe à la fantaisie du poète ? Le jeu est précisément ce qui lui convient et cet aspect de sa poésie va seulement s'accentuer, même si, suivant la leçon d'un aîné, il se tourne vers des sources plus contemporaines d'inspiration. Un jeune poète aussi avisé flaire de lui-même les pièges. Sans prendre position pour les « écrivains *dits romantiques* », moins encore pour les « auteurs *dits classiques* » — quel juste sens des réalités, faussées par de hâtives simplifications *dites* historiques, et quel parfait mépris de tout ce qui n'est pas le génie ! — il se défend d'imiter personne : « ... la contagion de la routine, la manie d'imitation produisent le même

---

(1) *Or.*, III, juin 1826. L' « ogive orientale » est un autre point de rencontre.
(2) Article de *la Quotidienne*, 23 août 1826, *in* E. M. SCHENCK, p. 46.
(3) Il se servira du même mot « un caprice » pour désigner *Notre-Dame de Paris*.
(4) *O. B.*, préface, p. 23, novembre 1826.
(5) Lettre datée de *Florence*, 29 *décembre* 1826, *in* G. SIMON, *op. cit.*, p. 683.

effet (qu'une eau pétrifiante). Si vous y ensevelissez vos facultés natives, votre imagination, votre pensée, elles n'en sortiront pas (1) ». Tous ces thèmes vont être repris à grand orchestre dans la Préface de *Cromwell* sur le plan du drame. Mais ces « fantaisies », ces caprices ne risquent-ils pas de se pétrifier dans cette eau-ci comme dans l'autre? Une convention vaut l'autre. Il s'en doute un peu. Le temps des tâtonnements paraît terminé à la fin de 1826 ; les grands jeux d'eau romantiques peuvent commencer. Il a l'imagination, va-t-il trouver la liberté?

(1) *O. B.*, préface de 1826, p. 28.

III

DU MERVEILLEUX AU PITTORESQUE

> *Les Orientales* sont, en quelque sorte,
> son architecture gothique du xve siècle ;
> comme elle, ornées, amusantes, épanouies.
> Nulles poésies ne caractérisent plus brill-
> lamment le clair intervalle où elles sont
> nées, précisément par cet oubli où elles
> le laissent, par le désintéressement du
> fond, la fantaisie libre et courante, la
> curiosité du style et ce trône merveilleux
> dressé à l'art pur.
> SAINTE-BEUVE, *Portraits contemporains*, t. I,
> p. 414.

L'évolution que nous avons vue se dessiner de 1823 à 1826 va s'affirmer entre les années 1827 et 1831. D'une part le frénétique est à peu
près éliminé au profit du *grotesque* élevé à la hauteur d'une doctrine dans
les premières pages de la Préface de *Cromwell* qui lui sont consacrées :
il occupera une place importante dans *Marion de Lorme*, sinon dans *Hernani*, dans *Notre-Dame de Paris* et au delà de 1831 dans *le Roi s'amuse*.
D'autre part, l'élément pittoresque, qui existait déjà dans les *Ballades*
de 1825-1826, se développe considérablement, aussi bien dans les *Ballades*
que dans les *Orientales*. Il s'y mêle étroitement au merveilleux qu'il souligne et n'y reçoit de concurrence que de la virtuosité technique, qui
est le pittoresque du vers, et où le poète atteint un brio proche de la
prouesse. Cela ne veut pas dire qu'on ne rencontrera pas encore du frénétique, comme dans la *Marche Turque* ; le fantastique de *la Chasse du
Burgrave* et des *Djinns* côtoie le merveilleux de *Grenade*. Mais le merveilleux puise parfois dans une plus simple réalité cette nuance « rêveuse »,
indiquée par Sainte-Beuve, que ce soit dans *Pluie d'été* ou dans *Sara la
Baigneuse*. C'est un épanouissement des divers efforts des années précédentes où la vie de la création ne permet pas toujours, Dieu merci, des
coupes aussi sûres que l'historien le souhaiterait.

Peinture, dessins et poésie.

En 1825, Victor Hugo, en allant entendre le *Freischütz* à l'Odéon — ce
qui prouve en passant qu'il suivait les concerts — aurait fait la connais-

sance d'Achille Devéria et, par son intermédiaire, de son frère Eugène
et de Louis Boulanger, qui travaillaient à son atelier (1). Mais il avait
dû être mis en rapport avec lui auparavant, au moins à l'époque où Devéria
dessinait le frontispice du *Sylphe* pour l'édition de 1824. Le poète l'allait
voir rue Notre-Dame-des-Champs où il habitait en famille, tout près
donc de la rue de Vaugirard et plus près encore, lorsque Victor Hugo
déménagea en août 1827 pour s'installer dans cette rue même. On peut
penser que tous trois l'ont initié à la « Nouvelle École de Peinture », sur
laquelle il a laissé le brouillon d'un article, rendant compte d'une « Exposition de Tableaux au profit des Grecs (2) » : la rencontre est symbolique.

Il mettait en parallèle les jeunes peintres avec les jeunes poètes révélés
par Nodier. Parmi ceux-là, il signalait, malgré son peu de goût pour les
allégories, d'abord Delacroix, « déjà grand coloriste » pour sa *Grèce sur
les ruines de Missolonghi* et dont il avait pu admirer au Salon de 1824,
l'année de la mort de Byron, *les Massacres de Scio*. A côté d'un Saint-Evre
gracieux et du *Turc* de Bonington, il faisait une large place à la dramatique
Marie-Stuart d'Eugène Devéria — « cet échafaud noir, cette royale victime » — et surtout à Louis Boulanger, qui deviendra son ami très cher
et à qui il dédiera en 1828 deux ballades en remerciement de la « gigantesque lithographie où il a jeté tant de vie, de réalité et de poésie sur la
Ronde du Sabbat (3) ». Au salon de 1827, son « beau tableau de *Mazeppa* »
qu'il rappelait dans la dédicace rendait en partie l'année d'après à Hugo
ce que le peintre avait pris de Byron.

Un tel échange de la peinture et de la poésie, qui a toujours existé
au XIXᵉ siècle, et sur lequel nous devons nous contenter d'un bref aperçu,
n'est pas indifférent à notre propos. Dans une lettre qu'il adressera en
1829 à Victor Pavie, Hugo au sujet d'une ballade de ce dernier ne trouvera pas de meilleur éloge que celui-ci : « On dirait une de ces vieilles
et admirables compositions d'Albert Dürer ou de Rembrandt (4). » Ce
trait est à ajouter aux nombreux passages de ses lettres de voyage où
Hugo reconnaîtra ici ou là dans la nature, un Poussin, un Téniers ou
un Callot (5). Cette attention prêtée à la peinture n'a pas peu contribué
à l'éducation de son œil, qui en contre-partie en reste marqué. Qu'en
retenait-il ? Il semble avoir été particulièrement sensible à deux choses :
ce que nous appellerions à la composition des volumes, un certain fourmillement, et d'autre part la couleur. C'est celle-ci, rouges et
verts, qu'avant Baudelaire il admirait chez Delacroix. « A propos de
grands peintres, ne croyez pas..., écrivait-il dans la même lettre, que
Delacroix ait failli. Son *Sardanapale* est une chose magnifique, et si
gigantesque qu'elle échappe aux petites vues... Je ne regrette qu'une
chose, c'est qu'il n'ait pas mis le feu à ce bûcher : cette belle scène serait
bien plus belle encore si elle avait pour base une corbeille de flammes (6). »

(1) *V. H. rac.*, chap. XL.
(2) *L. Ph. m.*, Rel., p. 221 sq., 17 mai 1826. Il avait déjà fait le bulletin des *Beaux-
arts* dans *le Conservateur littéraire*, juillet et octobre 1820 (voir *ibid.*, p. 405 et 420).
(3) Note aux Ballades VIII et XIII (*les Deux Archers, la Légende de la Nonne*)
dans l'édition de 1828.
(4) *Corresp.*, I, p. 78, 3 avril 1829.
(5) Cf. ici p. 202.
(6) *Ibid.*, p. 79. Il ajoutait que « M. de Chateaubriand se connaît peu en peinture », ce qui implicitement supposait une certaine confiance en sa propre compé-
tence.

Noir Devéria, rouge Delacroix, c'est toujours la couleur qui l'attire, bien plus désormais que les sujets.

On pourrait donc supposer que non seulement par la mode orientale ou médiévale de leur inspiration, mais surtout par leur tonalité ardente, ces tableaux ont créé un climat d'émulation dans lequel sa fantaisie a évolué vers la recherche du pittoresque. Gautier n'a pas hésité plus tard à l'affirmer : « Cette immixtion de l'art dans la poésie a été et demeure un des signes caractéristiques de la nouvelle École et fait comprendre pourquoi ses premiers adeptes se recrutèrent plutôt parmi des artistes que parmi les gens de lettres. Une foule d'objets, d'images, de comparaisons, qu'on croyait irréductibles au verbe, sont entrés dans le langage et y sont restés (1). » Léon Séché a pu ainsi consacrer à *Victor Hugo et les artistes* tout un volume, dont la teneur anecdotique, il est vrai, concerne davantage la biographie que l'œuvre. Il serait exagéré d'appliquer à Hugo intégralement ce que Gautier a dit surtout pour son propre compte et de chercher à voir une « transposition d'art » par exemple dans *Mazeppa*. L'imagination conduite par l'idée dépasse largement les limites de la pure description, au point qu'Ernest Dupuy a pu y voir une « superbe définition du génie et de sa destinée, cruelle, fatale, mais glorieuse et souveraine, que personnifie, qu'incarne en quelque sorte le héros de l'Ukraine garrotté jusqu'au trône sur son cheval que la mort seule arrêtera (2) ». Pareillement aventuré serait-il, je le crains, de se livrer à un rapprochement tentant, comme le fait M. Levaillant dans son recueil, entre *les Orientales* et les dessins où la fantaisie de Hugo s'est divertie sur le thème de l'Orient : ces créations, qui tiennent plus ou moins de la pagode ou de la mosquée et présentent dans le fouillis précieux de leurs niches des masques de monstres, chevalins ou lunaires, combien intéressantes d'ailleurs pour comprendre la libre évasion du poète dans le dessin, appartiennent, hélas! à une époque bien postérieure, où son imagination avait été excitée par de nouveaux voyages (3). Tout au plus peut-on penser que sa représentation de l'Orient en 1828 était aussi imaginaire et gratuite que celle qui apparaît dans ses dessins de 1837. Même si le poète semble tenter une « transposition » comme dans cette ballade oubliée qui porte pour titre *Un dessin d'Albert Dürer* (4), celle-ci ne diffère pas sensiblement de toute autre de ses ballades médiévales, de *la Chasse du Burgrave* par exemple, et ce serait trop de subtilité, sans doute, de voir une « correspondance » au rythme fantasque et fouillé du graveur dans le rythme accusé de la ballade, qui ne s'exerce sur Dürer que par occasion et manifeste en réalité l'orientation contemporaine de ses recherches techniques. Là encore, pourtant, Gautier n'hésitera pas à prendre à son compte « ce qu'un des amis de Joseph Delorme disait de certaines petites ballades de Victor Hugo, *la Chasse du Burgrave, le Pas d'armes du roi Jean*, que ce sont des vitraux gothiques. On

(1) *Histoire du Romantisme*, chap. II, p. 18.
(2) Cf. *Or.*, *Revue de la critique*, p. 794. Idée développée par Pierre Leroux dans son article *Du style symbolique*, publié dans *le Globe* du 8 avril 1829, cf. D. O. Evans, *le Socialisme romantique*, Paris, M. Rivière, 1948, p. 143.
(3) Voir *la Maison de Victor Hugo, Catalogue*, p. 72-73. Trois sur cinq ou six de ces compositions sont datées de février 1837, et étaient destinées probablement à son fils, pendant que le poète achevait les paisibles *Voix intérieures*.
(4) *T. L.*, II, XLI, 26 décembre 1827.

voit à tout instant sur la phrase poétique la brisure du rythme comme celle de la vitre sur la peinture (1) ». Mais que la peinture et les peintres aient déteint sur lui, cela se lit dans la familiarité avec laquelle il manie dans ses articles les concepts et les termes de *jury*, de *sujet*, transportant de la peinture à la poésie des expressions comme « *broyer des couleurs* (2) » ou prenant à témoin des fantaisies de son Rochester telle ancienne gravure, ce qui montre assez le cheminement de son imagination :

> . . . . *Le soleil, en habit de gala.*
> Peinture exacte, d'après une gravure du temps, dont l'auteur possède un rare et curieux exemplaire (3).

Byron et Fouinet.

Les livres contribuaient au même climat d'émulation. Hugo l'a très simplement reconnu : « Au siècle de Louis XIV on était helléniste, maintenant on est orientaliste (4). » Le goût de l'Orient ne vint pas remplacer son goût du moyen âge, mais prendre place tout naturellement à côté dans son imagination à laquelle il offrait de nouveaux champs d'évasion. Hugo l'a très exactement mesuré :

> Ses rêveries et ses pensées se sont trouvées tour à tour, et sans l'avoir voulu, hébraïques, turques, grecques, persanes, arabes, espagnoles même, car l'Espagne, c'est encore l'Orient... D'ailleurs, il avait toujours eu une vive sympathie de poète... pour le monde oriental... Là, en effet, tout est grand, riche, fécond, comme dans le moyen âge, cette autre mer de poésie (5).

Depuis *l'Itinéraire de Paris à Jérusalem*, pour ne pas remonter plus loin, toute une postérité reniée rêve du voyage en Orient que réaliseront un Lamartine, un Gautier, un Nerval. Imitant le héros d'*Aurélia*, leur imagination allait à l'Orient comme à une étoile, avec une curiosité mystique à laquelle les événements contemporains de Grèce ajoutent une nuance intéressante de patriotisme international. A cette époque aussi, les poètes connaissaient le prix d'engager leur poésie dans la bataille, quand ce n'était pas, tel Byron, leur vie. L'imagination de Victor Hugo, pour être plus limitée dans son ambition, n'était pas moins vive ni avisée à exploiter un domaine d'actualité encore en friche — et d'ailleurs toujours — même si « jamais tant d'intelligences n'ont fouillé à la fois ce grand abîme de l'Asie (6) ».

M. Guimbaud a pesé la part des livres dans cette inspiration et j'y renvoie (7). Elle est mince, tout compte fait. Je n'évoquerai ni *les Messéniennes* de Casimir Delavigne, ni *les Chants hellènes* d'Alexandre Guiraud (8). C'était le temps, pour parodier Sainte-Beuve, des

---

(1) *Histoire du Romantisme*, Célestin Nanteuil, p. 56.
(2) *Or.*, préface de janvier 1829, p. 615.
(3) *Cr.*, III, 2, p. 208 ; voir *note*, p. 445.
(4) Préface des *Orientales*, p. 619.
(5) *Ibid.*
(6) *Ibid.*
(7) *Les Orientales*, Malfère, édit.
(8) Respectivement 1822 et 1824.

Orientales avant Hugo. Mais il faut dire un mot de Byron et d'Ernest
Fouinet.

C'est sans doute Byron à qui il doit le plus directement l'idée des
Orientales. Ses œuvres avaient paru entre 1822 et 1825 ; Amédée Pichot
avait fait la traduction et Nodier la préface (1). En avril 1824, Byron termine un destin superbe à Missolonghi et Hugo lui consacre au mois de
juin son dernier article de *la Muse française*. « Quand on nous a annoncé
la mort de ce poète, écrit-il, il nous a semblé qu'on nous enlevait une
part de notre avenir (2). » Il s'agissait bien de son avenir, et d'une partie
seulement. Comme le nom de Shakespeare aux légendes des sylphes,
le nom de Byron est lié aux « ingénieuses fables de l'Orient (3) ». Un
an après, Hugo écrit sa première *Orientale*. Byron lui a donné *Mazeppa*,
le Giaour (4) dont Hugo a tiré son *Clair de Lune* et quelques exemples
d'*Orientales* brèves et voluptueuses, avec *le Charme, élégie turque* (5)
et ses *Mélodies hébraïques* (6). Si cette influence est incontestable, elle
s'est exercée sur des *Orientales* d'un type peu défini, élégiaques, dramatiques, épiques, qui n'intéressent pas notre propos. C'était un point
de départ et un cadre, des histoires d'un Orient tragique et lascif, romanesque, et pas du tout pittoresque.

Ernest Fouinet lui fournit une partie des matériaux, une atmosphère,
des couleurs de base, des images, quand elles ne lui venaient pas de la
Bible, aussi près qu'il était possible de la vérité de l'original (7). C'est
par Nodier encore qu'il connut cet orientaliste, avec lequel il entretint
une correspondance (8) et qu'il cite abondamment dans sa note sur *Nourmahal la Rousse* (9). Hugo ne cache donc pas ses sources, il les revendique
au contraire : c'était assurer le lecteur que « ce qu'il peut y avoir d'un peu
étrange dans quelques-unes des pièces (10) » tenait au sujet même ; puis
il ne craignait pas la comparaison qui montrait au contraire qu'il avait
fait autre chose. Pourtant le germe était là : des images aussi variées pour
une cavale au galop que, vue de face, celle d'une « sauterelle verte qui
sort de l'étang », et de dos, « celle d'un trépied solide qui n'a aucune
fente », l'image encore du « manteau rayé » des sables, dont il accuse
l'emprunt (11), étaient bien faites pour exciter dans son imagination cette
aptitude à styliser le mouvement et les attitudes en des comparaisons
imprévues qui devait faire tendre plus tard sa vision pittoresque à la
caricature. Fouinet lui a fourni quelques couleurs de base dont le poète
est parti pour se constituer des mélanges de son cru. La palette et le pinceau sont de lui-même.

M. Guimbaud l'a remarqué (12), le vocabulaire de bazar, volontiers

(1) *Œuvres de Lord Byron*, 4ᵉ éd., Paris, Ladvocat, 1822-1825, 8 vol.
(2) *L. Ph. m.*, p. 128. Cf. ci-dessus chap. I, p. 56.
(3) *Ibid.*, p. 127, au début de l'article.
(4) *Op. cit.*, t. VI.
(5) *Op. cit.*, t. I.
(6) *Op. cit.*, t. II, voir par exemple, p. 378, une mélodie du type *Sara :*
      Elle s'avance, brûlante de beauté...

(7) Cf. GUIMBAUD, *op. cit.*, chap. IV.
(8) *Mercure de France*, 16 juin 1916 et 15 janvier 1924.
(9) *Or.*, XVII, p. 760 sq.
(10) *Ibid.*
(11) *In Mazeppa*, cf. *ibid.*
(12) *Op. cit.*, III, 2.

criard, on le chercherait vainement ailleurs que chez Victor Hugo. Lui-même s'est plu à noter, longtemps après, certaines innovations qui risqueraient de nous échapper. Il l'explique :

> *Ruisselant de pierreries*, cette métaphore que j'ai mise dans les *Orientales*, a été immédiatement adoptée. Aujourd'hui elle fait partie du style courant et banal, à tel point que je suis tenté de l'effacer des *Orientales*. Je me rappelle l'effet qu'elle fit sur les peintres. Boulanger, à qui je lus *Lazzara*, en fit sur-le-champ un tableau (1).

C'est en ce sens, comme le poète nous y invite, et sous la crasse de l'usage, qu'il faut décidément chercher la couleur vive des *Orientales*.

La couleur des Orientales.

L'impression dominante qui se dégage des poèmes de ces années 27-29 est en effet ce que j'appellerais volontiers *la couleur*, non pas tant au sens propre du terme qu'en celui d'intensité, de brio et de rayonnement, comme on dit d'une page de Liszt qu'elle a de la couleur (2). D'où vient cela ? Mabilleau a montré que, en dépit de l'appréciation de Gautier, Hugo reste pour nous un médiocre coloriste (3). Mais notre goût n'est-il pas prévenu par les conquêtes des impressionnistes, peintres et écrivains ? Si Hugo n'a *guère* pratiqué la nuance, on peut s'en plaindre à Delacroix. Il possédait cependant son spectre solaire, faisant voir, sans parler du ciel bleu, un « kiosque rouge et vert (4) », « un serpent, jaune et vert, Jaspé de taches noires (5) », une ville mauresque

> Avec les mille tours de ses palais de fées,
> Brumeuse, denteler l'horizon violet (6).

En particulier du jaune au rouge, il parcourt une gamme assez large de nuances par les cuivres, les ors, la pourpre, le carmin, l'incarnat, l'écarlate, jusqu'à faire éclater un éclaboussement de lumière pure :

> Quelque ville mauresque, éclatante, inouïe,
> Qui, comme la fusée en gerbe épanouie,
> Déchire ce brouillard avec ses flèches d'or (7).

Il n'y a peut-être pas là beaucoup de *couleurs*, mais assurément cela ne manque pas de *couleur*.

Dans ces deux derniers exemples, on remarquera que ce pittoresque lumineux s'associe, comme nous l'avons déjà signalé (8), à une compli-

---

(1) *P. S. V.*, Tas de pierres, III, p. 513.
(2) Léopold MABILLEAU, en quelques pages, l'a trop pertinemment exposé pour qu'on puisse faire autre chose que le suivre. Voir *op. cit.*, p. 34-37. Cf. également JOUSSAIN.
(3) Cf. p. 106-107.
(4) *Or.*, XXI.
(5) *Or.*, XXVI.
(6) *Or.*, XXXVI.
(7) *Ibid.*
(8) Cf. p. 93, 102, 108 et *Têtes du Sérail*, *Or.*, III :
> Là, de blancs minarets dont l'aiguille s'élance,
> Tels que des mâts d'ivoire armés d'un fer de lance ;
> Là, des kiosques peints ; là, des fanaux changeants ;
> Et sur le vieux sérail que ses hauts murs décèlent,
> Cent coupoles d'étain, qui dans l'ombre étincellent
> Comme des casques de géants!

cation des formes qui contribue à la « couleur ». Depuis ses souvenirs
d'Espagne (1), nous avons déjà et nous aurons trop souvent de témoins
de cette vision sismographique de l'univers pour qu'il faille y insister dans le
cas de paysages irréels, auxquels, sur la foi de quelque estampe de Saint-
Marc de Venise ou de Sainte-Sophie de Constantinople, il a appliqué
le schéma de ses contours aimés. Dentelée, hérissée de flèches ou de minarets, c'est ainsi que se profile sur l'éternel horizon de son imagination
toute ville gothique ou mauresque. Ce n'est pas en vain qu'il a rapproché
dans sa préface, « la grande cathédrale gothique avec ses hautes flèches
tailladées en scies, sa large tour du bourdon, ses cinq portails brodés
de bas-reliefs, sa frise à jour comme une collerette, ses solides arcs-
boutants si frêles à l'œil... ses colonnettes en gerbes, ses rosaces, ses ogives,
ses lancettes... » et « la mosquée orientale, aux dômes de cuivre et d'étain,
aux portes peintes, aux parois vernissées, avec son jour d'en haut, ses
grêles arcades... (2) » : cette vieille ville d'Espagne, à laquelle il attribue
leur réunion comme elle est réalisée dans son œuvre, a peut-être existé
réellement, mais elle est surtout un choix, une synthèse de ses souvenirs,
le symbole même de son imagination qui les a triés et réassemblés à sa
guise.

A ces deux sources de la couleur, il faut ajouter celle des sonorités.
Havelock Ellis l'a bien vu, qui place l'ouïe avant la vision dans l'ordre
des puissances de son art. C'est l'oreille qui guide son choix, parmi les
documents de son ami Ernest Fouinet ou des missionnaires voyageurs
des deux siècles précédents. Parnassien avant la lettre, mais avec moins
de minutie que d'ivresse, Hugo porte une attention particulière au pittoresque verbal.

> O Sultan Nourreddin, calife aimé de Dieu ! (3).

> Ali Tépéléni, lumière des lumières...
> Ombre du padischah qui de Dieu même est l'ombre... (4).

La pierre de touche est que de tels vers, plus encore que les descriptions même d'un Orient à lui inconnu, aient soulevé l'enthousiasme du
jeune Leconte de Lisle, au point de l'en laisser, malgré son reniement,
marqué. De tels vers n'étaient pas « romantiques ». On n'en trouverait
l'équivalent à l'époque ni chez Lamartine, ni chez Vigny, ni chez Guiraud.
Ils étaient « hugoliens » et fleuraient bien avant 1850 cette ivresse verbale
qu'on croit découvrir dans le *Jerimadeth* de *Booz endormi* ou les *aspar-
gates* du *Petit Roi de Galice*.

> Il n'est rien de plus beau ni de plus grand au monde ;
> Soit qu'à Vivataubin Vivaconlud réponde,
> Avec son clair tambour de clochettes orné... (5).

Comment douter que Victor Hugo n'ait pas éprouvé une curieuse
délectation à provoquer, comme il est évident ici, ces chocs de sonorités ?

(1) Cf. *Mon Enfance*, ici p. 20.
(2) Préface de l'édition originale, janvier 1829, p. 20.
(3) *Or.*, XXXVIII, octobre 1828.
(4) *Or.*, XIII, 8 novembre 1828.
(5) *Or.*, XXXI, 1-5 avril 1828.

Même dans une ode assez plate comme *Navarin* (1), marquée par le souci de l'actualité, Hugo n'en finit pas du plaisir enfantin d'accumuler tout un bazar sonore puisé à la rubrique nautique d'un dictionnaire encyclopédique : chébecs, caïques, tartanes, sloops, jonques, caravelles, dogres, lougres, galéaces, yoles, mahonnes, prames, felouques, et j'en passe, égrènent leur litanie incantatoire, véritable fête de Venise, moins pour l'œil que pour l'oreille, bonne à rien qu'à mettre en transes les sens d'un « nègre fou » ou d'un enfant ravi par ces sonorités inouïes et rauques. Ne nous y trompons pas, de tels morceaux ne prétendent offrir à l'esprit aucune satisfaction raisonnable. Pas davantage dans *le Pas d'armes du roi Jean*, Hugo ne sera soucieux d'exactitude historique, mais, se laissant guider uniquement par la sonorité, il accouplera des noms de reines et de chevaliers qui n'ont pas vécu au XIVe siècle. Ces séries ne diffèrent point des chapelets de sylphes, dont ils sont simplement le prolongement dans un nouveau domaine ouvert à l'imagination et qui, peut-être parce qu'en dépit des apparences il est resté moins exploré, achève son émancipation ou coïncide avec celle-ci.

Ces trois aspects de la *couleur* offrent l'étrange expérience d'un éloignement progressif du pittoresque considéré à la lettre. Ou en d'autres termes le pittoresque créé par cette combinaison dépasse le propos d'un observateur désireux de satisfaire un amateur d'érudition ou d'art, mais scande l'éclat hilare d'une imagination qui ne se sent plus tenue en laisse, fût-ce par le plus fantastique et savant des amis. Un portrait amer, tracé par Sainte-Beuve en 1829 pour Juste Ollivier demandant si Hugo était jaloux, nous éclaire l'état d'esprit de Victor Hugo vers cette époque : « Oh! Victor Hugo est un homme qui n'est pas tourmenté par ces choses-là. Il a continuellement de si grandes, de si délicates jouissances que lui procure son talent! Ce qu'il fait est si beau, si parfait! C'est un homme heureux, plein. Il vit content dans sa famille. Il est gai, peut-être trop gai, c'est un homme heureux (2). » Il avait alors trouvé ce qui lui manquait, ou du moins il le pensait : la liberté.

Défense et Illustration de la Fantaisie.

Les revendications de 1826 semblent bien timides à côté de la véhémence agressive de la Préface des *Orientales*, en janvier 1829. Dès la première phrase, une déclaration des droits :

L'auteur de ce recueil n'est pas de ceux qui reconnaissent à la critique le droit de questionner le poète sur sa fantaisie et de lui demander pourquoi il a choisi tel sujet, broyé telle couleur, cueilli à tel arbre, puisé à telle source (3).

Comme le remarque justement Mabilleau, c'est vraiment faire beaucoup d'embarras, « nul n'ignore qu'en 1828, la France, l'Europe entière avaient les yeux fixés sur l'Asie Mineure et la Grèce (4) ». Pourtant, on peut croire que V. Hugo n'eût pas tant insisté s'il n'y avait eu en ses *Orientales* quelque chose de nouveau, qui les distinguait à ses yeux de telles

---

(1) *Or.*, V, 23 novembre 1827.
(2) BERRET, *Victor Hugo*, p. 70.
(3) *Or.*, p. 615 sq.
(4) *Op. cit.*, p. 33.

Messéniennes ou autres *Chants hellènes*. Tout ce qu'il concède à la critique, c'est le *comment*, non le *pourquoi*.

> L'art n'a que faire des lisières, des menottes, des bâillons ; il vous dit : Va ! et vous lâche dans ce grand jardin de poésie, où il n'y a pas de fruit défendu. L'espace et le temps sont au poète.

Tous ces mots et ces tours dépassent le strict point de vue théorique de la Préface de *Cromwell* : c'est infiniment plus ici, une défense de l'imagination et de ses droits illimités. *Va,* c'est déjà le cri par lequel il invitera *Pégase* à se mettre au vert ; la poésie est un jardin, comme ces Feuillantines précisément où il a connu la liberté et conçu à son image la poésie en ruminant les souvenirs d'Espagne et d'Italie ; elle n'a pas plus que lui de fruit défendu, parce que le lointain Orient laisse au poète encore plus de latitude à créer ce qui lui plaît. Aucun de ses mots, si vagues apparemment, qui n'éveille une harmonique précise de sa sensibilité ! Et il insiste à plusieurs reprises, de peur, dirait-on, qu'on n'ait pas compris, mais tant, en réalité, il craint de ne pas prendre assez de champ. « C'est à merveille. Le poète est libre... les étranges caprices que vous avez là ! ...A quoi il a toujours fermement répondu : que ces caprices étaient ses caprices. » Et le mois suivant, puisque cela n'a servi de rien, il y revient avec une patience, une insistance, une pesanteur inusitée d'expression qui n'ont découragé pourtant ni les commentateurs à venir ni les critiques du temps de le prendre pour ce qu'il n'était pas :

> Cependant il regrette que quelques censeurs, de bonne foi d'ailleurs, se soient formé de lui une fausse idée, et se soient mis à le traiter sans plus de façon qu'une hypothèse, le construisant *a priori* comme une abstraction, le refaisant de toutes pièces de manière que lui, poète, *homme de fantaisie et de caprice*, mais aussi de conviction et de probité, est devenu sous leur plume un *être de raison*, d'étrange sorte, qui a dans une main un système pour faire ses livres, et dans l'autre une tactique pour les défendre (1).

Mais quand il se défend qu'on fasse de lui « une espèce de jeune Louis XIV entrant dans les plus graves questions botté, éperonné et une cravache à la main », l'un n'empêche pas l'autre, et ce n'était pas mal trouvé !

Donc, à la lisière, au vrai, du *pourquoi* et du *comment*, le poète s'explique : « c'est une idée qui lui a pris, et qui lui a pris d'une façon assez ridicule, l'été passé, en allant voir se coucher le soleil ». Faut-il le prendre à la lettre ? Que veut dire cette boutade ? Tout d'abord c'est et ce veut être un défi au bon sens : l'espace, il l'a dit, appartient au poète qui peut rêver de l'Orient à Paris ; mais aussi bien du soleil, sans le voir. Pourtant on l'a pris d'ordinaire à la lettre, pour un aveu, un souvenir des promenades qu'il allait faire en 1827-1828, le soir, quand il était las d'écrire, du côté de Vaugirard et de Grenelle, au hameau de Plaisance et au Moulin de Beurre, « parmi les guinguettes, les maisons et les vignes (2) » de ce faubourg resté presque aussi rustique qu'au temps où Rousseau suivait en rêvant le chemin de Ménilmontant. Le fait est connu : on se rappelle

---

(1) Préface de la 2e édition, février 1829, p. 621-622. Je souligne les deux expressions importantes, qui vont dans le sens des définitions de mon *Introduction*.
(2) M. LEVAILLANT, *op. cit.*, p. 60. Cf. tous les souvenirs de ces promenades qui ont passé dans *les Misérables*.

les vers charmants où, fantaisie pour fantaisie, un jeune poète raillait
doucement cette manie :

> . . . . précisément à l'heure
> Où, quand, par le brouillard, la chatte rôde et pleure,
> Monsieur Hugo va voir coucher Phœbus le blond (1).

Lui-même semble, dans ses propres souvenirs, s'être plu à caresser
cette association. « ... La subite éclosion, a noté Mabilleau, de ces visions
exotiques dans le cerveau d'un jeune Français revenant de Suisse est
un phénomène qui mérite quelque attention. » Le paradoxe serait incomplet — ou plutôt il s'éclaire — si l'on n'ajoutait qu'il a suffi d'un retour
en Suisse pour qu'aussitôt il y pensât. « Le soir — c'était hier — je me
suis promené au bord du lac. J'ai bien pensé à vous, Louis, et à nos douces
promenades de 1828, quand nous avions vingt-quatre ans, quand vous
faisiez *Mazeppa*, quand je faisais *les Orientales*, quand nous nous contentions d'un rayon horizontal du couchant étalé sur Vaugirard (2). » Peut-
être rêvait-il à Vaugirard de couchants plus flamboyants, admirés sur
les montagnes, et le spectacle présent, même modeste, ravivait-il l'image
du souvenir ? Le commentaire de Mabilleau est en soi impeccable :
« ... Ce n'est pas l'*idée* du livre qui lui est venue ainsi — elle était dans
l'air — c'est l'ardeur physique solaire, dont sa cervelle avait besoin de
s'imprégner pour produire ce genre d'irradiation qu'évoque l'idée de
l'Orient. Oui, je l'en crois sur parole, la sensation d'éblouissant éclat
que laisse cette poésie artificielle est due sans doute à l'échauffement
réel des yeux et de l'esprit qu'il s'est complu à chercher dans la contemplation de la plus violente lumière (3). » Qu'on aimerait de le suivre et
d'imaginer, pourquoi pas, le poète Hugo se livrant à des expériences
d'hallucination provoquée, annonçant celles que s'imposera plus tard
un Rimbaud, et ainsi la filiation des voyants par Baudelaire serait rétablie.
Pourquoi n'aurait-il pas eu recours même à ces images que tout enfant
s'attarde, je pense, à obtenir en pressant ses paupières sur ses yeux de
manière à faire surgir dans l'ombre opaque cet éblouissement lumineux
que Hugo aimait retrouver dans la nature, « la ville d'or sur un ciel noir (4) »,
paillettes intérieures dont Bergson se demandait si elles n'étaient pas la
source ou la matière de certains de nos rêves. Est-ce si sûr ?

Mabilleau, développant en effet sa pensée, conclut que « l'écrivain
arrive de cette façon à provoquer en lui une véritable hallucination, au
cours de laquelle les images endormies se teignent de la clarté ambiante,
et reparaissent avec une intensité de vie qu'elles n'avaient jamais eue ».
Quelles images ? Celles d'Espagne, auxquelles on songe naturellement
d'abord ; j'y ajouterai celles des Alpes, plus récentes, pour la troublante
coïncidence ci-dessus signalée. Mais n'a-t-on pas, sur la boutade du
poète, fait un sort trop privilégié, dans l'ordre des sensations revigorantes,
aux couchants de la plaine de Vaugirard ? Ordener à la tour de Vermund,

---

(1) A. DE MUSSET, *Premières Poésies, Mardoche*. Voir également *Namouna*,
str. XXIII-XXIV.
(2) *Rh.*, XXXIX, p. 405, Vevey, 21 septembre 1839. Cf. également *V.*, II, p. 52,
lettre à L. B. de Saint-Malo (juin 1846) : « Vous savez comme nous étions heureux
autrefois dans nos promenades du soir à travers la plaine de Montrouge! »
(3) *Op. cit.*, p. 34.
(4) *O.*, V, 25.

renouvelant le jeu de Hamlet avec Polonius sur les formes des nuages, montre que cette habitude est ancienne chez Victor Hugo (1). Pourtant les études de couchants, rejetées dans *les Feuilles d'automne* et toutes contemporaines des *Orientales*, plaideraient en faveur de cette thèse, comme les pochades de nuages d'un Boudin préparaient les ciels plus importants de ses tableaux. Précisément, la plupart des peintres contemporains du poète travaillaient à l'atelier, d'après esquisses et croquis. La première de ces études, la plus caractéristique sans doute, est datée de novembre 1828 (2). On y saisit sur le vif le procédé de transfiguration du paysage par l'imagination. Les « nuages mouvants... groupent leurs formes inconnues ». Tantôt c'est un géant « tirant son glaive dans les nues », tantôt la géographie surprenante du ciel prend l'aspect de mers mystérieuses. Ou bien, est-ce un hommage au chameau et à l'aigle de Hamlet ?

> Puis, voilà qu'on croit voir, dans le ciel balayé,
> Pendre un grand crocodile au dos large et rayé...
> Sous son ventre plombé glisse un rayon du soir...
> . . . .
> Puis se dresse un palais. Puis l'air tremble, et tout fuit.
> L'édifice effrayant des nuages détruit
>   S'écroule en ruines pressées...

Et les « nuages de plomb, d'or, de cuivre, de fer » vont se prêter à de nouvelles magies. Or, ces couchants de fournaise, « ces soirs sereins et beaux », sont datés de *novembre* 1828. Et ces « antiques manoirs » que dore une dernière caresse calme du soleil, ce « toit d'une chaumière » qu'il fait resplendir en un dôme d'or, est-on si sûr que le spectacle s'en offre à Grenelle, ou plutôt à Blois, ou bien dans son imagination ? Qu'on y fasse attention, sur quarante et une *Orientales* écrites entre 1825 et 1828, la majorité d'avril à novembre de cette dernière année, dix-neuf, soit presque la moitié, ont été écrites de septembre à novembre, et dix pendant le seul mois de novembre, c'est-à-dire

> Quand l'automne, abrégeant les jours qu'elle dévore,
> Éteint leurs soirs de flamme et glace leur aurore,
> Quand Novembre de brume inonde le ciel bleu...
> Devant le sombre hiver de Paris qui bourdonne... (3).

Tout comme ces souvenirs des promenades aux portes de Paris ressurgiront longtemps après, lorsque, loin de Paris, mais proche par le cœur, il décrira dans ses *Misérables* l'idylle de la rue Plumet ou la plaine des Gobelins, il semble que ces couchants de Vaugirard ont agi au même titre que d'autres souvenirs, plus récents seulement, sinon aussi glorieux, et que, par un curieux phénomène dont nous reverrons d'autres exemples, la sensation n'ait de vertu que dans le souvenir, c'est-à-dire lorsqu'elle est devenue une pâte assez souple, mais encore brillante, pour que l'imagination créatrice la remodèle à son gré. A ce stade, je souscris entièrement à cette phrase de Mabilleau qui voit dans les *Orientales* « la qualité native de l'imagination qui fonctionne ainsi à vide et qui

(1) Ci-dessus, p. 40. Cf. *Hamlet*, acte III, sc. 2.
(2) *F. A.*, XXXV. L'épigraphe est de Nodier, tirée des *Aveugles de Chamouny*.
(3) *Or.*, XLI, *Novembre*, 13 novembre 1828.

n'attend plus que des matériaux pour passer à la création originale (1) ».
Ce sont les images, non les perceptions, fraîches ou anciennes, interférant les unes avec les autres, se greffant les unes sur les autres, qui
sont assez malléables pour permettre le travail d'une imagination ivre
d'invention. Et l'imagination est tour à tour, comme invitent à le penser
plusieurs titres et bien des vers des *Orientales, attente, rêverie, extase*
et *enthousiasme* (2).

Ces réserves faites, il reste que l'élément qui concentre particulièrement la fantaisie du poète à ce moment, le personnage central des
Orientales, ce n'est ni Canaris, ni Achmet, mais le soleil surtout, aussi
la lune, Nourmahal, c'est-à-dire la lumière dans toutes ses variétés. Il
y a une fantaisie du soleil dans les années 28 comme il y aura une fantaisie
du printemps dans les années 50. Elle coule sa matière vibrante dans les
arabesques capricieuses par lesquelles le poète se représentait l'Orient.
Tout le recueil est un *hymne au soleil.* De lui l'imagination *attend* que
sa *rêverie* prenne forme, quand c'est « l'heure où l'astre géant rougit
et disparaît » :

> Oh! qui fera surgir soudain, qui fera naître,
> Là-bas, — tandis que seul je rêve à la fenêtre
> Et que l'ombre s'amasse au fond du corridor, —
> Quelque ville mauresque, éclatante, inouïe...?
> Qu'elle vienne inspirer, ranimer, ô génies!
> Mes chansons, comme un ciel d'automne rembrunies,
> Et jeter dans mes yeux son magique reflet... (3).

Disparaît-il, l'imagination semble frappée d'impuissance :

> Devant le sombre hiver de Paris qui bourdonne,
> Ton soleil d'Orient s'éclipse et t'abandonne.
> Ton beau rêve d'Asie avorte... (4).

Mais c'est aussi parole de circonstance, car il fallait bien finir et ouvrir
une perspective sur l'*Automne* et le *Crépuscule* déjà pressentis. La vérité
et le secret des *Orientales,* c'est que sa fantaisie a pu naître dans un domaine
où son imagination était d'autant plus libre qu'il ne présentait pas, ou si
peu, de modèle original. Comme l'écrivait un peu plus tard Sainte-Beuve,
à propos des *Feuilles d'automne,* comparant leur grisaille à « l'éclat éblouissant des *Orientales* » et niant que la différence témoignât d'une « nouvelle
manière » : « Il est arrivé seulement que, devant tout ce progrès merveilleux de son style, le poète a plus particulièrement affecté des sujets de
fantaisie ou des peintures extérieures, comme se prêtant davantage à
la riche exubérance dont il lui plaisait de prodiguer les torrents... (5) »
Sainte-Beuve avait bien discerné le caractère d'*exercices* qui ne se limite
d'ailleurs pas aux *Orientales* mais apparaît aussi bien dans *les Ballades*
contemporaines. La virtuosité du poète qui se manifestait dans ces efforts
de style éclatait parallèlement dans la recherche des effets de rythme.

---

(1) *Op. cit.,* p. 36.
(2) *Or.,* IV, XX, XXXVI, XXXVIII.
(3) *Or.,* XXXVI, 5 septembre 1828.
(4) *Or.,* XLI.
(5) *F. A., Revue de la critique,* p. 154 (article du 15 décembre 1831, *XIX*e siècle,
les Poètes, II, p. 56).

A la fantaisie pittoresque de l'image répond le tour pittoresque du vers : l'un n'allait, l'un ne va pas sans l'autre.

Virtuosité.

Elle est peut-être plus sensible encore dans les dernières *Ballades* où en revanche le pittoresque formel est peut-être moins accentué que dans *les Orientales*, en partie parce qu'il ne présente rien de nouveau par rapport aux précédentes, sinon un certain raffinement dans le vocabulaire et d'une manière générale l'air de prendre pour telles ces « fantaisies » et de s'en divertir. Ce que Gautier écrira des aquarelles de Célestin Nanteuil pour *Notre-Dame de Paris* vaut aussi des *Ballades,* dont il parle également : « Rien ne ressemblait moins au moyen âge pendule et troubadour qui florissait vers 1825. C'est un des grands services de l'école romantique d'en avoir débarrassé l'art... (1). » Il se sert du même terme que Sainte-Beuve pour désigner « ces courtes fantaisies », notant à côté de la « couleur » l'importance du rythme, si entraînant que les rapins de son atelier récitaient ces dernières *Ballades* comme ils auraient chanté des chansons (2). C'étaient en fait des *chansons.* Barbey d'Aurevilly, dans un rapprochement significatif pour nous, s'en souviendra à propos des *Chansons des rues et des bois :* « Quand M. Hugo écrivait les *Djinns* ou *Sara la Baigneuse,* par exemple, et forçait le rythme, ce rebelle, à se plier à ses caprices — qui étaient des conquêtes sur la langue elle-même — il y avait encore, en ces assouplissements merveilleux, sinon l'effort de la force, au moins le triomphe d'une résistance ; il n'y avait pas l'aisance, l'aisance suprême que voici, et qui est si grande que le poète ne paraît même pas triompher. Ce n'est plus de l'asservissement, cela, c'est de l'enchantement (3) ! » Des chansons, mais encore des exercices, ou comme le dit, jouant avec bonheur sur les mots, le poète Fernand Gregh, après « les études classiques des *Odes* » les « gammes chromatiques des *Orientales* ».

Qu'il y ait une volonté de rythme, tout comme il y avait une « volonté de rêve », cela est trop évident et figure au premier plan des conseils adressés au début de 1827 à l'intention de Victor Pavie :

Je lui dirais d'être encore plus sévère sur la richesse de la rime, cette seule grâce de notre vers, et surtout de s'efforcer presque toujours de renfermer sa pensée dans le moule de la strophe régulière. Il peut changer de rhythme aussi souvent qu'il le voudra dans la même ode, mais qu'il y ait toujours une régularité intime dans les dispositions de son mètre. C'est, selon moi, le moyen de donner plus de force à la pensée, une plus large harmonie au style et plus de valeur à l'ensemble de la composition. Au resté, je ne lui donne ceci ni comme des lois, ni comme des règles, mais comme des résultats d'études, bonnes ou mauvaises, sur le génie de notre poésie lyrique (4).

Nous reviendrons sur les « études » qui ont déterminé cette attention à la technique poétique. Pour Hugo, une rime riche et un rythme varié dans la régularité constituent donc le *moyen* de donner de la force, c'est-

(1) *Histoire du Romantisme,* passage cité, p. 56.
(2) *Ibid.,* p. 58.
(3) *Le Nain Jaune,* 15 novembre 1865, *in C. R. B.,* Revue de la Critique, p. 467.
(4) *Corresp.,* I, p. 60, à M. Louis Pavie (père de Victor Pavie), 15 janvier 1827.

à-dire de la « couleur », à une composition. En effet, le rythme et la rime sont aussi essentiels à la fantaisie poétique et y jouent à peu près le même rôle que l'arabesque du contour dans les dessins de fantaisie. Ces principes sont pleinement illustrés par quelques types particulièrement recherchés de strophes pour lesquels il a marqué à plusieurs reprises sa prédilection.

Le schéma le plus typique est sans nul doute celui que *la Chasse du Burgrave* (1) a rendu célèbre et qui, en accouplant l'allègre octosyllabe avec le monosyllabe, combine par excellence le rythme et la rime. Le second vers est ainsi réduit à sa plus simple expression, la rime. Du même coup le problème de la rime est résolu, ou transmuté en un problème plus subtil, presque un « rébus », qui consiste à placer la rime des mots dont la dernière syllabe non muette constitue à elle seule un nouveau mot. C'est dire que le choix des rimes commande tout le reste et que le sens et la logique doivent s'en accommoder. Nous avons rencontré ce type déjà dans la *Chanson de Gramadoch* qui en est probablement le premier exemple (2). Cette rime produit l'effet d'un écho sarcastique et l'épigraphe donnée par Hugo à *la Blanche Aminte*, rimée sur ce modèle, confirme cette intention :

> — Çà, dit-il, que t'en semble
> Écoute, Écho, faisons une chanson ensemble (3).

Le quatrième essai de ce type, d'ailleurs le second en date, est ce *Dessin d'Albert Dürer* (4), déjà évoqué, du même style fantastique et médiéval que la *Chasse*. Fait curieux : sur quatre essais de ce genre, deux ont été laissés de côté et un troisième était bien près de l'être, s'il n'avait passé dans *Cromwell*. Pour trois *Ballades*, une seule *Orientale* qui n'a pas été retenue dans le recueil et était peut-être la mieux venue des quatre pièces, au moins la plus divertissante :

> Sitôt qu'Aminte fut venue
> Nue,
> Devant le dey qui lui semblait
> Laid...

Cet abandon semble montrer que pour le poète ces extrêmes n'étaient rien de plus que des exercices, ou, dans ce dernier cas, qu'il reculait encore devant une fantaisie un tant soit peu débridée.

Même tri pour les pièces d'un type si voisin qu'elles vont de pair avec les précédentes : le huitain de vers de trois pieds, type *le Pas d'armes du roi Jean* (5), qui suit *la Chasse du Burgrave*, comme *la Chanson de Trick* (6)

---

(1) *B.*, XI, janvier 1828. Le rapprochement suggéré par J. GIRAUD avec la chanson de Béranger *Allons, chasseur, vite en campagne!* souligne le caractère de *chanson* de cette pièce. Cf. BAUER, *op. cit.*, p. 166.
(2) *Cr.*, III, 1, p. 195, cf. ici, p. 65 : l'une des trois chansons intercalées dans le manuscrit primitif, à l'imitation de Shakespeare. Le troisième acte ayant été achevé en octobre 1826, elle a donc été composée entre les mois d'octobre 1826 et 1827, plus près d'octobre 1827 probablement, au moment du travail de révision ; trois sur quatre ballades de ce type auraient été ainsi composées à une date voisine.
(3) *T. L.*, VII, 1, 3 janvier 1829.
(4) *T. L.*, II, 41, 26 décembre 1827. Cf. ici, p. 117.
(5) *B.*, XII, 24-26 juin 1828.
(6) Même date approximative. *Cr.*, III, 1, p. 196. Cf. ici, p. 64.

vient après celle de Gramadoch. Le rythme est si allègre, moqueur et proche de la chanson à boire, qu'il a tenté la verve pittoresque d'un Saint-Säens, dont le simple trait musical scande dans notre mémoire les vers familiers :

> Nous qui sommes,
> De par Dieu,
> Gentilshommes
> De haut lieu,
> Il faut faire
> Bruit sur terre,
> Et la guerre
> N'est qu'un jeu.

Jeu aussi, le cliquetis historique de cette « chanson de tournoi » où « Saulx-Tavane le ribaud » et « Chabot qui ferraille », gentilshommes du XVIe siècle, et « Mons Fontraille », du XVIIe, se mêlent sous l'ombre indulgente du roi Jean (XIVe) à une folle danse de reines confondues avec les « dames du temps jadis ». Du même type, de la même inspiration et de la même date, deux ballades rejetées, *le Prince fainéant* et *le Missel* (1). Mais nulle part le *jeu* n'apparaît aussi clairement que dans ces « folles rimes » signées par un bouffon, qui mettent en fuite le bon sens et s'enivrent de mots — *words, words, words :*

> Des fous pensants ;
> Des pertuisanes
> Pour arguments ;
> Tendres amants
> Prenant tisanes ;
> Des loups, des ânes,
> Des vers luisants ;
> Des courtisanes,
> Des courtisans (2).

Les Djinns (3), qui portent au plus haut cette maîtrise du rythme, ne sont qu'une forme assouplie du type précédent. Gamme montante et descendante, qui, partie de deux pieds, culmine à dix et dont le fuseau, presque un « calligramme », illustre l'approche et la fuite des esprits de l'air. *Sara la baigneuse*, où triomphe « l'impair » — déjà! — est, avec *les Djinns*, la seule *Orientale* qui témoigne d'une recherche technique de cet ordre. L'alternance du vers de trois pieds avec celui de sept, dont Hugo aimera toujours le balancement indécis, témoigne d'un grand raffinement dans le rythme imitatif :

> Sara, belle d'indolence,
> Se balance... (4).

La balançoire semble sur ce vers ramassé reprendre son élan pour la berceuse déhanchée de l'heptasyllabe, rebondissement souligné

---

(1) *Le Prince fainéant*, *T. L.*, VII, 2, 30 juin-1er juillet 1828. *Le Missel*, *O. B.*, Reliquat, p. 502, attribué à 1825-1827, mais plus probablement de 1827-1828. Il est superflu de remarquer comme l'orthographe est elle aussi asservie aux rimes : l'orthographe correcte est *Saulx-Tavannes, Fontrailles*.
(2) Cf. n. 6, p. 128.
(3) *Or.*, XXVIII, 28 août 1828.
(4) *Or.*, XIX, juillet 1828.

nettement dans la seconde strophe par le pas redoublé du dernier
vers :

> Et la frêle escarpolette
> Se reflète
> Dans le transparent miroir,
> Avec la baigneuse blanche
> Qui se penche,
> Qui se penche pour voir.

En revanche, *les Orientales* foisonnent de rythmes discrets. Ils font de
plusieurs d'entre elles de véritables chansons, dont la nature est soulignée
par le titre ou à son défaut par la présence d'un refrain.

Beaucoup plus que la *Romance mauresque* (1), *Sultan Achmet* (2) mériterait ce nom, dont les trois strophes simples et mélodieuses évoquent,
à s'y méprendre, les chansons contemporaines, mais publiées postérieurement, de Musset, *Venise* et *l'Andalouse* :

> A Juana la grenadine,
> Qui toujours chante et badine,
> Sultan Achmet dit un jour...

Puis la *Chanson de Pirates* (3), avec titre et refrain, annonciatrice de
la *Chanson des Doreurs de Proue* :

> Dans la galère capitane
> Nous étions quatrevingts rameurs.

Et plus encore que ces deux-ci, *les Bluets* (4), dont le refrain à dessein
ne présente qu'un lointain rapport avec le reste et semble tomber d'une
vieille mémoire rêveuse :

> Allez, allez, ô jeunes filles!
> Cueillir des bluets dans les blés.

> La perle de l'Andalousie,
> Alice, était de Peñafiel,
> Alice qu'en faisant son miel
> Pour fleur une abeille eût choisie.

Il est du même style disparate que le vif refrain de la *Légende de la
Nonne* (5) :

> Enfants, voici des bœufs qui passent,
> Cachez vos rouges tabliers!

Les deux pièces sont datées aussi bien d'avril 1828 : toutes deux d'inspiration pseudo-espagnole, l'une a rejoint *les Orientales* et l'autre les *Ballades*.

(1) *Or.*, XXX, 1er mai 1828.
(2) *Or.*, XXIX, 20 octobre 1828. Cf. Musset, *Premières Poésies*, *Venise* (1828) :
> Dans Venise la rouge,
> Pas un bateau qui bouge...
L'Andalouse (1830) :
> Avez-vous vu, dans Barcelone,
> Une Andalouse au sein bruni... ?
et *Poésies nouvelles*, *Chanson*, datée de Venise, 3 février 1834 :
> A Saint-Blaise, à la Zuecca,
> Vous étiez, vous étiez bien aise...
(3) *Or.*, VIII, 12 mars 1828. Cf. *L. S.*, *D. S.*, XI.
(4) *Or.*, XXXII, 13 avril 1828. Cf. ici, p. 36.
(5) *B.*, XIII, avril 1828.

C'est bien la preuve de l'unité d'inspiration dans la couleur et le rythme, puisqu'en ce cas non seulement l'imagination, mais même le registre ne diffère pas. Alice aimait et finira ses jours en un couvent d'Espagne, comme « la blanche Aminte » au sérail du Sultan, comme la chaste « doña Padilla del Flor », éprise d'un brigand et mêlant le sérail au couvent, dans l'enfer d'où sa plainte monte (1). Ce sont toutes romances d'amour, amours heureuses, amours malheureuses, mais amours voluptueuses, jeunes mortes et jeunes captives de Chénier et Millevoye, mais plus encore d'un Hugo qui s'ignore encore, parfois frondeuses, même scabreuses, et d'un rythme si entraînant, si imprégné de sensualité qu'on devine le poète du côté des ravisseurs pour enlever la belle — *De nonne elle devint sultane* (2) — et parmi ces *Joyeux Fils de Nature et d'Amour* dont le Gracieux se souviendra pour narguer à travers Laffemas la justice et toutes les contraintes du monde (3).

Ainsi le rythme, vif dans *les Djinns*, langoureux dans *Sara*, s'adapte au ton de chaque scène et envahit tellement la forme qu'il semble presque guider le sens. Dans *les Orientales*, dans les *Ballades*, on retrouve le même défi joyeux. Un critique contemporain le jugeait sévèrement à propos de *Cromwell* où il le retrouvait : « M. Hugo, comme partout, a abusé de la liberté grande ; vers sans césure, hiatus, il a tout osé. Nous lui passons ses ballades, *amusements de la partie enfant du poète*, qu'on comprend si aisément dès qu'on a manié des rimes et des hémistiches... (4). » Lamartine reprendra amicalement le poète : « C'est un *jeu de l'esprit*, et non pas ce qu'il vous faut (5). » Mais c'était très précisément un jeu pour lui, aussi un exercice, d'assouplir le rythme jusqu'à une limite insoupçonnée. Toutefois, s'il semblait parfois se reposer sur son oreille du choix de ses mots, le poète donne l'impression aussi paradoxale de n'être pas moins sensible au rythme par les yeux. La disposition, les proportions des vers, qui en forment la transcription visuelle, le frappent tout autant, croirait-on, que leur cadence proprement dite ; et l'on dirait d'un musicien qui composerait d'après les arabesques des notes sur la portée. En ce sens le rythme est non seulement la « couleur », mais le dessin du vers. Tels étaient les « résultats d'études... sur le génie de notre poésie lyrique ».

Sainte-Beuve et la Pléiade.

Ces études avaient porté, ce n'est un mystère pour personne, sur les poètes de la Pléiade et aussi, un peu indistinctement, les poètes baroques du XVIIe siècle. La strophe enchanteresse de *Sara* (7 + 3 + 7 + 7 + 3 + 7) était celle même que Rémi Belleau avait employée dans *Avril*, dont Hugo citait deux strophes en épigraphe de *Pluie d'été* (6). Les deux pièces de V. Hugo

(1) *Ibid.*
(2) Cf. *Or.*, VIII.
(3) La pièce a été recueillie dans *Océan*, sous le numéro X. Elle y est datée du 15 mai 1828 et dans les « notes explicatives » (p. 557), 28 *juin* 1828, sans commentaire. Il y manque deux feuillets 2 et 3 qui représentaient les sept strophes, utilisées seulement en partie dans *Marion de Lorme* et rapportées à la suite (notes, p. 161) d'après le verso d'une lettre à Mme Hugo datée 6 mars 1828 où elles figurent. Hugo inaugurerait ainsi ce procédé de découpage familier par la suite à son économie poétique.
(4) *Mercure de France*, 1828, in *Cr.*, Revue de la Critique, p. 498.
(5) Lettre à Victor Hugo, *in Revue de Paris*, 15 avril 1904. Cf. ici, p. 113.
(6) *Pluie d'Été*, *O.*, V, 24, est datée 7 juin 1828 et *Sara la baigneuse*, *Or.*, XIX, juillet 1828.

datent de juin et juillet 1828 et il avait pu lire *Avril* parmi les extraits
que Sainte-Beuve donnait des *Bergeries* au tome I de son *Tableau de la
Poésie française au seizième siècle* (1). On sait quelle fut l'occasion, sinon
l'origine de cet ouvrage. En août 1826, l'Académie Française, montrant
par là que cet intérêt pour le xvie siècle n'était pas le fait de deux ou
trois poètes seulement, avait proposé au concours d'éloquence le sujet
suivant : *discours sur l'histoire de la langue et de la littérature française
depuis le commencement du seizième siècle jusqu'en* 1610. Sainte-Beuve,
attiré sans doute par un sujet qui répondait peut-être à des préoccupations
personnelles, s'était lancé dans des recherches qui, dépassant les limites
proposées, l'avaient conduit à dresser ce *Tableau*, sorte d'anthologie
largement coupée de commentaires. « Surtout — écrivait-il — je n'ai
perdu aucune occasion de rattacher ces études du seizième siècle aux
questions littéraires et poétiques qui s'agitent dans le nôtre. » Or, le
Tableau paraissait en 1828 ; des extraits en avaient été publiés auparavant dans *le Globe*. Ainsi s'explique qu'on soit porté à attribuer à Sainte-
Beuve un rôle d'intermédiaire et une influence dans le sens de l'étude
des rythmes (2). Cela ne peut se faire sans nuances.

Sainte-Beuve lui-même ne l'a pas prétendu. Corrigeant plus tard le
récit du *Victor Hugo raconté*, il rappelle qu'ils avaient fait connaissance
à propos de son article sur les *Odes et Ballades* (3), au temps où tous deux
habitaient rue de Vaugirard. Hugo « en prit l'occasion de lui exposer ses
vues et son procédé d'art poétique, quelques-uns de ses secrets de rythme
et de couleur... Je saisis vite les choses neuves que j'entendais pour la
première fois et qui, à l'instant, m'ouvrirent ce jour sur le style et la
facture du vers ; comme je m'occupais déjà de nos vieux poètes du
xvie siècle, j'étais tout préparé à faire des applications et à trouver moi-
même des raisons à l'appui (4) ». Ainsi, de l'aveu du critique, c'est presque
l'inverse de ce qu'on est tenté de penser qui se produisit ; au moins se ren-
contrèrent-ils sur un goût commun des poètes de la Renaissance.

En effet, Victor Hugo n'avait pas attendu de connaître Sainte-Beuve
pour en donner des témoignages. Si Hugo a rajouté dans l'édition de
1828 plusieurs épigraphes empruntées à des poètes de la Renaissance (5),
Ronsard et Baïf figuraient déjà dans l'édition de 1827 (6) à côté de Desportes et de Saint-Amant (7). En octobre 1829, il revendiquera Jodelle
pour « aïeul (8) » : on peut penser que Sainte-Beuve y a sa part ; mais

---

(1) Voir titre complet *in Bibliographie*.
(2) L. Séché, E. M. Schenck, H. F. Bauer, ouvrages cités.
(3) Il écrivit en fait deux articles : celui du 2 janvier 1827 porte sur le 1er volume
de l'édition en trois volumes, c'est-à-dire sur les *Odes;* celui du 9 sur le 3e volume,
les *Odes et Ballades* proprement dites (le tome II n'ayant paru qu'un peu après,
au début de 1827).
(4) *Post-scriptum à l'article de* 1835 (sur *les Chants du Crépuscule*), *in* Sainte-
Beuve, *XIXe siècle, les Poètes*, II, p. 105-106.
(5) Notamment l'épigraphe générale des *Ballades*, de Joachim du Bellay, ainsi
que celle de *B.*, IV, adaptée de *D'un vanneur de blé aux vents* (cf. Péguy, *Victor-Marie
comte Hugo*, p. 70-80) ; *O.*, V, 22, Ronsard ; *O.*, V, 24, Rémi Belleau. Le fait
qu'en 1828 Hugo ait changé par exemple l'épigraphe de l'ode *le Portrait d'une
enfant* (V, 22) pour une de Ronsard reste néanmoins significatif.
(6) Elle contenait dix ballades : la ballade VI, *l'Aveu du Châtelain*, portait l'épigraphe de Ronsard et la ballade IV, *les Deux Archers*, avait déjà, malgré ce qu'on a
pu écrire, l'épigraphe de Baïf.
(7) Toujours d'après l'édition de 1827, la ballade III, *la Fiancée du Timbalier* et
la ballade IX, *la Ronde du Sabbat*.
(8) *D. G.*, I, *Billet à Ch. Nodier :* « Moi dont Jodelle est l'aïeul... »

que Hugo le dise dans un billet en vers adressé à Nodier ne peut passer pour une provocation, bien plutôt pour la reconnaissance d'une dette. Aussi bien c'est à Nodier que Hugo avait recommandé Sainte-Beuve pour lui demander de faciliter le travail du jeune critique : « C'est une tâche qui exige un talent élevé et une profonde science. Il a le talent : vous pouvez lui ouvrir de nouvelles sources de science (1). » Nodier, fervent de Ronsard et des poètes mineurs du xvi⁰ et du xvii⁰ siècles, amateur et collectionneur de leurs vieilles éditions, écrivant à Chênedollé pour retrouver un rarissime Vauquelin de la Fresnaye (2), a pu, j'inclinerai à le croire, donner à Victor Hugo la curiosité et le goût de cette poésie avant Sainte-Beuve, qui n'a fait que les confirmer. C'est de Nodier en particulier que Victor Hugo a dû tenir et garder cette vision un peu confuse qui assimilait aux « romances » du moyen âge les pièces claires et raffinées de ces poètes, « chants aimables et gracieux (inspirés) à nos vieux poètes, à Bertaut, à Desportes, à Baïf et surtout à Ronsard (3) ».

Mais à Ronsard, c'est le nom de Sainte-Beuve qui demeure particulièrement attaché. Le second tome de son *Tableau* consistait en un choix des poésies de Ronsard (4) et, son ouvrage terminé, comme le navigateur antique, dit-il, sa course finie, « tirait le vaisseau sur le rivage et le dédiait à la divinité du lieu », il avait donné à Victor Hugo l'in-folio sur lequel il avait travaillé avec cette dédicace : « Au plus grand Inventeur de rythmes lyriques qu'ait eu la Poésie française depuis Ronsard (5). » Hugo lui rendait hommage pour hommage, en écrivant : « Sainte-Beuve qui a épousseté, reverni et remis à neuf la vieille gloire dédorée de Ronsard (6). » Remarquons en passant qu'il n'y avait pas dans ce volume une telle débauche de rythmes, ni rien qui approchât les jongleries du poète moderne, mais cependant d'assez nombreux exemples de strophes d'octosyllabes, et de décasyllabes, également quelques-unes d'heptasyllabes (7). Hugo a suivi ces modèles notamment dans *Pluie d'été*, qui ne reproduit pas seulement le rythme du dizain octosyllabique de quelque pièce du *Bocage de 1554*, mais aussi, comme nous allons le voir, l'inspiration. C'est ce qui faisait écrire à Sainte-Beuve dans son *Tableau* :

La versification dut à Ronsard de notables progrès. Et d'abord il imagina huit ou dix formes diverses de strophes, dont on chercherait vainement les modèles chez les poètes ses prédécesseurs. Plusieurs de ces rythmes ont été supprimés par Malherbe, qui les jugea probablement trop compliqués et trop savants pour être joués sur sa lyre à quatre cordes. *C'est seulement de nos jours que l'école nouvelle en a reproduit quelques-uns...* (8).

---

(1) Lettre datée du *jeudi 28 juin* (1827) in *R. H. L. F.*, 1909, t. XVI, p. 158.
(2) Sainte-Beuve, *Chateaubriand et son groupe littéraire*, t. II, p. 316, lettre du 16 janvier 1831.
(3) *Journal des Débats*, 7 mars 1818.
(4) *Œuvres choisies de Pierre de Ronsard*, avec notices, notes et commentaires par C.-A. Sainte-Beuve.
(5) *Tableau...*, éd. 1843, p. 315. Il s'agissait des *Œuvres de Ronsar(d)*, chez Nicolas Buon, 1609. C'est cet exemplaire dont les poètes amis de V. Hugo couvrirent les marges de leurs vers. Cf. Chesnier du Chêne, *op. cit. in Bibliographie*.
(6) *L. Ph. m.*, Rel., p. 272 (1827-1830 ?).
(7) Par exemple, dans le *Second Livre* (à Marie) : décasyllabes, p. 143 : « Si le ciel est ton pays... » et la pièce XVII : « L'amant est une beste... » ; *ibid.*, octosyllabes, p. 148 : « Fleur angevine de quinze ans », p. 150 : « Le Printemps n'a pas tant de fleurs » ; heptasyllabes, dans le livre I des *Odes*, ode XIX : « Après que la saison verte... », etc.
(8) Éd. 1828, t. I, p. 96. Souligné par moi.

Mais rien ne laissait à entendre qu'il en fût l'initiateur.

Cette esquisse, si brève soit-elle, serait infidèle à l'esprit du temps, si elle ne mentionnait, comme nous l'avons indiqué, pêle-mêle avec les poètes de la Pléiade, les noms d'un Saint-Amant, d'un Théophile de Viau, et d'une manière générale de tous ceux qu'un peu plus tard, en 1833, l'autre Théophile, Gautier, reprenant pour son propre compte le terme aimé du maître, devait caractériser et illustrer dans ses *Grotesques* (1). Dès 1830-1831, au moment où ces poètes secondaires seront l'objet d'un renouveau officiel de l'intérêt dans les revues, de la part aussi bien des classiques que des romantiques, un Jay pourra écrire : « M. Hugo croit être très original parce qu'il a jeté dans ses vers un grand luxe de ruines gothiques, de méchants lutins et de squelettes. Il ignore peut-être qu'un poète aujourd'hui oublié, que Saint-Amant a eu la même *fantaisie* que lui... (2). » Il n'en ignorait rien et au surplus ne l'avait pas caché, citant en épigraphe ce même poète et quelques autres dès 1827, avant même que Sainte-Beuve l'eût inclus dans son *Tableau*. Je soupçonnerais Nodier encore de les lui avoir fait connaître, considérablement aidé d'ailleurs par la propre curiosité du poète pour les œuvres méconnues. Dans *Cromwell*, on trouve les noms de Théophile et de Racan, et même une invitation à les lire (3). Pour le rythme, il pouvait en retenir l'exemple d'une familiarité incontestable avec l'heptasyllabe et l'octosyllabe groupés en véritables couplets de chanson. Il pouvait aussi gagner dans l'inspiration même un certain réalisme picaresque, qui lui fait croquer le portrait d'une sorcière — « Elle est petite, elle est bossue... (4) » — à la manière des crayons pittoresques d'un Saint-Amant et protester avec humour contre les périphrases liquoreuses des pastorales classiques :

> Vos flots troublés sont des eaux sales ;
> Vos génisses et vos cavales
> Sont des vaches et des juments (5).

Cette inspiration des poètes de la Pléiade et du XVIIe siècle baroque et précieux n'était pas perdue, quant à son fond même, elle devait réapparaître plus tard dans l'exil, et dès maintenant il est possible qu'elle soit

---

(1) Le traité des articles pour *la France littéraire* est en date du 1er décembre 1833. Cf. R. JASINSKI, *les Années romantiques de Théophile Gautier*, p. 218-259.

(2) R. JASINSKI, *op. cit.*, p. 221.

(3) Pour Théophile (de Viau), voir la note de V. Hugo sur la *Chanson de Trick* (*Cr.*, III, 1), p. 445 : « Les personnes à qui cette chanson semblera chargée y pourront voir un échantillon de l'esprit du temps, un amphigouri, une énigme à la façon des allégories de notre poète Théophile, importé en Angleterre avec les autres modèles du goût français. » Pour Racan, cf. *Cr.*, III, 2, p. 208, la réplique de Rochester, déjà citée ici, p. 69. Voir également *M. L.*, I, 1, p. 17 et II, 1, p. 35.

(4) *O. B.*, Rel., p. 505 :

> Elle est petite, elle est bossue ;
> Sur sa chaudière son front sue
> Et ruisselle, et sa main ossue
> Y plonge un doigt sale et crochu.
> Une verrue énorme et grise
> Pend de sa moustache qui frise
> Sur sa lèvre que cicatrise
> Le stigmate d'un pied fourchu.

(Décembre 1827.)

(5) *Ibid.*, p. 503, 3 août 1827 *(Nuit)*.

pour quelque chose dans les recherches gracieuses, un peu mignardes, de certaines *odes rêveuses*.

Les « *odes rêveuses* ».

A propos des *Feuilles d'automne*, voulant rétablir la continuité là où d'autres voyaient une rupture et le début d'une veine nouvelle — d'accord par anticipation avec le propre jugement du poète : « il y a des branches... (1) » — Sainte-Beuve écrivait :

On entrevoyait à peine ce que deviendrait chez le poète cette inspiration personnelle élevée à la suprême poésie, en lisant la pièce intitulée *Promenade*, qui est contemporaine des *Ballades*, et la *Pluie d'été*, qui est contemporaine des *Orientales* ; le sentiment en effet, dans ces deux morceaux, est trop léger pour qu'on en juge, et il ne sert que de prétexte à la couleur. Il restait donc à M. Victor Hugo, ses excursions et voyages dans le pays des fées et dans le monde physique une fois terminés, à reprendre son monde intérieur, invisible, qui s'était creusé silencieusement en lui durant ce temps, et à nous le traduire profond, palpitant, immense, de manière à faire pendant aux deux autres ou plutôt à les réfléchir, à les absorber, à les fondre dans son réservoir animé et dans l'infini de ses propres émotions (2).

C'était bien voir, et voilà de l'excellente critique que n'altère pas encore la maladive animosité qui devait bientôt envenimer leurs rapports et tous ses jugements sur un rival « trop heureux ». Si Sainte-Beuve introduisait arbitrairement entre les *Ballades* et *les Orientales* un ordre chronologique, qui n'existe pas tout à fait, comme je pense l'avoir montré, il discernait à merveille la continuité de la veine à travers les diverses nuances apparentes. Je lui laisse volontiers *Promenade*, mais je retiens *Pluie d'été*, et je ne serais pas trop étonné qu'en ce sens ait pu s'exercer l'influence du critique et ami. Il a contribué à tourner Hugo vers cet intérieur qui seul le passionnait lui-même, et dont il attendait pour Hugo la véritable révélation de son génie poétique : « Lorsque M. Hugo parle en son nom dans ses poésies, écrivait-il déjà en 1827, qu'il ne cherche plus à déguiser ses accents, mais qu'il les tire du profond de son âme, il réussit bien autrement (3). » C'est peut-être là sa victoire sur un Nodier mal entendu : « ... les sucreries, insistait-il en 1831, expirèrent à l'écorce contre la verdeur et la sève du jeune fruit croissant (4) ». Sans doute visait-il autre chose, la romance pâmée de Millevoye, le style « pendule et troubadour », comme dira Gautier, mais ces vagabondages au pays des fées dont il attendait avec impatience la fin, nul autre que Nodier n'en pouvait être tenu pour principal responsable. *Pluie d'été* marquait la transition, entre Nodier et Sainte-Beuve, par Ronsard et Rémi Belleau. Elle était de ces pièces, que sous la rubrique de « l'ode personnelle et rêveuse » Sainte-Beuve a excellemment distinguées des « odes pittoresques », ensemble médiévales, fantastiques, orientales. « Non pas, nuançait-il, que Victor Hugo ait pris soin d'isoler ses odes politiques et pittoresques de tout sentiment personnel, rêveur et mélancolique. Sa muse... au sein des

(1) Voir ici, p. xx.
(2) Article du 15 décembre 1831, *op. cit.*, p. 57 et *in F. A.*, Revue de la critique, p. 154.
(3) Art. du *Globe*, 2 janvier 1827, *op. cit.*, p. 10 et *O. B.*, Revue de la critique, p. 576.
(4) Article biographique, 1er août 1831, *op. cit.*, p. 49.

régions éclatantes et sous le soleil de l'imagination et de la féerie, revient souvent se replonger aux sentiments les plus intimes de l'âme et y puise une fraîcheur nouvelle : témoin son délicieux *Novembre* (1). »

Elles sont en effet parfois si peu différentes que plusieurs *Orientales* sont des odes rêveuses, un peu plus teintées seulement de sensualité. Je songe en particulier à ces trois-ci qui se suivent, non sans raison, dans le recueil, *Sara la baigneuse, Attente* et *Lazzara* (2), et à celle qui s'est perdue dans *les Feuilles d'automne* et dont le début rappelle *Sara* :

> Contempler dans son bain sans voiles
> Une fille aux yeux innocents ;
> Suivre de loin de blanches voiles ;
> Voir au ciel briller les étoiles
> Et sous l'herbe les vers luisants ;
>
> Voir autour des mornes idoles
> Des sultanes danser en rond ;
> D'un bal compter les girandoles ;
> La nuit, voir sur l'eau les gondoles
> Fuir avec une étoile au front...
>
> Rêver, tandis que les rosées
> Pleuvent d'un beau ciel espagnol,
> Et que les notes embrasées
> S'épanouissent en fusées
> Dans la chanson du rossignol... (3).

Est-ce le matin, est-ce le soir ? Venise ou Barcelone ? les gondoles de l'une se promènent indolemment sous les balcons de l'autre, la rosée tombe du clair de lune et tout se mêle en un Orient où fleurissent des « boutons d'or » : qu'importe, puisque tout cela n'est que *rêves*. C'est le titre même d'une ode de la même époque, qui développe ce souhait :

> Qu'un songe au ciel m'enlève...
> Et que la nuit je rêve,
> A mon rêve du jour (4) !

Pour faire naître le rêve, il lui faut peu de chose : juste un coin de forêt, « plein d'ombre et d'amour », où il transpose les désirs de la veille :

> Trouvez-le moi bien sombre,
> Bien calme, bien dormant (5).

Alors, avant Baudelaire, il pensera : « Là, tout est comme un rêve. » Juste quelque verdure, où la moindre sensation fugace lui est occasion de rêverie et suscite son « enthousiasme » :

> Tout me fait songer : l'air, les prés, les monts, les bois.
> J'en ai pour tout un jour des soupirs d'un hautbois,
> D'un bruit de feuilles remuées... (6).

---

(1) *Prospectus* pour l'édition des *Œuvres de Victor Hugo* (Gosselin, 1829), signé E. T. (Amédée Pichot) et dont Sainte-Beuve a revendiqué la paternité, *in Or.*, Historique, p. 785 sq.
(2) *Or.*, XIX, XX, XXI, datées respectivement *juillet* 1828, 1er *juin* 1828 et 14 *mai* 1828.
(3) *F. A.*, XXV, 12 septembre 1828.
(4) *O.*, V, 25, 4 juin 1828.
(5) *Ibid.*
(6) *Or.*, IV, 1827.

Qu'on ne pense pas que ce soit pure rhétorique et docilité à la convention d'un printemps que nos poètes depuis les Latins ont accoutumé de chanter (1). Le sentiment personnel, animal, de ce surgissement est mêlé de souvenirs, mais sinon pur dans les moyens d'expression, au moins sincère dans l'intention. J'en vois une preuve dans le fait que toutes ces pièces se groupent autour de mai-juin-juillet 1828 (2). S'il est vrai que « derrière tout poète notre imagination développe ainsi et dégrade jusqu'aux lointains de la fantaisie et du songe le paysage qui, surgi de son œuvre, nous paraît lui poser une enveloppe et un fond (3) », Hugo ne nous a pas laissé ce soin, même dès à présent. Sur le thème ordinaire d'une nature au printemps, dont la poésie de la Pléiade lui ouvre peut-être la simple richesse, il va broder les arabesques de ses propres motifs et les silhouettes des « créatures selon son cœur » qui, plus charnelles que celles de Rousseau, annoncent déjà les perspectives des *Chansons des rues et des bois* :

> Elle est jeune et rieuse, et chante sa chanson.
> Et, pieds nus, près du lac, de buisson en buisson
>   Poursuit les vertes demoiselles.
> Elle lève sa robe et passe les ruisseaux.

Où cela ? Dans *Lazzara*. Et de *Sara*, cette autre nymphe familière :

> Je pourrais folâtrer nue,
>   Sous la nue,
> Dans le ruisseau du jardin.

Une averse, un rayon de soleil révèlent les trésors de l'herbe, depuis la *demoiselle* (4) jusqu'aux fourmis en perdition dans des « Niagaras » en miniature (5), et fait percer les boutons d'or :

---

(1) « Nos poètes, dont la sensibilité se règle un peu sur le climat de Paris, n'ont d'ordinaire chanté le printemps que par imitation classique : la Fête des Fleurs sous le coutumier parapluie. » A. THIBAUDET, *la Poésie de Stéphane Mallarmé*, 4ᵉ éd., p. 42. Tel scepticisme n'est pas sans fondement, mais excessif dans son extension.
(2) Non seulement les *Orientales* citées ci-dessus, mais les *Odes*, V, 24, 7 juin 1828 ; V, 25, 4 juin 1828 ; IV, 16, mai 1827.
(3) THIBAUDET, *op. cit., ibid.*
(4) La demoiselle, ci-dessus poursuivie par Lazzara (14 mai 1828), était déjà le sujet d'une *odelette* ronsardisante, *O.*, IV, 16, mai 1827 :
> Quand la demoiselle dorée
> S'envole au départ des hivers,
> Souvent sa robe diaprée,
> Souvent son aile est déchirée
> Aux mille dards des buissons verts.
et reparaît dans l'ode suivante, *A mon ami S.-B., O.*, IV, 17, décembre 1827 :
> La verte demoiselle aux ailes bigarrées.
Gautier a repris ce motif, sur le rythme de *Sara*, dans *la Demoiselle, Poésies de 1830*, éd. Jasinski, t. I, p. 20.
(5) *Pluie d'été, O.*, V, 24, 7 juin 1828 :
> Le petit ruisseau de la plaine,
> Pour une heure enflé, roule et traîne
> Brins d'herbe, lézards endormis,
> Court, et, précipitant son onde
> Du haut d'un caillou qu'il inonde,
> Fait des Niagaras aux fourmis!
>
> Tourbillonnant dans ce déluge,
> Des insectes, sans avirons,
> Voguent pressés, frêle refuge!
> Sur des ailes de moucherons ;
> D'autres pendent, comme à des îles,
> A des feuilles, errants asiles...

> Que la soirée est fraîche et douce!
> Oh! viens, il a plu ce matin;
> Les humides tapis de mousse
> Verdissent tes pieds de satin...

Qui saurait dire sous quelle influence Hugo a repris à son compte le thème, vieux comme le monde, de l'invitation aux champs? Est-ce Belleau dont il cite en épigraphe, comme s'il voulait par là marquer la source de son inspiration, deux strophes extraites du célèbre *Avril?* « On l'appelait le *gentil Belleau,* et Ronsard le surnommait le *peintre de la nature...* la pièce du mois d'*Avril* est celle qui a le mieux conservé sa fraîcheur (1). » C'est ce ton même de gentillesse, cette fraîcheur que Hugo retrouve, pastiche presque, en évoquant le bien-être d'une soirée d'été, doucement radieuse et neuve après l'averse. Ces « humides tapis de mousse » se souviennent-ils de Ronsard et « d'un tapis marqué de fleurs (2) »? Est-ce par Chénier, comme une autre épigraphe l'insinue (3), ou Millevoye et ses élégies de bosquets (4), ou Latouche et ses fantaisies « agrestes (5) »? Ou bien Nodier, poète entomologiste et botaniste, lui a-t-il ouvert les yeux sur les trésors de la nature que lui-même aimait contempler (6)? De ses savantes études il passait quelque chose dans ses romans. Ces insectes balayés par l'eau rappellent-ils les lucioles?

... ces insectes agiles que la nature a ornés de feux innocents et que souvent, dans la silencieuse fraîcheur d'une courte nuit d'été, on voit jaillir en essaims du milieu d'une touffe de verdure, comme une gerbe d'étincelles sous les coups redoublés du forgeron. Ils flottent emportés par une légère brise qui passe, ou appelés par quelques doux parfums dont ils se nourrissent dans le calice des roses... (7).

---

(1) SAINTE-BEUVE, *Tableau,* éd. 1828, p. 113-114.
(2) *O.,* I, XIX. Voir aussi dans les *Gayetez* qui figuraient à la fin de l'in-folio de 1609 la pièce dédiée à R. Belleau, *le Freslon,* et combien d'autres jeux d'insectes et de nymphes dans un rayon de soleil.
(3) *O.,* IV, 16.
(4) Cf. *Élégies,* livre I, *in O. C.,* t. IV, notamment *A un bosquet* (p. 86), *la Fleur* (p. 99), etc. Voir aussi sous rubrique *Poésies légères, in* éd. Garnier frères, 1865, p. 353, 356, etc...
(5) Par exemple *Adieux,* p. 149, *Nuit d'été :*
> Si tu viens au vallon, viens le soir, viens loin d'eux...

Ibid., p. 160, *Langueur ;* p. 221, *Un Rossignol. Agrestes, passim,* et par exemple : *A vol d'oiseau,* p. 84.
(6) Voir ses œuvres éditées par Ant. Magnin, *in Bibliographie.* En 1829, il faisait paraître par exemple une étude *Sur le sphinx aux environs de Montbéliard.* C'est son maître, le ci-devant Girod de Chantrans auquel son père jacobin l'avait confié, qui lui donna le goût des sciences de la nature.
(7) *Smarra,* p. 120. Voir ses poésies aussi, par exemple *le Bengali* (1823), *le Buisson, la Violette, le Printemps* et notamment *Retirez-vous de mon soleil :*
> Alors, parmi les bois épiant les insectes,
> J'observe leurs travaux, leurs mœurs et leurs amours,
> Chasseurs ingénieux, innocents architectes,
> Hôtes légers des fleurs, créés pour les beaux jours,
> J'admire cette main qui soigna vos atours ;
>   Avec quelle pompe elle étale
> Sur les brillants habits dont vous êtes parés,
>   Et la nacre polie, et la changeante opale,
>   Et des *réseaux d'argent,* et des disques dorés! etc...

Cf. *in Pluie d'été :*
> Les terres luisent fécondées
> Comme sous un *réseau d'argent.*

Ou bien sont-ce, par lui, ou sans lui, les innombrables passages des comédies de Shakespeare où la rêverie d'une Juliette, d'une Desdémone ou d'une Titania apporte comme une brise le magique enchantement du printemps, le jeu des insectes avec les fleurs, et que résume la célèbre rêverie d'Obéron?

Je connais un terrain où croît le thym sauvage, où la violette se balance auprès de la grande primevère et qu'ombragent le suave chèvrefeuille, de douces roses parfumées, et le bel églantier. C'est là, que pendant quelques heures de la nuit, Titania, fatiguée des plaisirs de la danse, s'endort au milieu des fleurs... (1).

Ou la suave et triste chanson de Desdémone, qui hantera Musset (2)?

Nouveaux jardins.

Mais pourquoi ne pas lui faire crédit de l'authenticité de ses impressions? A la faveur des exemples qui lui sont proposés, c'est son propre plaisir qu'il poursuit et découvre par morceaux, sans le démêler trop bien des souvenirs littéraires qui peuvent y rester associés. Ce « ruisseau enflé » est-il de Bièvre, des Feuillantines ou d'ailleurs? C'est à Paris qu'il rêve :

> Oh! vois voltiger les fumées
> Sur les toits de brouillards baignés!

C'est dans un jardin de Paris qu'il improvise cette féerie, peut-être dans ce Luxembourg où il localisera plus tard, précisément en juin, une impression curieusement identique :

Il avait plu la veille, et même un peu le matin. Mais *en juin* les ondées ne comptent pas... La terre *en été* est aussi vite sèche que la joue d'un enfant... Rien n'est admirable comme une verdure débarbouillée par la pluie et essuyée par le rayon; c'est de la fraîcheur chaude. Les jardins et les prairies, ayant de l'eau dans leurs racines et du soleil dans leurs fleurs, deviennent des cassolettes d'encens et fument de tous leurs parfums à la fois. Tout rit, chante et s'offre. On se sent doucement ivre. Le printemps est un paradis provisoire... (3).

---

(1) Acte II, sc. 3, t. IV, p. 188. Cf. la rêverie de Juliette, II, 2, t. IV, p. 137 : « Tu le vois, la nuit étend son masque sur mon visage... »; celle de Titania, II, 2, *ibid.*, p. 181 ; la *Chanson d'Ariel, ibid.*, p. 97 :

> Je suce la fleur que suce l'abeille ;
> J'habite le calice d'une primevère...
> Gaîment, gaîment, je vivrai désormais
> Sous la fleur qui pend à la branche...

La *Chanson des fées* sur les insectes, II, 4, p. 190, et celle de Bottom, III, 1, p. 203, où chantent les oiseaux pour le ravissement de Titania.

(2) *Othello*, acte IV, sc. 3, t. IV, p. 165 :
La pauvre enfant était assise, en soupirant, auprès d'un sycomore.

> Chantez tous le saule vert.
> Sa main sur son cœur, sa tête sur ses genoux;
> Chantez le saule, le saule, le saule.

Le frais ruisseau coulait près d'elle, et par son murmure répétait ses gémissements;

> Chantez le saule, le saule, le saule.

L'adaptation de Vigny, *le More de Venise*, en fut donnée le 24 octobre 1829 au Théâtre-Français. C'est en septembre 1827 qu'une troupe de comédiens anglais était venue le jouer dans l'original à l'Odéon, ainsi que *Roméo et Juliette* et *Hamlet*, dont l'Ophélie rendit Berlioz amoureux.

(3) *Mis.*, V, 1, 16, p. 56 (1861-1862?). Mots soulignés par moi.

Un paradis pour amoureux, fauvettes et infusoires, qui le remplissent complaisamment, tout au long d'une description fort minutieuse. N'importe, c'est là déjà le même attrait, commun aux robustes rêveurs, Alain-Fournier comme Francis Jammes, pour

> ce qu'il y a de mouillé, de tremblant et de vert (1).

Au reste, le jardin de la rue Notre-Dame-des-Champs n'en était pas loin : « aux sommets lointains de cette longue rue, où chantent les oiseaux du Luxembourg, en plein midi, non loin de Vaugirard,... une humble maison entre deux peupliers sonores... Tout riait, tout chantait, tout rêvait, tout espérait dans ce petit coin de terre aimé des cieux (2) ». Hugo continue de vivre dans les jardins. S'il quitte celui-ci, c'est pour se porter vers d'autres faubourgs ombragés de Paris, au haut de l'avenue des Champs-Élysées, encore bordée çà et là d'hôtels du siècle précédent et de terrains vagues, presque à la campagne, rue Jean-Goujon : « des arbres, de l'air, un gazon sous notre fenêtre (3) ». Ce nouveau jardin ne lui suffit pas, le poète descend l'avenue jusqu'aux Tuileries dont il aimera d'arpenter la terrasse au bord de l'eau, en ruminant, dit-on, les déboires de *Triboulet* :

> Mon père, celle-ci me plaît pour la terrasse
> D'où l'on voit des jardins... (4).

ou en se laissant bercer aux « correspondances » qui alimentent ses rêveries d'un précoce automne :

> Je me laissais aller à ces trois harmonies,
> Printemps, matin, enfance, en ma retraite unies... (5).

Mais en même temps qu'ils invitent sa fantaisie à chercher de nouvelles et plus fraîches sources au contact de la nature, ces jardins l'encouragent à exploiter les simples trésors de son âme et du monde sans plus les *déguiser*. C'est l'aboutissement de l'influence de Sainte-Beuve à qui viennent donner raison les événements de 1830. *Novembre* est déjà une *Rupture avec ce qui amoindrit*. Les *Ballades* médiévales ou orientales sont à *Cromwell* et *Marion* ce que seront *les Chansons des rues et des bois* au *Théâtre en liberté*. Puis Pégase tourne bride et se range dans l'allée cavalière du siècle « grand et fort ». Dans une pensée sincère, mais seulement à demi, parce qu'elle ne vaut que pour une moitié de son âme, le poète, au milieu des orages, ressent l'événement comme une coupure de sa vie, salue son printemps tapageur et se prépare à *l'automne* et au *crépuscule*. Ce sont aussi des harmonies, mais intimes et grises, dont seul un nouvel accès de jeunesse, par l'amour, pourra l'arracher.

... Dans ce tourbillon qui nous enveloppe, écrit-il à Lamartine, il m'a été impossible de rallier trois pensées de poésie et d'amitié. La fièvre prend

---

(1) *Deuil des Primevères*, *Élégie XVII*e. La pièce d'ailleurs rappelle fortement Victor Hugo par ces cris d'un émerveillement naïf en face de la nature dont est prodigue le poète du *Théâtre en liberté*.
(2) Jules JANIN, *Histoire de la Littérature dramatique*, t. III, p. 94.
(3) *Corresp.*, I, 271, à Sainte-Beuve, 16 mai 1830. Il y était installé depuis le mois d'avril.
(4) *R. A.*, II, 3, p. 295.
(5) *F. A.*, XXIX, *Pente de la Rêverie*.

toutes les têtes et il n'y a pas moyen de se murer contre les impressions du dehors ; la contagion est dans l'atmosphère, elle vous gagne malgré vous : plus d'art, plus de théâtre, plus de poésie en un pareil moment. Les Chambres, le pays, la nation, rien que cela. On fait de la politique, comme on respire (1).

Certes les *Ballades, les Orientales* appartenaient à une fantaisie désormais révolue. Ses poésies se disposent maintenant dans des perspectives intérieures, sociales et politiques, et à ce titre ne font pas partie de notre sujet. Mais en même temps, cette nouvelle atmosphère ne l'empêchait pas, il le fallait bien, de terminer les ouvrages ou de réaliser les projets entrepris avant 1830 : c'est le cas pour *Notre-Dame de Paris*, qui appartient encore à cette période romantique de la jeunesse ; c'est aussi le cas pour la plupart de ses drames qui, en se nuançant d'intentions politiques et sociales de plus en plus marquées, n'en restent pas moins bâtis sur le schéma conçu en 1827. Ainsi, cette période se dépasse en un épilogue de quatre ans jusqu'au moment où, précisément d'un drame, sortira la nouvelle fée, belle et muette princesse Negroni, qui lui inspirera la joie et lui fournira l'occasion ou le prétexte de renouveler sa fantaisie.

(1) *Corresp.*, I, 103, Paris, 7 septembre 1830.

ÉPILOGUE ET TOURNANT DE 1830
(1830-1833)

Trois années, « trois glorieuses » à leur manière, qui montrent l'exploitation de la nouvelle convention romantique (1) et vivent sur l'élan créateur des années d'expériences, outre que cette fantaisie, elle aussi de convention, est le plus souvent asservie à des buts raisonnables et utilitaires, qui font mieux comprendre l'explosion de la préface de *Mademoiselle de Maupin* en 1836.

Jamais le pouvoir de production de Victor Hugo n'a été encore si intensif. En janvier 1829, il publie *les Orientales*, en février *le Dernier Jour d'un condamné*. Sans méconnaître que certains essais pour *Marion* sont datés de mai, il a écrit ce premier drame d'application en moins d'un mois (2-26 juin), si l'on en croit les dates des manuscrits. C'est aussi la première fois qu'on le surprend si soucieux de mesurer sa création. Aux dates nombreuses qui jalonnent ses actes, voire ses scènes, s'ajoute une incroyable comptabilité poétique qui laisse rêveur à la pensée d'un magicien naïf additionnant ses miracles, peseur de vers renouvelé de Quentin Metzys. A peine a-t-il fini celui-ci qu'il se met à préparer le suivant. La censure interdit le 13 août *Marion*? Sans se laisser décourager un moment, il presse l'éclosion d'*Hernani* qu'il écrit en aussi peu de temps, du 29 août au 24 septembre. Ce n'est pas tout : sans désemparer, à travers déménagements et révolution, il mène un roman aussi volumineux que *Notre-Dame*, projeté et conçu, il est vrai, dès novembre 1828, mais œuvré entre septembre 1830 et janvier 1831. Le roman paraît le 16 mars 1831. Suivent trois nouveaux drames, *le Roi s'amuse*, *Lucrèce Borgia*, *Marie Tudor* — ces deux derniers n'offrent guère trace de fantaisie — représentés respectivement pour la première fois le 22 novembre 1832, le 2 février 1833 et le 6 novembre de cette même année. Entre temps, *les Feuilles d'automne* ont paru le 1er décembre 1831. On comprend qu'après des années si remplies, le poète ait éprouvé le besoin d'une détente, qui devait le sauver de la routine ou de l'épuisement et préparer sourdement son renouvellement.

(1) Sainte-Beuve l'a soutenu même pour *les Feuilles d'automne*, qui, en apparence, s'écartent le plus de l'inspiration précédente et qu'il rattache aux *odes rêveuses*, cf. ici, p. 135.

Jules Janin nous a laissé de V. Hugo à ce moment un inoubliable et véridique portrait :

Figurez-vous un visage aimable, un sourire facile, une opulente gaieté, un grand rire, une santé de fer, rien qui pût fatiguer cet athlète infatigable. Autant il était de bonne humeur aux heures de délivrance, autant il était silencieux, caché et laborieux aux heures de l'inspiration. Peu de gens l'ont vu à l'œuvre, il se cache pour travailler, comme on se cache pour mal faire, et quand il est en mal d'enfant, tout lui convient : la douce promenade à l'ombre, et la marche haletante au soleil éclatant. Dans sa tête, il arrange, il écrit toute chose, et il ne s'arrête que si l'œuvre entière est accomplie. En ces moments pénibles et charmants, il ne reconnaît guère que les êtres qu'il aime le mieux, et qui s'enfuient à son approche, tant c'est un grand respect qui entoure un pareil labeur. Comptez donc que de poèmes, que de drames, que de livres, que de romans, que de chansons! Sans compter ce que l'heure emporte, et ce qu'il jette, en courant, aux quatre vents du ciel (1)!

Grotesques pour drames.

Ces deux drames, *Marion* et *Hernani*, sont inséparables (2). Mais si *Hernani* rayonne sur le Romantisme de tout l'éclat de sa « bataille », il est loin d'avoir à mon sens dans l'évolution créatrice de Victor Hugo la même importance psychologique que *Marion*. *Cromwell* était une expérience, encore confuse, dans laquelle la doctrine se dégageait au fur et à mesure. Essai imparfait, puisqu'il se souciait assez peu de répondre aux nécessités d'un spectacle, qu'il n'a pas été joué, et qu'il était injouable sans doute, et peut-être est-ce pour cette raison que la fantaisie y avait encore sa part. Dans l'esprit de l'écrivain, c'est *Marion*, de son premier nom *Un Duel sous Richelieu*, qui était destiné à la réaliser sur scène. Un arrêt seul de la censure a interdit à ce drame de jouer dans l'histoire du Romantisme le rôle que les événements devaient prêter à *Hernani*. Mais si l'auteur y gagnait en maîtrise, sa conception y perdait un peu de ce caractère entier, anguleux, qui s'attache aux théories de la jeunesse. C'est dans *Marion* qu'est pratiqué le mélange intime des genres et que, sous les yeux mêmes du spectateur, le comique est confronté avec le tragique. Le troisième acte, dit *la Comédie*, a pour décor « la grande porte du vieux donjon... tendue de noir » et le sort de deux ou trois vies humaines se pèse dans une parade foraine. Le poète en aurait eu l'idée lors d'une promenade sur le boulevard Montparnasse, en remarquant une baraque de saltimbanques plantée en face du cimetière. Qu'il l'ait cherchée ou qu'elle se soit imposée à lui, « cette antithèse de la parade et de l'enterrement le confirmait dans son idée d'un théâtre où les extrêmes se toucheraient, et ce fut là que lui vint à l'esprit le troisième acte de *Marion de Lorme* où le deuil du marquis de Nangis contraste avec les grimaces du Gracieux (3) ». *Hernani* est une tragédie romantique, non point l'application intégrale des principes exposés dans la préface de *Cromwell :* nul grotesque en effet, si ce n'est le rôle épisodique de la duègne ; aucun mélange hardi de comique et de tragique ; aucun mélange non plus dans la société, où

(1) *Histoire de la Littérature dramatique*, Michel Lévy fr., t. IV, 1854, p. 357
(2) Cf. Préface de *Marion*, août 1831 : « Cette pièce, représentée dix-huit mois après *Hernani*, fut faite trois mois auparavant. Les deux drames ont été composés en 1829, *Marion de Lorme* en juin, *Hernani* en septembre. »
(3) *V. H. rac.*, chap. XLVI.

ne se glisse parmi les seigneurs nul personnage de modeste origine, ou bien s'il en est un, passe encore pour un bandit qui se révélera tout à l'heure un prince déguisé.

Cette mise au point ne vise pas à nier le caractère éminemment romantique d'un drame qui fut davantage, une bannière, ni sa supériorité technique, mais seulement à constater qu'à mesure que l'auteur s'adapte mieux aux exigences du théâtre, sa fantaisie, même garantie par un manifeste, s'en altère d'autant. Gautier l'a remarqué (1). Musset l'a éprouvé à ses dépens et a trouvé le seul moyen d'y remédier, qui est de rompre au moins provisoirement avec la scène et de faire ce que Hugo a tenté plus tard à son tour : un *Spectacle dans un fauteuil*, un « Théâtre en liberté ». Les personnages de V. Hugo tendaient à se répéter et à devenir des utilités dramatiques. Les nobles et malheureux vieillards s'alignaient comme les portraits des ancêtres dans la fameuse galerie : Nangis, Ruy Gomez, Saint-Vallier. Les duègnes, doña Josefa Duarte ou dame Bérarde, venaient se ranger derrière dame Guggligoy. Les bouffons eux-mêmes n'échappaient pas à l'emprise d'un pragmatisme dramatique qui se confond avec la tradition. Dès *Marion*, où la troupe de Thespis faisait triompher le comique dans le tragique, le Gracieux, baladin « petit et bossu », répondait bien sans doute au type du grotesque, mais ne différait guère en somme du Scapin traditionnel, chargé de narguer le Géronte, d'en soutirer le plus d'écus possible, sans trahir le Léandre. Quant à l'Angely, à échafauder des intrigues de second vizir, il usait son esprit de gentilhomme et y perdait son nom de fou.

D'un autre côté, l'interférence d'intentions sociales et humanitaires de plus en plus accentuées dénature les grotesques, comme nous l'avions laissé prévoir (2). La personnification du malheur qu'ils incarnent pèse

(1) Voir ici, p. 75.
(2) Cf. *Ibid*. Ses intentions politiques et sociales au théâtre, sous-entendues auparavant, sont affirmées hautement et constamment à partir de 1833. Cf. préf. de *L. B.*, 11 février 1833, p. 443 : « A ses yeux, il y a beaucoup de questions sociales dans les questions littéraires et toute œuvre est une action... Le théâtre est une tribune. Le théâtre est une chaire... Il sait que le drame, sans sortir des limites impartiales de l'art, a une mission nationale, une mission sociale, une mission humaine... Le poète aussi a charge d'âmes. Il ne faut pas que la multitude sorte du théâtre sans emporter avec elle quelque moralité austère et profonde... » Ce passage est cité dans l'article publié dans *l'Europe littéraire* du 29 mai 1833, recommandé par lui à V. Pavie comme éminemment représentatif de sa pensée (25 juillet 1833, *Corresp.*, I, 147) et reproduit en préface à *L. Ph. m.* (p. 14) où l'on lit en outre (p. 15) : « Le théâtre, nous le répétons, est une chose qui enseigne et qui civilise. Dans nos temps de doute et de curiosité, le théâtre est devenu pour les multitudes, ce qu'était l'église au moyen âge, le lieu attrayant et central. Tant que ceci durera, la fonction du poète dramatique sera plus qu'une magistrature et presque un sacerdoce. Il pourra faillir comme homme ; comme poète, il devra être pur, digne et sérieux. » Position très nuancée, on le voit, puisqu'elle faisait la part des défaillances personnelles, dont, dirait-on, elle tenait compte. Au surplus, comme toujours, Hugo se gardait d'exagérer et ne voulait pas mélanger sa cause avec celle que condamnera Th. Gautier dans la préface de *Mademoiselle de Maupin* : « Ce n'est pas d'ailleurs que nous soyons le moins du monde partisan de *l'utilité directe* de l'art, théorie puérile émise dans ces derniers temps par des sectes philosophiques... », etc. (doctrine fouriériste et avec mesure Leroux, cf. D. O. EVANS, *op. cit.*, p. 55 sq. et 163). Ce n'est pas le lieu ici d'étudier sous quelles influences (Lamennais, Ballanche) à partir de 1830, Hugo a formulé en doctrine un obscur sentiment commun à tous les écrivains, à ceux de son temps en particulier, et extraordinairement impérieux chez lui. Les mêmes idées sont reprises encore dans la lettre à Victor Pavie, du 25 juillet 1833 : « Le théâtre est une sorte d'église, l'humanité est une sorte de religion... C'est beaucoup d'impiété, ou beaucoup de piété, je crois accomplir une mission. »

lourdement sur leur nature et hypothèque leur fantaisie. La société achève l'œuvre commencée par la fatalité. Si ceux de *Marion* en sont quittes, c'est Didier qui, sans la laideur, assume ce rôle de réprouvé. Il est bâtard et, à ce titre, proscrit de la société comme Valjean le forçat. La pensée de Victor Hugo commence à tourner sérieusement autour des *condamnés*. Hernani aussi est un bandit, un proscrit. Or, la difformité est l'image même de l'exclusion. Cette nouvelle charge fond sur le grotesque, promu porte-parole des opprimés. Hugo dès lors exploite à fond le croisement déjà noté de la bonté avec la difformité. La perversité s'évanouit pour faire place à un dévoûment primitif et à un sens obscur de la justice. Si Quasimodo, pape des fous, « né borgne, bossu, boiteux (1) », à la fois féroce et bon, porte la tare de ses ascendances frénétiques, voici bientôt Triboulet, fou royal, père de famille, offensé et souffrant dans sa pureté, sa fille (2). La limite, c'est, je l'ai dit, Gwynplaine, « l'homme qui rit », tout bon dans sa monstruosité, imposée, non par la nature, mais par la société et dont il aurait plus de raison que les autres de vouloir se venger : Gwynplaine est un symbole, il est le peuple souffrant et mutilé, au sens moral, pour le plaisir et le profit des puissants, sûrs de l'impunité.

Il est bon, de temps en temps, de faire ainsi le point. De tels regards portés sur de longues périodes en éclairent la continuité et dégagent les vraies perspectives. Qu'on ne pense point qu'il soit prématuré d'annoncer Gwynplaine. Triboulet nomme le roi et lui-même :

> Il s'appelle le crime, et moi le châtiment (3)!

Les maîtres-mots de l'exil proférés en 1832, par un proscrit aussi, avec la même passion que s'il s'agissait de l'auteur lui-même! Ces drames appelaient la censure, après tout. Et l'on dirait que le chevalier se sent une vocation, une force inemployée de redresseur de torts, sans savoir bien encore lesquels, s'en prenant par exercice ou défaut aux injustices du passé avant d'attaquer celles du présent. La fonction du poète, si elle ne tue, déforme assurément la poésie. Triboulet, Maître Simon Renard accablent les hommes de cour, en attendant Ruy Blas, non point laid certes, puisque aimé d'une reine, mais enfant perdu, valet, poète et réformateur social.

---

(1) *N. D. P.*, IV, 3, p. 120 : le titre du chapitre, *Immanis pecoris custos, immanior ipse,* annonce ce sauvage héros de *Quatrevingt-treize* qui portera le nom de *l'Imânus.*
(2) Cf. Préface de *Lucrèce Borgia,* 11 février 1833, p. 442 : « Prenez la difformité *physique* la plus hideuse, la plus repoussante, la plus complète ; placez-la là où elle ressort le mieux, à l'étage le plus infime, le plus souterrain et le plus méprisé de l'édifice social ; éclairez de tous côtés, par le jour sinistre des contrastes, cette misérable créature ; et puis jetez-lui une âme, et mettez dans cette âme le sentiment le plus pur qui soit donné à l'homme, le sentiment paternel... l'être difforme deviendra beau. Au fond voilà ce que c'est que *le Roi s'amuse.* Eh bien, qu'est-ce que c'est que *Lucrèce Borgia ?* Prenez la difformité *morale* la plus hideuse, la plus repoussante, la plus complète ; placez-la là où elle ressort le mieux, dans le cœur d'une femme, avec toutes les conditions de beauté physique et de grandeur royale, qui donnent de la saillie au crime ; et maintenant mêlez à toute cette difformité morale un sentiment pur, le plus pur que la femme puisse éprouver, le sentiment maternel ; dans votre monstre, mettez une âme ; ... et cette âme difforme deviendra presque belle à vos yeux. Ainsi la paternité sanctifiant la difformité physique, voilà *le Roi s'amuse ;* la maternité purifiant la difformité morale, voilà *Lucrèce Borgia.* »
(3) *R. A.,* acte IV, sc. 2, p. 339. Comparer le dernier mot de Flibbertigibbet : « C'est moi qui vous châtie » (ici, p. 59).

Le « *caprice* » Notre-Dame.

Même un livre comme *Notre-Dame de Paris* n'échappe pas à ces interférences complexes. Hugo pourtant se flattait d'y avoir suivi sa seule
fantaisie. « S'il a un mérite, écrivait-il à l'éditeur Gosselin, c'est d'être
œuvre d'imagination, de caprice et de fantaisie (1). » Cette interprétation
est à retenir, car elle place *Notre-Dame* dans la ligne des *Ballades* et des
Orientales et de ces œuvres qu'il appelait des « caprices » (2), du nom qu'on
donnait au XVIIe siècle à certaines pièces d'art pour leur irrégularité et
leur liberté. Mais comme la tournure dramatique et héroïque dans *Hernani*,
la multiplicité des aspects, historique, archéologique, épique, dramatique
aussi, fausse une fantaisie déjà fortement marquée de fantastique conventionnel. Lamartine l'a bien nuancé dans son éloge : « C'est une œuvre
colossale, une pierre antédiluvienne. Je n'aimais ni *Han*, ni *Bug*, je le
confesse ; mais je ne vois rien à comparer dans notre temps à *Notre-Dame*.
C'est le Shakespeare du roman (3). »

Tout d'abord, il apparaît que Victor Hugo a voulu faire un roman historique, à la manière de Walter Scott ou de Vigny, dont le *Cinq-Mars* (4)
a probablement inspiré *Marion de Lorme*. Cet aspect apparaît dès la couverture où, sous le titre principal, s'étale une date, « 1482 » ; et les réserves
apparentes de l'auteur ne font que l'accuser :

> C'est une peinture de Paris au quinzième siècle et du quinzième siècle à
> propos de Paris. Louis XI y figure dans un chapitre. C'est lui qui détermine
> le dénouement. Le livre n'a aucune prétention historique, si ce n'est de
> peindre peut-être avec quelque science et quelque conscience, mais uni-
> quement par aperçus et par échappées, l'état des mœurs, des croyances, des
> lois, des actes, de la civilisation enfin, au quinzième siècle (5).

A cet aspect se rattache l'abondante documentation, autant par souci
d'exactitude que pour se mettre dans l'atmosphère. Le choix de ces
documents n'est pas sans intérêt : d'instinct, Hugo s'adresse aux vieux
ouvrages et parmi eux, aux plus susceptibles de le renseigner sur « la
petite histoire », aux chroniques de Pierre Mathieu, aux comptes, procès-
verbaux et chartes comme le « livre noir » du cloître Notre-Dame, conservé
dans la bibliothèque de l'archevêché, et qui devait disparaître avec elle
dans la tourmente révolutionnaire. C'est là qu'il trouve parfois des
légendes, des récits ou des détails, dont le pittoresque touche à l'invraisemblable, séduit son humour, et provoque son imagination.

Par le biais des travaux du genre de ceux de Sauval et Dubreul au
XVIIe siècle sur *les Antiquités de Paris* que Victor Hugo suit et cite (6),

---

(1) *V. H. rac.*, chap. LIV.
(2) Voir ici p. 94, 113, 123. Cf. René JASINSKI, *Histoire de la Littérature française*, t. I, p. 357, n. 1 : « On entendait sous ce nom « les pièces de poésie, de musique,
« d'architecture ou de peinture un peu bizarres et irrégulières, et qui réussissaient
« plutôt, dit Furetière, par la force du génie que par l'observation des règles ». On
parlait alors des *caprices* de Saint-Amant comme des *caprices* ou des *grotesques* de
Callot. Le terme sera remis à la mode par Goya et par les Romantiques, notamment par Th. Gautier. » Hugo, je crois bien, avant Gautier.
(3) Lettre datée de Hondschoote, 1er juillet 1831, *in* G. SIMON, *Lamartine-
Victor Hugo, Lettres inédites*, p. 685.
(4) Paru en 1826.
(5) *V. H. rac.*, chap. LIV.
(6) *N. D. P.*, p. 67, 96, 105.

le roman historique se nuance d'un aspect complémentaire, archéolo-
gique, et devient aux yeux de l'auteur un monument d'histoire de l'art.
La note sur le projet de *la Quiquengrogne* confirme cette conception :
« Ce roman est destiné à compléter mes vues sur l'art du moyen âge,
dont *Notre-Dame* de Paris a donné la première partie. *Notre-Dame de
Paris*, c'est la cathédrale, *la Quiquengrogne*, ce sera le donjon (1). » Depuis
Reims, le « démon Ogive » ne l'a pas lâché. Le rêve qu'il prête à Claude
Frollo de déchiffrer le livre de la cathédrale, c'est le sien assurément et
son lyrisme passionné échauffe les propos du froid archidiacre, en attendant qu'ayant approfondi son don de voyant, Hugo l'applique à la
nature même — ce qui le détournera bientôt précisément de ses études
architecturales.

Mais avant tout, je vous ferai lire l'une après l'autre les lettres de marbre
de l'alphabet, les pages de granit du livre. Nous irons du portail de l'évêque
Guillaume et de Saint-Jean-le-Rond à la Sainte-Chapelle... Nous épelle-
rons encore ensemble les façades de Saint-Côme, de Sainte-Geneviève-des-
Ardents, de Saint-Martin, de Saint-Jacques-de-la-Boucherie...
— Pasquedieu ! qu'est-ce que c'est donc que vos livres ?
— En voici un, dit l'archidiacre.
Et en ouvrant la fenêtre de la cellule, il désigna du doigt l'immense église
de Notre-Dame, qui, découpant sur un ciel étoilé la silhouette noire de ses
deux tours, de ses côtes de pierre et de sa croupe monstrueuse, semblait un
énorme sphinx à deux têtes assis au milieu de la ville (2).

Tout le livre III, entre autres, est consacré à cet aspect. Mais
l'imagination ne demeure pas froide et commence à transfigurer tout.
Elle impose ou modifie les points de vue. La cathédrale est saisie de
dessous comme dans l'incendie ou de dessus par un « spectateur qui arrivait essoufflé sur le faîte ». C'est *Paris à vol d'oiseau*, qui inaugure la série
de ces visions d'en haut, propres à simplifier et à intensifier à la fois l'enchevêtrement des lignes (3), jusqu'à ne laisser subsister qu'un réseau de
nervures, comme d'une feuille qui pourrit, en un fourmillement que le
rythme délié de la phrase s'adapte à traduire : « c'était d'abord un éblouissement de toits, de cheminées, de rues, de ponts, de places, de flèches, de
clochers. Tout vous prenait aux yeux à la fois, le pignon taillé, la toiture
aiguë, la tourelle suspendue aux angles des murs, la pyramide de pierre
du onzième siècle, l'obélisque d'ardoise du quinzième, la tour ronde et
nue du donjon, la tour carrée et brodée de l'église, le grand, le petit,
e massif, l'aérien... (4) » Le premier chapitre, plus strictement archéologique, n'en est pas moins emporté par le même irrésistible mouvement

---

(1) *V. H. rac.*, chap. LIV. Il n'est pas besoin d'ajouter qu'il n'a jamais écrit ce
livre dont le titre, « nom populaire de l'une des tours de Bourbon-l'Archambault », est
digne de la fantaisie hugolienne. Sur ce roman, voir *Oc.*, Historique, p. 606. Le
3e volume non plus, *le Fils de la Bossue*, n'a jamais existé qu'en projet. Mais le
donjon réapparaîtra dans *Quatrevingt-treize*, interférant avec l'idée d'une nouvelle
trilogie, de l'ordre de l'histoire sociale cette fois (*l'Aristocratie, la Monarchie,
Quatrevingt-treize*), dont il a écrit deux volumes. Cf. préface et historique de *l'Homme
qui rit*. Cette manie de la composition ou de la recomposition de son œuvre était
déjà apparue dans la préface de *Lucrèce Borgia*, qui accouplait ce drame avec *le
Roi s'amuse*, en une « bilogie » (*L. B.*, p. 444).
(2) *N. D. P.*, V, I, p. 140. Cf. également le chapitre suivant.
(3) *N. D. P.*, III, 2. Cf. *Mis.*, IV, XIII, 2, *Paris à vol de hibou* et ici *Voyages*,
chap. II, p. 217 sq.
(4) *Ibid.*, p. 96.

lyrique où les mots se juxtaposent, s'accumulent comme les touches et les retouches d'un peintre impressionniste, d'une manière qui annonce directement la verve de Péguy :

Elle n'est pas, comme la cathédrale de Bourges, le produit magnifique, léger, multiforme, touffu, hérissé, efflorescent de l'ogive. Impossible de la ranger dans cette antique famille d'églises sombres, mystérieuses, basses, et comme écrasées par le plein cintre ; presque égyptiennes, au plafond près ; toutes hiéroglyphiques, toutes sacerdotales, toutes symboliques ; plus chargées, dans leurs ornements, de losanges et de zigzags que de fleurs, de fleurs que d'animaux, d'animaux que d'hommes ; œuvre de l'architecte moins que de l'évêque ; première transformation de l'art, tout empreinte de discipline théocratique et militaire, qui prend racine dans le bas empire et s'arrête à Guillaume le Conquérant. Impossible de placer notre cathédrale dans cette autre famille d'églises hautes, aériennes, riches de vitraux et de sculptures ; aiguës de formes, hardies d'attitudes ; communales et bourgeoises comme symboles politiques ; libres, capricieuses, effrénées comme œuvre d'art ; seconde transformation de l'architecture, non plus hiéroglyphique, immuable et sacerdotale, mais artiste, progressive et populaire, qui commence au retour des croisades et finit à Louis XI (1).

De l'archéologie au pittoresque, du pittoresque à l'épique, c'est une poussée continue où la mémoire, l'observation, l'imagination, faisant œuvre commune, triturent une pâte ardente et sombre où il entre du présent, du passé et de l'irréel, les souvenirs de Reims reversés au compte de la Chantefleurie, les visites à Notre-Dame et à la bibliothèque, peut-être l'histoire recueillie Dieu sait où de ce mystique et tourmenté abbé Oegger, premier vicaire à la cathédrale (2), et surtout ces visions personnelles nées du jeu des lumières et des ombres. La Cour des Miracles offre de ces ombres chinoises peut-être suggérées par les clairs-obscurs des peintres flamands ou romantiques. Tantôt elles transforment les hommes en monstres :

Des feux, autour desquels fourmillaient des groupes étranges, y brillaient çà et là... Les mains, les têtes, de cette foule, noires sur un fond lumineux, y découpaient mille gestes bizarres. Par moments, sur le sol, où tremblait la clarté des feux, mêlée à de grandes ombres indéfinies, on pouvait voir passer un chien qui ressemblait à un homme, un homme qui ressemblait à un chien. Les limites des races et des espèces semblaient s'effacer dans cette cité comme dans un pandémonium (3).

Tantôt elles prêtent un aspect monstrueusement humain aux choses :

... de vieilles maisons dont les façades vermoulues, ratatinées, rabougries, percées chacune d'une ou deux lucarnes éclairées, lui semblaient dans l'ombre d'énormes têtes de vieilles femmes, rangées en cercle, monstrueuses et rechignées, qui regardaient le sabbat en clignant des yeux (4).

(1) N. D. P., III, 1, p. 88-89. Cf. le même mouvement dans la description de la vague au début de William Shakespeare, I, 1, 2, p. 5-6 et le portrait de Louis-Philippe dans les Misérables, IV, 1, 3.
(2) Voir F. BALDENSPERGER, Revue des Cours et Conférences, 30 mai 1929, p. 345-347.
(3) N. D. P., II, 6, p. 65. Cf. T. M., I, v, 5, p. 157 : « A un certain moment, la lueur dessina sur le mur intérieur de la masure de grands profils noirs qui remuaient et des ombres de têtes énormes. » Et, au chapitre suivant, la Jacressarde, autre Cour des Miracles.
(4) Ibid. Cf. de semblables visions de vieilles maisons : à Heidelberg (Rh., XXVIII, p. 318), à Leso (V., II, p. 366) et à Guernesey, la maison visionnée de Plainmont (T. M., I, v, 4, p. 149).

Toute cette diverse matière recueillie d'un moyen âge romanesque et enténébré par la crasse des siècles comme la vieille cathédrale elle-même, l'imagination la burine, la pousse au noir dans un travail qui évoque les états successifs d'un graveur et ressortit bien plus au fantastique qu'à la fantaisie. « Caprice » sans doute, mais « caprice » à la Callot ou à la Rembrandt.

Tout cela se dispose sur le grêle canevas conçu en 1828, rivalité amoureuse autour d'une belle sorcière d'un prêtre et de sa créature, qui s'enrichit en 1830 d'un Phœbus, d'une Sachette, se nuance peut-être de l'anticléricalisme aigu qui sévit alors et se boursoufle d'idées qui à l'origine sont des antithèses. Quasimodo, nous l'avons vu, cache dans sa monstruosité le dévouement et le sens de la bonté ; la sorcière est une enfant volée, restée pure malgré son atroce jeunesse. Proscrits dès leur naissance et à cause d'elle — ou de celle qui est présumée la leur, dans le cas d'Esmeralda — ils sont condamnés à être poursuivis par la haine irraisonnée de la société, et leur sort repose en définitive entre les mains du plus saint en apparence, en réalité du plus indigne, ou au moins du plus tourmenté et du plus trouble de ses représentants. Sur cette antithèse centrale prolifient les antithèses adventices, dont Hugo fait ses personnages et qui en se rencontrant font le drame : laideur et bonté de Quasimodo le sonneur, ascétisme et concupiscence de Frollo le prêtre, beauté stupide de Phœbus le capitaine. Car c'est aussi un drame : la fatalité entraîne ces trois figures si dissemblables dans une danse d'amour effrénée autour de la bohémienne, selon le même schéma dramatique que dans *Hernani*, « tres para una », don Carlos, don Ruy Gomez et Hernani, ou que dans *Marion*, Saverny, Laffemas et Didier. Mais cette fatalité romantique, qui guidait l'amour de Didier et d'Hernani à la mort, est plus hallucinante dans ce roman où elle paraît symbolisée par la cathédrale même, dont la grande ombre glacée plane mystérieusement sur son inéluctable développement.

Cette formule complexe, synthétique des formes contemporaines et variées de son art, réalise très exactement le vœu qu'il émettait dans son article sur *Quentin Durward* :

... l'on pourrait considérer les romans épiques de Scott comme une transition de la littérature actuelle aux romans grandioses, aux grandes épopées en vers ou en prose que notre ère poétique nous promet et nous donnera... Après le roman pittoresque, mais prosaïque de Walter Scott, il restera un autre roman à créer, plus beau et plus complet encore selon nous. *C'est le roman, à la fois drame et épopée, pittoresque, mais poétique, réel, mais idéal, vrai, mais grand, qui enchâssera Walter Scott dans Homère* (1).

La Esmeralda.

Mais comme le dit Hugo d'autre chose, « ceci tuera cela », cette ambitieuse conception altérait la fantaisie, qui paraît s'être réfugiée dans deux personnages, Esmeralda et Gringoire, la jeune fille sauvage et le poète naïf, dont l'idylle à « la cruche cassée », occasionnelle, dépareillée et salvatrice comme celle de Rochester avec dame Guggligoy, annonce de loin les

(1) *La Muse française*, juillet 1823, *in L. Ph. m.*, p. 117 et 119. Je souligne la formule qui correspond.

nombreuses idylles à l'innocent qui fleuriront dans le paradis des *rues et des bois.*

On a pu trouver à la Esmeralda bien des antécédents, et, je dois dire, avec un remarquable cosmopolitisme : chez Scott encore la Fenella, Mignon de Gœthe, et Preciosa de Cervantès, toutes danseuses de corde et peu ou prou enfants volées. Que dire, le nom même est d'une frégate espagnole citée par Mérimée dans *l'Occasion* (1). L'eût-il voulu, certes, Hugo n'eût pas mieux fait pour ménager les susceptibilités des nations débitrices. Rien donc ne lui appartiendrait, mais, comme le disait déjà Pascal, « tout est dans la manière, et non dans la matière ». Hugo a fait une chose, il a *vu* la Esmeralda et il nous l'a fait voir. Eugène Sue l'avait reconnu : « ... il y a une chose qui m'a vivement frappé... c'est que vous ayez eu l'admirable pensée de mettre ces trois types de notre nature face à face avec une jeune fille naïve, presque sauvage au milieu de notre civilisation, pour lui donner le choix, et de faire ce choix si profondément *femme* (2) ». Dès qu'elle paraît à nos yeux — « devant vous » s'oublie à écrire Hugo qui, dirait-on, est dans le cercle des admirateurs — elle s'installe dans ce domaine de féérie qui n'a pas cessé de demeurer familier au poète des *Ballades* : fée, ange, salamandre, nymphe, se demande son interprète Gringoire.

Dans un vaste espace laissé libre entre la foule et le feu, une jeune fille dansait... Elle n'était pas grande, mais elle le semblait, tant sa fine taille s'élançait hardiment. Elle était brune, mais on devinait que le jour sa peau devait avoir ce beau reflet doré des andalouses et des romaines. Son petit pied aussi était andalou, car il était tout ensemble à l'étroit et à l'aise dans sa gracieuse chaussure. Elle dansait, elle tournait, elle tourbillonnait sur un vieux tapis de Perse, jeté négligemment sous ses pieds ; et chaque fois qu'en tournoyant sa rayonnante figure passait devant vous, ses grands yeux noirs vous jetaient un éclair.

Autour d'elle tous les regards étaient fixes, toutes les bouches ouvertes, et en effet tandis qu'elle dansait ainsi, au bourdonnement du tambour de basque que ses deux bras ronds et purs élevaient au-dessus de sa tête, mince, frêle et vive comme une guêpe, avec son corsage d'or sans pli, sa robe bariolée qui se gonflait, avec ses épaules nues, ses jambes fines que sa jupe découvrait par moments, ses cheveux noirs, ses yeux de flamme, c'était une surnaturelle créature (3).

C'était bien mieux : une bohémienne. Au delà de l'arsenal médiéval, c'est dans les souvenirs d'enfance qu'il faut en chercher le modèle le plus approchant, tel que, transfiguré par l'imagination, Hugo vient de le faire revivre deux ans auparavant :

J'ai fermé les yeux, et j'ai mis les mains dessus, et j'ai tâché d'oublier, d'oublier le présent dans le passé. Tandis que je rêve, les souvenirs de mon enfance et de ma jeunesse me reviennent un à un, doux, calmes, riants comme des îles de fleurs sur ce gouffre de pensées noires et confuses qui tourbillonnent dans mon cerveau...
... Il y a une jeune fille dans le solitaire jardin.

---

(1) Voir Huguet, *R. H. L. F.*, 1903, t. X, p. 287. Les deux premiers rapprochements avaient été déjà faits par G. Planche (*Royautés littéraires*, 3ᵉ éd., 1852, t. I, p. 156 ; t. II, p. 355).
(2) *V. H. rac.*, chap. LIV.
(3) *N. D. P.*, II, 3, p. 48-49.

La petite espagnole, avec ses grands yeux et ses grands cheveux, sa peau brune et dorée, ses lèvres rouges et ses joues roses, l'andalouse de quatorze ans, Pepa...

Et elle se mit à courir devant moi avec sa taille fine comme le corset d'une abeille et ses petits pieds qui relevaient sa robe jusqu'à mi-jambe. Je la poursuivis, elle fuyait ; le vent de sa course soulevait par moments sa pèlerine noire et me laissait voir son dos frais et brun (1).

La constance de l'impression est impeccable, la coïncidence de l'expression troublante. C'est le même type de beauté sauvage, bohémienne, andalouse, que les mêmes traits servent à caractériser, la peau dorée, la taille fine, les pieds dansants, la fuite. Le souvenir, ou pour mieux dire le rêve d'Adèle mêlé dans l'irréel avec celui de Pepita, à la recherche duquel il restera *toute sa vie* (2), c'est à un condamné qu'il le prête, c'est un autre condamné, Gringoire, qui, pour l'avoir une fois aperçu, le poursuit jusqu'aux alentours de cette Place-de-Grève où il se perd et où le condamné de 1828 se préparait à perdre la vie, entrevoyant seulement « au delà de la rivière, la tour de Notre-Dame qui, vue de là, cache l'autre (3) ». Étrange rencontre vraiment ! L'argot, découvert dans les *Mémoires de Vidocq,* parus cette même année 1828, vient encanailler ces rêves des mêmes trésors de son enchantement verbal (4) :

Ainsi défilaient quatre par quatre... les courtauds de boutanche, les coquillarts, les hubins, les sabouleux, les calots, les francs-mitoux, les polissons, les piètres, les capons, les malingreux, les rifodés, les marcandiers, les narquois, les orphelins, les archisuppôts, les cagoux ; dénombrement à fatiguer Homère (5).

(1) *D. J.,* XXXIII, p. 681, écrit à la fin de 1828. C'est bien de lui-même qu'il s'agit : « Je me revois enfant, écolier rieur et frais, jouant, courant, criant avec mes frères dans la grande allée verte de ce jardin sauvage où ont coulé mes premières années, ancien enclos de religieuses que domine de sa tête de plomb le sombre dôme du Val-de-Grâce.

« Et puis, quatre ans plus tard, m'y voilà encore, toujours enfant, mais déjà rêveur et passionné. »

Ce rapprochement, qui prête à la séduction de la femme la même silhouette en 1828 et 1831 — quand il n'est pas encore d'affaire Sainte-Beuve — invite, me paraît-il, à former d'expresses réserves sur l'interprétation de la Esmeralda par les psychanalystes, quelque séduisante et ingénieuse qu'elle soit elle-même. Par exemple, A. CIANA, *op. cit.,* p. 52 : « Le drame de Claude Frollo... exprime déjà, encore que puissamment refoulé... l'attrait d'un nouveau mythe féminin, le personnage de l'actrice, que l'incarnation brillante de Juliette transmua dans le réel. » Il est en effet tentant de dire que la Esmeralda marque l'apparition de la tentation charnelle dans la vie du poète, mais il est de fait que Hugo lui prête encore le visage de la « petite espagnole » qui le poursuit depuis son enfance véritable ou imaginaire et qu'Adèle a elle-même près de dix années incarné. Sous cette réserve, des remarques intéressantes sur la crise de libération des années 1830-33, exprimée par des voies diverses, littérairement, politiquement et charnellement.

(2) Cf. *Pepita in Fredaines du grand-père enfant,* nuit du 16 janvier 1858, *A. G. P.,* IX. Le chapitre cité ci-dessus se termine en effet par cette phrase : « C'est une soirée que je me rappellerai toute ma vie. Toute ma vie ! »

(3) *D. J.,* XLVIII, p. 705.

(4) Cf. SAINÉAN, *op. cit. in Bibliographie.* Cf. la chanson d'argot sur laquelle Hugo revient dans la note finale, *D. J.,* XVI, p. 651 et *N. D. P.,* II, 3 et 6, dont on retrouve l'équivalent dans les *Mis.,* IV, VII, 3, p. 172 : « ce refrain strident et sautant qu'on dirait éclairé d'une lueur phosphorescente et qui semble jeté dans la forêt par un feu follet jouant du fifre :

> *Mirlababi, surlababo,*
> *Mirliton, ribon, ribette,*
> *Surlababi, mirlababo,*
> *Mirliton, ribon ribo.* »

(5) *N. D. P.,* II, 3, p. 53. J. Janin avait signalé en 1853 le rapprochement avec Vidocq : « Eh bien ! du spectacle et des récits de M. Vidocq sont sortis, qui le croi-

Mais non Hugo certes, dont la fantaisie y trouve son compte. Toute cette consommation de mots et de couleurs, Clopin Trouillefou, roi de Thunes et Mathias Hungadi Spicali, duc d'Égypte, flanqué de Guillaume Rousseau, empereur de Galilée, caressant sa ribaude, toute cette orgie sensuelle et verbale, verbalement sensuelle et sensuellement verbale, rien de tout cela ne vient un moment en l'esprit du poète créateur ternir seulement la pureté désirable de son intouchable créature — il préfère la faire tuer avant qu'elle ne succombe au beau Phœbus — tout la repousse au contraire et la rend à son goût plus éblouissante, nouvelles litanies reprises des *Ballades* et dont ne dirait-on pas que voici la définition :

C'étaient de continuels épanouissements, des mélodies, des cadences inattendues, puis des phrases simples semées de notes acérées et sifflantes, puis des sauts de gammes qui eussent dérouté un rossignol, mais où l'harmonie se retrouvait toujours, puis de molles ondulations d'octaves qui s'élevaient et s'abaissaient comme le sein de la jeune chanteuse. Son beau visage suivait avec une mobilité singulière tous les caprices de sa chanson, depuis l'inspiration la plus échevelée jusqu'à la plus chaste dignité. On eût di ttantôt une folle, tantôt une reine (1).

Et comme si le mystère n'était pas encore suffisant, le poète y ajoute cette stance espagnole qui n'est plus que pure et sauvage mélodie à nos oreilles, *Alarabes de cavallo...*, annonçant de loin les chanteuses hâlées de Biarritz ou de Pasages.

Tout le livre II tourne autour de cette charnelle et imaginaire « salamandre », dont Hugo ne se lasse pas — se serait-il donné autrement le ridicule de composer sur elle et uniquement sur elle un livret d'opéra-comique, *la Esmeralda* (2) ? — et qu'il va faire revivre encore dans Maguelonne, « belle jeune fille, vêtue en bohémienne, leste et riante », suivie de son frère spadassin qui répond au nom rutilant de Saltabadil (3). C'est en elle et autour d'elle que vient se réfugier et se presser, comme à son appel magique, la vraie fantaisie du poète qui prend le chemin ainsi d'attacher un des fils de sa toile à ses désirs sensuels. Le poète gueux, Pierre Gringoire (4), baptisé truand pour l'avoir imprudemment suivie, devient l'innocent de cette idylle qui renoue le fil des souvenirs d'enfance avec les saynètes du *Théâtre en liberté* et l'un des thèmes les plus fréquents des *Chansons des rues et des bois*. Esmeralda y est déjà tout aussi primesautière et répond en chantant « sur un vieil air » :

rait ? plusieurs passages du *Dernier Jour d'un condamné*. De cette Cour des Miracles au XIXe siècle est sortie, et toute grouillante, la Cour des Miracles de ce grand poème épique et fatal, *Notre-Dame de Paris.* Tout sert au génie, et de toute chose il fait sa proie. » *Hist. de la Litt. dram.*, t. IV, p. 263.

(1) *Ibid.*, p. 52.
(2) En 1832-1833, à la demande, il est vrai, de Mlle Bertin, fille de son hôte des Roches, pour laquelle il avait des attentions. Voir *V. H. rac.*, chap. LXI.
(3) *R. A.*, acte IV, sc. 2, p. 333 : « Le roi cherche à l'embrasser, mais *elle lui échappe.* » C'est le mouvement de Galatée, propre à attiser le désir, que nous verrons noté par Hugo dans ses voyages et qui fait dire au roi : « Quelle fille d'amour délicieuse et folle ! » Cf. également la scène 4.
(4) Cf. *N. D. P.*, II, 7, p. 83, la biographie de Gringoire qui rappelle un peu celle de Figaro : « ... voyant que je n'étais bon à rien, je me fis de mon plein gré poète et compositeur de rhythmes. C'est un état qu'on peut toujours prendre quand on est vagabond... » et annonce *Ruy Blas*, acte I, sc. 3 :

  ... Et puis je suis de ceux
Qui passent tout un jour, pensifs et paresseux, etc.

Mon père est oiseau,
Ma mère est oiselle,
Je passe l'eau sans nacelle,
Je passe l'eau sans bateau.
Ma mère est oiselle,
Mon père est oiseau (1).

Amoureuse du beau capitaine, tout comme Pepita, elle prend l'innocent pour mari. Le soleil, pour la servir, s'incarne en ce militaire. « *Phœbus*, qu'est-ce que cela veut dire?... — C'est un mot latin qui veut dire *soleil*. — Soleil! reprit-elle. — C'est le nom d'un très bel archer, qui était dieu, ajouta Gringoire (2). » La nature suit son maître en cet enchantement : elle s'apprivoise en Djali, la chèvre blanche aux cornes d'or. Et si le poète cherche à la danseuse une ressemblance, c'est la *demoiselle* des rêves de 1828 qui s'offre de plus en plus précise, précieuse et merveilleuse dans sa fantaisie entomologique (3).

Certes, les fils de ces associations que je rattache patiemment, j'imagine bien comme ils peuvent paraître fragiles au lecteur incrédule. Je m'assure pourtant en face d'un tel texte que je ne me laisse pas aller à rêver hors de propos et c'est pourquoi je le cite encore, du même livre II toujours, tant il me semble net et propre à convaincre :

Vous avez été enfant, lecteur, et vous êtes peut-être assez heureux pour l'être encore. Il n'est pas que vous n'ayez plus d'une fois (et pour mon compte j'y ai passé des journées entières, les mieux employées de ma vie) suivi de broussaille en broussaille, au bord d'une eau vive, par un jour de soleil, quelque belle demoiselle verte ou bleue, brisant son vol à angles brusques et baisant le bout de toutes les branches. Vous vous rappelez avec quelle curiosité amoureuse votre pensée et votre regard s'attachaient à ce petit tourbillon, sifflant et bourdonnant, d'ailes de pourpre et d'azur, au milieu duquel flottait une forme insaisissable, voilée par la rapidité même de son mouvement. L'être aérien qui se dessinait confusément à travers ce frémissement d'ailes vous paraissait chimérique, imaginaire, impossible à toucher, impossible à voir. Mais lorsque enfin la demoiselle se reposait à la pointe d'un roseau et que vous pouviez examiner, en retenant votre souffle, les longues ailes de gaze, la longue robe d'émail, les deux globes de cristal, quel étonnement n'éprouviez-vous pas et quelle peur de voir de nouveau la forme s'en aller en ombre et l'être en chimère! Rappelez-vous ces impressions, et vous vous rendrez aisément compte de ce que ressentait Gringoire en contemplant sous sa forme visible et palpable cette Esmeralda qu'il n'avait entrevue jusque là qu'à travers un tourbillon de danse, de chant et de tumulte.

Certes, je peux me tromper, mais tout cet ensemble m'apparaît déjà fort éloigné du fantastique conventionnel dont nous avons parlé plus haut et que, toute réserve faite pour les visions personnelles de l'auteur, je concéderai volontiers pour ma part à la mode de l'époque. J'y verrais

(1) *Ibid.*, p. 82. J. Tiersot la rapproche de la chanson de Marguerite dans *Faust* : « Là, je devins un bel oiseau des bois, — vole, vole!... » Thème d'ailleurs fréquent des chansons populaires, remarque-t-il (cf. *op. cit. in Bibliographie*, p. 294-301). Cf. la chanson de la Esmeralda dans le *Libretto* (p. 268) :

Je danse, humble fille,
Au bord du ruisseau ;
Ma chanson babille
Comme un jeune oiseau.

(2) *Ibid.*, p. 84.
(3) *Ibid.*, p. 77. Cf. ici p. 137. Première phrase soulignée par moi.

plutôt, parallèlement à la poursuite de la veine picaresque des *Ballades*
dans le côté baroque de *Notre-Dame*, le développement des « odes
rêveuses » et peut-être déjà l'effet du contact repris avec la nature et
les jardins. Ce n'est pas la fantaisie romantique, c'est bel et bien la fantaisie de Victor Hugo qui se débat contre l'empire de l'ambiance, se
replie sur des positions préparées, lance une attaque, adopte le procédé
de l'ennemi et le réduit à ses propres schèmes. Mais romantique, c'est
une autre affaire. Hugo s'est-il d'ailleurs enfin déclaré tel ? Depuis 1826,
l'année des *Odes et Ballades*, jusqu'à 1864, l'année de *William Shakespeare*,
Hugo n'a au fond de lui-même cessé de se défendre de cette mobilisation
un peu simpliste de son génie :

> Ce mot *romantisme*, écrira-t-il alors, a, comme tous les mots de combat,
> l'avantage de résumer vivement un groupe d'idées, il va vite, ce qui plaît
> dans la mêlée ; mais il a, selon nous, par sa signification militante, l'incon-
> vénient de paraître borner le mouvement qu'il représente à un fait de guerre ;
> or, ce mouvement est un fait d'intelligence, un fait de civilisation, un fait
> d'âme, et c'est pourquoi celui qui écrit ces lignes n'a jamais employé les mots
> *romantisme* et *romantique* (1).

De fait, le mot figurait à peine dans la Préface de *Cromwell*, et seulement
dirait-on pour distinguer le sien des excès des autres (2). Regardons-le,
du reste, tel que son admirateur Gautier l'a décrit. Sous son ample front
encadré de cheveux châtain clair qui « retombaient un peu longs », c'est
la correction même : « ... ni barbe, ni moustaches, ni favoris, ni royale,
une face soigneusement rasée d'une pâleur particulière, trouée et illuminée de deux yeux fauves pareils à des prunelles d'aigle, et une bouche
à lèvres sinueuses, à coins surbaissés, d'un dessin ferme et volontaire
qui, en s'entrouvrant pour sourire, découvrait des dents d'une blancheur
étincelante. Pour costume une redingote noire, un pantalon gris, un petit
col de chemise rabattu — la tenue la plus exacte et la plus correcte (3). »
C'est l'inoubliable portrait peint par l'ami Louis Boulanger en 1832,
dont les lèvres juste un peu plus sensuelles, tendres et gonflées, semblent
prêtes à prendre la vie comme un fruit d'amour.

Le jardin des Roches *et l'appel du voyage.*

Une production aussi continue n'allait pas, on s'en doute, sans fatigue,
quelle que fût la puissance de travail du poète, d'ailleurs prodigieuse. Ses
yeux donnaient déjà les symptômes du malaise dont il allait souffrir pendant les années suivantes (4). La rupture avec Sainte-Beuve, plusieurs fois
conjurée mais enfin définitive, le relâchement de son amour pour Adèle,
à qui il ne donnait pas encore les lis (5), l'éloignement de ses amis de

---

(1) *W. S.*, III, II, 1, p. 208. Cf. le mot de Valéry (*Mauvaises pensées*, p. 35) : « Il
est impossible de penser — sérieusement — avec des mots comme Classicisme,
Romantisme, Humanisme, Réalisme. On ne s'enivre ni ne se désaltère avec des
étiquettes de bouteilles. » Et l'opinion de J. Pommier sur l'explication des auteurs
par les « écoles »*in Paul Valéry et la création littéraire*, p. 26-27.
(2) P. 49 : « ... deux fléaux : le *classicisme* caduc, et le faux *romantisme*, qui ose
poindre aux pieds du vrai ». Le terme y tient peu de place à côté du *grotesque*. Cf.
les dénégations de V. Hugo, citées ici, p. 48, 80 et 113.
(3) *Hist. du Rom.*, p. 12.
(4) *Corresp.*, I, 266, à Sainte-Beuve 2 novembre 1829 : « Me voilà alors aveugle !
enfermé des jours entiers dans mon cabinet, store baissé, volet fermé, porte close,
ne pouvant travailler, ni lire, ni écrire. »
(5) Cf. *C. C.*, XXXIX, la pièce *Date lilia*, datée 16 septembre 1834.

jeunesse et de combat (1), la levée des critiques, des ennemis, ce bourdonnement de chuchotements qui sont la rançon de la gloire et lui paraissent
des huées (2), les embarras d'argent qui ne se sont apaisés que dans l'obsédant souci des contrats (3), tout cela avait non pas détruit certes, mais
ébranlé la santé physique et morale de Victor Hugo. Oh! l'amertume,
la lassitude n'étaient pas feintes, elles se concentraient par bouffées. Il
aspirait de plus en plus à la détente et au vert, il l'écrira encore à Louise
Bertin en 1835 : « Moi surtout dont toutes les journées s'envolent dans
un travail sans relâche, j'aurais bien besoin, pour me reposer les yeux
et l'esprit, d'un peu de votre verdure et de beaucoup de votre musique (4). »

En effet, pendant ces années, « l'admirable jardin des Roches (5) » symbolise pour lui cette détente. Depuis 1831, Hugo a pris l'habitude d'aller
passer un ou deux mois d'été dans la propriété de M. Bertin l'aîné, directeur et propriétaire du *Journal des Débats* (6). Là, dans cette douce vallée
de la Bièvre, cadre lointain de ses fiançailles, où tant de poètes et de
peintres, au XVIIe comme au XIXe siècle, sont venus et venaient encore
promener leur rêve intérieur, là, sous les arbres anciens et reposants de
sa connaissance, parmi les siens, ses enfants, les bons amis Bertin, il
donnait rendez-vous à la paix dans la nature. Les reflets de cet apaise-
ment apparaissent dans ses lettres et ses poésies, qui sont pleines du
climat des *Roches* et de ses hôtes. Le temps qu'il n'y est pas, il en
rêve : « Je vous assure que toutes mes journées se passent à regretter les
Roches, quand je ne suis pas dans la caverne de Saltabadil et de Maguelonne (7). » Et même, après octobre 1832, lorsqu'il est installé Place
Royale, devant le beau jardin où de sa table ses yeux plongent, il éprouve
les mêmes regrets :

C'est aujourd'hui dimanche, écrit-il le 14 juillet 1833, et belle et joyeuse
journée aux Roches. Vous ne sauriez croire combien votre vie de cam-

---

(1) Voir *F. A.*, Historique, p. 150 et *Corresp.*, I, 96, à Armand Carrel, 15 mars 1830 :
« ... ces occasions de rencontres avec d'autres hommes, que j'évite volontiers par
goût de solitude et par tristesse de caractère... ».
(2) Cf. *C. C.*, XXVIII, 7 octobre 1834 : « Lorsque ma poésie insultée et proscrite... »
(3) Cf. *Corresp.*, *passim*, et, entre autres, le passage de la lettre à Saint-Valry,
Paris, 18 décembre 1829 : « Vous me savez obéré, écrasé, surchargé, étouffé. La
Comédie-Française, *Hernani*, les répétitions, les rivalités de coulisses, d'acteurs,
d'actrices, les menées de journaux et de police, et puis, d'autre part, mes affaires
privées toujours fort embrouillées, l'héritage de mon père non liquidé..., rien ou
peu de chose à recueillir dans les débris d'une grande fortune, sinon des procès
et des chagrins. » Par la suite, les interdictions quasi régulières de ses pièces : *Marion*
(13 août 1829), *le Roi s'amuse* (23 novembre 1832) ; les chicanes avec Harel, directeur
du théâtre de la porte Saint-Martin, les procès du *Roi s'amuse*, *Hernani*, *Marion
de Lorme*, *Angelo*, etc., et le souci de son indépendance qu'il prétend *maintenir* « pure
de toute spéculation, libre de tout contrat mercantile » (*Corresp.* I, 97, à A. Carrel,
15 mars 1830).
(4) *Corresp.*, I, 157, 22 mai 1835.
(5) *Ibid.*, p. 127, à Mlle Louise Bertin, lundi 22 octobre 1832.
(6) Il y est en 1831 (*Corresp.*, I, 115, lettre à J. Hérold, 18 juillet 1831) ; en 1832
(*Corresp.*, I, 124, lettre à Taylor, 7 septembre 1832) ; en 1833, il s'y trouve encore
au 1er octobre ; il y est au début de juillet 1834 et y passe les mois de septembre-
octobre 1834 et 1835 (Cf. *Corresp.*, *passim* ; chronologie de M. Levaillant *in l'Œuvre
de Victor Hugo* ; — Sergent et Souchon, *les Séjours de Victor Hugo*).
(7) *Corresp.*, I, 127 à Louise Bertin, 22 octobre 1832. Cf. *ibid.*, p. 129, à la même,
30 octobre 1832 : « Jugez si je regrette les Roches, et les douces journées et les douces
soirées et les châteaux de cartes, et *Jamais dans ces beaux lieux* et *Phœbus, l'heure
t'appelle.* » Le 27 novembre 1833, après l'interdiction du *Roi s'amuse :* « Où sont
nos beaux jours des Roches ? » Le 19 octobre 1835 (*ibid.*, p. 159), il demande à Louise
Bertin : « Parlez un peu de nous sous les dernières feuilles de vos beaux arbres. »

pagne, de poésie et de musique paraît charmante et désirable à nous autres
pauvres ouvriers du quartier Saint-Antoine, condamnés à tourner la roue
qui verse l'argent dans la poche d'un libraire et d'un impresario et non dans
la nôtre (1).

Il y fait des rencontres littéraires et parfois de nouveaux et solides amis
comme Jules Janin qui a célébré dans une de ses nouvelles les charmes
de la *Vallée de Bièvre* (2). Il s'y promène sous les paisibles ombrages,
respire l'air à grands traits, joue avec ses enfants ; pour eux, il fait avec
Mlle Louise des châteaux de cartes (3) et invente des contes, pour relayer
celle-ci qui lui en donne l'exemple et y excelle (4). Il n'est pas étonnant
que ses poésies retentissent de ses enfants — « ce volume, dira-t-il,
des *Voix intérieures*, dont une partie avait poussé parmi les fleurs
des Roches (5) » — il les découvre là. A eux quatre, ils montent de deux
en deux ans la gamme des âges. Prenons-les en juillet 1833. Adèle a trois
ans, François-Victor, qu'on appelle Victor tout court, en a cinq, Charles
sept, Léopoldine l'aînée neuf. Ce sont les proportions qui resteront
fixées dans ses nombreuses scènes d'enfants. Du premier balbutiement
à la conversation d'une petite fille raisonnable, ils offrent toutes les ressources de la fraîcheur et de la fantaisie. Je crois fort qu'il les a, dans
ces vacances surtout, beaucoup observés. On a pu réunir toute une correspondance de lui avec ses enfants (6), et de fait, même dans ses voyages,
il ne les oublie jamais. Lorsqu'ils sont à Paris, ils joignent pour leur grande
amie à la lettre du père des « griffonnages hideux (7) » : « Voici une lettre
de Poupée (*Léopoldine*) qui a bien plutôt l'air de la lettre d'un chat que
de celle d'une poupée (8) ». Qui sait s'il n'a pas puisé là des leçons d'ingénuité, le goût qu'il en affirme permet de le penser : « Je ne sais pas où
diable Antoine (*Deschamps*) irait chercher le naïf dans l'art, si ces lettres-
là ne le ravissaient pas. Quant à moi, elles m'enchantent, je vous le déclare,
je leur laisse la bride sur le cou, et les deux petits lutins écrivent tout ce
qui leur passe par la tête (9). » Il adapte son esprit au leur pour leur écrire,
pour jouer à leurs jeux, ou récolter leurs mots. C'est pour eux qu'il se
mettra à dessiner. Il aspire à faire comme eux, *à laisser la bride sur le*

---

(1) *Corresp.*, I, 145.
(2) Cf. *V. H. rac.*, chap. XLIX. Voir J. JANIN, *Contes fantastiques*, t. II, p. 10 sq. :
« Nous étions quatre amis dans la vallée de Bièvre : la vallée est entourée de bois
et de prairies... le soleil jette sur ces arbres, sur ces eaux, sur le gazon, une lumière
tout à fait élyséenne : on n'entend de là aucun bruit de la ville, aucune voix des
hommes, aucune passion mauvaise ; la vie va toute seule sous ces ombrages, et la
plus grande agitation qui se rencontre en ces beaux lieux, c'est le mouvement du
lac légèrement effleuré par l'aile de l'hirondelle qui jette son joyeux petit cri sans
songer à l'heure du départ. » Notez en *ces beaux lieux*, allusion, dirait-on, à la chanson
chantée par Louise *Jamais dans ces beaux lieux* qui semble avoir été son succès et
comme l'hymne local (voir n. 7, p. précédente et *Corresp.*, I, 157, où Hugo écrit
qu'il « commence à jouer du piano d'un doigt « Jamais dans ces beaux lieux »). Sur
Jules Janin et Victor Hugo, cf. *C.*, V, 8, et la notice de Vianey *in* éd. citée.
(3) *Corresp.*, I, 127 : « J'aimerais bien mieux bâtir avec vous un théâtre de cartes. »
(4) Cf. *V. H. rac.*, chap. XLIX, à la fin.
(5) *Corresp.*, I, 159, à L. Bertin, 19 octobre 1835.
(6) Voir dans *Corresp.*, I, p. 295 sq. les billets joints aux lettres à sa femme et les
réponses des enfants, notamment lettre de Léopoldine à Sainte-Beuve sur le « livre
de Paul et Virginie que tu m'as envoyé », le « soldat et (le) *jardin déplante* » de Toto
et *Charle*, et le « beau boa » d'Adèle qu'elle prend pour son petit chat.
(7) *Corresp.*, I, p. 127, 22 octobre 1832 : « ... Didine et Charlot ont gribouillé
à l'envi. »
(8) *Ibid.*, I, p. 145, 14 juillet 1833.
(9) *Ibid.*, I, 129, 30 octobre 1832.

cou à son génie, selon l'expression qu'il reprendra pour le Pégase des *Chansons* (1).

Aussi rêve-t-il de voyager, de s'évader plus loin encore que ce vert paradis des *Roches*. Ce rêve remonte déjà à un certain temps. Cromwell s'écriait :

> On dit les bords du Rhin fort beaux. Toute ma vie,
> J'ai de les visiter conservé quelque envie (2).

C'était surtout alors la conception du *voyage pittoresque et romantique* à la Nodier qui dominait en son esprit où elle demeurera toujours pour une part. Ce rêve, il voyait tous ses amis autour de lui le réaliser. Sainte-Beuve, en 1828, est à Oxford. Hugo lui *recommande* en hâte Canterbury, « une cathédrale à vous remuer et à vous ravir d'enthousiasme (3) ». Il l'envie : « tandis que vous courez ainsi de sensations en sensations », écrit-il avec un peu d'humeur. Après l'Angleterre, le même visite les bords du Rhin en 1829. C'est trop de chance. En mai 1830, Sainte-Beuve et Louis Boulanger sont à Rouen, non pas ensemble comme Hugo le pense ; il fait ces deux épîtres : *C'est Rouen qui vous a..., Je t'en veux, Normandie, de me les prendre ainsi...* Mais s'il regrette surtout ses amis dont il a un cruel besoin, il imagine les merveilles qu'ils peuvent voir : *Le Rouen des châteaux, des hôtels, des bastilles* (4). Que connaît-il ? Rien ou presque rien :

> . . . . J'ai souvent fait ce rêve
> D'aller voir Saint-Ouen à moitié démoli,
> Et tout m'a retenu, la famille, l'étude... (5).

Pour se consoler, il rêve de voyages plus beaux, repasse en son esprit des Alhambras plus magnifiques en souvenir que ceux qu'il a vus. La nostalgie de son enfance voyageuse le reprend. Relisez cette pièce, elle est pleine d'aveux et l'on y touche l'homme, beaucoup moins sûr qu'il ne s'en donne l'air, tout pauvre, dirait-on. Aussi se grise-t-il de projets. Cromwell n'a pas renoncé aux bords du Rhin. L'inquiétude une fois passée dans la fièvre du travail, il reprend sa belle assurance et écrit à Pavie, en 1831, à propos du fameux théâtre qu'il devait diriger : « Je ne ferai que des pièces et, la machine une fois en train, je les irai peut-être faire au lac de Côme ou sur les bords du Rhin, ou chez vous (6). » Vaines illusions ! il le sait bien, hélas ! et ajoute sincère : « D'ailleurs, aurai-je un théâtre et tout ceci n'est-il pas une chimère ? »

---

(1) S'il est peu croyable que, selon un propos de J. Janin dont J. Vianey se fait l'écho (*C.*, éd. citée, Introduction, p. XIX), la ballade du *Sylphe* écrite en 1823 ait été composée pour amuser Léopoldine qui n'était pas encore née, au moins doit-on retenir l'aveu du poète sur l'influence de ses enfants :

> Mais non. Au milieu d'eux rien ne s'évanouit.
> L'orientale d'or plus riche épanouit
> Ses fleurs peintes et ciselées,
> La ballade est plus fraîche et dans le ciel grondant
> L'ode ne pousse pas d'un souffle moins ardent
> Le groupe des strophes ailées.
>
> (*F. A.*, XV, éd. 11 mai 1830.)

(2) *Cr.*, III, 12, p. 260.
(3) *Corresp.*, I, 261 sq., lettre du 17 septembre 1828.
(4) *F. A.*, XXVII. Cf. également XXVIII.
(5) *F. A.*, XXVII.
(6) *Corresp.*, I, 112, 25 février 1831. *Chez vous*, c'est-à-dire à Angers.

À mesure que son désir de voyage devient un réel besoin, sa conception s'est insensiblement modifiée. Sans doute, il rêve toujours de paysages illustres et exaltants, mais par-dessus tout, ce qu'il demande c'est la détente pure et simple et loin de tout, de sa famille, des habitudes, des Bertin eux-mêmes incapables de lui rendre un air qui ne soit plus littéraire ; c'est ce que Du Bos appelle « la sensation du voyage à l'état pur : j'étais comme *dételé* et je suis si habitué à être *attelé*... (1) ». C'est bien cela qu'il souhaite. Mais peut-être aussi confusément en espère-t-il autre chose. Pourquoi cette bravade, qui le rend sympathique, de prétendre écrire dans les plus beaux sites d'Italie ou d'Allemagne ou plus modestement à Angers? Est-ce pour suivre l'exemple des écrivains voyageurs, Chateaubriand, Nodier, Lamartine? Ou bien n'en attend-il pas un renouvellement de cette veine intime, de cette fantaisie à laquelle l'arsenal médiéval ne suffit plus et paraît désuet? S'il s'amuse encore pour Louise Bertin à rimer sur trois pieds des « chansons de Gramadoch » qu'il met dans la bouche de Quasimodo, c'est sans conviction (2). Sa fantaisie se souvient seulement et languit dans ces jeux usés. Comment donc la secouer? Car la liberté de l'imagination, après l'avoir tant revendiquée, à peine avait-il cru la trouver, qu'elle s'était à son tour « pétrifiée » comme il disait en se moquant des images classiques. De nouvelles servitudes étaient nées de cette prétendue libération : un merveilleux ou un fantastique de pure convention, qui traîne maintenant chez tous les médiocres poètes romantiques, un pittoresque qui ne le sauve de la banalité que pour le faire retomber dans la routine, faute de nouvelles perspectives. Peut-on se contenter indéfiniment de rêver, fût-ce au jardin des Roches? Il faut voir, toujours voir, pour ragaillardir une imagination, une mémoire dont il peut craindre d'avoir usé les ressources (3). Du Bos dit encore : « Beaucoup voyagent pour s'oublier. Gide au contraire ne voyage jamais que pour se découvrir, pour se trouver (4). » Qu'on me pardonne cette interpolation, elle définit très exactement ce que Hugo obscurément recherche. Il appelle le voyage, comme un autre criera : *l'Azur!*

C'est dans cet état de désirs mêlés qu'un matin de juillet 1834 enfin, Victor Hugo partit, laissant les siens à « l'hospitalité des Roches », pour une modeste Normandie (5).

(1) *Journal* (1921-1923), Paris, Corrêa, 1947, p. 133.
(2) Voir *la Esmeralda, Libretto, passim* et notamment p. 292, 299, 300, 306, 307.
(3) C'est dans ce sens qu'il écrira d'Evreux, le 25 juillet 1834, au début de son premier voyage : « J'ai trouvé déjà d'admirables choses qui me serviront beaucoup. » *V.*, II, p. 18.
(4) *Op. cit.*, p. 71.
(5) *V.*, II, p. 17, Meulan, 23 juillet, 8 h. 1/2 du matin.

DEUXIÈME PARTIE

DÉCOUVERTE, ÉLABORATION

Car les vers ne sont pas, comme certains croient, des sentiments (on les a toujours assez tôt), ce sont des expériences. Pour écrire un seul vers, il faut avoir vu beaucoup de villes, d'hommes et de choses, il faut connaître les animaux, il faut sentir comment volent les oiseaux, et savoir quel mouvement font les petites fleurs en s'ouvrant le matin. Il faut pouvoir repenser à des chemins dans des régions inconnues, à des rencontres inattendues, à des départs que l'on voyait longtemps approcher, à des jours d'enfance dont le mystère ne s'est pas encore éclairci (...), à des matins au bord de la mer, à la mer elle-même, à des mers, à des nuits de voyage qui frémissaient très haut et volaient avec toutes les étoiles. Et il ne suffit pas même de penser à tout cela. Il faut avoir des souvenirs de beaucoup de nuits d'amour, dont aucune ne ressemblait à l'autre (...). Et il ne suffit même pas d'avoir des souvenirs. Il faut savoir les oublier quand ils sont nombreux, et il faut avoir la grande patience d'attendre qu'ils reviennent.

R. M. RILKE, *les Cahiers de Malte Laurids Brigge*, trad. M. Betz, Paris, Émile-Paul, 1939, p. 24-26.

PREMIÈRE SECTION

VOYAGES

L'ÉVEIL DE LA FANTAISIE SPONTANÉE
1834-1843

> Tout le romantisme a été labouré, retourné
> par le voyage et le dépaysement.
> A. THIBAUDET, *Histoire de la Littérature
> française*, p. 210.

Pendant toute la période qui vient, Hugo est trop occupé de chercher
sa position politique, sociale, philosophique, religieuse, pour continuer
assidûment ses exercices de virtuosité pure ou se donner beaucoup à
son naturel. A l'époque de *la Bouche d'ombre*, le même problème se représentera, mais le poète alors aura acquis une maîtrise de ses idées qui lui
permettra de faire plus aisément le partage. La période que voici est
l'époque des grandes ambitions et des grandes espérances. Dès 1835-1836,
Hugo, pour se frayer un chemin vers une carrière politique, se présente
à l'Académie, où il ne sera élu qu'à sa quatrième candidature, en 1841.
En 1845, il est nommé pair de France. Avant et après, la Cour, le deuil,
les Misères, pour ne citer que ces trois aspects symboliques de sa vie,
détournent de sa fantaisie le plus clair de son temps. Celle-ci se réfugie
dans ses seules récréations : ce sont ses voyages, qui coïncident avec
ses amours. Moments et lieux privilégiés de la fantaisie. Aussi la suite
de ces étés, qui y sont entièrement consacrés, constitue dans l'évolution
de sa fantaisie le pivot autour duquel elle a, comme il aime à dire, *tourné*.

I

UN POÈTE EN VOYAGE

> O voyages! départs quand on avait vingt ans,
> Clefs des champs, sacs de nuit faits à la hâte, ô temps
> Où l'on voyageait deux, l'amant et la maîtresse,
> Sous jetés en passant au pauvre homme en détresse,
> Villages, verts buissons pillés des moineaux francs... (1).

Juliette et les voyages.

Pour partir, il fallait à Victor Hugo une raison, au moins une occasion. Après avoir tant attendu, il se serait ainsi décidé, un beau matin, sans motif apparent? L'hypothèse est séduisante, mais bien improbable. Juliette apparemment fournit l'occasion. La question se pose en tout cas : est-il parti rejoindre Juliette qui continuera de l'accompagner dans ses voyages ou bien le premier de la série est-il né véritablement du désir longtemps réfréné d'évasion? La plupart des commentateurs ont passé ce problème sans l'apercevoir, persuadés que l'amant courait après sa maîtresse (2). En fait, il y eut dans l'été de 1834 non pas un, mais deux voyages. Hugo est parti une première fois, seul ou accompagné, pour une courte escapade de quatre jours. C'est seulement quelques jours après son retour qu'il est reparti cette fois de nouveau à la poursuite de Juliette. Alors seulement, la course passionnée s'acheva en voyage.

En février 1833, en effet, presque dans le Carnaval — des souvenirs de Mardi-Gras restent mêlés à leur histoire (3) — Victor Hugo, auteur

---

(1) Pièce recueillie sans date dans *Océan*, L ; le poète avait trente-deux ans au moins à l'époque à laquelle il fait manifestement allusion.
(2) Cf. L. GUIMBAUD, *Victor Hugo et Juliette Drouet*, p. 53 ; — P. SOUCHON, *Juliette Drouet*, p. 47-53 ; — M. LEVAILLANT, *Victor Hugo, Juliette Drouet et « Tristesse d'Olympio »*, p. 32, etc. Seul, M. Sergent mentionne dans le Catalogue des *Séjours de Victor Hugo*, p. 22 : « Bientôt celui-ci, qui avait entrepris seul un voyage en Normandie, s'élance à sa recherche. Commencé dans l'angoisse, ce premier voyage devient une escapade d'amoureux. » Cependant, Hugo revient à Paris avant d'en repartir. P. Audiat, dans son livre récemment publié, *Ainsi vécut Victor Hugo*, p. 158, le signale aussi et suppose que le poète était accompagné de Juliette.
(3) Cf. L. GUIMBAUD, *op. cit.*, p. 35 : « T'en souviens-tu, ma bien aimée, notre première nuit, c'était une nuit de carnaval, la nuit du mardi-gras de 1833. On donnait, je ne sais dans quel théâtre, je ne sais quel bal où nous devions aller tous les deux... Oui, tu devais aller au bal, et tu n'y allas pas, et tu m'attendis... Ta petite chambre

dramatique, avait connu Juliette Drouet, jeune et belle actrice qui jouait le rôle de la Princesse Negroni dans *le Souper de Ferrare*, appelé par la suite *Lucrèce Borgia* (1). Cette liaison durable marque, pour notre propos, le début d'une nouvelle époque pour sa fantaisie. Ce n'est pas en 1830, date historique à laquelle le poète, au son du canon, s'enfonce héroïquement dans *Notre-Dame* ; ni en 1831, et pas même en 1833, qu'est la coupure. Je la situerais volontiers après, en juillet 1834, lorsque l'intimité avec Juliette aura eu le temps d'influer sur la fantaisie de Victor Hugo, au matin par exemple de ce premier départ en voyage. Mais la place que Juliette y tint exactement n'est pas facile à déterminer.

A cette date, il la connaissait donc depuis près d'un an et demi, s'étant apparemment contenté jusque-là, comme le Chevalier, de fermer les yeux sur les moyens qui permettaient de vivre à sa Manon. Peut-être en souffrait-il ? Après maintes scènes orageuses, qui tout au long de ces six premiers mois de l'année 1834 faisaient douter du lendemain (2), Juliette s'était décidée à rompre avec ce passé dont son poète était jaloux et à se libérer de ses amis et de ses dettes. Pourtant, un rayon de soleil éclaire le début de juillet, quand Hugo installe Juliette près des Roches, à Jouy-en-Josas, puis dans la maison du hameau des Metz (3). Mais bientôt, poursuivie par les créanciers, expulsée du 34 rue de l'Echiquier où elle habitait depuis qu'elle avait quitté le prince Demidoff, elle crut devenir folle jusqu'au bienheureux 20 juillet, date de leur première journée passée dans le nouveau refuge, 4 *bis* rue de Paradis — « Oh! cette rue est bien nommée, ma Juliette... » — : « C'est une vie nouvelle que nous commençons (4). » Et il part. Le 23 on le trouve à Meulan, le 24 à Louviers, le 25 à Evreux (5). Que s'est-il passé ?

était pleine d'un adorable silence. Au dehors, nous entendions Paris vivre et chanter et les masques passer avec de grands cris. Au milieu de la fête générale, nous avions mis à part et caché dans l'ombre notre douce fête à nous... Cette nuit du 17 février 1833 a été un symbole » (écrit la nuit du 17 au 18 février 1841). C'était d'ailleurs le mardi 19, cf. la mise au point de M. LEVAILLANT, *op. cit.*, p. 108-112.

(1) Juliette, née à Fougères le 10 avril 1806, avait donc près de 27 ans. L'explication la plus plausible de l'origine de cette liaison me paraît être celle que donne E. M. GRANT, *The Career of Victor Hugo*, p. 78, que je prends la liberté de traduire : « Deux nouvelles semaines (après la première représentation de *Lucrèce Borgia*, 2 février 1833) suffirent à Hugo pour surmonter sa timidité et ses principes élevés. Rendu malheureux par l'affaire Sainte-Beuve, peut-être finalement exaspéré après dix ans de mariage par la complète incompréhension de sa femme à l'égard de ses chefs-d'œuvre poétiques, par la continence conjugale qui lui était imposée, Hugo était d'humeur à chercher consolation. »
Leurs amours n'intéressent pas cette étude, mais elles lui importent. Certains critiques ont passé pudiquement sur leur existence : on ne raie pas de la vie d'un homme une femme, d'ailleurs charmante malgré un enfantillage persévérant, qui en est restée, toute sa vie fort longue, la maîtresse attentive. Mais c'est trop sans doute de s'attacher avec une complaisance suspecte à poursuivre au jour le jour le calendrier d'une correspondance souvent oiseuse. L'essentiel reste interdit : ce sont les lettres de Victor Hugo à Juliette, qui, peu nombreuses — 150 pour 16.000 — demeurent encore tenues au secret. Elles seules nous éclaireraient sur ses réactions et le rôle qu'a pu avoir sur sa fantaisie une jeune et jolie femme, primesautière et sensible.
(2) Hugo notait sur un agenda de Juliette au 13 janvier 1834 : « 13 janvier, 11 heures et demie du soir. Aujourd'hui encore son amant, demain... » *in* SOUCHON, *op. cit.*, p. 47.
(3) Cf. le fameux « procès-verbal du 4 juillet 1834 », *in* GUIMBAUD, *op. cit.*, p. 275.
(4) Cf. GUIMBAUD, *op. cit.*, lettres, p. 276-277 et P. SOUCHON, *Juliette Drouet*, p. 48 : contrairement à ce que suppose P. Audiat (*op. cit.*, p. 157) cette journée ne semble pas avoir été orageuse.
(5) Voir les *Séjours*, p. 22, n° 38. « Bordure du papier de la chambre de Louviers (Hôtel du Mouton), nuit du 23 au 24 juillet (1834) », et *V.*, II, p. 17. J'avais cru tout

Originellement, ce premier voyage peut n'avoir eu aucun lien avec
Juliette, comme il peut en avoir eu. Les commentateurs, qui s'étendent sur
la crise du début d'août, passent ordinairement sur ces dix derniers jours
de juillet comme s'ils n'avaient pas existé : c'est sans doute que d'aucun
côté les lettres ne leur ont apporté de précisions. Le motif de ce voyage
est-il une escapade à deux, en plein accord, mais pourquoi quitter si vite
le nid à peine installé ? Est-ce dépit, après une nouvelle crise, ou simple
désir de se changer les idées ? Est-ce le besoin de revigorer une imagination surmenée par la recherche de « choses à voir » en attendant qu'elles
deviennent ces « choses vues » qu'il annonce à son crédit dans une
lettre adressée d'Évreux à Adèle le 25 juillet : « J'ai trouvé d'admirables
choses qui me serviront beaucoup (1). » Cette documentation est-elle
une pure dérobade ? Le 23 juin, il avait fini d'écrire *Claude Gueux*
que la *Revue de Paris* publiait le 6 juillet. Cela fit un certain bruit,
bien qu'aucun journal n'en rendît compte : bonne occasion pour
disparaître quelque temps de Paris. Ou bien poursuit-il vaguement
l'idée d'un voyage d'enquête sur les prisons (2) ? Mais, à Brest, il en
parlera comme d'un pis-aller : « Pas de vieilles maisons sculptées. Je
crois qu'il faudra se résigner au bagne et aux vaisseaux de ligne (3). »
Tous ces motifs réunis ont peut-être contribué à précipiter ce désir de
partir qu'il nourrissait depuis longtemps, mais à quel coup de tête a
tenu la décision ? Quand, comment est-il parti ? Autant de questions sans
réponse certaine.

La première lettre conservée est datée de *Meulan, 23 juillet, 8 h.* 1/2
du matin. Aux portes donc de Paris : il ne devait pas être en route depuis
bien longtemps. En tout cas, il avait déjà eu le temps de changer de projet : « La fantaisie a tourné, mon Adèle, je suis à Meulan... Quant à la
Roche-Guyon, à Montlhéry et à Soissons, ce sera pour une autre occasion (4). » On voudrait que la « fantaisie », le caprice guidât les pas du
voyageur, mais faut-il le croire sur parole, et la pensée, ou la présence, de

---

d'abord qu'il s'agissait d'un morceau même du papier peint, pieusement détaché
en souvenir. Ce fétichisme ne pouvait s'expliquer que si Hugo n'était pas seul.
Mais il s'agit seulement d'un croquis de la bordure sur son carnet. Cela rend cette
indication infiniment moins probante.
(1) *V.*, p. 18.
(2) Il note dans ses papiers celles de Clermont et de Troyes, *C. G.*, Ms., p. 769.
(3) *V.*, II, p. 19, Brest, 8 août.
(4) *V.*, II, p. 17. Il verra tout de même Montlhéry le 24 août et la Roche-Guyon
ainsi que Soissons l'année suivante, en souvenir sans doute du séjour qu'il avait
fait chez son ami l'abbé duc de Rohan après le voyage à Dreux et ses fiançailles :
« Je suis à la Roche-Guyon — écrira-t-il le 16 août 1835 — et j'y pense à toi. Il
y a quatorze ans, presque jour pour jour, j'étais ici ; à qui pensais-je ? à toi, mon
Adèle. » (*V.*, II, p. 39). « Tristesse d'Olympio » avant l'heure : « Le château n'appartenait plus au duc de Rohan, qui l'avait vendu à Mme de Liancourt. » (*V. H. rac.*,
chap. xxxv). Pourtant, Victor protestait assez indiscrètement : « Oh ! rien n'est changé
dans mon cœur. Je t'aime toujours plus que tout au monde, va, tu peux bien me
croire. Tu es ma propre vie. » En effet, le moins piquant n'est pas que Juliette l'ac-
compagnât dans ce pèlerinage. Aussi le « témoin » note-t-il plus sèchement, semble-
t-il : « En 1835, M. Victor Hugo, voyageant de ce côté, voulut revoir la Roche-
Guyon. » Quel mystérieux pacte, se demande-t-on parfois, d'union spirituelle et
de liberté charnelle y eut-il, au moins tacitement conclu, entre le mari et sa femme ?
Car on ne pense pas qu'Adèle ait tardé longtemps à s'en douter, certainement pas
aussi longtemps que Juliette à connaître l'existence de Mme Biard : elle, du moins,
n'était pas claustrée. Il y a quelque chose, semble-t-il, à retenir de l'indication de
Balzac : « Il a quitté sa femme pour J..., et il en donne des raisons d'une indigne
fourberie (il faisait trop d'enfants à sa femme. Remarquez qu'il n'en fait pas à J...) »
(à Mme Hanska, 3 juillet 1840, cité par R. ESCHOLIER, *op. cit.*, p. 228).

Juliette n'est-elle pour rien dans ce changement de direction, aussi suspect qu'inopiné ? S'étaient-ils une fois de plus quittés sur un « adieu » qui n'était qu'un « au revoir » et guettait-il, en traînant sur la route de Bretagne, le passage des diligences dans l'espoir de quelque rencontre imposée par le destin ?

Bien que les lettres adressées à sa femme soient effectivement brèves, comme on l'explique par le souci et, plus tard, par la compagnie de Juliette, elles ne laissent naturellement rien passer de l'angoisse qu'on suppose et dénotent seulement, du moins au début, l'incertitude (1). Mais ce peut être aussi bien celle d'un homme qui ne sait où il va. A vrai dire, il semble admirablement disponible et paraît tenir à le rester, se laissant tenter seulement par l'occasion, comme nous le verrons faire par la suite : « On part, on s'arrête, on repart... On va et on rêve devant soi... On ne voyage pas, on erre (2). » Comme une âme en peine peut-être ? S'il est seul, serait-ce qu'il tue le temps dans l'attente de quelque lettre promise poste restante, comme il en use si souvent, à un relai mal défini ? Sinon, donne-t-il le change ? La psychologie de Victor Hugo est si déroutante qu'il pourrait bien avoir joué de son indifférence même ! Il apprend à Evreux que « la diligence de Rouen passe à dix heures ». Un instant, la pensée l'effleure de réaliser ce vieux rêve d'aller voir Saint-Ouen (3). Pour en donner la mesure il suffit de comparer la joie d'enfant avec laquelle en juillet 1835 il répétera de jour en jour, le 13 : « Aujourd'hui je vais voir Rouen » ; le 16 : « J'ai vu Rouen. Dis à Boulanger que j'ai vu Rouen. Il comprendra tout ce qu'il y a dans ce mot (4). » La fantaisie a tourné, elle peut tourner encore : il semble s'en remettre au sort : « Si j'y trouve une place, je la prendrai (la diligence)... Tu sais quelle rage j'ai de voir Rouen (5). » Dans le même sens, son temps ne paraît pas limité. Bien qu'il prévoie un très court voyage et qu'il parle sans cesse de rentrer, il n'en paraît pas autrement pressé. Dans cette même lettre, le crochet par Rouen remet son retour au vendredi, c'est-à-dire au surlendemain, 25 juillet. Pensait-il donc revenir le lendemain jeudi ? Mais le 25, il est encore à Évreux et le projet de Rouen est abandonné, à cause de l'embarras des routes pendant ces « fêtes de juillet » et de la foule des voyageurs. Il songe à prendre la diligence de Cherbourg pour rentrer plus vite à Paris : « Mais pas une place là comme ailleurs (6). » Le voici « donc réduit aux petites voitures qui sont bien lentes, mais tu sais que j'aime cette manière de voyager qui laisse tout voir (7) ». Nous allons retrouver ce goût constamment. Est-ce là le ton d'un amant bouleversé ? Ces lignes me semblent plutôt manifester l'indécision, celle d'un homme suspendu à des événements indépendants de sa volonté — Juliette, mais aussi bien la presse inattendue — ou cette délicieuse indétermination du voyageur qui fuit, tel Montaigne, de se contraindre, fût-ce au programme du lendemain. Il pense cependant rentrer le samedi 26 juillet par la voiture de Rolleboise et termine sur cette assurance : « A demain donc », précisant l'heure

---

(1) Voir *les Séjours*, p. 21.
(2) *Rh.*, XX, p. 154.
(3) Cf. ici p. 157.
(4) *V.*, II, p. 38 et 40.
(5) *V.*, II, p. 17, lettre citée, 23 juillet.
(6) *V.*, II, p. 18.
(7) *Ibid.*

« vers sept heures, pour dîner (1) ». D'une manière ou d'une autre, cette promenade de quatre jours aura été la courte répétition du type de voyage qu'il aimera.

Puis plus rien. Du samedi 26 juillet au dimanche 3 août un trou d'une semaine. Du côté de Juliette, une tentative de suicide, le départ pour Saint-Renan où habitait sa sœur aînée, des billets se succédant presque heure par heure et évoluant de l'adieu définitif à l'appel au secours (2). Cette fois-ci Hugo se lance réellement à sa poursuite, obtient le 3 un passe-port curieusement libellé « pour Soissons et Brest (3) », réussit à « ramasser mille francs avec ses ongles (4) » et part le 5 pour la rejoindre à Brest. Il arrive à Rennes le 7 « au point du jour » et le 8 à Brest « encore tout étourdi de trois nuits de malle-poste (5) ». Le 8 ou le 9 au plus tard, les deux amants sont réunis. Alors, il n'est plus question du tout de rentrer. Le programme du voyage se précise et s'allonge : Quiberon et Karnac (*sic*), Nantes, la Loire jusqu'à Tours, puis Paris. Il demande à sa femme de lui envoyer sa prochaine lettre à Tours, adressée à *M. le baron Hugo :*

(1) *Ibid.*
(2) Cf. GUIMBAUD, *op. cit.*, p. 277. *Samedi midi*, 2 août 1834 : « Adieu pour toujours. C'est toi qui l'as dit, adieu donc... » En post-scriptum : « Je pars avec ma fille... » Départ curieusement préfiguré, dirait-on, dans le cri de Triboulet : « Elle est partie, elle est en route pour Evreux! » (*R. A.*, V., 4). Elle part en effet le soir ou le lendemain. Le lundi, de Rennes, elle lui adresse, par l'intermédiaire de Mlle Marie, 4 *bis*, rue de Paradis, plusieurs lettres où elle le presse plus ou moins de la rejoindre et lui indique en tout cas son itinéraire. De Saint-Renan, le mardi 5 août, 2 h. du matin : « Victor, je t'aime... j'ai besoin de toi pour vivre, depuis que je t'ai tout dit... Mon Victor, peux-tu me pardonner ? » Une autre lettre à 3 h. du matin. Mais l'amant a déjà écrit — leurs lettres se sont croisées — dès le samedi 2 à 10 h. du soir pour lui pardonner et l'avertir qu'il cherchait à se procurer l'argent nécessaire pour la rejoindre (SOUCHON, *Juliette Drouet*, p. 51). Avait-il lu la lettre du samedi midi, avait-il deviné ?
(3) C'est le passeport indiqué dans le catalogue de l'exposition, *les Séjours de Victor Hugo*, p. 22, n° 40. En voici la copie, qui nous instruit des intentions du voyageur :

Passeport à l'Intérieur
valable pour un an
—

Signalement :

âgé de 32	Nous Préfet de Police,
taille d'1 m. 73	Invitons les Autorités civiles et militaires à laisser
chev. châtain	passer et librement circuler de Paris, département
front haut	de la Seine, à Soissons (Aisne) et Brest, département
sourcil chât.	du Finistère
yeux bruns	Le Bon Hugo, Victor Marie, avec son épouse âgée
nez moyen	de 28 ans et sa fille âgée de 8 ans
bouche m(oyenne)	profession de propriétaire
barbe chât^e (*sic! ?*)	natif de Besançon
menton rond	demeurant à Paris, Place royale, n° 6
visage ovale	et à lui donner aide et protection en cas de besoin.
teint coloré	Délivré sur certificat.

Fait à Paris, le 3 août 1834
Pour le Préfet
Le Chef de Bureau.

Juliette était partie sur un coup de tête, évidemment sans passeport (GUIMBAUD, *op. cit.*, p. 279), sans doute anéantie par une accusation plus dure que les précédentes (*ibid.* p. 281 : « maintenant que la calomnie m'a terrassée dans tous les sens »). Ce passeport montre que Hugo était, dès le 3, décidé à rejoindre Juliette et sa fille, dont les âges correspondaient très précisément à ceux du passeport et à poursuivre le voyage avec elle éventuellement au delà d'un simple retour : l'ambiguïté initiale de la première escapade (Soissons-Évreux) retrouve une troublante réplique dans ce passeport dont le résultat pratique était de lui laisser une marge de liberté suffisante.
(4) LEVAILLANT, *op. cit.*, p. 32.
(5) *V.*, II, p. 19.

« Cela me fait un excellent incognito (1). » Ainsi faisait son père avec sa pseudo-comtesse. Il ajoute le plus sérieusement du monde : « Toutes mes journées maintenant, mon Adèle, vont être prises jusqu'à la dernière minute, car puisque j'y suis, il faut que je voie tout. Je ne pourrai peut-être plus t'écrire aussi souvent (2). » Comme il est raisonnable! et quelle candeur dans le mensonge. Après avoir annoncé et retardé plusieurs fois le terme de son voyage, il devait enfin rentrer à Paris le 1er septembre pour passer les deux mois suivants aux Roches, tout près des Metz, entre Adèle et Juliette (3).

Si je me suis attardé sur ce point de détail, ce n'est ni malsaine, ni vaine curiosité. Tout d'abord, cette escapade forme un excellent prélude aux voyages qui suivirent et l'on y trouve déjà indiqués les traits caractéristiques de la mentalité de Victor Hugo en voyage. Il importerait grandement de déterminer avec certitude si l'occasion d'une poursuite passionnée a fait naître le premier voyage ou si elle a seulement hâté et changé de direction la réalisation d'un vieux projet qui arrivait enfin à échéance. De toute manière, il est indéniable que la perspective de l'escapade amoureuse est venue très vite se greffer sur son désir, qu'elle a probablement allongé la durée du voyage, tout en y ajoutant une subtile saveur d'école buissonnière et de fruit défendu.

Ainsi commence en juillet 1834 une série de voyages annuels, qui ne s'interrompra qu'en 1843, après la mort de Léopoldine, pour reprendre plus tard, pendant les années d'exil, après 1860, avec la même périodicité. D'année en année, jusqu'au tragique automne qui dénouera comme un avertissement du ciel (4) le voyage aux Pyrénées, l'été donne rendez-vous à l'amour et au voyage. La détente, toujours aussi nécessaire, coïncide avec l'amour, dont la présence a pu exciter chez Victor Hugo ce piment de sensualité qui se glisse dans ses visions et cet humour, cette joie de vivre qui éclatent dans son goût viril de la nature. Je ne suis pas éloigné de croire que le caractère même de Juliette, qui apparaît à travers ses lettres enjoué, hypersensible, variable, et son esprit prompt au trait et plein de fantaisie ont pu influer sur la sienne, hâter sa libération amorcée

---

(1) *V.*, II, p. 20. Cf. *ibid.*, p. 195, 18 septembre 1839 : « Écris-moi *à Marseille* (*poste restante*, toujours sans prénom). »

(2) *Ibid.* Je ne peux m'empêcher d'admirer au passage le sang-froid avec lequel il se plaint — sincèrement, je parierais — de la rareté des lettres de sa femme : « Je suis triste, mon Adèle, mais je ne suis pas fâché... », etc., *V.*, II, p. 25. Il n'oublie pas non plus sa fille au souvenir de qui il se rappelle par cet aimable mot, le 19 août : « ... Mais les campagnes sont moins jolies que toi, les églises sont moins belles que ta maman, la mer est moins grande que mon amour pour vous trois. » *Corresp.*, I, 311. Mais quand il écrit d'Étampes, le 22 (*V.*, II, p. 25) : « Mon Adèle, ma pauvre amie, si tu savais quelle joie j'aurais de t'avoir près de moi dans ces moments-là », tant d'inconscience déconcerte. Pourtant je souscrirais à la sensible explication de P. AUDIAT, *op. cit.*, p. 158 : « Hugo se sentait coupable vis-à-vis des siens. Il aurait voulu leur épargner leur chagrin, et c'est pourquoi il écrit à sa femme et à Léopoldine, tandis qu'il est auprès de Juliette Drouet, sont pleines de tendresse. Il n'y a là aucune duplicité, mais la réaction, très humaine, d'un cœur partagé entre des sentiments également forts : le remords, la pitié et l'amour. »

(3) *V.*, II, 26, de Versailles, le dimanche 31 août : « Demain, je t'embrasserai, dussé-je aller à Paris sur la tête. » Il avait écrit la veille, *ibid.* : « Cette fois, c'est *pour de vrai.* » Charmante et sincère gaminerie! Je ne sais pourquoi on laisse entendre parfois que Victor Hugo « ramène *bientôt* à Paris » Juliette (cf. LEVAILLANT, *op. cit.*, p. 33, également Souchon).

(4) Voir les signes accumulés dont Hugo a cru comprendre après coup le sens : l'étrange ciel d'Agen (4 septembre, *V.*, II, p. 429), le « cercueil » de l'île d'Oléron (*ibid.*, p. 437).

et accentuer par un échange réciproque et inconscient son retour à sa complexion naturelle. Sa présence a aidé les voyages à le révéler à lui-même (1) et sans doute n'est-elle pas étrangère à cet érotisme naïf qui imprégnera de plus en plus la vision hugolienne de la nature. Il n'est pas aisé d'ailleurs de déterminer avec précision où et quand elle accompagnait ou non le voyageur (2). Elle est en 1835 du voyage dans l'Aisne et la Picardie ; en 1836, du pèlerinage accompli pour elle en Bretagne et en Normandie ; elle part en 1837 pour la Belgique avec lui ; elle participe au faux départ de 1838 ; il y a de fortes chances pour qu'elle l'ait accompagné en 1839 sur une partie au moins du parcours, car il emportait un passeport établi « au nom de Victor Hugo accompagné de son épouse et de sa fille (3) » qui ne pouvaient être comme déjà en 1834 que Juliette et Claire Pradier ; elle fut probablement du second tour sur les bords du Rhin en 1840 et, en 1843, le suivit en Espagne (4). Singulière liaison, presque conjugale. Le désir de s'isoler avec Juliette, de goûter avec elle l'illusion du mariage autrement qu'en cachette et plus continûment qu'à Paris, est venu ainsi s'ajouter au besoin d'évasion et de détente de manière à augmenter la durée et le rayon de ces circuits.

Détente du voyage.

La raison organique de ces voyages, Victor Hugo l'a donnée lui-même dans une lettre à Léopoldine : « Vois-tu, chère fille, on s'en va parce qu'on a besoin de distraction... (5) ». A feuilleter ces années, on se rend facilement compte que chacune de ces échappées offre bien au poète une détente attendue et féconde. D'ailleurs, le rythme prodigieux de production observé pendant les années 1829 à 1833 semble s'être ralenti. Pendant le premier trimestre de 1834, Hugo a préparé de pièces et de morceaux *Littérature et Philosophie mêlées*, publié à la fin de mars, et c'est après avoir écrit *Claude Gueux* en juin qu'il s'est échappé pour la première fois en Bretagne (6), comme on l'a vu, pour plus d'un mois (juillet-août), entre la publication de l'ouvrage dans *la Revue de Paris* (6 juillet) et son édition en volume (6 septembre). A son retour, Hugo n'a pas manqué à la tradition du séjour aux Roches, où il a passé les mois de septembre et d'octobre. L'année 1835 voit l'éclosion d'un nouveau drame, *Angelo* (7),

---

(1) Je n'en parlerai plus autrement qu'à travers eux : on se souviendra qu'elle était là.

(2) Je suis là-dessus les indications du catalogue *les Séjours*, établi par P. Souchon et J. Sergent, qui seul en fait état d'après des documents, je suppose, valables. Il est paradoxal qu'après tant de livres écrits sur les deux amants on ne trouve nulle part d'éclaircissements précis.

(3) *Les Séjours*, p. 42, nᵒ 138, daté du 30 août 1839. Il n'y a pourtant dans cette brochure aucune mention d'elle à ce voyage ni au suivant, alors que sa présence est généralement signalée par les auteurs, cf. p. 24, 32, 37, 41, 57. Il est sûr qu'elle alla au moins jusqu'à Strasbourg, puisqu'elle regretta de n'y être venue que pour être le témoin lointain d'une infidélité prétendue ou réelle. Cf. GUIMBAUD, *op. cit.*, p. 370-371, lettre de Juliette, 22 mars (1840) : « Plût à Dieu que nous n'y fussions jamais allés (à Strasbourg). »

(4) Lettre de Juliette, 13 septembre (1843), GUIMBAUD, *op. cit.*, p. 388 : « Depuis que tu m'as quittée, j'ai le cœur et l'esprit fixés sur ton arrivée dans la maison. »

(5) *V.*, II, Historique, p. 603, 3 octobre 1839.

(6) 23-26 juillet 1834 : Meulan, Louviers, Évreux. 5 août-1ᵉʳ septembre : Rennes, Brest, Nantes, Tours, Amboise, Étampes, Marines, Gisors, Saint-Germain.

(7) C'est à propos d'*Angelo* que Nisard parlait, férocement mais non pas absolument sans raison, d'« imagination épuisée » et à propos des *Chants du Crépuscule*, « de vieillard, qui ne sait plus que se souvenir » in M. LEVAILLANT, *op. cit.*, p. 22.

composé au mois de février et joué en avril, et la continuation des *Chants
du Crépuscule* amorcés après son voyage en Bretagne. C'est en août encore
que se place le second de ces voyages, du 25 juillet au 21 août, presque
un mois passé cette fois en Normandie et Picardie (1) ; septembre-octobre,
le poète reste fidèle aux Roches. L'année 1836 est marquée de lassitude :
peu de travail apparent, quelques poésies peu nombreuses, et la mise
au point du livret de *la Esmeralda*, entrepris quelques années déjà auparavant à l'intention de Louise Bertin. Hugo part plus tôt, en juin, pour
la Bretagne et la Normandie, où il demeure encore une partie du mois
de juillet en compagnie du peintre Célestin Nanteuil (2). En août, il
rejoint sa famille à Fourqueux, dans la forêt de Saint-Germain. Hugo
s'est recueilli : en 1837 il écrit de nouvelles poésies qui prendront place
en majorité dans le recueil des *Voix intérieures*, publié le 27 juin. Il continue
en revanche à souffrir des yeux et ses admirateurs commencent à se
rendre compte que ces productions, qui se renouvellent pour ainsi dire
chaque année, ne vont pas sans porter des coups à sa résistance physique,
si forte soit-elle. Témoin ce vœu émouvant du comédien Paccard, demandant à l'éditeur Renduel, qui a le bonheur insigne d'approcher le poète,
de lui conseiller de ménager sa vie si précieuse à tous : « Ah! Qu'il vive,
cet homme des régions supérieures! Qu'il vive! Que son génie ne le tue
pas! (3) » C'est à la Belgique que Hugo confie d'abord le soin de le guérir
et de le divertir, première rencontre avec ce pays, qui sera, après le coup
d'État, suivie de beaucoup d'autres (4) : elle lui apportera la révélation
de l'architecture rococo et le goût d'un certain fourmillement décoratif
et truculent, proprement flamand. Cependant, sa famille passe les vacances
à Auteuil : en octobre, tout le monde se réunit à Bièvre, où Olympio,
troublé par une nostalgie de la maturité, ira à la recherche du temps
perdu (5). 1838 : après un peu plus d'un mois de travail, Hugo vient à
peine d'achever *Ruy Blas* qu'il part presque aussitôt pour la Champagne
d'abord, avec l'espoir de faire le voyage du Rhin dont il rêve depuis long-

---

(1) 25 juillet-21 août 1835 : Montereau, Coulommiers, Château-Thierry, Soissons, Coucy, Laon, Saint-Quentin, Amiens, Abbeville, Eu, Le Tréport, Dieppe,
Fécamp, Étretat, Montivilliers, Le Havre, Harfleur, Lillebonne, Tancarville, Caude-
bec, Sainte-Wandrille, Jumièges, Rouen, La Roche-Guyon, Les Andelys, Mantes,
Pontoise, Pierrefonds, Villers-Cotterets.

(2) 17 juin-18 juillet 1836 : Chevreuse, Rambouillet, Chartres, La Louppe,
Nogent-le-Rotrou, Domfront, Alençon, Lassay, Mayenne, Jublaire, Ernée, Fougères,
Dol, Saint-Malo, Le Mont-Saint-Michel, Avranches, Granville, Coutances, Saint-Lô,
Saint-Jean-de-Day, Carentan, Barneville, Barfleur, Cherbourg, Courseulles, Troanne,
Pont-Audemer, Isigny, Honfleur, Pont-l'Évêque, Yvetot, Barentin, Gisors. De
Saint-Malo, Hugo exprime à Boulanger ce besoin d'évasion : « Mais dans l'œuvre
que j'accomplis... je sens parfois le besoin de laisser là Paris et sa criaillerie, plus
éternelle que le beau mugissement de mon océan ; car je suis souvent las de cette
ville et de voir tout ce qu'il peut écumer de sottise humaine sur la proue d'une idée. »
(*V.*, II, p. 53).

(3) Rapporté par Adolphe Jullien, *le Romantisme et l'éditeur Renduel*, *V. I.*, Historiq.,
p. 438.

(4) 10 août-14 septembre 1837 : Creil, Amiens, Picquigny, Abbeville, Saint-
Riquier, Doullens, Arras, Douai, Cambrai, Valenciennes, Bruxelles, Mons, Louvain,
Malines, Lier, Anvers, Gand, Audenarde, Tournai, Courtrai, Menin, Ypres, Ostende,
Furnes, Bruges, Dunkerque, Calais, Boulogne, Bernay, Étaples, Montreuil-sur-
mer, Le Tréport, Dieppe, Le Bourg d'Ault, Cayeux, Abbeville, Eu, Le Havre,
Elbeuf, Louviers, Les Andelys. Noter qu'il repassera en Belgique au début de sep-
tembre 1840 pour se rendre à Aix-la-Chapelle.

(5) Le retour à la Roche-Guyon correspond peut-être, pour Adèle, au même
sentiment.

temps (1), mais au bout d'une quinzaine, parvenu à Vouziers, il est rappelé à Paris, pour régler les répétitions (2). Aussi en 1839, quelle revanche! Frustré de ses dernières vacances et de son cher projet, il n'attend pas cette fois d'avoir terminé *les Jumeaux*, qu'il a repris laborieusement depuis à peine huit jours : « Je suis tellement souffrant — écrit-il à sa femme le 27 août — et la solitude de la maison m'est si insupportable que je vais partir. Je ferai mon dernier acte à mon retour. Il n'y perdra pas, car je suis épuisé de fatigue, et si j'allais plus loin maintenant, je crois que je tomberais malade (3). » Par précaution, il gagne directement son point de départ, Strasbourg, de là remonte le Rhin, traverse la Suisse et le Midi de la France et revient par la Bourgogne, après deux mois de voyage (septembre-octobre) (4). En 1840 enfin, l'année des *Rayons et les Ombres,* reprenant presque jour pour jour son congé aux mêmes dates que l'année précédente, du 28 août à la fin d'octobre, Hugo complète son dernier voyage en suivant les bords du Rhin de Cologne à Mayence et la vallée du Neckar (5).

Les deux étés 1841 et 1842, Hugo les passe à Saint-Prix, près de Montmorency, le premier à « la Terrasse (6) », où il avait déjà installé sa famille en 1840, et le second au « Pavillon ». Peut-être son imagination était-elle provisoirement saturée de nouveautés : entre temps avait paru *le Rhin* (janvier 1842), fruit de ses trois derniers voyages, où il a, selon son expression (7), *vidé* la prodigieuse *recette* de fantastique, de merveilleux, de pittoresque qu'il y avait récoltée. L'année 1843, après le mariage en février de sa fille Léopoldine et l'échec en mars des *Burgraves*, Victor Hugo ressent-il de nouveau le besoin de quitter Paris? Toujours est-il qu'à la mi-juillet il part avec Juliette vers le Sud-Ouest et l'Espagne pour apprendre sur la route du retour, le 9 septembre à Soubise, la noyade tragique de Léopoldine à Villequier (8).

La première période des voyages s'achève ainsi. On compte encore

(1) Il faisait déjà dire à Cromwell en 1826 (acte III, sc. 13, p. 260) :
> On dit les bords du Rhin fort beaux. Toute ma vie,
> J'ai de les parcourir conservé quelque envie.

(2) Dernier vers de *Ruy Blas* daté du 8 août.
15-29 août (?) : Meaux, La Ferté-sous-Jouarre, Montmirail, Montmort, Épernay, Reims, Châlons, Sainte-Menehould, Varennes, Vouziers.

(3) *J.*, Historique, p. 599.

(4) 30 août-24 octobre 1839 (On dit généralement 25 août, mais la lettre citée ci-dessus est du 27 et le passeport établi le 30 août, cf. *les Séjours*, p. 42, n° 148) : Strasbourg, Fribourg-en-Brisgau, Bâle, Zurich, Shaffhouse, Lucerne, Berne, Vevey, Chillon, Lausanne, Genève, Aix-les-Bains, Avignon, Marseille, Toulon, Draguignan, Fréjus, Cannes, Iles Sainte-Marguerite, Saint-Andéol, Chalon-sur-Saône, Dijon, Châtillon-sur-Seine, Troyes, Villeneuve-l'Archevêque, Sens.

(5) 28 août-fin octobre 1840 : Givet, Dinant, Namur, Huy, Liége, Verviers, Aix-la-Chapelle, Cologne, Andernach, Velmich, Saint-Goar, Bacharach, Lorch, Bingen, Mayence, Francfort-sur-le-Mein, Worms, Mannheim, Spire, Heidelberg.

(6) Cf. *C.*, IV, 9, 4 septembre 1846 :
> Connaissez-vous sur la colline
> Qui joint Montlignon à Saint-Leu
> Une terrasse qui s'incline
> Entre un bois sombre et le ciel bleu?

(7) *Rh.*, préface, p. 4.

(8) 18 juillet-9 septembre 1843 (Cf. pour date de départ, lettre à Léopoldine, *V.*, II, p. 604) : Bordeaux, Bayonne, Biarritz, Saint-Sébastien, Pasages, Leso, Pampelune, Pau, Cauterets, Gavarnie, Auch, Agen, Périgueux, Saintes, Rochefort, Ile d'Oléron.

deux promenades avant l'exil : en octobre 1844, à Nemours et Montargis et, en septembre 1849, dans la Somme et l'Oise (1).

La fantaisie en voyage.

De ces voyages, le plus marquant apparemment est le double voyage en Allemagne, puisqu'il produit directement deux œuvres, *les Burgraves* et *le Rhin*. C'est le seul que Victor Hugo, groupant et remaniant les lettres envoyées en cours de route (2), a éprouvé le désir de publier aussitôt, en grande partie sous la pression de l'actualité. Or la préface, datée de janvier 1842, commençait sur cette déclaration : « Il y a quelques années, un écrivain, celui qui trace ces lignes, voyageait sans autre but que de voir des arbres et le ciel, deux choses qu'on ne voit guère à Paris. » Il était attiré sur les bords du Rhin par bien d'autres raisons encore : les événements, entre autres, avaient mis le fleuve à l'ordre du jour, et plus d'une affinité secrète reliait l'imagination du poète à la vieille civilisation rhénane, à ce climat de légendes et de ruines qui devait marquer sa poésie d'une inspiration durable. Mais, si l'on reste sceptique sur l'exclusivité de l'intention, on retiendra la sincérité au moins partielle de l'aveu. Voir des arbres, se changer d'air, tel est bien le désir de Victor Hugo.

Ce n'est pas seulement au cours d'une année fertile qu'il en ressent le retour périodique ; parfois même, à l'intérieur d'une journée, il éprouve le besoin de s'aérer, de se rafraîchir, comme après la visite d'Aix-la-Chapelle, presque trop riche en pierres et pas assez en verdure :

Le soir approchait, j'avais passé toute ma journée en présence de ces grands et austères souvenirs, il me semblait que j'avais sur moi toute la poussière de dix siècles ; j'éprouvais le besoin de sortir de la ville, de respirer, de voir les champs, les arbres, les oiseaux (3).

Et Hugo nous confie qu'il a passé toute la nuit le long des murailles, dans de « fraîches allées vertes ». Il y a là un phénomène psychologique d'alternance, dont le cas de Victor Hugo est un exemple parmi d'autres et sur lequel nous nous réservons de revenir plus tard. Dans le voyage en Espagne, par réaction anticipée contre le séjour à Cauterets imposé par le soin de ses yeux et de ses rhumatismes, les six jours d'isolement (2-8 août) que Hugo se ménage — pour lui-même et Juliette d'ailleurs — à Pasages, où ses hôtes ne comprennent pas qu'il désire s'exiler et renoncer aux joies du tourisme, ont cette même signification (4). Laissons à Hugo le soin de prononcer lui-même le mot : « J'ai demandé à Manuela si elle

---

(1) Fragments des *Carnets* publiés dans *V.*, II, p. 485 sq. : 2-3 octobre 1844 et 8-17 septembre 1849.
(2) Victor Hugo ne s'interdira jamais ce mode de recomposition : les premières étapes du faux départ de 1838 sont datées de *juillet* (lettres I, II, III du *Rhin*) et suivies des lettres de voyage de 1840, modifiées dans le détail également : parti le 28 août, il ne pouvait être par exemple le 11 août à Andernach (*Rh.*, X, p. 82), d'où il a daté un dessin pour Léopoldine le 10 *septembre* 1840 (*les Séjours*, p. 50, n° 183). Aussi je désespère d'avoir, dans ce calendrier brouillé, toujours songé à restituer ou réussi à retrouver les dates authentiques. Cela nécessiterait tout un long et minutieux travail particulier, comme j'ai tenté de le faire à propos du voyage de 1865 (Voir *Promenade...*). Consulter *Appendices*.
(3) *Rh.*, IX, p. 79.
(4) Mme Guillaumie-Reicher l'appelle dans sa thèse « un séjour de fantaisie et de pittoresque aventure ». Autant en peut-on dire de son envie d'aller à Worms, incomprise de son porteur (cf. *Rh.*, p. 285).

connaissait à Pasages une maison où je pusse me loger pendant quelques jours. La *fantaisie* a d'abord un peu surpris Manuela, mais j'ai insisté (1). » Fantaisie n'est pas loin de caprice, rupture de la ligne des habitudes et des plaisirs convenus par un besoin surgi du subconscient sans raison apparente ni nécessaire. Manuela l'entend ainsi, mais Hugo en connaît l'empire. C'est un appel de toute sa nature dans ce qu'elle a de plus profond et de plus sage. C'est précisément parce que le tourisme, tel qu'il est généralement admis, plaisir des yeux et de l'esprit, fait partie des distractions convenues, qu'il a soif d'y renoncer pour un temps dans ce coin sauvage et perdu de Pasages. Ce n'est pas qu'il désire se distinguer par un trait d'originalité du commun des hommes. Le caprice est souvent la marque que prennent aux yeux du monde d'impérieuses nécessités jaillies du plus profond de nous-mêmes, à l'insu des autres toujours, parfois même à notre insu, sans que nous puissions percevoir la continuité de ces exigences intermittentes, tout comme on ne voit d'une série de récifs que la ligne pointillée de leurs affleurements et non la chaîne rocheuse qui les relie au fond de la mer.

Pour nous convaincre que ce phénomène psychologique entre bien dans la fantaisie de V. Hugo, relisons cette préface qu'il a écrite pour son premier journal de voyage, pour le *Rhin*. Il y explique comment son incognito lui a permis de « recueillir ses notes à son aise et en toute liberté, sans que rien gênât sa curiosité ou sa méditation dans *cette promenade de fantaisie*... (2) » Et s'il cherche à donner une idée des sensations et des impressions qui le frappent en voyage et qui prendront place dans ses notes, il ne s'exprime pas autrement : « C'est la peinture de tous les pays coupée à chaque instant par des échappées sur ce *doux pays de fantaisie* dont parle Montaigne, et où s'attardent si volontiers les songeurs (3). »

Entière liberté.

En effet, sa disposition dominante en voyage, c'est l'abandon, le rejet de toute contrainte. Pour caractériser cette attitude, Hugo ne trouve d'autres mots que ceux de l'enfant dans ses jeux, précisément parce qu'il retrouve en voyage cet esprit d'enfant qui demeure au fond de notre nature, submergé par la masse des souvenirs plus récents, des habitudes et des devoirs que l'éducation, le métier, la vie sociale ont déposée par-dessus et qui remonte parfois chez certains en bouffées pétulantes et imprévues, mais impérieuses. Un soir, il s'est attardé dans les ruines du Velmich : « Je suis resté dans la masure jusqu'au coucher du soleil, qui est aussi une heure de spectres et de fantômes. » Pourtant, cette fois, il n'est pas disposé, comme si souvent, à laisser une imagination fantastique recréer le paysage et le peupler d'hallucinations : c'est au contraire son âme d'enfant qui lui revient, non pas d'enfant peureux à l'approche de la nuit, mais d'enfant fou de liberté :

Ami, continue-t-il, il me semblait que j'étais redevenu un joyeux écolier ; j'errais et je grimpais partout, je dérangeais les grosses pierres, je mangeais

(1) *En voyage*, t. II, p. 346. Manuela est la batelière qui le conduit à Pasages.
(2) *Loc. cit.*, p. 9. C'est moi qui souligne.
(3) *Ibid.*, p. 4, souligné dans le texte.

les mûres sauvages, je tâchais d'irriter, pour les faire sortir de leur ombre, les habitants surnaturels; et comme j'écrasais des épaisseurs d'herbes en marchant au hasard, je sentais monter vaguement jusqu'à moi cette odeur âcre des plantes des ruines que j'ai tant aimée dans mon enfance (1).

C'est en effet, ce soir-là, toute sa sauvage enfance des Feuillantines qui fait signe de loin à l'homme qu'il est devenu, au penseur grave et sérieux, à l'archéologue, oubliés un moment en ce jardin des ruines. Une trentaine d'années plus tard, le vieillard entendra encore ces appels de sa fantaisie, parfois même en pleine séance politique, comme il l'écrit le 11 décembre 1871 à Nadar : « Je suis en plein Sénat et, ma foi, j'y suis heureux, car je lis à mon aise votre beau et charmant livre, je fais une vraie *séance buissonnière* (2) de compagnie avec votre esprit, pendant qu'on bavarde à la tribune. »

Cette impatience de liberté apparaît dans la façon de voyager qui a sa prédilection. S'il ne dédaigne pas la diligence ou le chemin de fer, si, après avoir trouvé ce dernier foncièrement inesthétique, il s'amuse parfois à l'imaginer pittoresque et empanaché comme un char de carnaval ou un dragon de fêtes chinoises, s'il se laisse même prendre volontairement aux illusions de la perception que lui procure la vitesse, c'est encore, comme Rousseau, le voyage à pied qu'il préfère. Pourquoi? Parce que c'est celui où il garde la libre disposition de lui-même dont il est si jaloux.

Rien n'est charmant à mon sens comme cette façon de voyager. — A pied! — On s'appartient, on est libre, on est joyeux; on est tout entier et sans partage aux incidents de la route, à la ferme où l'on déjeune, à l'arbre où l'on s'abrite, à l'église où l'on se recueille. On part, on s'arrête, on repart; rien ne gêne, rien ne retient. On va et on rêve devant soi. La marche berce la rêverie; la rêverie voile la fatigue. La beauté du paysage cache la longueur du chemin. On ne voyage pas, on erre (3).

Comment ne pas rappeler ici Rousseau que Victor Hugo semble démarquer?

Je ne conçois qu'une manière de voyager plus agréable que d'aller à cheval, c'est d'aller à pied. On part à son moment, on s'arrête à sa volonté, on fait tant et si peu d'exercice qu'on veut. On observe tout le pays; on se détourne à droite, à gauche; on examine tout ce qui nous flatte, on s'arrête à tous les points de vue. Aperçois-je une rivière, je la côtoie; un bois touffu, je vais sous son ombre; une grotte, je la visite... Partout où je me plais, j'y reste. A l'instant que je m'ennuie, je m'en vais. Je ne dépends ni des chevaux ni du postillon. Je n'ai pas besoin de choisir des chemins tout faits, des routes commodes; je passe partout où un homme peut passer; je vois tout ce qu'un homme peut voir; et, ne dépendant que de moi-même, je jouis de toute la liberté dont un homme peut jouir (4).

Pourtant cette conception lui appartient aussi bien, elle se dégage de son tempérament même : c'est qu'elle répond à un même désir, à un même besoin. Depuis l'époque déjà lointaine du voyage à Dreux, Hugo a tou-

(1) *Rh.*, XV, p. 130, daté août 1838, en réalité entre le 10 et le 20 septembre 1840.
(2) Souligné dans le texte. Lot de lettres appartenant à Nadar, acquis par la Bibliothèque Nationale en 1943.
(3) *Rh.*, XX, p. 154.
(4) *L'Emile*, V, *in* D. MORNET, *Morceaux choisis*, éd. Didier, p. 257 : Rousseau note, en dehors des plaisirs du spectacle, « la santé qui s'affermit, l'humeur qui s'égaye... »

jours tenu à cette indépendance en voyage. Il répugne à toute contrainte, celle d'un programme — allant selon son mot *devant soi*, ouvert à toute séduction de l'instant ou de l'occasion — comme celle même d'un bagage. Il se contente de ce qu'il appelle un « sac de nuit » ou une « sacoche (1) ». Ainsi il va, les mains libres, où l'appelle sa fantaisie. « Vous connaissez mon goût pour les grands voyages, à petites journées, sans fatigue, sans bagages... (2) »

Pour ses enfants : fleurs, lettres et dessins.

Rien ne le retient. Aussi ne craint-il pas un instant de céder à cette passion, qu'il a conservée de son enfance, de ramasser des fleurs en chemin. C'est un brin de bruyère cueilli sur la montagne à Pasages, une marguerite arrachée dans les prés d'Andernach. On n'en finirait plus de relever toutes les fleurs qu'il ne manque jamais de signaler. Il en constelle ses albums, les fixant par un petit onglet sur lequel il note méticuleusement leur origine, souvent leur date. Elles fleurissent son œuvre, charmants bulletins de naissance de ses vers. Le lien entre cette fantaisie et son travail apparaît dans les premières lignes de *la Légende du Beau Pécopin* :

> J'ai donc écrit ce conte bleu dans le lieu même *(Falkenburg)*, caché dans le ravin-fossé, assis sur un bloc qui a été un rocher jadis, qui a été une tour au douzième siècle et qui est redevenu un rocher, cueillant de temps en temps, pour en aspirer l'âme, une fleur sauvage, un de ces liserons qui sentent si bon et qui meurent si vite, et regardant tour à tour l'herbe verte et le ciel radieux, pendant que de grandes nuées d'or se déchiraient aux sombres ruines du Falkenburg (3).

Elles finiront, ces fleurs cueillies, par devenir un véritable motif dans sa poésie :

> J'ai cueilli cette fleur pour toi sur la colline (4).

Symbole d'un désir de possession bien autrement vaste : ce n'est pas une fleur, mais les arbustes, les arbres, les ruisseaux, les montagnes, c'est toute la nature qu'il voudrait ainsi « cueillir » pour en composer un immense herbier vivant, où elle deviendrait sa propriété et presque son œuvre. Cet herbier, n'en doutons pas, il existe, il existait dans son imagination, et il revit pour chacun de nous, dès qu'on veut bien l'apercevoir, dans toute sa poésie.

Il est seulement juste d'observer que ce geste, immobilisé dans l'immortalité pour Juliette, a été accompli auparavant pour Adèle et ses enfants. Une lettre adressée d'Étaples à sa fille Léopoldine fait bien sentir le passage naturel de cet hommage à sa forme poétique :

---

(1) *Rh.*, XXVI, 288 : « J'ai un sac de nuit que je trouve en ce moment beaucoup trop plein, vous avez une brouette tout à fait vide ; si je mettais mon sac sur votre brouette ? » et p. 289 l'amusant développement sur le volume du bagage très significatif de son souci : « sac de nuit ! rien qu'un sac de nuit ! On voit que ce recommandable seigneur se sent grand par lui-même... » etc. Voir également *Rh.*, XXI, 363, l'histoire du « sac de nuit, qui contenait non seulement mes hardes, mais encore mon argent... disparu ».

(2) *Rh.*, I, 15, La Ferté-sous-Jouarre, août 1838. Cf. également Dunkerque, 1er septembre, 1837 : « La visite (de la douane) a été bientôt faite. Je n'avais aucun bagage. » (*V.*, II, 121).

(3) *Rh.*, XXI, p. 186. Voir ci-dessous, chap. IV, ce qu'il convient d'en penser.

(4) *C.*, V, 24, au retour d'une visite à l'île de Serk, 31 août 1852.

J'ai cueilli pour toi cette fleur dans la dune. C'est une pensée sauvage qu'a arrosée plus d'une fois l'écume de l'océan. Garde-la pour l'amour de ton petit père qui t'aime tant. J'ai déjà envoyé à ta mère une fleur des ruines, le coquelicot de Gand; voici maintenant une fleur de la mer (1).

Ce n'est pas la seule chose qu'il fasse pour ses enfants, et cette attention, un penchant plutôt, à les amuser et à voir par les yeux de leur âge n'a pu qu'entretenir sa fantaisie (2). Même en voyage — et c'est précisément l'éloignement qui nous permet d'en saisir des témoignages — il songe à eux, s'exerce à des jeux pour les leur apprendre à son retour, leur écrit et dans ses lettres s'adapte à l'âge et à l'esprit de chacun d'eux. Pour la petite Adèle, il ramasse des coquillages (3); pour son plaisir et pour le leur, il apprend d'un marin à gouverner et à faire des nœuds qu'il montrera à François-Victor (4). De Léopoldine, l'aînée et la préférée, il travaille à former le goût et le cœur, l'invitant à regarder la nature, à contempler le ciel et les étoiles et à s'entretenir avec Dieu (5). Mais sa correspondance avec sa fille n'est pas toujours aussi sérieuse : ravi de « l'histoire des vaches qui ont donné à boire à ton grand-papa », il badine : « Je te dirais bien de les embrasser de ma part, mais tu ne les as plus sous la main (6) » ou se livre au charmant enfantillage de tracer son nom sur le sable (7).

Et puis, pour tous les quatre, indistinctement, il dessine : « Voici quatre dessins pour vous quatre, ma Didine (8) » écrit-il à son retour du Rhin en 1839, préférant « au lieu d'une grande description » envoyer « un petit portrait » des monuments ou des sites qu'il voit (9). Dès 1834, il note : « Je dessine tout ce que je vois (10) ». Les marges de ses lettres, comme

(1) *Corresp.*, I, 315, 3 septembre (1837). C'est moi qui souligne.
(2) Cf. ce que nous en avons dit p. 156.
(3) *Corresp.*, I, 323 : « j'ai cueilli... des coquillages » et *ibid.*, I, 324, *à Dédé*, Cannes, 8 octobre (1839) : « J'ai voulu ramasser ici des coquillages pour toi ; mais je n'ai rien trouvé. Il n'y a que du sable. C'est absurde. »
(4) *Corresp.*, I, 323, à *Toto*, Cannes, 8 octobre (1839) : « Depuis treize jours je vis sur la mer. J'ai appris à gouverner une barque à voiles, à faire des nœuds droits, des nœuds de garcette, des nœuds d'hirondelle, etc. Je te montrerai tous mes talents à Paris. »
(5) *Corresp.*, I, 315, Étaples, 3 septembre 1837 : « Tout le jour, je regardais les églises et les peintures et puis, le soir, je regardais le ciel, et je songeais encore à toi, ma Didine, en voyant cette belle constellation, ce beau chariot de Dieu, que je t'ai appris à distinguer parmi les étoiles. (*Suit un dessin de la Grande Ourse en taches d'encre*). Vois, mon enfant, comme Dieu est grand, et comme nous sommes petits : où nous mettons des taches d'encre, il pose des soleils. C'est avec ces lettres-là qu'il écrit. Le ciel est son livre. Je bénirai Dieu si tu sais toujours y lire, ma Didine. Et je l'espère. » Cf., *ibid.*, 321, Marseille, 3 octobre (1839) : « Toutes les nuits, je regarde les étoiles comme nous faisons le soir sur le balcon de la place Royale et je pense à toi, ma Didine. Je vois avec plaisir que tu aimes et que tu comprends la nature. La nature, c'est le visage du bon Dieu. Il nous regarde par là, et c'est là que nous pouvons lire sa pensée. » Cf. également, *ibid.*, 319, les récits promis de sa visite à la cathédrale de Mayence et le « gribouillis illisible » qu'il la prie de garder en souvenir « toute ta vie pour l'amour de moi ».
(6) *Corresp.*, I, 313, Le Tréport, 6 août 1835.
(7) *Corresp.*, I, 315 : « Et puis, mon ange, j'ai tracé ton nom sur le sable : DIDI. La vague de la haute mer l'effacera cette nuit, mais ce que rien n'effacera, c'est l'amour que ton père a pour toi. »
(8) *Corresp.*, I, 324, Cannes, 8 octobre (1839) : la cathédrale de Strasbourg, la tour de l'île Saint-Honorat, une vue de Bâle, des maisons de Baden. Cf. *ibid.*, I, 327, à Charlot, Mayence, 1er octobre (1840) : « Je donne le Chat à Toto, je t'envoie la Souris. Ici, c'est tout le contraire de la nature, la souris est beaucoup plus grosse et beaucoup plus terrible que le chat. »
(9) *Corresp.*, I, 318, d'Épernay, 27 août 1838, à propos de la cathédrale de Reims.
(10) *V.*, II, 25, Étampes, 22 août 1834.

bientôt de ses manuscrits, en sont ornées. Bien sûr, c'est surtout pour son propre plaisir qu'il dessine, mais cette imprévue participation de ses enfants à son voyage le charme et l'encourage à satisfaire ce profond caprice. Dès cette époque, il emporte en voyage chaque année un nouvel album où il écrira et dessinera pêle-mêle. Il dessine « d'après nature, lentement et soigneusement et fidèlement » comme il le conseille à Charles (1). Cela est important : Hugo procède comme feront à Barbizon les peintres impressionnistes, le dessin est le prolongement de sa vision, le développement aussi. Car très vite il s'est dégagé de cette première manière fine, un peu précieuse de ses débuts et, en même temps que son vers, son crayon acquiert ce coup hardi et large qui permet à l'artiste de s'exprimer librement. Il procède par oppositions, à la manière des aquafortistes, de Rembrandt qu'il a admiré — il ne manque jamais, en Belgique et en Allemagne, de visiter les musées — noyant d'ombre ses eaux, foudroyant de lumière un vieux burg démantelé, fouillant le détail par endroits, multipliant les recherches techniques, reprenant à la plume certains traits de crayon, rehaussant bientôt de couleurs simples, mais étonnantes, or, écarlate, outremer, non pas tout, mais certaines parties de son dessin, et finissant par ne plus même se contenter des couleurs offertes, mais en inventant de nouvelles, se créant une manière originale en mélangeant des fonds de tasse de café avec des cendres à son encre de Chine. Il ne s'en tient plus alors au modèle, emporté par « la magnifique imagination qui coule » dans ses dessins « comme le mystère dans le ciel (2) ». Les villes, les maisons, comme nous allons bientôt le voir parallèlement dans ses notes d'album, prennent des tournures, des silhouettes, des profils humains.

On a déjà tant écrit, et jamais assez, sur l'œuvre graphique de Victor Hugo, qu'il est vain de vouloir traiter en une page un art dont tant de spécialistes ont fait l'étude particulière (3). Je ne veux seulement que souligner, par cette nouvelle preuve éclatante, le débordement de sa fantaisie dans ces combinaisons de travail au filigrane avec les traits les plus impétueux, en tout point comparables à celles que montre son œuvre écrite. Aussi me contenterai-je d'emprunter à l'un de ces commentateurs deux citations, qui me sauveront d'émettre moi-même un jugement intéressé. Dans la première, Arsène Alexandre constate le même phénomène de

---

(1) *Corresp.*, I, 333, 7 septembre (1842), à Léopoldine.
(2) Baudelaire, *Curiosités esthétiques*, éd. Conard, p. 345. On connaît le célèbre passage de Théophile Gautier (*Histoire du Romantisme*, *Vente du mobilier*, p. 130-131) : « Victor Hugo, s'il n'était pas poète, serait un peintre de premier ordre ; il excelle à mêler dans des fantaisies sombres et farouches les effets de clair-obscur de Goya à la terreur architecturale de Piranèse ; il sait au milieu d'ombres menaçantes ébaucher d'un rayon de lune ou d'un éclair de foudre les tours d'un burg démantelé et, sur un rayon livide du soleil couchant, découper en noir la silhouette d'une ville lointaine avec sa série d'aiguilles, de clochers et de beffrois. Bien des décorateurs lui envieraient cette qualité étrange de créer des donjons, des vieilles rues, des châteaux, des églises en ruines, d'un style insolite, d'une architecture inconnue, pleine d'amour et de mystère, dont l'aspect vous oppresse comme un cauchemar. »
(3) Voir Paul CHENAY, *Album de Gravures, d'après les dessins de Victor Hugo*, Paris, Castel, 1863 ; — Arsène ALEXANDRE, *la Maison de Victor Hugo*, Paris, Hachette, 1903 ; — Emile BERTAUX, *Victor Hugo artiste*, Paris, *Gazette des Beaux-Arts*, 1903 ; — Raymond ESCHOLIER, *Victor Hugo artiste*, Paris, Crès, 1927 ; — J. SERGENT, *la Maison de Victor Hugo*, Catalogue, 1934, et, du même auteur, un ouvrage annoncé à paraître aux éditions Albin Michel.

détente que nous avons signalé ; je dirais qu'il est seulement plus direct, plus immédiat par le dessin : « c'est pour lui une sorte de soulagement que de dépenser ainsi ses richesses (1) ». La seconde se passe de commentaire :

> La fantaisie préside magistralement (à ces dessins). Fantaisie dans l'idée : un dessin de paysage très espagnol, rappelant Pasages de façon assez frappante, porte cette mention : « *Espagne, un de mes châteaux.* » Fantaisie dans le décor et le mouvement. Un magnifique dessin d'un burg est rehaussé de plaques d'or d'un effet admirable... L'esprit de Victor Hugo, lors même qu'il croit copier la nature naïvement, se complaît, s'acharne à la poursuite d'un détail, d'un accent particulier, et le dessin devient quasi fantastique par le seul étonnement que l'observateur a éprouvé ; ainsi les replis de la butte sur laquelle s'érige le château de Walzin, les escarpements étranges qui s'étagent et se pénètrent, les grottes et les saillies de ce piédestal de terres et de rocs, représentent comme la coupe d'un organe, d'un viscère très compliqué (2).

Sa fantaisie s'exerce très précisément à découvrir des arabesques ou à les insérer dans le dessin des choses : sinuosités d'un viscère à Walzin, cavités d'une tête de mort dans la Tour Fendue de Heidelberg (3), ou le fourmillement de lignes rehaussées d'admirables couleurs de cette *Ville en pente* (4), dont il serait très probablement vain de rechercher le modèle, fût-ce dans Rheinfelden, et qui n'évoque rien tant que la somme de ces innombrables villes rhénanes résumées et transfigurées dans l'épique *Ville disparue* (5).

Influence du cadre.

S'arrête-t-il ? Son programme « admet pleinement le hasard des auberges et des tables d'hôte, et s'accommode aussi volontiers de la patache que de la chaise de poste, de la banquette des diligences que de la tente des bateaux à vapeur ». Disons même qu'il a un faible pour la patache et la petite auberge vieillotte dont l'antique incommodité risque de réserver quelque surprise pour son bonheur. Ce n'est pas la nature seule qui retient son attention. Hugo n'est pas indifférent non plus aux intérieurs, susceptibles parfois d'éveiller sa fantaisie et d'offrir un cadre à son développement. Le voici arrêté sur le bord du Rhin, vers le 26 septembre 1840, dans une maison de Bacharach :

> J'habite des intérieurs de Rembrandt avec des cages pleines d'oiseaux aux fenêtres, des lanternes bizarres au plafond et, dans le coin des chambres, des degrés en colimaçon qu'un rayon de soleil escalade lentement. Une vieille femme et un rouet à pieds tors bougonnent dans l'ombre ensemble à qui mieux mieux (6).

Cette atmosphère étrange, fantasque sans être poussée au fantastique, qui surprend pour amuser plutôt que pour faire peur, disposera Hugo

---

(1) *Op. cit.*, p. 147.
(2) *Ibid.*, p. 173.
(3) Cf. ici. chap. II, p. 212.
(4) Cf. *Catalogue*, n° 94. Bien qu'il y ait une section fort brève des « compositions de fantaisie », cette nomenclature est comprise au sens strict et, bien souvent, les dessins, comme celui-ci, sont rangés dans la section des *Sujets indéterminés*.
(5) *L. S., N. S.*, IV, 14, août 1874.
(6) *Rh.*, XVIII, p. 142. Voir le croquis de la façade, très pittoresque, conservé au Musée Victor Hugo.

au pittoresque et marquera toute la lettre XVIII d'une aimable fantaisie. Préparé par le cadre de son logis, Hugo trouvera aux habitants « dans le regard, dans le profil et dans la tournure, je ne sais quels airs du treizième siècle » et voilà Bacharach classé « vieux bourg-fée ». Or cette impression est assez importante, puisque, malgré l'exiguïté du passage, il a sa place dans le sommaire de la lettre sous ce titre plaisant : « Les harmonies des vieilles femmes et des rouets ».

En voici un autre exemple, dans son séjour à San-Juan de Pasages. Le poète aime sa maison et la décrit avec minutie. « Elle est curieuse et rare entre toutes, et porte au plus haut degré le double caractère si original des maisons de Pasages. C'est le monumental rapiécé avec le rustique ». Il jouit profondément de la « physionomie étrange de cette maison » et c'est précisément cette construction faite de pièces et de morceaux, cabane qui se souvient du palais, qui en fait le pittoresque étrange. « La première entrée est un portail à colonnes du temps de Philippe II sculpté par les ravissants artistes de la Renaissance, mutilé par le temps et les enfants qui jouent, rongé par les pluies, la lune et le vent de mer. Vous savez que le grès fruste se ruine admirablement. Ce portail est d'une belle couleur chamois. L'écusson reste, mais les années ont effacé le blason (1). » *Tempus edax, homo edacior*, formulait-il déjà dans *Notre-Dame de Paris* : le temps ronge, l'homme dévore. Mais ces atteintes de l'homme et du temps, qui l'indignaient là, concourent ici à la patine et à la curiosité de l'édifice. Il n'est pas jusqu'au badigeonnage de l'intérieur à la chaux, abhorré quand il masque des trésors, qui ne le charme ici, parce qu'il n'a rien à cacher et que ce contraste si franc le surprend agréablement. C'est ce contraste qu'il indiquait au début de sa description : « La maison que j'habite est à la fois une des plus solennelles qui regardent la rue et une des plus gaies qui regardent le golfe. » Double visage qui répond à son goût de l'antithèse ; nous allons bientôt avoir l'occasion d'y revenir. La disposition à la fois commode et bizarre le séduit : escaliers croulants et abrupts, « solives contournées et ciselées », portes armées, et « d'immenses araignées... dans cet enchevêtrement ténébreux », tout lui plaît. Enfin, il pose lui-même la question qui nous vient :

Que dites-vous de cet ensemble ? Cela est triste ? repoussant ? terrible ? Eh bien non, cela est charmant.

Charmant, ravissant.

Charmant, ravissant, ce sont les deux mots qui reviennent sous sa plume, avec une constance remarquable, chaque fois que la fantaisie des choses lui sourit et qu'il s'agit de la signaler brièvement. Il y aurait une abondante moisson à réunir des emplois de ces mots en voyage, et je ne résiste pas à en donner un aperçu, tant je trouve cette constance à la fois amusante et révélatrice. Prenons le voyage de 1834 (2).

Meulan, 23 juillet. « La fantaise a tourné, mon Adèle, je suis à Meulan, *charmante* petite ville du bord de la Seine, pleine de ruines et de vieilles

(1) *V.*, II, Pasages, p. 341 sq.
(2) *V.*, II, p. 17 sq.

femmes... L'ensemble de la ville est *ravissant*, la situation délicieuse au bord de l'eau, dans les îles, les arbres et les galiotes. »

De Rennes, le 7 août. « Verneuil, Mortagne, Mayenne, Laval, sont des villes *ravissantes*. »

Nantes, 14 août. « Je suis monté au moment où le soleil se couchait sur le clocher de la cathédrale et de là, j'ai vu toute la ville, les quatre bras de la Loire, l'Erdre dont les bords sont *charmants*, le canal, tous les vieux toits et la prairie de Mauves. »

Le 16, à Tours, qu'il déclare « une belle ville », il trouve « une *ravissante* fontaine de la Renaissance ».

Dans le voyage de 1835, choisissons la lettre datée de Coulommiers, le 28 juillet (1). Hugo a aimé « un pont tortu » à Montereau, « d'où l'église est *charmante* à voir ». Veut-il traduire une note gaie ? « Au moment où je t'écris, voici une *charmante* petite poule qui vient becqueter je ne sais quoi à mes pieds dans un rayon de soleil. » Est-ce le gracieux fouillis hérissé de Provins, avec les flèches et les tours de ses églises ou de ses donjons ? Il goûte cette vision d'ensemble, « le tout répandu de la façon la plus *charmante* sur deux collines baignées jusqu'à mi-côte dans les arbres ». A trois reprises, le mot revient dans la même lettre. Ce terme, un peu terni, et pour ainsi dire énervé, plus évocateur que descriptif, a perdu pour nous depuis longtemps sa force expressive et magique, mais pour lui, il résume une nuance composite du pittoresque, un pittoresque gracieux et imprévu qui sourit à l'œil et à l'esprit.

De la Fère, le 1er août, Hugo envoie à sa femme une lettre qui reproduit cette répétition. Le petit châtelet du XVe siècle où il est hébergé est enfoui « à deux lieues de Soissons, dans une *charmante* vallée »; il s'appelle Septmonts et « c'est la plus *ravissante* habitation que tu puisses te figurer ». Lorsque le voyageur monte sur une colline pour contempler à l'aise la vallée de Soissons, il reste attendri à la vue d' « une *charmante* rivière qui se noue et se dénoue à tous les angles du paysage (2) ».

Pareille constance ne provient pas d'une impuissance à varier ses expressions, mais au contraire d'une impossibilité psychologique à traduire autrement que par un seul mot symbolique une impression unique faite d'une multiplicité de détails variés, à la manière d'un rayon de soleil qui s'irise de mille couleurs en traversant les carreaux d'un vitrail ; il pourra toujours essayer d'analyser cette impression, et il n'y manquera pas, mais le mot doit suggérer intuitivement, d'un bloc, l'allégresse où la vision met le spectateur. Aussi n'éprouve-t-il pas le besoin de renouveler ce vocabulaire psychologique.

A Chartres, en 1836, les stalactites de plomb fondu qui pendent sur le toit de la cathédrale « brillent d'une façon *charmante* au soleil (3) ». Son cœur n'a pas changé depuis 1834 et Mayenne reste une « *riante et pittoresque* ville » — équivalent analytique de *charmant* — dont l'ensemble... forme un bloc ravissant! » *Charmantes* les routes, *charmants* les petits enfants d'Ernée « qui ramassaient du crottin de cheval sur la grande route » et qui « y mettaient toute la *grâce* imaginable ». *Charmante* aussi « la couleur blonde » des flèches de Normandie qui, surgissant derrière

(1) *V.*, II, p. 28.
(2) *V.*, II, p. 29.
(3) *V.*, II, p. 46 sq.

les collines, font « une magnifique aventure dans le paysage (1) ». A la notion de joli et de riant suggérée par ce mot, il se mêle donc toujours pour Hugo un effet de surprise. Ce charme vient d'une rupture de la monotonie. Les flèches de Normandie cisaillent les ondulations régulières du paysage, tout comme les enfants jettent une note imprévue sur le ruban invariable de la route.

Le voyage de 1837, si fertile en surprises pittoresques, ajouterait un prolongement étincelant, mais inutile sans doute, à cette liste déjà longue. Tous les clochers si originaux du Nord et de Belgique sont *charmants*, ceux d'Arras, de Douai, de Lille, et *charmantes* les cités de Mons et de Louvain. Je n'en veux retenir qu'un exemple, qui montre comme ce mot s'applique bien à la fantaisie. Par un clair de lune, la place de Mons est apparue à Hugo sous un jour étrange :

> Rien de plus singulier et de plus *charmant*, sous un beau ciel clair et étoilé, que cette place si bien déchiquetée dans tous les sens par le goût capricieux du quinzième siècle et par le génie extravagant du dix-huitième ; rien de plus original que tous ces édifices chimériques vus à cette heure fantasque (2).

La gamme des épithètes qui, à la nuance près, concourent toutes à traduire la même impression unique, et particulièrement la rencontre des adjectifs *charmant* et *fantasque*, qui enferment la phrase dans le cercle de la fantaisie, apportent une conclusion probante à cette enquête. Bien des années plus tard, en 1863, devant le « charmant palais rocaille » de la Favorite, près de Rastadt, de nouveau les deux adjectifs se retrouveront côte à côte, dans cette note de voyage : «Chef-d'œuvre du fantasque et du charmant (3). »

Paysages contrastés.

Contrairement donc à ce qu'on pourrait croire d'après une lecture incomplète de son œuvre, Victor Hugo n'est pas seulement sensible à l'aspect fantastique des choses, il en goûte aussi profondément le côté riant, et d'autant mieux lorsque le fantastique le fait ressortir par contraste. Comme on voit Jean-Jacques, épris du paysage tourmenté de la Robaila, se plaire aux bords riants du lac de Bienne et goûter le contraste de ces rives sauvages et romantiques, bordées de rochers et de bois, avec l'aspect charmant de l'île entremêlée de vignes et de prairies, il n'est pas rare non plus de voir Hugo souligner l'aspect contrasté d'un paysage et s'y arrêter avec un raffinement d'amateur. La Suisse, comme à Rousseau, lui offrira ce type de paysage. Suivons-le, en septembre 1839, à la Chute du Rhin :

> Effroyable tumulte ! — constate-t-il — voilà le premier effet. Puis on regarde. La cataracte découpe des golfes qu'emplissent de larges squames blanches. Comme dans les incendies, il y a de petits endroits paisibles, au milieu de cette chose pleine d'épouvante ; des bouquets mêlés à l'écume ; de charmants ruisseaux dans les mousses ; des fontaines pour les bergers arcadiens de Poussin, ombragées de petits rameaux doucement agités.

---

(1) *Ibid.*, p. 60.
(2) *Ibid.*, p. 87.
(3) *Ibid.*, p. 507.

Et dans ce décor titanesque, il croque au passage cette délicate scène d'enfant :

> Au moment où je passais, assourdi par la formidable cataracte, un enfant, habitué à faire ménage avec cette merveille du monde, jouait parmi les fleurs et mettait en chantant ses petits doigts dans des gueules-de-loup roses (1).

Un an plus tard, en Belgique, Hugo notera sur la route de Liége la même opposition :

> Après Huy, recommence ce ravissant contraste qui est tout le paysage de la Meuse. Rien de plus sévère que ces rochers, rien de plus riant que ces prairies (2).

Parfois, un détail suffit à évoquer dans le spectacle cette harmonique de gaîté. Ainsi, dans la cathédrale de Cologne, il admire la façon dont « la douce maçonnerie des nids d'hirondelle se mêle de toutes parts comme un correctif charmant à cette sévère architecture (3) ».

Lors de son arrivée à Pasages en 1843, saisi par le même contraste, il semble se souvenir des termes exacts qui lui ont servi à Liége :

> Ici, nouvelle surprise. Rien n'est plus riant et plus frais que le passage vu du côté de l'eau ; rien n'est plus sévère et plus sombre que le passage vu du côté de la montagne (4).

La coïncidence serait curieuse, si elle ne correspondait à une réaction constante chez Hugo jusque dans l'expression, à un trait évident de son tempérament, qui est une extrême sensibilité aux contrastes de la nature, une aptitude particulière de sa pensée à saisir les rapports des choses et des idées sous forme d'antithèses. Ces contrastes, ces antithèses, il ne se contente pas de les trouver, il les cherche, comme une clef universelle susceptible d'expliquer aussi bien les phénomènes naturels que les sentiments humains. Cette disposition est bien trop connue pour que j'y insiste ; j'en veux seulement noter un effet sur la fantaisie du poète.

Certains paysages semblent aux yeux de Hugo singulièrement riches de cette force antithétique. Ainsi en sera-t-il des îles anglo-normandes à partir de 1852. La région de Pasages, pendant la période que nous étudions, est certainement, à cet égard, celle qui l'a le plus frappé. Il y revient quelques pages plus loin à propos de la montagne qui domine la ville, le Jaïzquivel, dont le nom devait déjà à lui seul ravir Hugo par sa sonorité à la fois rauque et liquide :

> Les sommets des montagnes, remarque-t-il, sont pour nous des espèces de mondes inconnus. Là végète, fleurit et palpite une nature réfugiée qui vit à part. Là s'accouplent dans une sorte d'hymen mystérieux le farouche et le charmant, le sauvage et le paisible (5).

L'impression aura été si vive que, vingt-six ans plus tard, le souvenir demeurera aussi net dans *l'Homme qui rit* que la sensation primitive. En parlant du mont à propos des *Comprachicos*, il évoquera « cet endroit

---

(1) *Rh.*, XXXVIII, p. 397-398.
(2) *Rh.*, VII, p. 57 (4 août 1838), début septembre 1840.
(3) *Rh.*, X, p. 84 (août 1838), vers le 9 septembre 1840.
(4) *V.*, II, p. 352.
(5) *Ibid.*, p. 336. Cf. *ibid.*, p. 380, Pampelune, 12 août 1843 : « Comme dans tout le terrible que fait la nature, il y a des coins charmants... »

magnifique et charmant, comme tout ce qui a le double caractère de la joie et de la grandeur (1) ». Et si nous nous arrêtons à ce type de paysage contrasté, c'est que, comme nous le disions plus haut, le fantastique souligne la fantaisie comme le noir le blanc, et que ces paysages, au contraire de ce qu'on pourrait attendre, semblent favoriser la fantaisie. « Le farouche Jaïzquivel, écrira Hugo, est plein d'idylles (2). » Et quittant la montagne pour la mer, il aura cette remarque :

Les redoutables baies qui avoisinent Saint-Sébastien, Leso et Fontarabie, mêlent aux tourmentes, aux nuées, aux écumes par-dessus les caps, aux rages de la vague et du vent, à l'horreur, au fracas, des batelières couronnées de roses (3).

Le chemin parcouru du réel à la fantaisie se détache ainsi clairement : un décor sombre dispose le poète à saisir toutes les notes gaies qui viendront s'y accrocher, et la moindre jeune fille fleurie prendra dans son imagination éveillée allure de nymphe. Il n'en faut pas davantage pour donner l'essor à sa fantaisie.

L'âme et le paysage, couleur du temps.

Il existe ainsi une mystérieuse intelligence entre le paysage et l'état d'âme du poète, qu'il est intéressant de pénétrer davantage. Quittons l'Espagne, et joignons le poète à Bacharach, sur le Rhin en septembre 1840. Le même paysage est susceptible de présenter, comme le *Janus bifrons* des Latins, deux visages, non pas à la manière des rives de Meuse par décomposition de ses éléments, mais suivant le jour qui l'éclaire. Côté sombre d'abord :

Bacharach est dans un paysage farouche. Des nuées presque toujours accrochées à ses hautes ruines, des rochers abrupts, une eau sauvage, enveloppent dignement cette vieille ville sévère, qui a été romaine, qui a été romane, qui a été gothique et qui ne veut pas devenir moderne (4).

Hugo possède un don étonnant pour camper la physionomie des villes en quelques traits. Il note qu'une ceinture d'écueils qui empêche les bateaux d'y débarquer « tient la civilisation à distance ». Mais Bacharach a son sourire. Dans la même lettre, Hugo poursuit :

Quand le soleil écarte un nuage et vient rire à une lucarne du ciel, rien n'est plus ravissant que Bacharach. Toutes ces façades décrépites et rechignées se dérident et s'épanouissent. Les ombres des tourelles et des girouettes dessinent mille angles bizarres. Les fleurs — il y a là des fleurs partout — se mettent à la fenêtre en même temps que les femmes, et sur tous les seuils apparaissent, par groupes gais et paisibles, les enfants et les vieillards, se réchauffant pêle-mêle au rayon de midi, les vieillards avec ce pâle sourire qui dit : *Déjà plus!* les enfants avec ce doux regard qui dit : *Pas encore* (5)!

Ainsi il a suffi d'un rayon de soleil pour changer cette grimace austère en sourire, il a suffi de ce rayon de soleil pour éclairer la vision de Victor Hugo, la métamorphoser complètement : toute sa phrase sourit, sautille,

(1) *Ibid.*, p. 336.
(2) *H. Q. R.*, I, 1, 1, p. 37.
(3) *Ibid.*
(4) *Rh.*, XVIII, p. 144.
(5) *Ibid.*

prend un air allègre, pétulant, hardi même, l'amour écarte le rideau de la fenêtre, et l'on se demande si c'est le soleil, ou bien Hugo qui, comme un peintre escamoteur, pose aux fenêtres et aux portes les fleurs et les femmes de sa fantaisie ragaillardie. C'est qu'à l'image de l'homme, les maisons, les murs ou les champs n'ont pas le même visage selon le temps. Ce n'est pas un système d'aller et retour entre la nature et le paysage intérieur, mais une circulation triangulaire qui s'établit entre le ciel, la terre et le cœur de l'homme. Hugo, en vraie nature de poète, est particulièrement sensible au visage du ciel. Lui, qu'on a trop accoutumé de se figurer installé dans une béate assurance, connaît ce morne ennui, bien différent du mal du siècle et du *spleen*. C'est une nuance infiniment douce et naturelle : elle échappe aussi bien au caractère fatal et obstiné de la tristesse romantique, comme aux relents d'absinthe et de fumée, aux fadeurs écœurantes d'un sentiment confiné dans les chambres d'hôtel et les arrière-salles de café. Si allègre dans la suggestion de la joie, son style s'adapte avec une ductilité merveilleuse à démêler les éléments de son ennui. C'est une après-midi de septembre 1839, à Zurich :

Il pleuvait. J'étais enfermé dans la chambre que j'habite, une petite chambre triste et froide, ornée d'un lit peint en gris à rideaux blancs, de chaises à dossier en lyre, et d'un papier bleuâtre bariolé de ces dessins sans goût et sans style qu'on retrouve indistinctement sur les robes des femmes mal mises et sur les murs des chambres mal meublées... J'étais dans une de ces situations d'âme que vous connaissez sans doute, où l'on n'a aucune raison d'être triste et aucun motif d'être gai ; ... où la vie semble parfaitement logique, unie, plane, ennuyeuse et triste ; où tout est gris et blafard au dedans comme au dehors. Il faisait en moi le même temps que dans la rue, et, si vous me permettiez la métaphore, je dirais qu'il pleuvait dans mon esprit. Vous le savez, je suis un peu de la nature du lac ; je réfléchis l'azur ou la nuée. La pensée que j'ai dans l'âme ressemble au ciel que j'ai sur la tête (1).

Cette belle analyse d'un sentiment né de la pluie, qui annonce déjà par sa finesse ces études de chambres étrangères et hostiles de Proust, se double pour nous d'une confidence capitale. Hugo réagit en fonction des meubles qui l'entourent, du temps et même de l'heure. Le même paysage de Bacharach, qui lui paraissait fantastique sous les nuages, s'éclaire et badine au soleil. Le même paysage, qui le matin a éveillé sa fantaisie, inclinera le soir son imagination aux évocations fantastiques. Du matin au soir, sa fantaisie évoluera avec le soleil, ou, comme il le disait dans la lettre de Meulan, en 1834, sa fantaisie tournera.

Voici notre voyageur à Heidelberg, un jour d'octobre 1840. Voyez comme il organise sa journée au service de son imagination. « Le matin, je m'en vais, et d'abord... je passe, pour faire déjeuner mon esprit, devant la maison du *Chevalier de Saint-Georges*. C'est vraiment un ravissant édifice (2). » On songe aux mots si humains de Montesquieu, si caractéristiques au moins d'un certain tempérament et que V. Hugo pourrait fort proprement s'appliquer : « Je m'éveille le matin avec une joie secrète ; je vois la lumière avec une espèce de ravissement. Tout le reste du jour je suis content. » Il a donc mis son imagination en bonne humeur par ce rite et tout ce qu'il verra de la ville, avant de la quitter, en gardera le

(1) *Rh.*, XXXVI, p. 390. Remarquer « logique ».
(2) *Rh.*, XXVIII, p. 309 sq.

reflet : « ravissant édifice », « faîtages fantasques », « charmante façade vermeille », « fantaisies païennes ». Ainsi armé de joie, il s'enfonce au hasard, dans la forêt, et dans sa fantaisie : les rochers lui sont des « fauteuils revêtus de mousse », il s'empresse de rectifier, « c'est-à-dire de velours vert » ; papillons, araignées, tout le petit peuple de la nature salue en lui son souverain, et la naïade du ruisseau déploie pour lui sur les récifs sa tunique d'écume ou d'argent aux mille plis. Vient le soir : « Le même jour, c'était vers le soir… (1) » Le soleil a changé de visage : « C'était un de ces sinistres soleils couchants où le soleil semble s'abîmer pour jamais dans l'ombre, écrasé sur des nuages de granit, informe et nageant dans une immense mare de sang. » L'heure n'est plus à la fantaisie, mais au fantastique, et Hugo s'y laisse incliner. La forêt du matin lui apparaît tout autre : « Je n'avais plus sous les yeux qu'un de ces grands paysages crépusculaires… » Le tour même « *je n'avais plus sous les yeux* » implique qu'il s'agit du même spectacle, dont l'aspect seul a changé. Il appelle à son secours tout le vocabulaire adéquat. Il n'est plus question que de « mur cyclopéen », de « sentier des géants », de « figure surnaturelle », de « buissons hérissés » et du « trou des païens ». Cet éclairage maléfique explique l'apparition de la vieille femme, chargée d'un fagot, qui répète d'une « voix décrépite » « un mot sinistre » *Heidenloch* et qu'il prend aussitôt pour quelque sorcière, « une vieille dryade chassée par les bûcherons, emportant son arbre sur son dos ».

Ce n'est pas le seul exemple : à Cauterets, en 1843, nous retrouvons une semblable métamorphose du paysage, mais dans le sens inverse. Hugo se lève tous les jours à quatre heures du matin, pour jouir dans « cette heure sombre et claire tout à la fois » d'un spectacle chaque jour « nouveau, inattendu et merveilleux (2) ». Il guette presque anxieusement le premier sourire, le premier cri du jour nouveau-né, qui va donner le ton fondamental à son imagination : « Hier, la nuit avait été pluvieuse, l'air était froid, les sapins mouillés étaient plus noirs qu'à l'ordinaire, les brumes montaient de toutes parts des ravins comme les fumées des fêlures d'une solfatare ; un bruit hideux et terrible sortait des ténèbres, en bas, dans le précipice, sous mes pieds ; c'était le cri de rage du torrent caché par le brouillard. » Les images qui flottent dans son esprit prendront la couleur du temps. « Je ne sais quoi de vague, de surnaturel, d'impossible se mêlait au paysage ; tout était ténébreux et comme pensif autour de moi ; les spectres immenses des montagnes m'apparaissaient par les trous des nuées comme à travers des linceuls déchirés. » Le matin suivant, le soleil se lève sur un paysage tout différent : « Ce matin, la nuit avait été sereine. Le ciel était étoilé ; mais quel ciel et quelles étoiles ! » Et Hugo se laisse aller avec délices à la douceur de l'atmosphère : « Vous savez, cette fraîcheur, cette grâce, cette transparence mélancolique et inexprimable du matin, les étoiles claires sur le ciel blanc, une voûte de cristal semée de diamants. » L'apparition des pierres précieuses dans sa métaphore est le signe que sa fantaisie s'éveille. A l'horizon, les sapins ont dépouillé leur silhouette fantomatique et ne font plus qu'une dentelle, et, plus près, selon un cheminement de sa fantaisie que nous allons apprendre à connaître, Hugo com-

(1) *Ibid.*, p. 314.
(2) *V.*, II, p. 413 sq.

mence de se pencher sur la petite nature, pour y saisir cette vie micro-
copique qui l'agite. « Une vie obscure et charmante animait le flanc ténébreux des montagnes ; on y distinguait l'herbe, les fleurs, les pierres, les
bruyères, dans une sorte de fourmillement doux et joyeux. Le bruit
du gave n'avait plus rien d'horrible... Toute la vallée était comme une
urne immense où le ciel, pendant les heures sacrées de l'aube, versait la
paix des sphères et le rayonnement des constellations. »

Ainsi, non seulement du matin au soir sa fantaisie peut tourner, mais
d'un matin à l'autre son imagination oscille spontanément de la joie
à l'épouvante, à l'image du temps. Il y a des temps pour la fantaisie. Cette
alternance suit d'ailleurs le rythme des saisons. En voici un exemple
plus complexe, où la différence de l'aurore et du crépuscule se nuance
très délicatement du jeu des saisons. Hugo prête si volontiers l'oreille
aux bruits de la nature, qu'ils finissent par se fondre en une symphonie
symbolique où se discerne la tonalité dominante de l'atmosphère. Un
lever de soleil, au printemps, c'est une musique ravissante :

> Vous savez cet adorable tumulte qui éclate dans une futaie, en avril, au
> soleil levant ; de chaque feuille jaillit une note, de chaque arbre une mélodie ;
> la fauvette gazouille, le ramier roucoule, le chardonneret fredonne, le moi-
> neau, ce joyeux fifre, siffle gaîment à travers le tutti. Le bois est un orchestre.
> Toutes les voix qui ont des ailes chantent à la fois et répandent sur les col-
> lines et les prairies la symphonie mystérieuse du grand musicien invisible (1).

Cette harmonie gracieuse d'un matin de printemps, c'est, un soir
d'octobre, la musique funèbre d'un bois sombre, près du vieux « burg
sans nom de Neckarsteinach », qui lui en donne la nostalgie :

> Dans le burg sans nom, au crépuscule, continue-t-il, c'est la même chose,
> devenue horrible. Tous les monstres de l'ombre se réveillent et commencent
> à fourmiller. Le vespertilio bat de l'aile, l'araignée cogne le mur avec son
> marteau, le crapaud agite sa hideuse crécelle. Je ne sais quelle vie venimeuse
> et funèbre rampe entre les pierres, entre les herbes, entre les branches. Et puis
> des grondements sourds, des frappements bizarres, des glapissements, des
> crépitations sous les feuilles, des soupirs faibles qu'on entend tout près de
> soi, des gémissements inconnus, les êtres difformes exhalant les bruits
> lugubres, ce qu'on n'entend jamais hurlé ou murmuré par ce qu'on ne voit
> jamais. Par moments des cris affreux sortent tout à coup des chambres déman-
> telées et désertes; ce sont les chats-huants qui se plaignent comme des mou-
> rants. Dans d'autres instants, on croit entendre marcher dans les taillis à
> quelques pas de soi ; ce sont des branchages fatigués qui se déplacent d'eux-
> mêmes. Deux charbons ardents brillent dans l'ombre au milieu des ronces ;
> c'est une chouette qui vous regarde.

A la sortie de cet enfer sonore, Hugo a salué d'un « immense mouvement
de joie » l'apparition dans un écartement de montagnes du « ciel bleu,
vague, étoilé et splendide... comme une immense vasque de lapis-lazuli
pailleté d'or ». L'élément essentiel, la clef de ces variations, c'est le soleil.
Le cri d'Emma, dans *la Grand'Mère*, « Charles, j'ai le soleil », il est de
Victor Hugo. « Je suis un latin — écrira-t-il à Albert Lacroix — j'aime
le soleil (2). » Hugo est un amoureux de la lumière. Il marche au soleil.
« Je voyage en ce moment — écrit-il de Vevey, le 21 septembre 1839 —

---

(1) *Rh.*, XXVIII, Heidelberg, p. 322. Cf. Lamartine, *Hymne du matin*.
(2) Lettre du 14 (février 1864), in *W. S.*, Historique, p. 413. Cf. *D. J.*, chap. II, p. 625.

comme l'hirondelle. Je vais devant moi, cherchant le beau temps. Où je vois un coin du ciel bleu, j'accours (1). » S'il comprend aussi la nuit, c'est qu'il la redoute avec une sorte d'attirance, comme ces noctambules, arrêtés au bord de leur fenêtre, sont irrésistiblement attirés par le vide ; c'est la peur qui lui ouvre les yeux et le réveille jusqu'à lui faire recueillir des messages et dessiner « ce qu'il voit dans la nuit ». Mais son amour reste aux matins ensoleillés. C'est dans ce frémissement compréhensif de la nature qu'on trouve le mieux ce sens du mystère, dont parlait Baudelaire, sens du mystère clair et joyeux de la lumière, comme du mystère noir et inquiétant de la nuit.

Rêveries du promeneur solitaire.

Ce sens du mystère s'explique en partie : Victor Hugo n'effarouche pas la nature, il a la confiance de la nature. Aussi bien sait-il la rechercher aux endroits où elle a perdu le contact avec l'homme civilisé, qui la défigure. « Jusqu'au jour où je ferai la guerre, écrit-il en 1837, une citadelle ne sera pour moi qu'une colline déformée, coupée au cordeau, taillée à pans droits, murée et gazonnée géométriquement et passée à l'état classique. Or, j'aime la courbe comme Dieu la fait, l'herbe où elle pousse, le buisson où le vent le sème, la pente capricieuse, la verdure libre, et Shakespeare. J'aime le roc, je hais le mur ; j'aime le ravin, je hais le fossé ; j'aime l'escarpement, je hais le talus (2). » C'est dans un vallon écarté, sur un sentier perdu à Heidelberg, ou bien au sommet désert de quelque montagne à Pasages, où la nature ne connaît plus des hommes que le chevrier, oublié parmi ses bêtes, qui leur parle en chantant, c'est là que la nature est prête à s'apprivoiser au contact du poète.

L'homme est loin, la nature est tranquille. Une sorte de confiance, inconnue dans les plaines où la bête entend les pas humains, modifie et apaise l'instinct des animaux. Ce n'est plus la nature effarée et inquiète des campagnes. Le papillon ne s'enfuit pas ; la sauterelle se laisse prendre ; le lézard, qui est aux pierres ce que l'oiseau est aux feuilles, sort de son trou et vous regarde passer (3).

Rousseau, Gœthe (4) lui montraient le chemin de ces solitudes et, plus près, Nodier. Il est fort vraisemblable que, dans le voyage aux Alpes,

(1) *Rh.*, XXXIX, p. 403. C'est la pluie, écrivait-il le 18, qui le fait renoncer à remonter vers le Nord et changer son itinéraire : « Je vais descendre au midi afin d'aller retrouver le ciel bleu et le soleil. » (*V.*, II, p. 195). Et le 26, enfin, il le trouve à Avignon : « C'est un merveilleux voyage. En douze heures, je suis allé, non de Lyon à Avignon, mais de novembre à juillet. » (*V.*, II, p. 223). Cf. également, Stockart, 19 octobre 1840 : « Il pleut sur la Moselle, ce qui m'a fait y renoncer. » (*Corresp.*, II, 34).
(2) *V.*, II, p. 125, Calais-Boulogne, *Bernay*, *4 septembre* (1837), *5 heures du soir*. C'est à peu près ce qu'il disait déjà lorsqu'il comparait dans la Préface des *Odes et Ballades* (1826) les jardins ornés de Versailles et la forêt vierge d'Amérique, l'art classique et l'art romantique.
(3) *V.*, II, p. 352.
(4) *Passions du jeune Werther*, Paris, Lebègue, 1822.
Lettre I : « La solitude de ce paradis terrestre est un baume pour mon cœur, qui se sent ranimé, réchauffé par les charmes de la saison. Pas une haie, pas un arbre qui ne soit un bouquet de fleurs, et l'on voudrait être un hanneton pour se plonger dans cette mer de parfums, et pour s'en repaître... ».
Lettre II : « Il règne dans mon âme une sérénité étonnante, semblable à ces douces matinées du printemps, dont le charme enivre mon cœur. Je suis seul, la vie me paraît délicieuse dans ce lieu fait exprès pour les âmes comme la mienne... (Quand...)

ce dernier, naturaliste et poète à la fois, pour trouver des pièces rares, ait emmené son compagnon vers des hauteurs écartées et lui ait appris à regarder de près et à admirer dans le détail les miracles de la nature, confirmant par une expérience quotidienne la démarche exemplaire d'un Rousseau penché sur les animaux et les plantes. Il était curieux de tout et aucun domaine de la nature ne lui est resté inconnu. Il abordait chacun d'eux, sans le séparer des autres, en naturaliste, en philosophe et en poète à la fois, combinaison précieuse qui semble avoir marqué Victor Hugo. Tel champignon rare, « ornement des solitudes *alpines* », lui fournit la preuve « que la cryptogamie a aussi son luxe et ses bijoux, et que la nature qui a prodigué tous les trésors de son écrin sur les insectes, les plus méprisés, n'a pas traité les mousses avec plus de parcimonie que les scarabées et les chenilles (1) ». Sur les plantes, il est d'un lyrisme aussi scientifique, qui se glisse jusque dans son œuvre romanesque : « Là, s'échappaient, du milieu des marches rompues, les cylindres veloutés du verbascum, les cloches bleues des campanules, des bouquets d'arabettes et des touffes d'éclaires dorées ; la jusquiame y croissait aussi avec ses couleurs âcres et ses fleurs meurtries (2). » Mais c'est le monde des insectes, auquel il a consacré de nombreuses études particulières, qui lui paraît recéler plus qu'aucun autre les plus étonnants mystères de la vie. Voyez-les insinuer leur note dramatique dans un frais paysage de printemps : « Au jour... les premières influences du printemps commençaient à se faire sentir dans la campagne ; de petites fleurs blanches, façonnées en coupes déliées qui échappent presque à la vue, s'épanouissaient entre les pierres dont le chemin est bordé ; la douce odeur de la violette révélait sa présence sous le buisson, et l'air, échauffé des rayons du soleil renaissant, se peuplait d'une foule d'insectes qui n'apparaissaient un moment que pour mourir, mais qui répandaient dans ce tableau le mouvement de la vie (3). » Il approfondit leurs mœurs, comme plus tard Fabre et Maeterlinck, pour y découvrir ces « petits drames de l'herbe » qui attireront à sa suite Hugo (4). « Il est de mauvais aspect — dit-il par exemple du *Blaps présage de mort* — parce qu'il a l'instinct des funérailles, et qu'il les suit volontiers pour chercher un asile sous une pelletée de terre... (5) » Et toute cette patiente attention, éparpillée de-ci de-là, est recueillie dans la formule provocante que Victor Hugo a pu lire, il n'y a pas si longtemps, dans *le Temps* du 26 février 1832 : « Je ne me

je suis couché au pied de la cascade, dans l'herbe qui s'élève par-dessus moi, et que mon œil rapproché ainsi de la terre y découvre mille petites simples de toute espèce ; quand je contemple de plus près ce petit monde, qui fourmille entre les chalumeaux, les formes innombrables et les nuances imperceptibles des vermisseaux et des insectes, et que je sens en moi la présence de l'Etre tout-puissant qui nous a formés à son image... »

(1) *Œuvres d'histoire naturelle de Charles Nodier*, présentées et recueillies par le docteur Antoine Magnin, Besançon, 1911, *Promenade de Dieppe aux montagnes d'Ecosse*, chap. XXII, p. 97. Il ajoute (p. 98) : « La cryptogamie fait presque tous les frais de la parure des montagnes à une certaine hauteur. »

(2) *Ibid.*, p. 158 (*le Peintre de Salzbourg*, 1863). Certains passages de Victor Hugo rappellent beaucoup ce type de lyrisme érudit. Voir ici, p. 292, n. 1.

(3) *Ibid.*, p. 185 (*Thérèse Aubert*, 1819).

(4) Cf. p. 292, passage cité du *Rh.*, XX, p. 165 et *W. S.*, Rel. 310 (*in Promontorium Somnii*), passage écrit en 1863 qui en semble l'application : « Qui n'a vu dans les hautes herbes du printemps un drame horrible ? » etc. Voir *in Thèmes et Motifs*, chap. des *Magnificences microscopiques*.

(5) *Op. cit.*, p. 129 (article extrait du *Temps*, 8 mars 1832).

lasserai pas de le dire : l'insecte est le roi du monde, et c'est au perfectionnement de cette race que tend l'œuvre de la création, si elle est intelligente... (1) »

Regardons maintenant Victor Hugo se promener dans ces endroits privilégiés qu'il a le secret de découvrir. L'esprit libre, mais les sens en éveil, il reçoit toutes les impressions qu'émet la nature ; les vibrations, les nuances, les souffles, il les recueille sans effort, comme ces habitants de la forêt accoutumés à enregistrer le moindre mouvement de la nature et à l'interpréter. Les plus humbles ne sont pas les moins dignes de son attention, et on le verrait presque, à la manière de ces Indiens de notre jeunesse, coller son oreille contre le sol, non pour guetter l'ébranlement d'un galop ennemi, mais pour écouter battre le cœur de la terre. Cet homme qu'on se représente toujours d'une façon un peu conventionnelle, concentré sur de grands spectacles, dans les cadres de la montagne ou de la mer, n'est au contraire jamais plus attiré que par les plus ténus, les plus subtils, la vie des insectes et des fleurettes, ni plus absorbé qu'à suivre le cheminement d'un scarabée à travers les brins d'herbe, l'aventure d'une fourmi avec un grain de mil. La fantaisie ne tarde pas à s'en mêler. Dès qu'on observe le menu peuple de la nature, on est tenté d'expliquer ses comportements à la manière des jeux, des habitudes et des fonctions de l'homme. Les données même de la connaissance y invitent : les abeilles comptent une reine et des ouvrières qui la servent. Leur vie nous offre l'image d'une petite société rigoureusement organisée. Les naturalistes eux-mêmes résistent rarement à la tentation de faire un roman de leur étude, et le poète ne songe pas à y échapper. Tel est le cours de ces rêveries solitaires, où nous verrons la fantaisie de V. Hugo s'éveiller peu à peu devant ces curiosités de la nature comme un écho spontané aux divers appels qu'il y discerne. Ses notes de voyage contiennent plusieurs témoignages de ce mouvement psychologique dont la répétition même fait foi. A Heidelberg, en octobre 1840 :

Je vais ainsi toute la journée, sans trop savoir où je suis, l'œil le plus souvent fixé à terre, la tête courbée vers le sentier, les bras derrière le dos, laissant tomber les heures et ramassant les pensées quand j'en trouve. Je m'assieds dans ces excellents fauteuils revêtus de mousse, c'est-à-dire de velours vert, que l'antique Palès creuse au pied de tous les vieux chênes pour le voyageur fatigué ; je mets en liberté, pour ma bienvenue, comme un souverain débonnaire, toutes les mouches et tous les papillons que je trouve pris dans les filets autour de moi ; petite amnistie obscure, qui, comme toutes les amnisties, ne fâche que les araignées. Et puis, je regarde couler au-dessous de mon trône, dans le ravin, quelque admirable ruisseau semé de roches pointues où se fronce à mille plis la tunique d'argent de la naïade ; ou bien, si le mont n'a pas de torrent, si le vent, les feuilles et l'herbe se taisent, si le lieu est bien calme, bien désert, bien éloigné de toute ville, de toute maison, de toute cabane même, je fais faire silence en moi-même à tout ce qui murmure sans cesse autour de moi, j'ouvre l'oreille aux chansons de quelque jeune montagnard perdu dans les branches avec son troupeau de chèvres, là-bas bien loin, au-dessus ou au-dessous de moi. Rien n'est mélancolique et doux comme la tyrolienne sauvage chantée dans l'ombre, par un pauvre petit chevrier invisible, pour la solitude qui l'écoute. Quelquefois, dans toute une grande montagne, il n'y a que la voix d'un enfant (2).

(1) *Ibid.*, p. 122.
(2) *Rh.*, XXVIII, p. 312.

Voici un exemple d'une rêverie similaire à Fribourg-en-Brisgau (septembre 1839) :

A Freiburg, j'ai oublié longtemps l'immense paysage que j'avais sous les yeux pour le carré de gazon dans lequel j'étais assis. C'était une petite bosse sauvage de la colline. Là aussi, il y avait un monde. Les scarabées marchaient lentement sous les fibres profondes de la végétation ; des fleurs de ciguë en parasol imitaient les pins d'Italie ; une longue feuille, pareille à une cosse de haricots entr'ouverte, laissait voir de belles gouttes de pluie comme un collier de diamant dans un écrin de satin vert ; un pauvre bourdon mouillé, en velours jaune et noir, remontait péniblement le long d'une branche épineuse ; des nuées épaisses de moucherons lui cachaient le jour ; une clochette bleue tremblait au vent et toute une nation de pucerons s'était abritée sous cette énorme tente ; près d'une flaque d'eau qui n'eût pas rempli une cuvette, je voyais sortir de la vase et se tordre vers le ciel, en aspirant l'air, un ver de terre semblable aux pythons antédiluviens, et qui a peut-être aussi, lui, dans l'univers microscopique, son Hercule pour le tuer et son Cuvier pour le décrire. En somme, cet univers-là est aussi grand que l'autre. Je me supposais Micromégas ; mes scarabées étaient des *megatherium giganteum*, mon bourdon était un éléphant ailé, mes mouches étaient des aigles, ma cuvette d'eau était un lac, et ces trois touffes d'herbes hautes étaient une forêt vierge (1).

Cette page, plus caractéristique encore que la précédente, nous montre bien Hugo négligeant le grand spectacle pour le petit, se penchant sur ce qu'il appelle déjà un « univers microscopique » et s'abandonnant avec délices à sa fantaisie. Étoffes et pierreries se pressent à son secours pour vêtir ce nouveau monde. D'une métaphore, d'un mot technique, Hugo le bâtit et le peuple. Ainsi agrandi aux proportions de l'homme, ce petit univers ne s'arrête d'ailleurs pas longtemps à cette première promotion caricaturale et va chercher de nouvelles dimensions jusque dans la chronique préhistorique ou le point de vue de Sirius (2). Hugo s'amuse, libérant la partie la plus enfantine peut-être de son être, la plus spontanée en tout cas et non la plus puérile — il y a une différence — car il y a autant de profondeur dans l'enfant absorbé par la contemplation d'une raie de parquet ou d'un « carré de gazon » que dans le penseur penché sur les problèmes éternels, autant d'intensité dans l'attention, et la même forme d'attention précisément devant l'inconnu. Mais le mouvement du penseur s'use et ne peut durer, tandis que ce ravissement de l'enfant puise en lui-même une sollicitation à continuer sans fin. Ainsi, l'enfant peut-il distraire en Victor Hugo le penseur et l'aider à épargner ses yeux fatigués, sans qu'il doive retomber sur cette récréation plus de discrédit que sur le violon d'Ingres ou le guide des aveugles.

Voici encore un témoignage du voyageur, plus complet, plus varié peut-être, sur son activité en voyage, où nous pouvons remarquer la place occupée par ces rêveries solitaires : « Mes aventures et mes travaux à moi, laborieux fainéant que vous connaissez bien, cher Louis,

---

(1) *Rh.*, XXXV, p. 383. Titre au sommaire : *Microcosme.*
(2) Cf. ce passage écrit dans le même esprit vers 1845-1847 (?) : « Il est remarquable que l'infiniment petit est peuplé d'une prodigieuse quantité d'êtres animés et que l'infiniment grand ne l'est pas... Il est certain... que nous ne voyons pas glisser entre deux montagnes des serpents dont un seul emplit une vallée, que nous ne voyons pas passer le soir, parmi les entassements sombres du couchant, des éléphants ailés gros comme des cathédrales... Les fourmis voient ces choses chimériques ; c'est le réel pour elles ; les scarabées leur sont éléphants et elles sont éléphants aux infusoires. » (*W. S.*, Rel. 592.)

vous les savez par cœur, vous les avez longtemps partagés ; c'est une promenade solitaire dans un sentier perdu, la contemplation d'un rayon de soleil sur la mousse... » Certes, l'archéologue ou le simple curieux ne perdent jamais leurs droits : « ... la visite d'une cathédrale, — continue-t-il — ou d'une église de village, un vieux livre feuilleté à l'ombre d'un vieux arbre, un petit paysan que je questionne... » Mais le poète revient vite au « carré de gazon » ensoleillé, tout fourmillant de ces histoires d'insectes qui deviendront plus tard un motif de sa fantaisie :

> ... Un beau scarabée enterreur cuirassé d'or violet, qui est tombé par malheur sur le dos, qui se débat et que je retourne en passant avec le bout de mon pied ; des vers quelconques mêlés à tout cela ; et puis des rêveries de plusieurs heures devant la Roche-More sur le Rhône, le Château-Gaillard sur la Seine, le Rolandseck sur le Rhin, devant une ruine sur un fleuve, devant ce qui tombe sur ce qui passe, ou, spectacle à mon sens non moins touchant, devant ce qui fleurit sur ce qui chante, devant un myosotis penchant sa grappe bleue sur un ruisseau d'eau vive (1).

Une telle page a le mérite de ne pas mutiler Hugo ; nous le voyons au contraire soucieux de ne renoncer à aucune de ses tendances. A côté du rêveur des chemins personnels, nous retrouvons en familiarité l'amateur des bibliothèques, l' « antiquaire » des musées, des burgs et des églises. Ces divers personnages ne se séparent pas dans son esprit ; au contraire, il cherche à les réunir, fût-ce par une métaphore : « Je hante la forêt et la bibliothèque, cette autre forêt (2) », écrit-il quelques lignes plus haut dans la même lettre, et plus bas, selon la mode romantique déjà passée à l'état de tradition : « Je regarde, chapiteau par chapiteau, les arbres, ces piliers de la grande cathédrale mystérieuse ; et, plongé dans la lecture de la nature, comme le vieux puritain dans la méditation de la bible, je cherche Dieu (3). » Les rappels pittoresques de la France ajoutent à ce témoignage une valeur de généralité fort précieuse pour nous. Il ne s'agit pas d'une attitude particulière au visiteur du Rhin, mais bien d'une attitude générale en voyage. Et c'est toujours, au milieu de tant d'attraits, la nature qui le retient davantage, c'est à elle qu'il réserve ses émotions et ses plaisirs les plus intimes ; à ce qu'il y a en elle de plus élémentaire au sens propre du mot, à ce qu'on appellerait volontiers la « petite nature ». Le « souverain débonnaire » réapparaît pour remettre libéralement dans le droit chemin ce scarabée dont le carrosse vient de verser. Était-ce déjà la poésie qui lui soufflait ce conseil ? En effet, l'inspiration ne tarde pas à venir. Il faut noter la proximité de la remarque, « des vers quelconques mêlés à tout cela », qui est une indication probante (4). Comment croire que de tels vers, nés entre le scarabée et la grappe de myosotis, puissent être quelconques et ne pas garder quelque chose de la fantaisie de ce spectacle ?

(1) *Rh.*, XXVIII, p. 309.
(2) *Ibid.*, p. 308. Sur les bibliothèques, cf. *Rh.*, XXXIII, p. 377 : « Je n'aurais pas quitté Bâle sans visiter la bibliothèque. Je savais que Bâle est pour les Holbein ce que Francfort est pour les Albert Dürer. »
(3) *Ibid.*, p. 312.
(4) Cf. la même expression dans une lettre à Léopoldine, 22 mai (1843) : « Je me promène toute la journée sous les arbres du bois de Vincennes avec le vieux donjon pour perspective et de temps à autre un cantonnier ou un paysan pour compagnie. Je fais des vers à travers tout cela. » *Corresp.*, t. I, p. 338.

Sous la dictée de la nature.

Ainsi se forme peu à peu cette idée chère à Victor Hugo que la nature elle-même lui dicte (1) pour ainsi dire ses vers. L'image du *livre* traduit cette intelligence secrète :

> Ami — écrit-il à Louis Boulanger — chacun a son livre, et, voyez-vous, dans l'évangile comme dans le paysage, la même main a écrit les mêmes choses. Quant à moi, je pense que toutes les faces de Jéhovah peuvent et doivent être contemplées, et cette idée règle et remplit mes rêveries depuis vingt ans ; vous le savez, vous, Louis, qui m'aimez et que j'aime. Je pense aussi que l'étude de la nature ne nuit en aucune façon à la pratique de la vie et que l'esprit qui sait être libre et ailé parmi les oiseaux, parfumé parmi les fleurs, mobile et vibrant par les flots, les arbres, haut, serein et paisible parmi les montagnes, sait aussi, quand vient l'heure, et mieux peut-être que personne, être intelligent et éloquent parmi les hommes. Je ne suis rien, mais je compose mon rien avec un petit morceau de ce tout (2).

S'il était besoin d'une preuve supplémentaire pour montrer l'action de la nature sur Hugo, ce texte nous l'apporterait. Avec une orgueilleuse simplicité, Hugo y fait de la nature « son domaine », ou, comme Montaigne disait de l'histoire, son « gibier ». Mais il y a plus : ces lignes révèlent chez Hugo un curieux instinct d'imitation, par lequel ses états d'âme semblent se calquer sur le modèle des êtres au milieu desquels il se trouve. Chacun d'eux communique à son inspiration un peu des qualités qui leur sont essentielles. Sa fantaisie se compose de ces parfums qu'il prend aux fleurs, de cette mobilité que lui prêtent les flots, de cette légèreté ailée que, selon Platon, les oiseaux cèdent au poète. Sans renier pour autant aucune des autres possibilités de sa personnalité provisoirement écartées, il insiste sur cette collaboration de la nature à son œuvre. « Je compose mon rien avec un petit morceau de ce tout. » Voulant dans sa préface du *Rhin* indiquer de quoi étaient faites ses lettres, Hugo s'exprimait de la même manière : « C'est l'épanchement quotidien ; c'est le temps qu'il a fait aujourd'hui, la manière dont le soleil s'est couché hier ; la belle soirée, ou le matin pluvieux ; c'est la voiture où le voyageur est monté, chaise de poste ou carriole ; c'est l'enseigne de l'hôtellerie, l'aspect des villes, la forme qu'avait tel ou tel arbre... » Toute la page est importante ; retenons-en seulement le compte de ses dettes à la nature :

---

(1) A propos de *la Légende du Beau Pécopin*, Hugo écrit à Boulanger : « Je vous l'envoie telle que je l'ai écrite, sous les murailles mêmes du manoir écroulé (*Falkenburg*), avec la fantastique forêt de Sonn sous les yeux, et, à ce qu'il me semblait, *sous la dictée même des arbres, des oiseaux et du vent des ruines.* » *Rh.*, XXI, p. 185. Il convient évidemment de limiter la portée de telles assertions et de faire la part de la « documentation ». L'article savant et mesuré de J. GIRAUD (*Revue d'Histoire littéraire de la France*, t. XVII, 1910, p. 528 sq.) nous permet d'en juger. Hugo a d'autres livres que la nature ne connaît pas, *le Monde* de Rocoles, par exemple, dont il sera question dans la suite (voir chap. IV) et d'extraits duquel il a assaisonné certains passages de son *Pécopin*. On serait tenté alors de sourire du « livre de la nature ». Mais, comme s'empresse de le préciser M. Giraud, ces emprunts inavoués, répréhensibles chez un historien, n'encourent pas le même reproche chez un conteur. Le procédé est admis en littérature et sans parler des humanistes du XVIᵉ siècle, nos classiques eux-mêmes ne méprisaient pas cette appropriation qu'ils estimaient un ornement licite. A peine est-on parfois lassé par cet étalage naïf d'érudition facile où semble se complaire le génie verbal du poète. Nous reviendrons sur le procédé. Mais cela ne change rien au caractère spontané de cette fantaisie : la source d'un rivelet n'est pas altérée par les alluvions qui viennent épaissir son cours ultérieur.

(2) *Rh.*, p. 312.

... ce sont tous les bruits qui passent, *recueillis par l'oreille et commentés par la rêverie*, sonneries du clocher, carillon de l'enclume, claquement de fouet du cocher, cri entendu au seuil d'une prison, chanson de la jeune fille, juron du soldat; c'est la peinture de tous les pays coupée à chaque instant par des échappées sur *ce doux pays de fantaisie* dont parle Montaigne... (1).

Pour qui connaît les voyages de Victor Hugo, chacune de ces sensations anonymes rappelle un souvenir personnel précis : le carillon, c'est Mons au clair de lune; ce claquement du fouet, quand la diligence roulait sur une route d'Espagne ou d'Allemagne, est venu le tirer du rêve où un bouton de cuivre sur la croupe d'un cheval avait pris figure de nain malicieux; ce cri est parti de la prison, une nuit qu'il passait à Soissons; et la chanson de la jeune fille, étaient-ce les suaves modulations échappées d'une mansarde sur le clocher de Francfort, un soir, ou telle romance de Gastibelza dont l'écho familier résonnait dans les rochers de Biarritz? C'est dans cette hospitalité sans prévention, offerte à la première sensation venue, dans cette incohérence accueillante, qu'on saisit le mieux l'origine spontanée de sa fantaisie. Chaque sensation est une semence de poésie que la nature laisse tomber dans son imagination. Ce premier travail spontané de l'imagination sur la sensation, qui la fait pour ainsi dire germer aussitôt que semée, Hugo nous l'explique dans une autre page du *Rhin* :

A chaque pas qu'on fait, il vous vient une idée. Il semble qu'on sente des essaims éclore et bourdonner dans son cerveau. Bien des fois, assis à l'ombre au bord d'une grande route, à côté d'une petite source vive, d'où sortaient avec l'eau, la joie, la vie, la fraîcheur, sous un orme plein d'oiseaux, près d'un champ *plein de faneuses*, reposé, serein, heureux, doucement occupé de mille songes, j'ai regardé avec compassion passer devant moi, comme un tourbillon où roule la foudre, la chaise de poste, cette chose étincelante et rapide qui contient je ne sais quels voyageurs lents, lourds, ennuyés et assoupis ; cet éclair qui emporte des tortues. Oh! comme ces pauvres gens, qui sont souvent des gens d'esprit et de cœur, après tout, se jetteraient vite à bas de leur prison, où l'harmonie du paysage se résout en bruit, le soleil en chaleur et la route en poussière, *s'ils savaient toutes les fleurs que trouve dans les broussailles, toutes les perles que ramasse dans les cailloux, toutes les houris que découvre parmi les paysannes l'imagination ailée, opulente et joyeuse d'un homme à pied* (2).

Contentons-nous de souligner ces dernières lignes qui sont capitales. Hugo prend soin de nous le rappeler, le premier coin de la nature, choisi d'instinct d'ailleurs, lui est bon, mais il est nécessaire. L'eau vive, les oiseaux dans l'orme et les faneuses sont indispensables à l'éclosion de sa fantaisie. Une pointe de malice, en passant, pour ces voyageurs pressés qui ignorent ce qu'ils perdent, « gens d'esprit et de cœur, après tout ». « S'ils savaient... » : la nature appelle, l'imagination lui répond. Toutes ces images de sa fantaisie, bourdons courtisant la rose, idylles gracieuses au jardin du passé, messes carillonnées par les cloches du muguet ou de la digitale, Galatées s'enfuyant sous les saules, ont leur origine dans des impressions recueillies au cours de ces rêveries dans la nature et élaborées par l'imagination, par une certaine forme d'imagination, par la fantaisie du poète.

Cela ne veut pas dire encore une fois que ces récits de voyage, si riches et divers, ne comportent pas beaucoup d'autres aspects. Telle description

(1) *Rh.*, p. 3.
(2) *Rh.*, XX, p. 154.

de vieille église, telle scène de cabaret, telle procession de bohémiens, esquissées sous forme de pochades, telle méditation varient le charme de ce chef-d'œuvre du reportage touristique. Mais laissons à Hugo le soin de se définir : « Plutôt curieux qu'archéologue, plutôt flâneur de grandes routes que voyageur. *Je suis un grand regardeur de toutes choses*, rien de plus, mais je crois avoir raison ; toute chose contient une pensée ; je tâche d'extraire la pensée de la chose. C'est une chimie comme une autre (1). »

La loi de la nature : unité.

Une « chimie » : le mot ne doit pas être mis au compte des enflures verbales de l'écrivain. Rejoignant l'image de la « lecture », il n'est pas trop fort pour caractériser cette attitude extrêmement mêlée de V. Hugo, faite de pénétration instinctive d'abord, puis d'observation réfléchie. Cette étude lui a permis de dégager ce qu'il croit être la grande loi de la nature, la loi d'unité. Cette loi domine sa conception de la poésie. Hugo y fait de fréquentes allusions dans ses lettres de voyage, notamment en 1840 et 1843, et plus tard, dans *les Contemplations*, elle sera un thème constant. Il semble bien qu'on puisse, avec J. Vianey, en faire remonter l'apparition dès 1836. En effet, la pièce XXV de ce recueil, intitulée *Unité* et composée d'après le manuscrit le 2 juillet 1853, est datée sur l'édition de *Granville, juillet* 1836. Cette date est également le titre d'une autre pièce des *Contemplations* (XIV), *A Granville, en* 1836 (2). Effectivement, si l'on se reporte aux lettres de voyage, on constate que Hugo a observé, exactement le 30 juin 1836, près de Granville, un exemple de cette unité naturelle :

A un quart de lieue de la ville, pendant que je regardais l'ombre des chasse-marées sur les flots de l'Océan, j'ai vu tout à coup passer un grand épervier qui chassait aux alouettes. J'y aurais fait peu d'attention, si un peu plus loin je n'avais vu sur la haie un charmant petit bouvreuil, tout jeune et gros comme le poing, qui se donnait des airs d'épervier avec les mouches. Tout s'enchaîne et se ressemble ainsi (3).

« Unité de cruauté, note Vianey, ... et non comme dans le poème (c'est-à-dire *Unité*), l'unité de bienfaisance. » Il est vrai que le bouvreuil et l'épervier pourchassent chacun à leur manière des créatures plus faibles avec une cruauté, qui n'est d'ailleurs qu'une forme de l'instinct de conservation. Il est également vrai que du soleil, comme de la marguerite, émane la même sorte d'action bienfaisante, dans la mesure où chacun d'eux illumine le monde ou une simple murette. Mais ces termes trahissent la réalité et y mêlent prématurément une notion de valeur. Si Hugo a certainement vu des affinités de cet ordre, elles lui sont apparues plus confusément, je pense, et seulement au second degré, au stade de la réflexion. Il est frappé d'abord par une impression directe et globale, celle de la conformité : unité de forme pour la fleur et le soleil qui ont le même schéma rayonnant, unité de comportement dans le cas des oiseaux. Là-dessus se greffe, simultanément ou presque, l'intuition d'une unité fonctionnelle : les deux oiseaux ont la même fonction dévastatrice à l'égard

(1) *Rh.*, XXXIV, p. 381.
(2) Cf. Notices des deux pièces citées *in les Contemplations*, éd. Joseph Vianey, Hachette.
(3) *V.*, II, p. 58.

des êtres qu'ils dominent, la marguerite et le soleil le même rôle sur la matière inanimée qu'ils réchauffent. En fait, l'impression ne se sépare pas en ces deux temps distincts, et on pourrait la formuler de façon plus approchée en disant que la vue d'une fleur sur un mur lui fait le même effet que celle du soleil éclairant la terre ; les deux sensations touchent la même fibre sensible en lui et, suivant un cheminement identique, agitent des pensées du même ordre. En sorte que le bouvreuil, qui d'ailleurs en d'autres circonstances pourra se présenter sous un aspect tout à fait différent, comme la victime du chasseur ou le chanteur silvestre, est dans l'instant un épervier au petit pied, et la pâquerette sur son mur un soleil en miniature. Cette vision n'engage évidemment que l'instant, bien qu'elle puisse se répéter, mais le rapport perçu *uno intuitu* le satisfait si entièrement, comble tellement son champ de conscience que Victor Hugo le pousserait volontiers jusqu'à l'expression mathématique, en affectant le plus petit des deux termes d'un coefficient pour obtenir l'autre.

En effet, la manie scientifique n'épargne pas même les données de son intuition. Plus tard, beaucoup plus tard, au verso d'un plan de château tracé pour *Quatrevingt-treize*, Hugo rédigera, avec cette même naïveté corrigée d'humour, cette adresse délicieuse : « Monsieur Victor Hugo, en voyage scientifique en Europe, actuellement à Bruxelles. » Dès 1840, avec un peu de timidité peut-être, c'est déjà cet Hugo, à moitié convaincu, qui cache un orgueil démesuré sous le masque de la fantaisie. Hugo n'est pas loin de prendre au sérieux son génie scientifique. Il a laissé diverses notes manuscrites qui composent une rubrique entière du volume posthume intitulé *Océan* (1). On y trouve des formules ingénieuses, des vues parfois prophétiques, en tout cas un profond sérieux, comme en témoignerait ce début, où, sous l'indication autoritaire *Dicté par moi en* 1843, on lit : « Peut-être constatera-t-on un jour que le rayonnement est une des lois générales et souveraines de la création... etc. » L'idée s'est révélée profonde, mais le ton est savoureux. On trouve dans le même chapitre d'*Océan* un curieux fragment, illustré de figures, sur la symbolique du rond. Tout en nous montrant comme Hugo aime à prêter un tour scientifique aux données de son imagination, il nous ramène au problème de l'unité. Hugo observe qu'en géométrie le rond, c'est le cercle, « la figure de perfection », en arithmétique un zéro, et dans l'alphabet, *Oh*, « le cri de la prière ». Dans le règne animal, c'est l'araignée ; chez l'homme, la prunelle ; et dans l'ordre de la matière, la roue. Dans l'univers, c'est la terre, c'est, rayonnant, le soleil, et deux ronds concentriques font l'infini. On reconnaît bien là diverses tendances de V. Hugo : le goût de l'antithèse qui lui fait inscrire une configuration ramassée du monde entre zéro et l'infini, sa prédilection pour les symboles. Eh bien, ce fragment est intitulé *Géométrie :* simplement ! Il est en tout cas, au sens propre des mots, une illustration tout à fait originale de cette loi d'unité.

Dans le même esprit, on lit sur l'album de voyage de 1843 cette note manuscrite : « Ma théorie de l'orme, ma théorie du grès (2). » C'est, dans

---

(1) *Océan, la Science*, p. 454.
(2) Inscrit à la Bibliothèque Nationale sous la cote *Album n° 7*. Mme Guillaumie-Reicher, qui cite cette note dans son étude attentive sur le voyage de 1843, ne semble pas avoir fait le rapprochement, quand elle l'attribue à des préoccupations d'ordre *scientifique :* elle ne croyait pas si bien dire !

une formule un peu ambitieuse, un nouvel exemple de la loi d'unité, qui se trouve développé dans une lettre de Pasages (1) :

> Vous savez, mon ami, que, pour les esprits pensifs, toutes les parties de la nature, même les plus disparates au premier coup d'œil, se rattachent entre elles par une foule d'harmonies secrètes, fils invisibles de la création que le contemplateur aperçoit, qui font du grand tout un inextricable réseau vivant d'une seule vie, nourri d'une seule sève, un dans la variété, et qui sont, pour ainsi parler, les racines mêmes de l'être. Ainsi, pour moi, il y a une harmonie entre le chêne et le granit, qui éveillent, l'un dans l'ordre végétal, l'autre dans la région minérale, les mêmes idées que le lion et l'aigle entre les animaux, puissance, grandeur, force, excellence.
>
> Il y a une autre harmonie, plus cachée encore, mais pour moi aussi évidente, entre *l'orme et le grès...* (2).

Le développement de cette « correspondance » de l'orme et du grès est d'un grand intérêt pour la fantaisie de V. Hugo : aussi le réservons-nous pour le chapitre suivant. Il est d'ailleurs curieux de constater dès à présent que ces observations sur l'unité de la nature se mêlent souvent à des passages de la plus libre fantaisie. Témoin les deux pièces des *Contemplations* citées plus haut, témoin ce dernier texte. C'est en effet en se fondant sur cette loi d'observation que Hugo édifiera le monde de sa création, ce monde d'harmonies secrètes, où les êtres et les choses échangeront en toute liberté leur mode d'existence et leurs attributs essentiels. Harmonies plus ou moins profondes, quelquefois tout extérieures, comme celle de l'évêque et du mont, qui porte un camail de bruyères, ou de l'officier et du bourdon, que son corps rayé de jaune et de noir fait paraître galonné, souvent plus larges comme celles que nous avons citées ci-dessus, ou celle-ci que nous avons rencontrée plus haut sans nous y arrêter et qui rappelle assez l'harmonie de l'orme et du grès : « Le lézard qui est aux pierres ce que l'oiseau est aux feuilles (3). » A l'origine de ces impressions en tout cas, il y a presque toujours prédominance de l'élément visuel.

Reprenons le texte de Pasages. La déclaration sur les correspondances secrètes qui réunissent des choses ou des êtres en apparence disparates rejoint avec une précision étonnante une remarque du *Rhin*, notée à Saint-Goar en 1840 : « Les objets les plus disparates me présentent, je ne sais pourquoi, des affinités et des harmonies étranges. » La même expression revient pour désigner un fait identique, dont la constance n'est imputable qu'à la forme de son esprit ; ce qui prouve, au passage, l'importance du phénomène. Hugo rappelle le « rugissement féroce » du Rhône à la Valseline, qu'il a entendu en 1825. « Eh bien, ajoute-t-il, depuis ce temps-là, le Rhône éveillait en mon esprit l'idée du tigre, le Rhin y éveillait l'idée du lion (4). » Retenons cet aveu du poète, qui fait remonter ce sentiment d'unité bien au delà de 1836.

---

(1) *V.*, II, p. 352.
(2) Cf. une assimilation du même genre, intitulée de la même façon *Théorie des fontaines* (*Rh.*, XXII, Bâle, p. 371) : « C'est une chose bien remarquable d'ailleurs que ces fontaines. J'en ai compté huit à Freiburg ; à Bâle il y en a à tous les coins de rue. Elles abondent à Lucerne, à Zurich, à Berne, à Soleure. Cela est propre aux montagnes. Les montagnes engendrent les torrents, les torrents engendrent les ruisseaux, les ruisseaux produisent les fontaines ; d'où il suit que toutes ces charmantes fontaines gothiques des villes suisses doivent être classées parmi les fleurs des Alpes. »
(3) Cité p. 187.
(4) *Rh.*, XIV, p. 113. Cf. ici, p. 107, n. 3.

En fait, il est bien naturel, du moment où il s'agit d'une forme particulière d'imagination, que Victor Hugo l'ait possédée depuis toujours. L'imagination peut s'éduquer sans doute, mais dans le sens où elle était disposée à s'épanouir. De reste, il se peut qu'en 1836, des lectures de Fourier par exemple, chez lequel il pouvait retrouver, élevé à la hauteur d'un véritable dogme philosophique, ce sentiment de l'unité de la nature, aient renforcé à ce moment cette aptitude qu'il avait toujours eue, plus ou moins consciemment, à saisir d'après leurs affinités les êtres par familles. Ou bien, c'est peut-être encore Nodier, chez lequel on trouve formulé dès 1832 le principe de l'unité de la nature du point de vue des êtres intermédiaires qui relient les divers règnes :

Il y a de la finesse et presque de la profondeur dans cette idée, Daniel. Nous remarquons en effet que la nature, dans l'enchaînement méthodique des innombrables anneaux de sa création, n'a point laissé d'espace vide. Ainsi le lichen tenace, qui s'identifie avec le rocher, unit le minéral à la plante ; le polype aux bras rameux, végétatifs et rédivives, qui se reproduit de bouture, unit la plante à l'animal ; le pongo, qui pourrait bien devenir éducable et qui l'est probablement devenu quelque part, unit le quadrupède à l'homme (1).

On trouve chez Hugo, en 1837, une réplique assez précise à ce passage ; mais l'imagination du poète joue purement sur la similitude des formes, non de l'organisation vitale, et, sans glisser jusqu'au transformisme, suggère une échelle des valeurs, plus proche des théories d'un Ballanche, qui conduira au système de *la Bouche d'ombre* :

Le végétal devient animal sans qu'il y ait un seul anneau rompu dans la chaîne qui commence à la pierre, dont l'homme est le milieu mystérieux, et dont les derniers chaînons, invisibles et impalpables pour nous, remontent jusqu'à Dieu. Le brin d'herbe s'anime et s'enfuit, c'est un lézard ; le roseau vit et glisse à travers l'eau, c'est une anguille ; la branche brune et marbrée du lichen jaune se met à ramper dans les broussailles et devient couleuvre ; les graines de toutes couleurs, mets-leur des ailes, ce sont des mouches ; le pois et la noisette prennent des pattes, voilà des araignées ; le caillou informe et verdâtre, plombé sous le ventre, sort de la mare et se met à sauteler dans le sillon, c'est un crapaud ; la fleur s'envole et devient papillon. La nature entière est ainsi. Toute chose se reflète, en haut dans une plus parfaite, en bas dans une plus grossière, qui lui ressemblent (2).

Le Rhône lui évoquait donc la rage du tigre, le Rhin la puissance du lion. La concordance des deux textes est parfaite jusque dans les exemples. Cette affinité secrète du prince des fleuves et du roi des animaux, Hugo la retrouve avec l'Océan, avec le Peuple, avec tous les êtres ou tous les groupes d'êtres dont l'essence est la puissance (3). Comment ne pas songer ici à des expressions comme *Peuple Lion*, *Lion Océan* (4), formules constantes du style de V. Hugo après 1850, qui ne font qu'exprimer cette réalité psychologique ? Gustave Lanson en a donné une pénétrante analyse : « Ordinairement respectueux de la langue, Victor Hugo s'est obstiné dans cette tentative : c'est qu'elle répond à la constitution intime

(1) Ch. NODIER, *Examen des Lettres à Julie*, IX, § 2 et la *Fée aux Miettes*, début.
(2) *V.*, II, p. 131, Etaples, 5 septembre 1837.
(3) Cf. *Mis.*, I, I, 1, p. 287 : « Paris a un enfant et la forêt a un oiseau ; l'oiseau s'appelle le moineau ; l'enfant s'appelle le gamin. »
(4) *C. R. B.*, II, III, 8 ; *Ch.*, VI, 15.

de son génie. Cette construction supprime le signe de la comparaison, elle établit l'équivalence, l'identité des deux objets, dont l'un va prendre la place de l'autre dans l'imagination et la phrase du poète. Cette opération verbale est le principe même de la création mythique (1). » Mais pour qu'elle prenne toute sa valeur, il faut rattacher cette forme de pensée à la grande loi d'unité. Il n'y a pas de signe de comparaison à supprimer : aussi bien n'en a-t-il jamais existé, même sous-entendu, dans l'esprit du poète. Il y a affinité secrète, équivalence, pour reprendre le mot de Lanson, entre des êtres classés dans des ordres différents d'existence, ce qu'on appelle en sciences naturelles des règnes différents, et c'est cette affinité que l'écrivain ne peut traduire autrement que par la juxtaposition des deux substantifs, par l'extension brutale de l'apposition grammaticale. L'emploi de ce procédé expressif est surtout répandu dans les pièces d'inspiration épique et apocalyptique ; mais c'est la même forme de pensée qui donne dans la poésie sombre cette puissante figure de style et qui aboutit, dans le domaine de la fantaisie, à ces assimilations gracieuses et imprévues qui en font la trame essentielle. Fait remarquable, c'est au moment où elles reposent sur les prétextes les plus superficiels que la fantaisie nous en semble le plus libre. Il y a de la fantaisie à faire du bourdon un officier pour ses galons jaunes, il n'y en a pas à faire du peuple ou de l'océan un lion. Nous sommes accoutumés en effet par la comparaison à des alliances de cet ordre, et la métaphore n'est en somme qu'une formule de l'imagination admise et enregistrée par la convention. C'est que l'élément fondamental de la fantaisie reste la surprise. Plus ces affinités secrètes seront imprévues, à condition d'être toujours justifiées, et plus la fantaisie nous en paraîtra poussée. Monseigneur la montagne en camail de bruyère nous surprend et nous amuse, quand nous admettons tout naturellement les chevaux écumants des vagues. C'est une question d'habitude, également une question d'expression, celle-ci exagérant plus ou moins le décalage. La loi d'unité joue dans les deux cas et se trouve à l'origine de la fantaisie hugolienne.

Corollaire : Variété dans l'unité.

Mais elle serait incomplète sans son corollaire, qui est la variété de la nature. Ce qui fait ressortir pour les sens du poète l'unité d'une figure, d'une forme à travers le monde, c'est précisément la variété de ses expressions.

Je l'ai dit quelque part — commence Hugo, car il n'a cessé de revenir sur ce thème fondamental dans toute son œuvre — l'unité dans la variété, c'est le principe de tout art complet. Sous ce rapport, la nature est la plus grande artiste qu'il y ait. *Jamais elle n'abandonne une forme sans lui avoir fait parcourir tous ses logarithmes.* Rien ne se ressemble moins en apparence qu'un arbre et un fleuve ; au fond pourtant l'arbre et le fleuve ont la même ligne génératrice. Examinez, l'hiver, un arbre dépouillé de ses feuilles, et couchez-en esprit à plat sur le sol, vous aurez l'aspect d'un fleuve vu par un géant à vol d'oiseau. Le tronc de l'arbre, ce sera le fleuve ; les grosses branches, ce seront les rivières ; les rameaux et les ramuscules, ce seront les torrents, les ruisseaux et les sources ; l'élargissement de la racine, ce sera l'embouchure. Tous les fleuves, vus sur une carte géographique, sont des arbres qui portent des villes tantôt à l'extrémité des rameaux comme des fruits, tantôt dans

(1) *Histoire de la Littérature française,* p. 1058.

l'entre-deux des branches comme des nids ; et leurs confluents et leurs affluents innombrables imitent, suivant l'inclinaison des versants et la nature des terrains, les embranchements variés des différentes espèces végétales, qui, toutes, comme on sait, tiennent leurs jets plus ou moins écartés de la tige, selon la force spéciale de leur sève et la densité de leurs bois... Si l'on redresse par la pensée, debout sur le sol, l'immense silhouette géométrale du fleuve, le Rhin apparaît portant toutes ses rivières à bras tendu et prend la figure d'un chêne (1).

Hugo ne se contente pas de chercher l'unité d'une même forme génératrice à travers la diversité de ses expressions, il recherche des exemplaires variés d'un même objet, il collectionne les soleils couchants, les aurores, les forêts, les ramures, les gazons, et ce goût crée un entraînement de ses sens qui leur donne de la finesse dans l'observation et un véritable talent à discerner les nuances. « Pour moi, remarque-t-il à Heidelberg en contemplant un couchant, vous le savez, ces grands aspects ne sont jamais « la même chose » et je ne me crois pas dispensé de regarder le ciel aujourd'hui parce que je l'ai vu hier (2). »

A Pampelune, son indignation éclate contre ceux « qui se tirent d'affaire devant toutes les beautés de l'art ou de la création avec cette phrase toute faite : C'est toujours la même chose » et il les fustige sans pitié de son ironie : « Braves imbéciles qui ne se doutent pas du rôle immense que jouent en ce monde le détail et la nuance !... Superbes niais dédaigneux qui ne savent pas que l'air, le soleil, le ciel gris ou serein, le coup de vent, l'accident de lumière, le reflet, la saison, *la fantaisie de Dieu, la fantaisie du poète, la fantaisie du paysage sont des mondes!* Le même motif donne la baie de Constantinople, la baie de Naples et la baie de Rio-Janeiro (3). »

C'est Hugo lui-même qui nous invite à étudier dans son œuvre, comme il le fait dans la nature dont elle n'est que le reflet, les innombrables nuances de ses motifs, les variations sur un thème ou un motif, auxquelles cette phrase du poète pourrait servir d'épigraphe. Ainsi, nous aurons chance de trouver dans ces notes de voyage des impressions de sa fantaisie spontanée, les premières ébauches de ces motifs qui orneront par la suite sa poésie ; nous ne nous flattons pas de les y saisir dépouillées de toute élaboration, mais, pour ainsi dire, à l'état aussi brut qu'il est possible de surprendre les sensations originelles d'un écrivain.

(1) *Rh.*, XXIV, *Mayence,* 1ᵉʳ *octobre* 1840, p. 264.
(2) *Ibid.*, XXVIII, p. 324, *(Heidelberg, octobre* 1840*)*.
(3) *V.*, II, p. 380. Mes italiques.

DES DÉFORMATIONS DE LA VISION
A LA CARICATURE PITTORESQUE

> On veut toujours que l'imagination soit
> la faculté de *former* des images. Or elle est
> plutôt la faculté de *déformer* les images
> fournies par la perception.
>
> G. BACHELARD, *l'Air et les Songes*, p. 7.

> « ... le *grotesque*, par libre fantaisie,
> pousse la caricature jusqu'à l'irréalité... »
>
> R. JASINSKI, *Hist. de la Litt. française*,
> I, 262.

Quand Hugo traverse un village, il en note d'instinct tous les détails qui flattent sa fantaisie et composent un tableau amusant pour l'œil et pour l'esprit. Ces haltes de villages, au hasard d'un relais de poste ou d'un essieu rompu, abondent dans ses lettres de voyage et montrent par leur répétition l'attention qu'il leur porte. En effet, l'irruption crée la surprise, déclenche l'observation et libère la fantaisie du poète.

Haltes de villages.

Notre voyageur s'arrête ainsi sur la route de la Ferté-sous-Jouarre, un jour de juillet 1838, tout à la joie d'observer à la faveur d'un de ces arrêts providentiels :

Quand on relaie, tout m'amuse. On s'arrête à la porte de l'auberge. Les chevaux arrivent avec un bruit de ferraille. Il y a une poule blanche sur la grande route, une poule noire dans les broussailles, une herse ou une vieille roue cassée dans un coin, des enfants barbouillés qui jouent sur un tas de sable ; au-dessus de ma tête, Charles-Quint, Joseph II ou Napoléon pendus à une vieille potence en fer et faisant enseigne, grands empereurs qui ne sont plus bons qu'à achalander une auberge. La maison est pleine de voix qui jordonnent (1) ; sur le pas de la porte, les garçons d'écurie et les filles de cuisine font des idylles, le fumier cajole l'eau de vaisselle ; et moi, je profite de ma haute position — sur l'impériale — pour écouter causer le bossu et le

(1) *Sic.* Hugo tient à ce mot qu'il justifie dans une note de sa préface, p. 8.

gendarme, ou pour admirer les jolies petites colonies de coquelicots nains qui font des oasis sur un vieux toit (1).

Voilà qui ne constitue assurément pas ce qu'on pourrait appeler un morceau de fantaisie. Et pourtant, nous trouvons là, à l'état de germes, divers motifs que le poète utilisera dans *les Chansons*. Deux poules se promènent, auxquelles il ne prête pas encore la parole, mais cela ne saurait tarder : après Huy, sur les bords de la Meuse, en août 1840, ce deviendra « les caquets assourdissants d'une *populace* de poules, d'oies et de canards (2) ». Pour piquer l'œil, il les oppose par la couleur, une blanche, une noire. S'il jette dans l'ombre quelque vieux débris de véhicule, ce n'est pas sans dessein, mais pour meubler les coins, comme on dit en peinture, à la fois pour l'avoir observé sur le vif et peut-être par souvenir de quelque toile de genre où de tels arrangements ne sont pas rares. Les enfants contribuent avec les poules à animer le paysage et à y mêler une note gaie de lumière. Détail humoristique, ces enseignes, qu'il n'oublie jamais de regarder, comme il le signale dans la Préface du *Rhin* (3), et qui lui permettent une réflexion désabusée. Puis l'amour occupe le centre de la toile avec ces idylles paysannes dont Hugo est friand et fera un des thèmes principaux de sa fantaisie ; les choses mêmes ne demeurent pas indifférentes à son parfum puisque les plus humbles, sinon les plus repoussantes, se mêlent de se caresser. Là pointent déjà les cajoleries, agaceries ou mignardises qu'il instituera dans le commerce des insectes avec les fleurs et d'une manière générale dans tous les règnes de la nature. Enfin, pour compléter cet éventaire de fantaisie, deux silhouettes pittoresques, vivement campées, dont le groupe pourrait déjà prendre place dans la galerie des « grotesques », et un exemple de cette vision qui combine la fleur aux ruines et s'inscrit d'une manière durable dans la vision du poète, *colonies de coquelicots... sur un vieux toit.*

Sans doute cette analyse ne prouverait rien, si l'on ne retrouvait dans les volumes de *Voyages* plus d'une réplique à une telle description. Nous retenons celle-ci pour la ressemblance qu'elle présente avec la précédente, bien qu'elle soit inspirée deux ans plus tard, en octobre 1840, par un village allemand situé dans la vallée du Neckar :

Dans les villages, ce sont des rues cahotées qui suivent toutes les *fantaisies* des montagnes ; quelquefois un torrent au milieu de la rue ; des maisons penchées, surplombant, joyeuses, vivantes, ayant chacune son porche, son pont, et son effroyable gargouille de fer blanc, à barbes d'écrevisse, qu'on dirait dessinée par Callot et prête à faire rage autour de Saint-Antoine. De grands lions de pierre, la gueule béante, les griffes ouvertes, se dressent sur les vieilles fontaines sculptées au milieu des rires et des chansons des laveuses. Les poules, mêlées aux commères, secouent gaîment le coquelicot qu'elles ont sur la tête. Les grappes de maïs qui sèchent aux fenêtres font aux masures des guirlandes d'or. Sur les auberges se hérissent de grands oiseaux en filigrane doré tenant à leur bec une façon de souricière dans laquelle est enfermée un bœuf, un cheval, un ours ou un sanglier. Ce sont les enseignes (4).

(1) *Rh.*, I, p. 17. Rapprocher du petit poème de G. DE NERVAL, *le Relais, in Poésie et Théâtre*, éd. du Divan, p. 55 :
        En voyage, on s'arrê e, on descend de voiture...
(2) *Rh.*, VII, p. 57.
(3) Voir ici p. 192.
(4) *Rh.*, Reliquat, p. 491. Mot souligné par moi.

Moins d'amour, bien qu'il soit esquissé par les chansons des laveuses.
En revanche plus d'enseignes, qui reviennent par deux fois minutieusement détaillées. S'il n'y a pas d'enfants, il y a des commères et des poules,
également caqueteuses, et si les murs ou les toits manquent de coquelicots, les guirlandes de maïs sur les masures et la crête fleurie des coqs
compensent largement cette lacune. Les lions de pierre ne sont pas
poussés à la caricature, comme ils pourraient l'être et comme ce trait
inspiré par l'hôtel de ville de Châlons (juillet 1838) nous en donne une
idée :

Quant à l'hôtel de ville, il n'a de remarquable que *quatre énormes toutous
en pierre* accroupis formidablement devant la façade. J'ai été ravi de voir
des lions champenois (1).

Une dernière remarque sur ces textes : si spontanées que soient les
impressions qu'ils développent, puisque ces lettres, apparemment improvisées à l'étape, ont été fort peu révisées quand Hugo, voulant leur
conserver leur fraîcheur, les a réunies en volumes, cependant il arrive
souvent qu'il s'y glisse une réminiscence artistique, le nom d'un peintre
pour accentuer le caractère de la scène. Le fait n'est certes pas rare chez
les écrivains du temps. De la même manière que Balzac, pour nous bien
camper Gobseck soupesant les diamants d'Anastasie de Restaud, appelle
à son secours Rembrandt et Metzys, Hugo qui garde encore dans l'œil
les révélations des musées d'Anvers ou de Francfort, convoque souvent
les peintres en témoignage. Ainsi dans ce tableau d'intérieur, qui amenait
aussitôt sous sa plume le nom de Rembrandt (2). Ainsi, dans ce paysage
flamand, dont nous avons déjà cité un court extrait :

Derrière une houblonnière, à côté d'un champ de grosses fèves, au milieu
des parfums d'un petit jardin qui regorge de fleurs et qu'entoure une haie
rapiécée çà et là avec un treillis vermoulu, parmi les caquets assourdissants
d'une populace de poules, d'oies et de canards, on aperçoit une maison
de briques, à tourelles d'ardoises, à croisées de pierre, à vitrages maillés de
plomb, grave, propre, douce, égayée d'une vigne grimpante, avec des
colombes sur son toit, des cages d'oiseaux à ses fenêtres, un petit enfant
et un rayon de soleil sur son seuil, et l'on rêve à Téniers et à Miéris (3).

L'apparition justifiée des peintres flamands à la fin de la description
n'est pas l'effet d'un hasard, mais le signe que le souvenir artistique rejoint
et peut-être précède la vision spontanée du paysage. Le paysage lui évoque
peut-être moins Téniers qu'il n'était préparé à l'y retrouver. Autrement
dit, en présence de telles descriptions, on se demande si, en dépit de
toute leur spontanéité, la mémoire artistique du poète ne lui compose
pas des sortes de cadres où viennent s'inscrire, parmi les paysages qui
passent devant ses yeux, ceux qui leur correspondent, et seulement
ceux-là. Ce phénomène n'est pas rare en littérature, mais, dans le cas
de Victor Hugo, il est bon, semble-t-il, de lui faire sa part, au moins à
titre de scrupule : nous aurons assez d'occasions d'inventorier des visions
originales et strictement personnelles que le voyageur nous a livrées.

(1) *Rh.*, III, p. 28. Mots soulignés par moi.
(2) Cf. ici p. 178. Voir un Poussin, *Rh.*, p. 137 ; — un Claude Lorrain, *ibid.*, p. 321 ;
— un Callot, *ibid.* p. 491 ; — un Watteau, *V.*, II, p. 472 ; — Dürer, Rembrandt,
Corresp., I, 78 ; — Watteau, Coypel, Rembrandt, Goya, *R. O.*, XIX, etc...
(3) *Rh.*, VII, p. 57.

Ainsi, nous voyons que certains paysages contiennent déjà, sans que Hugo les y développe encore, des éléments susceptibles d'éveiller sa fantaisie. Ils ne le sont pas tous également et il en est à propos desquels Hugo s'exerce à de véritables croquis de fantaisie. De ce nombre, il faut compter tout particulièrement les arbres qui de tout temps ont excité son imagination : « Je regardais les contours des arbres, ce qui m'amuse toujours (1). »

Études d'arbres.

Le premier exemple nous en est donné par le voyage de 1836 en Normandie. D'Alençon, il écrit, le 19 juin :

Voici maintenant que nous voyons venir la Normandie et que nous la reconnaissons *aux tignasses vertes des pommiers* qui nous entourent de toutes parts. Il pleut, il vente, il fait un temps affreux. Le soleil, pour nous narguer, nous regarde de temps en temps par la lucarne d'un nuage (2).

Exemple assez banal, à vrai dire : il est commun de personnifier les arbres en faisant de leur feuillage une chevelure. Cependant, le mot *tignasse* marque déjà un degré vers la fantaisie et nuance la métaphore habituelle d'une pointe d'humour. De plus, l'intention apparemment prêtée au soleil, qui glisse un regard ironique du haut de sa mansarde, nous avertit que nous sommes déjà dans le domaine de la fantaisie.

Du même degré et de la même année, voici une étude d'arbres, empruntée à un paysage de Bretagne :

Souvent, dans un de ces beaux paysages de bruyères, *sous des ormes qui se renversent lascivement, sous de grands chênes qui portent leurs immenses feuillages à bras tendu,* dans un champ de genêts en fleurs du milieu duquel s'envole à votre passage un énorme corbeau verni qui reluit au soleil, vous avisez une charmante chaumière qui fume gaîment à travers le lierre et les rosiers (3).

Certes, une telle description est à la frontière du simple lyrisme et la distinction n'est pas aisée. Mais il y a l'attitude humaine des arbres : les ormes rappellent *Sara, belle d'indolence...* et les chênes, par leur dru jaillissement, quelque Heraklès ou quelque Atlas. Ces évocations sont déjà presque de l'ordre de la fantaisie par leur caractère imprévu et, comme tout à l'heure, nous avons des témoins : la chaumière dans les fleurs, un des motifs de sa fantaisie que nous étudierons par la suite, et le *corbeau verni,* encore qu'il rappelle singulièrement le *beau coq vernissé* de *la Vache* (4) et que cette épithète inattendue, ici comme là, soit plus destinée à rendre une impression pittoresque qu'à nous surprendre véritablement.

Mais voici un exemple où l'imagination du poète commence à se donner plus de liberté. Il date du voyage de 1837 en Belgique :

Le trajet de Menin à Ypres est fort agréable. Ce sont partout de ces gracieux petits enclos verts que les peintres flamands aiment tant. Et puis le chemin traverse un bois, et il est bordé çà et là de longues colonnades *de ces beaux peupliers d'Italie dont l'écorce vous regarde passer avec de grands yeux* (5).

(1) *V.,* II, p. 192, Berne, 4 septembre 1839.
(2) *V.,* II, p. 47.
(3) *V.,* II, p. 52. Souligné par moi.
(4) *V.I.,* XV.
(5) *V.,* II, p. 107. Souligné par moi.

En écho à notre remarque de tout à l'heure, notons au passage cet
aveu déguisé que vaut la citation des peintres flamands. Sans doute, il
est moins naturel de prêter aux arbres des yeux que des cheveux. Remarquons pourtant que ce n'est pas une invention gratuite et que Hugo a
observé certainement d'après nature ces déchirures béantes de l'écorce
qui ressemblent à des yeux. C'est dans des impressions semblables qu'il
faut rechercher peut-être la source spontanée de visions plus amples qui
passeront dans sa poésie, comme celle-ci :

> ... Et sur vous qui passez et l'avez réveillée,
> Mainte chimère étrange, à la gorge écaillée,
> D'un arbre entre ses doigts serrant les larges nœuds,
> Du fond d'un antre obscur *fixe un œil lumineux* (1).

Nous disons des impressions *semblables*, car la pièce des *Voix Intérieures*
que nous citons est datée, sur le manuscrit, d'avril 1837 et par conséquent
antérieure. Il est également vrai de reconnaître qu'elle cherche surtout à
donner l'équivalent en poésie de la peinture d'Albert Dürer. Mais
qui peut savoir, de l'observation naturelle et de l'impression artistique,
laquelle a été la première dans l'imagination du poète, laquelle a suscité
l'autre, ou s'il y a simplement eu rencontre ? Là est la question délicate
du dosage de la spontanéité et de l'éducation artistique dans la forme
prise par la fantaisie du poète. Mentionnons enfin que, dans sa lettre de
voyage, Hugo a ajouté en marge du texte un dessin démonstratif à l'appui,
ce qui prouve, au moins là, l'exactitude et la spontanéité de l'impression.

Les peupliers ont d'ailleurs rarement la faveur de son imagination. Sur
la route d'Aix-la-Chapelle à Cologne en août 1840, il en note l'apparition
inopinée :

> C'est un pur et simple paysage picard ou tourangeau, une plaine verte
> ou blonde *avec un orme tortu de temps en temps et quelque pâle rideau de peu-*
> *pliers au fond.* Je ne hais pas ce genre paisible, mais j'en jouis sans cris d'en-
> thousiasme (2).

En effet, le peuplier, arbre commode et content de peu, abonde en
Touraine et aussi en beaucoup d'autres régions de France. C'est là en
tout cas qu'il le retrouvera, en 1843, sur la route des Pyrénées. Encore
modérait-il les termes de son mépris dans cette dernière phrase et seuls,
sans doute, ces quelques ormes ont pu le dérider : c'était trop peu dire.
C'est une véritable rage que soulève en lui la vue de ce malheureux
arbre, si élégant pourtant dans sa pâleur, mais Hugo n'est pas toujours
sensible à la distinction :

> Le peuplier est le seul arbre qui soit bête. Il masque tous les horizons de
> la Loire... Il y a pour mon esprit je ne sais quel rapport intime, je ne sais
> quelle ineffable ressemblance entre un paysage composé de peupliers et une
> tragédie écrite en vers alexandrins. Le peuplier est, comme l'alexandrin, une
> des formes classiques de l'ennui (3).

(1) *A Albert Dürer*, *V. I.*, X. Cf. également, *V. I.*, VII, Les Roches, juin 1835 :
  Dans la brune clairière où l'arbre au tronc noueux
  Prend le soir un profil humain et monstrueux...
(2) *Rh.*, X, p. 84.
(3) *V.*, II, p. 280, juillet 1843.

Hugo explique, il est vrai, dans les pages suivantes, cette excessive
sévérité par sa mauvaise humeur. Ne la regrettons pas, puisqu'elle nous
a valu cette piquante boutade, où Hugo nous montre au moins cette
facilité naturelle qu'il a d'établir des rapprochements entre les choses
et les êtres et qui lui vient de son sens poétique de la vie universelle.
Ce texte nous offre, en effet, un des premiers exemples d'une série d'affinités que, par un tour familier de son esprit, qui ira en se développant
après 1850, Victor Hugo découvrira entre certains aspects du paysage,
les jardins surtout, et des formes de littérature. Les atténuations qu'il
y apporte encore (*je ne sais quel, je ne sais quelle*) témoignent du caractère spontané et irraisonné de la ressemblance, qui repose, il s'en avise
habilement par la suite, sur l'ennui distillé par l'un et l'autre spectacles.
Elles disparaîtront par la suite, le rapport sera plus brutalement imposé
et la fantaisie s'en trouvera accentuée.

Si la simplicité du peuplier l'ennuie, en revanche il aime le dessin
tourmenté de l'olivier, qui, dans le midi de la France où il l'a observé
en octobre 1839, lui inspire cette fantaisie enthousiaste, beaucoup plus
caractérisée que les exemples précédents :

L'olivier est un arbre magnifique. Là on l'abandonne à lui-même. Il pousse
en haute futaie ; il a un tronc énorme, un branchage bizarre et *irrité*, un feuillage fin et *soyeux* qui, à distance, vu en touffes, *ressemble à une fourrure de
chinchilla. Il se pose dramatiquement sur la hanche* comme le châtaignier,
porte ses rameaux et ses fruits à bras tendu, et offre, comme le cèdre et le chêne,
ce mélange de grâce et de majesté propre à tous les arbres qui ont le tronc
large et la feuille petite (1).

Nous soulignons au passage les détails de l'expression qui suggèrent
l'aspect si humain de l'olivier : irrité, soyeux, etc. Il y a en effet dans la
croissance de cet arbre quelque chose de contourné et de pathétique,
qui touche l'âme. On dirait qu'il a souffert et, si Hugo n'est ni le premier
sans doute, ni à coup sûr le dernier qui s'en avise, la phrase dans laquelle
il résume cette impression spontanée est d'une justesse et d'une force
étonnantes : « Il se pose dramatiquement sur la hanche ». Et ce qui fait
dire que ce texte est spontané, ce sont des approximations, des retouches
qui viennent sous la plume au cours d'une rédaction directe, comme
celle-ci : « à distance, vu en touffes ». Enfin le retour de l'expression *à
bras tendu* que Victor Hugo, nous l'avons déjà remarqué, employait
pour le chêne, dans un des extraits cités ci-dessus, montre la constance
de l'impression, qui, ce n'est pas faute de vocabulaire, appelle et pour
ainsi dire déclenche presque automatiquement dans le cerveau du poète
la même image et le même groupe de mots.

Les ormes.

Mais l'arbre qui inspire à Hugo les descriptions les plus enthousiastes
et qui excite le plus sa verve est sans aucun doute l'orme. Si le saule est
l'arbre de Musset, ce n'est pas le chêne, comme on pourrait s'y attendre,
c'est l'orme qui a la prédilection de Victor Hugo. Sa poésie s'en souvient
et la pièce déjà rappelée ci-dessus, qu'il compose en avril 1837 à la gloire
des « vieilles forêts » et de son maître Albert Dürer, ne l'omet pas :

(1) *V.*, II, p. 249.

> Là, se penchent rêveurs les vieux pins, *les grands ormes*
> *Dont les rameaux tordus font cent coudes difformes* (1).

Une telle évocation n'est pas originale et l'on en trouve une réplique anticipée dans les *Poésies* de 1830 de Théophile Gautier, où elle encadre la vision d' « une femme au teint pâle »

> . . . . telle enfin
> *Que je la vis un soir dans ce bois de vieux ormes*
> *Qui couvrent le chemin de leurs ombres difformes* (2).

Il n'y a vraisemblablement là, du reste, qu'une rencontre imposée par la rime. Peu à peu, Hugo va approfondir cette première formule élémentaire. Il étudie l'orme dans le *milieu* où s'épanouit le mieux sa personnalité : c'est le crépuscule, où cet arbre découpe son profil contourné. En voici une ébauche, très vague encore, puisque le nom même n'y figure pas :

> Un gros nuage — écrit en 1836 Hugo au bord d'une plage normande — durement appuyé sur le soleil couchant, en faisait jaillir les rayons de toutes parts, *comme l'eau autour d'une éponge*... Quand je suis arrivé à Barneville, le soleil était tout à fait couché, *de beaux arbres d'encre se découpaient sur le ciel d'argent du crépuscule*, la mer imitait à l'horizon le bruit des carrosses de Paris (3).

Dans la suite, le même tableau se précise, poussé un peu plus à la fantaisie :

> *Les ormes de la route, qui ont des profils si étranges la nuit, se détachaient sur un ciel crépusculaire*... Au milieu de l'océan mat et sans reflets, on voyait s'éteindre le soleil sur lequel s'abaissait *une paupière de nuages* (4).

Dans les deux exemples, les curieuses visions du soleil signalent l'éveil de l'imagination. L'orme devient ainsi, pour Hugo, le compagnon inséparable du crépuscule et le témoin de sa fantaisie.

J'ai toujours, écrit-il en 1837, aimé ces voyages à l'heure crépusculaire. C'est le moment où la nature se déforme et devient fantastique. *Les maisons ont des yeux lumineux, les ormes ont des profils sinistres ou se renversent en éclatant de rire*... (5).

Ici, les carreaux éclairés des fenêtres remplacent l'œil du soleil. Même expression pour traduire les contorsions des ormes, mais toujours poussée davantage dans le sens de la caricature. Hugo leur prête une intention terrible ou humoristique, toujours humaine. Le résultat n'est pas douteux : ce spectacle a libéré son imagination, qui s'évade dans une composition fantastique. « Vous sentez, écrit Hugo en terminant, la voiture pleine de rêves. » C'est au moins un aveu, que nous enregistrons.

Mais il faut attendre son voyage en Champagne, pour que l'imagination du poète se donne vraiment carrière sur le compte des ormes et

---

(1) *V. I.*, X.
(2) *Elégie I*, composée entre 1826 et 1830, *Poésies complètes*, éd. René Jasinski, tome I, p. 5.
(3) *V.*, II, p. 61. Mots soulignés par moi, ainsi que dans les citations suivantes.
(4) *Ibid.*, p. 68.
(5) *V.*, II, p. 142.

mette au point une bonne fois l'effet qu'ils lui font, en dressant le bilan de toutes les impressions passées. D'Épernay, il écrit le 21 juillet 1838 :

Je tenais à voir le château de Montmort, ce qui fait qu'à quatre lieues de Montmirail, à Formentières ou Armentières (1), j'ai tourné brusquement à gauche, et j'ai pris la route d'Épernay. Il y a là seize grands ormes les plus amusants du monde, qui penchent sur la route leurs profils rechignés et leurs perruques ébouriffées. Les ormes sont une de mes joies en voyage. Chaque orme vaut la peine d'être regardé à part. Tous les autres arbres sont bêtes et se ressemblent ; les ormes seuls ont de la fantaisie et se moquent de leur voisin, se renversant lorsqu'il se penche, maigres lorsqu'il est touffu, et faisant toutes sortes de grimaces le soir aux passants. Les jeunes ormes ont un feuillage qui jaillit dans tous les sens, comme une pièce d'artifice qui éclate. Depuis la Ferté jusqu'à l'endroit où l'on trouve ces seize ormes, la route n'est bordée que de peupliers, de trembles ou de noyers çà et là, ce qui me donnait quelque humeur (2).

Si l'on avait pu croire que les ormes faisaient résonner en Hugo seulement la corde fantastique de son imagination, ce texte vient à propos nous détromper. D'ailleurs, comme nous pourrons le voir tout à l'heure, la forme de son esprit est telle qu'il ne conçoit pas d'incompatibilité entre l'épouvante et le rire. Il est de ces esprits que le fantastique est souvent tout près d'égayer. Ainsi, les ormes sont « amusants », Hugo insiste, ils sont « une de ses joies » et cette fois le mot même est dit, « ils ont de la fantaisie ». Dans ce domaine, la description fait un large pas de plus. Il ne s'agit plus seulement de « tignasses vertes », mais de « perruques ébouriffées », qui donnent aux arbres un vague air de vieux maîtres de musique. Ils font partie dans la nature, avec certaines fleurs, certains oiseaux, le merle et le moineau surtout, de cette catégorie d'êtres auxquels Hugo prête un tempérament railleur. Rien ne leur manque, contorsions, *grimaces*, esprit de contradiction, et si le mot n'y est pas, tout l'indique : l'orme est le pitre de la nature, pour la plus grande réjouissance du spectateur.

Vienne la nuit, la grimace se fait rictus, les contorsions grotesques entrent dans le jardin des supplices et Hugo s'amuse de cette transformation.

Une plaine semée d'ormes n'est jamais ennuyeuse... C'est le soir surtout, à l'heure inquiétante du crépuscule, que commence à prendre forme cette partie de la création qui se fait fantôme. Sombre et mystérieuse transfiguration !

Avez-vous remarqué, à la tombée de la nuit, sur nos grandes routes des environs de Paris, les profils monstrueux et surnaturels de tous les ormes que le galop de la voiture fait successivement paraître et disparaître devant vous ? Les uns bâillent, les autres se tordent vers le ciel et ouvrent une gueule qui hurle affreusement ; il y en a qui rient d'un rire farouche et hideux, propre aux ténèbres ; le vent les agite ; ils se renversent en arrière avec des contorsions de damnés, ou se penchent les uns vers les autres et se disent tout bas dans leurs vastes oreilles de feuillages des paroles dont vous entendez en passant je ne sais quelles syllabes bizarres. Il y en a qui ont des sourcils démesurés, des nez ridicules, des coiffures ébouriffées, des perruques formidables ; cela n'ôte rien à ce qu'a de redoutable et de lugubre leur réalité fantastique ; ce sont des caricatures, mais ce sont des spectres... (3).

---

(1) Exactement à Fromentières, à 13 km. de Montmirail, c'est-à-dire à un peu plus de trois lieues.
(2) *Rh.*, II, p. 21.
(3) *V.*, II, Pasages, p. 353. Cf. ici p. 196.

Dans ce texte de 1843, les ormes prennent presque, à vrai dire, des proportions épiques. Il annonce déjà la fresque pathétique des pendus dans la tempête à Portland, qui ouvre les premiers chapitres de *l'Homme qui rit* (1). Mais, *si ce sont des spectres, ce sont* aussi *des caricatures*. Les uns *bâillent*, les autres *rient*. Ils ont *des sourcils démesurés, des nez ridicules, des coiffures ébouriffées, des perruques formidables*. L'ensemble évoque les dessins extravagants de Victor Hugo, visages comiques et furibonds, monstrueux et gouailleurs, qui trouveront plus tard leurs noms et leur vie parmi les gueux du *Théâtre en liberté*. Retenons en tous cas une fois de plus, à l'occasion de ce texte, la constance simultanée de l'impression et de l'expression. A cinq ans de distance, l'effet n'a guère changé et le mots sont à peu près les mêmes, bien que le texte de 1843 accentue le caractère effrayant de cette bouffonnerie végétale. S'il manquait à Épernay l'atmosphère d'un nocturne, les ormes de la route de Paris rejoignent, dans la mémoire du voyageur alors en Espagne, les crépuscules de Normandie et de Bretagne, que nous avons rappelés plus haut. *Coiffures ébouriffées, perruques formidables* ne font que décomposer le trait d'Épernay, *perruques ébouriffées*. Ce sont les mêmes éléments, les mêmes mots qu'on retrouve, leur dosage seul diffère. Seulement, le texte de Pasages est infiniment plus développé que les notes de Champagne ou de Normandie. Hugo l'a travaillé, puisqu'il avait pris soin, comme nous l'avons vu dans le chapitre précédent, de marquer sur son album de voyage « ma théorie de l'orme, ma théorie du grès ». C'est que l'orme est ici rappelé à titre d'exemple pour démontrer l'unité de la nature et dans la mesure où il joue dans l'ordre végétal le même rôle que le grès dans l'ordre minéral. Et c'est pour ce dernier que Victor Hugo, comme nous allons le voir, s'est réservé de prononcer, sans les répéter pour l'orme, les noms de *bouffon* et de *clown* qu'il méritait également.

Études de rochers.

Le grès est la pierre la plus amusante et la plus étrangement pétrie qu'il y ait. Il est parmi les rochers ce que l'orme est parmi les arbres. Pas d'apparence qu'il ne prenne ; pas de caprice qu'il n'ait ; pas de rêve qu'il ne réalise ; il a toutes les figures, il fait toutes les grimaces. Il semble animé d'une âme multiple. Pardonnez-moi ce mot à propos de cette chose.
Dans le grand drame du paysage, il joue le rôle fantasque ; quelquefois grand et sévère, quelquefois bouffon ; il se penche comme un lutteur, il se pelotonne comme un clown ; il est éponge, pudding, tente, cabane, souche d'arbre ; il apparaît dans un champ parmi l'herbe à fleur du sol par petites bosses fauves et floconneuses, et il imite un troupeau de moutons endormi ; il a des visages qui rient, des yeux qui regardent, des mâchoires qui semblent mordre et brouter la fougère ; il saisit les broussailles comme un poing de géant qui sort de terre brusquement. L'antiquité, qui aimait les allégories complètes, aurait dû faire en grès la statue de Protée... (2).

Cette analyse vaut pour le grès exactement ce qu'était pour l'orme la définition d'Épernay. Le parallélisme est étonnant jusque dans les termes. Tous deux sont « amusants » et si « les ormes seuls ont de la fantaisie », le grès dans la nature « joue le rôle fantasque ». Il n'y a évidemment aucune démarcation : l'imagination et le style de V. Hugo ne semblent se

(1) I, 1, 6.
(2) *V.*, II, p. 352.

plagier que dans la mesure où ils se retrouvent en 1843 invariablement identiques à ce qu'ils étaient en 1838. L'orme avait l'esprit de contradiction, le grès brille par son talent d'imitation. Comme les ormes se renversaient en se moquant de leur voisin, le grès « se penche comme un lutteur, il se pelotonne comme un clown ». La fantaisie s'est seulement accentuée dans ce dernier texte. Hugo s'y installe. Les images les plus biscornues sont les bienvenues. Le grès « est éponge, pudding ». Mais ne le disait-il pas déjà en 1836 du soleil, avec plus de précautions il est vrai. Le soleil était « comme une éponge ». Le grès « est éponge ». Le terme de la comparaison, dernier scrupule, a disparu, et l'intervention du « pudding », qui n'est pas encore admis dans la langue française, est une audace venue spontanément sous sa plume dans une lettre familière.

Mais le grès, tout comme l'orme, sait plier ses grimaces à des effets fantastiques. Il y suffit du crépuscule.

La montagne... est peuplée par le grès d'une foule d'habitants de pierre, muets, immobiles, éternels, presque effrayants. C'est un ermite encapuchonné, assis à l'entrée de la baie, au sommet d'un roc inaccessible, les bras étendus, qui, selon que le ciel est bleu ou orageux, semble bénir la mer ou avertir les matelots. Ce sont des nains à bec d'oiseau, des monstres à forme humaine et à deux têtes, dont l'une rit et l'autre pleure, tout près du ciel, sur un plateau désert, dans la nuée, là où rien ne fait rire et où rien ne fait pleurer... C'est une idole ventrue, à mufle de bœuf avec des colliers au cou et deux paires de gros bras courts, derrière laquelle de grandes broussailles s'agitent comme des chasse-mouches. C'est un crapaud gigantesque accroupi au sommet d'une haute colline, marbré par les lichens de taches jaunes et livides, qui ouvre une bouche horrible et semble souffler la tempête sur l'océan... (1).

Ce texte, on le voit, rejoint celui qui, peu auparavant, évoquait la galerie grotesque des ormes. Le grès tendre en effet, par sa docilité à l'érosion, se prête à prendre des formes bizarres qui excitent les esprits imaginatifs à leur trouver des ressemblances avec des animaux ou des chimères. La forêt de Fontainebleau est pleine de rochers de ce genre qui ont l'air de visages : rocher du bœuf, rocher du diable, etc. L'aboutissement de ces études, ce sera dans *Pasteurs et Troupeaux*, la grandiose vision du *pâtre promontoire* (2). Un peu plus loin, Hugo y revient : quand on parle du diable...

Les rochers qui sortent des bruyères sur la pente escarpée de la montagne figurent presque tous des têtes gigantesques ; il y a des têtes de mort, des profils égyptiens, des silènes barbus qui rient dans l'herbe, de mornes chevaliers au masque sévère. Tout y est jusqu'à Odry, qui ricane sous une perruque de broussailles (3).

Mme Guillaumie-Reicher suppose, avec quelque apparence de raison, que ce sont ces profils qui lui ont inspiré d'étranges dessins représentant « des graphies pour la danse des spectres » (4). Il est certain que, si l'imagination de V. Hugo suffisait à lui souffler les plus extravagantes inventions, celle de la nature, qui ne lui cède pas, lui offrait des modèles tout

(1) *Ibid.*, p. 354.
(2) *C.*, V, 23.
(3) *V.*, II, Pasages, p. 363.
(4) Sur le ms. 48, *op. cit.*, p. 116.

préparés sur lesquels il pouvait s'exercer et au besoin renchérir. Ses dessins, outre qu'il en a le goût et qu'il s'y découvre un talent très personnel, servent d'essais et d'expériences pour sa poésie. Il décrit mieux les choses et même les trouvailles de son imagination, une fois qu'il les a cherchées, puis fixées sur le papier. Tel est, je crois, le rapport qui existe entre certains détails de ses poèmes et ses dessins (1).

Le séjour à Pasages, auquel sont empruntées ces observations sur le grès et les ormes, a été très favorable à la fantaisie. Mais il aurait été bien étonnant que le Rhin n'eût pas apporté sa contribution. En 1840, à Laufen, à la Chute du Rhin :

... Il semble voir sortir de l'eau pleine de rage la tête hideuse et impassible d'une idole hindoue à trompe d'éléphant (2). Des arbres et des broussailles qui s'entremêlent à son sommet lui font des cheveux hérissés et horribles... Un grand rocher disparaît et reparaît sous l'écume comme le crâne d'un géant englouti... (3).

Remarquons le retour des mêmes visions : *idole ventrue* à Pasages, *idole hindoue* à Laufen, et le *crapaud gigantesque* de Pasages avait déjà son pendant à Heidelberg, au mois d'octobre de la même année :

... Les rochers surgissent pêle-mêle au milieu des courants avec des formes de crocodiles et de grenouilles géantes qui viennent respirer le soir à fleur d'eau (4).

Ce qui rappelle assez les études de nuages de 1828 qu'il a évoquées d'ailleurs, pendant le voyage de 1839, dans une lettre envoyée de Vevey à son ami, le peintre Louis Boulanger, son compagnon des promenades vespérales, comme lui grand amateur de couchers de soleil (5).

Déformation du crépuscule.

C'est en effet au crépuscule que la nature s'anime le plus nettement aux yeux de Victor Hugo. Gardons présente à l'esprit la précieuse déclaration de 1837, entrevue tout à l'heure à propos des ormes : « J'ai toujours aimé ces voyages à l'heure crépusculaire. C'est le moment où la nature se déforme et devient fantastique (6). » Même ses aspects les plus paisibles se mettent à vivre une vie particulière. Témoin ce spectacle de la plaine de Soissons au soir, agréablement vallonnée sans doute, mais peu propice aux élans de l'imagination :

Un grillon chantait dans un champ voisin, *les arbres du chemin jasaient tout bas et tressaillaient au dernier vent du soir avant de s'assoupir;* moi, je regardais attentivement avec les yeux de l'esprit une grande et profonde paix sortir de cette sombre plaine qui a vu César vaincre, Clovis régner et Napoléon chanceler (7).

---

(1) Ainsi, plus tard, procédera-t-il pour *les Travailleurs de la mer* (les diverses ébauches de la position de la Durande, par exemple, dans les rochers), ce qui fait de ce roman une œuvre en texte et dessins par l'auteur.
(2) Une des représentations, sans doute, du dieu Shiva.
(3) *Rh.*, XXXVIII, p. 398.
(4) *Ibid.*, p. 323.
(5) *Ibid.*, XXXIX, p. 405.
(6) Voir p. 206.
(7) Relatée de Givet le 29 juillet (1838), selon la disposition adoptée dans *le Rhin*, cette impression date en réalité du 29 août 1840. *Rh.*, IV, p. 37.

Sans doute ce n'est là qu'un modeste essai pour traduire l'animation de la nature et le sens de la vie que possède Hugo y est plus intéressé que son imagination proprement dite. Mais lorsque celle-ci s'en mêle et trouve une matière d'élection, elle ne tarde pas à exagérer la vision du poète, à la transformer en vue d'un effet fantastique, nuancé néanmoins presque toujours d'une pointe d'humour qui l'apparente plus ou moins à la caricature. Voici, dans cet ordre, quelques images nocturnes de Cologne :

Devant moi, sous la lueur fantastique d'un ciel crépusculaire, s'élevait et s'élargissait, au milieu d'une foule de maisons basses à pignons capricieux, une énorme masse noire, chargée d'aiguilles et de clochetons ; un peu plus loin, à une portée d'arbalète, se dressait isolée une autre masse noire, moins large et plus haute, une espèce de grosse forteresse carrée, flanquée à ses quatre angles de quatre longues tours engagées, au sommet de laquelle se profilait je ne sais quelle charpente étrangement inclinée qui *avait la figure d'une plume gigantesque posée comme sur un casque au front du vieux donjon* (1).

Le développement de ces visions est souvent long et consciencieux. C'est que Victor Hugo veut faire voir ce qu'il a vu et justifier dans le détail les illusions de sa perception. Il ne manque jamais, comme nous le reverrons davantage dans ses visions fantastiques plus caractérisées, d'en expliquer la bizarrerie et d'en donner la clef. Il nous apprend ainsi que la première de ces deux masses noires était l'abside de la cathédrale et la seconde l'amorce du clocher sur laquelle la silhouette d'une grue figurait la plume. Hugo aime ces illusions nocturnes, dociles aux jeux de son imagination, et il ne cache d'ailleurs pas sa désillusion devant la réalité :

Le dôme de Cologne, revu au grand jour, dépouillé de ce grossissement fantastique que le soir prête aux objets et que j'appelle la *grandeur crépusculaire* (2), m'a paru, je dois le dire, perdre un peu de sa sublimité (3).

Aussi s'empressera-t-il d'aller de nouveau contempler le Münster « à la lumière », si l'on ose dire, de la nuit. Cette fidélité aura sa récompense, car, s'il ne retrouvera pas l'illusion première, la nouvelle vaudra l'ancienne.

... La sombre abside-cathédrale, dressant ses mille clochetons aigus' figurait un *hérisson monstrueux,* accroupi au bord de l'eau, dont la grue du clocher semblait former la queue et auquel deux réverbères allumés vers le bas de cette masse ténébreuse faisaient des yeux flamboyants (4).

Au fond, ces visions nocturnes tournent aux ombres chinoises dont il amusera ses enfants et petits-enfants. Il y a pourtant une différence entre ces deux vues de la cathédrale au crépuscule : la première, sorte de schéma presque géométrique, évoquait dans cet immense casque à plume une curiosité, une drôlerie, une pure fantaisie de l'œil. L'autre dresse une forme animale monstrueuse, dont le pittoresque extravagant est déjà corrigé par l'effet fantastique des « yeux flamboyants » dans la nuit. La vision des ruines du château de Heidelberg à la nuit

(1) *Rh.,* X, p. 83, Andernach, 11 septembre 1840.
(2) Souligné dans le texte.
(3) *Ibid.,* p. 91.
(4) *Ibid.,* p. 95.

nous montre, dans une troisième étape, cet effet encore accentué dans le sens de l'épouvante.

> ... La lune, voilée par des nuages diffus et entourée d'un immense halo, jetait une clarté lugubre sur ce magnifique amas d'écroulements. Au delà du fossé, à trente pas de moi, au milieu d'une vaste broussaille, la tour Fendue, dont je voyais l'intérieur, m'apparaissait *comme une énorme tête de mort.* Je distinguais les fosses nasales, la voûte du palais, la double arcade sourcillière, le creux profond et terrible des yeux éteints. Le gros pilier central avec son chapiteau était la racine du nez. Des cloisons déchirées faisaient les cartilages. En bas, sur la pente du ravin, les saillies du pan de mur tombé figuraient affreusement la mâchoire. Je n'ai de ma vie rien vu de plus mélancolique que cette grande tête de mort posée sur ce grand néant qui s'appelle le château des Palatins.
>
> ... C'était l'heure, ajoute plus loin Hugo, où les façades des vieux édifices abandonnés ne sont plus des façades, mais des visages (1).

Cette heure, c'est minuit, il nous en prévient lui-même. Cette dernière vision, qui repose encore sur une illusion de la vue exploitée par l'imagination, et où se lit encore une fois le même souci d'en expliquer par le détail les éléments, est d'un caractère nettement fantastique. Hugo la décrit pour nous mettre dans l'atmosphère où il s'est abandonné lui-même aux hallucinations de ses sens. La déformation crépusculaire ou nocturne tend toujours plus ou moins vers le fantastique. Aussi réservons-nous à un chapitre ultérieur l'occasion d'en étudier quelques effets. Mais elle trouve son principe dans cette même tendance de l'imagination hugolienne, qui lui fait chercher, comme aux enfants souvent, des formes animales ou humaines dans des arbres ou des maisons et, comme il le dit, des *visages* dans des *façades*. De l'impression spontanée, éprouvée en 1840 devant la Tour Fendue de Heidelberg, à l'évocation travaillée de la « maison visionnée » de Plainmont, dans *les Travailleurs de la mer* (2), il y a une continuité dans le singulier.

Déformation de la perspective.

En fait, il est rare que le crépuscule soit vraiment seul à déformer l'aspect des choses. Son action se combine avec celle de la perspective, qu'elle soit due à l'éloignement ou à l'altitude. Encore est-il souvent malaisé de distinguer ces deux dernières conditions qui, on le conçoit facilement, coïncident plus d'une fois. Ce n'est pas un fait nouveau pour nous. Comme les études de nuages de 1825 (3) ou de 1828 (4) préparaient les ormes, rochers et villes crépusculaires des voyages, cette déformation de la perspective s'annonçait déjà dans la curieuse vision d'un champ microscopique, aperçu d'une hauteur des Alpes, que nous avons étudiée dans un chapitre antérieur (5). Le voyage en Normandie en fournit une amusante réplique maritime : c'est celle d'une falaise, couverte d'un champ de blé, qui semble, par une illusion de la perspective, soutenir la bande de mer qui s'étend à l'horizon.

---

(1) *Rh.*, XXVIII, p. 339. Cf. dans le passage déjà cité de Berne : « La nuit, les *profils* des choses se dilatent. » (*V.*, II, p. 191). Une tête de mort dans *L. Ph. m.*, Rel., p. 232.
(2) I, V, 4. Cf. ici p. 148.
(3) *Han d'Islande*, cf. ici p. 40.
(4) *Soleils couchants*, cf. ici p. 125.
(5) Cf. ici p. 110.

Mon champ était délicieux, tout petit, tout étroit, tout escarpé, bordé de haies et portant à son sommet l'océan. Te figures-tu cela ? Vingt perches de terre pour base et l'océan posé dessus...

Voilà le thème, où, comme à son habitude, Hugo adresse, par la formule « te figures-tu cela ? » un appel à l'imagination du lecteur. Et voici les variations :

... Au rez-de-chaussée, des faucheurs, des glaneuses, de bons paysans tranquilles occupés à engerber leur blé, au premier étage la mer, et tout en haut, sur le toit, une douzaine de bateaux pêcheurs à l'ancre et jetant leurs filets. Je n'ai jamais vu un jeu de la perspective qui fût plus étrange. Les gerbes faites étaient posées debout sur le sol, si bien que pour le regard leur tête blonde entrait dans le bleu de la mer. A la ligne extrême du champ, une pauvre vache insouciante se dessinait paisiblement sur ce fond magnifique. Tout cela était serein et doux, cette églogue faisait bon ménage avec cette épopée (1).

Renversement de l'aspect naturel des choses, qui séduit la fantaisie du poète. La réalité donne un démenti à la logique et les sens à la raison. La mer est sur la falaise et, comme chante ce compositeur, « le bœuf est sur le toit », Hugo goûte joyeusement la saveur imprévue et pleine d'humour de ce paradoxe et conclut philosophiquement au « hasard singulier qui superposait... les laboureurs de la terre et les laboureurs de l'eau ». Au surplus, faisant bon poids à la fantaisie, Hugo souligne, dans une antithèse comme il les aime, le voisinage contradictoire de cette églogue des champs avec l'épopée de la mer. « Idylle et épopée », dira-t-il dans les Misérables et répétera-t-il souvent. Il n'a « jamais vu de jeu de la perspective qui fût plus étrange ». Quelques pages plus haut, il nous assurait de la même façon qu'il n'avait de sa vie « rien vu de plus mélancolique que la grande tête de mort de Heidelberg ». C'est le signe de sa bonne foi : il s'étonne devant chaque nouveau jeu de la nature, qu'il n'hésite pas à proclamer l'unique et l'incroyable, oubliant que, dans la constance de son imagination, il a déjà bruyamment manifesté en maintes occasions sa surprise chaque fois exceptionnelle.

Rassurons-nous, nous allons revoir souvent ces mers sillonnées au loin de bateaux microscopiques. Avant d'y venir, relevons au passage encore un « champ », réduit cette fois non pas par la perspective, mais par une pure fantaisie de l'imagination.

(La route de Gamaches à Eu)... court gaiement le long d'une haute colline qui va aboutir aux falaises. On rencontre de temps en temps un de ces carrés de chanvre qui ressemblent à des forêts de petits cocotiers. On se suppose géant, on est en Amérique (2).

C'est l'inverse du tour psychologique qui lui fait voir des moucherons dans des troupeaux ou des bateaux diminués par l'éloignement. C'est le point de vue de Micromégas (3) et, aux proportions près, le procédé des « magnificences microscopiques », qui lui fait trouver dans une colonie de fourmis et de pucerons des fermières en train de traire leurs vaches et dans une fougère un palmier. La réduction n'existe que dans l'esprit,

(1) V., II, p. 138.
(2) Ibid., p. 135.
(3) Cf. chap. I, p. 190.

non dans les sens, mais le principe de l'illusion est le même qui consiste, à la faveur d'une altération des dimensions réelles par la perspective, à établir dans l'échelle naturelle des confusions et des assimilations inattendues, mais explicables.

Bateaux et insectes.

Voici quelques marines, dont la collection forme à elle seule le plus sûr commentaire. A Dieppe, en 1837, « le 8 septembre, à 9 heures du soir », précise Hugo, cette vue qui aux conditions réunies de l'éloignement et de l'altitude ajoute encore celle du crépuscule :

A gauche la mer, la mer infinie, calme, grise, verte, vitreuse, et sur la mer, dispersés à tous les bouts de l'horizon, une vingtaine de bateaux pêcheurs pareils à des points noirs qui commencent à avoir une forme en courant silencieusement *sur ce miroir livide comme de gros moucherons.* Au-dessus de tout cela, un ciel crépusculaire que couvraient de grands nuages sombres crevés çà et là d'une flaque de lumière pâle... Rien ne laisse à l'âme une impression à la fois plus vague et plus poignante que *les espèces de rêves qui se dégagent parfois de la réalité* (1).

A peine est-il besoin de signaler la fantaisie de ce type d'impression : l'auteur lui-même l'indique en insistant sur l'atmosphère irréelle qui s'en dégage.

Même impression, même conclusion au bord du lac Léman, à Vevey, où Hugo observe les « bateaux pêcheurs » qui ont la particularité d'être « munis de deux voiles latines attachées en sens inverse à deux mâts différents » :

Au jour, au soleil, le lac est bleu, les voiles sont blanches, et elles donnent à la barque *la figure d'une mouche qui courrait sur l'eau, les ailes dressées.* La nuit, l'eau est grise et la mouche est noire. Je regardais donc cette gigantesque mouche, qui marchait lentement vers Meillerie, découpant sur la clarté de la lune ses ailes membraneuses et transparentes. Le lac jasait à mes pieds... J'étais seul, mais *je sentais vivre et rêver toute la création autour de moi* (2).

Vision plus poussée peut-être que la précédente, développée en un diptyque dont le panneau nocturne est particulièrement travaillé dans le sens du pittoresque féerique.

La petite rade de Pasages, vue de la montagne, « le 3 août 1843, à trois heures après midi », donc en plein jour :

... Elle est peuplée de nacelles de pêcheurs à quatre rames qui courent sur l'eau. De la hauteur où je suis, la rade pleine de ces nacelles figure *une mare couverte d'araignées d'eau* (3).

Enfin, plus laborieusement développée et expliquée, cette vue du Rhin, sur la route qui le suit de Saint-Goar à Oberwesel :

De grands bancs d'ardoise à demi rongés sortent du fleuve et couvrent la rive comme des tas d'écailles gigantesques. De temps en temps on entrevoit, à demi-cachée sous les épines et les osiers et comme embusquée au bord du Rhin, une *espèce d'immense araignée* formée par deux longues perches souples et courbes, croisées transversalement, réunies à leur milieu et à

(1) *V.*, II, p. 137.
(2) *Rh.*, XXXIX, p. 405.
(3) *V.*, II, p. 357.

leur point culminant par un gros nœud rattaché à un levier et plongeant
leurs quatre pointes dans l'eau. C'est une araignée en effet.

Par instants, dans cette solitude et dans ce silence, le levier mystérieux
s'ébranle, et l'on voit la hideuse bête se soulever lentement, tenant entre
ses pattes sa toile au milieu de laquelle saute et se tord un beau sau-
mon d'argent (1).

C'est peut-être bien de la peine pour décrire un carrelet, également
nommé araignée, et les longueurs de l'explication diluent jusqu'à l'épuiser
l'effet de surprise. Un peu d'ombre n'est pas inutile pour noyer les contours. Hugo, qui le sait bien, s'y trompe rarement et s'en sert souvent
avec bonheur. Ce sens du mystère, admirablement défini par Baudelaire
et employé, selon lui, par Hugo « avec l'obscurité indispensable », se
heurte chez lui au désir absolu de rendre claires ses visions les plus sub-
jectives et de les justifier.

Parfois pourtant, Hugo sait concentrer ses impressions et tirer d'une
expression lapidaire un effet généralement humoristique. Pour ne pas
abandonner l'eau et les bateaux, voici, toujours à Saint-Goar, « le Rhin
avec quelque bateau à vapeur qui, vu de cette hauteur, semble un gros
poisson vert aux yeux jaunes cheminant à fleur d'eau et dressé à porter
sur son dos des hommes et des voitures (2) ».

Mais surtout, dans ce sens, il excelle parfois à se former et à exprimer
une vue schématique des choses, qui est à la fois pittoresque, parce
qu'elle décrit fidèlement, et fantasque, parce qu'elle évoque spirituellement. Sur la Loire, une suite de chalands, dont la taille diminue en allant
vers la fin du convoi, provoque cette saillie de l'imagination : « On se
rappelle involontairement la caricature de la famille anglaise, et l'on
croirait voir *voguer à pleines voiles une gamme chromatique* (3). »

C'est en supprimant la justification de l'image et en concentrant autant
que possible la traduction de l'impression sous une forme frappante que
Hugo se prépare à posséder le secret de ces effets de fantaisie, semés en
abondance et sans explication dans ses œuvres ultérieures, comme des paillettes sur une robe. Mais pour l'instant, il reste surtout l'observateur
attentif à ses expériences, et inquiet d'en trahir l'exactitude par une
omission dans la description.

« *Le voyage perpendiculaire* ».

Cette description montre déjà la minutie à la fois pittoresque, humoristique et quasi féerique que nous retrouverons dans les « magnificences microscopiques », auxquelles nous avons fait allusion un peu plus
haut. Nous évoquions l'un de ces tableaux entomologiques où Hugo
fait d'une bande de fourmis des êtres occupés à traire leurs troupeaux
de pucerons. Par un mouvement inverse, mais analogue, il déploie pour
nos yeux la chatoyante féerie que le paysage développe au pied du clocher
de Strasbourg. Ce ne sont pas les insectes qui prennent des allures d'un
troupeau de bœufs, ici c'est le troupeau de bœufs que la perspective
réduit aux dimensions d'insectes et anime d'une vie remuante et colorée
dans un décor lilliputien.

(1) *Rh.*, XVII, p. 140, septembre 1840.
(2) *Ibid.*, XVII, p. 139.
(3) *V.*, II, p. 280, juillet 1843.

Des pucerons roux et blancs, qui étaient un troupeau de bœufs, mugis-saient dans une prairie à droite ; d'autres pucerons bleus et rouges, qui étaient des canonniers, faisaient l'exercice à feu dans le polygone à gauche ; un sca-rabée noir, qui était une diligence, courait sur la route de Metz ; et au nord, sur la croupe d'une colline, le château du grand-duc de Bade brillait dans une flaque de lumière comme une pierre précieuse (1).

Ce tableau fait songer à ces jouets d'enfants, animaux et soldats en bois peint de vives couleurs, et il n'est pas impossible que Hugo y ait pensé. Villes et villages d'enfants, si chers à son imagination, qu'il en recherche la contemplation et que son premier mouvement à l'arrivée est presque toujours de monter au clocher ou sur la plus proche colline pour voir le panorama, la physionomie de la ville, et au sens propre du mot, l'envisager. Le jour où cette colonie d'insectes lui est apparue, il n'avait pas manqué à sa règle. « Je suis monté sur le clocher. Vous con-naissez mon goût pour le voyage perpendiculaire (2). »

Nous connaissons en effet cette prédilection de Victor Hugo pour les hauts lieux. Une des premières fois qu'il l'a marquée, c'est, dès 1825, lors de son voyage aux Alpes, dans cette « contemplation » qui a pour titre *Dicté en présence du Glacier du Rhône* et qui a été recueillie dans *les Feuilles d'automne* :

> Et seul, à ces hauteurs, sans crainte et sans vertige,
> Mon esprit, de la terre oubliant le prestige,
> Voit le jour étoilé, le ciel qui n'est plus bleu,
> Et contemple de près ces splendeurs sidérales
> Dont la nuit sème au loin ses sombres cathédrales... (3).

Et, dans cette pièce des *Feuilles d'automne*, qui a pour titre révéla-teur *Ce qu'on entend sur la montagne* et pour épigraphe *O altitudo!* Hugo demande encore :

> Avez-vous quelquefois, calme et silencieux,
> Monté sur la montagne, en présence des cieux ?...
> Voici ce qu'on entend : — du moins un jour qu'en rêve
> Ma pensée abattit son vol sur une grève
> Et du sommet d'un mont plongeant au gouffre amer... (4).

Car c'est à la méditation surtout que ces hauts lieux l'invitent. Nous en trouvons plus d'une fois le témoignage. Dans une lettre envoyée du Tréport, le 6 août 1835, il écrit à sa femme : « Je me suis promené toute

---

(1) *Rh.*, XXX, p. 358. Cf. *V.*, II, p. 120, Dunkerque, 1er septembre 1837 : « ... le bêlement (*sic*) des vaches qu'on voyait au loin sur le pré, comme des pucerons sur une feuille... »

(2) *Ibid.* p. 357, Strasbourg, septembre 1839. Il partage ce goût d'ailleurs avec d'autres voyageurs, et notamment avec Montesquieu, que guide un souci de compré-hension plus que l'amour du pittoresque : « Quand j'arrive dans une ville, je vais toujours sur le plus haut clocher ou la plus haute tour, pour voir le tout ensemble, avant de voir les parties ; et, en la quittant, je fais de même pour fixer mes idées. » (*Voyages*, éd. Stock, Paris, 1943, p. 64.)

(3) *F. A.*, VII, daté éd. 1er mai 1829. Cf. également *Rêves*, *O.*, V, 25 :

> On croit sur la falaise,
> On croit dans les forêts,
> Tant on respire à l'aise,
> Et tant rien ne nous pèse,
> Voir le ciel de plus près.

(4) *F. A.*, V.

la soirée sur la falaise. Oh! c'est là qu'on se sent des frémissements d'aile... (1) » et à Louis Boulanger « cela (la mer vue de la falaise) remue en nous des abîmes de poésie (2) ». Il rappelle à Louise Bertin dans *Pensar, Dudar* le souvenir de ces pathétiques interrogations posées à la nature du haut des glaciers ou des falaises :

> Que de fois j'ai tenté, que de fois j'ai gravi,
> Seul, cherchant dans l'espace un point qui me réponde,
> *Ces hauts lieux* d'où l'on voit la figure du monde!
> Le glacier sur l'abîme ou le cap sur les mers!
> Que de fois j'ai songé sur les sommets déserts,
> Tandis que fleuves, champs, forêts, cités, ruines,
> Gisaient derrière moi dans les plis des collines,
> Que tous les monts fumaient comme des encensoirs,
> Et qu'au loin l'océan, répandant ses flots noirs,
> Sculptant des fiers écueils la haute architecture,
> Mêlait son bruit sauvage à l'immense nature (3)!

C'est encore à Louis Boulanger qu'analysant sa rêverie sur le Geissberg, il confie : « Vous savez, Louis, *sur les hauts lieux*, dans les moments solennels, il y a une marée montante d'idées qui vous envahit peu à peu et qui submerge presque l'intelligence (4). »

Aussi les clochers offrent-ils dans les villes à sa méditation un refuge commode qu'il ne manque pas d'utiliser. Il en est d'eux comme des fleurs cueillies en route et, à parcourir ses lettres de voyage, on n'en finirait plus de dénombrer tous ceux où sa pensée est montée s'envoler. Saint-Martin à Étampes qui « a une tour penchée comme Pise », Gisors, ou telle autre église visitée pendant son voyage de 1834 ont pu lui inspirer la magnifique rêverie dédiée à Louis Boulanger, qu'on appelle *la Cloche* et qui témoigne de ce goût :

> Ami, le voyageur que vous avez connu,
> Et dont tant de douleurs ont mis le cœur à nu,
> Monta, comme le soir s'épanchait sur la terre,
> Triste et seul, dans la tour lugubre et solitaire ;
> Tour sainte où la pensée est mêlée au granit,
> Où l'homme met son âme, où l'oiseau fait son nid.
>
> Il gravit la spirale aux marches presque usées,
> Dont le mur s'entr'ouvrait aux bises aiguisées,
> Sans regarder les toits amoindris sous ses pieds... (5).

Villes « à vol d'oiseau ».

Il gravit la spirale... Pour qui s'est pénétré du vocabulaire de Victor Hugo, cette expression est le signal de la pente philosophique suivie

(1) *V.*, II, p. 32.
(2) *Ibid.*, p. 34.
(3) *V. I.*, XXVIII.
(4) *Rh.*, XXVIII, octobre 1838, p. 325. Voir également *Rh.*, XXIV, p. 260, Hugo est monté au clocher de la collégiale de Francfort : « Je rêvais je ne sais quelle rêverie... Ajoutez à cela cette paix profonde des lieux élevés, qui se compose du murmure du vent, des rayons du soleil et de la beauté du paysage... »
(5) *C. C.*, XXXII, août 1834.

par sa pensée (1). Mais il ne se détourne pas toujours aussi négligemment du spectacle des *toits amoindris sous ses pieds.* C'est au contraire généralement par là qu'il commence et de là que sa pensée s'égare selon le caprice du moment. A ce goût se mêle d'ailleurs un certain attrait du risque. « On est à quatre cents pieds du pavé. Point de garde-fous, ou si peu... (2)» Les degrés vont en se rétrécissant à mesure que l'on monte, note Hugo, soucieux de ne rien perdre de son impression, jusqu'au moment où le ciel et la terre se découvrent sans défense, en toute liberté, à la vue. C'est alors souvent le panorama de la ville étendue à ses pieds qui le retient par la nouveauté de son aspect.

On a Strasbourg sous ses pieds, vieille ville à pignons dentelés et à grands toits chargés de lucarnes, coupée de tours et d'églises, aussi pittoresque qu'aucune ville de Flandre... (3).

De la ville, son œil gagne la campagne environnante, qui lui apparaît tout autre qu'au moment où il la traversait.

Le paysage n'est plus un paysage ; c'est comme ce que je voyais sur la montagne de Heidelberg, une carte de géographie, mais une carte de géographie vivante avec des brumes, des fumées, des ombres et des lueurs, des frémissements d'eaux et de feuilles, des nuées, des pluies et des rayons de soleil.

Hugo a bonne mémoire ; et, puisqu'il nous y invite, rappelons la vue de *Heidelberg assoupie*, qui est l'origine d'une rêverie philosophique sur le néant de l'homme et l'infini de la nature, c'est-à-dire de Dieu.

Derrière moi, la ruine, cachant la lune, faisait à mi-côte un gros buisson d'ombre d'où jaillissaient dans toutes les directions à la fois de longues lignes sombres et lumineuses rayant le fond vague et vaporeux du paysage. Au-dessous de moi gisait Heidelberg assoupie, étendue au fond de la vallée, toutes lumières éteintes, toutes portes fermées ; sous Heidelberg, j'entendais passer le Neckar, qui semblait parler à demi-voix à la colline et à la plaine... (4).

Mais tandis que la rêverie de Heidelberg prend un tour philosophique, celle de Strasbourg demeure sur le plan pittoresque. Dans la rue, les détails de la pierre, d'une enseigne, d'un groupe de silhouettes l'arrêtent, mais les toits lui échappent en majeure partie. Au contraire, du haut du clocher, c'est un paysage tout différent qui lui apparaît : il embrasse d'un seul regard l'ensemble de la ville, dont il ne pouvait avoir qu'une

---

(1) Cf. *La Pente de la Rêverie, F. A.*, XXIX :
   Car la pensée est sombre! Une pente insensible
   Va du monde réel à la sphère invisible ;
   La *spirale* est profonde, et, quand on y descend,
   Sans cesse se prolonge et va s'élargissant.
F. A., XXVII :
   Des Babels dans la nue enfonçant leurs *spirales*...
Au Statuaire David, R. O., XX :
   Car l'antique Babel n'est pas morte et revit
   Sous le front des songeurs. Dans ta tête, ô David!
   La spirale se tord...
Et plus tard dans *les Mages* (*C.*, VI, 23), Hugo évoquera la *spirale sublime* d'Archimède.
(2) *Rh.*, XXX, p. 357, Strasbourg, septembre 1839.
(3) *Ibid.*
(4) *Rh.*, XXVIII, p. 342.

vue discursive. Plus encore, le crépuscule aidant, qui estompe les détails, c'est une vision simplifiée, schématique de la ville, un curieux enchevêtrement géométrique de lignes et de plans, une carte, comme il disait à Heidelberg, mais une carte en relief et vivante, ornée de brouillards et de fumées qui prêtent à la ville étendue, inanimée, une réalité bizarre. Les peintres, et Hugo possédait l'œil du peintre, connaissent bien le charme inattendu de ces étendues contrariées de toits, aussi différentes de la ville vue à niveau que l'est une foule aperçue dans la rue à hauteur de l'œil d'une foule dominée d'un balcon, dont on ne perçoit qu'un grouillement obscur de calottes sphériques. Ces effets de vision plongeante ont été fort utilisés par les peintres impressionnistes et surtout par les écoles modernes. Mais on les retrouverait chez les peintres flamands, comme Brueghel l'Ancien dont Hugo devait goûter la saveur grotesque et qui a exploité à fond les effets déformants de ce point de vue qui crée d'extravagantes enflures et d'étonnants raccourcis.

Un parfait exemple de ceci est fourni, un jour de septembre 1839, par *Bâle à vol d'oiseau*. C'est l'expression même dont se sert Hugo dans le sommaire de la lettre XXXIII du *Rhin*. On la retrouve fréquemment sous sa plume, justement parce qu'elle s'applique à un type de vision qui lui est familier (1). Donc Hugo, arrivé à Bâle, court à la cathédrale, la visite, donne un coup d'œil aux archives et s'empresse de monter aux tours pour se faire une idée de la ville. « Du haut des clochers la vue est admirable. » Le Rhin « large et vert » traverse Bâle et « a fait de la ville deux morceaux ».

Les deux villes font au Rhin des deux côtés une broderie ravissante de pignons taillés, de façades gothiques, de toits à girouettes, de tourelles et de tours. Cet ourlet d'anciennes maisons se répète sur le Rhin et s'y renverse. Le pont reflété prend l'aspect *étrange* d'une grande échelle couchée d'une rive à l'autre. Des bouquets d'arbres et une foule de jardins suspendus aux devantures des maisons se mêlent aux zigzags de toutes ces vieilles architectures. Les croupes des églises, les tours des enceintes fortifiées, font de gros nœuds sombres auxquels se rattachent, de temps en temps, les lignes capricieuses qui courent en tumulte des clochers aux pignons, des pignons aux lucarnes. Tout cela rit, chante, parle, jase, jaillit, rampe, coule, marche, danse, brille au milieu d'une haute clôture de montagnes qui ne s'ouvre à l'horizon que pour laisser passer le Rhin (2).

C'est bien là une vue *à vol d'oiseau*. Le pont n'est plus qu'une échelle, autour de laquelle vient se joindre, se croiser, s'emmêler, un véritable écheveau de lignes auquel Hugo ne trouve d'équivalent que dans l'art de la broderie. C'est le jeu capricieux de ces lignes qui lui plaît. Sans doute le lieu est particulièrement bien choisi et les toits des édifices gothiques dessinent, ce n'est pas nouveau, une dentelle de pierre. Encore y perdrait-elle beaucoup, si, comme Hugo, on ne la contemplait de haut. En tout cas, le résultat n'est pas douteux. Ce spectacle *étrange*, *ravissant*, libère en lui toutes les puissances de joie qui se déchaînent dans une cascade étincelante de verbes : *tout cela rit, chante...*

(1) *Francfort-sur-le-Mein à vol d'oiseau, Freiburg à vol d'oiseau, Strasbourg à vol d'oiseau* (*Rh.*, sommaires des chap. XXIV, XXX, XXXI, p. 251, 355, 361). « Vues à vol d'oiseau, Mayence et Francfort... » (*Rh.*, XXIII, p. 241). Cf. également la description de Berne, *V.*, II, p. 192.
(2) *Ibid.*, XXXIII, p. 376.

A quelques jours de là, sur la route de Bâle à Zurich, « pendant que la voiture descendait au galop vers Brugg », Hugo a le temps de saisir un instantané dominant de cette agglomération : « C'est un des plus *ravissants tohu-bohu de toits*, de tours et de clochers que j'aie encore vus (1). » Nous retrouverions Hugo ainsi périodiquement perché sur les clochers de son parcours, bretons, angevins, flamands surtout et allemands, ces deux derniers types si pittoresques par leurs formes et par les couleurs de leurs tuiles vernies (2). Si, à Fribourg, Hugo n'est pas grimpé au clocher de l'église, il le signale comme un fait extraordinaire, qui contredit ses habitudes et cette petite phrase a pour nous la valeur d'une confirmation :

Je ne suis pas monté au clocher... J'ai mieux aimé monter sur la colline. J'ai d'ailleurs été payé de ma peine par un *ravissant paysage*. Au centre, à mes pieds, la noire église avec son aiguille de deux cent cinquante pieds de haut ; tout autour, les pignons taillés de la ville, les toits à girouettes, sur lesquels les tuiles de couleur dessinent des arabesques ; çà et là, parmi les maisons, quelques vieilles tours carrées de l'ancienne enceinte ; au delà de la ville, une immense plaine de velours vert frangée de haies vives ; sur laquelle le soleil fait reluire les vitres des chaumières comme des sequins d'or... (3).

Comme, tout à l'heure, la vue de Strasbourg couchée lui rappelait *Heidelberg assoupie*, ces *toits* de Brugg et de Fribourg provoquent la même impression, résumée par la même épithète, *ravissant*, dont nous avons apprécié la valeur. Mais à elle seule, cette *plaine de velours vert* constellée de *sequins d'or*, qui aura dans la poésie de V. Hugo de multiples répliques (4), nous avertit que son imagination s'évade vers le domaine de la libre fantaisie.

« *Le géant Paris est couché* ».

Gardons-nous cependant d'en faire une règle générale. La vision d'altitude, si elle éveille souvent la fantaisie de V. Hugo, n'est pas toujours déformante et n'y conduit pas nécessairement. Nous avons déjà vu que les hauts lieux appelaient le penseur à la méditation. La vue d'une ville couchée constitue souvent simplement un motif purement lyrique à perspective philosophique (5). Il y a une nuance, mais le motif est le même, né de la même prédilection et développé à partir des mêmes impressions spontanées, qu'elles aient été récoltées sur les hauteurs de Vaugirard, du Mont-Blanc ou de Heidelberg.

(1) *Ibid.*, XXXV, p. 384, *Ravissants tohu-bohu de toits* traduit cet enchevêtrement des lignes qui réjouit son œil. Comparer cette impression similaire de Périgueux, en 1843 (*V.*, II, p. 430) : « Du haut de la tour, on voit toute la ville, vénérable amas de pignons et de tourelles, *un de ces labyrinthes de toits* aigus où apparaît dans toute sa fantaisie le génie fantasque et riche du quinzième siècle. »
(2) Et par les surprises qu'ils réservent parfois : à Francfort, il trouve le clocher habité et une jeune fille y chante. Cf. *Rh.*, XXIV, p. 260 et ici, p. 302, n. 1.
(3) *Ibid.*, XXXI, p. 368.
(4) Par exemple, *C. R. B.*, I, VI, 12 :

... la Castille,
Et ses plaines en amadou.

(5) Cf. cet exemple, à mi-chemin, *in V.*, II, p. 265 (notes d'Album, 21 octobre 1840) : « Il y a un mois, le 21 septembre, j'étais à Lausanne. Il était cinq heures, après midi... Un quart d'heure après, j'avais atteint la haute esplanade qui entoure l'église. *Toute la ville était sous mes pieds.* Les fumées se jouaient sur les toits, un rayon de soleil couchant les pénétrait, et elles faisaient un admirable nuage d'or qui se déchirait aux cheminées et aux pignons comme à des îles. *C'était un noble et ravissant spectacle.* »

A la fois pour préciser cette nuance et pour voir le rapport de ces sensations du promeneur ou de semblables avec un motif poétique qui en exploite le souvenir, nous ne résistons pas à la tentation de réunir ici quelques-uns de ces exemples.

L'une des premières apparitions de ce motif de la ville couchée, c'est sans doute dans cette ode si fraîche, et si personnelle, intitulée *Pluie d'été*, où le poète, par une de ces douces soirées après la pluie, invite son amoureuse à se promener dans la campagne aux abords de la ville. Mais, constamment présente dans la pensée du poète, celle-ci apparaît à plusieurs reprises dans le lointain, où il aperçoit

> Des points lumineux scintiller,
> Et les monts, de la brume enfuie,
> Sortir, et, ruisselants de pluie,
> Les toits d'ardoise étinceler.
> . . . .
> Tourne un moment tes yeux pour voir,
> Avec ses palais, ses chaumières,
> Rayonnants des mêmes lumières,
> La ville d'or sur le ciel noir.
>
> Oh! vois voltiger les fumées
> Sur les toits de brouillards baignés!
> . . . .
> De la ville, que ses feux noient,
> Toutes les fenêtres flamboient
> Comme des yeux au front des tours (1).

Contempler Paris couché à ses pieds, c'est le souhait qu'exprime une autre fois le poète, évoquant le souvenir des soirs où il va voir le soleil se coucher sur la plaine de Vaugirard ou de Grenelle :

> Oh! qui m'emportera sur quelque tour sublime
> D'où la cité sous moi s'ouvre comme un abîme!...
>
> Que la vieille cité, devant moi, sur sa couche
> S'étende, qu'un soupir s'échappe de sa bouche,
> Comme si de fatigue on l'entendait gémir!
> Que, veillant seul, debout, sur son front que je foule,
> Avec mille bruits sourds d'océan et de foule,
> *Je regarde à mes pieds la géante dormir* (2)!

Même impression, mêmes mots, trois ans plus tard, à Bièvre :

> Derrière le ruban de ces collines bleues,
> A quatre de ces pas que nous nommons des lieues,
> *Le géant Paris est couché* (3).

Si, lassé des luttes et des envies de la ville, il appelle Virgile pour l'accompagner aux champs, c'est la même image de la *ville géante* étendue à ses pieds qui le hante :

> Viens, quittons cette ville au cri sinistre et vain,
> Qui, géante, et jamais ne fermant la paupière,
> Presse un fleuve écumant entre ses flancs de pierre,
> Lutèce. . . . . (4).

(1) O. B., V, 24.
(2) *Soleils couchants*, II, 26 août 1828, *F. A.*, XXXV.
(3) *Bièvre*, 8 juillet 1831, *F. A.*, XXXIV.
(4) *A Virgile, V. I.*, VII.

C'est encore Paris que Hugo nous invite à survoler avec lui dans le chapitre de *Notre-Dame de Paris* intitulé *Paris à vol d'oiseau* (1). Bien des années plus tard, du fond de l'exil, le poète nous conviera encore un *Jour de fête aux environs de Paris*, à admirer de loin « le vieux donjon de Saint-Louis » qui poudroie à l'horizon ou la « grande muraille étoilée » de Clichy :

> On voit au loin les cheminées
> Et les dômes d'azur voilés... (2).

Et quand l'infant Nuño, chevauchant le blanc coursier de Roland, parvient à Compostelle, est-il bien sûr que ce ne soit pas Paris, la patrie d'élection, qu'il revoit par l'œil de V. Hugo, dans son « paradis natal » ?

> Comme le soir tombait, Compostelle apparut.
> Le cheval traversa le pont de granit brut
> Dont saint Jacque a posé les premières assises.
> Les bons clochers sortaient des brumes indécises ;
> Et l'orphelin revit son paradis natal (3).

1870. *L'année terrible.* Hugo regarde encore Paris, qui l'effraie :

> Lac étrange ! Des flots, non, mais des toits sans nombre ;
> Des ponts comme à Memphis, des tours comme à Sion ;
> Des têtes, des regards, des voix ; ô vision !...
> Le lac sombre est la ville. . . . . (4).

Que de villes ainsi contemplées du haut d'un clocher ou d'un promontoire, avec effroi ou amusement ! Hugo est un des rares poètes pour lesquels on peut regretter sans trop de paradoxe qu'il n'ait pas connu l'aviation, car elle aurait développé un goût, un sens de la vision qu'il possédait d'instinct et qui aurait trouvé dans ce mode de voyage un exercice excitant.

Déformation de la vitesse.

Du moins a-t-il connu cet autre produit du progrès : le chemin de fer. S'il n'a pas expérimenté ce type de vision qui combine le schématisme de l'altitude et la déformation de la vitesse, il a éprouvé les curiosités de celle-ci en chemin de fer et même en diligence. A dire vrai, le chemin de fer ne l'a pas d'abord enchanté. La première fois qu'il eut l'occasion d'en apercevoir un, c'est pendant son voyage de Belgique, en 1837 (5). La laideur de cette carcasse noire l'a repoussé, son manque de fantaisie a éveillé sa défiance. Il imaginait si bien le dragon fantastique aux replis capricieux que ç'aurait pu être (6). Mais, vite revenu de cette prévention, le voici, quatre jours plus tard, « réconcilié avec les chemins de fer ». Fi donc du premier tortillard de Mons, qui n'était qu'un « ignoble

(1) Livre III, 11.
(2) *C. R. B.*, I, IV, 2 (1859).
(3) *Le Petit Roi de Galice*, L. S., P. S., V, 1.
(4) *A. T.*, *Janvier*, VII, p. 97.
(5) *V.*, II, p. 89 : « A quelques lieues de Mons, avant-hier, j'ai vu pour la première fois un chemin de fer. Cela, ajoute-t-il avec mépris, passait sur la route. Deux chevaux, qui en remplaçaient ainsi trente, traînaient cinq gros wagons à quatre roues chargés de charbon de terre. C'est fort laid. »
(6) Voir cette description imaginaire, au chapitre IV, p. 284.

chemin de fabrique », grossière caricature! Cette fois, il emprunte une
grande ligne, Anvers-Bruxelles. Encore étourdi de la rapidité du voyage
aller et retour, il évalue la commodité de ce nouveau moyen de transport.
Réduction des distances, à la bonne heure, voilà le progrès! On peut
sourire de cet enthousiasme dépassé, mais que l'on compare les incertitudes d'un Vigny en face du monstre à l'étonnement ravi du poète-enfant
devant le nouveau jouet mécanique offert par la civilisation.

C'est un mouvement magnifique et qu'il faut avoir senti pour s'en rendre
compte. La rapidité est inouïe. Les fleurs du chemin ne sont plus des fleurs,
ce sont des taches, ou plutôt des raies rouges ou blanches ; plus de points,
tout devient raie ; les blés sont de grandes chevelures jaunes, les luzernes
sont de longues tresses vertes ; les villes, les clochers et les arbres dansent et
se mêlent follement à l'horizon ; de temps en temps, une ombre, une forme,
un spectre debout paraît et disparaît comme l'éclair à côté de la portière :
c'est un garde du chemin qui, selon l'usage, porte militairement les armes
au convoi (1).

La joie lui ouvre les yeux. Son regard, toujours aussi fraîchement
impressionnable, saisit d'abord la prodigieuse transformation du paysage.
Au lieu de le lui massacrer, la vitesse le lui recrée, autrement. Il accueille,
attentif, cette géométrie nouvelle de la perception : « plus de points, tout
devient raie ». C'est un mode de *vision* original, dont, comme d'un autre,
il faut faire l'apprentissage.

Trois ans plus tard, en septembre 1840, Hugo découvre entre Mayence
et Francfort « un chemin de fer *charmant*... tout le long duquel il semble
qu'une main invisible vous présente l'un après l'autre les vergers, les
jardins et les champs cultivés, les retirant ensuite en hâte et les enfonçant
pêle-mêle au fond du paysage comme des étoffes dédaignées par l'ache-
teur (2) ».

Là est le secret d'une fantaisie nouvelle. Sans doute le merveilleux
nous guette derrière cette *main invisible*. Mais Hugo n'épuise pas le miracle
de la vitesse. Il n'en saisit pas toujours, comme à Anvers, le pouvoir
déformant, le feuillage étiré des arbres et les maisons dont le toit s'envole.
Ce qu'il retient surtout, c'est la rapide succession des images, la disparition et l'apparition des visions qui se remplacent et que la vitesse semble
télescoper les unes dans les autres.

Les voyages en diligence l'avaient d'ailleurs préparé à ces passages de
paysage. En août 1839, à Wasselone, toujours fidèle à enregistrer les
visions curieuses, mais également soucieux d'en expliquer le secret,
Hugo notait :

Je n'ai pu qu'entrevoir une singulière façade d'église surmontée de trois
clochers ronds et pointus, juxtaposés, que le mouvement de la voiture a
brusquement apportée devant ma vitre et tout de suite remportée en la caho-
tant comme une décoration de théâtre (3).

Certes, on est loin du charme des promenades à pied et de leur liberté (4).
Le paysage est imposé, encore n'est-ce pas généralement le plus intéressant qui borde la route. Adieu les petites vieilles maisons enfouies dans

(1) *V.*, II, p. 92.
(2) *Rh.*, XXIII, p. 239.
(3) *Rh.*, XXIX, p. 353.
(4) Cf. p. 174.

la rue tortueuse d'un bas quartier, quand la voiture dévale de toute la
vitesse de son attelage la rue principale! Mais là encore, faisant contre
mauvaise fortune bon cœur, Hugo trouve son compte. Les villes du
parcours s'inscrivent dans sa mémoire sous la forme des visions les
plus cocasses et les plus baroques, à la faveur d'une sensation fugitive
ou d'une étape dans la nuit. Tel est le plaisant souvenir qu'il conserve
de la route des Pyrénées en 1843. « Orléans, c'est une chandelle sur
une table ronde. » Tours est symbolisé par un pont, le Pont de Pierre
sans doute, dont les arches enjambent la Loire entre Saint-Symphorien
et l'entrée de la ville. Angoulême enfin : « C'est une lanterne éclairée au
gaz avec une muraille, portant cette inscription : CAFÉ DE LA MARINE,
et à gauche, une autre muraille sur laquelle on lit : LA RUE DE LA LUNE,
vaudeville (1). » Est-il sûr que les ormes du crépuscule eux-mêmes n'aient
pas bénéficié de cette déformation de la vitesse, quand leurs silhouettes
s'étiraient et grimaçaient sur le passage de la voiture (2)? Cette dernière
vue d'Angoulême surtout présente pour l'époque un caractère étonnamment moderne. Comme tout à l'heure les visions planiformes de
l'altitude évoquaient les vues prises en avion, il n'y a nul paradoxe à
avancer que ce défilé d'images brèves et notamment la vue d'Angoulême
s'inspirent de manière anticipée du film cinématographique, qui n'est
d'ailleurs, en réalité aussi bien qu'étymologiquement, que la vision dans
le mouvement. Mais rappelons qu'il n'y a là aucun dessein prémédité
de la part de Victor Hugo, rien que l'effet d'un sens instinctif de la vision
et d'une aptitude particulière de sa mémoire à retenir spontanément des
images intéressantes par leur aspect pittoresque, humoristique, paradoxal parfois (3). En fait, le symbole retenu de la ville est toujours un
trait dominant de sa physionomie, réellement caractéristique, comme dans
le cas de Tours, ou par dérision et spirituellement dans le cas d'Angoulême, que le hasard de l'étape a réduite à l'aspect d'une affiche sous une
lanterne au lieu de la coupole de cathédrale sur un piton qui l'aurait
assez bien figurée en plein jour. Ces particularités réunies de sa vue et
de sa mémoire poussent Victor Hugo, qu'il le veuille ou non, vers une
manière toute personnelle d'envisager le paysage, qui tient, à la limite,
de la caricature.

Silhouettes de clochers.

Hugo excelle à saisir aussi bien les choses de la nature que les hommes
par leur côté caricatural. La caricature n'est en effet rien de plus qu'une
déformation de l'objet envisagé dans le sens où un trait typique de son
aspect une fois exagéré peut prêter à rire ou à sourire. Certains éléments
susceptibles de modifier la vision, comme le crépuscule, l'altitude, la

---

(1) *V.*, II, p. 279. « Voilà ce que c'est que la France, conclut plaisamment Hugo,
quand on la voit en malle-poste. Que sera-ce lorsqu'on la verra en chemin de fer ? »
En août 1839, sur la route de Strasbourg, « une nuit en malle-poste », une série d'impressions analogues : « J'ai traversé Sézanne, et voici ce qui m'en reste : une longue
rue délabrée, des maisons basses, une place avec une fontaine, une boutique ouverte
où un homme éclairé d'une chandelle rabote une planche. J'ai traversé Phalsbourg,
et voici ce que j'en ai gardé : un bruit de chaînes et de ponts-levis, les soldats regardant avec des lanternes, et de noires portes fortifiées sous lesquelles s'engouffrait
la voiture. » *Rh.*, XXIX, p. 207.
(2) Cf. ici p. 207.
(3) Cf. Rome et le Mont-Cenis, souvenirs d'enfance, ici p. 12-13.

vitesse, peuvent contribuer à cette déformation, dans la mesure où, confondant les détails, ils font ressortir la silhouette générale de l'objet ou un trait caractéristique de sa structure, qui suggèrent une assimilation amusante avec telle ou telle chose, tel ou tel animal, tel ou tel homme. Parfois, un hasard de la perspective ou même la fantaisie personnelle y suffisent. Sur la route de Vitry à Saint-Dizier, Hugo aperçoit un clocher qui dépasse d'une colline. Sans doute, l'avait-il souvent regardé sous d'autres angles avant de distinguer l'aspect amusant qu'il pouvait présenter d'un certain point de vue. Une fois pourtant, un hasard le lui découvre. Et Hugo, diverti de cet effet, mais soucieux de ne pas nous le livrer brutalement, installe pour ainsi dire le lecteur à l'endroit voulu et lui donne toutes les indications nécessaires sur les formes et les couleurs pour justifier et lui faire partager la curieuse illusion qu'il a lui-même éprouvée.

Une fois, ce bout de clocher m'a présenté un aspect singulier. La colline était verte ; c'était du gazon. Au-dessus de cette colline, on ne voyait absolument rien que le chapeau d'étain d'une tour d'église, lequel semblait posé exactement sur le haut du coteau. Ce château était de forme flamande. (En Flandre, dans les églises de village, le clocher a la forme de la cloche.) Vous voyez cela d'ici, un immense tapis vert sur lequel on eût dit que Gargantua avait oublié sa sonnette (1).

L'effet est lentement amené par une suite de notations (*c'était du gazon*), de parenthèses explicatives (*En Flandre...*) et d'appels à l'imagination du lecteur (*Vous voyez cela d'ici*). Pourtant, lorsqu'il ne s'agit que d'indiquer une forme pittoresque et imprévue, Hugo procède souvent directement. Le beffroi de Mons, par exemple, qu'il a vu en 1837 : « Figure-toi une énorme cafetière flanquée au-dessous du ventre de quatre théières moins grosses (2). » Guère différent, le clocher de Dinant, lors de son second voyage en Belgique, en août 1840 : « Le clocher de l'église de Dinant est un immense pot à l'eau (3). » Le clocher de Givet, qu'il a découvert quelques jours auparavant, exige une description plus détaillée et il en vaut la peine.

Le brave architecte a pris un bonnet carré de prêtre ou d'avocat. Sur ce bonnet carré il a échafaudé un saladier renversé ; sur le fond de ce saladier devenu plate-forme il a posé un sucrier ; sur le sucrier, une bouteille ; sur la bouteille, un soleil emmanché dans le goulot par le rayon inférieur vertical ; et, enfin, sur le soleil, un coq embroché dans le rayon vertical supérieur. En supposant qu'il ait mis un jour à trouver chacune de ces idées, il se sera reposé le septième jour (4).

Coup de patte en passant à « l'inventeur » universel ou plutôt à l'image que l'on s'en fait d'après une compréhension bornée de la tradition : Hugo se représente mal Dieu se reposant le dernier jour, après ses six jours de labeur, comme un travailleur humain à la fin de la semaine, c'est là l'origine d'une série de saillies — dont celle-ci constitue la première apparition déguisée — que son anticléricalisme grandissant décochera, après 1851 et le ralliement du clergé au coup d'État, dans des poèmes

(1) *Rh.*, XXIX, p. 351 (août 1839).
(2) *V.*, II, p. 87.
(3) *Rh.*, VI, p. 53.
(4) *Rh.*, V, p. 48.

comme *Religions et Religion* (1). Coup de patte également à l'architecture flamande, dont son œil, amateur de complications, goûte au fond énormément les recherches extravagantes. Hugo a trop pris la peine de détailler dans ce clocher un équilibre ménager pour se priver de la boutade terminale que voici :

> Cet artiste devait être flamand. Depuis environ deux siècles, les architectes flamands se sont imaginé que rien n'était plus beau que des pièces de vaisselle et des ustensiles de cuisine élevés à des proportions gigantesques et titaniques (2).

Ainsi, il arrive que dans cette collection de caricatures perce parfois une pointe d'humeur, qui fouette sa verve. Si le feuillage des arbres submerge Liége et ses clochers, il n'y a pas grand mal et l'on en pourrait dire ce que Hugo dit de la nuit, c'est *le plus grand des cache-sottises* (3) :

> Ces immenses feuillages font de leur mieux pour cacher au voyageur les maussades clochers de la ville, lesquels apparaissent de loin comme un gigantesque jeu de quilles diapré de quelques bilboquets (4).

Silhouettes pittoresques.

Mais si Hugo pratique la caricature dans la nature à l'égard des ormes et des rochers ou des clochers dans les villes, on devine avec quelle facilité il le fait pour les silhouettes et les physionomies humaines. Il y apporte le même sens du pittoresque, les mêmes aptitudes à schématiser un visage ou une silhouette, à en saisir le trait saillant et à déformer l'ensemble dans ce sens. On se souvient de la caricature célèbre du « classique » croqué à la première représentation d'*Hernani* : silhouette étriquée, hésitante, mine hébétée, affligée et fermée, qui rendent presque superflue la légende « Je ne comprends pas ». Ce sens du schématisme qui tenait dans ce simple coup de crayon, qui se révélait dans les visions d'Orléans et d'Angoulême, Hugo le retrouve également dans la caricature humaine. Nous n'en voulons qu'un exemple. Dans l'un de ces fragments qu'il a lui-même intitulés *Tas de pierres*, Hugo nous représente Godoy, l'ex-ministre du roi d'Espagne Charles IV, en habit de cérémonie, tel qu'il a pu le voir à la cour de Louis-Philippe. Il restait, pour achever le portrait, à dessiner l'essentiel : le visage. Le voici :

> Les cheveux coupés courts, parce que hérissés et poudrés à blanc, donnaient à cette ronde figure je ne sais quel faux air d'une châtaigne (5).

En voyage, Hugo, qui laisse aller son esprit et son regard à leur fantaisie, ne se désintéresse jamais des personnages de la comédie pittoresque qui se déroule sous ses yeux. Autant que le paysage proprement dit, ils retiennent son attention : sur son album à dessin, dont il a fait l'acquisition avant de partir et qui ne le quitte jamais, Hugo les esquisse au crayon, avant de les fixer dans sa prose. Ici, c'est une silhouette drolatique, là un costume local, ailleurs une attitude, un geste typiques et

---

(1) *R. R.*, p. 200 et 269.
(2) *Rh.* V, p. 48.
(3) *Ibid.* L'expression *cache-sottises* semble avoir été employée pour la première fois par Stendhal, à propos de l'alexandrin, dans *Racine et Shakespeare*.
(4) *Rh.*, VII, p. 56.
(5) *Oc.*, *Tas de pierres*, Histoire, p. 433.

amusants. Il se constitue peu à peu une collection de visages et de silhouettes, une galerie de « grotesques », personnages en quête de pièces, parmi lesquels il n'aura qu'à puiser par la suite pour trouver ceux du *Théâtre en liberté*. Des grotesques, ce ne sont pas nécessairement et seulement des fantoches ridicules, mais des « originaux » pittoresques, colorés, curieux par quelque endroit, aux personnalités affirmées ou fuyantes, et, dans l'ensemble, si extravagants qu'on les dirait imaginaires s'ils n'étaient réels. Demandons-en une définition à Montaigne qui avait laissé à son peintre le soin d'en décorer les parois de sa librairie : « et le vide tout autour, il le remplit de *grotesques*, qui sont peintures fantasques, n'ayant grâce qu'en la variété et étrangeté (1) ». La définition aurait été, je crois, du goût de Victor Hugo.

Pour ménager la transition, prenons un de ces grotesques, au moment où il s'insinue dans un paysage où la fantaisie demeure encore assoupie. Entre Paris et la Ferté-sous-Jouarre, un jour de juillet 1838, Hugo détaille une *charmante vallée :*

A droite et à gauche, de beaux caprices de terrain, de grandes collines coupées par les cultures, et une multitude de carrés amusants à voir ; çà et là, des groupes de chaumières basses dont les toits semblent toucher le sol ; au fond de la vallée, un cours d'eau masqué à l'œil par une longue ligne de verdure et traversé par un vieux petit pont de pierre rouillée et vermoulue où viennent se rattacher les deux bouts du grand chemin.

Jusque là, rien que du pittoresque. Mais pour qui s'est familiarisé avec la fantaisie de Victor Hugo, les *caprices de terrain*, ces *carrés amusants*, ces colonies de chaumières, ce vieux petit pont même annoncent la fantaisie en somnolence et constituent l'un de ses décors électifs. Il y manquait un élément vivant pour l'éveiller, un personnage pour animer ce décor. C'est sur le pont qu'il apparaît.

Au moment où j'étais là, un roulier passait le pont, un énorme roulier d'Allemagne, gonflé, sanglé et ficelé, qui avait l'air du ventre de Gargantua traîné sur quatre roues par huit chevaux. Devant moi, suivant l'ondulation de la colline opposée, remontait la route éclatante de soleil, sur laquelle l'ombre des rangées d'arbres dessinait en noir la figure d'un grand peigne auquel il manquerait plusieurs dents.

Fantaisie aussi, ce grand peigne d'ombre édenté, qui, Hugo en a peur, passera pour une extravagance aux yeux de son correspondant. Il le confirme d'ailleurs, en concluant sur l'effet que lui a produit cette scène :

Eh bien, ces arbres, ce peigne d'ombre dont vous rirez peut-être, ce roulier, cette route blanche, ce vieux pont, ces chaumes bas, *tout cela m'égaie et me rit* (2).

Là, c'est la silhouette qu'il a caricaturée. Ailleurs c'est un détail du pittoresque accoutrement qui le frappe. Tel ce roulier croisé à Heidelberg, en octobre 1840, dont Hugo nous apporte l'estampe anachronique :

Le roulier de la vallée du Neckar me sourit sous son feutre orné de galons

(1) *Essais*, I, 28.
(2) *Rh.*, I, p. 17.

d'argent à franges pendantes et de roses artificielles ; les paysans me saluent gravement avec leur grand chapeau à la Henri IV... (1).

Pour ne pas quitter le personnel des routes, Hugo établit un amusant parallèle entre le postillon badois et le postillon français, « où l'auteur, ajoute-t-il, ne se montre pas aveuglé par l'amour-propre national ». Sur la place Kléber, à Strasbourg, l'uniforme coloré du premier exerce sur lui une séduction irrésistible :

Le postillon badois est charmant ; il a une veste jaune vif, un chapeau noir verni à large galon d'argent, et porte en bandoulière un petit cor de chasse avec une énorme touffe de glands rouges au milieu du dos (2).

Le postillon français, à l'opposé, manque de tout pittoresque ; il est « hideux » : « une vieille blouse crottée avec un affreux bonnet de coton, voilà le postillon français ». Mais le postillon de Longjumeau, demandez-vous ? L'auteur ne l'oublie pas : c'est un « mythe », répond-il. Du reste, il explique de bonne foi son enthousiasme : comme pour le roulier de la route de la Ferté, le décor qui l'encadrait y aidait. « ... Sur le tout, postillon badois, chaise de poste, gamins allemands (« blonds et ventrus », a-t-il précisé), vieilles maisons, arbres, baraques et clochers, posez un joli ciel mêlé de bleu et de nuages, et vous aurez une idée du tableau. » Nous reconnaissons là l'extrême sensibilité du poète aux doux ciels ensoleillés, qui tournent son esprit vers la fantaisie.

Mais le spectacle n'est pas toujours sur le siège de la diligence, il est aussi à l'intérieur, où les voyageurs composent un jeu de massacre pour la plume de leur compagnon de hasard. D'instinct, remarquez-le, il ne retient que les types pittoresques.

L'intérieur était ainsi composé : un bibliothécaire allemand, triste d'avoir oublié sa blouse dans une auberge du mont Rigi ; un petit vieillard en cos-tume d'incroyable qui me faisait l'effet d'Elleviou en voyage, et lui deman-dant *s'il avait vu le pays des grisons ;* enfin un grand commis marchand, colporteur d'étoffes, et déclarant avec un gros rire que, comme il n'avait pu « placer ses échantillons », il voyageait *en vins* (en vain) ; de plus, ayant sur ses joues des favoris comme les caniches tondus en ont ailleurs (3).

Petits soucis de l'intellectuel légendairement aux prises avec la réalité quotidienne, éternel astronome qui se laisse choir dans un puits, fidélité émouvante et comique à la mode de sa jeunesse du vieillard sourd à ses propres travers mais éveillé sur ceux de son compère, verve grosse comme le vin bleu du voyageur de commerce, satisfait de ses bons mots, rien n'échappe à son coup d'œil. Il ajoute, superbe : « Voyant ceci, je suis monté sur l'impériale. » Aussi bien, avait-il enregistré tout ce qu'il fal-lait voir. Et qui sait si celui-ci ou celui-là ne prêtera pas sa silhouette au marquis octogénaire épris d'Emma ou de Zabeth ?

De l'impériale, où le vent frais le fouette, l'œil reste aux aguets. Des couleurs, toujours des couleurs. Mais les vieillards du coupé badois font place à la jeunesse, sur la route de Fribourg à Bâle, ce même jour de sep-

---

(1) *Ibid.*, XXVIII, p. 313.
(2) *Ibid.*, XXIX, p. 347, début de septembre 1839.
(3) *Ibid.*, XXXII, p. 370, Bâle, 7 septembre 1839. Elleviou, chanteur français qui avait connu la vogue, avait alors soixante-dix ans.

tembre 1839. Voyons les jeunes filles : ce sont les coiffures surtout et les costumes locaux qui l'amusent par la diversité de leurs nuances. A Fribourg d'abord :

> Les jeunes filles de ce côté du Haut-Rhin ont un costume exquis : cette coiffure-cocarde dont je vous ai parlé, un jupon brun à gros plis assez court, et une veste d'homme en drap noir avec des morceaux de soie rouge, imitant des crevés et des taillades, cousus à la taille et aux manches. Quelques-unes, au lieu de cocarde, ont un mouchoir rouge noué en fichu sous le menton. Elles sont charmantes ainsi (1).

A Brugg, il en oublie, pour les regarder et les comparer au souvenir de Fribourg, le célèbre bas-relief à la tête de Hun :

> Avec leur cocarde de ruban sur le front, moins exagérée qu'à Freiburg, leur cuirasse de velours noir traversée de chaînes d'argent et de rangées de boutons, leur cravate de velours à coins brodés d'or serrée au cou comme le gorgeret de fer des chevaliers, leur jupe brune à plis épais et leur mine éveillée, les femmes de Brugg paraissent toutes jolies (2).

La moindre nuance dans le costume n'échappe pas à cet œil infatigable, digne d'un peintre ou d'une couturière.

On passe la Reuss, la cuirasse de velours noir devient un corselet de damas à fleurs, au beau milieu duquel elles cousent un large galon d'or. On passe la Limmat, la jupe brune devient une jupe rouge avec un tablier de mousseline brodée. Toutes les coiffures se mêlent également ; en dix minutes on rencontre de belles filles avec des grands peignes exorbitants comme à Lima, avec des chapeaux de paille noire à haute forme comme à Florence, avec une dentelle sur les yeux comme à Madrid. Toutes ont un bouquet de fleurs naturelles au côté. Raffinement (3).

« La vallée, note-t-il, n'est pas seulement un confluent de rivières, c'est aussi un confluent de costumes. » On croit bien que V. Hugo est sensible aux jeunes filles des rues et des bois, jolies à Brugg, mais charmantes à Fribourg, auxquelles il songera sans doute dans ses idylles rustiques. Et lorsqu'il faudra habiller Margarita ou Lison, les amours du duc Gallus, et Zabeth, avant qu'elle ne devienne marquise, ou Emma, la belle-fille de la Margrave, fines paysannes badoises, fraîches gravures d'outre-Rhin, comment ne verrait-il pas de nouveau défiler devant ses yeux attendris ces pittoresques souvenirs de voyage?

S'il a un faible pour les jolies villageoises en costume local, le pittoresque uniforme des étudiants allemands, qu'il croise sur la route de Lorch, lui rit aussi :

> Ils portent la casquette classique, les longs cheveux, le ceinturon, la redingote serrée, le bâton à la main, la pipe de faïence coloriée à la bouche et... le bissac sur le dos (4).

Parfois, la province réserve à ses sarcasmes un de ses produits, maladroites contrefaçons des citadins. Pascal avait ses « belles de village ». Hugo s'épanouit devant « le grotesque élégant de Worms » : .

---

(1) *Ibid.*, XXXII, p. 370.
(2) *Ibid.*, XXXV, p. 384.
(3) *Ibid.*, p. 385.
(4) *Rh.*, XX, p. 165, septembre 1840.

Ce brave jeune homme portait héroïquement un petit chapeau tromblon, bas et à larges poils, et un pantalon large, sans sous-pieds, qui ne descendait que jusqu'à la cheville. En revanche, le col de sa chemise, droit et empesé, lui montait jusqu'au milieu des oreilles et le collet de son habit, ample, lourd et doublé de bougran, lui montait jusqu'à l'occiput. Si j'en juge d'après cet échantillon, voilà où en est l'élégance à Worms. Un vrai maçon endimanché... (1).

Cette caricature sans méchanceté est suivie d'une aimable satire de la mode, « qui est la fantaisie sans la pensée ».

Mais le spectacle n'est pas seulement sur la route, il est aussi de part et d'autre de la route, dans les champs qui la bordent. Toujours les couleurs, et le trait ou le geste caricaturaux. Ici, c'est « un chasseur local ainsi costumé : un chapeau rond vert-pomme avec grosse cocarde lilas en satin fané, blouse grise, grand nez, fusil (2) ». Là, ce sont des paysans au travail : « le semeur marche à grands pas et gesticule tragiquement dans la plaine solitaire, comme un poète qui fait son cinquième acte (3) ». Dans la série solennelle des semeurs qui aboutira à *Saison des Semailles*, c'est certainement celui qui apporte la note la plus fantasque. Même les personnages les plus sérieux de ce cortège présentent dans leur accoutrement quelque détail étrange ; c'est celui qu'il retient, savourant le contraste de cette comique gravité. « Puis, ce sont de graves laboureurs piquant leurs bœufs et conduisant leur charrue en longue redingote blanche et en calotte de prêtre (4). » Sur la route, la procession comique se poursuit, où l'on retrouve, pour n'en pas perdre l'habitude, un nouvel exemplaire de nos vieux amis les rouliers. « Des voyageurs piétons traînent leur bissac dans une façon de petit haquet à deux roulettes ; des rouliers pittoresques, coiffés d'un bonnet de chauffeur ou d'un chapeau de sénateur de l'empire français, menant de grands chariots évasés dont les quatre roues tournent sous des espèces d'ogives et dont les huit chevaux balancent à leurs oreilles de petites cymbales de cuivre (5). »

(1) *Ibid.*, XXVI, p. 298, octobre 1840.
(2) *Ibid.*, X, p. 85, sur la route d'Aix-la-Chapelle à Cologne, septembre 1840.
(3) *Rh.*, Reliquat, p. 490, Vallée du Neckar, octobre 1840. C'est le premier exemple de la série des semeurs, qui se continue ainsi :
L'orateur, semeur d'idées, *in N. P.*, V, chap. VI, p. 121 : « Une fois monté à cette tribune (celle du Parlement), l'homme n'est plus un homme ; c'est un ouvrier mystérieux qu'on voit le soir au crépuscule, marchant à grands pas dans les sillons, et lançant dans l'espace, avec un geste d'empire, les germes, les semences, la moisson future, la richesse de l'été prochain, le pain, la vie. »
Jésus-Christ, semeur de la « bonne nouvelle », *in F. S.*, I, III, p. 709, publié en 1886, mais, d'après la date du ms., écrit entre décembre 1859 et avril 1860 :

Les paysans, le soir, de sa lueur troublés,
Le regardaient de loin marcher le long des blés,
Et sa main qui s'ouvrait et devenait immense
Semblait jeter aux vents de l'ombre une semence.

Enfin, le plus célèbre, « le geste auguste du semeur », *in C. R. B.*, II, I, 3, *Saison des Semailles-Le Soir*, « chose vue » « entre La Roche et Rochefort » le 23 septembre 1865, lors de son voyage en Belgique, qui rappelle assez le semeur du *Rhin*, 1840, et contient le même symbole.
On pourrait voir une première approximation de ce motif, à la fois pour l'image et le symbole, dans la vision surprenante du trappiste laboureur aperçu entre Lier et Turnhout (Belgique, 1837), *in V.*, II, p. 94 : « ... un trappiste qui défrichait, triste laboureur d'un triste sillon. C'était beau d'ailleurs pour la pensée de voir cette robe blanche et ce scapulaire noir pousser deux bœufs... De temps en temps, il se retournait, et le soleil couchant dessinait vivement par les ombres et par les clairs sa figure austère et sereine. Je ne sais si cet homme pensait, mais je sais qu'il faisait penser. »
(4) *Ibid.*
(5) *Ibid.*

Gueux, bohémiens et philosophes.

Mais voici que s'avance, à la suite des rouliers aux coiffures héroïques et de leur équipage porteur de boucles d'oreilles, de nouveaux personnages, graves et bohèmes, qui introduisent la série la plus prolifique, parce que la plus chère au poète, celle des gueux.

Au bord de la route, près des carrières, on rencontre par intervalles des groupes de cinq ou six hommes, sérieux, propres, rêveurs, fumant de longues pipes, vêtus d'une veste ronde et d'une culotte courte mi-parties de gris et de brun, traînant une grosse pierre avec un air de supériorité nonchalante et suivis d'un soldat silencieux, le fusil sur l'épaule. Ces messieurs sont des forçats (1).

Voyez comme Hugo ménage son effet. Qui sont ces bourgeois, libres de leur temps, occupés en apparence à suivre pensivement la fumée de leur pipe? Le boulet, qui pourrait nous renseigner sur leur identité, n'est indiqué que tardivement, parce que Hugo suit l'ordre de la marche, le boulet précédant de peu l'escorte, et surtout parce qu'il aime à mystifier son lecteur, comme il l'a été tout le premier. Ce boulet n'est qu'une pierre, sont-ce des fonctionnaires cantonniers? On pourrait croire que ce sont les membres d'une nouvelle secte religieuse. Il n'en est rien : « Ces messieurs sont des forçats. » On est loin de la scène pathétique du ferrement des forçats dans *le Dernier Jour*, loin de Claude Gueux, ou de Jean Tréjean, que Hugo n'oublie pas pour son roman *les Misères*, loin de ces documents précis et apitoyés, consignés au jour le jour à Paris, Brest ou Toulon, ou transcrits des *Mémoires* de Vidocq (2). Ceux-là lui apparaissent dans la campagne comme de ces personnages, bizarrement accoutrés et spirituellement libres, qui ont choisi de vivre en dehors de la société, je veux dire des gueux. Hugo les envie au fond de lui-même et ses voyages ne lui donnent-ils pas, pour un temps, l'impression d'être l'un de ces vagabonds, traînant sur les routes, libre de son temps dont lui n'est jamais assez riche, voyageur inconnu, comme il a le souci constant de le demeurer, voyageur sans bagage, symboliquement libéré des dernières entraves matérielles inventées par la société. C'est du respect, mêlé de tendresse, qu'il éprouve pour ces gueux plus ou moins imaginaires, dont le désœuvrement passe à ses yeux pour poésie et le silence pour méditation. Aussi, de ces gueux rencontrés en voyage, n'en a-t-il oublié aucun, leur livrant dans son esprit le domaine le plus large qu'il possédait, son imagination, et dans son œuvre la maison la plus hospitalière et la plus fantasque, tout spécialement dressée à leur intention, le *Théâtre en liberté*, c'est-à-dire l'une des œuvres où peut-être il se trouve sans contrainte le plus lui-même, où à coup sûr il se soucie le moins des autres. Eh bien, ces fantoches délicieux du *Théâtre*, ces grotesques par excellence, ces gueux de son affection, c'est sur les routes, dans les champs, à la porte des auberges, qu'il les a, un à un, recueillis et collectionnés pour ne plus les oublier.

C'est, un jour qu'il avait plu, sur la route détrempée d'Aix à Cologne qu'il rencontre un pauvre musicien ambulant, frère cadet du poète

---

(1) *Ibid.*
(2) Voir G. Charlier, *Comment fut écrit « le Dernier Jour »*, R. H. L. F., juillet-décembre 1915.

Gringoire, troussé comme le galant de Worms, mais par nécessité de
métier et ironie du sort :

Je n'y ai rencontré personne, si ce n'est, par instant, quelque musicien
blond, maigre et pâle, allant aux redoutes d'Aix-la-Chapelle ou de Spa,
son havresac sur le flanc, sa contrebasse couverte d'une loque verte sur le
dos, son bâton d'une main, son cornet à piston de l'autre ; vêtu d'un habit
bleu, d'un gilet fleuri, d'une cravate blanche et d'un pantalon demi-collant
retroussé au-dessus des bottes à cause de la boue ; pauvre diable arrangé
par le haut pour le bal et par le bas pour le voyage (1).

Les bohémiens surtout l'attirent par leur grâce nonchalante et bigarrée,
la misère fleurie de leurs enfants qui toujours l'attendrissent. Le 17 septembre 1837, entre Louviers et Pont-de-l'Arche, il croise en plein midi
l'une de ces troupes de musiciens ambulants dont il évoque le cortège
pittoresque :

Ils suivaient le plus possible la lisière d'ombre que font les arbres. Chacun
avait son fardeau. Le père, homme d'une cinquantaine d'années, portait
un cor en bandoulière et une grosse contrebasse sous son bras ; la mère avait
un gros paquet de bagages ; le fils aîné, d'environ quinze à seize ans, était
tout caparaçonné de hautbois, de trompettes et d'ophicléides ; deux autres
garçons plus jeunes, de douze à treize ans, s'étaient fait une charge d'instruments de musique et d'instruments de cuisine où les casseroles résonnaient
à l'unisson des cymbales (2).

Dans cette famille, il cueille une fleur, une toute petite fille de quatre à
cinq ans, en guenilles comme les autres...

Sur l'affreux chapeau déformé qui couvrait son joli visage rose, elle portait
— c'est là ce qui m'a le plus ému — un petit panache composé de liserons,
de coquelicots et de marguerites, qui dansait joyeusement sur sa tête.
J'ai longtemps suivi du regard ce chapeau hideux surmonté de ce panache
éclatant, charmante fleur de gaîté qui avait trouvé moyen de s'épanouir sur
cette misère (3).

Il s'en faut d'ailleurs que toutes les bohémiennes soient aussi émou-
vantes, ou même pittoresques. Hélas, tout se perd! constate Hugo,
même la bohémienne, qui « tombe en ruine ».

Elle a un chapeau de paille, une robe d'indienne rose, une écharpe bleu-
ciel, des manches à gigots, des souliers-cothurnes, et elle est suivie d'une
façon de clerc d'avoué portant sa guitare. Il y a bien toujours quelque chose
d'un peu étrange dans les nattes de sa coiffure, mais c'est là tout (4).

Car le grotesque a ses lois et ne s'accommode que de l'état de nature.
Accoutrée à la manière des villes, une bohémienne perd toute sa fantaisie : c'est un mauvais déguisement. Et Hugo se prend à rêver d'Esmeralda :

Il faut que nous renoncions à l'ancienne bohémienne, bien plus jolie et
bien plus jeune que celle-ci, à la danseuse court-vêtue, cuirassée de clin-
quant, coiffée, comme il convient à une fille sauvage qui amuse les villes,
d'épis ramassés dans les champs et de sequins ramassés dans les rues ; étrange

(1) *Rh.*, X, p. 84, début septembre 1840.
(2) *V.*, II, p. 149.
(3) *Ibid.*
(4) *Rh.*, Reliquat, p. 489.

créature, espèce de femme-monstre, courtisane par un bout et fée par l'autre, qui jetait au passant son charmant sourire effrayé et farouche (1).

Ne dirait-on pas déjà la belle « déchaussée » des *Contemplations*, cette autre jeune sauvage, effarouchée au bord du ruisseau par la soudaine apparition du poète?

> Je vis venir à moi, dans les grands roseaux verts,
> *La belle fille heureuse, effarée et sauvage,*
> Ses cheveux dans ses yeux, et riant au travers (2).

Roman d'une imagination qui se nourrit de ses rêves alimentés aux gravures du temps passé? Non pas seulement. La réalité est un répertoire inépuisable, dont le hasard, parfois provoqué, nous révèle les pièces une à une. Aurait-il oublié la bohémienne de Berne, dont il contait il y a seulement un an la pitoyable histoire d'amour dans l'épisode des *Bateleurs*, écrit pour Louis Boulanger? « ... C'était une ravissante et superbe fille. Des joyaux d'idole et un air de déesse. » Et son charmant accoutrement, dont chaque pièce témoignait d'une existence vagabonde? Il faut qu'il l'ait vue de bien près, et l'imagination a fait le reste, aidée, qui sait, par les planches d'un vieux dictionnaire, rubrique des costumes provinciaux :

Son costume, rehaussé de bijoux de toutes sortes, racontait ses voyages. Elle portait des bas bleus à coins ornés d'arabesques blanches comme en portent les filles de Souabe, un ample jupon de drap brun à mille plis comme les montagnardes de la Forêt-Noire et un étroit gilet de soie comme les paysannes de la Bresse. Ce gilet, d'une coupe naïve et quelque peu disgracieuse, était presque caché et pour ainsi dire corrigé par une large collerette de Flandre... A ses pendants d'oreilles en filigrane, on devinait qu'elle avait été à Gênes ; à son bracelet de mosaïques, qu'elle était allée à Florence ; à son bracelet de camées, qu'elle avait traversé Rome ; à son collier de corail et de coquillages, qu'elle avait vu Naples (3).

Rêverie livresque? Je ne pense pas : du moins pas entièrement. Le livre complète, étiquette, localise : le point de départ reste une « chose vue ». L'histoire, cruelle et singulière, des *Bateleurs* le montre : il ne l'a pas inventée.

Parmi ces bohémiens, se glisse parfois l'un des types les plus amusants de cette galerie grotesque, le gueux philosophe, mi-bohémien, mi-savant, dont la fantaisie réelle dépasse tout ce que Hugo pourrait imaginer. Sur la route de Lorch à Bingen, un jour d'août 1840, le voyageur se rappelle le souvenir d'une excursion dans le Gâtinais en août 183.., en compagnie de G..., « ce vieux poète savant », au Hameau de Petit-Sou (4). C'était

(1) *Rh.*, Reliquat, p. 489.
(2) I, 21, 16 avril 1853.
(3) *V.*, II, p. 206.
(4) *Rh.*, XX, p. 159 sq. *A priori*, cette aventure, souvenir sans rapport avec la route de Lorch à Bingen, éveille les soupçons, surtout venant après l'histoire des ours dans la forêt de Bondy. Le poète est en veine de raconter les aventures extraordinaires d'un voyageur à pied : « S'il est amusant pour autrui d'inventer des aventures, il est amusant pour soi-même d'en avoir », a-t-il dit de façon assez équivoque. Toutefois la rencontre de camelots à prétentions scientifiques ne devait pas être si rare autrefois (cf. les dentistes de foire) puisqu'elle est encore possible dans certaines fêtes de village. J'admets que le narrateur brode, mais l'anecdote contient sans doute un fond de vérité.

la fête du village, et, parmi les baraques des forains, l'une avait retenu leur attention par sa singularité : on y montrait un microscope. Sur un écriteau « fourmillaient, grossièrement dessinés dans mille attitudes fantastiques, plus d'animaux effrayants, plus de monstres chimériques, plus d'être impossibles que saint Antoine n'en a vu et que Callot n'en a rêvé ». Les deux baladins qui faisaient la parade de cette curieuse boutique n'étaient pas moins singuliers :

L'un, sale comme Job, bronzé comme Ptha, coiffé comme Osiris, gémissant comme Memnon, avait je ne sais quoi d'oriental, de fabuleux, de stupide et d'égyptien, et frappait sur un gros tambour tout en soufflant au hasard dans une flûte. L'autre le regardait faire. C'était une espèce de Sbrigani, pansu, barbu, velu et chevelu, l'air féroce et vêtu en hongrois de mélodrame.

Ces deux « messieurs », comme pourrait le répéter ici Hugo, étaient des savants. Ils s'occupaient de sciences naturelles et de microbiologie. Aussi Hugo, avec une joie qu'il partage avec Rabelais et Molière, reproduit leur débauche de mots scientifiques aux consonances barbares : *scyres, cunaxa, bdella, gamases, dermanyssus, glyciphagus cursor, sarcoptes ovis, sarcoptes rupicapræ, sarcoptes hippopodos,* etc. Ce n'était point pur boniment : il s'agissait des différentes espèces du microbe de la gale dont le bonhomme avait fait son gibier. Hugo nous montre le vieux savant qui l'accompagne étonné, intéressé, captivé par le discours du charlatan, risquant une timide critique et superbement remis en place par le savoir étourdissant du bateleur (1).

Tout l'humour de cette scène est fait de contraste et de surprise. Première surprise, le contraste de cette parade de science sur un tréteau forain. Seconde surprise, second contraste, plus inattendus encore, la découverte d'un savant authentique dans ce camelot grotesque et bariolé. Hugo n'était pas près d'oublier une bouffonnerie aussi miraculeuse de la vie. Dix ans après, la rencontre d'une troupe de bohémiens lui remet en mémoire le savant Sbrigani, charlatan de la gale. Et si, longtemps plus tard, Ursus, le philosophe dans sa roulotte, entre son loup Homo et l'affiche généalogique des lords anglais, plus versé à vrai dire dans l'histoire politique que dans les sciences naturelles, mais également occupé de thérapeutique, si ce personnage d'une fantaisie extravagante, qui tout au long de *l'Homme qui rit,* se répand lui aussi en longues tirades publicitaires et dogmatiques, nous surprend, pensons à de tels souvenirs qui, peut-être les premiers, ont donné à Victor Hugo par

(1) C'est là qu'est sans doute l'enchère de l'imagination *cum libro.* J. Giraud dans son article sur *Victor Hugo et « le Monde » de Rocoles* (*R. Hist. litt.,* t. XVII, 1910, p. 508) a signalé deux emprunts à cette « encyclopédie » de 1660 pour l'histoire de G... (*Rh.,* p. 159, Rocoles, p. 393) : la description du basilic et l'histoire du loup de Milly. Je ne me formalise pas plus que J. Giraud de ce procédé de conteur, où je vois une manière d'éveil et d'économie de la fantaisie (voir plus loin, chap. IV). J'ajouterai seulement : le nom d'Aristote, cité à la fin par Rocoles comme autorité scientifique, devient chez Hugo une saillie. Devant le scepticisme de son interlocuteur ce savant d'un autre âge proteste sur le ton des bons pères de Pascal : « Tout beau, mon cher, mais ce sont là des opinions d'Aristote! » (*ibid.,* p. 158). C'est la part du conteur d'en tirer un effet de comédie. Dans le cas présent, s'il est certain que Hugo transcrit son bric-à-brac érudit de quelque Rocoles, les silhouettes pittoresquement campées ne doivent rien qu'à l'œil et à l'imagination du poète en verve : et c'est ce qui nous intéresse.

l'exemple de la réalité l'idée baroque du mariage de la science et du cirque. Ce Sbrigani peut bien être l'original d'Ursus (1).

A l'opposé de ce savant de comédie, nous rencontrerons, en suivant le voyageur, ce type de savant timide, affamé et lunaire que Victor Hugo invite un jour à Bingen par pitié à sa table.

Le pauvre diable était un jeune savant, pâle, sérieux et chevelu, fort épris d'entomologie et un peu amoureux d'une servante d'auberge, ce qui est un goût de savant. Du reste, un savant amoureux est un problème pour moi (2).

L'anecdote est amusante. Hugo joue sur l'antithèse du savant amouraux. Il imagine ce « Roméo, l'œil au microscope, comptant les dix-sept mille facettes de l'œil d'une mouche ». La conversation qu'il cherche à établir entre eux n'est pas moins divertissante. Cet admirateur du « beau scarabée à cuirasse d'azur » ne sait qu'y déclarer avec une mélancolie convaincue et pour le malin plaisir de son interlocuteur : « Rien n'est beau comme les sagres bleus ! »

Hugo n'est d'ailleurs pas toujours aussi tendre et son esprit satirique sait à l'occasion retrouver son mordant et s'exercer, par exemple, aux dépens d'un Vadius local, prétentieux et malpropre, aperçu à Cologne :

Un homme, vieilli plutôt que vieux, dégradé plutôt que courbé, d'aspect misérable et d'allure orgueilleuse, traversait la cour... Cet homme est un poète, qui vit de ses rentes dans les cabarets et qui fait des épopées. Nom d'ailleurs parfaitement inconnu. Il a fait, m'a dit mon guide qui l'admire fort, des épopées contre Napoléon, contre la révolution de 1830, contre les romantiques, contre les Français, et une autre belle épopée pour inviter l'architecte actuel de Cologne à continuer l'église dans le genre du Panthéon de Paris. Épopées, soit. Mais cet homme est d'une saleté rare. Je n'ai vu de ma vie un drôle moins brossé. Je ne crois pas que nous ayons en France rien de comparable à ce poète-épic (3).

Mais le véritable modèle d'Aïrolo et de Maglia, les bouffons du roi Hugo, personnages fantasques, mais à la fois plus fous et plus sages que les précédents, on le trouverait plutôt dans cet original de Bâle :

Vers huit heures du matin, dans un endroit sauvage et propre à la rêverie, j'ai vu un monsieur d'âge vénérable, vêtu d'un gilet jaune, d'un pantalon gris et d'une redingote grise, et coiffé d'un vaste chapeau rond, ayant un parapluie sous le bras gauche et un livre. Il lisait attentivement. Ce qui m'inquiétait, c'est qu'il avait un fouet à la main gauche. De plus, j'entendais des grognements singuliers derrière une broussaille qui bordait la route. Tout à coup, la broussaille s'est interrompue, et j'ai reconnu que ce philosophe conduisait un troupeau de cochons (4).

Sans doute, ces esquisses ne sont-elles pas entièrement dépourvues d'apprêts : il est trop heureux que le poète crasseux de Cologne ait justement composé des épopées pour permettre le calembour final et les cochons de ce philosophe font bien songer au troupeau d'Épicure. Mais

---

(1) Dans *Kenilworth* (chap. IX) le vieil ermite savant, Erasme Holyday, qui parle un anglais coupé de latin, volontiers sentencieux, a un air de famille avec G... et Ursus. Le tour de ces conversations pédantes, qui abondent chez Scott, devait réjouir les romantiques et se retrouve aussi chez Dumas.
(2) *Rh.*, XXII, p. 235, Bingen, septembre 1840.
(3) *Rh.*, X, p. 94, Cologne, septembre 1840.
(4) *Ibid.*, XXXII, p. 370 (Bâle, septembre 1839).

les images restent vivantes, d'une verve aimable et truculente à la fois, et surtout assez fidèles au souvenir pour qu'on puisse y reconnaître la suite des sensations primitives : le fouet du philosophe, la pierre du forçat, qui seules permettent d'identifier leur fonction sociale, n'apparaissent pour nous, comme pour Hugo, qu'avec un certain temps de retard, une fois que l'illusion a joué et seulement pour la dissiper.

Le roi de ces bouffons, car il était bouffon de prince (1), c'est sans doute le nain Perkeo, auquel survivent dans le temps les farces qu'il a inventées. Hugo prétend en avoir été la victime dans les caves-musées du manoir de Heidelberg où l'on montre son effigie :

En se promenant dans l'ombre que jette la grosse tonne, on aperçoit tout à coup, derrière des madriers qui l'étançonnent, une singulière statue de bois, sur laquelle un soupirail jette un rayon blafard. C'est une espèce de petit vieillard jovial, grotesquement accoutré, à côté duquel une grossière horloge pend accrochée à un clou. Une ficelle sort de dessous cette horloge, vous la tirez, l'horloge s'ouvre brusquement et laisse échapper une queue de renard qui vient vous frapper au visage. Ce petit vieillard, c'est un bouffon de cour ; cette horloge, c'est sa bouffonnerie (2).

Et Hugo, par habitude, se prend à méditer sur l'ironique leçon offerte par le contraste de ces princes morts et de ce bouffon vivant, sans perdre toutefois de vue un seul détail du pittoresque bonhomme.

... Tout est tombé, tout a fini, tout s'est éteint, hormis ce bouffon. Il est encore là, lui, il est debout, il respire, il dit : « Me voici ! » Il a son habit bleu, son gilet extravagant, sa perruque de fou mi-partie verte et rouge ; il vous regarde, il vous arrête, il vous tire par la manche, il vous fait sa grosse pasquinade stupide et il vous rit au nez.

Farce innocente et posthume. Elle dépasse déjà le cadre de ce chapitre. L'ombre du nain malicieux s'échappe de la troupe des grotesques pour nous introduire au royaume du rêve et des légendes.

(1) « Fou du palatin Charles-Philippe... Il faisait beaucoup rire, vers 1710, l'électeur palatin de Bavière et l'empereur d'Allemagne, ces ombres qui passaient alors. » *Rh.* XXVIII, p. 337.
(2) *Rh.*, XXVIII, p. 336-337.

III

LE RÊVE

> Je suis l'homme qui fait attention à
> sa vie nocturne.
>
> *Oc.*, p. 259 (1852-1870?).

Quand, dans sa belle et vaste étude sur *l'Ame romantique et le Rêve*,
M. Albert Béguin a envisagé à son tour Victor Hugo sous cet angle, il
n'a pour ainsi dire considéré que le côté de *la Bouche d'ombre*. C'est à
la fois trop dire, et trop peu. Trop, parce que cette cosmogonie révélée
par le spectre du dolmen de Rozel est au fond surtout, malgré son introduction visionnaire, le résultat d'une « contemplation » métaphysique et
un véritable système philosophique. Trop peu, car il est inexact ou incomplet de ne fixer le début des rapports du poète avec le rêve qu'à l'époque
des tables tournantes et des visions apocalyptiques. On s'empresse d'ajouter que l'auteur, dont le dessein était de consacrer le gros de son ouvrage
aux Romantiques allemands, s'est trouvé limité par la place et par son
propos. Mais il est intéressant de remarquer que les impressions de
rêve, ou même les études de rêve dont M. Béguin a fort heureusement
souligné l'importance à propos de Tieck trouvent leur pendant chez
Hugo, bien avant le temps de *la Bouche d'ombre* et sans qu'il ait subi
d'ailleurs l'influence des poètes et conteurs contemporains d'outre-Rhin
qu'il semble, à vrai dire, avoir mal ou peu connus, malgré le puissant
attrait qu'exerçaient sur lui leur patrie et leur climat.

La principale raison était sans doute qu'il ne savait pas leur langue et
qu'il ne semble pas avoir cherché à l'apprendre. Chaque fois que Hugo
nous rapporte un entretien qu'il a eu avec un allemand, ce dernier avait
servi sous Napoléon (1) ou connaissait quelques mots de français et la
conversation se tient dans cette langue (2). Les rares mots d'allemand

---

(1) Voir, *Rh.*, IX, p. 78, le *sapeur du 36ᵉ régiment* à Aix-la-Chapelle ou la *grande
harangue du petit vieillard* de Cologne, *Rh.*, X, p. 95.
(2) Voir la conversation, rapportée p. 235, avec le major de Bingen et le savant
aux « sagres bleus », *Rh.*, XXII, p. 237. Les propos échangés à Worms avec les porte-
faix ou les convives de la table d'hôte, *Rh.*, XXVI, p. 286, 288, 293 et cette remarque,
explicative : « Sur cette rive gauche du Rhin, tout parle et comprend le français,
y compris les fantômes. »

qui se trouvent cités dans le texte du *Rhin* sont ceux des relations courantes qu'un voyageur ne peut pas ne pas assimiler (1). Notons toutefois que l'ignorance de la langue ne l'avait nullement empêché de subir l'influence de la littérature anglaise, à travers les traductions de Scott ou de Shakespeare, de Byron ou de Maturin. Malgré son attirance pour les paysages et l'art d'outre-Rhin, on est obligé de constater que « V. Hugo échappe à l'emprise du génie allemand (2) », notamment des écrivains : Gœthe et Schiller sont à peine cités, mais Beethoven l'est davantage, et plus encore Dürer ou Holbein.

Une étude de rêve.

A dire vrai, si Hugo nous a laissé des dessins représentant les monstres de ses nuits, il nous a rarement communiqué ses observations sur ses rêves. Une fois pourtant, à la date du 14 novembre 1842, dans le beau journal intermittent que constitue *Choses vues*, il nous livre le récit fidèle d'un rêve extraordinaire qui, en nous confirmant la rareté du phénomène et l'importance modérée qu'il lui concède alors, nous le fait regretter davantage (3). L'occasion est trop belle pour ne pas s'arrêter un peu à ce premier document sur la vie nocturne d'un poète qui s'y est déclaré, après 1850, si attentif.

Voici un rêve, commence-t-il, que j'ai fait cette nuit. *Je l'écris uniquement à cause de la date.*

Et il conclut :

J'ajoute qu'il est très rare que j'aie des rêves ayant forme précise et déterminée comme celui-ci...

Il est en effet regrettable qu'il n'ait pas jugé dignes d'intérêt ceux qui étaient plus vagues, plus incohérents peut-être. Celui-ci n'a dû d'être distingué de la masse oubliée qu'à une troublante coïncidence : il tourne autour de la personne du duc d'Orléans, qui était mort victime d'un accident de voiture jour pour jour, quatre mois auparavant.

J'ai eu ce rêve dans la nuit du 13 au 14 novembre 1842, précisément quatre mois après la mort de M. le duc d'Orléans, tué le 13 juillet, et dans la nuit même du jour où expirait le deuil porté pour la mort du défunt.

La minutie de ces indications et, d'une manière générale, la fidélité scrupuleuse de la relation font de ces pages un admirable document, aussi précieux qu'original, véritable étalon auquel il conviendra de se référer toutes les fois qu'on voudra contrôler tel ou tel effet, analyser tel ou tel procédé de la fantaisie hugolienne.

Hugo commence par esquisser le décor, tel qu'il s'en souvient, et auquel il est, comme toujours, infiniment sensible :

J'étais chez moi, mais dans un chez-moi qui n'est pas le mien, et que je ne connais pas. Il y avait plusieurs vastes salons, très beaux et très éclairés. C'était le soir. Une soirée d'été. J'étais dans l'un de ces salons près d'une

---

(1) *Pfennings, Kreutzers*, par exemple, etc. Cf. la remarque sur les différentes prononciations de ce dernier mot, *Rh.*, XXII, p. 238.
(2) M. SOURIAU, *Hist. du Romantisme*, t. I, 2ᵉ part., p. 207.
(3) *Ch. v.*, I, p. 74, sq. Cf. un rêve, *ibid.*, p. 284, 6 septembre 1847, et un autre *in Ch. v.*, II, p. 83, 14 juin 1852. Voir également *D. J.*, chap. XLII, p. 692.

table avec quelques amis qui étaient mes amis en rêve, mais dont je ne connais pas un. On causait gaîment et l'on riait aux éclats. Les fenêtres étaient toutes grandes ouvertes.

Dès l'abord, Hugo saisit magistralement ce mélange de connu et d'inconnu, de précis et d'imprécis, qui caractérise l'atmosphère de rêve. Nous ne voulons pas dire que ce soit un effet de son art, mais que c'est la preuve de son don d'observateur, auquel on peut faire crédit. Victor Hugo n'ajoute pas, mais il ne perd rien.

Mélange de connu et d'inconnu, disions-nous. En effet, aucune des précisions désirables n'y manque. Hugo est chez lui, dans une enfilade de salons, par un soir d'été. On cause, on rit, autour d'une table. Mais cette maison, où il était indubitablement chez lui, il l'ignore d'une manière aussi certaine. Ces amis, qu'il connaissait en rêve, il ne les reconnaît pas à l'état de veille. La marge d'imprécision n'est pas en effet dans la connaissance, mais dans la reconnaissance. Ces amis, cette demeure, il les revoit encore, c'est de les identifier qu'il est incapable. De là, dans la description, ce mélange de précis et d'imprécis. Les amis, les salons, les rires et la conversation composent une atmosphère très définie, qui reste pourtant toute pénétrée de vague et de nébuleux. Sans doute s'y glisse-t-il des personnalités précises, le prince, M. Mélesville et M. Blanqui, et dans nos propres rêves, il n'est pas rare de nous retrouver parfois dans une pièce que nous habitons ou que nous avons habitée dans le passé. Mais il s'y révèle toujours un détail inexact ou un changement, ou bien c'est la personne qu'on y rencontre qui est inconnue ou dont la présence est déplacée. Tel est ce mélange de connu et d'inconnu, de précis et d'imprécis que nous voulions dire.

Hugo a d'ailleurs réfléchi sur ce phénomène, quitte à le provoquer pour retrouver dans la veille les plaisirs du rêve. Ainsi le voit-on, le 17 septembre 1839, noter le charme qu'il éprouve à pénétrer nocturnement dans les villes qu'il traverse : celles-ci prennent alors, comme Berne cette fois-là, « je ne sais quel aspect exagéré et chimérique qui a son charme ». « C'est, continue-t-il, *une combinaison de connu et d'inconnu* où l'esprit fait les rêves qu'il veut... (1). »

Victor Hugo complète par la suite ce décor, une fois, si l'on peut dire, l'action du rêve engagée. Le duc d'Orléans l'entraîna vers l'une des fenêtres « qui comme je l'ai dit, étaient ouvertes ». Aucune négligence, aucune contradiction dans son récit : cette répétition marque seulement l'extrême attention du narrateur. S'il y a un doute, il s'empresse de le signaler : « Il me semble que, dans ce moment-là, nous passâmes d'un salon dans l'autre. *Cela est vague dans mon esprit.* » Hugo aurait fort bien pu passer ce scrupule sous silence. Mais comme Montaigne, relatant les trois réponses des cannibales de Rouen, avoue avec une habile naïveté en avoir oublié une ou le feint pour garantir la fidélité de son témoignage (2), de la même manière, moins consciemment peut-être, Hugo tient à souligner par là sa bonne foi et le contrôle incessant qu'il exerce sur l'exactitude de ses souvenirs. De la fenêtre, près de laquelle tous

(1) *V.*, II, p. 191. Voir le « rêve chinois » de Berne cité ci-dessous, p. 245.
(2) « Ils respondirent trois choses, d'où j'ay perdu la troisiesme, et en suis bien marry ; mais j'en ay encore deux en mémoire. » *Essais*, I, XXXI.

deux ont pris place, le Hugo du rêve, ainsi qu'aurait fait le Hugo de la veille, contemple une « admirable perspective ».

C'était l'intérieur d'une ville. Dans mon rêve, je connaissais fort bien cette ville, mais, en réalité, c'est un lieu que je n'ai jamais vu.

Cet aveu est à rapprocher de ceux que nous avons analysés ci-dessus.

Au-dessous de la fenêtre, continue Hugo, s'étendait et se prolongeait, entre deux masses noires d'édifices, un large fleuve que le clair de lune faisait éclatant par endroit. Au fond, dans la brume, s'élevaient les deux clochers aigus et gigantesques d'une espèce de cathédrale extraordinaire ; à gauche, tout près de la fenêtre, l'œil se perdait dans une petite ruelle sombre. Je ne me rappelle pas qu'il y eût dans cette ville des lumières aux fenêtres et des habitants dans les rues.

Ce genre de paysage ne nous est pas inconnu. Il nous rappelle les images nocturnes de Cologne « sous la lueur fantastique d'un ciel crépusculaire » avec la « masse noire » de sa cathédrale, Strasbourg, Bâle coupée en deux par le Rhin, et Fribourg, et Heidelberg, toutes les villes que chaque soir, du haut d'un clocher ou d'une colline, Hugo s'est plu à contempler dans ses voyages. Nous ne sommes pas le seul à le remarquer.

Cet endroit m'était connu, je le répète, et j'en parlais au prince *comme d'une ville où j'aurais voyagé*, en le félicitant d'être venu la voir, lui aussi.

Nous prenons acte de cette description et de la déclaration qui la suit. Elles présentent en effet pour nous un double intérêt : d'une part, la persistance dans le rêve du goût que nourrit Victor Hugo pour les villes hérissées de clochers au clair de lune nous apporte un témoignage de la profondeur de ce sentiment et la preuve qu'il était juste, dans le chapitre précédent, de le distinguer tout particulièrement ; mais d'autre part, et à l'inverse, c'est aussi la preuve que ces paysages de prédilection ressemblent à des paysages de rêve et ne plaisent tant à Hugo que parce qu'ils répondent et satisfont à la profonde attirance du poète pour ce climat de rêve. Précieuse vérité, dont on doit être reconnaissant à l'auteur de nous avoir épargné l'hypothèse. Nous pouvons le dire maintenant, ces vues de villes gothiques « à vol d'oiseau » éveillent la fantaisie de V. Hugo, elles font partie de sa fantaisie, parce qu'elles constituent dans la veille des images de rêve. Forts de cet aveu, nous allons d'ailleurs en revoir, de ces décors de rêve, plus poussés encore à la fantaisie.

Au-dessus de la ville étendue, Hugo brosse un ciel poétique et ajoute, de-ci de-là, quelques touches au tableau qui cette fois dépassent peut-être le cadre de la stricte reproduction et tiennent de l'interprétation. Mais ce serait un mauvais procès d'accuser le rêveur d'être aussi un poète.

Le ciel était d'un bleu tendre et d'une mollesse charmante. Un vent tiède agitait dans un coin des arbres à peine distincts. Le fleuve bruissait doucement. Tout cet ensemble avait je ne sais quelle sérénité inexprimable. Il semblait qu'on y sentît l'âme des choses. J'invitais le prince à contempler cette belle nuit, et je me souviens que je lui disais distinctement ces paroles :
— Vous êtes prince ; on vous apprendra à admirer la politique humaine ; apprenez aussi à admirer la nature.

Voilà certes une leçon que le Hugo de la veille ne pourrait renier. Il est heureux que le reste du récit ne se poursuive pas dans ce ton-là qui sent trop la logique de son caractère. Au contraire, l'incohérence apparente des événements qui se passent dans le rêve, sorte de ligne brisée où parfois s'éclaire un symbole, accrédite la véracité de la relation.

L'action s'engage de la façon que voici : une rumeur annonce le duc d'Orléans qui entre chez Hugo sans s'être fait annoncer. Fort obligé par cette cordialité, qui rappelle les bons rapports que le poète se flattait d'entretenir avec le prince, Hugo remercie ce dernier. C'est un souvenir précis qui, comme souvent, et ce n'est pas toujours pour des motifs intelligibles, émerge de la masse confuse du rêve. « Je me rappelle, note-t-il, lui avoir dit très distinctement : Merci, prince. Il me répondit par un serrement de main. »

Suit un intermède obscur qui a toutes les apparences d'être symbolique. Des porteurs viennent substituer au buste en bronze du duc, qui orne la cheminée, un autre buste du même en marbre blanc. Même sans être initié à la psychanalyse, on pourrait y trouver le signe du changement de fortune qui devait atteindre le prince quatre mois avant et son passage à l'immortalité. Hugo en tout cas ne cherche pas à l'expliquer et se borne à enregistrer le fait. Cette attitude résolument réservée témoigne d'un respect scientifique pour les données de l'expérience, qui nous prouve l'attention et l'intérêt qu'il porte au mystère du subconscient et la sûreté de sa méthode.

C'est là que se place la toile de fond du décor, la ville au clair de lune qui se découpe dans la fenêtre. Près de l'appui, Hugo et le prince s'entretiennent, lorsque surgit un nouvel incident qui, comme le premier, forme la partie significative du rêve. Le poète est pris d'un saignement de nez qu'il est impuissant à maîtriser. En vain recourt-il à Blanqui en lui disant : « Vous qui êtes médecin, arrêtez donc ce sang et expliquez-moi ce que cela veut dire. » Sans doute Hugo, qui a sûrement réfléchi sur ce rêve pour s'être donné la peine de nous le conter, a-t-il pensé que ce sang voulait dire, quatre mois après l'événement, la chute mortelle du prince, et peut-être annonçait au delà celle de sa dynastie ; l'auteur se contente d'observer : « M. Blanqui (1), qui n'était médecin que dans mon rêve, et qui dans la réalité est économiste, ne me répondit pas. » Cette méprise, qui n'apparaît qu'à la lumière du jour, est bien de celles qu'on commet dans les rêves et qui n'y choquent point. Ces incohérences, qui donnent un démenti par l'absurde à l'ordre de la société, sont essentielles à la pensée onirique, laquelle pourrait bien être une revanche quotidienne et une purgation nécessaire de tout ce qu'il y a d'irrationnel dans notre pensée.

Cependant, Hugo, inondé de sang, ne sait plus très bien ce qui se passe. Du moins est-ce l'explication qu'il paraît proposer à une lacune, qui se place à ce moment de son rêve. Avec la même fidélité scrupuleuse, il note : « Il y a ici un moment de trouble et de brume dans lequel je ne distingue plus que très confusément les formes de ce rêve. »

Pourtant, un nouvel et dernier épisode s'éclaire : l'entrée du géné-

---

(1) Adolphe, membre de l'Institut et frère aîné d'Auguste, le révolutionnaire (cf. *Ch. v.*, I, p. 307 et 376) : une confusion supplémentaire des deux dans le rêve en éclairerait le sens.

ral Lafayette, mort, il est bon de l'ajouter, depuis 1834. « Je le reconnus parfaitement, se rappelle Hugo, et je trouvai sa visite toute simple et naturelle. » C'est bien là une réaction de rêve de trouver normal ce qui ne l'est pas et de s'étonner de ce qui l'est. Le rêve bouleverse l'histoire, mais il semble que ce soit ici, à la manière des énigmes de Nostradamus, pour donner la clé de l'avenir : ressuscité pour les besoins de la cause, le général libéral fait penser au parti que la disparition prématurée de son chef, le duc d'Orléans, allait démembrer et livrer à l'initiative des républicains et des socialistes ; après l'enterrement renouvelé à quarante ans de distance de la monarchie française, où chaque fois Lafayette avait joué le rôle de maître de cérémonie, son retour semble annoncer l'échec de ce troisième et infructueux essai pour adapter le régime royal aux exigences nées de la Révolution.

Le rêve s'achève sur une dernière vision du prince. Hugo, qui a reconduit le général à l'escalier, se retourne pour apercevoir le duc d'Orléans.

« Mon regard évidemment, constate-t-il sans effroi, perçait en ce moment-là les épaisseurs de toutes les murailles, car je vis en entier plusieurs grands salons. » Autre revanche de l'esprit contre les médiocres enseignements de la raison et de l'expérience, de quoi réjouir Fantasio désespéré de la pesanteur. Hugo nous laisse sur la vision pathétique du prince : « seul et toujours assis à la même place dans l'embrasure de la même fenêtre, M. le duc d'Orléans qui me regardait tristement ». Il semble que ce triste regard contenait prophétiquement une bonne part des événements qui suivirent.

On s'excuse de ce commentaire si complaisant, trop lent peut-être au gré du lecteur. Il m'a semblé que ce rêve de V. Hugo, phénomène unique dans son œuvre et remarquable dans la littérature contemporaine où l'on ne trouve rien de comparable que chez Hoffmann, Nerval et quelques autres, valait la peine qu'on s'y arrêtât et constituait un de ces éclairs du génie par lesquels Hugo pressent, comme dans le Dernier Jour d'un Condamné, les efforts de la psychologie moderne dans le domaine de l'étrange.

Au moins nous a-t-il donné l'occasion de rencontrer deux « catégories », si l'on ose ainsi s'exprimer, de la pensée de rêve : le dosage de précis et d'imprécis, c'est-à-dire une imprécision dominante relevée de quelques détails inopinés, voire extravagants ; et l'incohérence, le défi porté à la logique, que ce soit sous la forme de la suite inintelligible des épisodes du rêve ou du bouleversement des réalités sociales (1). Nous n'avons pas cru devoir renoncer au bénéfice de cette étude. Mais il est évident que ce qui intéresse notre propos, en ce moment de ce livre, c'est beaucoup plus l'atmosphère proprement dite du rêve, le vague du décor que cette incohérence dont nous ne trouverons l'application que plus tard dans le Théâtre en liberté et d'une manière plus générale dans la partie de son œuvre qui se rattache à cette veine.

Décors de rêve.

Ces décors de rêve abondent en effet dans ses impressions de voyage et Hugo, tout le premier, nous signifie qu'il y pense. Quelques pages

(1) Cf. le récit imaginé de la révolte de Saint-Domingue, daté 25 septembre 1845 (Ch. v., I, p. 7 sq.) qui débute ainsi : « Il me semblait assister à un rêve... »

plus haut, nous rappelions à propos de la ville contemplée en rêve, comme
cette vue ressemblait à celles que Hugo recherche en voyage, et c'est
lui-même qui nous invitait à le constater. Qu'il s'agisse de marines au
clair de lune ou des villes crépusculaires, c'est leur aspect irréel qui est
leur marque commune et fait leur qualité. Relevons dans le chapitre
précédent quelques-unes de ces impressions, c'est toujours lui qui prononce le mot : à la brune, quand les maisons s'éclairent fantastiquement
dans l'ombre et pour peu que des ormes dessinent leurs silhouettes
fantomatiques, « vous sentez la voiture *pleine de rêves* (1) » ; ou bien, à
Vevey, ému par l'irréelle beauté du lac au clair de lune, Hugo sent « *rêver*
toute la création » autour de lui (2). Toutes ces impressions d'étrangeté,
Hugo les a exprimées une fois pour toutes dans cette observation que
lui inspirait en 1837 le spectacle de la mer à Dieppe, au crépuscule :

> Rien ne laisse à l'âme une impression à la fois plus vague et plus poignante
> que les *espèces de rêves* qui se dégagent parfois de la réalité (3).

Ces paysages de rêve, Hugo les cherche-t-il? Les rencontre-t-il sans
les chercher? Il semble bien qu'il se plaise à retrouver le rêve dans la
réalité. Le crépuscule est par excellence le climat du rêve. Or, nous
avons vu quelle place il tient dans la vision hugolienne. « J'ai toujours
aimé ces voyages à l'heure crépusculaire (4). » Mais ce ne sont pas les
crépuscules majestueux de Chateaubriand, où « la reine des nuits » évolue
dans son char à travers les nuages. Les clairs de lune de Victor Hugo
ont quelque chose de plus intime, de moins apprêté, de plus direct et
aussi de plus mystérieux. Avec les mêmes précautions qu'il mettait à
préserver la fidélité de son rêve du 14 novembre 1842, Hugo prend bien
soin de ne pas brusquer ces précieuses porcelaines. Le rêve, qu'il soit
né pendant la veille ou le sommeil, veut un pinceau délicat. En cette
matière, le poète se laisse guider par son œil de peintre.

Clairs de lune.

Un jour qu'il descend à Saint-Valery-sur-Somme dans une carriole
de rencontre, voici l'effet de lune qui s'offre à lui :

> Le port de Saint-Valery était charmant au crépuscule. On distinguait au
> loin les dunes du Crotoy et, comme une nébulosité blanchâtre, les vieilles
> tours arrachées et démolies au pied desquelles j'avais dessiné deux jours
> auparavant.
> Au premier plan, à ma droite, j'avais le réseau noir et inextricable des
> mâts et des cordages. La lune, qui se couchait hier une heure après le soleil,
> descendait lentement vers la mer ; le ciel était blanc, la terre brune, et des
> *morceaux de lune sautaient de vague en vague comme des boules d'or dans les
> mains d'un jongleur* (5).

Le principe de cette impression est le même que celui des villes au
crépuscule. Ce qui séduisait l'œil du peintre à Heidelberg, ce qui le
séduit à Saint-Valery, c'est une vague « nébulosité » comme il le dit lui-
même, sur laquelle se dessine un imbroglio géométrique de lignes capri-

(1) Cf. p. 206.
(2) Cf. p. 214.
(3) Cf. *ibid.*
(4) Cf. p. 210.
(5) *V.*, II, p. 142, 1837.

cieuses (1) : ici l'horizon dont la monotonie n'est rompue que par les dunes et les ruines et surtout ce curieux quadrillage que fait au dessin « le réseau noir et inextricable des mâts et des cordages », comme là, à Heidelberg, les lignes brisées des toits et des clochers. Mais en plus, la lune joue ici sur les flots et les reflets de l'astre émiettés par le clapotis jettent sur le tableau une lueur étrange, qui éveille dans la fantaisie du poète l'image inattendue de l'acrobate.

Ce clair de lune n'est pas un cas unique : la descente de la côte de Saverne à deux ans de là, en 1839, un peu plus avant dans la nuit, « vers quatre heures du matin », procure au voyageur réveillé en sursaut « une des plus belles impressions de *sa* vie », où l'on retrouve à peu près les mêmes éléments.

La pluie avait cessé, les brumes se dispersaient aux quatre vents, *le crois-sant traversait rapidement les nuées et par moment voguait librement dans un trapèze d'azur comme une barque dans un petit lac.* Une brise, qui venait du Rhin, faisait frissonner les arbres au bord de la route. De temps en temps, ils s'écartaient et me laissaient voir un abîme vague et éblouissant ; au pre-mier plan, une futaie sous laquelle se dérobait la montagne ; en bas, d'im-menses plaines avec *des méandres d'eau reluisant comme des éclairs* ; au fond, une ligne sombre, confuse et épaisse — la Forêt-Noire — tout un panorama magique entrevu au clair de lune. Ces spectacles inachevés ont peut-être plus de prestige encore que les autres. *Ce sont des rêves qu'on touche* et qu'on regarde (2).

Les éléments du paysage sont en effet les mêmes : brume, lignes et lumières, ou plutôt lueurs. Ce sont précisément les éléments constitutifs du décor dans un rêve et l'on y retrouve ce mélange de précis et d'imprécis qui en fait, nous l'avons vu, l'atmosphère particulière. Hugo, a-t-il été dit, a analysé cette impression plus d'une fois, mais jamais peut-être avec autant de précision qu'à Berne en 1839. Au risque de faire double emploi avec l'évocation de Mons, il faut citer ces deux passages, tant ils sont également intelligents et beaux.

Je suis arrivé à Berne de nuit comme à Lucerne, comme à Zurich. Je ne hais pas cette façon d'arriver dans les villes. Il y a dans une ville qu'on aborde la nuit un mélange de ténèbres et de rayonnements, de lumières qui vous montrent les choses et d'ombres qui vous les cachent, d'où il résulte je ne sais quel aspect exagéré et chimérique qui a son charme. C'est une combinai-son de connu et d'inconnu où l'esprit fait les rêves qu'il veut. Beaucoup d'objets qui ne sont que de la prose le jour prennent dans l'ombre une cer-taine poésie. La nuit, les profils des choses se dilatent ; le jour, ils s'apla-tissent (3).

Ce texte éclairant est une véritable clef des songes hugoliens. Il explique le fonctionnement de l'imagination du poète aussi bien dans le registre fantastique que dans le fantasque, lorsque les yeux seront agrandis par l'effroi, à l'époque de *la Bouche d'ombre*, comme lorsqu'ils sont ouverts par une curiosité souriante. Le développement de cette observation n'est pas moins intéressant. Hugo indique le double éclairage de la vallée :

---

(1) Cf. p. 219. Cf. *V.*, II, p. 192 : «C'était Berne... J'aurais plutôt cru voir une ville chinoise, la nuit de la fête des lanternes. *Non que les toits eussent des faîtes très découpés et très fantasques...* »
(2) *Rh.*, XXIX, p. 353, Strasbourg, fin août 1839.
(3) *V.*, II, p. 190 sq., Berne, 17 septembre, minuit.

« J'avais devant moi le ciel blanc du crépuscule et derrière moi le ciel
gris du clair de lune. » A un détour de la route qui brusquement s'abaisse
— Hugo n'oublie point la surprise qui déclenche le rêve comme un rideau
de théâtre se lève — « une ville, une apparition, un tableau éblouissant a
surgi tout à coup » :

> C'était Berne et sa vallée.
> J'aurais plutôt cru voir une ville chinoise, la nuit de la fête des lanternes.
> Non que les toits eussent des faîtes très découpés et très fantasques ; mais il
> y avait tant de lumières allumées dans ce chaos vivant de maisons, tant de
> chandelles, tant de falots, tant de lampes, tant d'étoiles à toutes les croisées ;
> une sorte de grande rue blanchâtre traçait au milieu de ces constellations
> développées sur le sol une voie lactée si étrange ; deux tours, celle-ci carrée
> et trapue, celle-là svelte et pointue, marquaient si bizarrement les deux extré-
> mités de la ville, l'une sur la croupe, l'autre dans le creux ; l'Aar, courbée
> en fer à cheval, au pied des murs, détachait si singulièrement de la terre,
> comme une faucille qui entame un bloc, cet amas de vagues édifices piqués de
> trous lumineux ; le croissant posé au fond du ciel juste en face, comme le
> flambeau de ce spectacle, jetait sur tout cet ensemble une clarté si douce, si
> pâle, si harmonieuse, si ineffable, que ce n'était plus une ville que je voyais,
> c'était une ombre, le fantôme d'une cité, une île impossible de l'air à l'ancre
> dans une vallée de la terre et illuminée par des esprits.

Pour qualifier cette étrangeté « céleste », Hugo ne trouve d'autre terme
de comparaison que les zones les plus reculées de la terre, au lointain
poétique, la Chine qu'amène en son esprit la double association automatique des « lanternes chinoises » et des « fils du ciel », sans oublier la mode
commençante des curiosités d'Extrême-Orient : Berne a son « rêve chinois », comme Mons sa « chanson chinoise ».

Il manquait en effet à ces impressions un élément qui joue un rôle
important dans le rêve : c'est le son. Si l'œil de Hugo est impressionnable,
nous savons que son oreille ne l'est pas moins. De cette alliance, il a su
tirer, pour évoquer Mons au clair de lune, une étrange scène de féerie.
Notre voyageur s'est promené pendant la journée dans cette ville dont
il a admiré en curieux les extravagants clochers et l'architecture contour-
née (1). La place de l'Hôtel de Ville l'a singulièrement intéressé. « L'hôtel
de ville a une belle devanture à ogives du quinzième siècle, avec un assez
curieux beffroi rococo, et de la place on aperçoit en outre les deux autres
clochers (2). » Aussi s'est-il promis de contempler la pittoresque place
au clair de lune, pour voir le jeu des pâles rayons bleutés sur la dentelle
des pierres. C'est le moment de laisser le poète répondre lui-même à
la question que nous posions tout à l'heure et dont nous pressentions la
réponse : Hugo recherche-t-il ces paysages de rêve ? Aucun doute n'est
possible : « Comme je devais partir à trois heures du matin, je ne me
suis pas couché pour voir cet ensemble au clair de lune. »

Le songe du dormeur éveillé.

Ainsi, l'intention est formelle. Hugo imagine l'effet irréel d'un clair
de lune sur cette architecture tarabiscotée et décide, l'occasion aidant,
de veiller pour le voir réalisé. On peut donc dire que le poète ne se con-

(1) Voir ici, p. 225.
(2) *V.*, II, p. 87, 18 août 1837.

tente pas de remarquer ces visions de rêve, mais encore les poursuit.
La réalité n'a d'ailleurs pas déçu le rêve qu'il y cherchait :

Rien de plus singulier et de plus charmant, sous un beau ciel clair et étoilé,
que cette place si bien déchiquetée dans tous les sens par le goût capricieux
du quinzième siècle et par le génie extravagant du dix-huitième ; rien de plus
original que tous ces édifices chimériques vus à cette heure fantastique.

La série des épithètes donne le ton : *capricieux, extravagant, chimériques,
fantastique*. Elles convient l'esprit du lecteur au domaine entr'ouvert du
rêve, à l'intérieur duquel les profils irréels de ces monuments semblent
retrouver leur élément naturel. Dans la nuit silencieuse, seul un bruit
en effet peut assurer le spectateur qu'il est éveillé et le seul qui vient la
rompre ne peut qu'accroître son doute, tant l'harmonie en est étrange.

De temps en temps, un carillon ravissant s'éveillait dans la grande tour
(la tour des théières) ; ce carillon me faisait l'effet de chanter à cette ville
de magots flamands je ne sais quelle chanson chinoise ; puis il se taisait et
l'heure sonnait gravement. Alors, quand les dernières vibrations de l'heure
avaient cessé, dans le silence qui revenait à peine, un bruit étrangement doux
et mélancolique tombait du haut de la grande tour, c'était le son aérien et
affaibli d'une trompe, deux soupirs seulement. Puis le repos de la ville recom-
mençait pour une heure.

Cependant, après avoir esquissé une impression aussi chargée de mystère, Hugo ne nous laisse jamais dans le doute et nous en livre volontiers
le secret. Par une antithèse qui n'étonne pas d'un poète qui les aimait,
l'amateur de mystère se double d'un réaliste qui, s'il nous donne avec
exactitude tous les éléments d'une impression surnaturelle, n'aime pas
en rester la dupe. C'est un trait de son esprit, qu'il partage parfois avec
Hoffmann ou Nerval, de puiser le mystère à sa source, dans la réalité,
sans en déguiser le mécanisme. Nous aurons l'occasion, dans ce chapitre même, de l'observer plus d'une fois. « Cette trompe, précise-t-il
en effet, c'était la voix du guetteur dans la nuit. »
Est-il besoin d'ajouter, avant que Hugo ne le fasse lui-même, que ces
magots, cette chanson chinoise échappée de la tour des théières et ces
soupirs aériens, qui se font entendre une fois dans l'heure, composent
une étrange féerie et que Hugo, qui s'y est laissé prendre, prétend aussi
nous la faire partager ? Il le souligne pourtant et le mot qui lui vient sous
la plume, c'est celui que nous attendions : un rêve.

Moi, j'étais là, seul éveillé avec cet homme (1), ma fenêtre ouverte devant
moi, avec tout ce spectacle, *c'est-à-dire tout ce rêve*, dans les oreilles et dans
les yeux. J'ai bien fait de ne pas dormir cette nuit-là, n'est-ce pas ? *Jamais
le sommeil ne m'aurait donné un songe plus à ma fantaisie.*

Ce rêve était fait de la conjonction de trois éléments principaux : la
fantaisie de l'architecture, l'étrange musique des carillons et de la trompe,
et surtout le clair de lune. C'est-à-dire les lignes, le son, la lumière ;
un dessin qui prête à la fantaisie et là-dessus, les incidences du son et de
la lumière. Si l'un d'eux venait à manquer, l'impression de féerie serait
dépareillée. Mais qu'ils se retrouvent réunis, que la lune joue de nouveau sur les arabesques de la pierre et qu'il s'en échappe une musique de

(1) Le guetteur.

rêve, l'effet sera le même. Au reste, ces conjonctions tiennent du miracle et il est rare qu'elles se reproduisent. Il est significatif que ce soit pourtant le cas du clair de lune de Mons. En 1864, Hugo, refaisant le voyage de Belgique, repassera par Mons. Après vingt-sept ans il se souvient encore de la merveilleuse impression de 1837 — c'est assez dire son importance dans son souvenir — et, qui plus est, il a la chance vraiment miraculeuse de la retrouver. Quelques lignes de son carnet de voyage nous l'apprennent :

Le soir, en sortant de dîner, revu Mons (après vingt-sept ans). Clair de lune. Le beffroi espagnol, l'hôtel de ville, les carillons. Sainte-Waudru. *La grande place, même effet féerique et même clair de lune qu'en* 1837 (1).

La simplicité et la brièveté de ces notes hâtives, tracées sur place, nous en garantissent la sincérité et la spontanéité. Ce témoignage est très important : il nous apporte d'ores et déjà l'indice de la constance du tempérament hugolien. A soixante-deux ans, Hugo conserve le même œil, la même sensibilité, les mêmes goûts qu'il avait à trente-cinq ans. Olympio n'aura pas toujours les mêmes raisons particulières d'être déçu et les lieux, toutes conditions restant égales, garderont sur lui le même pouvoir enchanteur.

Carillons flamands.

Cette fantaisie musicale évoque irrésistiblement les dix-huit vers composés sur le carillon de Malines, précisément le lendemain du clair de lune de Mons (2). Une occasion unique s'offre à nous de saisir là le passage d'une impression de rêve au motif poétique qui s'en dégage, à l'élaboration de ce rêve dans un de ces courts poèmes d'inspiration directe, jetés au moment même sur une page d'album à dessin, où l'on retrouve la sensation primitive à peine développée en vue d'un effet artistique. Aussi le citons-nous intégralement :

> J'aime le carillon dans tes cités antiques,
> O vieux pays gardien de tes mœurs domestiques,
> Noble Flandre, où le nord se réchauffe engourdi
> Au soleil de Castille et s'accouple au midi !
> Le carillon, c'est l'heure inattendue et folle,
> Que l'œil croit voir, vêtue en danseuse espagnole,
> Apparaître soudain par le trou vif et clair
> Que ferait en s'ouvrant une porte de l'air.
> Elle vient, secouant sur les toits léthargiques
> Son tablier d'argent plein de notes magiques ;
> Réveillant sans pitié les dormeurs ennuyeux,
> Sautant à petits pas comme un oiseau joyeux,
> Vibrant, ainsi qu'un dard qui tremble dans la cible ;
> Par un frêle escalier de cristal invisible,
> Effarée et dansante, elle descend des cieux ;
> Et l'esprit, ce veilleur fait d'oreilles et d'yeux,
> Tandis qu'elle va, vient, monte et descend encore,
> Entend de marche en marche errer son pied sonore !

Dans cette déclaration d'amour, dont l'attaque reprend le célèbre mou-

---

(1) *V.*, II, p. 523, 15 octobre 1864. Mots soulignés par moi.
(2) *R. O.*, XVIII, *Ecrit sur la vitre d'une fenêtre flamande, Malines-Louvain,* 19 *août* 1837.

vement de Vigny, *J'aime le son du cor...* (1), Hugo insiste sur l'influence
espagnole, à laquelle il accorde une grande importance et dont il croit
retrouver la trace dans le caprice baroque de l'architecture et dans les
yeux noirs de certaines flamandes. C'est, je crois, le sens contenu dans la
brève indication de 1864 : *le beffroi espagnol.* De là vient sans doute que
sa fantaisie prête aux heures le travesti d'une *danseuse espagnole,* où se
traduit par une sorte de « correspondance » ce que le poète est incapable
d'exprimer directement, c'est-à-dire la légèreté « aérienne », la grâce,
l'étrangeté de ces heures qui font des pointes sur le silence uni de la
nuit. Cette transposition visuelle d'une impression auditive n'étonne
pas de V. Hugo, qui a un sens visuel infiniment plus développé que le sens
auditif proprement dit (2). Cette faiblesse qu'il partage avec les poètes
français des deux premiers tiers du XIXe siècle, il la corrige par une brillante débauche d'imagination. Par-dessus les « toits léthargiques », qui
rappellent fort ceux de nos villes endormies (3), Carmen secoue...

> Son tablier d'argent plein de notes magiques,

ce qui est une véritable trouvaille en matière de féerie. On se demande
à peine si c'est une vague allusion au cadran de l'horloge qui n'est pas
d'argent, il est vrai, mais « de fer doré », ou s'il s'agit d'une fantaisie sur
la grêle de notes que verse le carillon aux rayons argentés de la lune.
L'imagination du poète a d'ailleurs pris une espèce d'essor dans le domaine
du merveilleux qui se marque dans ces deux beaux vers, où il n'est presque
plus question de rechercher une correspondance exacte, mais surtout
de s'émerveiller :

> Par un frêle escalier de cristal invisible,
> Effarée et dansante, elle descend des cieux...

Si l'on se reporte à *France et Belgique* pour y trouver une source spontanée de cette féerie musicale, on n'y trouve qu'une description tech-

---

(1) Déjà repris en 1828 dans *Soleils Couchants,* I (*F. A.,* XXXV) :
> J'aime les soirs sereins et beaux, j'aime les soirs...

Également, plus tard, dans *Toute la Lyre,* IV, 22, 12 octobre 1854 :
> Les instruments sont pleins de la voix du mystère.
> J'aime le cor profond dans le bois solitaire...

(2) Pour s'en convaincre, il n'est que de relire le beau poème contemporain de
cette pièce, *Que la musique date du seizième siècle,* R. O., XXXV, daté du 29 août 1837.
En voici un simple exemple, où le poète demande à la mer et à la lumière le soin de
traduire l'impression musicale qu'il ressent :
> Les sons étincelants s'éteignent dispersés.
> Une nuit qui répand ses vapeurs agrandies
> Efface le contour des vagues mélodies,
> Telles que des esquifs dont l'eau couvre les mâts ;
> Et sa strette, jetant sur leur confus amas
> Ses tremblantes lueurs largement étalées,
> Retombe dans cette ombre en grappes étoilées !

C'est également la mer qui permet à Baudelaire d'exprimer une émotion moins
définie et aussi plus intime :
> La musique souvent me prend comme une mer !
> Vers ma pâle étoile,
> Sous un plafond de brume ou dans un vaste éther,
> Je mets à la voile...etc.

(3) Cf. ici p. 218 sq.   (*Fleurs du Mal,* LXVIII, *La Musique*).

nique du carillon de Malines, qui en démonte pour nous le mécanisme, sans nous en livrer le secret. Tant cet esprit demeure ouvert aux curiosités de toutes sortes. C'est la raison pour quoi nous avons préféré rapprocher cette impression du clair de lune de Mons, qui la fait mieux comprendre que la page écrite sur le carillon de Malines que voici à titre documentaire :

A chaque face de cette tour, il y a un cadran de fer doré de quarante-deux pieds de diamètre. Tout cet énorme édifice est habité par une horloge ; les poids montent, les roues tournent, les pendules vont et viennent, le carillon chante. C'est de la vie, c'est une âme.
Le chant du carillon se compose de trente-huit cloches, toutes frappées de plusieurs marteaux, et des six gros bourdons de la tour qui font les basses. Ces six bourdons sont d'accord, excepté le maître bourdon, qui est maintenant fêlé, et qui pèse dix-huit mille huit cents livres. La plus petite de ces six cloches pèse trois mille quatre cents livres. Le cylindre de cuivre du carillon pèse cinq mille quatre cent quarante-deux livres. Il est percé de seize mille huit cents trous d'où sortent les becs de fer qui vont mordre d'instant en instant les fibres du carillon (1).

Visiblement, Hugo a été impresionné par le discours du guide ou mieux par quelque brochure, pour se rappeler aussi précisément les poids et les mesures. Les carnets de voyage nous réservent plus d'une surprise de ce genre. Qu'on prenne l'album de 1865 : à côté des pièces les plus légères destinées à faire partie des *Chansons des rues et des bois* et de quelques dessins biscornus échappés à l'imagination la plus déchaînée, on trouve une quinzaine de feuillets consacrés à des croquis sommaires d'une maquette en réduction de la Bastille, accompagnés de notations méticuleuses des mesures (2). C'est le paradoxe de cet esprit, attaché à la réalité par ses côtés les plus précis et aussi pressé de s'en évader dans le domaine du rêve. Ces deux aspects opposés voisinent perpétuellement en voyage et, il faut l'avouer, font un assez curieux, mais bon ménage. Il y aurait du défi à confronter cette page documentaire, datée de *Lier*, 19 août, 9 *heures du soir* avec les dix-huit vers composés dans une hâte brillante le même jour, probablement le soir même. Au milieu de cette accumulation de chiffres et de métaux, on se demande où est cachée notre pauvre danseuse au tablier magique, et comment elle a jamais pu prendre son gracieux envol. De notre étonnement, Hugo serait le premier à se réjouir avec malice. Voilà comme il va, dirait-il, de nos rêves : ils se réduisent à des pignons et à des chiffres. Il en profiterait même pour nous donner une leçon de pythagorisme pratique (3) : creusez la réalité, vos rêves même, partout le nombre. Il y a au fond de V. Hugo, si profondé-

(1) *V.*, II, p. 90.
(2) Cf. Mon article : *Promenade dans un album de voyage de Victor Hugo.*
(3) Cf. *Pente de la Rêverie*, F. A., XXIX, 26 mai 1830 :
   Je voyais seulement au loin, à travers l'ombre,
   Comme d'un océan les flots noirs et pressés,
   Dans l'espace et le temps les *nombres* espacés.
Également dans la pièce V des mêmes *F. A.*, une musique dont le flux...
   ... s'allait perdre dans l'ombre,
   Avec le temps, l'espace, et la forme et le *nombre*.
Il n'est pas sûr, en effet, qu'à cette date, ces formules de sa jeune poésie philosophique doivent être interprétées, comme le pense M. Flûtre (*R. H. L. F.*, 1927) pour une véritable pensée pythagoricienne du genre de celle que Renouvier croyait discerner dans le vers des *Mages :* « le nombre où tout est contenu ».

ment, si naturellement grave, un mystificateur qui nous regarde parfois en souriant. Il n'a pourtant pas voulu nous laisser sur le spectacle d'un atelier d'horloger, et peut-être à l'intention de Léopoldine, dont la pensée l'effleure, il a ajouté un envoi à cette ballade mécanique, non pas sur la danseuse espagnole, mais sur le pianiste du carillon, facétie égarée au bas de cet hymne à la matière :

A de certains jours, un homme s'assied là à un clavier que j'ai vu, comme Didine se met au piano, et joue de cet instrument. Figure-toi un piano de quatre cents pieds de haut qui a la cathédrale tout entière pour queue.

Une dernière phrase éclaire le titre de la poésie et, par sa place, nous restitue l'association qui a pu se produire dans l'esprit d'Hugo :

J'admire, depuis que je suis en Flandre, la ténuité et la délicatesse des meneaux de pierre auxquels s'attachent les verrières des fenêtres. Cette cathédrale de Malines a une vraie chemise de dentelle.

Écrit sur la vitre d'une fenêtre flamande! Tel est le sens, le symbole de ce titre. C'est seulement sur de tels vitraux que Hugo pouvait graver la portée où sa fantaisie devait inscrire les notes magiques du carillon.

Il n'est pas sûr pourtant qu'une impression si spontanée, mais également si cohérente et si artistique, soit pure de tout souvenir littéraire. Dès que l'effet passe en poésie, bien que Hugo, plus qu'aucun poète sans doute, ait eu le vers facile et naturel, la sensation subit un début de transformation, une certaine adaptation. Sans doute, l'imagination libérée du poète, ses idées personnelles sur l'histoire flamande, suffisent à expliquer l'apparition de la danseuse espagnole. Or, en lisant les *Contes fantastiques* publiés en 1832 par son ami Jules Janin, journaliste de l'équipe romantique, qui fait à côté de V. Hugo plutôt figure de disciple, nous avons eu la surprise d'y rencontrer une image un peu analogue à celle de Malines qui n'est pas, il faut l'avouer, d'un modèle courant (1).

Quatre amis goûtent paresseusement le calme de la chère vallée de Bièvre, quand un fâcheux vient troubler leur rêverie par l'agitation parisienne dont il apporte le frémissement avec lui et le récit d'un bal qu'il impose à leurs oreilles distraites d'abord, puis peu à peu attentives. Janin, pour répondre à la tendance de ses contes imités de Hoffmann, fait de ce bal une féerie. A mesure que le carillon d'une horloge égrène les heures qui annoncent le petit matin, les danseuses s'enfuient une à une.

Il était matin quand je suis parti : *les heures s'envolaient l'une après l'autre dans leur costume de danseuse ;* une de ces belles heures, surprise par l'aurore, m'a tendu ses doigts de rose couverts d'un gant, et elle m'a dit : ramenez-moi à ma voiture, voulez-vous... (2).

L'auteur assimile les cavalières aux heures qui les pressent de partir. Hugo retourne cette fantaisie, en évoquant pour nos yeux ravis la silhouette gracieuse de l'*heure inattendue et folle,*

Que l'œil croit voir, vêtue en danseuse espagnole...

(1) Jules JANIN, *Contes fantastiques et Contes littéraires,* Paris, 1832, t. II, *la Vallée de Bièvre.*
(2) *Ibid.,* p. 15. Cf. *D. G.,* XIII (1838-1840?), un autre carillon en vers de Victor Hugo, où sonnent l'un après l'autre les douze coups de minuit, fait se lever une image du même ordre : « ... Dix. — J'entend l'archet d'un bal dans l'ombre. »

Cependant, le narrateur poursuit son récit. Parmi *les heures qui s'envolent*, il en distingue précisément une, d'allure espagnole, qui comme celle de V. Hugo descend légèrement l'escalier :

Le matin venu, ... j'allais partir aussi, quand je vis une grande dame italienne, avec laquelle tu as dansé, Arthur, qui s'enveloppait dans son manteau. C'était une belle et grande personne *aussi espagnole qu'italienne pour le moins*, toute noire, œil, teint, cheveux : *vive et résolue, elle descendit toute seule les trois étages...* (1).

Sans doute ne faut-il voir là qu'une coïncidence. Elle se remarque, parce que Victor Hugo connaissait fort bien Janin, qui fréquentait aussi les Bertin, qu'il n'ignorait probablement pas son œuvre, et que cette assimilation d'une danseuse à une heure ou d'une heure à une danseuse est après tout assez rare. Peut-être Hugo a-t-il simplement songé aux jaquemarts des horloges astronomiques, dont il était fort curieux : sa fantaisie aurait animé l'un de ces menus personnages bariolés et l'aurait fait évoluer pour son plaisir. Peut-être son imagination seule a-t-elle joué sur un mode que nous ignorons. Et peut-être y a-t-il un peu de tout cela, et même du souvenir littéraire. Au moins cette rencontre nous montre-t-elle que ces sortes d'images appartiennent bien aux coulisses du monde fantastique.

Un mot encore sur Jules Janin. Quand beaucoup plus tard, pour le remercier du chaleureux souvenir que ce dernier lui avait consacré dans l'*Histoire de la Littérature dramatique* (2), Hugo lui fait une place de choix dans ses *Contemplations*, il est amusant d'y voir le nom de l'ami attaché dans la mémoire du poète aux heures aussi d'un carillon, plus tragiques celles-là, qui datent de la visite rendue par Janin à Bruxelles, aux premiers jours de l'exil :

> Le temps, ce sourd tonnerre à nos rumeurs mêlé,
> *D'où les heures s'en vont en sombres étincelles,*
> Ébranlait sur mon front le *beffroi de Bruxelles* (3).

Nous disions que Victor Hugo était curieux d'horloges astronomiques. En effet si, à son grand regret, il n'a pu voir celle, si célèbre, de la cathédrale de Strasbourg (4), il prendra l'année d'après sa revanche avec celle de Francfort, qu'il observera minutieusement. Elle est d'ailleurs de pur style flamand, détail qui la rapproche de l'atmosphère du carillon de Mons.

Près de la porte, une de ces énormes horloges qui sont une maison à deux étages, un livre à trois tomes, un poème en vingt chants, un monde. En haut, sur un large fronton flamand, s'épanouit le cadran de la journée ; en bas, au fond d'une espèce de caverne où se meuvent des antennes d'insectes monstrueux, rayonne mystérieusement le cadran de l'année. Les heures tournent en haut, les saisons marchent en bas. Le soleil dans sa gloire de rayons dorés, la lune blanche et noire, les étoiles sur fond bleu, opèrent des évolutions compliquées, lesquelles déplacent à l'autre bout de l'horloge

(1) *Ibid.*, p. 16-17.
(2) Tome IV, dernier chapitre.
(3) *C.*, V, 8, *A Jules J.*, 22 août 1855.
(4) *Rh.*, XXX, p. 356 : « Je n'ai pu voir l'horloge astronomique qui est dans la nef, et qui est un charmant petit édifice du seizième siècle. On est en train de la restaurer, et elle est recouverte d'une chemise en planches. » (septembre 1839).

un système de petits tableaux où des écolières patinent, où des vieillards se chauffent, où des paysans coupent le blé, où des bergères cueillent des fleurs. Des maximes et des sentences un peu dévernies reluisent dans le ciel à la clarté des étoiles un peu dédorées. Chaque fois que l'aiguille atteint un chiffre, des portes s'ouvrent et se ferment sur le fronton de l'horloge, et des jaquemarts armés de marteaux, sortant ou rentrant brusquement, frappent l'heure sur le timbre en exécutant des pyrrhiques bizarres (1).

Description qui tient le milieu entre l'inventaire technique du carillon de Malines et l'impression féerique du même carillon enregistrée dans la pièce des *Rayons et les Ombres*. Le visiteur décrit le fonctionnement de la machine merveilleuse. Mais il se borne à l'extérieur et se contente d'esquisser les naïves figures astrales, les charmantes scènes de marionnettes et l'irruption bruyante des jaquemarts, spectacle mieux fait pour séduire sa fantaisie que pour satisfaire sa curiosité. Peut-être, comme à Malines, n'aurait-il pas demandé mieux que de s'initier au mécanisme de cette féerie et de pénétrer une fois de plus dans le monde des roues et des nombres. Mais quoi! son guide, pour tout dire, n'a pu le renseigner, puisqu'il ne savait pas le français (2).

Hugo assure que cette horloge était flamande et que l'église est belge. Il semble en effet qu'à la longue une association se soit produite dans son esprit, pendant son voyage en Belgique, entre les carillons et ce pays qui y met son point d'honneur et y dépense un raffinement incroyable. Aussi n'est-on point étonné qu'après son expérience de 1837 ce soit un carillon qui sur la route de Fumay lui annonce en 1840 l'approche de la frontière belge. Hugo était agacé par le bavardage de quelques stupides voisins, quand le miracle se produisit :

Je faisais beaucoup d'efforts pour ne pas entendre leur conversation et je tâchais d'écouter les grelots des chevaux, le bruit des roues sur le pavé et des moyeux sur les essieux, le grincement des écrous et des vis, le frémissement sonore des vitres, lorsque tout à coup un *ravissant carillon* est venu à mon secours, un carillon fin, léger, cristallin, fantastique, aérien, qui a éclaté brusquement dans cette nuit noire, nous annonçant la Belgique, cette terre des étincelantes sonneries, et prodiguant sans fin son babillage moqueur, ironique et spirituel, comme s'il reprochait à mes deux lourds voisins leur stupide bavardage (3).

Cette impression nous apporte, pour clore ce cycle de carillons, premièrement un démenti au jugement peut-être hâtif que nous serions tenté de porter sur l'insensibilité musicale de Victor Hugo, puisque avec des bruits il sait se composer un divertissement symphonique ; deuxièmement et surtout, elle fixe la nuance exacte des carillons dans l'ordre des sensations de rêve, musique à la fois merveilleuse et spirituelle, c'est-à-dire plutôt fantasque ou féerique que « fantastique », comme le dit Hugo. Mais le mot est amené par la *nuit noire* et il faut bien dire aussi

---

(1) *Rh.*, XXIV, p. 258, octobre 1840. Pour la dernière ligne, comparer avec *Kenilworth*, dont une nouvelle édition, traduite par Defauconpret, avait paru en 1835, chap. XXXVII (la fête au château), p. 417 : « Ces masques entrèrent dans la salle avec le plus grand ordre... puis, à un signal donné par une musique militaire sur la galerie, ces ennemis tirèrent leurs épées, et marchant les uns contre les autres à pas mesurés, et *exécutant une espèce de danse pyrrhique, ils frappèrent de leur fer l'armure de leurs adversaires* en passant l'un près de l'autre. »
(2) « Le glockner qui m'avait conduit dans l'église et qui ne sait pas un mot de français... » *Ibid.*, p. 260.
(3) *Rh.*, IV, p. 47.

que, depuis Hoffmann et l'introduction de l'usage germanique du mot en France, il s'est créé une confusion autour de ce mot auquel les adeptes de cette nouvelle mode ont donné le double sens de fantasque et de fantastique, là où la langue française possédait deux termes distincts dont Hugo connaît la valeur respective et use avec discernement (1).

Une dernière remarque enfin nous est imposée par un détail de ce texte. Hugo écrit : « un ravissant carillon est venu à mon secours ». Ce n'est pas une formule gratuite. La fantaisie n'est pas du superflu pour Hugo. Excellente occasion d'observer au contraire le rôle qu'elle joue dans sa vie. Elle lui procure en tous temps des jouissances esthétiques d'un ordre subtil. Ici elle apparaît plus salutaire, essentielle même, dans la mesure où elle lui a rendu le service de dissiper la nausée de la médiocrité. Et l'on sait le mépris et l'ennui que celle-ci lui inspire (2).

Nocturnes rhénans.

Si la Belgique apporte au rêve hugolien l'étrangeté de ses carillons et la douceur de ses clairs de lune, le Rhin possède aussi ses nocturnes. Mais à la différence des nocturnes flamands, où la grâce et le pittoresque se nuancent à peine d'une pointe de bizarrerie, ceux du Rhin sont souvent hantés par un sentiment totalement étranger aux précédents, l'effroi. Pourtant, il serait excessif de croire que toutes les impressions nocturnes de notre voyageur aient pris cette tournure. Les bords du Rhin connaissent aussi la paix du crépuscule. C'est ainsi qu'un soir de septembre 1840, en sortant d'Andernach par la grande porte ogive, le poète s'est trouvé sur le bord du Rhin :

Le sable fin, coupé de petites pelouses, m'invitait et je me suis mis à remonter lentement la rive vers les collines lointaines de la Sayn. La soirée était d'une douceur charmante ; la nature se calmait au moment de s'endormir. Des bergeronnettes venaient boire dans le fleuve et s'enfuyaient dans les oseraies ; je voyais au-dessus des champs de tabac passer dans d'étroits sentiers des chariots attelés de bœufs et chargés de ce tuf basaltique dont la Hollande construit ses digues. Près de moi était amarré un bateau ponté de Leutersdorf portant à sa proue cet austère et doux mot : *Pius*. De l'autre côté du Rhin, au pied d'une longue et sombre colline, treize chevaux remorquaient lentement un autre bateau qui les aidait de ses deux grandes voiles triangulaires enflées au vent du soir. Le pas mesuré de l'attelage, le bruit des grelots et le claquement des fouets venaient jusqu'à moi. Une ville blanche se perdait au loin dans la brume ; et, tout au fond, vers l'orient, à l'extrême bord de l'horizon, la pleine lune, rouge et ronde comme un œil de cyclope, apparaissait entre deux paupières de nuages au front du ciel (3).

Nocturne paisible où tout respire le calme et la douceur du soir : les oiseaux, les derniers fardiers attardés (4), quelques chalands glissant sur l'eau, dont le nom même est en harmonie. Une de ces villes couchées,

---

* (1) Cf. le texte du *Promontorium Somnii*, cité dans l'*Introduction*.
(2) Cf. ici p. 199, 194. Egalement dans la Préface de *Cromwell*, p. 31, ce superbe dédain : « L'art ne compte pas sur la médiocrité. Il ne lui prescrit rien, il ne la connaît pas, elle n'existe pas pour lui ; l'art donne des ailes, et non des béquilles. »
(3) *Rh.*, XIII, p. 107. Paupières de nuages, cf. p. 206, n. 4.
(4) C'est une sensation qui s'associe peu à peu dans l'imagination de Victor Hugo au calme vespéral et devient dans sa poésie un motif lyrique de prédilection:
Or., IV, 1827 :
  J'aime une lune ardente et rouge comme l'or...
  J'aime ces chariots lourds et noirs, qui, la nuit,

dont nous savons l'effet qu'elles exercent sur le poète, s'estompe à l'horizon. Nul homme. Nul bruit que de sonnailles. Pastorale nocturne où seule la lune vient déposer une note un peu plus épique. Cadre propice aux vagues rêves où le poète va s'oublier. « Combien de temps ai-je marché ainsi, absorbé dans la rêverie de toute la nature ? Je l'ignore. » Rêverie dont, à la nuit tombée, il aura soudain l'impression de s'être « pour ainsi dire, réveillé ». Telle peut être la tonalité, extrêmement douce, d'un nocturne sur le Rhin.

A l'opposé de la pimpante grisaille d'Andernach, le nocturne noir et rose de Saint-Goar, extrait du même voyage, est le type de ces crépuscules de rêve, imprégnés de mystère, qui tournent au fantastique à mesure que la nuit descend inexorablement sur l'horizon. L'humeur du voyageur — « j'étais las », écrit-il — a peut-être joué pour accentuer la teinte tout d'abord moins sombre du tableau, que vient couronner une apothéose fantastique d'un effet saisissant.

Le jour n'avait pas encore complètement disparu. Il faisait nuit noire pour le ravin où j'étais et pour les vallées de la rive gauche adossées à de grosses collines d'ébène ; mais une inexprimable lueur rose, reflet du couchant de pourpre, flottait sur les montagnes de l'autre côté du Rhin et sur les vagues silhouettes de ruines qui m'apparaissaient de toutes parts. Sous mes yeux, dans un abîme, le Rhin, dont le murmure arrivait jusqu'à moi, se dérobait sous une large brûme blanchâtre d'où sortait à mes pieds mêmes la haute aiguille d'un clocher gothique à demi submergé dans le brouillard. Il y avait sans doute là une ville, cachée par cette nappe de vapeurs. Je voyais à ma droite, à quelques toises plus bas que moi, le plafond couvert d'herbe d'une grosse tour grise démantelée et se tenant encore fièrement sur la pente de la montagne, sans créneaux, sans mâchicoulis et sans escaliers. Sur ce plafond, dans un pan de mur resté debout, il y avait une porte grande ouverte, car elle n'avait plus de battants, et sous laquelle aucun pied humain ne pouvait plus marcher (1).

Passant devant le seuil des fermes avec bruit,
Font aboyer les chiens dans l'ombre.

F. A., XXXVIII, *Pan*, 8 novembre 1831 :

Enivrez-vous de tout ! enivrez-vous, poètes...
Des eaux, de l'air, des prés et du bruit monotone
Que font les chariots qui passent dans les bois.

V., II, p. 120, Dunkerque, 1er septembre 1837 :

... le bruit des charrettes sur la route qu'on ne voyait pas...

R. O., XXXIV, *Tristesse d'Olympio*, 21 octobre 1837 :

Les grands chars gémissants qui reviennent le soir.

L. S., *N. S.*, XIX, *Tout le Passé et tout l'Avenir*, 7-17 juin 1854 :

... Qui fait dans le ravin, sous l'ombre des grands chênes
Crier les chariots le soir.

Q. V. E., III, 14, Jersey, Creux de la Touraille, 8 octobre 1854 :

... Chemins que dans les bois emplit le bruit des roues...

C., I, 14, 10 octobre 1854 :

Pendant que l'ornière creuse
Gronde le lourd chariot.

L. S., *N. S.*, XVIII, 4, *Aristophane*, 1er février 1877 :

Le soir, quand on entend des bruits de chars lointains...

T. L., II, 2, 5 mars (1878-1879) :

Les chars passent, j'entends grincer les durs essieux.

(1) *Rh.*, XVI, p. 132-133.

Malgré la ville des brumes qui blanchit à l'horizon — ce trait rappro-
cherait ce nocturne du précédent — ce n'est évidemment pas le même
genre de paysage. Commencé dans le style décoratif, il subit rapidement
l'influence du Rhin, des ruines, et de la nuit noire. Les jeux de l'ombre
et de la lumière, instables comme dans tout crépuscule, changent à chaque
instant. « La lueur rose s'était évanouie. » La nuit étend son *suaire noir*
sur une moitié du ciel, les dernières blancheurs du crépuscule deviennent
un *blanc linceul... déployé sinistrement sur l'autre*. L'effet du spectacle
est le même, la nuance exclue : le voyageur tombe dans une profonde
rêverie, « songeant, regardant en silence passer cette heure sombre où
le crêpe des fumées et des vapeurs efface lentement le paysage, et où le
contour des objets prend une forme fantasque et lugubre ». Il est permis
d'imaginer que la forme de sa rêverie a dépendu de l'atmosphère et du
site et que par cette porte en ruines, grande ouverte sur la nuit et le
néant, elle est passée dans un monde de mystère et de désespoir, d'où
elle a ramené cette vision impressionnante, nette et lugubre comme
sait en dessiner le voyant inspiré sur les pages de garde de certains manuscrits, sur ses lettres ou dans ses albums de voyage, apothéose fantastique,
disions-nous, qui achève dignement ce sombre nocturne :

> Aucun bruit ne venait de la ville invisible ; le Rhin lui-même semblait
> s'être assoupi ; une nuée livide et blafarde avait envahi l'immense espace du
> couchant au levant ; les étoiles s'étaient voilées l'une après l'autre ; et je n'avais
> plus au-dessus de moi qu'un de ces ciels de plomb où plane, visible pour le
> poète, cette grande chauve-souris qui porte écrit sur son ventre ouvert
> *melancholia* (1).

Nuits en malle-poste : « le rêve amphibie ».

Mais les nocturnes du Rhin n'offrent pas tous un caractère extrême et
n'atteignent pas toujours à ce lyrisme fantastique et même visionnaire.
Il s'en faut que leur gamme soit si monotone. Il en est, dans l'entre-deux,
où la vision fantasque ou fantastique se nuance de l'humour impénitent
que le poète possède au même degré que le sens du mystère et parfois
lui joint dans une union imprévue et savoureuse. Ainsi en est-il de cette
nuit passée en malle-poste sur la route de Strasbourg, pendant le voyage
de 1839. L'action combinée du sommeil et des cahots de la voiture crée
un état de somnolence intermittente, à mi-chemin entre le rêve et la
réalité, hantée des songes les plus étranges.

Le sommeil vous tient d'un côté, constate Hugo, l'infernale voiture de
l'autre. De là, un cauchemar sans pareil. Rien n'est comparable aux rêves
d'un sommeil cahoté. On dort et l'on ne dort pas, on est tout à la fois dans
la réalité et dans la chimère. C'est le rêve amphibie.

Cette manière de rêve, Hugo a réussi à nous la restituer dans le désordre
ultra-rapide de ses images successives ou simultanées.

De temps en temps on entr'ouvre la paupière. Tout a un aspect difforme,
surtout s'il pleut, comme il faisait l'autre nuit. Le ciel est noir, ou plutôt

---

(1) On l'a remarqué (ici p. 178, 202, etc.) et on le voit encore : l'impression, toute
spontanée qu'elle soit, se nuance dans son expression d'un évident souvenir artistique. Hugo d'ailleurs, loin de chercher à le déguiser, le souligne dans le sommaire
de la Lettre XVI, où l'on peut lire ce résumé du paragraphe : « Quatre lignes que
ne comprendront pas ceux qui ne connaissent point Albert Dürer. »

il n'y a pas de ciel, il semble qu'on aille éperdument à travers un gouffre ;
les lanternes de la voiture jettent une lueur blafarde qui rend monstrueuse
la croupe des chevaux ; par intervalles, de farouches tignasses d'ormeaux
apparaissent brusquement dans la clarté et s'évanouissent ; les flaques d'eau
pétillent et frémissent sous la pluie comme une friture dans la poêle ; les
buissons prennent des airs accroupis et hostiles ; les tas de pierres ont des
tournures de cadavres gisants ; on regarde vaguement ; les arbres de la plaine
ne sont plus des arbres, ce sont des géants hideux qu'on croit voir s'avancer
lentement vers le bord de la route ; tout vieux mur ressemble à une énorme
mâchoire édentée. Tout à coup un spectre passe en étendant le bras. Le jour,
ce serait tout bonnement le poteau du chemin, et il vous dirait honnête-
ment : *Route de Coulommiers à Sézanne*. La nuit, c'est une larve horrible
qui semble jeter une malédiction au voyageur. Et puis, je ne sais pourquoi
on a l'esprit plein d'images de serpents ; c'est à croire que des couleuvres
vous rampent dans le cerveau ; la ronce siffle au bord du talus comme une
poignée d'aspics ; le fouet du postillon est une vipère volante qui suit la
voiture et cherche à vous mordre à travers la vitre ; au loin, dans la brume,
la ligne des collines ondule à travers la vitre comme le ventre d'un boa qui
digère, et prend dans les grossissements du sommeil la figure d'un dragon
prodigieux qui entourerait l'horizon. Le vent râle comme un cyclope fatigué
et vous fait rêver à quelque ouvrier effrayant qui travaille avec douleur dans
les ténèbres. Tout vit de cette vie affreuse que les nuits d'orages donnent
aux choses.

Les villes qu'on traverse se mettent aussi à danser, les rues montent et des-
cendent perpendiculairement, les maisons se penchent pêle-mêle sur la
voiture, et quelques-unes y regardent avec des yeux de braise. Ce sont celles
qui ont encore les fenêtres éclairées (1).

Cette longue citation était nécessaire pour nous permettre d'étudier
la *vie affreuse* de cette *nuit d'orage*. Relevons tout d'abord dans ce lot de
sensations quelques figures de connaissance qui imposent la marque

_____

(1) *Rh.*, XXIX, p. 348-349, Strasbourg, début de septembre 1839. Cf. *V.*, II,
p. 292-293, la traversée en voiture des Landes et le même mélange d'un paysage
inconnu et fantastique aux « rêves d'un sommeil cahoté », qui cette fois précèdent :
« Le spectre d'une nature morne vous apparaît. La rêverie emplit l'esprit. Des
paysages inconnus et fantastiques tremblent et miroitent devant vos yeux. Des
hommes appuyés sur un long bâton et montés sur des échasses passent dans les
brumes de l'horizon sur la crête des collines comme de grandes araignées...
« Car la pensée a ses mirages. Les voyages que la diligence Dotézac ne fait pas, l'imagination les fait. »
Et un peu plus loin :
« Cependant la nuit tombait... A mesure que les ténèbres s'épaississaient et estom-
paient les informes silhouettes de l'horizon, il me semblait — était-ce une illusion de
la nuit ? — ... que nous faisions en réalité, dans une obscurité profonde, ce voyage
des Landes que j'avais fait en imagination quelques heures auparavant. Le ciel
était étoilé, la terre n'offrait à l'œil qu'une espèce de plaine ténébreuse où vacillaient
çà et là je ne sais quelles lueurs rougeâtres, comme si des feux de pâtres étaient
allumés dans les bruyères ; on entendait, sans rien voir ni distinguer, ce tintement
fin et grêle des clochettes qui ressemble à un fourmillement harmonieux ; puis
tout rentrait dans le silence et dans la nuit, la voiture semblait rouler aveuglément
dans une solitude obscure, où seulement, de distance en distance, de larges flaques
de clarté apparaissant au milieu des arbres noirs nous révélaient la présence des
étangs. »
Cf. G. DE NERVAL, *le Réveil en voiture*, *in Poésie et Théâtre*, éd. du Divan, p. 54.
Le poème commence :
　　　　Voici ce que je vis : — Les arbres sur ma route
　　　　Fuyaient mêlés, ainsi qu'une armée en déroute...
et finit :
　　　　J'étais en poste, moi, venant de m'éveiller.
Même impression attribuée par Janin à l'état d'ivresse, *in Contes fantastiques*
éd. citée, t. II, *le Haut-de-chausse*, p. 3 :
« J'étais donc entre l'être et le non-être de l'ivrognerie et déjà les premiers arbres
de la grande route se mettaient à défiler devant moi avec leurs têtes rondes et poudrées
de chambellans. En général, j'aime ce sabbat champêtre... », etc.

du maître à cette description : les tignasses d'ormeaux (1), la mâchoire édentée du vieux mur, qui rappelle irrésistiblement la tête de mort de Heidelberg (2), les yeux de braise des maisons (3) comptent parmi les images nocturnes typiques du poète et replacent cette page dans une série connue.

Mais considérons l'ensemble de ces lignes. Hugo y rend à merveille, avec ce sens du mystère défini par Baudelaire, la vie de la nuit, cette *vie affreuse*, que lui développe son imagination alarmée par l'effroi. Tout homme sensible, lâché parmi les bois dans la nuit solitaire, éprouve un malaise confus dont l'élément fondamental est la peur, cet *horror lucorum*, ce sens hérissé du sacré, le sentiment de troubler un mystère interdit, qui se traduit par une attention hallucinée à toutes les manifestations de vie dont le silence est coupé, bruits, lueurs, frôlements. Properce redoute de joindre sa maîtresse à Tibur au milieu de la nuit : *obductis committam mene tenebris?* (4) ; même si la lune l'accompagne en chemin, elle éclaire aussi les gueules béantes des chiens pris de rage. L'imagination de Phèdre, pareillement ameutée par l'appréhension, lui dresse des murs accusateurs. Hugo fait d'un poteau un spectre. Croupe monstrueuse des chevaux, arbres farouches, géants hideux, buissons hostiles, pierres-cadavres, et tout un peuple de serpents composent un monde inquiétant et singulier où Hugo se promène à son aise avec une bonhomie familière.

L'humour veille en effet qui rend au poteau fantôme sa véritable identité d'indicateur. Comme nous l'avons remarqué, Hugo ne nous laisse jamais dupes de ses hallucinations. Le grand vent est un cyclope, mais Polyphème se fatigue à souffler. Le boa de la colline digère. Tous ces êtres surnaturels connaissent plaisamment les limites ou les infirmités de la nature. Les chevelures sont des tignasses et l'eau qui fricasse « comme une friture dans la poêle » jette un éclair de caricature dans cette épouvante nocturne. Mélange savoureux et personnel qui peut décevoir ceux qui aiment plus d'unité, mais reclasse cette vision fantastique dans la fantaisie du poète.

Il semble que, jusqu'à un certain moment, l'imagination surexcitée du voyageur était seule en cause. Le véritable rêve commence avec le cauchemar des serpents. C'est là, en fait, greffée sur le nocturne, une nouvelle étude de rêve, que ne renieraient pas les psychologues contemporains et qui rejoint celle du 14 novembre 1842 (5). Seulement, à la différence de ce dernier cas où Hugo ne songeait qu'à reproduire fidèlement un imbroglio de faits, pour la plupart difficiles à interpréter, sans même chercher à rétablir parmi eux un enchaînement hypothétique, ici l'analyse se dégage naturellement de la description. Comme toujours, il cherche à expliquer ses visions, et dans le cas présent nous montre comment d'une sensation élémentaire, auditive en premier lieu (claquement du fouet, sifflement de la ronce), visuelle aussi (ondulations du fouet, de la ronce et des collines), l'imagination se fait en rêve une vision transposée par association, les vipères, et lui tisse un décor où chaque nouvel

(1) Cf. p. 203 et 206 sq.
(2) Cf. p. 212.
(3) Cf. p. 206 et 212.
(4) *Elégies*, III, 16 : « M'exposerai-je aux ténèbres enveloppantes? »
(5) Voir p. 238 sq.

élément auditif ou visuel, ou de quelque sorte que ce soit, viendra prendre sa signification par référence à cette image maîtresse. Ainsi se mobilise cette armée de serpents qui semblent siffler sur la tête du poète, ronces, fouet, collines, etc. Seule cette dernière association, un peu forcée, paraît trahir la stricte exactitude d'un simple compte rendu. Peut-être son imagination, influencée par le sens littéraire, renchérit-elle sur le jeu naturel des associations pour ne pas dépareiller la collection, mais au contraire l'augmenter d'une nouvelle unité. Le poète s'empare de l'analyse de son rêve, je ne dis pas dans l'intention d'en tirer un effet artistique, mais sans doute ne lui échappe-t-il pas tout à fait que celui-ci se dégagera de lui-même. Autant peut-on dire des arbres, buissons et rocailles qui forment à côté de la série des serpents celle des *géants hideux*.

Le « rêve amphibie », comme Hugo l'appelle, n'aboutit donc pas à une impression uniforme. C'est un mélange spontané de fantastique et d'humour, où il semble que la première de ces deux nuances doive être mise au compte du rêve et l'autre au compte de la veille. Une autre nuit passée en malle-poste, quelque temps plus tard, sur la route de Fribourg, nous vaut un témoignage du même ordre sur le demi-sommeil et ses hallucinations fantastiques. La malle-poste badoise au « profil pittoresque », « armoriée d'or à la tranche de gueules et conduite par ces beaux postillons jaunes dont je vous ai parlé (1) » va fort doucement et Hugo s'est endormi. Vers quatre heures du matin (2), il retrouve cette somnolence qui lui a procuré le cauchemar des serpents.

... Je m'éveillai à demi, ayant déjà l'impression confuse des objets réels, et conservant encore assez du sommeil et du rêve pour suivre de l'œil un petit nain fantastique vêtu d'une chape d'or, coiffé d'une perruque rouge, haut comme mon pouce, qui dansait allégrement derrière le postillon, sur la croupe du cheval porteur, faisant force contorsions bizarres, gambadant comme un saltimbanque, parodiant toutes les postures du postillon et esquivant le fouet avec des soubresauts comiques quand par hasard il passait près de lui. De temps en temps ce nain se retournait vers moi, et il me semblait qu'il me saluait ironiquement avec de grands éclats de rire. Il y avait dans l'avant-train de la voiture un écrou mal graissé qui chantait une chanson dont le méchant petit drôle paraissait s'amuser beaucoup. Par moments ses espiègleries et ses insolences me mettaient presque en colère et j'étais tenté d'avertir le postillon. Quand il y eut plus de jour dans l'air et moins de sommeil dans ma tête, je reconnus que ce nain sautant dans sa chape d'or était un petit bouton de cuivre à houppe écarlate vissé dans la croupière du cheval. Tous les mouvements du cheval se communiquaient à la croupière en s'exagérant et faisaient prendre au bouton de cuivre mille folles attitudes (3).

Deux moments dans ce récit : le rêve et son explication. L'analyse, qui dans les hallucinations de la route de Coulommiers à Sézanne était perpétuellement mêlée à la description de l'illusion, est ici rassemblée à la fin. C'est en partie par fidélité à l'ordre chronologique selon lequel les fumées du rêve sont dissipées progressivement par le réveil et le matin, en partie par un effet de ce goût dont nous avons déjà trouvé maint témoignage et qui consiste à attendre, pour nous révéler la solution toujours assurée de l'énigme, que nous ayons été suffisamment intrigués

(1) *Rh.*, XXI, p. 361, *Freiburg en Brisgaw*, 6 septembre 1839. *Postillons jaunes*, cf. p. 228.
(2) C'est décidément l'une des heures hugoliennes, propices au rêve, cf. p. 245.
(3) *Ibid.*, p. 362.

par elle au préalable. Nous apprenons ainsi que ce rêve, plus enfoncé dans le sommeil, si j'ose dire, que le précédent, procède de la même façon. Là encore deux sensations sont à son origine : une sensation visuelle d'abord, les mouvements désordonnés du bouton de croupière, trahis par les reflets de la lune sur le cuivre et l'agitation de la houppe écarlate ; une sensation auditive, d'importance secondaire, le grincement de l'écrou. C'est de ces sensations que sont faits le nain et la chanson. Tout cela est d'ailleurs conforme à la vérité : les observations les plus élémentaires de la psychologie du rêve nous montrent que les dernières lueurs d'un brasier suffisent à allumer un incendie, le fracas des pincettes qui tombent à déchaîner un tocsin et la chute d'un ciel de lit à conduire le dormeur à la guillotine. Aussi bien ne cherchons-nous pas à montrer que Hugo a apporté des expériences nouvelles à cette étude, mais que de son côté il s'est intéressé à ses rêves assez pour les noter, quand ils étaient bizarres ou pittoresques, et pour en analyser le mécanisme.

En revanche, il n'est pas défendu de penser que son imagination artistique a pu y trouver son butin. D'abord dans la matière proprement dite du rêve. Notons toutefois le caractère élémentaire de ces rêves : à part l'étrange rêve du 14 novembre 1842, Hugo n'offre à notre curiosité qu'une seule image de rêve concentrée autour de la sensation dont elle dérive, qu'il s'agisse de la scène des serpents ou de la danse du nain. Il se peut que Hugo ait justement retenu ces rêves de préférence pour la raison qu'ils s'adaptaient aux formes de son imagination. Ces serpents hantent la forêt d'Albert Dürer et la représentation que le poète, enfant, se faisait de la Forêt-Noire (1). Ce nain, malicieux comme les lutins de Nodier, vous rit au nez comme Perkeo (2). Mais à l'inverse, ces figures irréelles ont réagi, comme sur ses dessins d'ailleurs, sur son œuvre de fantaisie. Il n'est pas impossible que le nain qui soutient le miroir devant Lison émerveillée, bien qu'il soit « vêtu de satin vert glacé » et non de rouge, soit un souvenir du rêve de Fribourg ou de tel autre, que Hugo ne nous a pas confié (3).

Dans la manière ensuite. C'est là sans doute qu'est le plus grand profit du rêve pour le poète. Il y a trouvé des leçons de mystère. Il a compris que le secret de cette atmosphère vient du dosage attentif de précis et d'imprécis, qui fait surgir à la lumière telle figure irréelle et précise au milieu de la confusion estompée des choses et des êtres. C'est sur ce modèle que, consciemment ou malgré lui, il apprendra à brosser les décors de ses scènes merveilleuses ou fantastiques. La vision du poète, élargie par l'expérience des illusions de la perception et des rêves, s'adaptera d'emblée au monde du merveilleux et du fantastique.

Dans cet ordre enfin, un enseignement de ses rêves aura peut-être été de lui renvoyer le fidèle reflet de son tempérament divisé entre le sourire et l'effroi. La même oscillation que ses rêves et rêveries laissent observer de l'un à l'autre se retrouvera dès que Hugo abordera ce domaine. Il est rare d'y rencontrer des types purs qu'on puisse exclusivement attribuer ou au merveilleux ou au fantastique. Hugo, comme nous allons le voir, ne respecte pas plus cette distinction que celle du comique et du tragique.

(1) Cf. V., II, p. 469, Album de 1840, ici p. xxx.
(2) Voir p. 98 sq. et 236.
(3) Q. V. E., II, les Deux Trouvailles de Gallus, II, Esca, p. 175.

IV

LE CLIMAT DES LÉGENDES

> ... il est bien probable que j'appar-
> tiendrai toujours plutôt à la classe artis-
> tique des « araignées », comme dit Bacon,
> qui tirent leur œuvre de leur propre subs-
> tance, qu'à celle des fourmis, qui amassent
> infatigablement les ressources étrangères...
>
> Romain ROLLAND.

Jusqu'à présent, dans cette recherche des formes spontanées de la fantaisie hugolienne, nous avons eu pour nous la chance d'opérer sur des cas où la distinction entre l'impression primitive et son expression artistique était facile ou n'entrait pas même en question. La matière est cette fois plus délicate et nous suggère trois réflexions préliminaires qui nous guideront dans cette étude.

Tout d'abord, nous pénétrons dans un domaine où la spontanéité de Victor Hugo n'est pas seule à jouer. Le « fantastique », comme on disait alors, était à la mode et le poète, qui se plaisait à figurer « l'écho sonore » de son temps, si réceptif assurément aux tendances du jour, n'a pas été sans subir l'influence de ses contemporains, particulièrement dans une veine d'inspiration où son génie le poussait naturellement.

Puis, circonstance troublante, des travaux érudits nous ont appris comment procédait Hugo et révélé les emprunts dont il a, dans ce genre précis, nourri son imagination.

Enfin, bien que le fantastique entre moins dans notre sujet que le merveilleux, il est difficile, étant donné le tour de cette imagination, de parler de l'un sans aborder l'autre. On observe chez Hugo, comme nous avons déjà eu l'occasion de le signaler, une perpétuelle oscillation du merveilleux au fantastique, et, si l'étude n'y trouve pas des facilités, c'est peut-être précisément cette difficulté qui nous permettra en définitive de saisir l'originalité du poète en ce domaine.

La mode du fantastique.

Que Hugo fût par nature prédisposé de façon privilégiée à comprendre et à rechercher le merveilleux et le fantastique, nous n'en devons pas

douter et je pense que les chapitres qui précèdent nous éclairent suffisamment là-dessus, en nous expliquant comment la forme particulière
de sa vision, son attirance pour le rêve et le mystère l'y préparaient.
Lui-même ne nous le donnait-il pas à entendre, quand, éprouvant le
besoin de forger un mot pour se définir, il se déclarait « pauvre poète
croyeur, sinon croyant, et antiquaire passionné (1) »? Et ce qu'il disait
au début de la *Légende du Beau Pécopin* du vieux soldat français, ancien
« tambour-maître du trente-septième léger », devenu chevrier dans la
montagne du Falkenburg, ne pourrait-on aussi bien le lui appliquer?

Ce brave homme, ancien enfant de troupe dans les armées voltairiennes
de la République, m'a paru croire aujourd'hui aux fées et aux gnomes, comme
il a cru jadis à l'empereur. La solitude agit toujours ainsi sur l'intelligence ;
elle développe la poésie qui est toujours dans l'homme ; tout pâtre est
rêveur (2).

Est-il possible que Victor Hugo n'ait pas pensé à lui-même en écrivant
ces lignes ? Voltairien par son éducation, il l'a été et il le reste. Mais cet
esprit fort ne s'est pas interdit pour autant toute adoration et toute
croyance. De l'empereur, il s'est fait, lui aussi, une idole et les légendes
ont toujours eu prise sur le « rêveur » qu'il était.

Nous avons vu l'influence qu'avait exercée sur lui Charles Nodier,
ce maître des folklores, grand introducteur en France des traditions
étrangères. Le travail d'éducation du goût français, lentement et tenace-
ment accompli dix années durant par le bibliothécaire de l'Arsenal,
triomphait en 1830 (3). Jusque-là le rôle des œuvres anglaises avait
prédominé dans cette formation : en dehors du mouvement particulier
du « roman noir », suscité en France par les romans d'Anne Radcliffe
et du Révérend Maturin, Shakespeare et Walter Scott restaient les grands
fournisseurs de féerie et ceux auxquels Nodier se référait le plus volontiers. Or, en 1830, la cause était acquise et la mode au « fantastique ».
Cette année même, Hector Berlioz, le musicien de l'équipe romantique,
intitulait ainsi la symphonie qu'il venait de composer. Mais les sources
s'étaient renouvelées. Le mot même, s'il existait déjà dans notre langue (4),
avait été pour ainsi dire restauré par les traductions des conteurs allemands ; c'est d'outre-Rhin qu'il tenait sa saveur et c'est aussi de ce côté

(1) *Rh.*, XX, p. 178.
(2) *Rh.*, XXI, p. 185-186.
(3) Dans la préface de *Smarra*, réimprimé en 1832 — la première édition datait
de 1821 — Nodier, un peu oublié peut-être au milieu de l'immense floraison de
la production fantastique, revendiquait son droit d'ancienneté : « J'étais seul dans
ma jeunesse à pressentir l'infaillible mouvement d'une littérature nouvelle... Je
m'avisai un jour que la voie du fantastique pris au sérieux serait tout à fait nouvelle. »
(4) Dans son article substantiel sur *Hoffmann en France* (*Revue d'Histoire littéraire de la France*, 1906, t. XIII, p. 437), auquel nous devons beaucoup, M. Breuilllac,
rappelant que Philarète Chasles l'attribuait à tort à une invention de Loève-Veimars,
le traducteur de Hoffmann, le restitue à la langue française du XVIIᵉ et du XVIIIᵉ siècles.
Il est bon d'ajouter cependant qu'il avait alors le sens d'imaginaire ou d'extravagant,
fou. Dans la phrase de Pascal qu'il cite à l'appui : « L'imagination grossit les petits
objets jusqu'à remplir notre âme par une estimation fantastique » (*Pensées*, sect. III,
§ 2), le mot n'a pas le sens de *bizarre*, comme il le dit, mais l'un des deux sens indiqués.
Quand Voltaire, qu'il cite, distingue, à l'article *Fantaisie* de son *Dictionnaire Philosophique*, avoir *des fantaisies* et *être fantasque* et déclare : « le fantasque approche
beaucoup plus du bizarre », outre qu'il ne s'agit pas de *fantastique*, le mot a le sens
d'*extravagant*, *lunatique*. En tout cas, en 1830, le terme *fantastique* a une valeur
nouvelle et originale, il est, semble-t-il, la traduction du titre même des nouvelles
de Hoffmann, *Phantasiestücke*.

que Nodier, attentif à l'évolution du goût, se tournait à son tour. Dans son article, *Du Fantastique en Littérature*, publié dans la *Revue de Paris* en novembre 1830 (1), il évoquait, au moment de la victoire, la vieille résistance de « ce sol académique et classique de la France de Louis XIII et de Richelieu » à cette littérature « qui ne vit que d'imagination et de liberté ». Pourtant, rappelait-il, le fantastique avait aussi ses « classiques » ou, si l'on veut, ses maîtres. Nodier énumérait, dans une liste qui mêlait tous les temps et tous les pays, les Latins avec Apulée, les Anglais avec Shakespeare, Dante en Italie et en Allemagne le Gœthe de *Faust* et de *Gœtz von Berlichingen*, et surtout les deux révélations du moment, E. T. A. Hoffmann et Ludwig Tieck. Sans doute, et il faut lui en savoir gré, Nodier n'oubliait pas son propre pays et la tradition bien française de Perrault, qui avait inspiré au moins Tieck (2) et sur l'originalité de laquelle il avait le mérite d'attirer l'attention.

Nos fées bienfaisantes à la baguette de fer ou de coudrier, nos fées rébarbatives et hargneuses à l'attelage de chauves-souris, nos princesses tout aimables et toutes gracieuses, nos princes avenants et lutins, nos ogres stupides et féroces, nos pourfendeurs de géants, les charmantes métamorphoses de l'Oiseau Bleu, les miracles du Rameau d'Or, appartiennent à notre vieille Gaule, comme son ciel, ses mœurs, et ses monuments trop longtemps méconnus (3).

Mais Nodier rendait surtout hommage aux derniers venus, à Hoffmann et à Tieck qui « renouvellent pour les vieux jours de notre décrépitude les fraîches et brillantes illusions de notre berceau ». C'est sur le bienfait de ces lectures fantastiques qu'il concluait, sur la bouffée de fraîcheur rajeunissante qu'elles apportaient aux esprits las, aux cœurs déçus des temps modernes : elles ont sur l'âme, disait-il, « l'effet d'un sommeil serein, peuplé de songes attrayants qui la bercent et la délassent. C'est la fontaine de Jouvence de l'imagination ». Que Hugo eût remarqué là cette idée ou qu'il l'y eût reconnue pour sienne, elle n'était pas éloignée de ce qu'il éprouvait et de la détente bienfaisante qu'il devait goûter sur les bords du Rhin à laisser son esprit s'acclimater aux fictions de sa préférence.

Sur cette vogue du fantastique, qui s'assimilait presque dans les esprits au succès extraordinaire de son maître magicien Hoffmann, Nerval porte à son tour témoignage dans un article du *Gastronome*, le 8 mai 1831. Faisant écho, dirait-on, au début de l'article de Nodier, il écrivait : « Pourquoi, en effet, rejetons-nous la littérature compassée du siècle de Louis XIV, toute cette poésie tirée au cordeau comme les jardins de Versailles... (4)? *C'est qu'en littérature nous visons au fantastique.* » Et de citer comme

(1) Réimprimé en préface au volume des *Contes fantastiques*, p. 5-30.
(2) Cf. *Deux nouvelles et une pièce, tirées des œuvres de Ludwig Tieck*, Paris, Théophile Barrois et Benjamin Duprat, 1829 : la pièce s'intitule le *Chat Botté*, bien qu'elle ait d'ailleurs de fort lointains rapports avec le conte de Perrault.
(3) Victor Hugo a probablement lu cet article, comme il avait lu l'article du 7 novembre 1829, paru dans *la Quotidienne*, où Nodier établissait la comparaison entre *les Orientales* et la poésie de Byron au désavantage de notre poète. Nous le savons dans ce dernier cas par la lettre du lendemain, dans laquelle il se plaignait douloureusement de voir son ami passer de la neutralité au camp de l'adversaire. Il n'est pas impossible que cet article lui ait rappelé l'esprit français des *Contes de fées*, dont il se souviendra à l'occasion.
(4) Souvenir de la préface des *Odes et Ballades* (1826), p. 24-25, qui se répète également dans celle des *Orientales*.

preuves « le succès encyclopédique d'Hoffmann », Victor Hugo, Janin, Eugène Sue et le bibliophile Jacob.

Hugo, on le voit, figurait en bonne place dans ce palmarès.

L'année suivante, ce même Jules Janin, donné en exemple par Nerval, constatait à son tour l'engouement du public pour ce nouveau genre de littérature. C'est aussitôt le nom de Hoffmann qui lui venait à l'esprit et sous les auspices duquel il plaçait ses propres *Contes fantastiques* (1).

Ces quatre volumes, écrivait-il dans sa préface, n'ont en effet aucune des précieuses qualités du *maître fantastique* qui nous a révélé une poésie inconnue. Poésie du foyer domestique, et poésie de célibataire en même temps ; poésie de l'homme heureux qui n'a rien à faire, de l'homme passionné sans passions ; poésie d'amateur de tabac qui en fume de toutes sortes et dans toutes les postures ; capricieuse et folle, souple, élégante, facile à vivre, plus souvent échevelée que parée avec soin... Oh ! quand nous l'avons vu venir à nous du fond de l'Allemagne, comme nous avons été surpris et charmés !

Abordant la matière de ses contes, l'adepte enthousiaste avouait modestement : « Je n'ai de fantastique dans mes contes que le hasard avec lequel ils ont été faits, sans plan, sans choix, sans but... » Il s'excusait du « titre ambitieux » sur « la faute de la *mode*, votre faute à vous-mêmes qui voulez du fantastique à tout prix et de toutes mains, comme s'il était donné à tout le monde d'être poète en plein cabaret, de dessiner des chefs-d'œuvre sur la muraille au charbon de bois, d'aimer la bière et la rêverie sur un fauteuil, sur un grand fauteuil de chêne ; de connaître tous les secrets intimes du violon et de l'archet ; comme s'il était donné au premier venu de s'appeler Hoffmann ! »

Toujours Hoffmann ! Ils étaient ainsi quelques jeunes écrivains comme Janin, hantés par l'exemple de sa révélation, qui auraient pu confier avec la même ingénuité, sincère ou rouée, qu'ils ne voyaient pas bien ce qu'ils auraient pu faire d'autre que de le suivre dans la voie du fantastique. Hugo, à la même époque, n'en était pas là et trouvait en lui-même une source d'invention suffisante. Mais il lisait ou parcourait à peu près tout ce qui paraissait, il écoutait Janin, qu'il rencontrait chez les Bertin, et d'autres qui devaient lui parler de Hoffmann, et surtout il enregistrait, à la fois consciemment et inconsciemment pour plus tard, pour les jours de ces étés 1839-1840 où il se trouverait amené dans le pays de ces rêves, qu'il avait tant désiré connaître, à les entendre, à les voir revivre dans leurs brumes élues, à les redire à son tour et à en imiter l'esprit et le style sur un mode personnel.

Hoffmann.

Nodier, Nerval et Janin ne se faisaient là que les interprètes de l'opinion, les reflets du courant fantastique contemporain. Que s'était-il donc passé ? La question a déjà été élucidée et dépasse trop visiblement notre sujet pour qu'il soit possible de s'y attarder (2). Deux articles de

(1) Jules JANIN, *Contes fantastiques et contes littéraires*, 4 vol. in-12, Paris, Alphonse Levavasseur et Alexandre Mesnier, 1832.

(2) BREUILLAC, *art. cité* et Jules MARSAN, *Œuvres complètes de Gérard de Nerval*, éd. Champion, introduction au tome II, auxquels nous empruntons une large partie des renseignements qui suivent. Au moment où cet ouvrage-ci paraîtra, l'important travail entrepris par P. CASTEX sur *l'Histoire du Conte fantastique français au XIXᵉ siècle* aura été publié ou sera sur le point de l'être : j'y renvoie d'avance le lecteur.

revue ont marqué les débuts de Hoffmann en France, l'un par ses
louanges, l'autre par ses critiques.

Dès le 2 août 1828, dans son article du *Globe* consacré au conteur allemand alors inconnu, Ampère, l'un des premiers sinon le premier, avait,
avec une rare perspicacité, présenté et démêlé son originalité. Il lui faisait
un mérite d'avoir, après les absurdités irréelles du roman noir, fait jaillir
le fantastique de la réalité, de rendre *présentes* « par la netteté du récit
et la vérité des détails les scènes les plus étranges ». Hoffmann avait
inventé ce qu'il appelait le « merveilleux naturel ». Ajoutons : non seulement à l'opposé des excès du genre « frénétique », mais également de
la tradition française, représentée par Perrault et à certains égards par
Nodier (1), avec son atmosphère gracieuse et légèrement irréelle. Du
Conseiller Krespel à *Maître Martin le Tonnelier*, l'étrangeté, chez Hoffmann, se dégage progressivement ou par éclat, mais toujours *naturellement*, pourrait-on dire, de la réalité quotidienne. Hoffmann, écrit
M. Breuillac, qui l'oppose à Nodier, rêveur d'imagination, « fut un visionnaire, qui défigura la vie quotidienne, mais n'en fit jamais abstraction complète (2) ». C'était là une espèce de fantastique d'une conception
nouvelle. Hugo aurait pu y être sensible. Elle fit en tout cas le succès
de Hoffmann.

Huit mois après, contestant cet éloge clairvoyant, paraissait dans la
Revue de Paris, un article de Walter Scott, intitulé *Du Merveilleux dans
le Roman* (3), qui, à sa manière, n'a pas moins contribué à révéler en
France le conteur allemand. Le partisan de la « nouvelle historique »
cachait mal sous sa grossière hostilité et ses critiques de principe une
défense anticipée contre un rival pressenti, vainqueur probable du lendemain. Peu après, la même revue publiait la traduction par Saint-Marc
Girardin d'une nouvelle de Hoffmann, depuis lors célèbre, *le Pot d'or* (4).
Quant à l'article de Scott, reparu à la fin de l'année sous forme de préface à l'édition des *Œuvres Complètes*, il devait soulever de nombreuses
réponses dans les journaux et les revues qui créèrent le remous d'intérêt
nécessaire à la propagation de l'œuvre.

En effet, jusque là seulement connue par ces articles et introduite dans
les salons par l'entremise du docteur Koreff, l'œuvre de Hoffmann allait
pouvoir atteindre directement le public lettré grâce à la traduction des
Œuvres Complètes entreprise par Loève-Veimars chez l'éditeur Renduel.
La première livraison parut le 5 décembre 1829, suivie dans le courant
de 1830 de trois autres, en tout seize volumes publiés à la fin de l'année.

---

(1) Dans *la Fée aux Miettes* (Renduel, 1832) par exemple, avec, il est vrai, des interférences étrangères, surtout anglaises. Le merveilleux n'y a pas la même logique
interne, la même stabilité que dans les *Contes* de Perrault où l'ogre et la fée Carabosse
restent d'un côté et Cendrillon et sa marraine de l'autre. Si la citrouille se fait carrosse
ou la Bête redevient Chevalier, c'est une bonne fois ou à la fin. Au contraire, on ne
sait pas bien si la « Fée aux Miettes » est une vieille mendiante ou une belle jeune
femme, ou la reine Belkiss ; elle est les trois tout à la fois. Quand Michel le Charpentier entre le soir dans la petite masure qui abrite son curieux amour, celle-ci
se révèle au même moment un immense palais aux pièces nombreuses et brillamment
éclairées. Nodier laisse la chose dans l'imprécision qui nous plonge devantage dans
le mystère. Cette ambiguïté ne doit rien aux féeries limpides et *classiques* d'un
Perrault.

(2) Art. cité, p. 453.
(3) *Revue de Paris*, t. I, p. 33, 5 avril 1828.
(4) *Ibid.*, t. II, p. 68 (17 mai 1829).

Reprise après un arrêt d'un an et demi, l'édition devait s'achever en 1837 malgré la rupture entre l'éditeur et le traducteur. En même temps qu'elle consacrait l'auteur en France, cette publication ouvrait à son influence le champ de la littérature française. Renduel exploita le bénéfice de ce lancement massif, en publiant des volumes de traductions séparées, d'autres éditeurs l'imitèrent (1). Les revues continuaient de faire paraître des traductions de nouvelles ou des articles sur Hoffmann ; les moins littéraires si l'on peut dire sacrifièrent à cette mode, même *le Musée des Familles* qui offrait en 1834 à ses paisibles lecteurs, au nombre desquels pouvait se compter, comme par distraction, Victor Hugo, la nouvelle intitulée *le Fond de la Bouteille*. Tour à tour Sainte-Beuve, Marmier, grand voyageur et spécialiste des traditions scandinaves et germaniques, Gautier et Baudelaire lui consacrèrent des études.

Nerval.

Parallèlement à la publication de Loève-Veimars qui acclimatait Hoffmann (2) au goût français, Gérard de Nerval poursuivait sur l'œuvre du conteur allemand un effort d'adaptation personnelle par lequel il espérait la répandre en même temps que se faire connaître. Au *Gastronome* et surtout au *Mercure de France du XIXᵉ siècle*, dirigé depuis octobre 1829 par Paul Lacroix et Amédée Pichot, il publiait périodiquement des nouvelles inspirées plus ou moins librement de Hoffmann (3). Le point de départ, le schéma général, parfois le titre provenaient de ce dernier. Mais, comme l'indique Jules Marsan, il poussait plus loin encore l'intention de son inspirateur, cette confrontation naturelle de la plus médiocre réalité avec le rêve. Éclairant l'atmosphère de ses récits d'une lumière plus douce et moins anxieuse, il était parfois soucieux de ménager à la fin du conte quelque explication naturelle, psychologique de l'aventure (4). Il y a généralement dans la narration un fond de bonne humeur, même au cœur des plus noires magies, comme dans *la Main enchantée*, qu'on retrouvera chez Hugo. La contribution de Nerval au fantastique ne se bornait d'ailleurs pas à ces nouvelles : il avait encore traduit dans des revues de nombreuses légendes allemandes mises en vers par Gœthe ou Jean-Paul, Wieland et Bürger, notamment les deux célèbres ballades de ce dernier, *la Romance de Lénore* et *le Féroce Chasseur* (5). Cette dernière légende fort connue à l'époque, fournit le thème de la chevauchée fantastique du *Beau Pécopin*.

(1) Par exemple la traduction d'Henry Egmont en 1836, dont Hugo possédait à Hauteville House un exemplaire (l'avait-il fait ramener de Paris avec d'autres livres ?). Débroché à force d'avoir été lu et manipulé, il figure encore aujourd'hui dans la bibliothèque.
(2) Le mot n'est pas forcé. La préface au *Sabbat des Sorcières* de Tieck (1833) dit que plusieurs créations de cet auteur ont été « naturalisées » chez nous.
(3) Au *Mercure* : les *Aventures de la nuit de Saint-Sylvestre* (1831), *Nuit du 31 décembre* (1832). D'autres parurent au *Gastronome*, dans *la Charte, la Presse*, ou au *Cabinet de lecture* comme la célèbre *Main de gloire* (1832) dont le titre a été changé par la suite en *la Main enchantée*. Ces nouvelles recueillies par la suite sous des titres divers ont été réunies dans l'édition citée des *Œuvres Complètes*, au tome II, *Nouvelles et Fantaisies*.
(4) Par exemple, une trop forte dose d'opium dans la *Nuit du 31 décembre*. Mais *la Main de Gloire* demeure sur son explication surnaturelle.
(5) Publiées d'abord dans des revues, elles avaient été réunies dans un recueil paru sous son simple prénom en 1830.

Tieck.

Si l'on a approfondi l'étude de Hoffmann en France, il semble en revanche que le travail n'ait pas été fait pour Ludwig Tieck. Nous avons
vu pourtant que Nodier ne les séparait pas dans son admiration et il
était connu en France depuis plus longtemps que Hoffmann (1). Son
premier ouvrage traduit date de 1801 et dans son livre, Mme de Staël,
qui ne pouvait parler de Hoffmann encore inconnu, consacre à un roman
de Tieck, *Sternbald* « dont la lecture est délicieuse », deux pages enthousiastes (2) : elle y célèbre ses descriptions de la nature, de l'enfance, de
l'art et, très finement, du bonheur qu'on goûte aux impressions du moment. Ce roman devait être traduit en français dès 1822, à un moment
où le nom de Hoffmann n'avait pas même été encore prononcé. En 1829,
paraissait un nouveau volume de cet auteur, comprenant *Deux nouvelles
et une pièce*, à savoir *le Chat botté*, la pièce, et les deux nouvelles, *Amour
et Magie* et l'une des plus célèbres de Tieck, *Egbert le blond*. Enfin, en
1832, peut-être à l'imitation de ce qu'avait fait Renduel pour Hoffmann,
l'éditeur Vimont entreprenait la publication des *Œuvres Complètes* de
Tieck qu'il commençait par une vie romancée de *Shakespeare et ses
contemporains* (3). Cette première livraison s'ouvrait sur une préface
où l'auteur était présenté comme « le roi des conteurs allemands ». Elle
retraçait l'historique de ses premières traductions en français et formait
des vœux non équivoques pour le succès de la publication : « Puisse
le bienveillant accueil qu'a reçu parmi nous le fougueux Hoffmann
présager semblable fortune à son aimable rival !» C'est, par une curieuse
coïncidence, le mot même dont se servira plus tard Hugo pour caractériser Hoffmann, une des rares fois, je crois bien, que son nom se rencontre sous sa plume :

> O libre Hoffmann planant dans les rêves fougueux (4) !

Au songe tourmenté qui suit une lecture de Hoffmann, la préface
opposait la douce et calme rêverie procurée par Tieck.

Ne nous y trompons pas : le « suave » Tieck, comme l'appelait par
comparaison le préfacier, sait évoquer dans *l'Abbaye de Netley* un spectre,
au grand embarras du traducteur qui s'excuse sur la crédulité médiévale
de ne pouvoir lui trouver une explication rationnelle ; il sait terminer
l'histoire d'un amour obtenu par sorcellerie dans le meurtre (5) et les
aventures d'Egbert dans une douloureuse agonie. Cette réserve faite,
il reste évident que Tieck a été fortement impressionné par l'aimable
féerie de Perrault (6) et l'on comprend que Nodier n'ait pas oublié de

---

(1) La préface à la traduction du *Sabbat des Sorcières* (1833) le déclarait « placé
avec les deux Schlegel à la tête de l'école moderne ».
(2) M. Breuillac fait justement remarquer que Hoffmann fit ses débuts littéraires
en 1809 et que le livre de Mme de Staël est de 1810. Sur Tieck, voir *De l'Allemagne*,
Seconde Partie, chap. XXVIII, éd. Firmin-Didot, p. 345-346. Pour de plus amples
renseignements, la thèse de Robert Minder, *Un poète romantique allemand : Ludwig
Tieck* (1773-1853), Publications de la Faculté des Lettres de Strasbourg, fasc. 72.
(3) Voir dans la *Bibliographie* la liste des œuvres de Tieck, traduites avant 1838,
telle qu'on la trouve dans *la France littéraire*, en rétablissant l'ordre chronologique.
(4) *L'Ane*, V, p. 339.
(5) Dans *Amour et Magie*. « Et le dernier sorcier qu'on brûle, dira Hugo en 1855,
c'est l'Amour! » (*C.*, III, 10).
(6) Cf. p. 262, n. 2.

citer un conteur avec lequel il pouvait se sentir plus d'affinités qu'avec un Hoffmann par exemple. En effet, par la douceur de ses figures angéliques, la limpidité de son récit, la sécheresse quasi linéaire du dessin de l'intrigue, Tieck se rapproche de la tradition française du merveilleux. L'art de Shakespeare sur lequel il a, comme Nodier, beaucoup réfléchi, pouvait lui apporter l'image d'un monde infiniment plus riche et du même coup plus embrouillé, qui ne se retrouve pas dans son œuvre, mais rejoignant l'exemple de Perrault, il lui enseignait surtout une atmosphère de rêve dont il a retenu l'extraordinaire pureté. Analysant le *Merveilleux dans Shakespeare*, il constatait, résume fort bien M. Béguin, que « l'œuvre qui veut atteindre à l'impression onirique doit se maintenir sur le plan de *l'illusion*, sans que jamais la réalité banale y intervienne (1). » M. Béguin conteste d'ailleurs qu'il ait de loin atteint ce résultat dans ses contes. Mais la réalité, où son imagination retombe par défaut, n'a rien de la réalité tristement pittoresque où Hoffmann à dessein plante rudement son fantastique. Tieck cherche au contraire précisément à la dépouiller de sa banalité, à en dégager un monde de fêtes travesties et de châteaux perdus au fond des bois, ce qui est à la fois le degré le plus accessible et le plus classique du merveilleux (2).

Bilan des influences.

Telle était l'ambiance. A côté du romantisme élégiaque finissant, à côté du romantisme qui triomphait au théâtre et prétendait par son inspiration humaine élargie à la scène du monde, se développait moins bruyamment, mais non sans éclat, un romantisme rêveur, un romantisme de cabinet, sinon de cabaret, tout mêlé des légendes que se racontaient des amis devant les chopes vides et dans la fumée des pipes, dont l'indifférence voulue aux grands problèmes aussi bien qu'aux sentiments personnels rejoignait la doctrine dissidente émise par Gautier dès la préface d'*Albertus* et à grand fracas dans celle de *Mademoiselle de Maupin*, précisément née elle aussi dans ce cénacle secondaire de la rue du Doyenné où vivaient Gérard et « le bon Théo (3) ». A ces deux guides, Hoffmann et Tieck, et à Nerval, imitateur original, il conviendrait d'ajouter sans doute les nombreux amateurs de moindre renom, Janin, Marmier, Christian et d'autres moins connus. Nous n'avons retenu que ces deux noms qui représentent l'un la tradition du merveilleux vague et l'autre l'innovation du fantastique vrai. Telles étaient les deux voies qui pouvaient tenter Victor Hugo.

Disons-le tout de suite, il ne semble pas qu'il en ait, au moins à cette époque, vivement ressenti l'appel. Sans doute, nous l'avons vu, il con-

---

(1) Préface à la traduction de *la Tempête* par Tieck (1796). A. Béguin, *op. cit.*, p. 236.

(2) Dans la distinction faite par Nodier des trois sortes de fantastique —le faux, le vague, le vrai — on rangerait volontiers Tieck à côté de Nodier dans la catégorie du merveilleux vague et Hoffmann dans celle du fantastique vrai. Cf. Breuillac, art. cité, p. 452-453.

(3) « Arcades ambo », dit Nerval. Cf. *Œuvres complètes*, *Petits Châteaux de Bohême*, *Premier Château*, p. 5 sq. C'est ce qu'avait pressenti l'auteur de l'article paru le 26 décembre 1829 dans *le Globe* qui, répondant à celui de W. Scott, lui reprochait sa critique de Hoffmann : « Traîner l'art à la suite d'une idée morale, c'est le dénaturer et le perdre. » Rappelons que W. Scott mourut en 1832 et que E. T. A. Hoffmann était mort en 1822.

naissait le nom de Hoffmann, et les revues qu'il lisait, notamment *l'Artiste*, les amis qu'il rencontrait en étaient pleins depuis 1830. S'il ne voyait plus guère Nodier, il n'était pas indifférent à ce qu'il écrivait, ni aux œuvres des Janin et des Nerval, ses fervents admirateurs du début, auxquels il devait bien en retour un peu d'attention. Mais, chef d'école lui-même, il restait surtout attentif à son propre programme, dont l'ampleur le détournait d'un courant intéressant, mais restreint. L'explication vaut ce qu'elle vaut, c'est-à-dire peu de chose : mais faute de documents certains, nous sommes réduits à des conjectures, ou plutôt à des constatations.

M. Breuillac, qui s'est penché sur le problème des rapports de Hoffmann avec Hugo, a dû reconnaître qu'ils étaient minces (1). Sans doute, a-t-il pu trouver quelque ressemblance entre la théorie du grotesque et l'art des *Phantasiestücke*, mais il s'empresse d'ajouter que les dates s'opposent à toute conclusion, la Préface étant antérieure à la première traduction de Hoffmann. Il constate également que la publication de Loève-Veimars est très postérieure à *Han d'Islande*, qui, rappelons-le, est inspiré du roman noir et de W. Scott. Observons que, si l'influence de Hoffmann devait avoir joué, c'est dans *le Rhin* surtout qu'on devrait s'en apercevoir et particulièrement dans la *Légende du Beau Pécopin*. Or, des lectures comparées n'en offrent aucun indice. Peut-être quelques silhouettes de médiocres et de gueux, déjà signalées, feraient-elles songer à Hoffmann, si elles n'étaient imputables d'abord à Walter Scott, et plus encore au talent d'observation et au génie caricatural de Victor Hugo lui-même. Plus tard, dans *Toute la Lyre*, la *Chanson du Punch*, dont la composition est attribuée aux années 1852-1853, semble s'inspirer de deux pages de Hoffmann traduites par Nerval (2). C'est là, semble-t-il, ce à quoi il faut s'en tenir provisoirement, en concluant avec M. Breuillac que Hugo, comme les grands poètes romantiques à l'exception de Musset peut-être, a échappé à l'influence du conteur allemand.

Avec Nerval, Hugo présente quelques points communs. S'il est loin d'en avoir la légèreté, à laquelle il ne prétend d'ailleurs pas, il s'accorde parfois avec lui pour rechercher des explications naturelles aux impressions surnaturelles, il manie les légendes et les diables avec la même bonne humeur. Mais on n'en peut tirer aucune conclusion précise et c'est dans d'autres domaines que nous aurons bientôt l'occasion de les confronter (3).

La parenté de V. Hugo avec Tieck est plus frappante sur certains points (4). Ce dernier, comme nous l'avons dit, a subi l'influence de Shakespeare, de Walter Scott et de la tradition française, ce qui les met tous deux un peu dans les mêmes conditions de composition. Comme Hugo plus tard, il s'est adonné au roman médiéval : *l'Abbaye de Netley, histoire du Moyen Age* et *le Sabbat des Sorcières, chronique de* 1459 révèlent le même

---

(1) *Art. cité*, 2ᵉ partie, *R. H. L. F.*, 1907, p. 77 sq.
(2) *La liqueur favorite d'Hoffmann*, publiée dans *le Gastronome*, 2 décembre 1830 et recueillie au tome II des *Œuvres complètes* de G. de Nerval, p. 123.
(3) *Les fêtes et souvenirs d'enfance*, cf. IIᵉ section, chap. III.
(4) Que Hugo ait lu quelque chose de Tieck au moment qui nous occupe, c'est possible, probable, mais nous n'en savons rien. Tout ce que l'on peut dire, c'est qu'en 1864, Hugo le rangeait dans une bibliographie (« documents consultés par moi ») pour la composition de son *William Shakespeare*, parmi les « poètes commentateurs et critiques », sous le n° 23. Cf. *W. S., Reliquat*, p. 387.

goût que *Notre-Dame de Paris*, 1482. Mais il y a des points de contact plus profonds. Le climat des contes de Tieck est presque toujours la forêt allemande des traditions populaires, « avec son mystère et ses terreurs, l'isolement d'un enfant ou d'un jeune homme qui s'égare, la brusque apparition de vieillards singuliers (1) ». Ce thème se retrouve en effet par deux fois dans *Egbert le blond*, où Bertha s'égare et se désespère comme Pécopin dans la forêt des Vosges et Egbert lui-même, après la mort de Bertha, se perd à son tour en forêt pour y rencontrer une vieille femme qui lui révèle le secret de sa vie et de ses malheurs. Cet égarement en forêt marque en général chez Tieck le départ pour l'aventure : c'est le cas dans *les Amis* et dans *le Runenberg*, où un jeune chasseur errant dans une forêt, voit, après la rencontre d'un mystérieux inconnu, s'ouvrir à lui un monde magique. Ce thème est commun à Hugo qui nous montre l'impénitent chasseur Pécopin parvenu dans la forêt des Pas-Perdus et rencontrant un vieux gentilhomme qui l'entraîne dans cette chevauchée damnée. En pénétrant plus au fond des choses, on pourrait voir dans ce thème un symbole psychologique : c'est celui de l'évasion du monde réel qu'inspirent ces amples forêts mystérieuses. Hugo nous confie que, enfant, rêvant sur ce vocable magique, *Forêt-Noire*, il la peuplait dans son imagination de dragons et de fées (2). Ce n'étaient là que les premières en date des chimères qu'il aima, devenu homme, à poursuivre au fond des bois.

Les sensibilités des deux poètes se trouvent encore liées précisément par cette nostalgie de l'enfance, qu'ils ont exprimée tous deux avec les terreurs et les joies fugitives de son univers imaginaire. Elle ne s'observe pas seulement chez Hugo dans cette confidence de 1840, mais dans sa poésie à plusieurs reprises et parfois dans ses romans (3). On la retrouve constamment affirmée chez Tieck avec un frémissement original. Mme de Staël lui avait déjà remarqué ce penchant : « L'enfance y est présentée sous mille formes différentes », écrivait-elle (4). Ainsi le jeune Ludwig, allant rejoindre son ami, se perd dans la forêt à suivre les images de son enfance qui lui font oublier le monde réel et ses soins. « Du fond de la mémoire, de l'insondable abîme du passé, une puissance inconnue fit surgir toutes les figures qui jadis l'avaient empli de joie ou de terreur (5) » : poupées, jouets et ombres fantastiques, premier amour, figures grotesques des livres oubliés.

Le poète fantastique est semblable à l'enfant auquel ce monde magique apparaît aussi réel, sinon plus que l'autre. Tieck écrivait : « Tout ce qui nous entoure n'est vrai que jusqu'à un certain point (6). » Sans le pousser au même degré, Hugo a aussi parfois le sentiment de l'irréalité du monde environnant ou plutôt de la réalité du monde imaginaire. L'imagination

---

(1) A. Béguin, *op. cit.*, p. 229.
(2) Pages de l'Album de 1840, recueillies dans *V.*, II, p. 469-470.
(3) Rappels répétés de son enfance aux Feuillantines (voir dans *la Fantaisie, Thèmes et Motifs* cette rubrique), nombreuses scènes d'enfants répandues dans son œuvre (*ibid.* et ici chap. v), dont l'épisode des *Déniquoiseaux* (*Travailleurs de la mer*, I, v, 5) offre un charmant exemple d'une profonde exactitude psychologique.
(4) *Op. cit.*, p. 349.
(5) *Les Amis*, p. 158 sq., *in la Coupe d'Or et autres contes*, trad. Béguin, éd. Denoël et Steele.
(6) A. Béguin, *op. cit.*, p. 217.

a une telle prise sur notre vision de l'univers qu' « il nous faut, écrira-t-il, à chaque instant la secousse du réel » pour nous détacher de l'illusion où nous vivons. La lune qui éclaire ce monde de fantaisie, que nous nous sommes fait, a plus à voir avec la *reine des nuits* qu'avec la planète que l'on est surpris d'apercevoir une fois par hasard au télescope (1). Cette observation, bien qu'elle ait été seulement développée vers 1864, domine la conception hugolienne du monde.

Mais s'il y a là quelques rapprochements intéressants à noter, ce sont plutôt des rencontres, exception faite peut-être pour le thème de l'égarement en forêt qui fait d'ailleurs partie de la tradition féerique (2).

Légende du Beau Pécopin.

Abordons directement la *Légende du Beau Pécopin*. Si Hugo a subi quelques influences, c'est assurément là qu'elles ont pu s'exercer. En effet, malgré l'allégation mensongère de Victor Hugo qui prétend avoir « écrit ce conte bleu dans le lieu même » du Falkenburg et le date impudemment de *Bingen, août* (3), un regard jeté sur le manuscrit nous prouve qu'il a été composé, selon le mot de Biré « après la lettre », ainsi que quelques additions, les deux chapitres sur le Rhin et la longue conclusion.

Hugo a voulu s'essayer lui aussi au conte fantastique. Lorsqu'il le fit, il avait, fraîches dans sa mémoire, les images et les légendes du voyage et aussi ses livres sous la main. Il a cédé à l'appel de sa fantaisie et à l'exemple de ces productions dont nous avons parlé, à la fois pour montrer que nulle corde de la lyre n'était étrangère à sa virtuosité et pour varier cette suite de lettres où le conte vient à propos jeter son intermède juste au milieu.

Voyons le sujet d'abord. Il ne semble pas qu'il doive rien à Tieck ni à Hoffmann. Sans doute, le thème de la chasse maudite vient d'outre-Rhin et a pu lui être inspiré soit par la romance de Bürger, *le Féroce Chasseur*, résumée déjà par Mme de Staël (4) et traduite par Gérard de Nerval (5), soit par la légende du *Sauvage Chasseur Hackelberg*, rapportée par les frères Grimm dans leur recueil des *Traditions allemandes* (6). Hackelberg, y pouvait-il lire, nourrissait pour la chasse une si grande passion qu'il « pria Dieu... de lui accorder, en échange de sa part du royaume des cieux, la grâce de chasser sur le Soelling jusqu'à la fin du monde. Son vœu impie, diabolique, a été aussi exaucé ; car très souvent, on a entendu au milieu de la nuit dans cette forêt et, tantôt d'un côté, tantôt de l'autre, un effroyable bruit de cors et les longs aboiements d'une meute de chiens... » Or, cette chasse occupe une bonne partie du conte, mais elle vient s'insérer dans une série d'aventures errantes et instructives qui rappelle les voyages de Candide à travers le monde, à

---

(1) *Promontorium Somnii* (écrit vers 1864) *in William Shakespeare, Reliquat*, p. 298.
(2) Moins exploité sans doute, il est déjà dans *le Petit Poucet* et dans le vagabondage de Jacques le Mélancolique en forêt d'Arden (*Comme il vous plaira*).
(3) *Rh.*, XXI, p. 185-186. Cf. p. 192, en particulier note 1.
(4) *Op. cit.*, II, XIII, p. 173.
(5) Gérard, *Poésies*, 1830.
(6) *Traditions allemandes*, recueillies et publiées par les frères Grimm, traduites par M. Theil, Paris, Alph. Levavasseur, 1838, t. I, p. 295.

la fin desquels il doit retrouver une Cunégonde centenaire, consumée
dans l'attente, tout comme Pécopin la belle Bauldour (1).

Mais tout est dans le ton et dans la manière dont Hugo traite le sujet.
De Voltaire aussi, il garde le ton badin, l'air amusé avec lesquels il traite
les aventures fantastiques de ses fantoches. Il a le goût rabelaisien de
l'accumulation documentaire, la fantaisie archéologique dont à son tour
Anatole France saura tirer de piquants effets, lorsqu'il campera la
silhouette funambulesque de son d'Astarac. Parfois dans cette verve
déchaînée, d'une pureté douteuse, perce quelque trésor de naïveté à
la Perrault. Mais rien qui rappelle vraiment les atmosphères inquié-
tantes de Hoffmann ou la vague douceur de Tieck. On peut découvrir
par la suite des emprunts qui nous aient échappé, mais rien qui dénonce
une imitation de la manière d'un de ces conteurs.

C'est que, au vrai, Hugo a fait avec *Pécopin* un *à la manière de* tout le
monde et de personne. Avant tout, il a voulu, en écrivant *Pécopin*, s'amuser.
Et il s'est amusé prodigieusement en se laissant aller à sa fantaisie débridée
et renouvelée au contact des légendes rhénanes, il s'est amusé en plaçant
dans la bouche du diable, comme nous le verrons, une remarque directement empruntée à l'encyclopédie d'un Révérend Père du XVIIe siècle.
Il a pris à conter la *Légende du Beau Pécopin* le même plaisir qu'il prenait
à inventer des histoires pour ses enfants, il s'y est pris de la même
manière : une longue suite d'aventures toujours près de finir sans jamais
s'achever, avec des chutes et d'éternels sursauts, pour son propre plaisir
autant et plus que pour celui de ses enfants ou de ses lecteurs (2). « Si
Peau d'âne m'était conté, — J'y prendrais un plaisir extrême » disait La
Fontaine. Hugo, comme lui, est de ces esprits qui gardent toute la vie
leur jeunesse : elle leur revient par bouffées et c'est en cela que *Pécopin*,
avec ou sans influence et y eût-il des « sources », demeure malgré tout
un témoignage spontané de sa fantaisie.

Diverses incarnations du diable.

Pour se convaincre de la bonne humeur qui domine le récit, il suffit
d'un exemple. Le diable est sans nul doute, dans ces sortes de contes,
le personnage terrifiant par destination, il tient le premier rôle dans
Pécopin. Examinons donc ses diverses représentations.

(1) M. Jean Giraud nous fait remarquer le rapprochement possible avec le thème de
la Belle au bois dormant. A la différence près que la Belle se retrouve, après son
enchantement de cent années, aussi jeune qu'auparavant, tandis que le temps n'a
pas épargné Bauldour, mais seulement Pécopin en vertu de son talisman.
(2) Comme il écrivait, dessinait, ou cueillait des fleurs pour ses enfants (cf. ici,
p. 156 sq., 175 sq., 294, etc.), il n'est pas impossible que V. Hugo ait songé à eux
en composant ce conte. La littérature enfantine, comme l'a lumineusement souligné
A. Thibaudet, est à peu près une découverte du XIXe siècle romantique (voir *Hist. de
la Litt. française*, p. 241). Si les *Contes* de Perrault sont devenus si répandus dans le
public enfantin, ils l'ont peut-être dû à des initiateurs comme Nodier ou Loève-
Veimars, traducteur de Hoffmann et fondateur du *Journal des Enfants* (1833), qui
remontaient aux sources du merveilleux et du fantastique. Il y a une liaison profonde entre ce goût du folklore, ce retour au « primitif », comme dira plus tard Hugo,
et les prédilections communes aux poètes et aux enfants : même amour de l'histoire,
des histoires, du merveilleux et du fantastique, qui fait du Romantisme une jeunesse
de la littérature et de ses œuvres un répertoire de littérature pour la jeunesse, dont
l'âge adulte, avec ses froideurs, se détourne (*Colomba*, *Notre-Dame* et *les Misérables*,
Balzac, Dumas, une certaine Sand, etc.). On a vu et on verra encore comme Hugo
prenait plaisir aux histoires d'enfants (voir p. 294 sq. et 310 sq.) et il est très possible,
comme on l'a dit pour le « grand-père », que le « père » se soit déjà amusé parfois
à feuilleter les journaux ou les livres de ses enfants.

La première incarnation de Satan est celle du « chiffonnier » des âmes (1).
Le procédé de V. Hugo consiste à lester le surnaturel de réalité, non pas à la
manière de Hoffmann qui le fait surgir mystérieusement d'un estaminet
ou d'une salle de musique, mais plus grossièrement, en prêtant au personnage le déguisement de l'habit et du métier et en tempérant cet aménagement du fantastique par une forte dose de bonhomie. C'est d'ailleurs
dans la vraie tradition du moyen âge (2). Hugo part précisément de
l'image médiévale du diable sculptée « sur le portail de la cathédrale de
Fribourg, en Suisse, où il est figuré avec une tête de porc sur les épaules,
un croc à la main et une hotte de chiffonnier sur le dos ». Séduit par
l'idée, il lui trouve un sens philosophique : « car le démon, ajoute-t-il,
trouve et ramasse les âmes des méchants dans les tas d'ordures que le
genre humain dépose au coin de toutes les grandes vérités terrestres ou
divines (3) ».

Hugo connaît tous les recours à la réalité, qu'il mêle allégrement au
merveilleux. Les anges, par malice, font sauter le couvercle. Le diable y
met-il un cadenas ? Les âmes, « aidées par les petits doigts roses des chérubins », s'échappent par les claires-voies de la hotte. Tant y a que le diable
confie son gibier à la carnassière sans couture faite d'une « outre de dromadaire » où il « empile » les âmes, « les épluchant fort peu ». Hugo s'amuse
alors à lui prêter le comportement et les réflexes d'un brave homme moyen.
Bonne chasse réjouit le Nemrod bourgeois, mais la pesanteur du sac
lui arrache des jurons d'impuissance : « Oh! âmes de plomb » s'irrite-t-il.
Il s'emporte grossièrement contre l'ange qui assiste en souriant à ses
difficultés : « Oh! céleste volaille! grand innocent, va! » jette-t-il à ce
« niais qui n'est ni homme ni oiseau ». Aussi empêché que le charretier
de La Fontaine (4), il n'est plus qu'un « pauvre diable » qui « se creusait
la tête et rêvait » : on attendait le mot (5).

De l'homme fruste, il n'a pas seulement l'impatience et les rugosités,
mais aussi l'astuce. C'est « un drôle fort adroit ». Habile à manier les
hommes par leur faible, il met à leur aise les plus saints, avec beaucoup
d'urbanité, causant « orfèvrerie avec saint Éloi et cuisine avec saint Théodore ». Bien plus, il ne manque pas d'esprit (6). Pour saint Nil qui souhaite
ingénument que le *diable l'emporte*, il a cette répartie flegmatique :

Vous comptez les minutes, monseigneur ? c'est un noble goût. Vous devez
être du midi ; car ceux du midi sont ingénieux et adonnés aux mathématiques,
parce qu'ils sont plus voisins que les autres hommes du cercle des étoiles
errantes.

(1) *Rh.*, XXI, *Légende*, VI, p. 194 sq.
(2) Mais les lieux, où évolue le personnage, demeurent, loin de la réalité hoffmannesque, les refuges traditionnels de la légende : Orient de fantaisie, désert de convention, forêt touffue et mal localisée où les oiseaux parlent par énigmes.
(3) Au surplus, cela lui permet d'intégrer son diable dans la série des « gueux »
qui lui est familière. Cf. cette note à propos du voyage à Reims (1825) : « La hotte
est le trait d'union entre le chiffon et le papier et le chiffonnier est le trait d'union
entre le mendiant et le philosophe. » *W. S.*, *Reliquat*, p. 252.
(4) Hugo y songe : il parle du « charretier embourbé », *ibid.*, p. 195.
(5) Voir un effet du même genre, dans l'histoire du diable bâtisseur d'église à
Aix-la-Chapelle, légende également rapportée par Alexandre Dumas dans son
Voyage en Suisse : « Comme Urian était *bon diable* et riait à se tordre les côtes en
faisant sonner son or tout neuf, ils se rassurèrent et l'on négocia. » (*Rh.*, IX, p. 68).
(6) *Ibid.* : « Le diable a de l'esprit. C'est à cause de cela qu'il est le diable. »
Même conception en 1865 dans *À doña Rosa* (*C. R. B.*, I, VI, 12) : « Le diable est
diseur de proverbes. »

On nous apprend que le mot vient de Rocoles, déjà cité (1). Sans doute, Hugo devait-il éprouver un malin plaisir à mettre dans la bouche du diable le mot d'un bon père jésuite. Cependant ce qui nous intéresse, ce n'est pas la source, mais l'usage qu'en fait Hugo. Il en tire un savoureux effet de surprise qui rappelle le boniment scientifique du savant Sbrigani (2). Il y a en effet du bateleur dans le diable de V. Hugo. Du charlatan, il a la basse flagornerie et les arguments péremptoires. Il sait aussi pleurer, supplier, trépigner. Il varie le ton pour aboutir à ses fins (3).

Les saints, auxquels il s'adresse, n'échappent d'ailleurs pas davantage à la mentalité de l'humanité moyenne. Ils sont pétris d'égoïsme, d'indifférence ou de préjugés, autant de mauvaises raisons, bien humaines, d'éluder l'assistance du prochain. Mais il nous plaît de voir la déconvenue du diable, dont ils ignorent l'identité, dégénérer de nouveau en une cascade d'imprécations où il se venge par l'ironie :

> Voilà des animaux! s'écria-t-il en regardant les saints s'éloigner. Quels vieux pédants! Sont-ils absurdes avec leurs grandes barbes! Ma parole d'honneur, ils sont encore plus bêtes que l'ange!

Le suppliant du désert n'est pas la seule incarnation du diable. Il sait aussi prendre les dehors d'un vieux chasseur courbé sur ses jambes débiles qui n'effraie nullement Pécopin. « Son sourire, mieux examiné, était le sourire banal et sans profondeur d'un roi imbécile (4). » Le vieil homme bonasse fait place au terrible cavalier qui monte à cru un cheval tartare présenté par un palefrenier en livrée écarlate. Le *féroce chasseur*, parvenu dans son palais, redevient un vieil hôte narquois qui donne au chevalier des recettes de purgation, où Hugo, comme Molière, se délecte à accumuler les termes techniques. On retrouve enfin au pied du Falkenburg, en sa dernière incarnation « un vieux petit homme, bossu, boiteux et fort laid », suivi du piqueur masqué portant le portefeuille rouge des pactes. Ce qui n'empêche pas Hugo de le faire disparaître avec une logique toute fantastique :

> ... tordant sa jambe difforme autour de l'autre et se dressant sur la pointe du pied, il fit une pirouette, et Pécopin le vit s'enfoncer en terre comme une vrille... La terre en se renfermant sur le diable laissa échapper une jolie petite lueur violette semée d'étincelles vertes, qui s'en alla gaîment, avec force gambades et cabrioles, jusqu'à la forêt, où elle resta quelque temps arrêtée et comme accrochée dans les arbres... (5).

Ce dernier trait, mélange d'ingéniosité et de délicatesse, nous montre la façon dont le fantastique se mêle au merveilleux dans la bonne humeur. Ce serait une curiosité superflue de reprendre la classification de Nodier

---

(1) Jean Giraud, art. cité ; Rocoles, *le Monde*, t. I, p. 452.
(2) Voir ici p. 234 et n. 1.
(3) Voir le portrait un peu différent, mais aussi humain du diable bâtisseur d'église dans le conte inséré au milieu de la lettre IX (cf. n. 1). Hugo en fait un grand seigneur indulgent, traitant de manants les sénateurs, un peu dilettante, remuant nonchalamment des fouillis d'escarboucles et s'offrant les plaisirs simples d'un raffiné désabusé qui rappelle un peu Fantasio : « Je suis un être mélancolique, je passe mes journées à voir jouer sous la transparence du lac le tourniquet et le triton d'eau... » Erudit au surplus et informé de toutes les connaissances hétéroclites que Hugo s'est plu à lui passer, que ce soit d'architecture ou de sciences naturelles.
(4) *Lég.*, X, p. 205.
(5) *Lég.*, XVII, p. 223.

pour se demander si Hugo a fait du fantastique vrai ou du merveilleux vague? Aucun des deux, je pense : son merveilleux pèche souvent par trop de précision, son fantastique n'a rien de vrai. Je crois que, sans même le vouloir, il a opté délibérément pour le fantastique faux. Sa verve s'en accommodait et il cherchait seulement à se distraire, sans grande arrière-pensée artistique. Ce qui n'empêche pas son conte de l'être en dépit de lui, parce qu'il reste écrit par un artiste. Mais cette exubérance dans l'invention, ces plaisirs rabelaisiens d'une mémoire encyclopédique, cette bonhomie partout répandue, tout cela demeure, même dans ce conte « après la lettre », le jeu de sa fantaisie spontanée. S'il a subi quelque influence, ce n'est pas celle de tel ou tel auteur en particulier, mais l'influence diffuse de la vogue contemporaine. Qu'il ait souvent trouvé sa nourriture chez les autres, c'est là une tout autre question : il est surtout vrai qu'il l'a fait pour les légendes qu'il ne pouvait apprendre que par la tradition orale ou livresque.

Aux sources du merveilleux.

Dans son introduction au recueil des frères Grimm, l'Héritier de l'Ain dénonçait la distinction qu'il importait de faire entre la littérature fantastique qui fleurissait à l'époque et les traditions proprement légendaires qui seules à son avis méritaient attention :

... Ce n'étaient, écrivait-il, ni des légendes, ni des chroniques, ni des traditions, mais des amplifications des rêves ou des déformations de quelque poésie originale arrangée par des profanes à la mode du moment, des fabrications inhabiles, faites avec la vaste et profonde érudition d'un jour... (1).

Si Hugo aimait surtout le « bonheur de pouvoir donner l'essor à sa fantaisie (2) », il aurait pu lui aussi, malgré la séparation des clans, adhérer à une telle opinion et proclamer sa préférence pour les légendes. Il n'était pas nécessaire qu'il s'avouât grand *croyeur* de légendes pour qu'on pût s'en apercevoir. Les légendes foisonnent dans *le Rhin*, sous forme de récits ou d'allusions (3). Dans la première des deux lettres consacrées « après la lettre » à l'histoire du fleuve, Hugo salue avec enthousiasme « l'aube de civilisation renaissante » qui fait entendre « un adorable gazouillement de légendes et de fabliaux (4) ». Et aussitôt d'en entreprendre, sur deux longues pages, le poétique dénombrement. Il fallait bien qu'il s'adressât à des livres susceptibles de lui en fournir les éléments comme le recueil des frères Grimm ou ce *Guide du Voyage du Rhin* composé par Schreiber, dont l'édition de 1831 contenait justement en appendice vingt-sept *Traditions populaires aux environs du Rhin*... Hugo ne se cache

(1) *Op. cit.*, p. XLV.
(2) Cf. p. XLVI : « Certainement c'est un bonheur de pouvoir donner l'essor à sa fantaisie ; mais, pour un cœur honnête, n'y-a-t-il pas d'ineffable jouissance dans les résultats de la conscience et du zèle ? »
(3) Voici la liste de quelques-uns de ces récits. Légende d'Aix-la-Chapelle : le diable bâtisseur d'église, X, p. 68. — Légende de Velmich : Hatto de Falkenstein et la cloche d'argent, XV, p. 126. — Légende de Bacharach : le village des barbiers, XVII, p. 137. — Légende de Lorch : la vallée des contes et des fables, XIX, p. 148. — Falkenburg « nid de légendes » (Gontran et Liba, Pécopin et Bauldour), XX, p. 174. — Autre légende de Hatto de Falkenstein : la Tour des Rats, XX, p. 175. — Légende des Burgraves, XXV, p. 279. — Bligger-le-fléau, XXVIII, p. 319, le « fileur des légendes », XXVIII, p. 341 etc.
(4) *Rh.*, XIV, p. 116 sq.

d'ailleurs pas d'avoir fréquenté les bibliothèques en voyage. La bibliothèque est le complément du clocher. L'image qu'il s'est formée du haut de ce dernier achève de se composer dans les livres. Il en éprouve même quelque satisfaction : « Buchanan, dit-il négligemment, que je feuilletais ces jours-ci dans la bibliothèque de Heidelberg (1). » Il met même à cette érudition fantasque et bariolée une sorte de coquetterie, citant Pline et Aristote comme s'il les connaissait autrement que pour les avoir rencontrés ensemble en furetant dans quelque encyclopédie du temps passé (2). Cette manie de l'érudition facile est son faible : prenons-en notre parti. Mais le *Guide* de Schreiber, Hugo n'avait pas besoin d'être un curieux pour y recourir. Le voyageur ne pouvait se dispenser de le feuilleter. Et il ne s'en prive pas. Les légendes énumérées dans les pages récapitulatives du *Rhin* s'y retrouvent plus ou moins (3).

Prenons un exemple. Hugo cite le nom de Cunon de Sayn. Ce nom évoque l'histoire d'un chevalier amoureux qui, pour mériter la belle Irmengarde, dut en une nuit faire percer un chemin jusqu'au burg de son père et fut aidé par les lutins dans cette entreprise. La légende se rattache au château des Falkenstein. Lorsque Victor Hugo passe à Velmich, il contemple longuement la ruine délabrée où la légende parle encore, s'attend presque à une apparition surnaturelle : « J'avoue, écrit-il, que je n'aurais pas été surpris... de voir sortir de dessous les rideaux de lierre quelque forme surnaturelle portant des fleurs bizarres dans son tablier... (4). » Espoir déçu : « J'ai regardé un moment vers la muraille septentrionale avec je ne sais quel vague désir de voir se dresser brusquement entre les pierres les lutins *qui sont partout au nord*, comme disait le gnome à Cunon de Sayn... » Ce regret, sincère il n'en faut pas douter, est caractéristique du climat imaginaire où le spectacle des ruines emporte notre poète. Nul doute aussi, qu'il n'ait ouvert son guide à la page où Schreiber conte la légende du chevalier de Sayn qui flotte sur « les murs solitaires de Falkenstein » : c'est en effet là qu'il a trouvé la phrase dont il cite les termes

---

(1) *Rh.* XXVIII, p. 320. D'ailleurs Victor Hugo connaît toujours les bibliothèques des villes qu'il traverse : à Strasbourg, la « vieille nef où est la bibliothèque de la ville » (*Rh.*, XXIX, p. 347) et à Heidelberg : « Je hante la forêt et la bibliothèque, cette autre forêt. » (*Rh.*, XXVIII, p. 308.) Ce qui ne l'empêche pas de proclamer son mépris, non pour le livre, mais pour *les livres* réunis en bibliothèques, dont la variété et les controverses « n'enfantent aucun résultat ». Cf. *l'Ane*, III, p. 324 sq., et *Toute la Lyre*, IV, 22, p. 321.
(2) Cf. ici p. 234, n. 1.
(3) En voici quelques exemples : *Gela*, la pure amante du chevalier de Hohenstauffen, *alias* Frédéric Barberousse, *Schreiber*, I, 406 ; — *Garlinde*, fille de Sibo de Lorch, enlevée par les lutins, *Schr.*, VII, 421 ; — *L'oréade de Lurley*, *Schr.*, XVI, 445 ; — « Guntram et Liba », « sombre aventure » qu'il voulait conter à la place de *Pécopin* (*Rh.*, XXI, 185) et qu'il résume dans la lettre précédente (XX, 174) selon une version assez différente, à vrai dire, de celle de *Grunstein et Liba*, *Schr.*, XIV, 439, etc... Pour Sibo de Lorch, par exemple, le souvenir est aussi net que pour Cunon de Sayn. Hugo évoque, surplombant le Wisperthal « le château inhospitalier dont Sibo de Lorch refusait d'ouvrir la porte aux gnomes dans les nuits d'orage ». (*Rh.*, XVIII, 144.) Il est clair qu'il a ouvert son *Schreiber* à la page où l'on peut lire (VII, 421) : « On frappe à la porte dans une nuit fort orageuse. C'était un vieux petit bonhomme qui demandait l'hospitalité. Le chevalier refuse brutalement de recevoir un si singulier personnage... » Dans le même style, les *marmousets du Zeitelmoos*, sortes de lutins, offrent un exemple d'emprunt possible aux frères Grimm (cf. t. I, p. 68).
(4) *Rh.*, XV, p. 127. Nul effroi, remarquons-le, dans ce souhait, mais seulement le sens du mystère : son goût de l'antithèse le porte au contraire à rêver de l'apparition charmante au milieu de ces ruines fantastiques. Ainsi va sa *fantaisie*.

en caractère italique, sans toutefois pousser le scrupule jusqu'à nous rapporter le nom de l'auteur (1). Il n'est pas jusqu'au merle, dont Hugo entend le *sifflement ironique*, qui ne soit suggéré par le livre. Schreiber écrit : « Une douleur muette plane sur ces décombres qui ne sont plus habités que par le merle des rochers. » Et Hugo transpose ce symbole de désolation et l'utilise à traduire la déception infligée à ses rêves par la réalité d'une nature moqueuse : « Mais il m'a fallu me résigner à ne rien voir et à ne rien entendre que le sifflement ironique d'un merle des rochers perché je ne sais où. » L'emprunt est flagrant, mais l'interprétation personnelle qu'il en a est non moins évidente. Au point que ce merle est le premier d'une véritable série d'oiseaux railleurs, gavroches de la gent emplumée, qui se disperseront dans son œuvre, particulièrement dans les printemps de ses *Contemplations*, comme autant de motifs symboliques d'une nature impertinente.

Mais Hugo ne s'en tient pas aux allusions, il emprunte parfois tout un récit. C'est le cas de la légende de Hatto de Falkenstein dont le souvenir exécrable *rôde autour* de la Maüsethurm, la Tour des Rats. Il s'agit toujours du même burg, mais cette fois la réalité n'a pas déçu le rêve :

Je ne me l'étais pas imaginée plus effrayante. Tout y était : la nuit, les nuées, les roseaux frissonnants, le bruit du fleuve plein d'une secrète horreur, comme si l'on entendait le sifflement des hydres cachées sous l'eau, les souffles tristes et faibles du vent, l'ombre, l'abandon, l'isolement, et jusqu'à la *vapeur de fournaise* sur la tour, jusqu'à l'âme de Hatto!
Je tenais donc mon rêve, et il restait rêve (2)!

Cette impression très personnelle n'empêche pas Hugo de suivre de tout près le texte de Schreiber, quand il place dans la bouche d'une servante d'hôtel le récit de la légende. Inutile précaution : il ne savait pas l'allemand et la servante ne devait pas entendre le français. Voici, à titre d'exemple, les deux textes :

---

(1) *Schreiber*, III, p. 413. Le lutin offre à Cunon de percer le chemin avec ses frères à condition qu'il fasse cesser la mine dont l'exploitation menace leurs retraites : « ... Vous n'y perdrez rien ; à gauche vous trouverez des filons plus abondants ; je vous donnerai la baguette propre à les indiquer ; ils courent du couchant au levant ; *mais les lutins sont partout au nord.* »
(2) *Rh.*, XX, p. 180. Souligné par moi.

SCHREIBER

Hatton était un homme avare et dur qui ouvrit plutôt la main pour bénir que pour donner. Or il arriva une grande famine par tous les pays du Rhin, et beaucoup d'hommes moururent misérablement.

Quantité de malheureux s'assemblent autour du burg de Mayence, où Hatton tenait sa cour, et ils demandaient du pain. L'archevêque insensible leur en refusa impitoyablement, quoique ses greniers fussent remplis, les traita de canailles fainéantes et malfaisantes qui ne voulaient pas travailler. Les pauvres devinrent plus pressans, et Hatton envoya ses archers pour les prendre tous tant qu'ils étaient, hommes et femmes, vieillards et enfans, et les enfermer dans une grange qu'il fit brûler. C'était un spectacle horrible dont les pierres auraient pleuré ; il s'en moqua même en disant : Entendez-vous siffler les rats ? Mais voici la punition du ciel. D'énormes essaims de rats inondèrent le château, de sorte qu'enfin personne ne pouvait s'en défendre. Plus on en tuait, plus il en revenait. Ils paraissaient sauter de la terre. Hatton s'enfuit à Bingen et fit bâtir une tour dans le Rhin, et s'y réfugia dans une nacelle ; mais les rats le poursuivirent partout, ils nagèrent à travers les eaux et grimpèrent sur la tour, où ils le dévorèrent tout vivant et rongèrent même son nom dans les tapisseries. Son esprit apparaît encore souvent sur la tour, en forme de brouillard (2).

HUGO

Et puis elle me raconta une histoire. Qu'autrefois à Mayence, dans son pays, il y avait eu un méchant archevêque nommé Hatto, qui était aussi abbé de Fuld, prêtre avare, disait-elle, *ouvrant plutôt la main pour bénir que pour donner* (1). Que dans une année mauvaise il acheta tout le blé pour le revendre fort cher au peuple, car ce prêtre voulait être riche. Que la famine devint si grande, que les paysans mouraient de faim dans les villages du Rhin. Qu'alors le peuple s'assembla autour du burg de Mayence, pleurant et demandant du pain. Que l'archevêque refusa. Ici l'histoire devient horrible. Le peuple affamé ne se dispersait pas et entourait le palais de l'archevêque en gémissant. Hatto, ennuyé, fit cerner ces pauvres gens par ses archers, qui saisirent les hommes et les femmes, les vieillards et les enfants et enfermèrent cette foule dans une grange à laquelle ils mirent le feu. Ce fut, ajoutait la bonne vieille, *un spectacle dont les pierres eussent pleuré.* Hatto n'en fit que rire ; et comme les misérables, expirant dans les flammes, poussaient des cris lamentables, il se prit à dire : *Entendez-vous siffler les rats ?* Le lendemain, la grange fatale était en cendre ; il n'y avait plus de peuple dans Mayence ; la ville semblait morte et déserte, quand tout à coup une multitude de rats, pullulant dans la grange brûlée, comme les vers dans les ulcères d'Assuérus, sortant de dessous terre, surgissant d'entre les pavés, se faisant jour aux fentes des murs, renaissant sous le pied qui les écrasait, se multipliant sous les pierres et sous les masures, inondèrent les rues, la citadelle, le palais, les caves, les chambres et les alcôves. C'était un fléau, c'était une plaie, c'était un fourmillement hideux. Hatto éperdu quitta Mayence et s'enfuit dans la plaine, les rats le suivirent ; il courut s'enfermer dans Bingen, qui avait de hautes murailles ; les rats passèrent par-dessus ces murailles et entrèrent dans Bingen. Alors l'archevêque fit bâtir une tour au milieu du Rhin et s'y réfugia à l'aide d'une barque autour de laquelle dix archers battaient l'eau ; les rats se jetèrent à la nage, traversèrent le Rhin, grimpèrent sur la tour, rongèrent les portes, le toit, les fenêtres, les planchers et les plafonds, et, arrivés enfin jusqu'à la basse-fosse où s'était caché le misérable archevêque, l'y dévorèrent tout vivant. Maintenant la malédiction du ciel et l'horreur des hommes sont sur cette tour, qui s'appelle la Maüsethurm. Elle est déserte ; elle tombe en ruine au milieu du fleuve et quelquefois, la nuit, on en voit sortir une étrange vapeur rougeâtre, qui ressemble à la fumée d'une fournaise : c'est l'âme de Hatto qui revient (3).

(1) En italique, dans le texte.
(2) *Schreiber*, VI, *la Tour d'Hatton*, p. 420.
(3) *Rh.*, XX, p. 176-177.

La comparaison est facile, un simple coup d'œil y suffit. Hugo a largement développé le texte de Schreiber, ne manquant aucune occasion de détailler les actions et de faire surgir à nos yeux les mouvements de foule : implorations du peuple affamé, surtout l'invasion des rats, rendue par l'accumulation des verbes. De-ci de-là, il ajoute une explication — celle de la disparition du blé par les achats massifs qu'en fit Hatto par cupidité — une vision personnelle — « fourmillement hideux », sensation et mot signés de lui — ou une métaphore dont la recherche excessive trahit son auteur — les ulcères d'Assuérus. Le reste, c'est Schreiber à peine modifié, dont on retrouve sous les végétations hugoliennes le sec et net exposé et, par un scrupule déjà signalé, les deux ou trois traits caractéristiques cités en italique dans le récit de Victor Hugo. Disons-le tout net, il ajoute au texte, d'où ils étaient absents, l'art et le frémissement personnel d'une imagination échauffée par le thème de la légende.

Nous avons seulement voulu citer là deux exemples typiques d'emprunts commis sous la forme, le premier d'une simple allusion, le second d'un récit complet. On n'en fait pas une découverte originale, et tous ceux qui ont ouvert le *Guide du Rhin* ont pu établir des rapprochements analogues. Après tout, il ne s'agissait que de légendes. Mais le hasard d'une lecture fit découvrir la source d'une description de *Pécopin* dans le livre du Père jésuite Étienne Binet, un de ces recueils, fort répandus au xviie siècle, de sujets et de connaissances destinés à illustrer l'éloquence de la chaire (1). Mis sur la trace, les chercheurs ne s'arrêtèrent pas en chemin. Six ans après, on s'apercevait que Hugo avait suivi Binet en plus d'endroits qu'on ne pensait, mais l'avait corrigé en se référant à Pline l'Ancien et au *Traité de Vénerie* de Jacques du Fouilloux (2). M. Philippot pouvait se croire autorisé à conclure un peu ironiquement que Victor Hugo, écrivant son conte « sous la dictée même des arbres... avait sur ses genoux deux livres au moins : les *Merveilles de Nature* et l'*Histoire naturelle* de Pline ». Un tel parti pris d'érudition chez un poète en liberté devenait inquiétant. Quelques années plus tard encore, deux articles de M. Jean Giraud mirent heureusement la chose au point : l'auteur parvenait à établir sans difficulté que Hugo n'avait pas puisé à de multiples sources la documentation nécessaire à la rédaction de *Pécopin*, mais à une seule qui les réunissait toutes, *le Monde* de Rocoles, manière d'encyclopédie scientifique, historique et géographique dont Hugo possédait le premier tome dans sa bibliothèque (3). Si M. Giraud

---

(1) *R. H. L. F.*, t. X, 1903, G. DOTTIN : *le Rhin et l'Essai des Merveilles de Nature* du père Etienne Binet, qui aurait inspiré dans le chap. x de la *Légende* intitulé *Equis canibusque* la description des chiens et des chevaux, c'est l'observation d'un érudit de Rennes, M. Tréal, qui était à l'origine de cette communication.
(2) *R. H. L. F.*, t. XVI, 1909, E. PHILIPPOT, *Etienne Binet et Victor Hugo*. L'auteur de l'article signalait notamment la description de l'*Oiseau Phénix*, au chap. II de *Pécopin*, celle des pierres précieuses au chap. VII, les deux emprunts indiqués par M. Dottin, les armoiries au chap. XIII, etc.
(3) *R. H. L. F.*, t. XVI, 1909, p. 501-539 et surtout, t. XVII, 1910, p. 497-530 : *le Monde*... « composé premièrement par Pierre Davity... revu, corrigé et augmenté par Jean-Baptiste de Rocoles, Conseiller et Aumônier du Roy et Historiographe de sa Majesté », 1660. Le catalogue de vente de la bibliothèque de la rue de la Tour-d'Auvergne (1852) signale le tome I de cet ouvrage, un de ces livres « que personne ne lisait » et que Hugo se réservait, sans le révéler, de dépouiller sans scrupules pour son profit personnel. Il l'a pourtant cité dans *le Rhin*, IV, p. 38 : « *le Lion*, dit Rocoles, *pourrait tout aussi aisément être appelé un singe.* »

renchérissait sur les précédents en découvrant de nouveaux emprunts du poète, il n'en apportait pas moins au problème des sources hugoliennes une solution infiniment plus satisfaisante pour l'esprit et plus rassurante que celles des premiers.

On avait peine à se faire à l'image d'un patient érudit, composant ce conte extravagant d'une mosaïque d'emprunts les plus divers. Mais on admet fort bien celle d'un amateur des quais, chercheur et bouquiniste impénitent, tombé en arrêt sur l'in-folio inépuisable grâce auquel il allait pouvoir faire de l'érudition à peu de frais. On comprend d'ailleurs l'enthousiasme du poète : le livre est séduisant par la richesse et la variété de ses points de vue et surtout pour l'exquise naïveté avec laquelle le bon « Aumônier du Roy » ajoute foi aux histoires les plus funambulesques. Dès lors, ce n'est plus un problème de sources, mais une question *d'économie* dans les deux sens du mot, et particulièrement au sens d'organisation du travail. Une telle source unique permet au créateur de réserver toutes les forces de son imagination : elle donne l'élan à sa fantaisie, en même temps qu'elle lui épargne de se consumer dans l'invention du détail. Ainsi excitée, celle-ci est d'autant plus libre de s'exercer dans les directions qui lui plaisent. Il ne convient donc pas de dénoncer le plagiaire, mais d'admirer l'ingénieux travailleur.

On arrive à se persuader de cette vérité paradoxale que, dans le cas de Victor Hugo, la documentation libère la spontanéité. Il n'est pas jusqu'aux sources mêmes de cette documentation qui ne révèlent avec éclat l'indépendance de sa fantaisie. C'est une documentation de rencontre, non de recherche. Le fait même de s'adresser à un Rocoles, la nature et la variété des curiosités qu'il lui demande, description du basilic ou du phénix, répartition géographique des boissons, recette du *caoué* des Arabes, armoiries de Cyrus, culture des pierres précieuses, médecine des animaux (1), tout un bric-à-brac de l'érudition, relèvent directement du vagabondage intellectuel et de la fantaisie. Dans les vieux livres érudits, Hugo ne se met pas à l'étude, il y fait l'école buissonnière.

Ainsi, ni les influences, ni les sources ne suffisent à rendre compte de la conception du merveilleux chez Hugo, à ce moment de son histoire. Elles se mettent au service de son génie, et c'est à celui-ci en définitive qu'il faut toujours en revenir.

Or, la marque de son tempérament, tel qu'il se découvre dans ses impressions spontanées de voyage, c'est, semble-t-il, de saisir du même regard le réel et l'imaginaire, le merveilleux et le fantastique.

Le réel et l'imaginaire.

En ce climat de légendes, auquel il se livre tout entier sans arrière-pensées, Victor Hugo éprouve le besoin de voir s'incarner dans la réalité les chimères des légendes et de ses rêves. Nous l'avons déjà rencontré à Falkenstein, troublé par la nostalgie sincère d'une apparition fantastique (2). Ce n'est pas l'exception. L'imagination le domine au point de le suggestionner. Hanté par le souvenir du prieur de Velmich et de la

(1) Cf. J. Giraud, art. cité, *passim*.
(2) Voir p. 275-276.

cloche d'argent qu'on entend parfois tinter dans la nuit, il ne tarde pas à percevoir « le son faible, à peine distinct, d'une cloche, qui montait jusqu'à moi à travers le crépuscule et semblait en effet sortir de dessous la tour (1) ».

Même observation lorsqu'il va visiter, toujours de nuit, la Maüse-thurm. Averti de la légende, il s'attend presque, dirait-on, à surprendre le panache vermeil dont l'âme de Hatto vient parfois couronner sinistre-ment la tour. Le fait est que le miracle se produit encore pour lui. Voici la description qu'il ébauche du paysage, fort semblable au dessin qu'il en a tracé : « ... Debout dans une eau plate, huileuse et comme morte, une grande tour noire d'une forme horrible, du faîte de laquelle sortait, en s'agitant avec des balancements étranges, je ne sais quelle nébulosité rougeâtre (2)... »

Il faut dire que Hugo s'entend à choisir l'heure et le climat appropriés à la visite d'une ruine riche en légendes. Poète du crépuscule et de la nuit, il connaît les ressources qu'offrent à l'imagination leurs troublants brouil-lards (3). Et il en joue avec intention à son propre égard. Il sait que le jour venu, les créatures imaginaires s'enfuient et que le charme inquié-tant de la nuit se dissipe dans les fleurs et le chant des oiseaux. Aussi est-ce de propos délibéré qu'il entreprend ces promenades nocturnes dans les bourgs solitaires. Les promesses de l'ombre ne sont pas déçues : la « nébulosité rougeâtre » devient un « flamboiement éclatant et fa-rouche », un grincement se fait entendre du côté de la tour, un gros rat s'enfuit dans les roseaux, et dans la fournaise s'agitent deux démons (4). La nuit apporte avec elle l'anonymat énigmatique des bruits et des mou-vements, le rayonnement des lueurs, et le grossissement infini des choses. L'atmosphère se charge d'anxiété.

C'est ordinairement le moment que le poète choisit pour nous ramener à une vision plus dégagée et rassurante. La réalité fait alors éclater, comme un fruit mûr, l'énigme de la nuit. Le glas de la cloche « c'était l'angélus de quelque village perdu au loin dans les plis des vallées que le vent m'apportait complaisamment ». Les démons de la Tour des Rats étaient deux forgerons, « la Maüsethurm est une forge (5) ». Pas

---

(1) *Rh.*, XV, p. 126. Voici la légende que raconte Hugo. Un seigneur de Falken-stein, fort avide, avait pris la cloche d'argent de l'église de Velmich. Défiant les pro-testations du prieur, il le fit jeter dans un puits avec la cloche attachée au cou. Peu de temps après, il tomba malade et, au chevet du moribond, on entendit le glas d'argent sonner dans les profondeurs.

(2) *Rh.*, XX, p. 179.

(3) Cf. chap. II, *Déformation du crépuscule*, notamment, p. 212 ; *passim*, p. 244, 256, 276. A quoi on peut encore ajouter cet exemple (*Rh.*, XXVI, p. 287, sur la route de Worms, vers huit heures du soir) : « Il me semblait entendre les génies familiers du Rhin, les duendes et les gnomes me les répéter (les avertissements du porteur) à l'oreille avec des rires goguenards. C'était précisément l'heure où ils sortent, mêlés aux sylphes, aux masques, aux magiciennes et aux brucolaques, et où ils vont à ces danses mystérieuses qui laissent de grandes traces circulaires sur les pelouses foulées, traces que les vaches, le lendemain matin, regardent en rêvant.
La lune allait se lever.
Que faire? assister à ces danses? cela serait curieux. »

(4) *Rh.*, XX, p. 181.

(5) Même impression, même processus à Liége, fin août 1840 : « ... le paysage prend tout à coup un aspect extraordinaire. Là-bas, dans les futaies au pied des collines brunes et velues de l'occident, *deux rondes prunelles de feu* éclatent et res-plendissent comme des yeux de tigres. Ici, au bord de la route, voici un *effrayant chandelier* de quatre-vingts pieds de haut, qui *flambe* dans le paysage et qui jette sur les rochers, les forêts et les ravins, des *réverbérations sinistres.* Plus loin, à l'entrée

plus en effet que ses contemporains, Hugo n'oublie la réalité dans les jouissances de son imagination. Au contraire, il entretient entre elles deux un perpétuel contact. C'est la réalité qui donne l'essor à l'imagination, c'est pour la retrouver en définitive, elle et son « spectacle rassurant », que l'imagination s'abandonne innocemment à ses tourments délicieux. Mais là, Hugo se sépare de ses contemporains : il n'assied pas comme un Hoffmann son rêve sur la plus fruste des réalités. C'est plutôt de Nerval qu'à cet égard il se rapproche. Encore ce dernier suit-il souvent Hoffmann dans la manière dont s'organise l'intrigue de ses contes, mais les aventures fantastiques de ses héros s'expliquent parfois à la fin par la réalité. Seulement la clef de l'illusion est alors un artifice, opium ou sommeil. Chez Hugo au contraire, l'illusion est toujours naturelle : il se borne à laisser jouer sur les facettes de son imagination les ombres et les lumières, quitte à pousser, l'illusion une fois savourée, la curiosité de son enquête jusqu'aux coulisses de la réalité (1).

Cependant il n'y est pas toujours heureux et la réalité, complice de l'illusion, ne lui révèle pas toujours le secret. Quelle meilleure preuve aurait-on de sa bonne foi, pour montrer que le procédé n'entre pas malgré tout dans la trame même de ses hallucinations plus ou moins provoquées ? A Heidelberg où il parcourt, une nuit d'octobre 1840, les ruines du château, un bruit étrange rompt le silence de l'ombre : « une sorte de râlement faible, strident, continu, mêlé par instants d'un petit martellement sec et rapide, qui tantôt paraissait venir du fond des ténèbres, d'un point éloigné du taillis ou de l'édifice, tantôt semblait sortir de dessous mes pieds (2)... » Inexplicable, il reste inexpliqué et le mystère intact. Hugo, réduit à éclairer l'énigme par la légende, trouve à ce bruit un air de famille avec le « grincement d'un métier » qui évoque aussitôt pour lui « le hideux fileur des légendes qui file la nuit dans les ruines de la corde pour les gibets ». Il n'en faut pas plus pour que dans la Salle des Chevaliers les statues

---

de cette vallée enfouie dans l'ombre il y a une *gueule pleine de braise* qui s'ouvre et se ferme brusquement et d'où sort par instants avec d'affreux hoquets une langue de flamme.
Ce sont les usines qui s'allument. » (*Rh.*, VII, p. 58).
Poursuivi par le caractère « surnaturel » de ce « prodigieux spectacle », Hugo évoque à propos des scies, des laminoirs, etc... les mugissements, les grincements des hydres et des dragons. Comparer avec la vision du château de Heidelberg, « tête noire et monstrueuse d'un effrayant Pluton, ouvrant sa gueule pleine de feu et regardant par-dessus la colline avec ses yeux de braise. » (*Rh.*, XXVIII, p. 318.) Cf. également la page d'album sur les *charbonniers de Draguignan* (un feu dans la clairière), *V.*, II, p. 244.
(1) Hugo procède de la même manière lorsqu'il nous dépeint l'apparition fantastique, dans la nuit, au milieu des ruines, de la « vieille dryade, chassée par les bûcherons, emportant son arbre sur le dos » et répétant les mêmes syllabes énigmatiques : *Heidenloch! Heidenloch!* C'est seulement après avoir exprimé tout le mystère de la scène qu'il nous révèle qu'il s'agissait tout simplement d'une pauvre vieille fagotière, lui indiquant le *Trou des Païens* (*Rh.*, XXVIII, p. 317). Cf. également la découverte dans la ruine de Velmich d'une « salamandre » des légendes, qui est en fait un « grand lézard d'une forme extraordinaire... *animal à la fois réel et fabuleux...* » (*Rh.*, XV, p. 130). Hugo semble se souvenir de cette impression dans une pièce de *Toute la Lyre* (I, 20, t. I, p. 44) attribuée par l'éditeur à 1874-1876 (?). En voici le premier vers :

La bête regarda l'homme venir vers elle

Suit une description fantastique de cette « bête d'apocalypse ». Et voici la conclusion :

Elle rugit.
— *Bonjour, lézard*, dit le héros.

(2) *Rh.*, XXVIII, p. 340-341.

s'animent et lui paraissent fixer sur lui « leur prunelle vague et effarée » : tritons, satyres, chimères, sphynx, mascarons et cariatides ont l'air de ricaner et les lions de pierre même semblent respirer. Gravement, Hugo conclut sur cette observation : « Les statues dorment le jour ; mais la nuit, elles se réveillent et deviennent fantômes ». Au jour, tout cela formait une « fantaisie charmante ».

Le merveilleux et le fantastique.

Mais, entre le merveilleux et le fantastique, la frontière n'est pas toujours aussi simplement tranchée que par la différence du jour à la nuit. Sans doute Hugo, dans ce texte déjà cité, distingue nettement dès l'aube des légendes rhénanes les deux veines : « ... dans toutes les parties éclairées par ce rayon lointain, mille figures surnaturelles et charmantes resplendirent tout à coup, tandis que dans les parties sombres des formes hideuses et d'effrayants fantômes s'agitaient (1). » Mais, c'est pour se hâter de confondre « cette population d'êtres imaginaires » dans la même énumération où voisinent l'oréade et le *Chevalier de la mort*, nymphes, lutins et spectres.

De merveilleux à l'état pur, à vrai dire, on n'en rencontre guère parmi les impressions spontanées du voyageur. J'entends bien qu'il s'en trouve parfois dans la *Légende du Beau Pécopin*, mais c'est alors du merveilleux conventionnel, à grands renforts de pierreries et de phénix, et l'appareil traditionnel de ce genre de contes. A peine moins traditionnelle, cette image de féerie, gracieuse d'ailleurs, inspirée par le spectacle de la cataracte du Rhin :

Rien n'est riche et *merveilleux* comme cette pluie de perles... que la cataracte répand au loin ; cela doit être pourtant plus admirable encore lorsque le soleil change ces perles en diamants et que l'arc-en-ciel plonge dans l'écume éblouissante son cou d'émeraude, comme un oiseau divin qui vient boire à l'abîme (2).

Le merveilleux, même traditionnel, se maintient rarement chez Hugo aussi pur. Hugo semble le réserver plutôt, comme nous le verrons, aux spectacles de la « petite nature ». Rencontre-t-il pourtant, ailleurs que là, quelque prodige où la nature excelle, un de ces échos par exemple d'un effet merveilleux et auxquels il demeure toujours étonnamment sensible ? Hugo se laisse séduire et il évoque « chaque dentelle de la fanfare » qui « se répète avec une netteté prodigieuse dans la profondeur ténébreuse des vallées », il s'épanouit aux nuances de ces « symphonies délicates, exquises, voilées, affaiblies, légèrement ironiques » ; et, refusant de « croire que cette grosse montagne lourde et noire ait tant d'esprit », le poète se laisse aller à la douceur d'imaginer « sous quelque bocage fantastique, un être surnaturel et solitaire, une fée quelconque, une Titania qui s'amuse à parodier délicieusement les musiques humaines et à jeter la moitié d'une montagne par terre chaque fois qu'elle entend un coup de fusil (3) ». Qui ne voit qu'il n'a su tenir, si j'ose dire, son « sérieux » jusqu'au bout et qu'il envoie joyeusement s'ébouler son château de rêve d'une grosse chiquenaude d'humour ? Si l'on en doutait,

(1) *Rh.*, XIV, p. 116 sq.
(2) *Rh.*, XXXVIII, p. 400 (Laufen, septembre 1839).
(3) *Rh.*, XVII, p. 141, Saint-Goar, 1840.

il suffirait de rappeler le scepticisme badin avec lequel il salue la fameuse oréade de Lurley :

> Si je ne craignais pas d'avoir l'air d'un homme qui cherche à nuire à la réputation des échos, j'avouerais que, pour moi, l'écho n'a jamais été au delà de cinq répétitions (1).

Raillant l'oréade avec autant d'irrévérence que plus tard Musset les « nymphes enrhumées » du parc de Versailles et prêtant par une aimable dérision à cet être surnaturel le cœur désabusé des humains, Hugo présente cette suggestion : « il est probable que l'oréade de Lurley, jadis courtisée par tant de princes et de comtes mythologiques, commence à s'enrouer et à s'ennuyer ».

Il n'en va pas autrement du fantastique. Nous l'avons déjà constaté dans l'étude de sa vision et de ses rêves : Hugo se tient rarement au fantastique pur. Il s'en dégage assez vite par une boutade d'humeur. Parfois pourtant, là aussi, il s'y attarde et plus complaisamment qu'au merveilleux. Par exemple à Lorch, pays de sombres légendes, un incendie se déclare à l'hôtel où le voyageur passe la nuit. Quelle puissante nuit, où l'édifice n'est pas seul à prendre feu, mais aussi l'imagination du spectateur — Hugo le reste toujours, même acteur — qui s'exalte au combat des flammes et de leur vieil ennemi, l'eau.

> A peine la pompe, ce long serpent qu'on entend haleter en bas dans les ténèbres, a-t-elle passé au-dessus du mur sombre son cou effilé et fait étinceler dans la flamme sa fine tête de cuivre, qu'elle crache avec fureur un jet d'acier liquide sur l'épouvantable chimère à mille têtes. Le brasier, attaqué à l'improviste, hurle, se dresse, bondit effroyablement, ouvre d'horribles gueules pleines de rubis et lèche de ses innombrables langues toutes les portes et toutes les fenêtres à la fois... Rien n'est plus terrible et plus grand que cet ancien et éternel combat de l'hydre et du dragon (2).

On ne s'y trompe pas. C'est en amateur de pittoresque que Hugo goûte le fantastique (3). Ce goût du pittoresque est précisément ce qui manque le plus, non pas aux écrivains ni aux artistes certes, mais au commun de sa génération matérialiste. Par réaction, aussi bien que par tempérament, il exprime sa déception devant les confortables et ternes produits d'une époque dénuée d'imagination et, selon une formule qui lui sera plus tard familière et qui le définit bien, lâchant carrément la bride à la sienne, donnant carrière à son génie, le poète, séduit malgré tout par les puissantes inventions de son siècle et sans renier la machine

---

(1) *Ibid.*, p. 136 : son écho devait se répéter sept fois.
(2) *Rh.*, XIX, p. 150 (septembre 1840).
(3) C'est ainsi qu'il utilise le vocabulaire fantastique (*spectres, larves*, etc.) pour traduire l'impression qu'il éprouve dans les villes mortes ou endormies. En Allemagne, les villages traversés sur la route d'Aix-le-Chapelle à Cologne, en août 1840 : « Dans les villages, les vieilles paysannes passent comme des *spectres*, enveloppées dans de longues mantes d'indienne grise ou rose tendre dont le capuchon se rabat sur les yeux. » (*Rh.*, X, p. 84.) En Espagne, le village en ruines de Leso, près de San Juan de Pasages en 1843, où à travers les toiles d'araignées des fenêtres le visiteur aperçoit « des intérieurs de sépulcres » : « Toutes ces têtes mornes, *cadavéreuses*, comme éblouies par un jour trop vif, s'agitaient, se penchaient, chuchotaient. Ma venue avait mis cette *fourmilière de spectres* en rumeur. Il me semblait être dans un *village de larves et de lamies*, et toutes ces ombres regardaient avec colère et terreur un vivant. » (*V.*, II, p. 366.) En France enfin, Brouage, vieille place-forte de Charente, avec « ses maisons basses, blanchies, comme les *sépulcres* dont parle la Bible et ses *spectres* qui grelottent devant les portes en plein midi. » (*V.*, II, p. 435. Hugo fait allusion aux *sépulcres blanchis* de l'Evangile, *Matth.*, XXIII, 27, mais il en détourne le sens.)

à vapeur, se plaît à imaginer « quelle chimère magnifique nos pères eussent faite avec ce que nous appelons la chaudière ». Sensible à la vie qui l'anime, il l'exagère. Hugo ne voit pas la « bête humaine », mais le monstre, tout comme Vigny d'ailleurs (1). Il ne s'arrête pas même là. Il renchérit trop sur le fantastique pour le traduire fidèlement. Son génie du pittoresque, propre à servir l'expression du fantastique, le dessert par excès. On se rappelle le morceau fantasque cité au début de cette étude :

De cette chaudière, ils eussent fait un ventre écaillé et monstrueux, une carapace énorme ; de la cheminée, une corne fumante ou un long cou portant une gueule pleine de braise... et, le soir, on eût vu passer près des villes tantôt une colossale gargouille aux ailes déployées,... tantôt un éléphant la trompe haute, haletant et rugissant... C'eût été grand.

Et la conclusion :

Mais nous, nous sommes de bons marchands bien bêtes et bien fiers de notre bêtise. Nous ne comprenons ni l'art, ni la nature, ni l'intelligence, ni la *fantaisie,* ni la beauté... (2).

Le fantasque.

C'est le mot qui convient. Entre le merveilleux et le fantastique, il y a place pour le fantasque. L'un et l'autre, le merveilleux comme le fantastique, comportent un style défini par la tradition. Hugo répugne trop à tout bornage pour se soumettre, même volontairement, à l'unité exclusive d'une tonalité. Du merveilleux au fantastique, il parcourt toutes les notes de la gamme, en y ajoutant les « altérations » de son humour.

Un rien suffit à le déclencher. Tantôt, c'est un détail de la réalité, cette gargouille par exemple qui sur la flèche de Bâle le regardait fixement. « Je lui ai mis résolument la main dans la gueule, il n'en a été que cela (3). » Joyeuse gaminerie qui défie la réalité fantastique du monstre de pierre. Cela fait songer au *Convive de pierre,* aux bravades de Don Juan contre la statue du Commandeur : Hugo se flatte d'en rencontrer une réplique à Bade, un certain duc Bertholdus, « sculpté dans la manière sinistre du douzième siècle, qui regarde les passants d'un air formidable ». Effroi du visiteur : « Je ne me soucierais pas de l'entendre monter un soir mon escalier ». Le sourire qui perçait se résume en boutade : « Si jamais ce duc se présente chez l'auteur, le portier a ordre ne point le laisser entrer (4). » Tantôt, c'est un personnage de la réalité qui embarque son imagination sur la mer des légendes, tel ce petit postillon de huit ans, coiffé d'un chapeau à la Henri II, sur la route de Pampelune :

Sitôt qu'il fut à cheval, il se transfigura ; il me sembla voir *un gnome qui se serait fait postillon.* Il était presque imperceptible sur son immense mulet, semblait vissé sur sa selle, brandissait à son petit bras un fouet monstrueux dont chaque coup faisait bondit l'attelage et précipitait tête baissée, à corps perdu dans les ténèbres, tout cet énorme équipage sonnant, cahoté, bondis-

---

(1) Dans les vers célèbres de *la Maison du Berger.* Mais Hugo garde confiance dans le progrès, tandis que Vigny, qui voit peut-être plus loin que lui, s'effraie et distingue dans le chemin de fer le signe d'une civilisation de la machine, vouée à Mammon et Moloch.
(2) *V.,* II, p. 93 ; cf. ici p. xxv.
(3) *Rh.,* XXXIV, p. 380, Bâle, septembre 1839.
(4) *Rh.,* XXXI, p. 367, Fribourg, septembre 1839. Il y a peut-être, en plus, un souvenir de *la Vénus d'Ille,* que Mérimée avait publiée le 15 mai 1837 dans la *Revue des Deux Mondes.*

sant, roulant sur les ponts et les chaussées avec le bruit d'un tremblement de terre. C'était la mouche du coche, mais quelle formidable mouche ! Figurez-vous un démon traînant le tonnerre (1).

Ou bien c'est toute une scène de la réalité dont l'atmosphère est imprégnée de rêve, comme ce banquet des spectres au milieu duquel le voyageur égaré de Fribourg fait irruption : « Autour d'une longue table faiblement éclairée par des chandelles posées de distance en distance, des formes singulières étaient assises. C'était des êtres pâles, graves, assoupis (2). » Mais après nous avoir fait partager son illusion fantastique, Hugo déchire le voile d'un éclat de rire : « Je compris que ces spectres prenaient du café (3). » Ou c'est la vie même dont les multiples bizarreries font autant de contes recueillis par Hugo : telle la merveilleuse et grotesque histoire du *guettier* et de sa femme, qui prennent la veille l'un après l'autre, toutes les douze heures, à la lanterne de Notre-Dame de Châlons, « deux existences qui accomplissent leur rotation l'une à côté de l'autre sans se toucher autrement qu'une minute à midi et une minute à minuit ». « Un petit gnome à figure bizarre, ajoute-t-il, qu'ils appellent leur enfant, est résulté de la tangente (4). » Il n'est pas jusqu'aux légendes mêmes, dont le fantastique ou le merveilleux n'ait leur côté pittoresque ou amusant. Ainsi la légende de Bacharach, *le Village des barbiers*, dont les personnages, qu'elle vienne de la tradition ou d'une surenchère hugolienne, sont tous marqués de la même bonne humeur : la bonne « vieille fée de la Wisper », fort obligée par Frédéric Barberousse, le « géant très bête de ses amis » qui laisse tomber de son sac les barbiers comme des pommes, « un peu gâtés et meurtris », le diable déconfit et le corbeau goguenard qui lui fait ainsi la leçon : « — Mon ami, tu as au milieu du visage, une chose très grosse que tu ne pourrais voir dans la meilleure glace, c'est-à-dire un pied de nez (5). »

Qu'on me passe ce pêle-mêle de fantasque. Il n'a d'autre but que de jeter un jour moins sombre et plus exact sur le visage du voyageur du Rhin. On a trop de tendance à le boursoufler et à l'enténébrer. La vérité est qu'il y est infiniment détendu, propre à recevoir toutes les impressions du réel et à laisser son imagination s'exercer sur elles, en liberté, dans les tons clairs ou foncés, mais jamais sans humour.

(1) *V.*, II, p. 375. Cela rappelle le nain fantastique de Freiburg (ici p. 258) et les lutins de Nodier qui, accrochés à la crinière du cheval, s'amusent à égarer le voyageur (ici p. 98 sq.). Au chap. xxv de *Kenilworth*, Wayland, cheminant avec Amy, « se sentit tout d'un coup fortement étreint par deux longs bras noirs et maigres, appartenant à un individu qui s'était élancé des branches d'un chêne sur la croupe de son cheval... — Ce ne peut être que le diable ou Flibbertigibbet, dit Wayland. »
(2) *Rh.*, XXXI, p. 364. Hugo, on le voit, n'oublie pas le vague qui caractérise le rêve (cf. chap. iii), mais le pittoresque n'y perd pas ses droits ; négligeant les visages noyés dans l'ombre, il s'accroche aux formes des vêtements : « une grande femme blême, coiffée d'un béret surmonté d'un énorme panache noir... un jeune homme de dix-sept ans, livide et sérieux, enveloppé d'une immense robe de chambre à ramages, avec un bonnet de soie noire sur les yeux... un vieillard à visage vert dont la tête portait trois étages de coiffures », etc... Il y a d'ailleurs une tradition du festin des spectres (cf. Grimm, t. I, p. 306). Gautier un peu plus tard, dans le *Banquet des Armures* jouera sur le même thème que l'humour hugolien.
(3) Ce trait les replace bien dans la ligne de sa fantaisie : cf. ici p. 61, l'apparition de Flibbertigibbet, se précipitant, comme plus tard Don César, sur le garde-manger, car, « il faut que tout le monde vive, même les fantômes ».
(4) *Rh.*, III, p. 27, Varennes, juillet 1838.
(5) *Rh.*, XVII, p. 138. Gérard de Nerval avait publié en 1830 et 1836 une histoire du diable et d'un barbier, *le Barbier de Goettingue*, apparemment adaptée de l'anglais (cf. W. T. BANDY, *Revue de Litt. comparée*, 1948, n° 3, p. 409-415).

V

LA FANTAISIE DES RUES ET DES BOIS
FORMATION DES MOTIFS

> « ... (la race) des abeilles — la plus par-
> faite de toutes — qui prend le meilleur
> du monde, et le transmute en miel. »
>
> Romain ROLLAND.

> « ... toutes les fleurs que trouve dans les
> broussailles, toutes les perles que ramasse
> dans les cailloux, toutes les houris que
> découvre parmi les paysannes l'imagina-
> tion ailée, opulente et joyeuse d'un homme
> à pied. »
>
> V. H., *Rhin*, XX, 154.

Nous sommes maintenant en mesure de dégager les impressions qui, en se répétant, s'imposent à la mémoire du poète voyageur et qui, en se regroupant, vont donner lieu aux motifs de sa fantaisie, telle qu'elle éclatera dans *les Chansons des rues et des bois*. Il n'a pas échappé que les souvenirs du Rhin constituaient une réserve pour les futures *Petites Épopées*. On s'est moins avisé que les lettres de voyage sont le chantier et comme le laboratoire d'un travail de cristallisation plus ou moins inconscient, et que dès ce moment commençaient de se déposer et de se composer, selon le retour des sensations et des réminiscences, les principaux thèmes et motifs de sa fantaisie des villes et des champs, *des rues et des bois*.

Art rococo.

En flânant dans les rues de Bruxelles — nous l'avons dit au début de cette section — Hugo a reçu une révélation : la fantaisie peut habiter la pierre. Dès son premier contact avec la Belgique, c'est cette constatation qui prédomine. Il ne s'agit pas seulement du pittoresque immédiat des clochers (1), mais de quelque chose de plus subtil, de l'esprit d'une architecture, d'un style, le style flamand, tel qu'il se traduit dans son ornemen-

(1) Cf. p. 224 sq.

tation. Or, cet esprit est fantaisie. Et la fantaisie n'exclut pas une certaine beauté. Hugo s'en avise, une fois entré dans l'église Sainte-Gudule,
en tombant en contemplation devant la chaire en bois sculpté de Henry
Verbruggen. Elle figure l'arbre du monde qui porte à sa base Adam et
Ève et « à son sommet, la croix, la Vérité, l'enfant Jésus et sous le pied
de l'enfant la tête du serpent écrasée ». Il n'est pas seulement séduit par
le symbole, mais charmé par l'exécution, à la fois forte et spirituelle.

L'ensemble est prodigieusement rococo et prodigieusement beau. Que les
fanatiques du *sévère* arrangent cela comme ils voudront, cela est. Cette chaire
est dans l'art un de ces rares points d'intersection, où le beau et le rococo
se rencontrent. Watteau et Coypel ont trouvé aussi quelquefois de ces
points-là (1).

Le nom de Watteau est un indice de fantaisie. Ce que Hugo retrouve,
il est vrai, en cet ouvrage d'art, c'est moins la grâce du peintre flamand
que le fourmillement animalier et végétal de Dürer (2). « Chaire *four-
millante* de Verbruggen, ajoutera-t-il, chaire magique... » C'est aussi
qu'il s'y retrouve : il est saisi de voir que l'art *sévère*, comme il l'appelle,
n'a pas le privilège du beau et de constater que ce fouillis d'ornements,
cette exubérance flamande, où il surprend son reflet, cette folle dépense
d'imagination a aussi sa beauté.

C'est précisément cette extrême fantaisie qui est nécessaire à l'art
rococo. Sans elle, la maison de Maës, aussi coquette qu'elle soit, « entourée
d'un portique du dernier siècle, tout rocaille et chicorée, avec colonnade
et statues de marbre bleu », serait fade. « Le rococo, remarque Hugo,
n'est supportable qu'à la condition d'être *extravagant* (3). » Il parle à
plusieurs reprises de *caprice flamand, d'architecture fantasque.* Qu'il
s'agisse de gothique fleuri, d'art Renaissance, de l'art baroque des églises
jésuites, ou du style Louis XV (4), Hugo retrouve les mêmes mots,
parce qu'il y voit cette riche minutie de la recherche, cette même dé-

---

(1) *V.*, II, p. 85, Bruxelles, 17 août 1837. Déjà Watteau : nous le reverrons (cf.
2ᵉ section, chap. III). A propos de chaire, observons que Hugo, sensible à toutes
les expressions grandioses de l'art, a toujours eu un faible pour le détail artistique,
pour l'objet d'art : il a notamment le goût du meuble d'art et la chaire tient du meuble
ou en est un, touffu et curieux, dont la forme extravagante laisse une large liberté
à l'imagination de l'artiste. A Strasbourg, en septembre 1839, il s'arrêtera encore
à la chaire de la cathédrale, en pierre cette fois, « petit édifice du XVᵉ siècle, gothique
fleuri, d'un dessin et d'un style ravissants ». (*Rh.*, XXX, p. 355.)
(2) Cf. *Rh.*, XXIII, p. 241 : dans la cathédrale de Mayence « l'épaisse et
inextricable végétation des grillages de fer chargés de fleurs et d'animaux ».
(3) *V.*, II, p. 101. Cf. *L. Ph. m.*, Rel., p. 247 : « L'art sous Louis XV, à force de
violence, de profusion et d'emportement, finit quelquefois par nous faire dire :
c'est laid, mais c'est beau. » Cette remarque est développée lors de son passage à
Nancy, fin août 1839 : « J'ai vraiment regretté que le temps me manquât pour voir
en détail et à mon aise cette ville toute dans le style de Louis XV. L'architecture
du XVIIIᵉ siècle, quand elle est riche, finit par racheter son mauvais goût. Sa fantaisie
végète et s'épanouit au sommet des édifices en buissons de fleurs si extravagantes
et touffues, que toute colère s'en va et qu'on s'y acoquine. Dans les climats chauds,
à Lisbonne, par exemple, qui est aussi une ville rococo, il semble que le soleil ait
agi sur cette végétation de pierre comme sur l'autre végétation. On dirait qu'une
sève a circulé dans le granit ; elle s'y est gonflée, s'y est fait jour et jette de toutes
parts de prodigieuses branches d'arabesques qui se dressent enflées vers le ciel. » (*Rh.*,
XXIX, p. 352). On voit que le goût de Victor Hugo, comme celui de son temps,
s'est élargi (cf. 2ᵉ section, chap. III, *passim*). Noter d'autre part l'influence du soleil,
selon Hugo, sur la fantaisie de la pierre, qui rejoint celle du soleil sur la fantaisie du
poète (cf. ici, p. 183-187).
(4) *L. Ph. m.*, Rel., p. 245 : « Le rococo, c'est le goût de la renaissance faisandé. »

bauche de la fantaisie qu'il lui plaît de rencontrer ailleurs qu'en lui-même.

Telle est la révélation de la Belgique, dont il retrouvera par la suite le pendant dans certaines églises d'Allemagne, d'Autriche et de Suisse (1). Et il en garde depuis lors la vision si impressionnée, qu'il va partout trouver du rococo jusque dans la nature.

... l'écume des vagues, observe-t-il en suivant la côte entre Furnes et Dunkerque, blanche et pailletée au soleil, faisait tout le long du rivage comme une frange de vermicelles et de chicorées cent fois plus délicatement sculptées que tous les plafonds maniérés du dix-huitième siècle. Quand la mer veut faire du rococo, elle y excelle. Les architectes Pompadour lui ont pillé ses coquillages (2).

Jeu suprême de sa fantaisie, de distinguer des correspondances entre la fantaisie de l'homme et celle de la nature. Si l'art rococo lui évoque toujours une « végétation » fantasque, c'est que la nature a proposé la première aux artistes le modèle de ses inventions. Cette fantaisie de la nature ne se démontre jamais mieux que lorsqu'elle se mêle à l'œuvre de l'homme, comme les fleurs dans les ruines. Et c'est là un nouveau et fertile motif qui nous conduit de la fantaisie des cités à celle des forêts.

Fleurs dans les ruines.

Une des explications les plus complètes de ce motif est sans doute celle que lui suggère l'inépuisable ruine du Château de Heidelberg. A l'opposé de cette Tour Fendue, connue de nous (3), dont les restes s'élèvent au-dessus de l'abîme retenus par les « griffes puissantes » d' « arbres monstrueux », « le hasard a jeté une ruine ravissante » :

Il y a là, debout, ouvertes, livrées au premier venu, sous le soleil et sous la pluie, sous la neige et sous le vent, sans voûte, sans lambris, sans toit, percées comme au hasard dans des murs démantelés, douze portes de la renaissance, douze joyaux d'orfèvrerie, douze chefs-d'œuvre, *douze idylles de pierre, auxquelles se mêle, comme sortie des mêmes racines, une admirable et charmante forêt de fleurs sauvages* dignes des paladins, *consule dignæ.* Je ne saurais vous dire ce qu'il y a d'inexprimable dans ce mélange de l'art et de la réalité; c'est à la fois une lutte et une harmonie. La nature, qui rivalise avec Beethoven (4), rivalise aussi avec Jean Goujon. *Les arabesques font des broussailles, les broussailles font des arabesques.* On ne sait laquelle choisir et laquelle admirer le plus, de la feuille vivante ou de la feuille sculptée.

Quant à moi, cette ruine m'a paru pleine d'un ordre divin. Il me semble que ce palais, bâti par les fées de la renaissance, est maintenant dans son état naturel. Toutes ces merveilleuses fantaisies de l'art libre et farouche devaient être mal à l'aise dans ces salles, quand on y signait la paix ou la guerre... Est-ce que ces Vertumnes, ces Pomones et ces Ganymèdes pouvaient comprendre quelque chose aux idées qu'ils voyaient sortir de la tête de Frédéric IV... Maintenant il n'y a plus ni seigneurs, ni fille de roi, ni bal-

---

(1) En Espagne aussi, à l'influence de qui la Belgique doit peut-être pour une part ce goût de l'ornement, Hugo écrira d'après les souvenirs de son voyage de 1843 : « Le sublime bariolage de leurs montagnes (de Biscaye), quadrillées de neiges et de prairies, leur révèle le prestige de l'ornement quand même. » (*H. Q. R.*, p. 37.) Toujours ce reflet noté par Hugo de la nature dans l'art : cette constance à le remarquer est symptomatique de l'influence de la nature sur lui-même.

(2) *V.*, II, p. 120, *les Dunes*, 1er septembre 1837.

(3) Cf. p. 212.

(4) Allusion à la *Symphonie Pastorale*, évoquée dans le même chapitre, p. 322. Mes italiques.

daquin, ni plafond dans cette chambre ; le liseron l'habite et la menthe sauvage la parfume. C'est bien. C'est mieux. Ces adorables sculptures ont été faites pour être baisées par les fleurs et regardées par les étoiles (1).

Parti de l'adorable grâce de l'architecture Renaissance, Hugo contemple le mélange harmonieux de l'art et de la nature, laquelle renchérit encore sur ce dernier, et en arrive à constater que les ruines sont faites pour les fleurs et que cette façade amoureusement ciselée par la main de l'homme du xvie siècle était comme le canevas où la nature devait broder les arabesques de sa propre fantaisie. Ainsi naît, ou tout au moins prend forme, le motif des fleurs dans les ruines.

La première fois qu'on l'observe, c'est, semble-t-il, en 1836, lors du voyage en Bretagne. Il apparaît sous la forme plus spéciale de la chaumière en fleurs que nous retrouverons souvent, car la nature n'a pas besoin des splendeurs de l'art humain pour y tracer son propre dessin. Le moindre mur écroulé, la plus humble masure lui sont bons. Le 30 juin 1836, devant la chaumine de Saint-Jean de Day, Hugo prend clairement conscience que la nature travaille en artiste sur les créations des hommes. Il écrit :

C'est une rencontre bien jolie et bien gracieuse qu'une chaumière au bord du chemin. De ces quelques bottes de paille, dont le paysan croit faire un toit, la nature fait un jardin. A peine ce vilain a-t-il fini son œuvre triviale que la nature s'en empare, souffle dessus, y mêle mille graines qu'elle a dans son haleine, et, en moins d'un mois, le toit végète, vit et fleurit. S'il est de paille, comme dans l'intérieur des terres, ce sont de belles végétations jaunes, vertes, rouges, admirablement mêlées pour l'œil. Si c'est au bord de la mer, et si le chaume est fait d'ajoncs, comme auprès de Saint-Malo, par exemple, ce sont de magnifiques mousses roses, robustes comme des goëmons, qui caparaçonnent la cabane... A chaque hoquet du printemps, une chaumière fleurit (2).

On répète que Victor Hugo n'était pas sensible aux couleurs et saisissait seulement les oppositions d'ombre et de lumière. C'est une façon de voir un peu sommaire, comme cette description de chaumière nous permet d'en juger. Il est plus vrai de dire que, par goût des contrastes violents, il a souvent sacrifié à une stylisation en noir et blanc la gamme nuancée de l'arc-en-ciel. Tempérament d'aquafortiste, si l'on veut, plus que de peintre. Son œuvre graphique le montre assez et il est typique qu'il ne nous ait laissé que des dessins. Mais lui dénier pour autant le sens des couleurs serait excessif : il l'avait et savait leur composition décorative. Ainsi, le motif des fleurs dans les ruines est parfois harmonisé dans une symphonie plus ou moins riche de couleurs.

Sur une route de Bretagne, toujours au printemps 1836, le voici, agrémenté de quelques notes vives :

Çà et là, un champ de ciguë qui exhale une odeur de bête fauve, *un mur en ruines où poussent de grands bouillons blancs*, des geais qui montrent leurs plumes bleues, des pies qui me font penser au cheval de Turenne, et puis cet encadrement de la route magnifiquement doré par les genêts en fleurs (3).

(1) *Rh.*, XXVIII, p. 333 sq., Heidelberg, octobre 1840.
(2) *V.*, II, p. 57. Cf. autres descriptions de masures : *Rh.*, XIII, p. 113, *Ch. vues*, I, p. 107, etc. Ex. : sur la route de la Ferté-sous-Jouarre, juillet 1838, « les jolies petites colonies de coquelicots nains qui font des oasis sur un vieux toit » (*Rh.*, I, p. 17).
(3) *V.*, II, p. 49, Fougères.

Le voici, de nouveau, quatre ans plus tard, dans un foisonnement de fleurs et de couleurs, tel que sous la forme d'un « gros bouquet sauvage » il éclaire « les buissons revêches et hargneux » des ruines de Velmich en Allemagne :

Comme la nature n'oublie jamais l'ornement, ce fouillis est charmant. C'est une sorte de gros bouquet sauvage où abondent des plantes de toute forme et de toute espèce, les unes avec leurs fleurs, les autres avec leurs fruits, celles-là avec un riche feuillage d'automne, mauve, liseron, clochette, anis, pimprenelle, bouillon-blanc, gentiane jaune, fraisier, thym, le prunellier tout violet, l'aubépine qu'en août on devrait appeler rouge-épine avec ses baies écarlates, les longs sarments chargés de mûres de la ronce déjà couleur de sang (1).

Mais la nature ne se borne pas à une sorte de collaboration artistique avec l'homme. Elle ne choisit pas et décore aussi bien la chaumière que le palais, préférant même les ruines à la splendeur du monument dressé ; elle répare l'œuvre destructive du temps et relève tout ce qui est tombé pour en faire une nouvelle œuvre d'art à sa façon (2). Les arabesques dont elle décore l'œuvre humaine écroulée ou vieillie tiennent moins de l'art que de la magie et de l'enchantement.

La magnifique masure a tant de fleurs, de si charmantes fleurs, des fleurs disposées avec tant de goût et entretenues avec tant de soin, à toutes les fenêtres, qu'on la croirait habitée. Elle est habitée en effet, habitée par la plus coquette et la plus farouche à la fois des habitants, par cette *douce fée invisible* qui se loge dans toutes les ruines, qui les prend pour elle et pour elle seule, qui en défonce tous les étages, tous les plafonds, tous les escaliers, afin que le pas de l'homme n'y trouble pas les nids des oiseaux, et qui met à toutes les croisées et devant toutes les portes des pots de fleurs qu'elle sait faire, en fée qu'elle est, avec toute vieille pierre creusée par la pluie ou ébréchée par le temps (3).

Elle apporte, cette magicienne, la vie avec elle. C'est bien là le secret de ses fantaisies distribuées comme par mégarde aux œuvres humaines que l'homme abandonne et que le temps maltraite. Hugo ne s'y trompe pas, lui que réjouit le spectacle d'un rosier du Bengale niché dans la bouche d'un canon rouillé (4) ou de ces « façades décrépites et rechignées » où, quand le soleil « vient rire à une lucarne du ciel, les fleurs... se mettent à la fenêtre en même temps que les femmes (5) ». C'est cette renaissance de la vie dans les ruines, son triomphe sur la décrépitude et la mort qu'il salue avec ravissement comme un rayon d'espoir, content de voir que « la nature prend en pitié... une masure et lui fait fête (6) ».

Ce lyrisme naturaliste ne recule pas devant les fantaisies de la mièvrerie la plus touchante. Si à la fleur qui persévère dans la crevasse d'un vieux

---

(1) *Rh.*, XV, p. 128, Saint-Goar, sept. 1840. Cf. la notation des couleurs dans le paysage normand décrit le 15 mai 1839 et intitulé *Lettre* (*C.*, II, 6).

(2) C'est le thème développé par le poète dans la première partie d'*A l'Arc de Triomphe* (*V. I.*, IV, 2 mai 1837) :

     ... Que le lierre vivant grimpe aux acanthes mortes...

(3) *Rh.*, XIII, p. 111, Andernach, septembre 1840.

(4) Notes d'Album, Golfe Juan, 1839, *in V.*, II, p. 246.

(5) *Rh.*, XVIII, p. 144, Bacharach.

(6) *Ch. v.*, I, p. 107. Même sentiment à Bordeaux, juillet 1843 : « Je voyais s'agiter leurs jolies têtes blanches, jaunes et bleues, et il me semblait qu'elles s'efforçaient toutes à qui mieux mieux de consoler ces pauvres pierres abandonnées. » *V.*, II, p. 286.

mur s'ajoute un insecte voletant dans un rai de soleil, le spectateur candide est au comble d'un bonheur qu'il exprime par de pieuses exclamations. Avisant un jour, en plein Paris, dans les décombres d'un terrain vague une pâquerette des champs, il s'écrie avec une gratitude qui eût ému Jean-Jacques :

O mon Dieu ! il y avait là la plus jolie petite marguerite du monde autour de laquelle allait et venait coquettement une charmante mouche microscopique (1).

Ne nous hâtons pas de nous en moquer : c'est un poète assurément, celui qui, déjà chargé de tant d'œuvres sincères et graves et au milieu des soucis personnels et publics qui l'accablent, sait retrouver au plus profond de soi-même les accents de l'enfance et son émerveillement en regardant un insecte jouer avec une fleur. La pâquerette est la « joie de ce moucheron » ; et leur réunion fait la joie du poète. « Pour qui sait les voir, remarque-t-il, les plus petites choses sont souvent les plus grandes (2). » Cette phrase pourrait servir d'épigraphe à toute notre enquête et en particulier à l'étude de ce motif.

Le petit peuple de la nature : « magnificences microscopiques » et « histoires naturelles ».

Hugo a toujours eu en effet le goût du détail dans l'ensemble, de la minutie dans le monumental. C'est ce qu'il admirait en 1836 dans la cathédrale de Chartres : « Magnifique église ! Autant de détails que dans une forêt, autant de tranquillité et de grandeur. *Cet art-là est vraiment fils de la nature.* Infini comme elle dans le grand et dans le petit. Microscopique et gigantesque (3). »

Un insecte, une fleur, il n'en faut pas davantage pour fournir à la fantaisie du poète un nouveau motif, un des plus persistants de son œuvre. Le timide espoir protesté par la fleur dans ses ruines devient un véritable hymne de joie avec le duo de l'insecte et de la fleur qui chante la victoire du mouvement et de la vie sur l'inertie de la matière et sur la mort. C'est ce chant qu'entendra le poète au cours de ses promenades solitaires (4) devant un tel spectacle : à travers lui, il percevra la vie intense et dramatique de la nature, il écoutera battre son cœur.

(1) *Ibid.*, p. 67, 29 mai 1841. « Que de combinaisons mystérieuses, s'étonne Hugo, pour aboutir à ce ravissant petit soleil jaune aux rayons blancs. » C'est le motif qu'en s'inspirant peut-être de Bernardin de Saint-Pierre (cf. éd. Vianey, t. I, p. 143) ce poète reprendra dans *Unité* (*C.*, I, XXV) :

> Une humble marguerite, éclose au bord d'un champ,
> Sur un mur gris, croulant parmi la folle avoine
> … Regardait fixement, dans l'éternel azur,
> Le grand astre épanchant sa lumière immortelle.
> « Et moi, j'ai des rayons aussi ! » lui disait-elle.

Datée sur le manuscrit 2 *juillet* 1853, *Jersey*, cette petite pièce de vers est publiée dans *les Contemplations* avec la mention *Granville, juillet* 1836. M. Vianey y voit par suite un souvenir de l'anecdote de Granville sur le bouvreuil et l'épervier (cf. ici, p. 194). Il n'est pas impossible que Hugo ait simplement voulu rappeler par cette date imaginaire l'une de ces impressions printanières, telles qu'il les avait éprouvées en 1836 lors de son voyage en Normandie et notées çà et là dans ses lettres.
(2) C'est, par exemple, à partir de semblables spectacles qu'il a dégagé sa *loi d'unité*, cf. p. 194 sq.
(3) *V.*, II, p. 44, La Louppe, 18 juin 1836.
(4) Cf. p. 187 sq. où l'on voit que ce type de rêveries vagabondes lui est familier.

Vous dire ce que j'ai fait là, ou plutôt ce que la solitude m'y a fait ; comment les guêpes bourdonnaient autour des clochettes violettes ; comment les nécrophores cuivrés et les féronies bleues se réfugiaient dans les petits antres microscopiques que les pluies leur creusent sous les racines des bruyères ; comment les ailes froissaient les feuilles ; ce qui tressaillait sourdement dans les mousses, ce qui jasait dans les nids ; le bruit doux et indistinct des végétations, des minéralisations et des fécondations mystérieuses ; la richesse des scarabées, l'activité des abeilles, la gaîté des libellules, la patience des araignées ; les aromes, les reflets, les épanouissements, les plaintes, les cris lointains ; les luttes d'insecte à insecte, les catastrophes de fourmilières, les petits drames de l'herbe ; ... vous dire tout cela, mon ami, ce serait vous exprimer l'ineffable, vous montrer l'invisible, vous peindre l'infini (1).

Petits spectacles, grandes pensées, Hugo, on s'en doutait, a *songé, adoré, prié*. C'était un de ces « instants où la pensée flotte comme noyée dans mille idées confuses ». La rêverie entomologique prend une résonance mystique qui en forme le ton fondamental. Elle n'apparaît pas toujours, il suffit de savoir qu'elle existe et qu'elle constitue la signification profonde de ce spectacle. Le plus souvent, la joie surnage seule. Et il faut bien croire que le promeneur ne garde pas l'esprit toujours aussi tendu vers une réponse aux problèmes éternels, qu'il se contente de s'amuser naïvement au spectacle de cet « univers microscopique », au milieu duquel telle ou telle similitude fait brusquement surgir une pensée plus grave, mais fugace.

Détaché du cadre de la rêverie, le duo de l'insecte et de la fleur reste un pur indicatif de joie. On le retrouve fréquemment dans les lettres de voyage, fixé en une ou deux phrases au plus. Ces esquisses d'une grâce un peu mignarde préparent le motif, tel qu'il figurera dans la série des *Vere novo* où le poète célèbre pour sa part le retour du printemps et, avec lui, de la vie et de la joie (2). En voici un exemple, sur les pentes du Rigi, en septembre 1839, vers midi :

Là, tout était petit et charmant ; le gazon était fin et doux ; de belles fleurs bleues à long corsage se mettaient aux fenêtres à travers les ronces et semblaient admirer une jolie araignée jaune et noire qui exécutait des voltiges, comme un saltimbanque, sur un fil imperceptible tendu d'une broussaille à l'autre (3).

Dans le passage cité ci-après, Hugo écrit d'ailleurs : « comme dans les ravins de Saint-Goarshausen, j'ai erré... » (*Rh.*, p. 136).

(1) *Rh.*, XX, p. 166, de Lorch à Bingen, septembre 1840. Parti à 7 heures du matin de Niederheimbach, Hugo a déjà marché deux kilomètres, tout à la joie du mystérieux réveil de la nature. Pourquoi faut-il qu'après coup, sa joyeuse manie de l'érudition et sa hantise verbale viennent jeter un faux jour sur l'authenticité d'une impression aussi évidemment spontanée ? « Je distinguais vaguement, écrit-il en effet, le long de ce ruisseau, dans les douces ténèbres que versaient les feuillages, un sentier que mille fleurs sauvages, le liseron, le passe-velours, l'hélichryson, le glaïeul aux lancéoles cannelées, la flambe aux neuf feuilles perses, cachaient pour le profane et tapissaient pour le poète.. » Toute cette botanique, nous apprend M. Giraud, se retrouve à la p. 347 de Rocoles déjà cité. Il y a certainement dans cette affection pour les mots savants une sorte de préciosité, qui rejoint certaines tendances de la poésie contemporaine.

(2) *Vere novo* est, on le sait, le titre que Victor Hugo donne, dans *les Contemplations* et même dans les recueils postérieurs, aux pièces qui chantent le renouveau de la nature : c'est le début du vers 43 du 1er livre des *Géorgiques*. Ce titre est parfois définitif, parfois provisoire : dans ce dernier cas, il figure sur le manuscrit.

(3) *V.*, II, p. 196, Berne-le-Rigi. A Epernay déjà, en juillet 1838, la vue « d'un champ de navette en fleur avec des coquelicots et des papillons et un beau rayon de soleil » suffit à lui faire remettre sa visite à une vieille cave, curiosité du pays. (*Rh.*, II, p. 23.)

Hugo ne renonce pas cependant toujours à tirer la leçon du spectacle. Août 1843, en sortant de Saint-Sébastien :

... Je suis resté quelques minutes arrêté devant un liseron dans lequel allait et venait une fourmi et..., dans ma rêverie, ce spectacle se traduisait par une pensée : — Une fourmi dans un liseron. Le travail et le parfum. Deux grands mystères, deux grands conseils (1).

Mais il ne va pas au bout de sa pensée et ne formule pas encore le sens de ce mythe, comme il apparaîtra dans les *Vere novo* : le duo de l'insecte et de la fleur sera une figure de l'amour universel. Cependant, telles quelles, ces contemplations de la petite nature annoncent bien ce qu'il appellera par la suite les « magnificences microscopiques (2) ».

Ces rêveries prolongées, ces observations répétées intéressent le poète à la connaissance de ce petit univers, qui a ses drames et ses surprises. Le poète les fixe en autant de petits récits qui pourraient recevoir des noms de fables : *le papillon et l'homme* (3), *le lézard et la sauterelle* (4), *le cormoran et le poisson* (5). On ne compte pas les troupes d'oies, de poules ou de canards dont Hugo surprend le bavardage (6). Étude de « chat dans une basse-cour » qui lui donne l'occasion de croquer, dans le futur style de Jules Renard, les attitudes et la psychologie d'une société animale, comme il faisait ailleurs pour les arbres :

Le chat est un philosophe distingué, un poète, un penseur, un fabuliste. Il vit parmi les animaux... Le dogue, qui a veillé toute la nuit, dort tout le jour dans sa niche. Le pourceau grogne dans sa souille. Le lapin est bête, le dindon est sot, l'oie est stupide. Les uns cancannent, les autres caquettent. Tous bavardent au hasard sans écouter leur voisin. La poule, cette commère, jalouse la pintade qui prend des façons pincées de créole et d'étrangère. Le canard, ce porc de la gent volatile, se goberge hideusement dans la mare. Le coq, cet hidalgo, fait le bravache, promène et varie ses allures de capitan et s'épuise en dévouement, en désintéressement et en galanterie pour son sérail comme un chevalier arabe.
Le chat, lui, est dans un coin, dans sa fourrure, il a chaud, il est bien, il est seul ; il a la meilleure place au soleil, il ne dit rien... (7).

Histoire du lièvre effaré qui vole par les champs (8), du lièvre landais qui « regarda hardiment la diligence » sachant, pour avoir donné son nom à la maison d'Albret, se comporter « le cas échéant en lièvre gentil-homme (9) », ou de la bergeronnette qui escorte le coche en « s'arrêtant de temps en temps pour piquer une mouche au pied d'un jeune chêne (10) ». La mer ne demeure pas en dehors de ce jeu auquel elle envoie ses repré-sentants, tel ce ballet des crabes : « des constellations de crabes exécutent

(1) *V*., II, p. 333, Pyrénées, Pasages. Hugo analyse fort bien « cet état auquel vous (Louis Boulanger) me savez sujet » : « peu à peu le paysage extérieur, que je regardais vaguement, avait développé en moi cet autre paysage intérieur que nous nommons la rêverie. »
(2) *T. M.*, III, iii, 5 (p. 448) et *Mis.*, IV, iii, 3 (p. 66).
(3) *V.* II, p. 357, Pasages, 3 août 1843.
(4) *Ibid.*, p. 416, Cauterets ; cf. également, p. 352.
(5) *Ibid.*, p. 138, Le Tréport.
(6) *Rh.*, I, p. 17, III, p. 29, XIII, p. 105, etc.
(7) *V.*, II, Rel., p. 481, Forêt-Noire, octobre 1840.
(8) *Rh., Reliquat*, p. 490.
(9) *V.*, II, p. 292, Pyrénées.
(10) *V.*, II, p. 94, Belgique.

avec une lenteur solennelle toutes les danses mystérieuses que rêvait Platon (1) ».

Ce sont autant d' « histoires naturelles », comme Jules Renard nommera plus tard ses pochades humoristiques, dont Hugo émaille ses lettres de voyage. Il y a là peut-être un peu du dessinateur Granville — dont les *Scènes de la vie privée et publique des animaux* sont publiées en livraisons de 1840 à 1842, avec la collaboration des meilleurs écrivains du temps et de beaucoup d'amis du poète — mais surtout beaucoup de Victor Hugo. Ces croquis spirituels et anthropomorphiques se révéleront avoir été autant de sources et d'ébauches pour les fables des années 1850 (2), les *Vere novo* des *Châtiments* et des *Contemplations*, et surtout pour l'immense fête débridée de la nature dans *les Chansons des rues et des bois*. Tout le menu peuple de la nature semble se donner le mot pour confier au poète son message de vie, de joie et d'espoir (3).

Cette joie, bêtes et plantes ne sont pas seules à l'exprimer. Les humains le savent aussi parfois, et parmi eux, ceux qui restent tout près de la nature : les enfants et les amoureux.

Scènes d'enfants.

Les scènes d'enfants n'étonnent pas d'un poète père de quatre enfants, dont l'aînée avait seize ans et la dernière dix ans en 1840. On comprend aisément qu'il reconnaisse leurs sourires sur les visages barbouillés des gamins de rencontre. Il ne les oublie pas même dans ses lettres. Il écrit aux plus âgés « Didine » et « Toto », envoie aux plus jeunes des dessins. Il y songe souvent et il n'est pas rare qu'une de ces images, dont les mémoires paternelles se font de fidèles délices, glisse son ombre entre le monde et sa vision. Ainsi, pour évoquer la silhouette d'un « vieux cheval éclopé », à Bar-le-Duc, en août 1839, il écrit à sa femme :

Vous souvient-il de ce fameux *Saval* de notre douce enfant, de notre chère petite D. (4), lequel est resté si longtemps exposé à tous les ouragans et fondant sous toutes les pluies dans un coin du balcon de la place Royale, avec un nez en papier gris, ni oreilles ni queue, et plus rien que trois roulettes ?

Dans les rues, parmi les ruines ou les verdures, les enfants apportent la fraîcheur et le mouvement, par contraste ou harmonie. C'est dans le

---

(1) *V.*, II, p. 341, Pasages. La comparaison aux étoiles, fréquente chez Hugo, repose ici sur le caractère apparemment réglé du dispositif ; ailleurs elle est amenée par l'incidence des reflets : « les maquereaux, les lubines et les sardines brillent au soleil dans le fond des barques, comme des tas d'étoiles ». *Ibid.*, p. 364.

(2) Avant et après 1850 : avant, voir 2ᵉ Section, début ; après, voir IIIᵉ Partie, 1ʳᵉ Section, *passim*.

(3) Parfois, par un détour imprévu, l'une de ces images retrouve le sens mystique de leur ensemble. « Dans les jardins pleins de dahlias, d'œillets et de roses, on voit s'élancer du milieu des sorbiers plus rouges que verts une colonne isolée surmonté d'un pigeonnier. Des colombes et des pigeons se perchent sur ce chapiteau. C'est de l'art roman fait par la nature. » *Rh.*, *Reliquat*, p. 490. Sans doute n'est-ce qu'une rencontre, un amusement de l'œil, tendant tout au plus à montrer que l'homme ne fait qu'imiter, en le fixant, les modèles de la nature. Pourtant il n'en faudra pas plus à Hugo, et plutôt moins, pour trouver dans les bois, dans les champs, tous les éléments d'une cathédrale (nef des arbres, rosace de l'araignée, etc.) et dans la nature tout le nécessaire d'un culte. Ce sera l'origine d'un motif étrange, à la fois pittoresque, humoristique et mystique qui sera développé surtout dans certaines pièces des *Chansons des rues et des bois*.

(4) Léopoldine (*Didine*). *Rh.*, XXIX, p. 350.

contraste que, comme souvent, la réaction de Victor Hugo est le plus claire. Devant le portrait d'une église, sur le tympan duquel il contemple une peinture byzantine du crucifiement, il aperçoit soudain des enfants :

Devant cette sévère façade, à quelques pas de cette double lamentation de Job et de Jésus, de charmants petits enfants, gais et roses s'ébattaient sur une pelouse verte et faisaient brouter, avec de grands cris, un pauvre lapin tout ensemble apprivoisé et effarouché (1).

Nul doute que Victor Hugo n'ait été saisi par ce mélange où l'allègre tranche sur l'austère, la vie sur la mort. Les couleurs mêmes, rose et vert, sont bien choisies pour égayer la grisaille des vieilles pierres, à la manière dont Corot, par une pointe de rouge sur la verdure pelée du premier plan, ranime sa pâle cathédrale de Chartres. Le principe est le même que dans le motif *fleurs-ruines :* couleurs et vie, ces enfants sont les fleurs de ces pierres.

Parfois c'est presque à son insu, que se manifeste chez le poète cette extrême et intuitive sensibilité au contraste des enfants avec la décrépitude. Sa croisée donnait à Bacharach sur « un petit monde heureux et charmant ». Tout comme à Andernach, le décor de ces jeux enfantins est au chevet d'une vieille église.

C'était une sorte d'arrière-cour attenante à l'église romane, d'où l'on peut monter par un roide escalier en lave jusqu'aux ruines de l'église gothique. Là jouaient tout le jour, avec les hautes herbes jusqu'au menton, trois petits garçons et deux petites filles qui battaient volontiers les trois petits garçons. Ils pouvaient bien avoir à eux cinq une quinzaine d'années (2).

Ce dernier trait, la somme des âges, Hugo le retrouvera souvent (3). Quant au jardin, le soir seulement le lui rendit, tel qu'il était en réalité, une fois dépouillé du rêve qu'y jetaient les enfants et leurs complices de la nature : « Mon charmant jardinet, plein d'enfants, d'oiseaux, de colombes, de papillons, de musique, de lumière, de vie et de joie était un cimetière. »

Ou bien, las de jouer pour le poète avec la mort, c'est avec d'autres puissances profondes que les enfants se laissent surprendre par lui : éternels enfants jouant avec le feu, comme les enfants du Tréport qui « jouent bien avec l'Océan ». Hugo à Saint-Goar écoute « rire et jaser un tas de petits enfants qui viennent jouer avec le Rhin... l'air indulgent comme de vieux curés (4) ».

Amours enfantines.

Mais davantage ce qui le retient au spectacle de l'enfance, c'est d'y

---

(1) *Rh.*, XIII, p. 110, Andernach, septembre 1840. Là encore, tout en reconnaissant tout ce qu'il y a de spontané dans une telle notation, il est permis de penser que des souvenirs picturaux ont laissé dans la vision de V. Hugo une trace et comme une *forme :* je songe en particulier à la manière des Flamands (Brueghel l'Ancien, Rubens, Jordaens, etc.) qui meublent volontiers les coins de leurs premiers plans avec des groupes d'enfants aux fraîches couleurs. Cette observation ne retire rien en effet au caractère spontané de l'impression : l'un aide l'autre.

(2) *Rh.*, XVIII, p. 145.

(3) Cf. le poème intitulé *Quinze-Vingt* (*T. L.*, VI, 23, 13 juin 1855) où Hugo, additionnant les âges de ses deux adolescents amoureux trouve

Un aveugle, et nos yeux étaient pleins de rayons.

Cf. également les enfants de la bibliothèque dans *Quatrevingt-treize.*

(4) *Rh.*, XVII, p. 135, Saint-Goar, septembre 1840.

trouver l'éclosion des sentiments en fleurs. Ainsi de la compassion qui s'éveille chez une « jolie petite fille de quatre ans » à voir « un pauvre petit cochon de lait, qu'un boucher emportait devant moi par les deux pieds de derrière et qui ne criait pas, ignorant ce qu'on lui voulait et ne comprenant rien à la chose (1) ». Ainsi surtout de l'amour. Mais, c'est en lui-même qu'il se complaît d'abord à l'évoquer, c'est à travers ses propres souvenirs d'enfance qu'il a d'abord découvert le thème des amours enfantines, pour le projeter ensuite sur le plan de l'observation. Cette découverte ne semble guère antérieure à 1843, mais depuis lors le thème ne quitte plus son œuvre. Pourtant c'est sous la forme d'une pièce de vers qu'il fait sa première apparition : Lise, recueillie par la suite dans les Contemplations (2), est datée dans le manuscrit de mai 1843 :

> J'avais douze ans ; elle en avait bien seize.
> Elle était grande, et, moi, j'étais petit.
> Pour lui parler le soir plus à mon aise,
> Moi, j'attendais que sa mère sortît ;
> Puis je venais m'asseoir près de sa chaise
> Pour lui parler le soir plus à mon aise.

Il faut attendre encore deux mois pour rencontrer dans les lettres de voyage les pages où le thème, longuement et rêveusement développé, semble la réplique du poème et comme la révélation a posteriori du souvenir qui l'aurait inspiré.

Il faut relire ces pages fraîches et mélancoliques, où se trouvent réunis tous les éléments du charme qui s'attachera à ces idylles enfantines. C'est d'abord, dans l'ensemble, le contraste entre la précision des souvenirs visuels et l'imprécision des souvenirs d'ordre documentaire et social (3). Les articles indéfinis abondent : une personne de la ville, « une veuve, je crois », qui habitait « un pavillon voisin du nôtre ». Mais dès qu'il s'agit du visage qui éveilla son timide et premier amour, sa mémoire reste d'une étonnante fidélité :

Ma mémoire, après trente années, n'a perdu aucun des traits de cette angélique figure.
Je la vois encore. Elle était blonde et svelte, et me paraissait grande. C'était un regard doux et voilé, un profil virgilien, comme on rêve Amaryllis ou la Galatée qui s'enfuit vers les saules. Elle avait le cou admirablement attaché et d'une pureté adorable, la main petite, le bras blanc et le coude un peu rouge, ce qui tenait à son âge ; détail que le mien ignorait alors. Elle était habituellement coiffée d'un madras thé à bordure verte, étroitement serré du sommet de la tête à la nuque, de façon à laisser le front à découvert et à ne cacher que la moitié de la chevelure. Je ne me rappelle pas la robe qu'elle portait (4).

Seul, ce dernier détail a fui, qui, par le flou que son absence laisse, ajoute à la vraisemblable poésie du souvenir (5). Mais le madras et sa couleur, le coude rougi, puis le décor de leurs rencontres, un pas de porte, sur les marches duquel l'enfant Hugo, comme tous les enfants, aimait

---

(1) Rh., XXIV, p. 253, Francfort, septembre 1840.
(2) C., I, 11.
(3) Cf. chap. III, le Rêve.
(4) V., II, Alpes et Pyrénées, p. 297, Bayonne, 26 juillet 1843. Cette idylle a été reprise en 1863 dans le Victor Hugo raconté, chap. XVI. La jeune fille s'y appelle Rose.
(5) Cf. ici chap. III, p. 239.

se tenir, et les détails qui frappaient ses yeux, parce qu'ils venaient à leur hauteur, le verrou et sa « poignée en queue de porc », toutes ces images ont gardé une extrême précision, comme il arrive de nombreux souvenirs inutiles auxquels le sentiment, en vertu, semble-t-il, de leur gratuité, vient prêter par la suite ses couleurs merveilleuses.

En revanche — c'est le second trait de ces amours enfantines — Hugo ne néglige jamais de préciser l'âge respectif des partenaires. La jeune fille avait quatorze ou quinze ans. « — Où est la belle jeune fille de 1812 ? » demande-t-il à la fin, ce qui nous permet de fixer l'âge de l'enfant autour de dix ans. Cette différence nous est précieuse, car le poète continuera de l'observer, toujours dans le même sens. Elle explique les nuances respectives de cet amour : maternel et protecteur chez la fillette, précoce, éveillée à une conscience très nette des réalités ; timoré au contraire, inquiet et liminaire chez le garçon, aussi peu clairvoyant du trouble qu'il inspire que de la nature de l'émotion qu'il découvre. Elle est une petite personne fort avisée de ses désirs ; c'est un naïf attardé auquel Hugo donne volontiers un air d'innocent. Pendant qu'elle lui fait la lecture, il rêve et laisse « avec un trouble mêlé d'une fascination étrange » son regard errer, à la suite du soleil qui s'y joue, sur le fichu entr'ouvert de la lectrice.

Il arrivait parfois dans ces moments-là qu'elle levait tout à coup ses grands yeux bleus, et elle me disait : *Eh bien, Victor ! tu n'écoutes pas ?*
J'étais tout interdit, je rougissais et je tremblais, et je faisais semblant de jouer avec le gros verrou.
Je ne l'embrassais jamais de moi-même, c'était elle qui m'appelait et me disait : Embrasse-moi donc.

Cette lecture distraite à deux, penchés sur le même livre, la surprise d'un fichu qui bâille, le baiser suscité, autant de souvenirs qui reviendront fidèles au rendez-vous et s'inscrivent dans la forme définitive où se fixe ce nouveau thème de sa fantaisie.

C'est là, à Bayonne, s'il faut l'en croire, « le plus ancien souvenir de *son* cœur ». Toute son enfance y revit et le temps perdu s'y retrouve. Bayonne lui a déjà rendu le grincement attendrissant de la charrette de Biscaye qui a réveillé ses souvenirs d'enfance (1). Rose s'avance, mais Olympio n'a « rien retrouvé, ou du moins rien reconnu ». Hugo, constatant mélancoliquement qu'elle est peut-être cette femme qui passe, sans qu'ils puissent se reconnaître, rêve à la fuite du temps. « La mémoire, ce pont du passé, est brisée entre elle et moi. » Mais la poésie rétablit ce pont ; ce que la mémoire a perdu, la poésie le sauve, s'en empare définitivement pour le faire revivre chaque fois que la fantaisie lui prendra de chanter les amours de deux enfants avec l'humour et la nostalgie de celui pour qui ce temps n'est plus que souvenir :

> Jeunes amours, si vite épanouies...
> Jeunes amours, si vite évanouies (2) !

Idylles rustiques et citadines.

L'amour, dont le poète vient de cueillir une image naïve et précieuse dans l'enfance, s'épanouit pour lui dans la maturité, au milieu de la nature.

---

(1) *V.*, II, p. 318. Cf. ici p. 17.
(2) *C.*, I, 11, mai 1843.

Ces idylles ont leur décor (1). Il comporte de la verdure et souvent
quelque nudité, quelques vaches sous les arbres, presque toujours « une
flûte dans la montagne (2) », ou la « tyrolienne sauvage » d'un chevrier
perdu dans l'ombre (3). Entre les frondaisons du paysage ondoient quelques jeunes filles qu'on prendrait aisément pour des nymphes ou
des dryades. Un tel décor se placerait facilement sous le signe de Virgile
ou de Poussin et il est rare que Victor Hugo n'évoque pas l'un d'eux.
Aussi ne sait-on jamais jusqu'à quel point la vision du poète n'est pas
préparée par des cadres familiers dès l'enfance. Lui-même nous y invite,
qui, là comme ailleurs (4), évoque à propos « le coin d'un paysage de
Poussin » (5) ou les « vignettes du Virgile-Herhan que j'expliquais dans
mon enfance (6) ». Cependant ce n'est pas un hasard que ces images s'imposent à son imagination, elles sont appelées par un paysage réel qui
donne au poète l'envie d'y musarder : c'est un fond de vallée, encaissé,
minuscule au pied d'une montagne, quelque ravin comme à Saint-
Goarshausen ou sur la Vesdre (7). La fiction artistique ne se présenterait
pas à la mémoire, si elle n'était suscitée par la réalité même. Dans cette
réaction réciproque, il est impossible, et après tout assez vain, de tenter
de faire le départ du littéraire et du spontané, du sentiment et de l'art.
La fantaisie, c'est un peu l'art de retrouver le spontané.

La femme ne tarde pas à faire son apparition. C'est, dans ce ruisseau,
une jeune femme qui prend son bain, ou, au bord de l'eau, des laveuses
armées de battoirs ; dans ce champ, des moissonneuses dont les cheveux
se mêlent d'épis, ou une gamine qui sur le chemin pousse un troupeau
d'oies ou bien ramasse des fagots. Nulle rencontre moins préparée et
plus livrée au hasard. Pourtant, à peine s'est-elle produite, elle suscite
au travail l'imagination et l'on ne sait, comme tout à l'heure, quelle est
la première, de l'image toute faite ou de celle qui se fait. Est-ce le décor
virgilien qui appelle la nymphe et dispose le poète à la reconnaître dans
la première baigneuse venue ? Est-ce plutôt la théorie de ces filles coiffées
d'épis qui fait surgir de l'ombre l'image des fêtes dominées par la figure
traditionnelle de la déesse Cérès ? Question de nuance : on peut dire
que les rencontres de la réalité fixent dans l'imagination du poète des
images classiques, qui, à leur tour, le préparent à en guetter de nouvelles
incarnations sur son chemin.

Alors la nature se transfigure et l'imagination s'éveille. Vers midi,
à Ostende, une « jeune femme,... fort belle » se baignait. Sans doute cette
côte belge avait-elle, à sa manière, un peu de cette « douceur virgilienne »
qu'il trouvera à la vallée de la Vesdre (8). La belle baigneuse en tout cas,
ne tarde pas à se faire naïade.

Par moments c'était comme une de ces statues antiques de bronze avec une

(1) Voir *Rh.*, XVII, p. 137, Saint-Goar, septembre 1840, la description de la
Vallée-Suisse et *Rh.*, XXII, p. 233, Bingen, septembre 1840 : « Au haut du Klopp,
vers l'heure où le soleil décline... »
(2) *Rh.*, VIII, p. 64, début septembre 1840 : « Entre Chauffontaines et Verviers... »
(3) *Rh.*, XXVIII, p. 312, Heidelberg, octobre 1840 : « Je vais ainsi toute la
journée... »
(4) Cf. p. 178, 202.
(5) *Rh.*, XVII, p. 137. Cf. p. 202, n. 2.
(6) *Ibid.*, cf. ici p. 25.
(7) Cf. n. 1-2.
(8) *Rh.*, VIII, p. 64.

tunique à petits plis. Ainsi entourée d'écume, cette belle créature était tout à fait mythologique (1).

Elle a peut-être servi — elle ou l'une de ses sœurs que l'œil complaisant d'Hugo s'attarde volontiers à suivre — à illustrer le spectacle mythologique du confluent de la Nahe et du Rhin :

Le bras vert de bronze du Rhin saisit brusquement la blonde et indolente rivière et la plonge dans le Bingerloch. Ce qui se fait dans le gouffre est l'affaire des dieux. Mais il est certain que jamais Jupiter ne livra naïade plus endormie à fleuve plus violent (2).

Il faut dire que le jour où Hugo écrivit ces pages, sa fantaisie était particulièrement tournée vers la mythologie. La même forme d'imagination préside à l'évocation de « la plaine-paradis » du Rheingau sous la forme d'une nymphe.

Du côté de Coblentz les sombres montagnes de Leyen froncent le sourcil. Ici la nature rit comme une belle nymphe étendue toute nue dans l'herbe (3)...

La première apparition du motif de Galatée nous offre un exemple encore plus caractéristique de cette contamination. Aventure d'un instant, la jeune paysanne surgie sur la route du Rigi, un jour de septembre 1839, eut le don de fixer en vives couleurs dans l'imagination du poète le geste idyllique de Galatée qui lance une pomme au berger et s'enfuit dans les saules (4) :

... Une jeune fille pieds nus, qui était assise au bord du chemin, est accourue, a jeté en passant trois prunes dans mon cabriolet et s'est enfuie avec un sourire. Pendant que je cherchais quelques batz dans mon gousset, elle avait disparu. Un moment après, je me suis retourné, elle était revenue au bord du chemin tout en se cachant dans la verdure, et elle me regardait de ses yeux brillants à travers les saules comme Galatée. Tout est possible au bon Dieu, puisqu'on rencontre des églogues de Virgile dans l'ombre du Rigi (5).

Hugo voit sans doute la nature à travers des impressions littéraires ; tout voyageur cultivé en est là et le contraire étonnerait d'un écrivain qui a lu et étudié de si près ses classiques et singulièrement Virgile. Mais il reste avant tout un poète : l'image vivante appelle aussitôt l'image de l'art, elle lui rend, de toute sa vitalité ardente et particulière, la vie. Elle se substitue à elle, ou plutôt elle la recrée pour l'usage personnel du poète ; elle la fixe dans sa mémoire créatrice. Et il n'est pas exagéré de soutenir que, chaque fois que le poète glissera dans ses vers le motif de Galatée, c'est la « jolie fille du Rigi » qu'il reverra, tout le temps au moins qu'une autre fille du hasard n'aura pas prêté un nouveau visage au délicat et symbolique fantôme de Virgile.

(1) *V.*, II, p. 114, 31 août 1837.
(2) *Rh.*, XXII, p. 231, Bingen, 15 septembre 1840.
(3) *Ibid.*, p. 230.
(4)   *Malo me Galatea petit, lasciva puella,*
             et fugit ad salices et se cupit ante videri.

Virgile, *Bucoliques* III, v. 64-65 : Galatée me lance une pomme, la folle enfant, et s'enfuit vers les saules et désire être aperçue auparavant. (trad. de Saint-Denis, éd. les Belles-Lettres).
(5) *V.*, II, p. 178, Lucerne, 10 septembre 1839. Cf. *ibid.*, p. 194 : « L'ascension du Rigi par Weggis dure trois heures... D'abord un chemin sous des bois... où de jolies petites filles, pieds nus, vous offrent des poires et des prunes. »

Du reste, le meilleur garant de la spontanéité hugolienne est que bien
des images d'idylle se passent d'un tel substrat littéraire. Si le Rigi a
ses églogues, « le farouche Jaïzquivel est plein d'idylles (1) ». Les idylles
sont de « batelières couronnées de roses » et, plus prosaïquement, de
blanchisseuses. Le pays basque, avec ses rivières claires et vives, enjambées de vieux ponts à ogives, et dont les noms Adour, Douze, Midou
et Midouze, semblent faits pour les chansons, n'en a d'ailleurs ni le
monopole, ni même la découverte. Avant 1843 et les laveuses de Biscaye,
le voyageur a connu celles du Rhin, du Neckar et de la Nahe (2). Avec
leur tapage, leurs jupons troussés, leurs chansons et leurs rires, l'auda-
cieuse proposition coupée d'un grand coup de battoir, et les « torchons
radieux » qu'elles étendent sur le pré, d'Espagne ou d'Allemagne, de 1843
ou de 1840, toutes aussi nécessaires au libertinage du décor, elles demeurent identiques à la bruyante petite laveuse de 1819 à Créteil, qui, par
elles, tend la main à la « lavandière de Créteil », telle qu'elle renaîtra en
1865 (3). Ce motif né de son adolescence, qui ne doit rien aux livres,
sinon à quelque estampe du XVIIIe siècle, ne s'en est pas moins conservé
et développé grâce aux images renouvelées que le voyageur en a recueillies. Le poète seul manque à l'idylle, qui s'en est retranché. Une fois
pourtant, comme les peintres de ces grandes scènes guerrières qui pei-
gnaient au coin de la toile un capitaine à leur figure, il s'est crayonné de
manière amusante :

Les laveuses du Rhin étendent leur toile sur les buissons, les laveuses de
la Nahe battent leur linge, vont et viennent, jambes nues et les pieds mouillés,
sur des radeaux formés de troncs de sapin amarrés au bord de l'eau, *et rient
de quelque touriste qui dessine l'Ehrenfels* (4).

Dans ce croquis, on reconnaît aisément la silhouette de notre voyageur,
un œil aux ruines, l'autre aux laveuses. Car, si elle en est faite, l'idylle
ne s'arrête pas à l'ondoiement d'une naïade, au geste de Galatée ou à
l'éclair émouvant d'une laveuse accroupie : encore faut-il le berger. Il
n'en est pas en peine. Il n'a qu'à regarder, son œil est trop averti pour en
passer. Arrive-t-il à l'auberge du relais, « sur le pas de la porte, les garçons
d'écurie et les filles de cuisine font des idylles (5) ». Ou bien ce sont ces
beaux pâtres, ces fiers pêcheurs du pays basque, quand ils dansent avec
les « filles pudiques » de Pasages des gigues effrontées (6). Surtout, il
lui suffit d'évoquer ses propres souvenirs éternellement rafraîchis par
la quotidienne aventure : la laveuse qu'il accoste gaillardement, la baigneuse de Biarritz qui dans les rochers chantait sa romance de Gastibelza (7), ou cette jolie fille de Jublaire, qui en 1836 nous donne pour
ainsi dire la première en date de ces idylles destinées à fleurir dans les
Contemplations et les recueils postérieurs.

(1) H. Q. R., I, 1, p. 37.
(2) Voir *la Fantaisie, Thèmes et Motifs : Laveuses*.
(3) C. R. B., I, IV, 7. « C'était vers 1819. J'avais à peu près dix-sept ans. Je vis près
de la Marne, à Créteil, une femme, une fille, une fée, un être charmant qui, penché sur
l'eau, y faisait un petit tapage gracieux. » C. R. B., Historique, p. 465, note de Victor
Hugo. Cf. également les laveuses des « fontaines d'Andorre », dans *le Petit Roi de
Galice*, qui se souviennent certainement de celles de Pasages.
(4) *Rh.*, XXII, p. 232, Bingen, septembre 1840.
(5) *Rh.*, I, p. 17, de Paris à La Ferté-sous-Jouarre, juillet 1838.
(6) *V.*, II, p. 355, Pasages, notes d'album, août 1843.
(7) *V.*, II, p. 311.

De Mayenne, j'ai été à Jublaire, où il y a un camp de César que j'ai parcouru guidé par la plus jolie fille du monde qui m'offrait des roses fraîches et de vieilles briques, tout en sautant lestement par-dessus les clôtures, sans trop s'inquiéter de ses jupons. Et puis, elle m'a montré un temple romain et beaucoup de choses romaines, et beaucoup de sa personne. En la quittant, je lui ai donné un écu, elle m'a demandé un baiser. Pardon, je te raconte la chose comme elle est. Et puis je te rapporte un morceau du camp de César pour te prouver ma bonne fortune. Je suis un grand fat (1).

Bien que le portrait de la jeune apparition ne soit encore qu'à peine ébauché, on trouve de côté et d'autre des indications partielles, mais suffisantes pour prévoir ce qu'il sera. Elle est blonde, coiffée d'épis comme Cérès ; ses yeux bleus, sur son teint hâlé de bohémienne, paraissent encore plus clairs ; jambes nues, pieds nus, encore mouillés de la rivière qu'elle vient de passer avec ses bêtes à moins que ce soit pour y avoir lavé du linge, elle apparaît soudain en écartant une branche de saule ou de tremble, les cheveux dans le visage, un peu haletante, j'imagine, ce qui rosit ses joues et soulève sa gorge oppressée, à la fois timide et hardie, c'est-à-dire à demi-sauvage et charmante. Quelque Esmeralda de nos campagnes.

Hugo n'est pas plus embarrassé, lorsqu'il approche des cités. Et pour quitter le cadre de verdure qui servait si bien sa nudité partielle ou entière, l'idylle n'en hantera pas moins les rues et la fille se réfugiera dans une mansarde. L'amateur en sera quitte pour relever ses yeux vers le ciel : attitude familière au poète, dont le regard tourné vers Dieu et les étoiles ne manque pas d'apercevoir, sur sa trajectoire, la grisette à son balcon. Cherchant une perle, il trouve un grain de mil. Ce n'est pas sans raison profonde que le proverbe a retenu son attention : il le notait vers 1838 et en fera les *Deux Trouvailles de Gallus* près de trente ans plus tard. Il plaît à ce curieux, « grand regardeur de toutes choses », même des plus minces, qui ne sont pas les moins séduisantes, il lui plaît de pénétrer d'un coup et furtivement dans l'intimité d'une maison et d'une femme et d'ébaucher par la pensée l'idylle que les prémices d'un sourire lui feraient espérer, s'il en avait le loisir ou l'envie : promesse d'aventure, qu'il laisse à son imagination le soin de poursuivre. Voici le type de ces visions. Tandis que du haut de la diligence, il admire à l'horizon la vallée de la Meuse, l'auberge du relais arrête son regard :

Au premier plan, à deux enjambées de ma banquette, dans la mansarde du cabaret, une jolie paysanne en chemise sur son lit s'habillait près de sa fenêtre toute grande ouverte, laquelle laissait entrer à la fois les rayons du soleil levant et les regards des voyageurs quelconques juchés sur l'impériale des diligences... Pendant que je contemplais ce paysage, la paysanne leva les yeux, m'aperçut, sourit, me fit un gracieux signe de tête, ne ferma pas sa fenêtre et continua lentement sa toilette (2).

De ces jeunes filles, entrevues à leur lucarne, sont nées, à n'en pas douter, les grisettes des *Chansons des rues*. Sans doute, ces visions furtives n'étaient pas les premières et renouaient avec celles de l'adolescence inquiète. Elles rappellent aussi certaines gravures légères du XVIIIe siècle, reprises par Béranger et Musset de leur côté, et il est possible que leur

(1) *V.*, II, p. 48, Fougères, 22 juin 1836, lettre adressée à Adèle.
(2) *Rh.*, *V.*, p. 51, Givet, fin août 1840.

souvenir n'y soit pas étranger. Mais, qu'elles sortent de son enfance ou de l'éventaire du bouquiniste, ces images ont été aérées au grand souffle du voyage : c'est un mélange de licence et de naïveté, où l'odeur de brume des rues le soir se mêle à la rosée des prés que le poète conserve d'un perpétuel matin. Cette fraîcheur, c'est bien l'impression qu'il éprouve et qu'il veut nous suggérer : la grisette à sa mansarde, dont l'image encore estompée hésite entre le gracieux libertinage de Manon et la poésie pressentie de *Louise*, sourit dans l'ombre ou s'accoude pour chanter. Ce sourire, on le devine, est frais, comme une fleur, sans lendemain ; la voix, il nous le dit, est « claire, fraîche, pure » et chante « sur un air lent, plaintif et triste (1) ». Le charme ambigu de cette impression, et du motif qui en dérive tient dans la jouissance, on aimerait dire la cueillette, imprévue et inachevée de l'instant.

Ces voyages, on le voit, ont révélé le poète à lui-même. Le dépaysement a renouvelé son imagination. Ces fraîcheurs spontanées, qu'il pressentait déjà dans certains élans lyriques, aussitôt réfrénés, de ses drames, sont prêtes à s'épanouir. Il en découvre le prix et s'autorise à les publier. Dépouillé de cette solennité tragique, un peu forcée, du dramaturge, délié des vœux guindés d'un poète sérieusement politique, le beau ténébreux s'abandonne peu à peu à la liberté de son vrai visage : il cède parfois encore à la tentation de nous éblouir, il ne se croit plus tenu de nous intimider. Tel qu'il est, rêveur, flâneur, curieux, amateur de fleurs et d'insectes, libertin, cueillant un vers de Virgile sous des saules et un sourire aux prestes filles de Fragonard, Hugo commence à sentir le charme d'être lui-même, pour lui, et pour les autres. Plus tard, il en abusera peut-être, mais pour lors il s'initie. Ces instants privilégiés, ces surprises de la route, il sent le besoin de les recueillir et de les fixer : une fille qui passe, trop vite envolée, une abeille pressant sa cour à un liseron, aussitôt oublié, des enfants mimant les hommes et déjà disparus, de toutes ces apparitions il se fait un bouquet qu'il flaire et savoure en gourmand. Elles passent, la poésie les sauve.

En fixant ces impressions fugaces dans une prose poétique d'abord, premier état élaboré, puis bientôt, second état, dans sa poésie tout court, le poète les introduit ainsi dans l'ordre des mythes, dont elles réalisent parfois de subtiles réminiscences. Le réel se rencontre avec le rêve poétique par la répétition des images qu'ils se renvoient réciproquement. Dans cette zone intermédiaire de leur conjonction, sorte de *no man's land*, les motifs poétiques, nés de la superposition des images spontanées du réel qui réveillent des mythes déjà explorés par d'autres consciences poétiques et les réincarnent, naissent, croissent, prennent forme dans une nouvelle conscience de poète, ici Hugo, se moulent dans des cadres auxquels ils rendent vie en les épousant et les distendant jusqu'à les

---

(1) *Rh.*, XXII, p. 233, Bingen, septembre 1840. Cf. également *Rh.*, XXIV, p. 260, Francfort, septembre 1840 et déjà dans *D. J.*, XVI, ce même mélange : « j'entendis s'élever sous ma fenêtre... la voix pure, fraîche, veloutée d'une fille de quinze ans » qui chantait « un air lent et langoureux, une espèce de roucoulement triste et lamentable », cf. ici p. 151.

faire éclater, destinés à leur tour à se désincarner par l'exercice de la poésie et de l'art, à se figer, à servir, après une assez lente maturation qui, dans le cas de notre poète, se prolongera jusqu'en 1850, de matière docile et inépuisable à une exploitation, sinon systématique, du moins devenue habituelle, jusqu'à ne plus être qu'un cimetière de formes et de schémas exemplaires, un musée soigneusement entretenu, mais un musée, duquel jaillira, au contact de nouvelles expériences, dans la conscience d'un nouveau poète, une personnelle réinterprétation. C'est ce qui explique que ces motifs, si personnels et spontanés soient-ils, comme dans le cas de Victor Hugo, ne sont jamais purs de toute réminiscence. Ils en tirent pour le poète une part de leur charme. Sous-entendu avec les Galatées de Jublaire ou du Rigi et les filles d'estampes de Givet, ce charme n'a jamais sans doute été exprimé aussi clairement par Hugo qu'à propos de la belle baigneuse de Biarritz qui chantait et « ne (le) renvoyait pas » :

> Est-ce que vous ne trouvez pas dans ceci je ne sais quel air d'Ulysse écoutant la sirène ? La nature nous rejette et nous redonne sans cesse, en les rajeunissant, les thèmes et les motifs innombrables sur lesquels l'imagination des hommes a construit toute les vieilles poésies et toutes les anciennes mythologies (1).

La poésie est une île dont les indigènes, comme en Corse, sont tous un peu cousins.

Alors, ses gammes faites, ruminant ses motifs, notre musicien s'en revient, rêvant aux chansons qu'il pourra désormais composer. Parfois déjà, il se surprend à en fredonner une, comme celle-ci à Yvetot en 1836, pour se venger d'un « gîte affreux » ; on y sent bien encore les exercices des *Ballades* dans le rythme recherché des rimes triplées, mais c'est comme une chanson à boire où il entre plus de verve et d'abandon :

> Que toujours un blé maigre,
> Qu'un raisin à vinaigre
> Emplisse tes paniers!
> Yvetot la normande,
> Où l'on est à l'amende
> Chez tous les taverniers!...
> Ville bâtie de briques!
> Triste amas de fabriques
> Qui sentent le ranci!
> Qui n'as que des bourriques
> Et du cidre en barriques
> Sur ton pavé moisi!
> Groupe d'informes bouges,
> Où les maisons sont rouges
> Et les filles aussi (2)!

---

(1) *V.*, II, p. 312, Biarritz, 25 juillet 1843.
(2) *Ibid.*, p. 75, Barentin, 17 juillet 1836. On saisit l'élaboration de l'impression sous forme de chanson fantaisiste. Hugo avait noté dans sa lettre datée d'*Yvetot*, 13 *juillet* : « Yvetot est une sotte ville où les maisons sont rouges et les filles aussi. » (*Ibid.*, p. 71.) Comme on verra souvent par la suite, il semble que, parti de ce trait, le travail poétique n'ait eu d'autre but que de le mettre en vedette.

DEUXIÈME SECTION

GUITARES, MASQUES ET TRUMEAUX
LA FANTAISIE ARTISTE
1834-1849

> Autrefois, j'étais jeune. Il y avait des moments où je me
> contentais du vol de la fantaisie qui est à la jeunesse ce que
> le papillon est au matin. Dans ces moments-là
>
> La rêverie et l'art, mes deux religions,
> M'emportaient dans l'azur des vagues régions ;
> J'aimais Titania riant sous la liane ;
> Par Jupiter ! j'aurais enlevé la Diane ;
> Fou d'amour, je m'en fusse en allé n'importe où
> Avec la nymphe blanche et pure de Coustou,
> Comptant bien l'arracher palpitante à son arbre,
> Et voir sous mes baisers rougir ce sein de marbre,
> Et faire au Ranelagh, dont j'étais le lion,
> Galoper Galatée avec Pygmalion.
>
> . . . .
>
> J'adorais des magots chinois ; j'étais l'apôtre
> Des trumeaux de Watteau, des vases de Lepautre... (1)

Un coup d'œil jeté en hâte sur les recueils de poésie publiés par Victor Hugo de 1830 à 1840 pourrait, nous l'avons dit, faire penser d'une éclipse de sa fantaisie, qui se serait retirée tout entière dans ses lettres de voyage. Mais une vue tout aussi limitée nous porterait à conclure que, après *les Burgraves* et la mort de Léopoldine en 1843, Hugo se serait arrêté tout à fait d'écrire. Rien ne serait plus inexact, on le sait ; il suffit pour s'en convaincre de consulter les tables chronologiques des *Contemplations* ou de *la Légende des Siècles* et de se rappeler qu'après 1845, l'écrivain s'absorbe dans la préparation, puis la rédaction des *Misères*, qu'il devait reprendre en 1860 pour en faire *les Misérables*. Il n'en va pas différemment de la fantaisie élaborée ou artiste qui prend place peu à peu dans son œuvre.

(1) *Oc.*, 545 (Moi). Il y a dans les *Contes fantastiques* de Jules Janin (t. I, p. 65 sq.) l'histoire d'un jeune peintre italien amoureux d'une statue de naïade du château de Versailles, qui rappelle tout à fait les trois ou quatre vers du milieu. Rapprocher la fin de Th. Gautier, *Albertus*, LXXV-LXXVII, cf. ci-dessous, p. 311.

La composition des quatre recueils de 1830-1840 est trompeuse à cet
égard. La gravité du ton, le sérieux des sujets adoptés par le poète conscient de sa mission devaient en éliminer *ipso facto* la fantaisie, mais elle
n'en est pas pour autant complètement absente. De plus, ces recueils
n'offrent de loin qu'un aspect incomplet et partial de sa production poétique dans la période considérée. Un bon nombre de poèmes et d'essais
plus ou moins inachevés ont été mis de côté par Hugo et réservés, selon
une pratique désormais généralisée, à des temps moins féconds ou moins
contraints, pour diverses raisons dont beaucoup nous échappent aujour-
d'hui, dont quelques-unes s'expliquent par les complications amoureuses de l'homme (1) — Juliette Drouet (2), Mme Biard (3), Alice
Ozy (4) — et dont la plupart tiennent précisément à la légèreté même
de ces vers, incompatible avec l'attitude un peu spectaculaire d'un poète
romantique après 1830, sous le règne de Louis-Philippe, candidat depuis
1836 à l'Académie — où il ne fut élu qu'en 1841 — et aspirant au delà
à la Pairie — qu'il reçut en 1845 — et à une carrière politique — qui
ne s'ouvrit vraiment pour lui qu'en 1848.

Mais ces pièces devaient paraître ultérieurement, dans *les Contemplations* d'abord, où elles ont d'ailleurs causé une véritable stupeur et vivement choqué certains critiques, dans *les Petites Épopées*, et surtout dans
les recueils postérieurs ou posthumes, tels que *Toute la Lyre* ou
Dernière Gerbe, au moment où le poète lui-même ou ses exécuteurs
testamentaires recueillaient les « miettes », accumulaient les « reliquats »
et amoncelaient les « tas de pierres ». Elles y forment une délégation de
ces années apparemment perdues pour la fantaisie (surtout 1842-1849)
et témoignent dans chaque recueil de cette continuité que nous cher-
chons. C'est dans cet ensemble que se discerne l'effet de ce renouvellement vital par les voyages, les amours, les enfants et que le poète parle
de fantaisie. Mais le risque à l'inverse, qui ne m'échappe pas, serait
d'annexer indûment des pièces qui ressortissent en propre aux thèmes
lyriques de l'enfant et de l'amour. Or, il existe assez de preuves indéniables
de fantaisie dans la création poétique de cette période — entre autres,
l'autonomie enfin conquise du « grotesque » dans les premières ébauches
du *Théâtre en liberté* et l'apparition du thème des « Fêtes galantes » que
Victor Hugo appelle des *Trumeaux* — pour que nous nous contentions
de signaler brièvement les cas douteux, les pièces qui sont à la frontière
du lyrisme et de la fantaisie, sans nous exposer au reproche ni de les
avoir oubliées ni d'avoir forcé les termes de nos prémisses.

Amour, enfants, nature.

Si l'influence déterminante que j'attribue à l'aventure, amour et voyage
à la fois, ne s'est pas fait sentir d'une manière systématique et totale

(1) Guimbaud note l'apparition des « faits de coquetterie » à partir de 1840.
(2) Voir ci-dessus, *Juliette et les Voyages*.
(3) Léonie d'Aunet, mariée au peintre Auguste Biard, qu'il connut dès 1839
sans doute, courtisa de fort près en 1844 et avec laquelle il fut pris en flagrant délit
d'adultère en 1845. Cf. ouvrages de Guimbaud et de Souchon.
(4) Jeune actrice du Théâtre des Variétés. Voir l'audacieux billet d'août 1847
(*Corresp.*, II, 78) où, se comparant en un quatrain à Platon rêvant de voir « Vénus
sortant de l'onde », il souhaite d'apercevoir « Vénus entrant au lit ». Plutôt rabroué,
il fit tant bien que mal, dans un nouveau billet, une retraite diplomatique.

sur son œuvre, elle est cependant visible. Il est caractéristique que la
première des « chansons des amours », composées selon un schéma nouveau et d'ailleurs variable de trois couplets à base de vers de sept ou
huit pieds, ait été écrite, pour Juliette naturellement, à la dernière étape
du premier voyage. C'est la chanson qui débute par le vers :

> Mon bras pressait ta taille frêle...

Elle est datée sur le manuscrit d'*Étampes*, 25 août 1834 (1). Un an plus
tard, le voyage en Picardie et Normandie est encadré par deux invocations
à des poètes de l'amour. Au départ, Virgile patronne la retraite des
amants, Gallus et Lycoris, en un « vallon sauvage », « dans une ombre
où rit l'herbe fleurie », « entre Buc et Meudon (2) » : ainsi s'ouvre
pour le poète des *Bucoliques* une longue carrière, peut-être inattendue,
de témoin des amours. Au retour, un pas de plus est fait dans cette
voie, c'est Anacréon auquel Hugo fait signe dans une courte pièce
de huit vers, une idylle au sens étymologique, qui, avec la précédente
et mieux encore, annonce le *Groupe des Idylles* de la *Légende des Siècles*,
Nouvelle Série :

> Anacréon, poète aux ondes érotiques
> Qui filtres du sommet des sagesses antiques,
> Et qu'on trouve à mi-côte alors qu'on y gravit,
> Clair, à l'ombre, épandu sur l'herbe qui ravit,
> Tu me plais, doux poète au flot calme et limpide!
> Quand le sentier qui monte aux cimes est rapide,
> Bien souvent, fatigués du soleil, nous aimons
> Boire au petit ruisseau tamisé par les monts (3)!

Ces vers ont pour moi une double signification, directe et symbolique.
D'abord, ils résument le programme, d'un *Art d'aimer* que le poète
va développer par fragments, au fur et à mesure de ses aventures, dans
diverses « chansons des amours », légères et gracieuses. C'est le prologue — et il me plaît qu'il ait été écrit dès 1835 — à une série de
pièces ou de fragments où l'inspiration érotique se replace dans les
cadres mythologiques remis à la mode par le retour des années 1840
à l'antiquité classique (4). Les deux églogues siciliennes de septem-

---

(1) *C.*, II, 10 (8 + 4, sans refrain). Il conviendrait de signaler auparavant *C. C.*,
XXII, 15 février 1834 (7 + 5, sans refrain), dont le titre *Nouvelle Chanson sur un
vieil air* rappelle le titre *le Refrain du vieux temps* de Millevoye et annonce la célèbre
Vieille chanson du jeune temps, et *C. C.*, XXIII, d'une date probablement très voisine
(8 + 4, avec refrain). A la suite de *C.*, II, 10, s'alignent notamment : *R. O.*, XXVII,
juin 1839 (10 + 4, avec refrain) ; *C.*, II, 2, mars 1841 (7, avec refrain) ; *C.*, II, 4,
juillet 1846 (8, avec refrain) ; *C.*, II, 13, septembre 1846 (7, avec refrain varié, dont la
dernière forme est : *La chanson la plus charmante — Est la chanson des amours.*)
    Elles ont été écrites pour Juliette, sauf *C.*, II, 2, vraisemblablement destinée ori-
ginellement à Mme Biard (voir éd. Vianey des *Contemplations*, t. II, p. 8, note). Ce
serait un abus de classer les *Chansons des amours* parmi les pièces de fantaisie, mais
elles ont exercé le poète à ce genre de la Chanson, mis en vogue par Béranger et
pratiqué par Musset, où il a produit de nombreuses pièces qui, elles, sont de fantaisie.
Elles se caractérisent par une simplicité de syntaxe et de vocabulaire qui les di-
tingue des *Ballades*.
    (2) *V. I.*, VII, *les Roches*, juin 1835. Cf. également, *V. I.*, VIII.
    (3) *C. C.*, XIX, 21 août 1835.
    (4) On y retrouve, illustré de motifs des voyages (Galatée), des thèmes qui seront
constants dans les *Chansons des rues et des bois* : celui de l'équivalence du mythologique et du réel à travers les âges, croisé avec le thème de l'amour lucratif (*Senior*

bre 1846 (1) — une année, un mois fertiles en fantaisie, malgré l'anniversaire (2) — insérées dans *les Contemplations* sont de cette veine, et
de la même année, les soixante-dix premiers vers d'*A propos d'Horace*,
qui réunissent les sources de l'amour à celles des enfants de façon
significative et joignent le chantre de Tibur aux poètes de Téos et de
Mantoue dans une idylle qui mériterait de s'intituler *Horace* comme
d'autres *Théocrite* ou *Catulle* :

> Tu songeais ; tu faisais des odes à Barine,
> A Mécène, à Virgile, à ton champ de Tibur,
> A Chloë, qui passait le long de ton vieux mur,
> Portant sur son beau front l'amphore délicate.
> La nuit, lorsque Phœbé devient la sombre Hécate,
> Les halliers s'emplissaient pour toi de visions ;
> Tu voyais des lueurs, des formes, des rayons,
> Cerbère se frotter, la queue entre les jambes,
> A Bacchus, dieu des vins et père des ïambes ;
> Silène digérer dans sa grotte, pensif ;
> Et se glisser dans l'ombre, et s'enivrer, lascif,
> Aux blanches nudités de nymphes peu vêtues,
> Le faune aux pieds de chèvre, aux oreilles pointues (3)!

D'autre part, il me paraît clair que le voyage amoureux déclenche
un appel à la poésie de fantaisie, dont Anacréon symbolise, dans la nature
retrouvée, le libre abandon et même la facilité en contraste avec l'abrupt

---

est *Junior, C. R. B.*, I, 11, 9) dans ce fragment, par exemple, attribué à 1840-1844,
T. L., VI, 59 :

> Aujourd'hui Galatée aux lascives épaules
> Qui voulait être vue et fuyait sous les saules,
> Et jetait en courant des pommes aux garçons,
> Cymodoce aux doux yeux qui chantait des chansons
> Et lavait aux ruisseaux ses belles jambes nues,
> Seraient des Pamélas jouant les ingénues
> Chez Bobino, prenant un banquier pour sultan,
> Sous l'ombrage sacré d'une mère en tartan.

Ce thème de l'équivalence se trouvait déjà indiqué en juin 1832, *R. A.*, IV, 2,
p. 333 :

> Et le vin qui le mieux le grise et le gouverne
> Est celui que lui verse *une Hébé de taverne*.

(1) *C.*, II, 13, 8 septembre 1846 (quatre jours après *C.*, VI, 7 : *Un jour, le morne esprit...*)

> Viens! — une flûte invisible
> Soupire dans les vergers...

et *C.*, II, 12, 28 septembre 1846 :

> Nous errions, elle et moi, dans les monts de Sicile...

(2) 12 juillet : *C.*, II, 4, *Chanson* (amour).
   2 août : *C.*, I, 6, *la Vie aux champs* (nature, enfants).
  10 août : *C.*, V, 10, *Aux Feuillantines* (enfants).
4 septembre : *C.*, IV, 9.
8 septembre : *C.*, II, 13, *Chanson* (amour).
28 septembre : *C.*, II, 12, *Eglogue* (amour).
  4 octobre : *C.*, III, 6, *la Source* (Fable).
  7 octobre : *A. G. P.*, X, 1 (enfants, nature).
11 octobre : *T. L.*, V, 1 (enfants).
    1846 : *C.*, I, 13, première moitié (enfants, amour).

(3) *C.*, I, 13, Cf. Musset, *Rolla* :

> Regrettez-vous le temps où les nymphes lascives
> Ondoyaient au soleil parmi les fleurs des eaux
> Et d'un éclat de rire agaçaient sur les rives
> Les faunes indolents couchés dans les roseaux.

escarpement de l'effort imposé par la poésie de mission. Il resterait un doute si cette déclaration ne se répétait et si Hugo n'insistait dès maintenant, sous des formes détournées mais significatives, sur la parfaite aisance avec laquelle il passe de l'une à l'autre. Après les *églogues* du Rigi et les *idylles* du Jaïzquivel (1), Paris « où grandiose et burlesque font bon ménage » lui permet de le faire entendre à nouveau : « Chose étrange... que la même bouche puisse souffler aujourd'hui dans le clairon du jugement dernier et demain dans la flûte à l'oignon (2). »

La vie au milieu de ses enfants agit parallèlement, dans le même sens que l'amour, pour développer la fantaisie d'un poète qu'on surprend à regretter sa « blonde enfance, hélas! trop éphémère (3) » et à s'estimer « fait pour la société des enfants » comme d'autres « pour la société des femmes (4) » — il l'est au vrai pour les deux, pour les trois, dirais-je : femmes, enfants, nature. Cette ambiance enfantine lui inspire le même aveu de sa dualité admise :

> Et puis, quoique songeur, aisément réjoui,
> Je me sens tout à coup le cœur épanoui,
> Si, dans mon cercle étroit, j'ai par une parole,
> Par quelque fantaisie inattendue et folle,
> Fait naître autour de moi, le soir au coin du feu,
> Ce rire des enfants qui fait sourire Dieu (5).

Or ces vers sont écrits en 1846, à une époque où, Léopoldine deux fois perdue, mariée puis morte, Charles, François-Victor et Adèle ont vingt, dix-huit et seize ans. Le poète se souvient. Le repentir éprouvé réellement un jour, quelque dix ans auparavant — « Enfants! — Oh! revenez! (6) » — est devenu remords, hantise, volonté de souvenir, bientôt simple thème, qui le dirait? Le géant et les sylphes des *Ballades* réapparaissent (7). Si les enfants étaient trop jeunes alors pour entendre leur histoire, ils sont maintenant trop âgés pour l'écouter, mais elle revit plus intensément que jamais dans l'imagination du poète qui rappelle vers la même époque, cette fois au passé :

> J'inventais un conte profond
> Dont je trouvais les personnages
> Parmi les ombres du plafond (8).

(1) Cf. ici p. 181 sq. et 299.
(2) *Mis.*, I, 1, 11, p. 304 (1847).
(3) *R. O.*, XIX, 31 mai 1839. Il y était enclin : nous avons déjà rencontré ce regret en 1830 (voir p. 153) et en 1820 (voir p. 28).
(4) *Oc.*, Tas, p. 245.
(5) *T. L.*, V., 1, 11 octobre 1846. Cf. *V. I.*, XXII, 23 avril 1837 :
> ... Toute ma poésie,
> C'est vous ; et mon esprit suit votre fantaisie.
A rapprocher de la première pièce en date de l'*Art d'être grand-père*, X, 1, 7 octobre 1846.
(6) *V. I.*, XXII, 23 avril 1837.
(7) *Ibid.* : étape intermédiaire, les enfants ont onze, neuf, et sept ans.
> Oh! certes, les esprits, les sylphes et les fées
> Que le vent dans ma chambre apporte par bouffées,
> Les gnomes accroupis, là-haut, près du plafond,
> Dans les angles obscurs que mes vieux livres font,
> Les lutins familiers, nains à la longue échine,
> Qui parlent dans les coins à mes vases de Chine.
(8) *C.*, IV, 9, éd. 4 septembre 1846, ms. s. d. : étape du souvenir. *Ils riaient...*
> De voir d'affreux géants très bêtes
> Vaincus par des nains pleins d'esprit.

Tout un *Art d'être père* se fait et, quand il est trop tard, se refait, en même temps que l'*Art d'aimer*. A côté des grisettes (1) et des rustaudes (2), qui commencent à glisser dans son univers poétique leurs idylles des villes et des champs, une troupe enfantine l'envahit en chantant, réclame ses contes à la veillée :

> Dès que je suis assis, les voilà tous qui viennent.
> C'est qu'ils savent que j'ai leurs goûts ; ils se souviennent
> Que j'aime comme eux l'air, les fleurs, les papillons,
> Et les bêtes qu'on voit courir dans les sillons...
> Ils disent, doux amis, que je ne sais jamais
> Me fâcher ; qu'on s'amuse avec moi, que je fais
> Des choses en carton, des dessins à la plume ;
> Que je raconte, à l'heure où la lampe s'allume,
> Oh ! des contes charmants qui vous font peur la nuit... (3).

Elle lui rend des leçons de fraîcheur et d'absurdité qu'il écoute à son tour avec attention. Contes d'enfants, qu'il appelle aussi « poèmes » :

Il y avait trois petits coqs qui avaient un pays où il y avait beaucoup de fleurs. Ils ont cueilli les fleurs, et ils les ont mises dans leur poche. Après ça, ils ont cueilli les feuilles, et il les ont mises dans leurs joujoux. Il y avait un loup dans le pays, et il y avait beaucoup de bois ; et le loup était dans les bois ; et il a mangé les petits coqs (4).

Débuts de fables, même si par la suite elles tournent en madrigaux ou en épigrammes, qui maintiennent le poète dans un monde où bêtes et plantes parlent :

> La pauvre fleur disait au papillon céleste... (5).

> La tombe dit à la rose... (6)

> Un rossignol faisait visite à des chouettes... (7).

> Un lion habitait près d'une source, un aigle
> Y venait boire aussi (8).

Histoires et mots d'enfants : tel « vase du Japon en mille éclats brisés (9)

(1) Par exemple, *Q. V. E.*, I, 22 (1846?) :
> Elle passa. Je crois qu'elle m'avait souri.
> C'était une grisette ou bien une houri...
> Elle avait une robe en taffetas d'été,
> De petits brodequins couleur de scarabée...

A rapprocher de la toilette de Fantine dans la « partie de grisettes et d'étudiants » à Saint-Cloud (*Mis.*, I, III, 3, p. 130).

(2) Par exemple, *D. G.. Rel.*, p. 488 (1836-1840) :
> Gros Claude en bourgeron de toile et la Thomasse
> Aux cheveux gras, aux mains rouges, à l'air homasse...

(3) *C.*, I, 6, 2 août 1846. Le troisième vers annonce le titre de la Division X de l'*Art d'être grand-père : Enfants, oiseaux et plantes*.

(4) *Mis.*, II, VI, 4, p. 196 (1847).

(5) *C. C.*, XXVII, 7 décembre 1834.

(6) *V. I.*, XXXI, 3 juin 1837.

(7) *D. G.*, Rel., p. 493, 28 avril 1847.

(8) *C.*, III, 6, 4 octobre 1846. J. Vianey remarque que le genre était à la mode en 1846 et signale *le Bédouin et la Mer* de Th. Gautier, même année ; cela fait partie du « retour » aux genres et aux motifs classiques : fables et églogues, nymphes et faunes, etc... Au lieu de quoi j'aimerais mieux dire « l'assimilation » des thèmes et des motifs classiques par les poètes romantiques soucieux de se renouveler et de montrer, avec leur virtuosité, que rien ne saurait être étranger à leur inspiration.

(9) *V. I.*, XXII, 23 avril 1837.

paraît l'ascendant direct de ce vase de Chine que Jeanne s'accusera d'avoir fait tomber (1), et

> Les beaux insectes peints sur mes tasses de Saxe (2)

évoquent irrésistiblement déjà

> Des bœufs d'or y broutaient des prés de porcelaine (3).

De tels traits, qu'on dirait empruntés à Gautier, montrent en passant comme le bric-à-brac de ce collectionneur fantasque s'est renouvelé avec la mode, voire en l'anticipant. « Émaux bleus ou blancs, céladons verts,

> Mes gros chinois ventrus faits comme des concombres,

panoplies d'armes anciennes et exotiques, curieuses ou précieuses, buffets baroques, bahuts et crédences de la Renaissance espagnole se sont ajoutés à la tapisserie du Roman de la Rose, dans l'appartement de la Place Royale, avec une exubérance tout à fait digne de l'atelier d'Albertus (4). Le goût du tarabiscoté, du menu, de l'arabesque gratuite et fouillée, n'a fait que s'enhardir et s'élargir au delà du gothique. Ses voyages, sa passion d'antiquaire et l'évolution de la mode lui ont ouvert d'étranges et nouvelles perspectives sur toutes les formes artistiques du baroque, du maniérisme et du précieux, d'où bientôt même le style Pompadour n'est pas exclu et qui pénètrent son ambiance en attendant le moment où l'artisan de Guernesey fera exécuter sur ses plans les meubles de sa fantaisie, s'adonnera à la pyrogravure et fera de ses mains des porte-manteaux humoristiques décorés de chinois et de fleurs, de volutes et de folioles rehaussées de couleurs vives, comme il fait dès maintenant, pour ses titres, sur ses manuscrits (5).

Ainsi des femmes aux enfants se trame une conspiration qui triomphe des deuils les plus cruels pour entretenir sa fantaisie et en larguer les dernières amarres. Claire Pradier, fille de Juliette, qu'il a aimée comme sa fille et emmenée dans plus d'un voyage avec lui, est enterrée le 11 juillet 1846 : il compose, le même jour, une contemplation pleine de mélancolie et d'incertitude. Le lendemain, les charmes de la mère douloureuse ne lui sont que plus sensibles et il rime ces vers de chanson :

---

(1) *A. G. P.*, VI, 8, 4 avril (1871-1872?).
(2) Cf. n. 9, p. 310.
(3) Cf. n. 1 ci-dessus.
(4) Théophile Gautier, *Albertus*, LXXVII (1831-1833) :
> Laques, pots du Japon, magots et porcelaines,
> Pagodes toutes d'or et de clochettes pleines,
> Beaux éventails de Chine, à décrire trop longs,
> — Cuchillos, kriss malais à lames ondulées,
> Kandjiars, yataghans aux gaînes ciselées,
> Arquebuses à mèche, espingoles, tromblons,
> Heaumes et corselets, masses d'armes, rondaches,
> Faussés, criblés à jour, rouillés, rongés de taches,
> Mille objets — bons à rien, admirables à voir ;
> Caftans orientaux, pourpoints du moyen âge,
> Rebecs, psaltérions, instruments hors d'usage,
> Un antre, un musée, un boudoir !

(5) Cf. les titres du *Rhin*, des *Burgraves*, etc...

> Si vous n'avez rien à me dire,
> Pourquoi venir auprès de moi?
> Pourquoi me faire ce sourire
> Qui tournerait la tête au roi?
> Si vous n'avez rien à me dire,
> Pourquoi me faire ce sourire (1)?

Moins de deux ans après la mort de Léopoldine, que ce nouveau deuil renouvelle, Victor Hugo, père de famille et pair de France, trompant Adèle avec Juliette et Juliette avec Léonie, surpris avec celle-ci en flagrant délit dans une petite chambre du Passage Saint-Roch par le mari suivi de témoins et du commissaire, aura la charmante inspiration et l'égoïsme ingénu de se réclamer de son inviolabilité parlementaire tout « vêtu de probité candide... » qu'il était. « En France, observera spirituellement Lamartine, on se relève de tout... même d'un canapé. » Ce sera en effet pour se trouver en compétition avec son propre fils Charles à cultiver les bonnes grâces d'une jeune actrice, Alice Ozy. Galamment, raisonnablement, quoique à regrets, il s'effacera.

La nature ne reste pas, nous l'avons vu, étrangère à cette ambiance. Elle lui paraît toujours aussi désirable, de la ville qu'il voudrait fuir :

> Un coin où nous aurions des arbres, des pelouses,
> Une maison petite avec des fleurs, un peu
> De solitude, un peu de silence, un ciel bleu,
> La chanson d'un oiseau qui, sur le toit, se pose,
> De l'ombre, — et quel besoin avons-nous d'autre chose (2)?

A travers jardins et campagnes, elle fredonne en sourdine la basse continue de ce complot. Les mœurs de ses insectes et de ses végétaux montrent bien d'autres exemples de fantasque inconstance. Il se conforme à son modèle :

> Je suis doux comme vous et comme vous paisible...
> Oiseaux! j'ai quelque peine à rappeler parfois
> Mes strophes qui s'en vont avec vous dans les bois!
> Nature! de vos chants, ma chanson se compose...
> Je fais ce que je suis avec ce que vous êtes (3).

Si les vieilles forêts lui inspirent l'horreur d'un « sylvain aux yeux verts », elle se rachète en lui laissant en définitive le souvenir d'un « spectacle rassurant » où « tout est lumière, tout est joie (4) ». L'hymne qu'il entonne alors déborde les limites du pur lyrisme et entremêle dans le dessin les signes et les fioritures de sa fantaisie. L'araignée et les tulipes, « la giroflée avec l'abeille », doublent et triplent le motif de la libellule, souvenir des « odes rêveuses » dont ce poème est une suite (5), mais non

---

(1) *C.*, II, 4, 12 juillet 1846. Cf. *C.*, IV, 11, 11 juillet 1846, *en revenant du cimetière*.
(2) Référence perdue : peut-être un lecteur, plus heureux que moi, la retrouvera-t-il? Cf. *A Virgile*, *V. I.*, VII : « Viens, quittons cette ville... » et *A un poète*, *R. O.*, XXI : « Ami, cache ta vie... », où le mouvement est le même :

> Un tertre, où le gazon diversement fleurit...
> Un vallon abrité sous un réseau de branches
> Pleines de nids d'oiseaux, de murmures, de voix... etc.
> Voilà ce qu'il te faut pour séjour, pour demeure!

(3) *T. L.*, II, 47 (1844-1846?).
(4) *R. O.*, XVII, 1ᵉʳ juin 1839.
(5) Cf. p. 290 sq. et p. 327. Les « rêves » d'enfant de *F. A.*, XX, 10 novembre 1831, se situent dans la même ligne.

pas sans y rien apporter de nouveau. La rose se sentirait seule à « contempler le bouton vermeil », comme il l'a d'abord écrit. Eros souffle au poète
la variante qui désormais triomphe et

> La rose semble, rajeunie,
> S'accoupler au bouton vermeil.

Ainsi la fantaisie pénètre par endroits comme une plante sauvage le
jardin lyrique de sa poésie, elle s'y acclimate et s'y cultive. Mais, même
si on croit rencontrer en chemin Musset, Béranger ou Gautier, elle ne
sépare pas ses arabesques d'un arrière-plan de visions personnelles dont
elles semblent prolifier et sur lequel elles se détachent avec un relief
original :

> La frissonnante libellule
> Mire le globe de ses yeux
> Dans l'étang splendide *où pullule*
> *Tout un monde mystérieux.*

Ce motif nu et pour ainsi dire décoratif, quasi conventionnel, du
début, est en train de se gonfler des rêveries, des contemplations du
voyageur devant les « magnificences microscopiques » de la nature. Il
ne les a pas encore assimilées, comme ce sera le cas après 1850 dans le
déchaînement du poète solitaire, mais il les fait pressentir, elles sont
déjà derrière lui « tout un monde mystérieux ». Représentant une étape
transitoire, il est près de s'agglutiner au thème de l'amour dans la nature,
à ce retour du printemps, *Vere novo*, où il prend place à côté des oiseaux,
des fleurs, des enfants et des jolies filles, des nymphes et des faunes,
dans un fourmillement traversé déjà d'un frisson cosmique. Plus le poète
va, plus ce thème comme un buisson d'aubépines se couvre de boutons.
Toutes les langues de la nature se délient : « le brin d'herbe moqueur...
siffle entre deux pierres », le « nid... jase », les avoines « causent », l'abeille
« chante et parle à la rose (1) ». « Il semble que tout rit » et les arbres verts
« se disent des vers (2) ». La *liberté*, contemporaine du *Spectacle rassurant*,

> Chante dans les prés verts et rit sous le ciel bleu (3).

Les *paysages* (4) cessent d'être purement pittoresques pour se charger
de signes de la « gaîté superbe » de Prairial. Ils se mettent à suivre imper-
ceptiblement le rythme puissant de la fécondation et des humains aux
règnes animal et végétal s'établit un dialogue de correspondance :

> Que de fleurs aux buissons, que de baisers aux bouches
> Quand on est dans l'ombre des bois (5).

« Les oiseaux disaient : Bon! voilà les enfants! (6) ». Et les enfants cher-

---

(1) *T. L.*, V, 4, attribué à 1830-1834 d'après l'écriture et probablement postérieur,
à en juger par l'inspiration.
(2) *T. L.*, II, 26 (1836-1838?).
(3) *T. L.*, II, 37, 19 juin 1839.
(4) Genre pratiqué à l'époque. Cf. GAUTIER, *Point de vue*, in *Premières poésies*,
cf. éd. Jasinski, t. I, p. XXV et 93. Voir la différence entre le paysage du bourg
d'Ault, *C.*, II, 6, daté 15 mai 1939, et cette ruine de Normandie, *T. L.*, II, 16, datée
16 avril 1847.
(5) *C.*, II, 12, 28 septembre 1846.
(6) *Mis.*, II, VI, 4, p. 195 (1847).

chent « des bêtes », semblables à leur petite sœur Cosette qui « aimait ce jardin (de la rue Plumet) pour les insectes qu'elle y trouvait sous ses pieds à travers l'herbe, en attendant qu'elle l'aimât pour les étoiles qu'elle y verrait dans les branches au-dessus de sa tête (1) ». Ainsi Hugo se prépare, à ses propres yeux, à prendre place parmi ces poètes voyants de la nature, Orphée, Virgile, et, chose singulière, Florian, pour qui « la danse des satyres » continue et le mouvement du monde apparaît, dans son unité restituée, conduit par Eros. Il le dit dans sa préface des *Rayons et les Ombres*, qui est datée du 24 avril 1840 :

Nul ne se dérobe dans ce monde au ciel bleu, aux arbres verts, à la nuit sombre, au bruit du vent, au chant des oiseaux. Aucune créature ne peut s'abstraire de la création... Tout se tient, tout est complet, tout s'accouple et se féconde par l'accouplement (2).

Idylle et épopée se rejoignent comme dans le titre de la quatrième partie des *Misérables :* « Homère fût venu rire là avec Perrault (3). »

Ce symbole, même si Hugo avait de quoi le penser vingt ans auparavant, il l'eût jugé trop saugrenu pour oser l'exprimer. Il y a décidément quelque chose, sinon de changé, du moins d'évolué dans sa fantaisie. C'est cette évolution qu'accusent des formes plus caractérisées de fantaisie, plus renouvelées à la fois et plus proches des genres que le poète a pratiqués entre 1825 et 1835.

---

(1) *Mis.*, IV, III, 4, p. 68 (1847-1848).
(2) *R. O.*, p. 530, préface où la liberté est plus que jamais réclamée : « nul engagement, nulle chaîne... » et le principe réaffirmé de la coopération de l'observation et de l'imagination.
(3) Cf. n. 6 page précédente.

I

GUITARES ET CHANSONS

En dehors des « chansons des amours » écrites pour Juliette ou Léonie, il existe de cette période un certain nombre de pièces qui font la transition entre les *Ballades* et les *Orientales* d'une part et les *Chansons des rues et des bois* de l'autre.

Tout d'abord l'habitude, shakespearienne ou non, que Victor Hugo a contractée depuis *Cromwell* (1) de mêler des chansons à ses drames, même à mesure que ceux-ci deviennent plus sérieux et chargés de mission, ne s'est pas relâchée. *Le Roi s'amuse* en comptait trois, dont deux au moins apparemment authentiques : « Quand Bourbon vit Marseille » et « Souvent femme varie (2) ». C'était d'ailleurs une mode d'époque.

Julien Tiersot a mis en évidence qu'un bon nombre de ces vieilles chansons populaires, qu'il est « imprudent de vouloir dater », ont été longtemps conservées par la seule tradition orale et n'ont connu que des éditions tardives, la plupart contemporaines de l'époque romantique, comme c'est le cas pour la célèbre *Chanson de Jean Renaud* qui fut imprimée pour la première fois en 1839 (3). Les Allemands, qu'aucune discipline classique ne gênait à cet égard, avaient publié les premiers, à la fin du XVIIIe siècle, leurs *Volkslied*. Walter Scott, dans ses romans, intercale des quatrains de vieilles chansons (4). Les écrivains romantiques

___

(1) Cf. ici, p. 64 sq. et 79.

(2) *R. A.*, I, 2, p. 265 (« Vivent les gais dimanches ») ; III, 3, p. 316 (« Quand Bourbon... ») ; IV, 2, p. 333. J. TIERSOT dans *la Chanson populaire et les écrivains romantiques* (V, 5, p. 294-301) signale que « Quand Bourbon... » figure dans le *Recueil des Chants historiques français* de Leroux de Lincy et dans les *Mélanges de musique* de J. Le Fèvre (1613) à l'exception du premier vers qui est : « Quand l'Anglais vint en France .» Quant à l'autre, Hugo se rappelle-t-il, de Chambord, ce « morceau de châssis de la croisée sur laquelle François Ier a inscrit ces deux vers :

> Souvent femme varie
> Bien fol est qui s'y fie! »

et qu'il prétend avoir emporté en relique (*Corresp.*, I, 49, Blois, 7 mai 1825).

(3) *Op. cit.*, *Introduction*. Lire notamment le chapitre consacré à Nerval. Il est seulement regrettable que, pour alléger son livre, J. Tiersot n'ait donné aucune référence des faits allégués ni des citations.

(4) P. ex., dans *Kenilworth* (chap. IX) le couplet fredonné par l'hôtelier Giles Gosling :

> Martin Swart et ses soldats,
> Sanglez, sanglez bien la selle...

français, impressionnés peut-être par ces exemples, par réaction aussi contre les préjugés qui faisaient ignorer à leurs devanciers la valeur littéraire des créations populaires, au contraire attirés à plus d'un titre par elles et y goûtant des souvenirs d'enfance ou de voyage, prirent l'habitude d'introduire ces chansons dans leurs livres. Chateaubriand, Gérard de Nerval, George Sand, Balzac ont ainsi aimé à illustrer leurs œuvres de chansons populaires de la Bretagne, du Valois, du Berry et de la Vendée. Gérard a fait plus que les autres : il en chantait, rue du Doyenné et aux soirées de la mère Saguet, qu'il se proposait de publier sous le titre *la Vieille Bohème* et qui n'ont jamais paru. Mais il en a donné quel-ques-unes dans son étude sur les *Vieilles ballades françaises*, publiée dans *la Sylphide* en 1842 et reproduite plus tard avec des modifications dans *les Filles du Feu* et *la Bohème galante* (1).

Ce n'était donc pas une habitude particulière à Victor Hugo. « Seule-ment — observe J. Tiersot avec justesse — il s'y est pris autrement que ceux qui se bornaient à emprunter des éléments préexistants et à les mêler à leurs œuvres personnelles : quand Hugo avait besoin d'animer ses récits ou ses romans (*j'ajouterai : ses drames*) par des chansons, il les composait... Il avait un art extrême pour leur donner la physionomie et l'accent de véritables chansons populaires, à cette différence près qu'il savait y ajouter ce que son génie lui fournissait comme ressources d'une poésie savante et raffinée (2). » J'aime à me retrancher derrière l'avis d'un connaisseur. C'est ainsi que *Marie Tudor* avait la sérénade de Fabiano Fabiani, d'ailleurs répétée et accompagnée d'un « bruit de rames et de guitare sur l'eau (3) », et *Ruy Blas* aura la chanson des lavan-dières, créatures, nous l'avons vu, familières à la vision du poète et que l'on va retrouver dans une autre « Guitare » de cette période, citée plus loin :

> ... Ce sont les lavandières
> Qui passent, en chantant, là-bas, dans les bruyères.

> A quoi bon entendre
> Les oiseaux des bois ?
> L'oiseau le plus tendre
> Chante dans ta voix... (4).

Elles détendent l'atmosphère, mais il est assez inutile de leur chercher

---

(1) J. Tiersot, *op. cit.*, p. 90 sq., en fait remarquer une fort intéressante. A propos de la Chanson *le Roi Loys*, Nerval écrivait en 1842 : « L'exécution ne manque pas toujours à ces naïves inspirations populaires. A part les rimes incorrectes, cette ballade est déjà de la vraie poésie romantique et chevaleresque. » Il rectifie dans *la Bohème galante* : « Les rimes riches n'appartiennent pas à la poésie populaire... tout en assonances dans le goût espagnol. » On observera la même évolution chez Victor Hugo, qui se détourne peu à peu d'une virtuosité excessive pour « prendre à la prose un peu de son air familier », notamment dans ses Chansons.
(2) *Ibid.*
(3) *M. T.*, I, 5, p. 23. Cf. également *ibid.*, II, 1, p. 38 et la note méticuleuse sur le nombre de couplets à chanter, *ibid.*, p. 97. Elle est d'ailleurs bien proche des « chansons d'amour » pour Juliette. Or, *Marie Tudor* est de novembre 1833 et Hugo connaît Juliette depuis février. Fabiano brigue le cœur de Jane, dont le rôle était destiné à Mlle Drouet qui le jouera effectivement à la première. Ce serait peut-être ainsi une des premières « chansons d'amour » : cette remarque n'a d'autre intérêt que de montrer l'unité d'inspiration de toutes ces diverses chansons, qu'elles appa-raissent dans un drame ou dans un recueil poétique.
(4) *R. B.*, II, 1, p. 372.

une raison d'être, car la principale semble de satisfaire le bon plaisir du poète et il n'est guère possible de savoir s'il les a composées en vue du drame où chacune d'elles figure ou bien s'il les y a replacées par la suite. Le cas n'est pas toujours aussi net que pour la *Chanson du Gracieux* dans *Marion de Lorme* (1).

Guitares et Chansons de Pirates.

Je m'arrêterai un peu plus à un certain nombre de chansons détachées, une dizaine environ, soit qu'elles n'aient point trouvé place dans une œuvre plus complexe, soit qu'elles aient été conçues, comme je le crois, pour elles-mêmes. La première en date est dans la veine des futures « Marines » de Jersey (2). C'est : *Une nuit qu'on entendait la mer sans la voir* (3). Datée juillet 1836, elle a donc été écrite pendant son voyage en Bretagne et en Normandie. Elle est composée de cinq huitains de pentasyllabes. Le premier vers :

> Quels sont ces bruits sourds ?

rappelle *Clair de lune* dans *les Orientales*. Le refrain

> Le vent de la mer
> Souffle dans sa trompe.

évoque celui de *Guitare*.

Les mieux réussies sont en effet les deux *Guitares* publiées dans *les Rayons et les Ombres* (4). Elles sont d'inégale grandeur, la première assez longue, la seconde fort courte. La première est bien connue, elle fut très vite populaire, s'il est vrai que le poète l'entendit chanter, trois ans après sa publication, à la belle baigneuse du rocher de la Vierge (5) :

> Gastibelza, l'homme à la carabine,
> Chantait ainsi :
> Quelqu'un a-t-il connu doña Sabine,
> Quelqu'un d'ici ?...

Chose curieuse : ni l'une ni l'autre ne s'appela d'abord *Guitare*. Mais celle-ci portait aussi pour titre : *Ce que chantait une guitare*, et l'autre : *Chanson venue par la fenêtre* — ce qui rappelle le thème des jeunes filles à la mansarde. Un autre titre de la première est encore plus significatif : *Traduction des sons d'une guitare*. Il éclaire l'intention du poète et, dès qu'on l'a connu, on est frappé de retrouver dans le long refrain l'insistance lancinante des roulades que ces guitaristes arrêtent bru-

(1) Cf. ici, p. 131.
(2) En février 1854 : *T. L.*, II, 20 ; *ibid.*, VII, XXIII, 12 ; *Q. V. E.*, III, 19 ; *L. S.*, D. S., VIII, etc.
(3) *V. I.*, XXIV.
(4) *R. O.*, XXII, et XXIII, datées respectivement sur le manuscrit 14 *mars* 1837 et 18 *juillet* 1838 ; la dernière a donc été écrite dans l'ambiance de *Ruy Blas* et peut-être pour ce drame.
(5) Cf. *V.*, II, p. 311, ici p. 300. Le nom de *Gastibelza* serait, selon M. GAVEL (*Revue Internationale des Etudes basques*, 1918), cité par Mme GUILLAUMIE-REICHER (*op. cit.*), une altération de « gaste belza », le jeune homme noir. On peut se demander si Hugo ne s'est pas souvenu aussi du nom de Castil-Blaze, auteur de *Mémoires*, portant notamment sur la Guerre d'Espagne, dont il aurait fait l'anagramme.

talement sous un accord plaqué de la main, toujours le même (*me rendra fou*) :

> Dansez, chantez, villageois ! la nuit gagne
> Le Mont Falù.
> — Le vent qui souffle à travers la montagne
> Me rendra fou.

Cette remarque montre d'une part qu'il s'agit avant tout d'exercices de virtuosité. D'autre part, ces pièces apparaissent comme des transpositions d'art, à la manière de celles que Th. Gautier a tentées de son côté, transpositions sonores, comme les *Trumeaux* sont des transpositions visuelles. La simplicité, la couleur espagnole, certains tours mêmes font songer invinciblement à des chansons de Musset : *Quelqu'un a-t-il-connu ?...* rappelle *Connaissez-vous dans Barcelone ?...* On dirait presque par moments, comme nous en aurons parfois l'impression, que Victor Hugo, retrouvant son bien dans Musset ou dans tel autre, s'imite à travers ce dernier. Par delà Musset en effet, c'est aux *Orientales* hispanisantes qu'il faut revenir, à l'Alice de Peñafiel des *Bluets* (2), et il n'est pas indifférent que doña Sabine, fille d'une « maugrabine d'Antequera », soit contemporaine des dessins de février 1837, compositions de fantaisie dont nous avons dit un mot et qu'on évoque à tort à propos des premières *Orientales* (3). Ici et là, le pittoresque local n'est plus l'essentiel, mais le prétexte à des variations fantasques. L'importance de l'élément anecdotique s'est en même temps considérablement réduite : il consiste seulement dans le déroulement en de réitérantes strophes du thème, l'amour d'une passante, passion à la Ruy Blas pour une princesse lointaine (4). Dans l'*Autre Guitare*, il est réduit au jeu de trois impératifs assonants — *ramez, dormez, aimez* — qui résument la sagesse des deux sujets, mis à la rime, de l'amour humain : *ils* et *elles* (5).

Ainsi assurent-elles la continuité de cette veine, en attendant qu'elle se fonde définitivement dans la grande marée épique. Mais, avant de s'y perdre, celle-ci reparaît encore deux ou trois fois. La plus caractéristique et la première de ces résurgences est la *Chanson des Aventuriers de la mer*, nouvelle *Chanson de Pirates* selon le titre même du manuscrit,

---

(1) On trouve encore sous ce titre, datée du 30 septembre 1844, une *Guitare* (*D. G.*, LXXII), épître amoureuse de caractère épigrammatique, peut-être écrite pour Léonie Biard. Le ton général, des vers tels que

> Vos attraits piquants, fiers et singuliers,
> Dignes des Circés, dignes des Armides...

la rattachent plutôt à la veine xviiie siècle des « Trumeaux ». Autant en pourrait-on dire d'une pièce postérieure à 1850 intitulée *Bruit de guitare* (*T. L.*, VII, 13), datée 16 janvier 1855, chanson leste d'amour, où celui qui parle à la première personne se dispute avec un Vicomte une belle qui va, pense-t-il, s'éprendre d'un gueux : elle allie l'inspiration très estompée des « Trumeaux » à celle à peine esquissée des « Masques » du *Théâtre en liberté*, selon une formule qui annonce le type *Duel en juin*, dans les *Chansons des rues et des bois*.

(2) Cf. p. 130.

(3) Cf. ici p. 117 et 1re section, *Dessins*, p. 176-178.

(4)   Je la voyais passer de ma demeure
> Et c'était tout.

(5) Comme déjà dans la sérénade de Fabiano, le jeu du refrain (*M. T.*, p. 34) :

> Chanter et rire
> Dormir, aimer !

dont le refrain numérique rappelle, comme Berret le note, celui de
l'*Orientale* de 1828 qui portait déjà ce titre (1) :

> En partant du golfe d'Otrante
> Nous étions trente ;
> Mais, en arrivant à Cadix,
> Nous étions dix.

Cependant une strophe ajoutée en marge, peut-être postérieurement (2),
semble citer le refrain de *Guitare* et annoncer, par le style et la manière
mêmes, les *Hyménées* des *Chansons des rues et des bois* :

> En Calabre, une Tarentaise
> Rendit fou Spitafangama ;
> A Gaëte, Ascagne fut aise
> De rencontrer Michellema ;
> L'amour ouvrit la parenthèse,
> Le mariage la ferma.

Or, cette chanson a été écrite en voyage, à Kaiserslautern, le
29 octobre 1840. Il n'est pas indifférent de le noter. D'une part, cet
exemple vient à l'appui de notre théorie sur les voyages de Victor Hugo.
Mais la fantaisie qu'ils développent n'a pas de patrie. Rien ne signale
que cette pièce ait été écrite sur les bords du Rhin, puisque au contraire
son inspiration est maritime, tout comme la *Chanson des Reîtres*, glori-
fiant les fantassins du Baron Madruce, sera à l'inverse composée en
février 1859 dans les îles anglo-normandes. D'autre part, si, comme le
remarque Berret, elle n'a pas été écrite pour les *Petites Épopées*, elle a
été composée peu avant la publication du *Retour de l'Empereur,* c'est-à-dire
vers cette fin de l'année 1840 où Victor Hugo a pris conscience de la
dominante épique de son génie. Elle s'intercale ainsi dans cette série
de chansons à nuance épique, d'une virtuosité assez poussée, dans la
veine des *Orientales* et des *Ballades* de 1828, qui comptera notamment la
Chanson des Doreurs de proue, comme la série des « odes rêveuses » se
poursuivra à l'intérieur de *la Légende* dans la *Chanson d'Eviradnus*. « La
chanson, observe Berret, c'est souvent de l'épopée populaire, enfantine et détendue (3). » Et de prononcer le nom de Béranger.

Ces épithètes restituent cette pièce à la fantaisie que nous entendons.
Berret écrit d'ailleurs le mot — à propos des *données* historiques « de
pure fantaisie » — dans un sens restreint et logique du reste que nous
avons dès le début écarté au profit d'une valeur plus large et plus spontanée : mais il va de soi que la liberté contenue dans la notion de fantaisie s'étend à l'exactitude des faits aussi bien et même, dirais-je, élémen-
tairement. Il est aisé de constater précisément que la dernière épithète,
« *détendue* », va dans le sens de notre définition. Je souscrirais donc à
l'ensemble de la formule, sauf à exprimer quelques réserves sur le

(1) *L. S., P. S.*, XI. Cf. p. 130 :
> Dans la galère capitaine
> Nous étions quatrevingts rameurs.

Mais *l'Orientale* faisait allusion aux pirates turcs de la guerre de l'Indépendance
grecque ; la *Chanson*, aux pirates barbaresques, contre lesquels, à l'origine, furent
montées les deux expéditions d'Alger (1830-1839 et 1840-1844).
(2) Il est possible qu'elle ne l'ait pas été avant 1859.
(3) *L. S.*, éd. Berret, t. II, p. 666.

détail. Une telle chanson est jusqu'à un certain point de l'épopée, mais faussement populaire, car elle est d'imitation et de convention encore comme l'étaient les *Orientales* et *Ballades* du même type ; « *enfantine* », j'en dirais autant. Elle se rattache à l'épopée par des liens d'ailleurs bien ténus, dans la mesure où son vocabulaire est d'ordre historique et géographique. Le souci de Berret était précisément de resserrer ces liens : il me paraît, dois-je le dire, bien superflu. Si l'on peut jouer sur les mots avec ces *Chansons de Pirates*, il est à peu près impossible de le faire avec le *Groupe des Idylles* que Victor Hugo a nonobstant inséré dans la *Nouvelle Série* de la *Légende*. Ces scrupules ont dû peser peu dans le choix du poète qui paraît au contraire s'être complu à montrer, dans chacun de ses recueils, la diversité de son inspiration par quelque pièce destinée à y représenter chacune de ses veines. D'où le jugement de 1876, rappelé au début de cette étude (1), qui constate cet état de fait, sinon de principe.

Béranger.

Quant au nom de Béranger, il fallait bien y venir (2). Il est hors de doute que, comme le remarque Berret, « 1840 est l'époque de la grande popularité de Béranger et que trois semaines avant de composer la *Chanson des Aventuriers de la mer*, Victor Hugo venait d'écrire au chansonnier une lettre où il lui témoignait toute son admiration ». C'est la lettre du 4 octobre 1840, dont on pourrait craindre qu'elle ne fût pas tout à fait désintéressée, la mort de Lemercier en juin ayant ouvert une nouvelle vacance à l'Académie, où Béranger, bien qu'il n'en fût pas, comptait des amis (3). Mais non, c'est l'effet d'un hasard, Victor Hugo, comme souvent, a cédé à l'occasion et à l'élan spontané qu'elle a fait naître.

Je suis à Mayence, dans un pays qui a été français, qui le redeviendra un jour, et qui l'est de cœur et d'âme en attendant qu'il le soit sur la carte par la ligne bleue ou rouge des frontières. Tout à l'heure, j'étais à ma fenêtre, sur le Rhin ; j'écoutais vaguement le bruit des moulins à eau amarrés aux vieilles piles disparues du pont de Charlemagne, et je rêvais aux choses que Napoléon a faites ici, lorsque d'une croisée voisine, une voix de femme, une voix charmante, m'a apporté par lambeaux des vers charmants :

> J'aime qu'un russe soit russe
> Et qu'un anglais soit anglais.
> Si l'on est prussien en Prusse,
> En France, soyons français
>   etc...

Ces vers de vous, ces nobles vers, entendus de cette façon et dans ce lieu, m'ont remué profondément. Je vous les envoie mutilés comme le vent me les a apportés. Ils m'ont fait venir les larmes aux yeux, et j'ai senti un besoin irrésistible de vous écrire... J'ai pensé que vous seriez heureux de savoir que

---

(1) Cf. p. xx.

(2) Né en 1780, mort en 1857, Béranger avait donc 60 ans en 1840. Il avait réuni un premier recueil in-18 de ses chansons en 1815, un second en 1821 ; d'autres en 1825, 1828, 1833, etc. ; avec un procès une fois sur deux (1821, 1828). Il fut élu député de Paris à l'Assemblée constituante en 1848 par plus de 200.000 voix. L'édition que nous citons est celle de 1843.

(3) Béranger se flatte que Chateaubriand lui ait offert l'Académie en 1829, pour faire une diversion à laquelle il aurait refusé de se prêter. Cf. *Œuvres posthumes, Ma biographie*, Garnier frères, s. d. (1857), p. 440-441.

les échos du Rhin sont pleins de votre voix et que la ville de Frauenlob chante les chansons de Béranger (1).

Si l'on considère la relative proximité des dates, peut-être est-ce là l'origine du mouvement qui lui a fait écrire vingt-cinq jours plus tard à son tour une chanson héroïque, mais, nous l'avons vu, dans la ligne de ses propres *Ballades* et *Orientales*, plutôt que dans celle du chansonnier.

Ce n'est d'ailleurs pas la seule fois ; ni le seul type de chanson de Béranger qu'il ait citée à cette époque. On croirait volontiers que les chansons gaillardes aient autant attiré son attention. Julien Tiersot en retrouve une des plus célèbres, *Ma grand'mère* (2), dans *les Misérables*, qui, à la manière du *Dernier jour* et de *Notre-Dame* (3), mais bien davantage encore, sont truffés de bribes, de refrains, de couplets de chansons : chansons lestes, chansons Régence du grand-père Gillenormand, chansons grivoises de Courfeyrac, chansons goguenardes et irrévérencieuses de Gavroche, ou même chansons d'argot qui, à la limite extrême de l'intelligible, chantent seulement la chanson des mots et des sons. Mais il est fort difficile de distinguer dans le détail ce qui a été écrit en 1847-1848 de ce qui l'a été en 1860-1862, de faire la part des additions et des retouches, de connaître si Hugo a spécialement écrit telle chanson pour tel chapitre, ou s'il a seulement replacé là, fût-ce en 1860, telle chanson écrite vingt ans auparavant qui dormait dans ses réserves (4). Je trouve pour ma part délicieusement absurde la ritournelle que chante Gavroche en dirigeant les insurgés vers Saint-Merry, et dont le refrain ressemble fort à certains refrains de Béranger :

> Voici la lune qui paraît,
> Quand irons-nous dans la forêt ?
> Demandait Charlot à Charlotte.

> Tou tou tou
> Pour Chatou.

Je n'ai qu'un Dieu, qu'un roi, qu'un liard et qu'une botte (5).

Cette chanson se trouve dans un chapitre écrit en 1847-1848. Mais telle autre, serinée par le même Gavroche dans la rue des Vieilles-Haudriettes et placée dans un chapitre de 1860-1862, est-elle donc si différente, avec son refrain ?

> Où vont les belles filles,
> Lon la (6).

(1) *Corresp.*, II, 31. Hugo cite en effet quelques autres vers de cette chanson dont le titre exact est dans l'édition des *Œuvres complètes de P. J. de Béranger*, Paris, Perrotin, 1843, t. I, p. 79 : *Le bon Français* (mai 1814), *Chanson chantée devant les aides-de-camp de l'empereur Alexandre.*
(2) *Ibid.*, t. I, p. 15 :
> Combien je regrette
> Mon bras si dodu...
(3) Cf. ici p. 151-153.
(4) Ou même, ajouterai-je, si elle est bien de lui ou de quelque Béranger. Sans doute on croit reconnaître la manière plus vive, plus colorée, plus absurde souvent de Victor Hugo, mais je ne me sens pas l'assurance de pouvoir rien affirmer et risquerais bien de me trouver dans la situation de donner pour du Hugo du Béranger : d'où la précaution.
(5) *Mis.*, IV, XI, 5, p. 258, Cf. p. ex. le refrain du *Maître d'école* de Béranger, *op. cit.*, t. I, p. 105 :
> Zon, zon, zon, zon, zon, zon, zon !
> Le fouet, petit polisson !
(6) *Mis.*, IV, XV, 4, p. 339.

qui rappelle d'ailleurs tous les *lonlaire, turlurette,* et *landerirette* des vieilles
chansons repris par Béranger ? Hugo semble même avoir retenu l'habitude
qu'a Béranger de signaler l'air de ses chansons. Un chapitre des *Misérables*
porte ce titre : *Où l'on retrouvera la Chanson sur air anglais à la mode en*
1832 (1). Et quand Gavroche donne le signal de la défense en chantant
le couplet digne de Béranger, s'il n'est dè lui, « Mon nez est en larmes —
Mon ami Bugeaud... », c'est « sur le vieil air populaire *Au clair de la
lune* (2) ». Mais la grande différence qui sépare Hugo de Béranger, c'est
que l'élément anecdotique, nécessaire au chansonnier, le poète ne se
sent jamais aussi à l'aise que dans ses chansons pour s'en tenir quitte.
Lanson l'a bien vu : « La chanson de Béranger est *récit* ou drame, et
chaque couplet met en lumière un des moments principaux de l'action (3). »

Hugo, de fait, n'a pas ignoré la célébrité de Béranger, qu'il a peut-être
un moment enviée. Il y fait, en tout cas, plus d'une fois allusion (4). En
revanche, Béranger, qui se prévaut dans sa *Biographie* des jugements de
Chateaubriand et de Lamartine, n'en mentionne point de Victor Hugo.
Elle est arrêtée, il est vrai, en 1840. Et c'est seulement à partir de ce
moment que le chansonnier et le poète semblent avoir eu des contacts
plus fréquents, notamment après 1848 quand tous deux siégeaient comme
députés de Paris à l'Assemblée Constituante. Pourtant, leur première
rencontre, si l'on en croit le *Victor Hugo raconté,* remonte au moins à
1829, à l'époque où le poète alla rendre visite au chansonnier enfermé
pour trois mois dans la prison de la Force (5). Il avait déjà cette silhouette
familière qu'on retrouve plus d'une fois dans les *Choses vues* « avec sa
houppelande brune et son chapeau à larges bords (6) ». Hugo fait
allusion à cette visite dans son journal du 4 novembre 1847 où il est
question de cette popularité envahissante que Béranger ne lui souhaite
pas : elle ressemble à cette « popularité misérable qui n'est dévolue qu'au
banal, au trivial, au commun », que Victor Hugo distinguait en 1834 de
cette « autre popularité qui se forme du suffrage successif du petit nombre
d'hommes d'élite de chaque génération (7) ». Le jugement le plus net
qu'il forme sur l'œuvre du chansonnier est à coup sûr celui du 1er janvier 1849 :

Béranger est toujours le même : spirituel, ironique, indifférent, à peu près
franc, à peu près bon, entre Diogène et Voltaire. Après tout, plutôt le vaudevilliste de la bourgeoisie que le chansonnier du peuple. Il a trois ou quatre
vraiment belles chansons, excellentes d'inspiration et de style. On les croirait
venues d'un plus vaste esprit, à les voir souples, vertes et fermes comme des
branches poussées dans un bois (8).

(1) *Mis.,* III, VIII, 16 (1847).
(2) *Mis.,* IV, XIV, 1 (1847-1848).
(3) *Histoire de la Littérature française,* p. 969.
(4) Elle l'a parfois impatienté ; d'Amiens, en 1836, il écrit : « Il est bien bête de
quitter la maison où l'on est si bien pour venir dîner dans les assiettes d'auberge
où l'on lit les chansons de Béranger à travers sa soupe. » (*V.,* II, p. 79.) Après le
coup d'Etat, ils correspondront cordialement et le « fait » Béranger viendra encore
plus d'une fois intriguer l'esprit d'Hugo : voir p. ex. le parallèle *Homère-Béranger,*
W. S., Rel., p. 364.
(5) *V. H. rac.,* chap. XLIX.
(6) *Ch. v.,* II, p. 2, 9 janvier 1849.
(7) *L. Ph. m.,* p. 20. Il donne précisément pour exemple de cette popularité triviale les chansons *Au clair de lune* et *Ah! qu'on est fier d'être français!*
(8) *Ch. v.,* II, p. 2.

Il y a dans ces quelques lignes les éléments de l'influence que l'exemple de Béranger a pu exercer sur le poète des *Chansons des rues et des bois* Hugo le jugeait digne d'entrer à l'Académie (1), c'est dire que ces *Chansons* choisies ne lui paraissaient pas loin de réaliser dans leur genre la perfection et une manière de chef-d'œuvre. Mais le recueil égal reste à faire. Le nom de Béranger évoque aussitôt pour Hugo deux problèmes connexes qui le tourmentent depuis 1830 : celui de la popularité, de la gloire, de la réaction et de l'estime des lecteurs, et, problème plus profond, dont le premier est le corollaire, l'idéal d'une littérature « pour le peuple », « populaire par la forme et par le fond (2) », c'est-à-dire susceptible de toucher et d'élever cette partie de la nation riche de possibilités, mais encore inculte, à laquelle Michelet, couronnant tout un demi-siècle d'efforts, donne enfin en 1846 son état civil littéraire et politique (3). Cette entreprise, Hugo l'avait, pendant ces dix années, de 1830 à 1840, dévolue au théâtre, au drame, et sa poésie avait suivi le mouvement, en prenant ses thèmes dans les grands problèmes de la vie quotidienne, privée et publique. Les débuts du *Théâtre en liberté* correspondent-ils à une tentative pour renouveler l'essai dans la comédie cette fois, après l'échec du dernier drame en 1843, ou au contraire à un luxe *for the happy few* à la Musset ou à la Nerval? C'est ce que nous aurons à voir par la suite. En tout cas, les chansons, écrites en même temps que quelques fables, peuvent paraître manifester cette volonté de renouvellement par la forme, qui vise à atteindre dans le fond des âmes simples et riches en poésie dont il trouve ses modèles d'abord parmi les enfants. Aussi refuse-t-il le titre de « chansonnier du peuple » à Béranger pour lui laisser celui de « vaudevilliste de la bourgeoisie », et il entend par là cette bourgeoisie de petits commerçants dont on a vu l'avènement sous le règne du roi Louis-Philippe et qui faisait à Béranger, de son propre aveu, un public de « bonnetiers », de « gargotiers » et de « lecteurs du *Constitutionnel* (4) ». Précisément ce qu'il admire dans un petit nombre de chansons qu'il excepte de cette condamnation, c'est leur jaillissement dru et naturel qu'il va essayer pour son compte d'obtenir.

Trois chansons de cette époque peuvent devoir quelque chose à l'exemple de Béranger, beaucoup plus légitimement que la *Chanson de Pirates*, le *Prince de Joinville*, la Prière au *Bon Empereur* et *Jean qui guette* (5). La première rappelle certaine vieille chanson de pêcheurs qui se termine par un naufrage :

---

(1) *Ibid.*, 9 janvier 1849.
(2) *L. Ph. m.*, p. 19.
(3) Béranger avait de bonnes raisons de croire que ses *Chansons* étaient susceptibles, sinon d'élever le peuple, du moins de lui plaire, comme il apparaît dans *Ma Biographie*, et dans le début de *Couplets sur la journée de Waterloo :*

> De vieux soldats m'ont dit : « Grâce à ta muse,
> Le peuple enfin a des chants pour sa voix. »

(4) *Ch. v.*, I, p. 289.
(5) *T. L.*, VI, 41 (1840-1844?); VI, 53, 22 mai 1846 ; VII, XXIII, 3, 22 avril 1847, contemporaine de la fable *D. G.*, Rel., p. 493. Une autre chanson, datée du 17 mai 1846 : *T. L.*, VI, 9, est peu caractéristique, sinon par son titre, *Chanson*, et sa conclusion :

> Le plus hardi capitaine...
> N'ôtera pas sa fantaisie
> Au doux rêveur qui veut aimer.

> Le prince de Joinville
> En mer *s'en est allé* (1).

L'inversion familière, les répétitions, un vocabulaire élémentaire, la simplicité des sentiments, tout cela fait partie de ces vieilles chansons dont Hugo s'exerce à attraper le tour. Si le sujet même est emprunté à l'actualité de la seconde expédition à Alger (2), il reprend le vieux thème des amants ou des époux séparés par la guerre et le motif, qui l'illustre, des hirondelles messagères de nostalgie (3). De Paris mouillé, la princesse se languit du soleil parti avec son mari sur la Méditerranée. Or, il existe une chanson de Béranger, intitulée *les Hirondelles*, où *un guerrier* « captif au rivage du Maure » demande à ces voyageuses des nouvelles de son pays et des siens (4). Il n'est pas du tout impossible qu'elle ait suggéré, entre la France et l'Algérie, la communication inverse.

Il y a également dans une autre chanson de Béranger, *le Contrat de mariage*, où le roi déclare n'avoir *qualité* « que pour guérir les écrouelles » et non pour faire respecter par la femme d'un jaloux le mariage contre-signé par lui, un sujet assez semblable à celui de la *Chanson* (5), où le père demande au « bon Empereur » tout puissant que sa fille préfère « le vieux Thibault » au plus jeune de ses neveux. A quoi « le dieu d'en bas » répond que la difficulté suprême

> C'est de faire qu'une fille aime
> Autre chose que ses amours.

Six ans après *le Retour de l'Empereur*, à quatre ans d'*Après la bataille*, cette chanson marque dans la petite épopée napoléonienne une sorte de relais qui est déjà dans le style de *Souvenir des vieilles guerres* (6) :

> Bon empereur, vous êtes maître
> Du grenadier et du sapeur,
> Et quand vous regardez leur guêtre
> Les soldats d'Austerlitz ont peur.

Cela rappelle assez les illustrations de Raffet et tout un lot de chansons de Béranger, dont la plus célèbre chante encore dans nos oreilles d'enfants :

> Il avait petit chapeau
> Avec redingote grise.
> Près de lui je me troublai,
> Il me dit : Bonjour, ma chère.

---

(1) Il avait admiré le prince de Joinville aux funérailles de Napoléon, 15 décembre 1840, cf. *Ch. v.*, I, p. 43.

(2) Cf. *in Ch. v.*, I, p. 77, la page sur l'arrivée de la guillotine à Alger, datée 20 octobre 1842. La *Chanson* est vraisemblablement de l'année 1845, quand le prince fut mis à la tête de la flotte française pour aider Lamoricière à empêcher Abd-el-Kader de se replier sur le Maroc.

(3) La pièce d'*Emaux et Camées*, intitulée *Ce que disent les hirondelles*, où celles-ci rêvent, au moment de quitter la France, du soleil d'Orient, est apparemment de septembre 1859. Cf. *Poésies complètes*, éd. Jasinski, t. III, p. 90 et t. I, p. xciv.

(4)
> Hirondelles, que l'espérance
> Voit jusqu'en ces brûlans climats,
> Sans doute vous quittez la France :
> De mon pays, ne me parlez-vous pas ?

(5) *T. L.*, VI, 53, 22 mai 1846.

(6) *C. R. B.*, II, III, 4, 15 juillet 1859. Même strophe d'octosyllabes dans les deux.

> Bonjour, ma chère.
> — Il vous a parlé, grand'mère!
> Il vous a parlé (1)!

C'est cette même familiarité du peuple avec le souvenir de Napoléon — ravivé par le retour des cendres et entretenu par le complot de Boulogne : « le peuple encor le révère » disait Béranger — que Victor Hugo s'est amusé à imiter : mais elle recouvre tout un jeu de disparates, prière naïve où Napoléon tient la place de Dieu, et dont l'objet est le mariage d'une fille à un grison.

Nous n'en avons pas fini avec Béranger, dont nous aurons à reparler inévitablement à propos des *Chansons des rues et des bois*, composées pour moitié deux ans après sa mort. Si la couleur et la virtuosité se sont volontairement atténuées chez le poète des *automnes* et des *crépuscules*, elles paraissent toujours brillantes par comparaison aux vers fort lâches et gris de Béranger. L'hypothèse n'est pas à écarter que Victor Hugo ait songé à lui donner la réplique, réservée pour lui-même et d'ailleurs peu digne d'un Pair de France qui, huit jours après avoir écrit cette dernière chanson, pouvait aussi bien siéger au procès d'Henri Lecomte et y reprendre sa campagne contre la peine de mort (2). En revanche, les vers de Victor Hugo sont beaucoup moins généralement scabreux, mais d'un réalisme plus riche et varié, et plus particulier aussi. *Jean qui guette* (3), le gueux enluminé du pont Saint-Michel, fait pâlir les gueux de Béranger, même s'ils sont, comme il chante pauvrement, « des gens heureux (4) », mais il a peut-être son point de départ dans *Maître Jean à la guinguette* de Béranger (5) :

> Je suis Jean qui guette,
> Chanteur et siffleur,
> Qui serait poète
> S'il n'était siffleur...

> J'ai la mine haute
> Et le teint en fleur
> De la Pentecôte.
> A la Chandeleur.

> Je rôde, je marche ;
> J'ai pour toit le ciel,
> Pour alcôve une arche
> Du pont Saint-Michel.

C'est là le vrai Hugo. Il a trouvé sa formule, la sienne, il a fondu ses exercices avec ses motifs personnels, il est chez lui, dans son monde de

---

(1) *Les Souvenirs du Peuple*, chanson parue pour la première fois dans le recueil de 1828.
(2) *Ch. v.*, I, p. 140, 1er juin 1846.
(3) *T. L.*, VII, XXIII, 3, 22 avril 1847.
(4) *Op. cit.*, t. I, p. 38.
(5) *L'Ivrogne et sa Femme*, t. I, p. 192, mais c'est Jeanne qui guette le retour de son mari :

> Tandis que dans sa mansarde
> Jeanne veille, et qu'il lui tarde
> De voir rentrer son mari,
> Maître Jean à la guinguette
> A ses amis en goguette
> Chante son refrain chéri :
> Trinquons, et toc, et tin, tin, tin!
> etc...

grotesques, créatures de son imagination, revues « d'après nature » pendant ses voyages, rêveurs et poètes, frères de Ruy Blas et de Zafari,
mais goguenards, laids, hantés par l'amour pour y dire oui ou pour y
dire non. Voilà Hugo libéré, libéral, inlassablement prodigue de couplets
dont aucun n'ajoute au précédent, mais dont chacun présente une nouvelle version retouchée du même couplet idéal, remplie de détails pittoresques et gratuits, d'associations pures de mots (1), de fleurs argotiques,
pour le plaisir, pour son plaisir. Tous les motifs du voyage se pressent à
la rescousse : les laveuses des bords du Rhin,

> Ah! c'est toi, vieux singe!
> Disent les cathos
> Qui battent leur linge
> Au bord des bateaux.

l'idylle avec Goton à Saint-Cloud, le soleil et le ciel bleu, le vagabondage, le regret des mêmes oripeaux que le voyageur déplorait de ne
plus voir aux bohémiennes de Heidelberg (2), toute cette verve bon enfant,
savoureuse, parfois truculente, parfois délicate, dont le mélange intime
lui appartient en propre. Voilà Hugo, « *Maglia*, le rire (3) ».

---

(1) P. ex. :

> Des fois j'ai logé
> Sous le pont-au-change ;
> J'ai déménagé...
> Ma vie est ainsi
> Toute décousue,
> Ma culotte aussi.

(2) *Rh.*, Rel., p. 489. Cf. ici *Voyages*, p. 232.
(3) Ne dirait-on pas que cette chanson perdue dans le Reliquat du *Théâtre en
liberté*, dont je ne fais pas état parce qu'elle n'est pas datée, mais que je soupçonne
fort d'après le ton d'être de cette même époque, forme la meilleure transition des
« Guitares » aux « Masques » et plaide pour l'unité de cette fantaisie sous ses diverses
formes :

> LE COMTE FULVIO, *sa guitare, il fredonne* :
> > Larira, turlurette,
> > Landerira
> *Il s'assied sous le balcon et chante.*

> Un frais maillot rose, un arc, une aigrette,
> C'est ainsi qu'Amour est fait par Campra.
> Marquise Suzon, sans tant de toilette,
> On ferait l'amour dans votre chambrette,
> Comme à l'Opéra, mieux qu'à l'Opéra.
> > L'amour, Turlurette,
> > L'amour, Larira, etc...

> (*Th. lib.*, Rel., p. 461)

II

MASQUES DE GROTESQUES

L'éditeur du *Théâtre en liberté* indique dans sa notice :

Le *Théâtre en liberté* parut en 1886, dans l'année qui suivit la mort de Victor Hugo. Ce fut pour le public la révélation d'un Victor Hugo inattendu. On admira cette fantaisie, cette belle humeur, et on témoigna même quelque surprise. On avait tort. Car la fantaisie est répandue dans plusieurs œuvres du poète. Mais ici elle se dégageait plus impérieusement, elle s'imposait plus impérativement parce qu'elle se présentait plus nette, plus en relief, étant presque sans alliage (1).

Et il fait remonter fort judicieusement les origines de cette « veine fantaisiste » à l'époque de *Ruy Blas*, c'est-à-dire à 1838 et au personnage de don César. Mais, d'une part, ce personnage, nous l'avons pressenti dès Flibbertigibbet, Rochester et le Gracieux (2), et, par delà 1838, il se trouve être, en étroite connexion avec la verve dramatique du poète, le développement de ces grotesques renouvelés par les visions des voyages (3). D'autre part, tout de même que cette forme scénique de sa fantaisie n'était pas séparée dans sa création de telle autre forme comme les *Ballades* et qu'il y avait des interférences de l'une à l'autre (4), il n'y a pas davantage de distinction réelle dans sa création entre 1835 et 1850. C'est au verso d'*Écrit sur une fenêtre flamande* qu'on trouve, en 1837, indiqué d'une phrase le projet d'une saynète de cette veine :

Une belle fille, Fabio, propre et jolie comme un caillou mouillé. — M. de Pierre-Dauphin. — Denarius, son page (5).

Certaines chansons, on vient de le voir, propres à illustrer telle ou telle saynète, mettent en scène des personnages du futur *Théâtre en liberté* et, à des dates rapprochées, on retrouve dans la création du poète

(1) *Th. lib.*, p. 564.
(2) Cf. Ire partie, 2e section, chap. I.
(3) Cf. IIe partie, Ire section, chap. II.
(4) Pour mémoire, p. ex., les chansons des fous dans *Cromwell*. cf. p. 64-67.
(5) *R. O.*, Rel., p. 677. Denarius a le principal rôle dans la *Forêt mouillée* de 1854 ; entre les deux, on retrouve « Denarius, le page, jeune et joli » au verso d'un faire-part de mariage daté 12 *décembre* 1852, cf. *Th. J.*, Plans, p. 518.

le même voisinage intérieur entre chansons, saynètes, etc. Maglia, cette émanation de lui-même, ce personnage que Victor Hugo a chargé d'assumer la plus grande partie de sa fantaisie comique, recouvre bien des expressions diverses de la fantaisie du poète (1). Il y a des fragments de « ballades » dans la manière de 1828 entretenue par le livret de *la Esmeralda* et accommodée à un très vague climat de légendes rhénanes et de « Fêtes galantes », où Maglia *en costume d'Enchanteur* salue *toute la. cour du landgrave :*

> O ducs,
> Caducs !...
> Margraves
> Très graves,
> Marquis
> Exquis !... (2).

Il y a des quatrains de « chansons » avortées, où flotte le souvenir de ces opulentes créatures de Rubens dont l'éclat affectait ses yeux :

> MAGLIA, *chantant.*
> Tu veux engraisser ? Sois gourmande,
> Bois de la bière et non du vin.
> Le secret de la chair flamande
> Est dans la bière de Louvain (3).

Il y a ces couplets de comédie où Hugo débite en alexandrins somptueux ou brisés son inépuisable verve et qui constituent le lot ordinaire de ce personnage. En sorte que Maglia a de bons motifs pour s'écrier :

> Un seul jour ne fait pas un homme tel que moi...
> Je suis le composé d'un tas d'événements (4).

La corde satirique enfin lui est familière ; on trouve sous sa griffe un tas de mots, de saillies et de calembours, de tout ordre, moral, social ou politique — puisque aussi bien c'est une boutade politique d'août 1830, qui date son apparition :

> Jadis on sacrait les rois, maintenant on les bâcle (5).

Mais la tournure générale des fragments où apparaît Maglia ou, après 1838, presque indifféremment don César, est scénique. Depuis les morceaux de comédie que Victor Hugo lui-même appellera expressivement *Comédies cassées* (6) jusqu'aux plus infimes bribes et répliques, calembours ou mots d'esprit, tous ces divers fragments sont animés par la conception dramatique où l'auteur a continué de baigner, même après 1835. Ils se réfèrent sans doute à une scène déjà assez imaginaire, par un mouvement semblable à celui qui détourna Musset des théâtres après l'échec de *la Nuit Vénitienne*, mais non pas du théâtre. Elle évolue avec

---

(1) On trouvera des fragments *Maglia* de cette période dans le *Théâtre en liberté* et le *Théâtre de jeunesse*, ainsi que dans les Reliquats de ces volumes, de *Toute la Lyre* et de *Dernière Gerbe.*
(2) T. L., Rel., p. 453.
(3) *Ibid.*, p. 452. Sur Rubens, cf. *L. aux B.*, p. 105, Bruges, 29 août 1837.
(4) *Th. lib.*, p. 189.
(5) *Th. J.*, p. 463.
(6) *Th. lib.*, Rel. p. 323 sq. A rapprocher des *Comédies non jouables qui se jouent sans cesse : T. L.*, VII, XXII, notamment 5, attribuée à 1844-1846 et 7, datée *avril* 1849.

les milieux où les drames qu'il écrit d'autre part promènent successivement son imagination : de *Padoue*, 1549 avec *Angelo* (1835) à *Madrid*,
169... avec *Ruy Blas* (1838), jusqu'à se renouveler totalement dans
Hepenheff, 120... au temps des *Burgraves* (1843). Le doge tend le flam-
beau au duc, qui le rend au margrave. Mais tous ces lieux et personnages
divers sont prétexte à une comédie interrompue et toujours reprise qui
a, pour scène, la même cour de fantaisie qu'on retrouve, aux modifications personnelles près, dans le Pérou de Mérimée, la Bavière de Musset
ou la Naples de Nerval et, pour personnages, des fantoches animés de
passions fort apparentées en somme — je le dis pour Hugo — aux rôles
traditionnels de la comédie italienne : vieillard, qu'il soit sénateur ou
duc, cupide et libidineux, fripons entreprenants et spirituels, entre-
metteuses dignes de « la Célestine » et toutes les variétés de larrons en
foire se rencontrent dans leurs relations consacrées en communs procédés, qui sont bastonnades, sacs de sequins, rendez-vous d'amour à
la brune (1). Quand la fantaisie sera plus forte que la forme où elle s'inscrit, c'est cette armature scénique qui à l'inverse s'assouplira, se relâ-
chera et se dégagera davantage de la tradition : la fantaisie y gagnera
alors en couleur personnelle, en folie ingénue et désordonnée et le théâtre
pourra s'appeler *en liberté*. Mais il faudra attendre l'exil, 1854, 1859, la
méditation fructueuse de l'échec des *Burgraves*, drame qui marquait une
dilatation extrême, à la fois lyrique et épique des cadres dramatiques.
C'est une nouvelle manifestation de cette même lutte entre la convention
et la liberté, entre les cadres et l'inspiration, dont nous avons vu déjà
d'autres exemples. Même *les Deux Trouvailles de Gallus* resteront pleines
de conformisme : au contraire, *la Forêt mouillée*, *la Grand'Mère* et *Mangeront-ils ?* Pour le moment, nous ne disposons guère que de fragments,
d'essais disparates, la plupart du temps fort délicats à identifier.

Théâtres du livre et opéras.

L'originalité du poète n'est donc pas dans ce moule anonyme, plus
ou moins adapté à ses besoins. De fait, Hugo est loin d'être isolé dans
cette tentative. Deux causes semblent avoir contribué à la formation de
ce courant. D'une part, les écrivains français de l'époque romantique,
malgré l'attraction doctrinaire des « littératures du nord », de Shakespeare à Schiller, n'en ont pas moins subi le rayonnement de la comédie
italienne et de la comédie espagnole, de leur rythme et de leur atmosphère. D'autre part, on ne peut manquer d'observer ce phénomène que
Thibaudet a fort justement noté à propos de notre théâtre romantique :
le retour du théâtre au livre, avec Mérimée, Musset, Nerval, Hugo lui-
même (2). Autrement dit, on constate que les auteurs dramatiques de
l'époque romantique, pour répondre peut-être à des exigences grandis-
santes de leur désir de liberté, tendent à se délivrer de plus en plus des

---

(1) Voir *l'Embuscade* par exemple, *Th. J.*, p. 483 (un larcin) ou *Th. lib.*, *les Gueux*
XIV, p. 233 (même sujet) et « la Fable : le Coq, le Fumier et la Perle », *Th. Lib.*,
Maglia, VII, p. 200 (une intrigue amoureuse) qu'il reprendra dans la première des
Deux Trouvailles de Gallus.
(2) A. THIBAUDET, *Histoire de la littérature française*, Paris, Stock, 1936, p. 189 :
« Le *Cromwell* de Hugo appartient à ce théâtre du livre comme le *Spectacle dans
un fauteuil* d'Alfred de Musset », et p. 195 : « Venu du livre, le théâtre romantique
retourne au livre : de *Clara Gazul* au *Théâtre en Liberté*. » Dans un ordre d'idées

contraintes de la scène, en faveur d'une scène imaginaire, infiniment souple. C'est dans l'évolution normale des doctrines romantiques et ce surgeon aboutira autour de 1850 à ce théâtre de monologues et de saynètes, où Coquelin taillera sa gloire, et dont à la limite la fleur sera l'*Après-midi d'un Faune*. Théâtre raffiné, théâtre cultivé, des excès duquel Hugo sera gardé par son désir instinctif d'une large audience en partie populaire.

Les futurs *Comédies et Proverbes* de Musset (1), auxquelles on songe d'abord, ne semblent pas avoir eu d'influence sur Hugo, du moins pendant cette période. Je ne pense pas que les dialogues de ses *Contes d'Espagne et d'Italie* et du *Spectacle* (1re série) en aient eu davantage. La fantaisie de Musset est plus italienne, celle de V. Hugo plus espagnole ; c'est-à-dire que celle du premier est plus vive, plus élégante, plus raffinée, vient nourrir un théâtre choisi, de bonne compagnie, de société et d'élite, qui se ressent de son modèle Carmontelle et du xviiie siècle ; celle de Victor Hugo, sensuelle et colorée, baroque, infiniment moins soucieuse de psychologie aussi, mais beaucoup plus de mouvement, d'attitudes.

Le premier en date de ces théâtres du livre est apparemment le *Théâtre de Clara Gazul* (1825). Mais si les personnages des *Espagnols en Danemark* ont les gestes saccadés de marionnettes, il règne autour du Gouverneur et de la Périchole du *Carrosse du Saint-Sacrement* une ambiance d'ironie narquoise et musquée qui est encore différente des ébauches de Maglia (2).

Le plus proche serait bien encore Nerval avec *Corilla ou les Deux Rendez-vous* (3), parue dans *la Presse* en 1839, précisément à l'époque où Hugo est en train de concevoir ses propres saynètes. Comédie traditionnelle de l'amour, avec la coquette Corilla, actrice de l'opéra, ses deux amants, Marcelli et Fabio, et l'entremetteur, Mazetto, qui travaille au compte de chacun d'eux. Atmosphère italienne, « boulevard Sainte-Lucie, près de l'Opéra, à Naples », de *bel-canto*, de mantilles, de

---

différent, mais voisin, Maglia semble prendre un malin plaisir à attester plusieurs fois sa nature livresque :

>   ... âme dépareillée
> Que le flâneur rencontre et regarde en rêvant,
> Vieux bouquin feuilleté sur le quai par le vent.

(Th. J., Plans, p. 506).

> Pardon! depuis trente ans je feuillette et tourmente
> D'une nocturne main les exemplaires grecs.
> J'apprends par cœur les grands, je relis les corrects,
> Je les fouille et les pille et prends note sur note.

(*Th. lib.*, p. 190.)

> J'ai ruminé Socrate, Albert, Cardan, Jamblique,
> Cratès, Anaxagore et saint Thomas d'Aquin,
> Et je suis arrivé de bouquin en bouquin
> A reconnaître enfin que tout est un problème...

(*Th. lib.*, p. 322, 1834-1838?)

(1) Notamment *les Caprices de Marianne*, Revue des Deux Mondes, 15 mai 1833 et *Fantasio*, ibid., 1er janvier 1834, réunies sous ce titre avec quelques autres en 1840. Nous en reparlerons au chapitre suivant.

(2) Hugo voyait et recevait Mérimée, cf. *V. H. rac.*, chap. XLIX.

(3) Publiée dans *la Presse*, 15-17 août 1839 et reproduite dans la *Revue pittoresque*, en 1843. Cf. aussi le théâtre de Th. Gautier, un peu postérieur, dont il sera question dans le chapitre suivant.

coiffes de satin, de capes et de loups, le soleil se couchant sur Ischia,
une nuit amoureuse au bord de la mer. Atmosphère de travesti et de
déguisement présidée par Mazetto, habile à la parole et à l'intrigue, la
bouquetière jouant le rôle de la *prima donna* et l'actrice se déguisant à
la fin en bouquetière sous le signe d'Eros. La comédie se termine sur une
pirouette raisonnable, par un dîner à trois, dans l'attente d'une connaissance réciproque plus approfondie. Il y a autant de gratuité chez Nerval
que chez Hugo, tout cela est pur jeu, cela ne mène nulle part, juste au spectacle d'attitudes arrêtées, mais il y a plus de rêve et de grâce chez Nerval,
plus d'angles et de brillant chez Hugo.

Je ne cherche pas à pousser plus loin l'analyse. A quoi nous servi-
rait-elle, sinon à constater d'une part la constance des mêmes moyens
d'expression, dès qu'un auteur cherche à se dégager de la réalité, et
d'autre part d'imperceptibles nuances qui les séparent définitivement?
C'est l'analyse de ces nuances qui seule peut être fructueuse. Mais d'où
vient d'abord cette ambiance nouvelle? Le gothique ne suffit-il plus?
Au moment où les fantasmagories d'Aloysius Bertrand font voir des
squelettes chevaucheurs avec vertèbres en clair de lune (1), les romantiques
semblent se rafraîchir à de nouveaux thèmes, laissant à d'autres le soin
de reprendre ceux de leur bruyante jeunesse. Cela vient-il, à travers
Tieck et Hoffmann, de ce fantasque et fantastique Gozzi dont naguère
Alexandre Arnoux nous restituait l'énigmatique figure (2)? L'œuvre de
Tieck foisonne en carnavals italiens, qui pourraient avoir inspiré Musset,
et celle de Hoffmann a des fêtes masquées, qui vont rejoindre les « trumeaux » auxquels Hugo, nous le verrons, se joue (3). Comment s'est donc
entretenue cette veine de mystère, apparemment offusquée et toujours
par quelque endroit résurgente?

Pour nous renseigner, prenons une revue de l'époque, une des plus
originales, *l'Artiste*. Ouvrons-en un volume déjà ancien : l'année 1831 (4).
Quel étonnant mélange, exaltant pour l'imagination du lecteur! Sur la
couverture grise aux caractères gothiques, un musicien, signé Tony
Johannot, gratte de la guitare dans l'atelier du sculpteur où sur une table
le poète compose des vers : sans se froisser des décorations mauresques
de Chenavard sur la page de garde. Il manquait sans doute cette lithographie que voilà d'un dessin de Charlet représentant l'empereur se
chauffant le dos au feu, pendant qu'une femme avance sur la table un
pichet de lait et une miche de pain entamée : ne dirait-on pas « Vous
l'avez vu, grand'mère » de Béranger? Un article l'accompagne intitulé
« 1814 » : « Le héros a été peint mille fois : l'homme jamais! ». Jules
Janin glorifie « l'artiste fantastique » en mêlant dans son portrait bien
des traits qui ne nous paraissent pas s'y rapporter strictement :

C'est une nouvelle source d'émotions que l'artiste fantastique, le fantasque,
qui remplace l'arlequin usé, le pantalon fatigué, tous les Gilles du monde;
le fantasque, qui n'est autre chose que le Pasquin de notre siècle. Singulier
animal qui se vautre ou qui vole, qui rit ou qui pleure, qui fait l'amour ou
qui égratigne; un cauchemar est son inspiration la plus puissante, le rêve
est son état naturel, l'ivrognerie est sa vie, le son est sa folie; grand enfant

(1) Première édition de *Gaspard de la Nuit* en 1842.
(2) *L'Amour des Trois Oranges*, 1947.
(3) Voir notamment *Amour et Magie*, Paris, 1829.
(4) Première livraison, 21 p. La Revue a duré de 1831 à 1861 sans interruption.

souvent niais, quelquefois sublime ; il est de toutes les opinions, de tous les partis, de toutes les vérités, de tous les mensonges, de tous les écots, ne payant jamais le sien.

N'est-ce pas le portrait de Maglia ? Et d'évoquer pêle-mêle — « plus il y a d'art, plus il y a de folie » — *le Neveu de Rameau* — car Diderot est à la mode, presque à côté des *grotesques* que Théophile Gautier et d'autres s'emploient et s'emploieront à restituer — et *la danse des morts*, Hoffmann, Boulanger et même saint Augustin ! Poursuivons : on rend compte du *Rouge et Noir* par M. de Stendahl *(sic)*, « un livre qui fera peut-être fortune un jour ». Au théâtre italien, la Malibran. A l'Opéra-Comique, *le Diable à Séville*. Un vaudeville de Scribe occupe la revue dramatique. Est-ce tout ? aux Folies-Dramatiques, un mime : « Applaudissez Deburau. Celui-là ira loin avec sa figure de plâtre, son masque muet et ce sang-froid qui met sur toutes les faces le rire inextinguible dont parlait Homère éveillé. » Ajoutez, de la Troisième Livraison, un conte fantastique inédit de Hoffmann, *Kressler* (1), de la Cinquième ou de la Sixième, un *Musée de Madrid* par Mérimée et, dans le compte rendu d' « un concert de Paganini », le souvenir rappelé du conseiller Crespel et du violon de Crémone (2). Bientôt Watteau (3). Et l'on a une faible idée de la prodigieuse variété des perspectives ouvertes à l'imagination sous le règne réputé débonnaire du roi libéral. Qu'on est loin de l'imagerie élémentaire de vingt années tout occupées d'*Hernani* et de *la Tour de Nesle*. Arriverons-nous jamais à nous représenter avec un minimum de vraisemblance les temps que nous n'avons pas connus et ceux mêmes que nous vivons ?

Voilà les spectacles, les images, les airs, et voilà les lectures que Victor Hugo a pu connaître, voir et entendre, car il lisait beaucoup, voyait beaucoup de gens, il sortait beaucoup depuis 1830, plus encore entre 1835 et 1843 et 1844-1845 et la fin du règne. Entre autres spectacles, Hugo, lancé dans le monde artistique, fréquentait l'Opéra et l'Opéra-Comique. Il faut se rappeler l'extraordinaire vitalité de l'opéra entre 1830 et 1853. Les écrivains romantiques en ont été de grands amateurs (4). On sait ce qu'il représentait pour Musset et l'influence qu'il a exercée sur lui : son œuvre est pleine de tels souvenirs de Donizetti ou d'autres. Balzac a dit de mémorable façon son admiration pour Rossini. Qui sait si les livrets des ballets ou des opéras-comiques, avec leur liberté essentielle, n'ont pas agi, à leur insu ou non, sur eux ? Hugo s'est intéressé à l'opéra, pour avoir laborieusement commis le libretto de *la Esmeralda* d'abord, ensuite ne serait-ce que pour le nombre d'opéras qui se sont greffés sur ses œuvres — et non pas seulement *Rigoletto* — presque aussitôt après leur publication (5). Nous l'avons vu allant entendre le *Freischütz* de Weber

---

(1) P. 42.
(2) P. 75.
(3) Cf. chap. suivant.
(4) Témoin la publication de Jules JANIN : *Beautés de l'Opéra* ou Chefs-d'œuvre lyriques illustrés par les premiers artistes de Paris... avec un texte explicatif rédigé par Th. Gautier, Paris, Soulié, 1845, 10 parties en un vol. in-4° (B. N. : Yf 992). *La Sylphide, Ondine* y figurent.
(5) *Lucrèce Borgia*, en 1834, par exemple, musique de Donizetti, *Rigoletto* en 1837, sur un livret tiré du *Roi s'amuse*, musique de Verdi. *Hernani* a donné *Ernani*, et *Notre-Dame*, en dehors de *la Esmeralda*, plusieurs livrets. Cf. *L. aux B.*, fin du volume.

en 1823 (1). En 1839, le jour de la condamnation de Barbès, il entre à l'Opéra « où l'on jouait un acte de *la Esmeralda* (2) ». Et entre les deux il n'a pas cessé de hanter les coulisses des théâtres lyriques où il a fait la connaissance notamment de la célèbre Taglioni, à qui il dédicace un de ses livres : « A vos pieds, à vos ailes. » Est-ce pour elle qu'il écrivit en 1839 ce billet médiocre en lui-même, mais intéressant comme témoignage ?

> Danseuse, écoute-moi. Le Dieu du firmament...
> Attache de sa main quelque chose qui brille
> D'un éclat à la fois chimérique et réel,
> La paillette à ta jupe et l'étoile à son ciel (3).

Gautier ne célébrait pas autrement en 1844 le souvenir de la *Sylphide* (4) : « une figure idéale, une personnification poétique, une vapeur d'opale dans une verte obscurité de forêt magique. Taglioni, c'était la danse, comme Malibran, c'était la musique ». Certes, je ne pense pas que Hugo soit jamais revenu, comme Nerval, chaque soir admirer de sa loge telle ou telle actrice, toujours à distance, par timidité et par volonté de rêve, pour préserver le charme magique de l'artifice. Hugo, moins rêveur et plus réaliste en ce sens, hantait davantage les coulisses, souhaitant de voir Alice Ozy des Variétés en Vénus naissant de l'onde, comme Gautier rendant ses droits de citoyen pour voir la Grisi sortant du bain, tandis que pour voir Jenny Colon, du même théâtre, Gérard se contentait des rêves de l'avant-scène ou du lit à baldaquin. Hugo connut encore dans le monde du théâtre et de la danse les deux sœurs Essler, Fanny et Jane, à qui il n'omettra pas en 1865 de faire adresser ses *Chansons*.

Je ne tire de tout cela aucune conclusion de détail. Il serait vain de chercher des sources précises aux saynètes de V. Hugo dans des livrets qui le plus souvent, qu'ils soient écrits par Scribe, un Taglioni ou quelque librettiste italien, sont d'une platitude navrante. Mais dans l'atmosphère générale qui se dégageait de ces spectacles à l'Opéra, sous les jeux de lumière, dans la musique, ces aventures souvent burlesques ou merveilleuses, qui présentaient devant de magiques décors la tradition italienne revue à travers le romantisme, formaient un « théâtre en liberté » composé de couplets héroïques et coupé de chansons, fort propre pour une part à suggérer à Hugo ainsi qu'à d'autres l'idée du leur ou du moins à nuancer leur entreprise. Pour une part, les Zebedeo, les doña Zubiri sont des personnages d'opéra ou mieux d'opéra-comique dont le chœur semble suivre — *Viens! une flûte invisible...* — la « Flûte enchantée » de Papageno, charmeur d'oiseaux, manieur d'intrigues, fou naïf, poète, qui est peut-être, tout bien examiné, le plus proche encore de tous ces gueux rêveurs dont Maglia est le chef de file et Aïrolo le serre-file.

(1) Cf. p. 115.
(2) *V. H. rac.*, chap. LI.
(3) *T. L.*, VII, 6, 8 août 1839.
(4) Un article de la *Presse*, cité par Léandre Vaillat, *la Taglioni*. *La Sylphide*, représentée pour la première fois à l'Opéra, le 12 mars 1832, son ballet peut-être le plus célèbre, imprégné du romantisme à la Nodier, chantait l'histoire d'un jeune Écossais, James Reuben, amoureux d'une jeune fille, Effré, et d'une sylphide, qu'il perdait toutes deux.

Mais il y a dans ces capitans en guenilles, écorchés et hilares, qui l'escortent, une verve truculente traversée de reflets sombres, sarcastiques à la Goya, qui, dans ce mariage de l'Espagne et de l'Italie, le retirent à la patrie de l'opéra pour le rendre à l'inspiration baroque de l'enfance et des voyages. Aussi devons-nous réintroduire Maglia et son pair, don César, dans cette galerie des grotesques au point où nous l'avons laissée inachevée, et voir comment et par suite de quelle évolution personnelle elle s'est développée et enrichie (1).

Don César.

Ce troisième acte de comédie que nous avions trouvé dans Marion, c'est le quatrième de *Ruy Blas*, intitulé *Don César*, du nom du burlesque sur lequel il repose tout entier (2). *Ruy Blas* reste d'ailleurs plus que jamais dans la ligne des drames sociaux : *Ruy Blas*, ce Fantasio à l'espagnole, qui ne se déguise pas en bouffon mais en premier ministre, c'est

Le peuple, qui a l'avenir et qui n'a pas le présent ; le peuple, orphelin, pauvre, intelligent et fort ; placé très bas et aspirant très haut... (3) Le peuple, ce serait Ruy Blas (4).

Il est le poète réformateur politique et social ; un acte entier, le troisième, est dévolu à l'exposé de son programme et au débat de ses généreuses ambitions. C'est à don César de Bazan que revient la fonction d'équilibrer le drame de cet amour extrême et symbolique qui se clôt pathétiquement sur la réconciliation dans la charité (« Merci » est le dernier mot de la pièce). Détente destinée au spectateur, en accord avec la doctrine romantique, détente destinée à l'auteur lui-même surtout.

Don César est d'abord une image, une silhouette, le capitan de Callot ;

---

(1) Il me plaît de voir que, sans que nous nous soyons concertés — c'est la preuve qu'elle est fondée — Marcel Raymond a partagé la même intuition, qu'il exprime avec tant de vigueur : « Des divers aspects de l'œuvre de Hugo, il en est un, cependant, qui reste dans l'ombre : son génie du grotesque, qui ne doit pas être confondu avec celui de la satire, politique ou morale et que révèle en premier lieu son théâtre... les drames représentés, d'*Hernani* aux *Burgraves*, et plus encore le *Théâtre en liberté*, les ébauches et reliquats récemment mis à jour. Un Hugo rabelaisien et « espagnol » s'y ébroue (lisez l'*Homme qui rit*) sous les haillons d'un *picaro*, dans un monde irrégulier, au milieu d'une nature déchiquetée, *baroque*, toute en excroissances et en tumeurs. » *Victor Hugo, Poèmes choisis*, Genève, Alb. Skira, 1945, Préface, t. I, p. 24.
(2) Je ne reviendrai pas à propos de *Ruy Blas* sur la question des sources dont je pense avoir considéré le mécanisme à propos des « légendes » du *Rhin :* cela sort de notre propos ici. M. Souriau en a donné pour *Ruy Blas* un excellent résumé auquel je me contente de renvoyer (*Hist. du Romantisme*, t. II, p. 204-205). Elles sont de deux sortes. Ou bien elles portent sur une situation, un rapport de caractères que V. Hugo paraît reprendre d'un auteur antérieur, le plus souvent médiocre et inconnu : c'est le cas de l'acte IV dont on retrouve l'analogue dans *le Ramoneur Prince et le Prince Ramoneur* de Maurice de Pompigny (1784, repris 1815). Le lien est alors des plus lâches et la « rencontre » ne démontre le plus souvent que les cadres limités où se débat l'imagination créatrice aux prises avec un problème précis. Ou bien elles portent sur un détail, une phrase dont la ressemblance, l'identité même sont indéniables : exemple, la description d'un blason empruntée à l'*État présent de l'Espagne* de l'abbé de Vayrac (acte III, sc. 5), « La maison de *Sandoval* porte d'or à la bande de sable ». Alors, la part faite du document historique qui ne s'invente pas, on voit bien qu'il s'agit d'une véritable découverte, où la fantaisie a plus de part que l'application : à la fois économie et excitation de l'imagination.
(3) Cf. *R. B.*, II, 2, p. 375 :
Qui souffre, ver de terre amoureux d'une étoile.
(4) *R. B.*, Préf., p. 333.

c'est sous cet aspect pittoresque que Victor Hugo tient à nous le présenter :

> — Quel est donc ce brigand, qui, là-bas, nez au vent,
> Se carre, l'œil au guet et la hanche en avant,
> Plus délabré que Job et plus fier que Bragance,
> Drapant sa gueuserie avec son arrogance,
> Et qui, froissant du poing sous sa manche en haillons
> L'épée à lourd pommeau qui lui bat les talons,
> Promène, d'une mine altière et magistrale,
> Sa cape en dents de scie et ses bas en spirale (1)?

Ce portrait-charge lui impose ses goûts. Il fréquente les Vénus de faubourg, que don Salluste appelle avec dédain « des Jeannettes », et qui
sont pour lui « Lucindes d'amour, ...douces Isabelles... beautés à l'œil
mutin... (2). » Il a pour amis de complaisants coquins comme Mata-
lobos. Il a sa place à part dans cette galerie des grotesques. D'un côté,
il n'est pas difforme et échappe ainsi à la plèbe des Quasimodo et des
Triboulet. De l'autre, moins galant que Rochester, plus indépendant
que Flibbertigibbet et que le Gracieux, il est un Rochester dégradé,
qui partage avec l'un son sens de l'honneur et avec l'autre sa fourberie
naïve. « Un peu aventurier, un peu spadassin, un peu bohémien...,
mélange du poète, du gueux et du prince ; ... alliant dans sa manière,
avec quelque grâce, l'impudence du marquis à l'effronterie du zin-
garo (3). » Tout cela couronné par une bonne humeur inaltérable,
une confiance dans la providence ou le hasard, un goût de l'aventure
née au coin de la rue, qui vient de ce précieux grain de folie qu'il a en
commun avec les autres grotesques :

> Je m'appelle César, comte de Garofa ;
> Mais le sort de folie en naissant me coiffa (4).

Des palais qu'il habitait et des Célimènes qu'il rentait — on voit là
apparaître cette atmosphère de théâtre que je disais — il ne lui reste
plus que faux-semblant et fumée. En cela désespérément gueux, ne pos-
sédant plus rien en propre à lui, voleur d'impressions avec une volupté
narquoise et une mélancolie joviale :

> J'avise une cuisine au soupirail ardent
> D'où la vapeur des mets aux narines me monte.
> Je m'assieds là: J'y lis les billets doux du comte,
> Et, trompant l'estomac et le cœur tour à tour,
> J'ai l'odeur du festin et l'ombre de l'amour (5).

Mais poète, qui se souvient des expériences de son maître Hugo :

> Devant l'ancien palais des comtes de Tévé...
> Je vais dormir avec le ciel bleu sur ma tête!

Sa carcasse picaresque d'eau-forte semble animée de toutes les envies
passagères et rentrées de son créateur, de ses caprices fantasques.

---

(1) *R. B.*, I, 2, p. 342. Cf. les *Callot* des *Voyages*.
(2) *Ibid.*, p. 343.
(3) *R. B.*, Préf., p. 332.
(4) *R. B.*, I, 2, p. 344.
(5) *Ibid.* Souvenir du « fol » de Rabelais ?

C'est cette folie qui éclate dans le quatrième acte. Il n'échappe à personne, pas même à ceux qui le goûtent peu, que Hugo s'y est fort diverti. « Le quatrième acte de *Ruy Blas* — remarquait Lanson — (le *quatrième*, notez-le, l'acte critique du drame, pour mieux narguer les classiques) appartient tout entier à don César de Bazan ; sous le nom de ce gueux pittoresque, Victor Hugo a lâché sa fantaisie et nous a donné un chef-d'œuvre de comique énorme et truculent (1). » A quoi tient-il ? Serviteur du hasard, don César est récompensé par lui. Cette incohérence absurde du destin le sert (2). Mais, nul doute, Hugo a dirigé à ce hasard. Là aussi on peut dire que « tout... arrive par la volonté du poète, en vue d'un effet pittoresque (ou poétique) (3) ». Et comique. Mais cet effet comique n'est que l'apparence destinée à cacher les ressorts du final coup de théâtre. La scène avec la duègne est faite pour extorquer de ce comparse imprévisible autant qu'involontaire le fatal *Venez* qui conduira malgré tout la reine au mortel rendez-vous (4). La mort de don Guritan aidera à balayer don César, une fois qu'il aura servi, et ce galant pourpoint de satin rose brodé d'or volé au comte d'Albe est prévu dès le premier acte pour perdre son porteur. Seule la scène avec le laquais semble purement gratuite. Mais trois scènes comiques, trois scènes de délais propres à nouer savamment les fils de cet écheveau embrouillé, à nous tromper et à nous procurer l'anxiété dans le rire.

Le portrait moral même du grotesque paraît répondre aux nécessités dramatiques et justifie point par point le comportement que celui-ci aura dans des circonstances où il est plus que jamais abandonné à ses instincts. « C'est à lui, disait déjà Hugo dix ans auparavant, que reviendront les passions, les vices, les crimes ; c'est lui qui sera luxurieux, rampant, gourmand, avare, perfide, brouillon, hypocrite (5). » Ivrogne et goinfre, il pourra perdre ce sens de l'honneur, qui l'aurait gardé de mettre en balance le sort d'une femme et sans le savoir d'une reine ; cupide, prendre l'argent qui lui tombe du ciel ; luxurieux, engager son hôte inconnu dans la voie des aventures. Brouillon surtout, en plus de tout cela, il doit compromettre immanquablement toute solution au problème déjà embrouillé qu'il prend comme il vient, en s'amusant à le compliquer tragiquement par goût de s'en amuser seulement :

> Je patauge à travers vos toiles d'araignée (6).

Ce nègre fou et aveugle, Iago sans le vouloir et Falstaff de droit (7), est tout à fait nécessaire à ce que Corneille appelait une « intrigue implexe ». Ce n'est donc pas là encore, pas plus que dans les scènes du Gracieux

---

(1) *Histoire de la littérature française*, p. 981.
(2) Cf. *W. S.*, II, I, 2, p. 110 : « A quoi ressemble la destinée, si ce n'est à une fantaisie ? Rien de plus incohérent en apparence... C'est dans cette logique-là qu'est puisée la fantaisie du poète. »
(3) Lanson, *loc. cit.*, p. 979.
(4) IV, 4.
(5) *Cr.*, Préf., p. 18.
(6) *R. B.*, IV, 7, p. 436.
(7) « C'est lui — continuait Hugo dans le même passage de la Préface de *Cromwell* cité ci-dessus — qui sera tour à tour *Iago*, Tartufe, Basile ; Polonius, Harpagon, Bartholo ; *Falstaff*, Scapin, Figaro. » Rapprocher de ce portrait de Falstaff tracé par Amédée Pichot dans sa *Galerie des personnages de Shakespeare*, Paris, 1844, p. 6 : « Sir John Falstaff est né gentilhomme, il porte l'épée, il est de la cour ; mais le hasard de sa naissance ne lui a donné qu'un vain titre : il est tout à ses instincts

ou des fous de Cromwell, de la fantaisie toute pure. Pourtant Hugo, une fois son schéma bâti, s'amuse et dépense sans compter la monnaie, sous et louis, de son plaisir.

Pour invraisemblable qu'il soit, nous nous laissons aller à ce hasard. César poursuivi tombe à point sur la maison qu'il faut : « J'avise une maison perdue (1). » Mais il y entre par la cheminée, comme jadis Flibbertigibbet par la fenêtre : ce qui n'était nullement nécessaire que pour déchaîner le rire et fixer ainsi le ton. Ce soliloque étourdissant de verve — auquel je ne trouve d'analogue que la scène de l'avare à la cassette — don César éclopé ne le soutient sans défaillance que grâce aux tours de langue innombrables du magicien Hugo, « copieux et coloré », je l'accorde à Lanson, mais varié, mais jovial et réjouissant dès qu'on se prête au jeu. Tous ceux que nous retrouvons systématiquement employés après l'exil existent en partie là. Et d'abord cet amour exubérant de la vie qui lui fait personnifier jusqu'aux plus ordinaires des objets inanimés : le célèbre pourpoint, par exemple, « déchiré et rapiécé » :

— Mon pourpoint m'a suivi dans mes malheurs. Il lutte (2).

Cet héroïsme de bataille prêté à la brillante loque, la mimique de bonne humeur désabusée qui l'accompagne — le geste est suggéré et vu par l'auteur en même temps que l'expression, inséparablement d'elle — ne sont pas nouveaux et rappellent les mots de l'insouciant François avisant les meubles dans la chambre tragique de Saltabadil :

Combien de pieds en tout?
(Il regarde alternativement le lit, la table et la chaise.)
                              Trois, six, neuf, — admirable!
Tes meubles étaient donc à Marignan, mon cher,
Qu'ils sont tous éclopés?

naturels ; il ne cherche même pas à dissimuler ses vices, excepté un moment sa poltronnerie : il s'en pare même et se proclame gaîment un égoïste sensuel ; caractère qui serait odieux peut-être sans cette franchise un peu cynique ; il amuse, il fait rire, on l'accepte, on le recherche même, quoiqu'il ne soit pas toujours de bonne compagnie. »

Mais il lui manque à Falstaff, au gré des romantiques, une nuance de rêverie dont J. Janin exprimait le regret dans son adaptation du *Kreyssler* de Hoffmann : « Quel dommage de le laisser si brutal, ce bon cavalier Falstaff! Quel malheur de l'abandonner sans secours à sa nature vineuse, le bon gros homme! Quel bon rêveur fantastique cela eût fait, s'il eût été artiste tant soit peu! » (*Contes fantastiques*, 1832, in P. CASTEX, *Anthologie du conte fantastique français*, Paris, J. Corti, 1947, p. 95). Don César semble répondre à ce vœu de Janin.

En tout cas, ces remarques suffisent à montrer que Falstaff a été extrêmement goûté de nos romantiques qui l'ont tiré à eux et plus ou moins assimilé au type du « gueux », comme on voit dans le *Falstaff* de P. Meurice et A. Vacquerie, deux jeunes disciples de Hugo, pour lequel Gautier écrivit un *Prologue*, où l'on lit :

... Je représenterai John Falstaff, un fier drôle!
Mes compagnons sont là, derrière le rideau,
Un tas de chenapans qui n'ont jamais bu d'eau...
Tous les vices en fleurs bourgeonnent sur leurs trognes :
Ils sont un peu filous, énormément ivrognes,
Très-poltrons, très-hâbleurs, à cela près charmants...

(Th. Gautier, *Théâtre*, Paris, Charpentier, 1872, p. 285-287.)

(1) *R. B.*, IV, 2, p. 415.
(2) *Ibid*. Cf. le développement de ce trait dans *Une aventure de don César*, saynète attribuée à 1868-1870 sur un projet de 1840-1844 (*Th. lib.*, p. 204) :
Ce pourpoint est posthume.
Jadis il exista, maintenant il est mort.

(S'approchant de la lucarne, dont les carreaux sont cassés.)

Et l'on dort en plein air

Ni vitres, ni volets. Impossible qu'on traite
Le vent qui veut entrer de façon plus honnête (1).

Mais ces fusées égarées se pressent ici, se culbutent et éclatent à la manière d'un feu d'artifice, tant cette verve à dessein déchaînée connaît de moyens d'expression. Il y a les divers décalages de l'expression, corrélatifs d'images, qui font d'un repas providentiellement tiré d'un garde-manger la lecture d'une bibliothèque ou d'une maison une bouteille :

> Dans ce charmant logis on entre par en haut,
> Juste comme le vin entre dans les bouteilles (2).

Si ces traits répondent au portrait d'un ivrogne cultivé, ils rappellent bien des visions du voyageur laissant sa verve pareillement débridée (3). Le perpétuel sautillement d'une idée à l'autre, d'une image plutôt à l'autre, incessamment ranime le feu de cette verve sur le point de s'éteindre. Les associations de mots et d'images forment l'ordinaire argument de ces théories d'ivrogne où elle s'exalte en philosophie de digestion :

> L'homme, mon cher ami, n'est que de la fumée,
> Noire, et qui sort du feu des passions. Voilà.
> C'est bête comme tout ce que je te dis là.
> Et d'abord la fumée, au ciel bleu ramenée,
> Se comporte autrement dans une cheminée.
> Elle monte gaîment, et nous dégringolons (4).

Toute la scène est une authentique scène de comédie traditionnelle, dont le principal ressort est que tous deux agissent en aveugles et que Bazan, essayant à tâtons de manœuvrer sa proie, est encore « le badin de la farce » et l'instrument du destin. Encore le laquais, sans en savoir le sens, connaît-il sa leçon, que don César feint de comprendre pour ne point perdre la face, ni, à la vue du sac, le profit éventuel. De là cette conférence de pantins, où l'ignorance mutuelle, exprimée par les demandes et les réponses sous forme d'indétermination, obtient un effet comique assuré, que l'auteur ne craint pas d'exploiter progressivement trois fois.

DON CÉSAR

... La phrase est magnifique!

Redites-la-moi donc.

LE LAQUAIS

Cet argent...

(1) R. A., IV, 4, p. 342.
(2) R. B., *ibid.*, p. 416. Cf. IV, 5, p. 434, don César *examinant* « d'un air goguenard les souliers de don Guritan », qui « disparaissent sous des flots de rubans, selon la nouvelle mode » :

> Jadis on se mettait des rubans sur la tête.
> Aujourd'hui, je le vois, c'est une mode honnête,
> On en met sur sa botte, *on se coiffe les pieds.*

Où l'on retrouve d'ailleurs un souvenir de *Kenilworth,* voir ici p. 61, n. 3.
(3) Les équilibres de tasses, pots, etc., des clochers de Belgique et les divers livres des cathédrales et de la nature. Mais alors que, là, la relation imaginaire reposait sur la forme, elle est toute ici, comme dans ce dernier cas, dans la fonction.
(4) R. B., IV, 3, p. 422. Allusion à sa chute introductrice dont le souvenir vient *par association* de traverser l'esprit de don César tandis qu'il parle à tort et à travers le temps d'enivrer les laquais.

DON CÉSAR
Tout s'explique!
Me vient de qui je sais...

LE LAQUAIS
Pour ce que vous savez.
Nous devons...

DON CÉSAR
Tous les deux!!!

LE LAQUAIS
Être fort réservés.

DON CÉSAR
C'est parfaitement clair.

LE LAQUAIS
Moi, j'obéis ; du reste
Je ne comprends pas.

DON CÉSAR
Bah!

LE LAQUAIS
Mais vous comprenez!

DON CÉSAR
Peste!

LE LAQUAIS
Il suffit.

DON CÉSAR
Je comprends et je prends, mon très cher.
De l'argent qu'on reçoit, d'abord, c'est toujours clair (1).

Enfin pour achever de restituer don César à sa place dans la galerie des grotesques, Hugo évoque autour de lui un entourage de caricatures rehaussées d'inventions virulentes que lui souffle la rime :

. . . . . une duègne, affreuse compagnonne,
Dont la barbe fleurit et dont le nez trognonne (2).

---

(1) *Ibid.*, p. 420. C'est la deuxième fois. La première se trouve p. 419 :
... Cet argent — voilà ce qu'il faut que j'ajoute —
Vient de qui vous savez pour ce que vous savez.

et la troisième, p. 421 :
Afin d'exécuter, vite et sans qu'on diffère,
Ce que je ne sais pas et ce que vous savez.

C'est le même procédé dont Alexandre Dumas s'est servi dans la scène très finement comique du *Vicomte de Bragelonne*, où Porthos est chargé par le Vicomte de provoquer le Roi en duel en la personne de Saint-Aignan pour trois griefs, la lettre, le portrait, la trappe, mots-clefs dont il ignore absolument le sens, mais qu'il prononce avec une conviction si sévère qu'elle persuade le marquis qu'il est au courant de tout. « On sait toujours tout, dit Porthos, qui ne savait rien. »

(2) *R. B.*, IV, 7, p. 437. Balzac a relevé précisément ces deux vers, jugés excessifs : « A propos, *Ruy Blas* est une énorme bêtise, une infamie en vers. Jamais l'odieux et l'absurde n'ont dansé de sarabande plus dévergondée. Il a retranché ces deux horribles vers : ... (*suit la citation*) ». (*Lettres à l'Étrangère*, 15 nov. 1838, cité par R. Escholier, *op. cit.*, p. 216). Or, détail intéressant, ces deux vers sont de ceux que Hugo, dans la première inspiration, avait notés comme repères, au moment de composer son acte. Il avait d'abord écrit : « dont la loupe fleurit », var. « dont le menton végète ». Cf. *R. B*, ms., p. 470. A rapprocher du quatrain sur « Mame Hucheloup »

Ou :

> C'est un homme fort doux et de vie élégante,
> Un seigneur dont jamais un juron ne tomba,
> Et mon ami de cœur nommé Goulatromba (1).

Les vers consacrés à camper ces authentiques gueux et drôlesses se désarticulent si aisément de la tirade où ils sont insérés qu'on doute qu'ils n'aient pas rempli d'abord les cartons du *Théâtre en liberté* :

> Lucinda, qui jadis, blonde à l'œil indigo,
> Chez le pape, le soir, dansait le fandango.
> . . . . Dans un bouge
> A côté, tu verras un gros diable au nez rouge,
> Coiffé jusqu'aux sourcils d'un vieux feutre fané,
> Où pend tragiquement un plumeau consterné,
> La rapière à l'échine et la loque à l'épaule (2).

Si don César se détache avec un relief si accusé de ce drame, c'est qu'il était en effet préparé par tout un travail d'imagination en liberté. Et inversement, il était inévitable que Victor Hugo ne se privât point d'exploiter le succès d'une silhouette si bien venue, aussi originale à sa manière que le Falstaff de Shakespeare, et qu'il méditât de prolonger sa carrière dans une comédie dont César deviendrait le premier rôle comme Falstaff dans les *Joyeuses Commères de Windsor*. « A peine — écrivait de ce dernier A. Pichot en 1844 — aperçoit-on l'ombre de ce galbe grotesque, à peine entend-on retentir le pas traînant de ce chevalier obèse, le sourire s'épanouit déjà sur tous les visages (3)... » Hugo escomptait probablement un succès du même genre pour son original personnage secondaire. C'est *Don César de Bazan* ou, comme le rapportait en 1844 Th. Gautier, *Une aventure de don César de Bazan* (4). Il n'en devait rester que des ébauches, des fragments de répliques et le projet un moment caressé en 1852, sur les instances du directeur du Théâtre des Variétés, de réaliser cette comédie un jour, qui ne vint pas (5). Mais cependant « don César-Maglia », comme Hugo l'appelle parfois, devient le point de ralliement de la société de brigands et de gueux esquissée dans quelques vers de *Ruy Blas* et l'interprète permanent des saillies hugoliennes, dont on pourrait dire comme du coffret royal confié à don Guritan qu'elles sont « en bois de calambour ».

Maglia et les gueux.

Comment Hugo en est-il venu là ? Ce qui précède me paraît l'expliquer suffisamment. Au delà de don César, c'est à Flibbertigibbet qu'il faut

---

(« Une verrue habite en son nez hasardeux »), *Mis.*, IV, XI, 1 (1847-1848), p. 265. Sur *trognonne*, cf. « voix qui *jordonnent* », *Rh.*, I, 17 et l'explication donnée par Hugo dans une note de sa préface, p. 8. Le rapprochement rapporté par M. SOURIAU (*op. cit.*, t. II, p. 207) avec deux adversaires de V. Hugo, Cuvillier-*Fleury* et *Trognon*, dont l'esprit de mots annoncerait celui des *Châtiments*, est possible, mais non pas certain, étant donné les essais préalables indiqués ci-dessus.

(1) *R. B.*, IV, 3, p. 425. Cf. *Th. J.*, p. 471, la première idée de ces vers, attribuée à 1825-1835 (?).

(2) *Ibid.*

(3) *Op. cit.*, p. 6.

(4) A propos du mélodrame *Don César de Bazan* par Dumanoir et Dennery. Cf. *Th. J.*, *Plans*, p. 475.

(5) Voir ce qu'il en reste *in Th. lib.*, p. 203-209, 366-374, et *Th. J.*, p. 475-480.

revenir ; au delà de Goulatromba, c'est aux truands de la Cour des Miracles. Utilités romanesques pour relever le pittoresque ou dramatiques pour soutenir l'intrigue, tous les grotesques participent d'une même veine ininterrompue qui continue de se nourrir dans les voyages, sans cesser de se rattacher aux souvenirs d'enfance ou de lecture. De *Notre-Dame de Paris* et des drames de 1829-1834 à *Ruy Blas* et à *Don César*, il n'y a aucune solution de continuité, mais enrichissement, développement, et affirmation de plus en plus libérée des préjugés de la convention et de plus en plus sûre de la valeur de sa fantaisie créatrice. Travail complexe de l'imagination, dont l'itinéraire précis serait impossible à reconstituer de manière infaillible, eût-ce été pour l'auteur lui-même, mais dont on connaît plus d'un cheminement.

Ainsi ne sommes-nous pas surpris de retrouver dans un projet, *le Parc de Versailles*, Gaboardo et Maglia rendus à la *Cour des Miracles* (1). *Papamoscar* (2), titre d'une quelconque scène de comédie, nous ramène au lointain séjour de l'enfant Victor et au Collège San Antonio. Les « étudiants », Tituti, Frévent et leurs grisettes (3), font sur un mode plus libre la chaîne entre leur ancêtre Jehan Frollo, perché sur son pilier des Halles, et d'autre part Grantaire, Courfeyrac des *Misères*, leurs pauvres, mais verbeuses orgies de cabaret et leurs parties à Saint-Cloud avec Fantine et ses amies. Enfin, les « mômes (4) », capables encore de fraîcheur en dépit de leur précoce maturité, forment les cartons d'ébauche d'où est sorti Gavroche, figure plus achevée, et comme leur député, promu de la même manière que don César à un rôle de premier plan.

Pour retrouver la « chose vue » sous ces états successifs du gamin de Paris, il n'est pas besoin de chercher longtemps : les expériences de jeunesse, les observations des voyages, et tout particulièrement les images recueillies au cours des promenades aux barrières de Paris en fournissent plus d'un exemple. De tout temps, Hugo a été un grand amateur de ce qu'on appelait naguère encore « la zone ». Commé il a fait le tour des pays frontaliers de la France, par ses habitations et ses promenades, il a fait le tour de Paris. Où qu'il habitât, c'est d'instinct vers l'espace libre, la campagne ou la banlieue, qu'il dirigeait ses pas. De la rue Notre-Dame-des-Champs, il gagnait Vaugirard et Grenelle, le « désert de la rue Plumet (5) » ; de la rue Jean-Goujon, le rond-point de la Défense ; même de la place Royale, il ne se défit pas du goût de descendre et traverser la Seine vers la curieuse plaine des Gobelins, où il a fait habiter son père Mabeuf (6). C'est lors d'une de ces promenades qu'il fait ce crayon d'enfant, où l'on sent percer Gavroche :

(1) *Th. J.*, p. 514.
(2) *Th. lib.*, p. 364. Cf. ici, *il señor papamoscas*, p. 21.
(3) *Th. lib.*, p. 430-445.
(4) *Th. lib.*, p. 237-241 et 403-423. L'unité de cette inspiration est attestée par le rapprochement suivant : la saynète du *Th. lib.* p. 240, *les Mômes*, II, *Conversation des flots* (à la Porte Saint-Martin) et ce mot de Gavroche aux enfants dans l'Éléphant, *Mis.* IV, VI, 2, p. 140 : « ... J'ai même joué une fois dans une pièce. Nous étions des *mômes* comme ça, on courait sous une toile, ça faisait la mer. » Cf. « le monologue des flots », *T. M.*, p. 276.
(5) « Le pavé de Paris avait beau être là tout autour... le désert était rue Plumet. » *Mis.*, IV, II, 3 (1847-1848), p. 65.
(6) *Le champ de l'Alouette*, *Mis.*, IV, II, 1 (1847-1848), p. 42-43, avec, comme au temps des voyages à Blois (cf. *F. A.*, II), la notation exacte de l'itinéraire — « Quand on a monté la rue Saint-Jacques, laissé de côté la barrière et suivi quelque temps

Tout à l'heure je traversais le Pont-Neuf. Un beau soleil d'avril faisait joyeusement verdoyer les touffes d'arbres des bains Vigier. Les laveuses
battaient allègrement leur linge au bord de l'eau. Deux enfants du peuple
ont passé près de moi au coin du pont. Deux enfants du peuple, deux pauvres
gamins, l'un ayant dix ans peut-être, l'autre sept, gais, frais, souriants, en
guenilles, mais pleins de vie et de santé, courant, riant, ayant le loisir devant
eux et la joie en eux. Le plus petit s'est penché vers le plus grand et lui a
dit : *Passons-nous à la morgue* (1)?

C'est de telles « choses vues » et de l'élan donné par elles à son imagination qu'est faite la silhouette du gamin de Paris :

Ce petit être est joyeux. Il ne mange pas tous les jours, et il va au spectacle, si bon lui semble, tous les soirs. Il n'a pas de chemise sur le corps,
pas de souliers aux pieds, pas de toit sur la tête ; il est comme les mouches
du ciel qui n'ont rien de tout cela. Il a de sept à treize ans, vit par bandes,
bat le pavé, loge en plein air, porte un vieux pantalon de son père qui lui
descend plus bas que les talons, un vieux chapeau de quelque autre père
qui lui descend plus bas que les oreilles, une seule bretelle en lisière jaune,
court, guette, quête, perd le temps, culotte des pipes, jure comme un damné,
hante le cabaret, connaît des voleurs, tutoie des filles, parle argot, chante des
chansons obscènes, et n'a rien de mauvais dans le cœur (2).

Il est le gueux en réduction, le petit gueux.

La part du costume dans ces descriptions décèle la « chose vue ».
Comment Hugo, est-on tenté de se demander, a-t-il conservé des souvenirs si précis ? C'est qu'il les entretenait, vivants et pittoresques, non
pas seulement en les notant par écrit au retour de ses promenades, mais
en les dessinant aussi. Ici, on doit faire mention d'un étonnant procédé
créateur qui est devenu de plus en plus familier à Victor Hugo. Je veux
parler de ce qu'on appellerait imparfaitement « l'illustration ». Bien

à gauche l'ancien boulevard extérieur, on atteint la rue de la Santé, puis la Glacière... »,
etc. — : « Ce je ne sais quoi d'où la grâce se dégage est là, un pré vert traversé de
cordes tendues où des loques sèchent au vent, une vieille ferme à maraîchers bâtie
du temps de Louis XIII avec son grand toit bizarrement percé de mansardes, des
palissades délabrées, un peu d'eau entre des peupliers, des femmes, des rires, des
voix, à l'horizon le Panthéon, l'arbre des Sourds-Muets, le Val-de-Grâce, noir,
trapu, fantasque, amusant, magnifique... » Cf. paysage similaire de Neuilly, 20 juillet 1842, *Ch. v.*, I, 72.
    Attribué à la même époque (1848-1850 ?) et, cette fois, dans une saynète de Maglia
(*Th. lib.*, p. 200, *Maglia*, VII), ce couplet descriptif est également une « chose vue »,
probablement dans la « zone » (avec peut-être aussi un souvenir du célèbre bœuf
écorché de Rembrandt) :

> ... La masure est près de l'hôtel de Haro.
> Un magnifique bœuf, accroché dans cet antre,
> Ouvert du haut en bas par le milieu du ventre,
> Pend, sanglant, rose et frais dans l'ombre du charnier.
> Avec un crayon noir pris chez le charbonnier,
> Quelqu'un a sur le mur écrit : JE L'AIME ENCORE !
> Trois petits enfants, doux et gais comme l'aurore,
> Jasent sur le gazon, nappe aux vertes couleurs,
> Qu'émaillent par endroits, à défaut d'autres fleurs,
> Les morceaux d'un pot bleu, cassé par quelque ivrogne.
> Le vieux toit est rongé comme un ducat qu'on rogne ;
> Et d'en bas on entend à travers le plancher
> Gémir une colombe et siffler le boucher.
> C'est là qu'est votre Inez d'un voile brun couverte,
> Regardant de côté par sa persienne verte.

Cf. *in la Fantaisie, Thèmes et Motifs*, la série des « masures ».
(1) *Ch. v.*, I, p. 79, 20 avril 1843.
(2) *Mis.*, III, I, 1, p. 287 (1847).

avant qu'il eût l'idée de faire lui-même les illustrations d'un livre entier comme il fera pour *les Travailleurs de la mer* (1) — et il faut bien voir qu'elles sont contemporaines du récit, psychologiquement et chronologiquement antérieures à la description, elles aident l'auteur à se représenter les choses qu'il imagine — Hugo a commencé à joindre des croquis à ses portraits poétiques de gueux. Il est fort difficile de dire si le dessin précède l'écriture ou si c'est l'inverse. Le portrait de Goulatromba par exemple — qui, d'ailleurs, correspond exactement au « gros diable au nez rouge », voisin dudit Goulatromba dans la tirade de « don César », mais distinct de lui (2) — s'interpose entre les vers de 1838 et les reprises innombrables dont le personnage a été l'objet dans les essais du *Théâtre en liberté*. On le retrouve en effet par deux fois dans l'album de 1839 (3), la plume pendant, « plumeau consterné », à droite ou à gauche. Peut-être celui de ces deux masques jumeaux qui n'est pas étiqueté Goulatromba est-il une « chose vue » ? On ne lui verrait guère d'autre modèle possible que l'un de ces bateleurs bohémiens de Berne que le voyageur décrit ainsi :

Son visage était bruni comme celui d'un matelot. A ses sourcils froncés presque douloureusement, on voyait qu'il avait souvent marché en plein midi, au grand soleil. C'était une de ces rudes et énergiques faces de gueux, dont les traits prononcés et profonds obligeaient Callot à employer pour ses eaux-fortes le vernis dur des luthiers (4).

A la différence des indécises figures de ses premiers nains, fous et grotesques, transcrits de telle ou telle tradition littéraire, on saisit sur le fait comme l'imagination du voyageur s'est enrichie et précisée. Mais Hugo ne s'arrête pas là. L'imagination créatrice travaille sur les données de l'imagination représentative, de la mémoire. Les traits ainsi accentués accusent un mariage entre la bête et l'homme. Qu'on regarde le Goulatromba de 1839 et quelques autres, on ne peut pas ne pas être frappé par ce mufle animal, au nez d'autant plus épaté qu'il est vu par-dessous, aux babines largement écartées sur des dents carnassières et le gouffre béant de la gueule, produit monstrueux, presque forain, du croisement de la bête et de l'homme. Une phrase du *Promontoire du Songe*, appliquée aux sculptures médiévales que Victor Hugo a souvent considérées, corbeaux, gargouilles et chapiteaux des cathédrales, atteste que Victor Hugo n'a pas toujours été inconscient du phénomène qui guidait son crayon :

Dans le chimérisme gothique, l'homme se bestialise. La bête, dont il se rapproche, fait un pas de son côté ; elle prend quelque chose d'humain qui inquiète. Ce loup est le sire Isengrin, ce hibou est le docteur Sapiens (5).

Un autre exemple non moins caractéristique est celui de l'accent circonflexe. Il montre comment une image visuelle, une de ces caricatures schématiques dont nous avons noté le procédé littéraire (6), s'exprime

(1) *T. M.*, p. 472.
(2) Cf. ci-dessus, p. 340.
(3) Voir et comparer *V.*, II, p. 582 (Album 1839, f. 14) et *Th. lib.*, p. 579.
(4) *V.*, II, p. 209. Les virgules de la barbe et les tortillons des moustaches sont assez typiques des bohémiens qu'on rencontre en Allemagne.
(5) *Prom. Som.*, 311. Cf. ici, à propos de Quasimodo, les exemples de « grotesques » donnés dans la *Préface de Cromwell*.
(6) Visions d'Orléans, etc., *Voyages*, 1re section, chap. II.

inséparablement par le dessin et l'écriture. Par trois fois, à dix ou vingt ans d'intervalle, Hugo a repris le motif du sourcil en accent circonflexe, à la fois graphique et littéraire, variant la rime mais non l'essentiel schéma du dessin qui accompagne ses vers et qui paraît leur incorporer chaque fois la recherche d'une meilleure « transposition » :

> Un poète...
>   homme perplexe.
> Il a deux sourcils noirs en accent circonflexe
> Sur deux gros yeux tout ronds qui disent toujours : ô!
>
> (au verso d'une lettre datée 30 juillet 1838).

> Il est charmant. Il porte une barbe de bouc,
> Et son œil rond, qui semble admirer le beau sexe,
> Crie : ô! sous l'angle aigu d'un accent circonflexe.
>
> (Gaboardo, *Th. lib.*, *Les Gueux*, III, 1850-1852?)

> J'ai connu ce bonhomme. Il avait,
> Comme un être ahuri que la fortune vexe,
> L'œil, le nez et la bouche en accent circonflexe.
>
> (au verso d'une enveloppe timbrée 13 janvier 1859) (1).

D'une part, on saisit sur le vif la continuité d'un motif humoristique. Le premier exemplaire semble sorti, à la veille du voyage aux bords du Rhin, du travail autour de *Ruy Blas*. Le second, à Jersey, attribue ce même schéma à l'un des gueux de Victor Hugo, Gaboardo. Et le troisième est contemporain des tout premiers essais qui feront partie des *Chansons des rues et des bois*, sans qu'on discerne un progrès quelconque dans l'exploitation du motif. L'échelonnement des dates est très démonstratif et plaide en faveur de l'unité de la fantaisie hugolienne, telle qu'elle réapparaît à de certains moments privilégiés, à l'époque de *Ruy Blas*, des *Contemplations* ou des *Chansons*.

D'autre part, il est très remarquable que dans les trois cas, à dix ans d'intervalle, chaque fois, le motif est venu sous la forme d'un dessin et d'une traduction en vers, inséparable du dessin. Cette création parallèle se retrouvera souvent par la suite, notamment dans les carnets de voyage, et pour les portraits de gueux, comme par exemple ceux de Vaugirard et Clousavate en 1857 (2).

La troisième et dernière question vient alors d'elle-même : comment, alors que ces figures s'imposaient avec tant de force à son imagination créatrice, n'ont-elles pas abouti plus tôt à la réalisation et n'ont-elles pour ainsi dire jamais connu de projet achevé, sinon publié? C'est ici

---

(1) Voir, pour le 1er et le 3e extrait, *Th. J.*, p. 498 et, pour le 2e, *Th. lib.*, p. 218. Cf. également *T. L.*, VII, 18 (t. II, p. 224) le pirate à l'X :

> Moustaches et sourcils d'une énorme envergure
> Lui dessinaient un X à travers la figure.

Chose remarquable, le signe X à l'intérieur des vers représente une réduction du dessin qui accompagne les vers. Ce fragment est attribué à 1844-1846. Cf. le croquis de vieillard, *Oc.*, *Tas*, 509 (1828-1840?) :

> ... Le chapeau sur les yeux, les jambes faisant l'X,
> Il s'assied, contemplant la fenêtre d'Alix.

(2) Voir *in Th. J.*, p. 535-538. Voir également le portrait du « diable de Bade » dans l'Album de 1865, p. 25 (cf. *Promenade...*, IIe partie, p. 279) et la description du « diable de Fribourg » (ici p. 272).

que l'histoire littéraire semble apporter un appoint appréciable à la chronique psychologique et offrir une explication pour une part valable ou au moins vraisemblable.

Sans doute peut-on dire que ces esquisses n'étaient pas au point, qu'elles restaient à l'état d'ébauches fragmentaires qui ne trouvaient point de cadre approprié à leur emploi, qu'elles n'avaient pas encore atteint le stade où « six personnages en quête d'auteur » sont assez forts pour imposer leur pièce : d'où le nombre considérable de *plans et projets*, demeurés finalement inexploités, qui remplissent les reliquats du *Théâtre en liberté* et du *Théâtre de jeunesse* et y témoignent de l'activité de recherche suscitée par ces singulières figures. De même, l'entrée dès 1838 dans les cercles officiels, l'orientation publique et politique de sa vie après 1841-1842 ont contribué avec la décision de silence prise au lendemain de la mort de Léopoldine (1843) à garder cachés ces projets prématurés dont la bataille politique (1848-1850), puis l'exil et ses pensées de revanche, à peine renoncées pour la haute poésie lyrique ou épique, devaient le tenir détourné au moins aux yeux du public.

Mais d'autre part, Victor Hugo ne pouvait rester longtemps indifférent au mouvement littéraire de son temps, auquel on a vu qu'il était au contraire fort sensible. De lui-même déjà, par l'effet de son évolution personnelle qui se confondait à cet égard avec celle du temps, il avait senti dès 1840 le besoin impérieux de modifier sa veine poétique et dramatique. Dans la préface du recueil de ses poèmes napoléoniens, publiés avec le *Retour de l'Empereur,* Hugo prenait acte apparemment de la dominante épique de son génie. Où il se séparait de son temps, c'était dans son emploi. Le voyage du Rhin, en renouvelant ses thèmes généraux, avait accentué en même temps cette pente vers une affirmation plus libre de son génie. Aussi en vit-on l'effet en 1843 dans ce drame des *Burgraves,* à la fois incomparablement plus épique que les précédents, mais aussi plus lyrique. Cependant, l'antiquité revenait à la mode, si elle avait jamais cessé de l'être. Le public prenait sa revanche : il applaudissait Rachel dans les tragédies de Racine et, l'année même de l'échec des *Burgraves,* faisait une ovation à la médiocre *Lucrèce* de Ponsard (1). Le goût réclamait plus de sobriété, de simplicité et de précision quasi scientifique. Les jeunes troupes enthousiastes d'*Hernani,* vieillies et disséminées, n'étaient plus là pour soutenir efficacement de leurs bravos l'effort d'un maître consacré par l'Académie. Si Hugo avait obtenu ce suprême laurier, il ne pouvait lui échapper comme cette consécration le séparait d'une jeunesse nouvelle, venue avec des goûts et des besoins nouveaux. Force lui était, à moins d'aveuglement total — ce qui n'était pas son cas — de se reconnaître dépassé, périmé. On imagine quel sentiment dut par moments l'envahir, au milieu d'un succès désormais complet, en pleine vigueur de l'âge, à quarante ans, sûr de la force intacte et puissante de son génie, lorsqu'il lui apparaissait qu'il devait continuer seul sa route littéraire, privé de cette escorte qui l'avait accoutumé à ses *chorus,* et maintenir hors de saison un romantisme dont ses pairs,

(1) Il en ressentit le succès comme une insulte personnelle. Cf. cette note vengeresse recueillie dans *Oc., Tas,* p. 474 : « 23 *mai* 1843. Th. Gautier dit que le succès de cette tragédie de *Lucrèce* à l'Odéon est pour lui le 1814 de l'art et qu'il lui semble en entendant nommer M. Ponsard voir arriver Louis XVIII avec ses gros mollets. »

Lamartine, Vigny, pour ne pas parler de Musset, s'étaient déjà détachés et qui au vrai n'appartenait plus maintenant qu'à lui. Cette gageure, insoutenable dans la gloire à tout autre qu'à lui, mais commune, à vrai dire, dans l'abandon à tous les écrivains, il dut à l'exil, à cette situation extraordinaire, hors du temps et presque de l'espace, de pouvoir la soutenir, et c'est peut-être une des raisons pour lesquelles, après l'amnistie, et malgré la lassitude des siens, il s'y attacha avec une résolution exemplaire (1).

Est-ce à dire que ce chœur des gueux conduit par Maglia (2), exutoire des boutades du maître, ne reflète rien de ses sentiments amers? A vrai dire, qu'apporterait-il de nouveau en ces dix années par rapport à ce que nous avons déjà vu chez don César, n'était cette humeur désabusée, ce scepticisme, cette misanthropie qui tend à former un thème constant de leur philosophie, va en s'accentuant et offre un curieux, mais peut-être nécessaire, contrepoids à un optimisme de profession quasi officiel? Comme dans les voyages, tout ce courant apparaît sous la forme d'un débordement salutaire, qui fait fonction d'écluse pour rétablir un équilibre, peut-être autrement compromis. Ce débordement, je vois notamment trois aspects de ces « gueuseries » qui le mettent en évidence.

Les noms d'abord, dont le nombre se multiplie en cet espace de dix années. L'épanchement de l'onomastique hugolienne tient de la tératologie et vaudrait à lui seul une étude de détail, à laquelle nous ne pouvons ici songer. Contentons-nous de quelques remarques. Il n'y a d'ailleurs rien là de nouveau, nous en avions au passage remarqué de beaux échantillons dans *Cromwell* et *Notre-Dame*. C'en est seulement un épanouissement, une floraison inouïe. Cette truculence effervescente qui les caractérise ne trouve d'égale que chez Rabelais ou dans la littérature de fabliaux et de mystères du moyen âge. Mais aussi bien de tels noms ne lui étaient pas inconnus et Hugo avait une bonne manière d'en récolter d'analogues au cours de ses promenades dans cet étonnant Paris de l'Hôtel de Ville, de Saint-Paul ou des Gobelins, où tant de vieux noms se sont perpétués jusqu'à nos jours. Là encore on saisit cette collaboration de l'observation et de l'imagination. Un nom comme celui de la rue *Croulebarbe*, lorsqu'on le voit pour la première fois, laisse incertain de savoir s'il est authentique ou de son invention. Il existe pourtant encore dans notre actuel XIIIᵉ arrondissement (3). Ainsi Hugo emprunte-t-il à Paris des noms de rues ou de quartier, Mouffetard et Vaugirard pour le *Théâtre en liberté*, Montparnasse dans les *Misérables*. Ou bien, imitant la formation des noms composés qui s'y lit, il fabrique sur le même type Claquesous (*Mis.*) et Clousavate (*Th. en lib.*). On voit que, du théâtre au roman, le procédé créateur est le même, à cet égard, et à bien d'autres d'ailleurs. Hugo paraît avoir, dans ce cadre, marqué sa prédilection pour les noms commençant par G et plus ou moins asso-

(1) Cf. *Oc.*, *Tas*, p. 381 : « *Bonté de l'exil.* Voltaire est plus Voltaire à Ferney qu'à Paris. » Cette observation en dit long.
(2) Je rappelle que cet aspect de la fantaisie de Victor Hugo a été traité par Mme Maria Ley-Deutsch dans son livre *le Gueux chez Victor Hugo* et me borne à quelques considérations particulières.
(3) Hugo n'a d'ailleurs pas manqué de le retenir. Cf. *Mis.*, II, IV, 3, p. 50 (1847) : je n'en suis pas surpris.

nants au « mot de gueule (1) » : ce sont Goulatromba, Gouvalagoule ou Gavoulagoule, Gaboardo plus tard modifié en Goboardo (2), Golbornos (3), Gluveau, Glapieu, Grobuche et Beaugraillon, auxquels vient s'ajouter, de la même famille, Gavroche (4). Il serait d'ailleurs vain de demander à chacun de ces noms un indice de la nuance particulière de leur rôle ou de leur caractère. A peu près tous interchangeables, leurs propriétaires se rangent avec plus ou moins de muflerie et de vice derrière Maglia. Aussi bien arrive-t-il plus d'une fois que Victor Hugo note de remplacer tel ou tel nom par tel autre (5). Le pittoresque sonore de ces noms atteste la roture de leurs possesseurs ; certains d'entre eux semblent même exprimer leur peu de valeur, leur néant : tel Maravédi ou Fiasque ; est-ce là qu'il faut chercher la raison du choix de Maglia, qui, en italien, signifie une maille, un rien, une tache minuscule sur l'œil ?

Leur caractère, s'ils en ont un, est de l'étoffe de leur nom. C'est le produit du débordement d'une fantaisie contrainte dans les cadres ordinaires du drame et du développement libéral de personnages abandonnés à leur pente. Un dialogue parmi tant d'autres offre un assez bon exemple de cette évolution des couplets rêveurs de Ruy Blas avec Zafari aux propos cyniques des gueux voleurs. Dans un bref duo, logé parmi les *Comédies injouables* de *Toute la Lyre* (6), Million et Croquefer qui se sont reconnus à leurs titres bouffons — « empereur de la Chine », « empereur de la lune ! » — échangent quelques réflexions désabusées sur leur condition. Croquefer, en réaliste, observe qu'ils sont vêtus « comme d'affreux laquais payés à coups de gaules — Et qu'on voit des haillons flotter sur nos épaules ». Million hésite à admirer ou mépriser, à l'opposé de son compère « gueux, et — tout bonnement — rêveur », misérable en vérité, mais millionnaire du rêve et des étoiles ; cette profession de foi pourrait servir à tout gueux un peu poète de Victor Hugo :

> Mon cher, nous sommes
> Riches. Oui, nous avons le ciel bleu, le grand air,
> La forêt où l'oiseau chante et, par Jupiter !

(1) Cf. *Th. J.*, p. 471, le premier essai pour Goulatromba, signalé ci-dessus, où celui-ci est dit par antiphrase

> ... Poli, point ordurier. Jamais prude farouche
> Ne vit un mot de gueule éclore dans sa bouche.

(2) Comme Goulatromba dans *Ruy Blas*, Gaboardo était apparu dans *Angelo* comme sbire, homme de main.

(3) Golbornos, campé avec une truculence magnifique dans ce portrait où se reconnaît la verve de don César :

> Né du choc d'une gueuse avec un capitaine,
> Drapé depuis vingt ans d'un torchon de futaine...
> C'était un personnage étrange et chimérique...
> (*Th. lib.*, Gueux, IX, p. 227, 1850-1852 ?)

(4) Au sujet de cette fréquence des G, voir *Th. J.*, p. 376, un de ces papiers où Hugo accumulait une série de synonymes ou de noms propres en vue d'un même emploi. Celui-ci, écrit vers 1866, sans doute en liaison avec la comédie *Mille francs de récompense*, signale vingt et un noms de personnages plus ou moins apparentés aux gueux : la lettre G y vient la première avec cinq noms fort semblables à ceux que j'ai cités (Gambrequin, Grumontais, Gambruche, Galombert, Grachard) devant B, C, L, qui sont représentées chacune quatre fois.

(5) Voir *Th. J.*, p. 483, *Th. lib.*, p. 193.

(6) *T. L.*, VII, XXII, 8 (1840-1844 ?).

> La fierté qu'on éprouve à marcher dans les plaines
> Librement ! — Nous avons l'été, les nuits sereines,
> La lune se mirant dans le fleuve argenté... (1)

Ainsi voit-on d'un côté s'accentuer la note du rêveur vagabond, du poète va-nu-pieds, aperçue dans *Ruy Blas*, et de l'autre s'aiguiser le scepticisme, le cynisme de Maglia, l'homme aux « piqûres », qui selon le cas se confondent en un personnage ou, comme nous venons de voir, sont développés en duos alternés. De ce premier thème, Hugo tire d'innombrables variations inachevées du genre de celle-ci, attribuée à Bodafù :

> Je suis un épouseur de songes et d'idées...
> J'ai le pourpoint lugubre et l'auguste fierté
> D'un poète qui sort dès l'aube de son bouge...
> Bref, je suis un gredin amoureux de l'aurore,
> Chantant je ne sais quoi, venu je ne sais d'où (2).

Ce vague relatif à l'origine et à l'activité du gueux rejoint le néant où ils sont taillés et le rêve où ils se complaisent. L'un de ces gueux remarque avec humilité, considérant jusqu'où il s'est dégradé :

> Je vis. — Je suis un rien, reste de quelque chose ;
> Espèce de Falstaff mélangé de Pibrac... (3).

Ce dernier vers rappelle nos remarques sur la contexture livresque de Maglia. Il n'est pas impossible que Falstaff, déjà plusieurs fois cité, ait servi d'exemple à don César-Maglia. *La Galerie des personnages de Shakespeare*, où Amédée Pichot a rassemblé et remanié en 1844 ses préfaces des années 1820, a pu en fournir l'occasion. Mais Maglia évoque aussi bien d'autres personnages : notamment Apemantus, le philosophe cynique de *Timon d'Athènes* que Victor Hugo connaissait au moins pour en avoir tiré autrefois une épigraphe (4). On songe aussi au Neveu de Rameau de Diderot, qui revenait à la mode vers les années 1840, et que certaines boutades évoqueraient assez (5). Mais l'aimable sceptique, parfois mordant, qu'il est avec ce dernier tourne vite au philosophe grincheux, aigri, amer, à l'image du premier.

---

(1) La liaison est facile à faire par ce fragment entre les rêves oisifs de don César et Ruy Blas (acte I, sc. 2 et 3 *passim*, p. 344 et 350 : « Je vais dormir avec le ciel bleu sur ma tête. » « Au lieu d'un ouvrier on a fait un rêveur.» « Et puis je suis de ceux — Qui passent tout un jour, pensifs et paresseux... ») et le cri d'Emma dans *la Grand-Mère* : « Charles, j'ai le soleil » (sc. 3).
(2) *Th. J.*, Plans, p. 507. Pour le dernier vers, cf. la scène ci-dessus rappelée de don César avec les laquais. Le trait développé dans ce fragment se trouve également dans *Th. lib.*, p. 189, *Maglia*, I (1838 ?) :

> Avoir des trous l'hiver à mes grègues de toiles,
> Grelotter, et pourtant regarder les étoiles.

Il sera repris notamment par Aïrolo, *Th. lib.*, p. 150 :

> ... Et je suis un jaloux,
> Épris de la bruyère et de la belle étoile.

et dans *Une Aventure de don César*, *Th. lib.*, p. 204 (1868-1870 ?) :

> Et je puis à travers mon feutre voir les astres.

(3) *Ibid.*, p. 506.
(4) Cf. ici p. 76 et 78.
(5) Voir notamment *Oc.*, p. 474, les fragments « La pantomime ! s'écria Maglia... » et le dialogue Anastasio - le Poète sur le public ; *ibid.*, p. 338, « Pêcher à la ligne ou écouter des tragédies de Racine : même genre de plaisir. Cela a ses fanatiques » et la boutade sur la musique italienne.

Si l'amour lui paraît encore le seul intérêt de la vie (1), il est plein de défiance à l'égard de ses illusions et met en garde, à l'opposé de ce qu'on attend de son auteur, contre « l'amour en liberté, seul à seul, dans les champs (2) » qui, sans les obstacles, l'ombre, les voiles, bref la convention, « se décolore ». Bientôt — Hugo se souvient-il de la comédie *Une femme est un Diable*, dans *le Théâtre de Clara Gazul ?* — il voit derrière la plus jolie fille du monde « cet affreux fourmillement de démons qui est autour d'elle (3) ». Cette misogynie, inusitée chez le poète et que les psychanalystes expliqueraient sans doute (4), s'accentue considérablement dans les ébauches d'après 1850. D'une manière plus générale, la misanthropie du personnage forme la note de base de ses couplets. Il affecte un plaisant renoncement — d'ailleurs tout provisoire — « aux biens de ce monde », qu'à l'instar de Tartufe, il *traite comme fumier* et qui lui sont d'ailleurs interdits (5). La vie est une *comédie*

> Étrange, amère, gaie, effroyable, hardie

où la vertu, bafouée, « tombe dans une trappe » quand « la richesse en sort ». L'acteur est Satan et « l'auteur, c'est Dieu (6) ». Libertin, il « blasphème » le christianisme qui n'est que « le bouddhisme médiocre, réduit aux proportions de l'Europe (7) », fronde le gouvernement — « serments, programmes, constitutions, lois, chartes, autant de gobelets. La liberté est la muscade (8) » — et raille les inutiles et commodes aumônes de la philanthropie :

> ... Ça? c'est une loterie
> Pour les pauvres. Soyez plus ému, je vous prie.
> Voyez. C'est pathétique. Un crible, un arrosoir,
> Un livre à réciter ses prières le soir,
> Fleurs en papier, carrés à mettre sous les lampes,
> Paquets de cure-dents, batailles en estampes,
> Mille objets merveilleux, charmants, du meilleur choix,
> Que des gens bienfaisants, de généreux bourgeois,
> Qui les allaient jeter en hâte au tas d'ordures,
> Se décident soudain, exemple aux âmes dures,
> A répandre à grands flots sur les pauvres en pleurs (9)!

Le dernier mot de cette sagesse, la « morale de ceci », est que l'homme

---

(1) Cf. le fragment de Maglia (1834-1838?), *Th. lib.*, p. 322, développé de mémoire et sous deux formes différentes en 1874 (*ibid.*, p. 283 et 320).
(2) *Th. J.*, p. 469 (1825-1835??).
(3) *Th. lib.*, Rel. 339, *Seppia, comédie*, au verso d'une convocation, *Chambre des Pairs*, 12 juin 1847, c'est-à-dire, vraisemblablement lors d'une séance du procès Teste-Cubières. Cf. *ibid.*, 341, Maglia, s. d. :

> Si tu pouvais soudain, par quelque effet magique,
> Voir le dragon hideux, vorace et carnassier...
> Qui t'écoute, caché sous une gorge blanche!

Cela mène à la fantaisie désabusée de *Senior est Junior* et du cycle de *Rosa*, dans les *C. R. B.*
(4) Cf. la remarque de Maglia sur l'impudeur des femmes honnêtes (*Th. lib.*, Rel., p. 361, au verso d'une lettre datée 23 avril 1840) et ce qu'elle révèle de souvenirs, de désirs et d'espoirs surtout.
(5) *Th. lib.*, p. 207, *Don César, II.*
(6) *Ibid.*, p. 195, *Maglia, IV, dicté le 2 décembre* 1842.
(7) *Th. J.*, p. 492.
(8) *Ibid.*
(9) *Th. J.*, p. 492.

> Joue avec la Fortune une rude partie ;
> Cachons nos cartes. Perte ou gain, tenons-nous bien (1).

En sorte que cette attitude se présente comme le contre-pied de l'optimisme naturaliste, des espoirs humanitaires, de la bonne humeur, du goût de vivre, de l'amour des femmes que l'on connaît à l'homme Hugo. Elle est commandée sans doute par le caractère traditionnel du bouffon, mais elle n'en constitue pas moins un débordement, une détente de Victor Hugo à l'égard de ses conceptions et de ses instincts. Ce que les fous de Cromwell disaient de leur maître : « Nous sommes ses bouffons, mais il est notre fou (2) » vaut de Maglia et sa bande par rapport à l'auteur : il s'en amuse, et s'y moque salutairement de lui-même. Aussi n'est-il jamais bien loin, tel que nous avons appris à le connaître, avec ses raccourcis saisissants, ses saillies piquantes, ses visions en caricature, qui sont devenus par la suite le modèle de la comédie en vers dans la seconde moitié du xixe siècle, telle qu'elle est notamment représentée par le *Cyrano* d'Edmond Rostand (3).

C'est précisément cette verve du style, ce déchaînement verbal, cette pétarade de mots et de calembours, qui démontre en définitive la fonction libératrice de ces essais. Déjà, en dehors de ceux qu'il abandonne encore à ses cartons, certains de ces discours se glissent aux endroits appropriés d'ouvrages qu'il destine tôt ou tard à la publication. C'est le cas des *Misères*. Il n'y a vraiment aucune différence de nature entre les couplets de César, Maglia ou Goulatromba et telles pages de verve intégrale confiées dans ce livre à Gavroche, Grantaire ou Gillenormand, les trois G du roman qui en sont aussi les « grotesques », les pourvoyeurs de fantaisie (4). Mais qu'il s'agisse de l'un ou de l'autre, les procédés sont toujours les mêmes ou, pour mieux dire, ils émanent du même principe : la rupture des habitudes logiques, destinée à créer la surprise ; sous diverses formes, dont les principales sont l'association imprévue d'images ou de mots et la dissociation ou plutôt le renversement de nos points de vue.

Il y a d'abord en abondance des associations d'images telles que nous en avons vues dans les lettres de voyage, et qui tiennent de la caricature.

(1) *Th. lib.*, p. 201, *Maglia, VIII* (1842 ?).
(2) *Cr.*, V, 10, p. 392.
(3) En voici trois exemples, trois pierres jetées et abandonnées au « tas » de 1835-1845 :

> ... Je ne sors que quand il fait de l'ombre
> De peur que le soleil ne fane mon manteau.
>
> (*Th. J.*, Plans, p. 500.)

La lune, qui semblait accrochée dans les feuillages, avait l'air d'une grosse tranche de melon tombée dans les broussailles. (*Ibid.*, p. 502).

> Sans que rien les puisse abattre,
> Pour aller vous supplier,
> Mes vers toujours quatre à quatre
> Monteront votre escalier.
>
> (*D. G.*, Tas, p. 497.)

(4) Il est impossible d'étudier toutes les pages de verve des *Misérables*. Citons entre autres le discours de Grantaire à la « porte de Corinthe », IV, XII, 2, p. 267 sq. (1847-1861) ; les soliloques de Gavroche, IV, XI, 2, p. 250 (1847-1848), ses dialogues à une voix avec les enfants perdus, IV, VI, 2, p. 124 sq. (1847-1848) ; les délicieuses boutades de M. Gillenormand, V, IV, 3, p. 174, etc., datent pour la plupart, autant qu'on puisse dire, de 1861-1862.

Ainsi Gavroche dit à un « caniche très maigre » : « — Mon pauvre toutou, as-tu donc avalé un tonneau qu'on te voit tous les cerceaux (1)? »; à une « portière barbue... laquelle avait son balai à la main » : « — Madame, lui dit-il, vous sortez donc avec votre cheval (2)? » Mais aussi de pures associations de mots et de sonorités, d'un humour ou, selon, d'une poésie, propres à ravir certains de nos poètes contemporains. Sous l'allure disparate et désordonnée du discours ininterrompu court une mysté-rieuse chaîne de mots. Ainsi le soliloque de Gavroche, qui « sentait croître sa *verve* à chaque pas » :

— Tout va bien. Je souffre beaucoup de la patte gauche, je me suis cassé mon rhumatisme, mais je suis content, citoyens. Les bourgeois n'ont qu'à bien se tenir. Je vas leur éternuer des couplets subversifs. Qu'est-ce que c'est que les mouchards? C'est des chiens. Nom d'unch! ne manquons pas de respect aux chiens. Avec ça que je voudrais bien en avoir un à mon pis-tolet. Je viens du boulevard, mes amis, ça chauffe, ça jette un petit bouillon, ça mijote. Il est temps d'écumer le pot... etc. (3).

La ligne verbale est facile à suivre en restituant quelques chaînons intermédiaires sous-entendus : souffrir de la jambe, rhumatisme, (rhume), éternuer, (moucher), mouchards, chien-injure, chien-animal et compa-gnon de misère, chien de pistolet, (bataille), chauffer, bouillon, écumer le pot... Le tout mêlé de « bribes de la Marseillaise » et d'autres chansons. Autant en dirait-on du prodigieux discours de Grantaire « à Corinthe » sur les aigles, les révolutions — dans la manière du début du *Prométhée mal enchaîné* d'André Gide — qui comporte d'ailleurs des développements sur le thème du printemps, des grisettes et de la « divine comédie » d'une marque et d'une époque plus tardives (4) : il y faudrait toute une longue et minutieuse explication. Du simple trait, de la boutade au couplet de Gavroche, il y a déjà une différence de taille, mais, dépassant des propor-tions aussi limitées, ce discours atteint une ampleur — deux pages grand in-octavo entières — qui frise le morceau d'apparat, et rappelle le mono-logue héroï-comique de don César.

A côté de cette verve inouïe qui se répand comme une lave inépuisable, la gouaille d'un Gavroche se distille en traits successifs, *staccati*, ou mieux, *pizzicati*. Aussi des procédés qui se concentrent aisément en une phrase, comme le renversement du point de vue habituel, sont-ils largement employés. Le type en est le fameux « Rentrons dans la rue (5) » de Gavroche pour lequel il n'est pas besoin d'expliquer que la rue constitue en effet le domicile, le domaine du petit gueux. Le procédé consiste à prendre le contre-pied de ce que, à tort ou à raison, nous considérons comme la réalité de la vie quotidienne. Renversant avec un cruel humour la situation, Gavroche grondera affectueusement les deux enfants perdus qu'il a récoltés à la porte du coiffeur :

Ah! nous avons perdu nos auteurs. Nous ne savons plus ce que nous en avons fait. Ça ne se doit pas, gamins. *C'est bête d'égarer comme ça des gens d'âge* (6).

(1) *Mis.*, IV, XI, 2, p. 252.
(2) *Mis.*, IV, VI, 2, p. 126.
(3) *Mis.*, IV, XI, 2, p. 250.
(4) *Mis.*, IV, XII, 2 (1847-1848 — 1861-1862).
(5) *Mis.*, IV, VI, 2, p. 128.
(6) *Ibid.*, p. 127.

Ainsi la *réalité* subit d'une imagination gaillarde toutes sortes de transformations. L'« éléphant » de la Bastille est une ville conquise, comme après un long siège, qu'il salue du cri « Vive le général Lafayette (1) » : c'est une manière d'amplification épique, mais tout juste évoquée à l'arrière-plan par ce qui est aussi un cri séditieux de libéral. Puis, une fois pénétrée, la bête de plâtre, pour les besoins de la cause, prend les proportions d'un hôtel particulier : « — Commençons par dire au portier que nous n'y sommes pas. » Et... il prit une planche et en boucha le trou (2). » Quitte à jouer sur les deux tableaux, animal et immeuble, en de complexes variations : « — Enfoncé, la pluie!... Ça m'amuse d'entendre couler la carafe le long des jambes de la maison (3). » Il s'y mêle au surplus des pointes de ce procédé que, à l'exemple de Victor Hugo, nous appellerons la *domestication des éléments* (4), réduction dérisoire des forces de la nature à nos dimensions et à notre portée, qui fait de la pluie une « carafe » qui se vide, de l'hiver un « vieux porteur d'eau » bougon et de l'éclair la « chandelle » de Dieu. Le tout combiné dans une malicieuse familiarité avec la nature, l'univers et surtout les créatures les plus déshéritées de la terre, en vertu de laquelle les bêtes du Jardin des Plantes ne sont « pas fâchées » de céder, si l'on peut dire, leurs couvertures au gamin : « Je leur ai dit : c'est pour l'éléphant (5). »

Tels sont, brièvement indiqués, quelques-uns des procédés courants de Victor Hugo, lorsque sa verve est lâchée (6). Encore le terme trahit-il ce qu'on veut dire : car ces « procédés » lui viennent plus ou moins naturellement à l'imagination, dont ils forment comme les « catégories », aussi souples et fermes à la fois que celles de l'entendement, et l'on ne se hasardera à parler de leur fixation que plus tard, lorsqu'il paraîtra les exploiter systématiquement. Sans doute sommes-nous déjà loin, au moins apparemment, des saynètes de César et de Maglia. Mais c'est aussi que ces traits, parfois d'ailleurs retouchés par la suite, datent d'une époque où la fantaisie du poète est sur le point d'éclater en tous sens. Un grand nombre de ces procédés — résignons-nous, faute d'autre mot — réapparaîtront après 1850, utilisés à satiété, au moment où Hugo, contraint par les limites de ses îles, reprendra un contact forcé, mais enrichissant avec la nature (7).

Plus que jamais cependant, entre 1840 et 1850, le poète académicien baigne dans la société mondaine. Il fréquente trop de peintres et de poètes, de ministres ou de députés, de jolies ou d'intelligentes femmes pour que sa fantaisie échappe à ce cadre. Si cette canaille stylisée, parmi laquelle, par contraste et détente, il plaît à son imagination de se débau-

---

(1) *Ibid.*, p. 135.
(2) *Ibid.*, p. 136.
(3) *Ibid.*, p. 140.
(4) Cf. cette rubrique dans *la Fantaisie, Thèmes et Motifs*, et l'épigraphe extraite de *l'Homme qui rit*, I, 1, p. 7 : « Notre plus grand contentement est de voir défiler toutes les variétés de la domestication. »
(5) *Ibid.*, p. 139.
(6) Pour une étude plus approfondie et plus détaillée, voir la thèse de Félix ROCHETTE, *l'Esprit de Victor Hugo*, bourrée d'exemples, où il y a beaucoup à prendre et à laisser.
(7) Lui-même en a souvent reconnu l'effet, et notamment dans ces vers de D. G, XVI, écrits pendant son séjour de mai-juin 1859 dans l'île de Serk et auxquels nous aurons l'occasion de faire appel à leur date :

> Les bois, les monts, les prés ont pour notre pauvre âme
> Un étrange pouvoir de mise en liberté.

cher, forme le fonds du futur *Théâtre en liberté*, par d'autres côtés son inspiration est l'émanation directe d'une forme luxueuse de la vie de société. Telle *Guitare* de 1844 est un madrigal, où « les Circés » voisinent avec « les Armides (1) ». Conçues peut-être, nous l'avons vu, à l'image des opéras, les saynètes à l'italienne et à l'espagnole ont, sinon leur source, du moins leur prétexte dans une atmosphère de vie mondaine. Monde artiste surtout, un peu, très peu, bohème, riche de folie et d'imprévu, où les scènes souvent se dessinent d'elles-mêmes. Les preuves sont rares assurément : il en existe au moins une dans les *Choses vues* de 1849 (2). Le titre, *D'après nature*, éclaire l'intention, qui est d'accréditer une anecdote qu'on dirait autrement sortie de l'imagination du poète et de quelque carton du *Théâtre en liberté*. Les noms des personnages en portent la marque, Sério le peintre et sa folle maîtresse Zubiri, qu'on retrouve dans le *Théâtre* sous ce nom et celui de doña Zubiri, type de haute courtisane cultivée, sœur des comtesse Floriane et des duchesse Thérèse, coquette superbe et sincère (3). L'artiste pâle et sensible, qui s'évanouit aux excentriques provocations de sa maîtresse, puis, les yeux au ciel, *entend un hymne*, fait songer d'un Chopin ou d'un Musset : Sério, Coelio. La scène est trop vivement et admirablement contée pour ne pas avoir été saisie sur le vif. Elle rappelle, à côté des deux *Caprices* de Musset, certaines scènes comme Balzac en rapporte du monde journaliste et artiste, dans *la Peau de Chagrin* et *les Illusions perdues* (4), mais avec un mélange d'irréel et de naturel inimitable. Hugo était prompt à happer la surprise, qu'il a aimée partout, chez les hommes aussi bien que dans les villes ou les paysages. Sans doute, de telles pages nous obligent à rectifier notre portrait du poète et nous entraînent loin de l'image traditionnelle et simpliste que nous nous en formons : dans cet ordre, plus loin encore de l'effigie, les *Trumeaux* nous offrent la forme la plus raffinée de cette fantaisie mondaine et artiste.

---

(1) *D. G.*, LXXII, 30 septembre 1844.
(2) *Ch. v.*, t. II, p. 27 sq., nuit du 3 au 4 février 1849.
(3) Voir *Th. lib.*, Rel., p. 337, 342, 343, 344, 345, 346, etc... Même nom et même caractère. A Zubiri et doña Rosano qui se vante de « rire au nez » du duc Annibal, Maglia réplique :

> Vous êtes dans Madrid trois ou quatre coquettes
> Qui faites rebondir les cœurs sur vos raquettes
> (Th. lib., Rel., 343.)

On retrouve le même esprit de provocation et d'impudence dans la saynète Bardocheo-doña Zubiri (*Ibid.*, 345) :

> Vous êtes soupçonneux. Quand même, ô Bardochée,
> Vous me verriez avec un autre homme couchée,
> Vous ne devriez pas vous défier de moi.

(4) Cf. Grisettes modestes et fantasques courtisanes : Fœdora dans *la Peau de Chagrin* (1831), tout le début de la IIe partie ; dans *Une fille d'Ève* (1838-1839, éd. la Pléiade, t. II, p. 105 sq.) ; et surtout dans *les Illusions perdues* (1837-1843), lorsque Lucien rencontre à Paris, lors de son premier dîner littéraire, Florine et Coralie (éd. la Pléiade, t. IV, p. 744 sq.). Détail remarquable, le livre était dédié à Victor Hugo : « ... les journalistes, observait Balzac dans la courte dédicace, n'eussent-ils donc pas apporté comme les marquis, les financiers, les médecins et les procureurs, à Molière et à son théâtre ? »

III

« TRUMEAUX »

... Quant au duc Annibal,
Il pleure, et tous les mois il me dédie un bal,
Et je lui ris au nez, et je danse à ses fêtes.

Th. lib., Rel., 342.

Un fragment de l'inépuisable Reliquat du *Théâtre en liberté*, attribué à 1850-1852, montre bien le passage de la verve misogynique de Maglia à ce thème d'une grâce surannée. C'est le couplet d'un vieux duc :

> Porter les éventails durant les promenades !
> La suivre en se cachant entre les colonnades !...
> On va grincer des dents parmi les sérénades,
> Ou bien on la conduit, parée, aux pasquinades...
> — Conduisez-moi ce soir au jardin de la reine (1).

S'il s'agit toujours de « masques », ce n'est plus des grotesques de la comédie libre, mais des gracieux de carnaval et de « fêtes galantes ». Il entre dans cette ambiance bien des éléments divers, mais non pas incompatibles, loin de là. Le rêve les fond ensemble : style rococo, falbalas Louis XV, carnaval romain, ciels d'Espagne ou d'Italie, nœuds de rubans et loups de velours, fantoches traditionnels de la comédie italienne, Pulcinella et Scaramouche, blancs Pierrots à côté des marquis railleurs du Grand Siècle ou de la Régence, des tendres héros des bergeries, Tircis, Damis ou Clitandre (2), y concourent sous une pluie de confettis dans un vieux parc enluminé, à l'ombre des statues de nymphes et de faunes. Sur cette fête suave du passé règne, légèrement voilée de mélancolie, une allégresse que le poète semble partager.

Là-dessus, encore une fois, le témoignage de Jules Janin n'est pas négligeable :

---

(1) *T. L.*, VI, 11. Cf. *in Th. lib.*, Rel. p. 329, ces deux vers qui évoquent à la fois don César et plusieurs vers de *la Fête chez Thérèse* (v. 11, 70, 83) :

Don Blas aimait Alcmène ; Alcmène aimait don Blas.
Ils allaient dans les prés et se parlaient tout bas.

Datés *Cauterets*, 18 *août* 1843, ils montrent assez que le voyage amoureux excite cette verve, étrangère aux menaces du destin.

(2) Voir Ire partie, ces personnages déjà esquissés dans les Chansons de *Cromwell*.

Ne croyez pas cependant que son admiration fût exclusive, et qu'il se contentât uniquement des beautés du moyen âge et des grâces de la renaissance! il admirait Charlemagne... il ne faisait pas fi de Mme de Pompadour. Il aimait, d'une véritable passion, ces grâces contournées, ces moutons roses dans un pré bleu, ces *bergères* aux moelleux contours, ces bergers joueurs de flûte empanachée et ces eaux grouillantes de néréides plus que nues! (1)

Carnaval tragique.

Pourtant, il n'en a pas été toujours ainsi et le souvenir de la laideur et de la mort, toutes formes de destruction, ne quitte pas sans peine l'imagination du poète qui les y a curieusement associées. Le thème du carnaval, du bal masqué, a hanté l'imagination de Victor Hugo comme de tous les artistes romantiques. Mais son éclat a des reflets de ténèbres et, avant qu'il ne soit dégagé de ce miroitement sombre, il y trouve, par l'effet d'un contraste fondamental et facile, un étrange investissement tragique (2).

Le spectre de la misère et du *fatum* fait irruption au milieu de la fête (3). Le vieillard indigent de 1830, qui reste devant la fenêtre à regarder la danse (4), ouvre deux ans plus tard, hôte inattendu, spectre intrus et messager de mort, la porte des *Noces et festins* (5). Quelque dix ans plus tard, le voici réincarné dans l'impérial mendiant des *Burgraves* (6).

(1) *Histoire de la Littérature dramatique*, Michel Lévy fr., t. IV, 1854, p. 420.

(2) A commencer par Walter Scott, dont la fête tragique au château de *Kenilworth* constitue la partie la plus développée du roman (trad. 1822). Rien n'y manque, ni le parc de *la Plaisance*, ni la musique lointaine et nocturne, ni même le masque, Tressilian, qui s'approche de Leicester pour lui rappeler ses devoirs comme don Ruy à Hernani, et l'épigraphe du chap. xxxvii, tirée de *Macbeth*
> La fête allait au mieux
> Mais vous avez porté le désordre en ces lieux

peut se comparer au début de *la Fête chez Thérèse*. Il n'est pas imprudent de remonter, au delà de Scott, à la fête tragique de *Macbeth*.

(3) Le canevas des *Papillons* de Schumann par exemple, où deux frères jumeaux sous un domino se disputent une même femme, se termine par un suicide identique. Une nouvelle de L. Tieck, *Amour et Magie*, traduite en 1829, met en scène deux personnages de caractère opposé, Emile, irritable et mélancolique, et Roderic, d'humeur enjouée, qui ne semblent pas étrangers aux couples symétriques de Musset, Cœlio et Octave, Fantasio et Spark, réunis dans des atmosphères similaires : l'action se passe tout entière dans le carnaval et se termine sur des noces masquées où Émile poignarde la jeune femme et suicide. Le macabre et le grotesque s'y rejoignent. On voit au début la porte s'ouvrir pour laisser passer « deux masques bariolés d'un aspect repoussant... l'un vêtu de soie, bleu et rouge, figurait un Turc ; l'autre, citron et rose, portait un panache sur son chapeau et représentait un Espagnol ». Dans la fête masquée de la fin, Roderic s'avance « suivi d'une multitude de personnages grotesques — ventrus, bossus, tortus — et coiffés de perruques monstrueuses — de tartaillons, de polichinelles, de pierrots qui semblaient des spectres, de femmes en paniers bien étalés avec des falbalas d'une aune de large — figures toutes plus repoussantes les unes que les autres et telles qu'on en voit dans un rêve douloureux ».

(4) *F. A.*, XXXII, *Pour les pauvres*, 22 janvier 1830.

(5) *C. C.*, IV, 20 août 1832.
> Quelqu'un frappe soudain l'escalier des talons,
> Quelqu'un survient, quelqu'un en bas se fait entendre,
> Quelqu'un d'inattendu qu'on devait bien attendre...
> Spectre toujours vêtu d'un habit étranger.

(6) *Burg.*, I, vi, p. 533 :
> ... De mon temps, dans nos fêtes...
> S'il arrivait qu'un vieux passât devant la porte,
> Pauvre, en haillons, pieds nus, suppliant, une escorte
> L'allait chercher...
> Et les vieillards tendaient la main à l'inconnu
> En lui disant : Seigneur, soyez le bienvenu!
> — Va quérir l'étranger!

L'appel à la pitié sociale s'est mué en symbole de revendication, puis de vengeance tout court. Dès lors, la vie et la mort se disputent le carnaval pour en tirer la leçon, elles s'en saisissent et s'y installent. Un soir de mardi-gras, « devant la vitre éclairée de la chambre où un jeune homme s'habille pour le bal masqué », le mendiant revenu lui décoche ses sarcasmes, en parodiant Regnard :

— Bourguignon, mon pourpoint! Picard, ma boîte d'ambre!

Il lui promet pour bientôt « les ans... lourds costumiers » et ces « habilleuses sinistres », la maladie et la vieillesse, qui, lui imposant « un vieux masque obstrué d'un buisson de poils gris », le travestiront « en domino ridicule et chassé des quadrilles ». Alors un autre « masque » remplira son dernier office :

Vous irez, trouble-fête, errer au milieu d'eux,
Jusqu'à ce que ce spectre, autre masque hideux,
Sans nez, sans yeux, montrant toutes ses dents sans rire...
Vous jette un soir, d'un coup de sa fourche de fer,
Dans ce noir carnaval qu'on appelle l'enfer (1).

Enfin, dernier écho de ce refrain lugubre, un poète grotesque au nom de burgrave, Magnus — ce qui souligne la filiation — discerne cette image sous la fête joyeuse et chante :

Le carnaval hurlant mêle sous ses guenilles
Aux jeux, les papillons, les ennuis, ces chenilles ;
Le bal est un sabbat singeant le paradis ;
La mort verse le vin que tu bois dans la coupe ;
      Tout masque porte un spectre en croupe ;
Mardi-Gras sous son loup chante De Profundis (2).

A-t-on remarqué à ce propos la place du travesti et des tragiques méprises dans les drames de V. Hugo? Cromwell, déguisé en sentinelle, échappe au sort qui l'attendait et y désigne Rochester que les conjurés manquent bien de pendre à sa place. Don Carlos, Hernani, se déguisent en seigneur, en bandit ; Marion, Didier, Saverny, en acteurs. François Ier s'habille en capitaine et la mort frappe au lieu de lui Blanche, la propre fille de Triboulet. Le masque, au premier acte, ne sauve pas de son identité Lucrèce Borgia, qui meurt, au dernier, de ne l'avoir pas révélée à son propre fils. Ruy Blas est tout entier le drame d'un travesti et l'on ne compte pas les doubles identités des personnages des Burgraves (Job-Fosco, Barberousse-Donato, Guanhumara-Ginevra).

Bien plus, les drames de V. Hugo comportent presque toujours une fête masquée très étroitement mêlée à l'action tragique qui s'ouvre ou se dénoue au milieu d'elle. Dans Hernani, le dernier acte, acte tragique par excellence, est occupé par la « noce » masquée. Le décor représente à Saragosse « une terrasse du palais d'Aragon » où se promènent, dans la nuit illuminée, au son des « fanfares éloignées », de jeunes seigneurs, « les masques à la main », riant et causant à grand bruit. Puis tout s'estompe, comme plus tard « chez Thérèse » ou dans la salle de Corbus

(1) T. L., VII, XXII, 5 (1840-1844?), le Mendiant.
(2) Th. lib., Rel., 505, Masques-Orgie. Peut-être un souvenir de l'épidémie de choléra, qui sévit pendant le Carnaval de l'année 1832? Voir ci-dessous.

Tout s'est éteint, flambeaux et musique de fête... (1)

lorsque, dans un « domino noir », don Ruy, « le Masque », sonne la mort
dans « l'ombre nuptiale » et « paraît au haut de la rampe (2) », tout comme
le mendiant fatal de *Noces et festins*. Or, ce n'est pas un cas isolé. *Le Roi
s'amuse* s'ouvre sur « une fête de nuit au Louvre », traversée de « flambeaux, musique, danse, éclats de rire ». Elle a « un peu le caractère d'une
orgie », à la manière du carnaval ci-dessus flétri par le poète Magnus.
Triboulet y raille le sort de Saint-Vallier, qu'il va éprouver à son tour,
et le couplet du bonheur, naguère confié à doña Sol, syncopé de soupirs
et d'étouffements de joie, est cette fois débité par François Ier (3). Hugo
affirme et justifie le thème dans la préface de *Lucrèce Borgia* : « Il (le poète)
laissera quelquefois le carnaval débraillé chanter à tue-tête sur l'avant-
scène... (4) » Mais comme un souvenir du « mendiant », il s'empresse
d'ajouter : « ... mais il lui criera du fond du théâtre : *Memento quia pulvis
es* ». Ce drame même n'y échappe pas, dont le décor au premier acte
représente « une terrasse du palais Barbarigo à Venise. C'est une fête de
nuit. Des masques traversent par instants le théâtre. Des deux côtés
de la terrasse, le palais, splendidement illuminé et résonnant de fanfares. » Venise nous y apporte, avec une bouffée anticipée de Musset (5),
le canal de la Zuecca, ses « gondoles chargées de masques et de musiciens,
à demi-éclairées », au clair de lune : « chacune de ces gondoles traverse
le fond du théâtre avec une symphonie tantôt gracieuse, tantôt lugubre,
qui s'éteint par degrés dans l'éloignement ». Détail intéressant : l'obsession
du drame n'efface pas totalement le charme mystérieux de la mélodie
dans la fête. Il n'est pas jusqu'à la Tamise de *Marie Tudor* qui n'ait sa
guitare et sa sérénade nocturnes, comme un rappel nostalgique de l'Italie (6), que le poète évoque de nouveau avec *Angelo*. Padoue, comme
trois ans auparavant Venise, dessine « sa silhouette noire... sur un ciel
clair » devant laquelle on voit « un jardin illuminé pour une fête de nuit. A

---

(1) *A. V.*, sc. 3, Cf. *la Fête chez Thérèse :*
    La nuit vint, tout se tut ; les flambeaux s'éteignirent.
et la Chanson d'*Eviradnus :*
        La mélodie encor quelques instants se traîne
        Sous les arbres bleuis par la lune sereine,
        Puis tremble, puis expire, et la voix qui chantait
        S'éteint comme un oiseau se pose ; tout se tait.

A propos du duo d'Hernani et Doña Sol, M. Souriau rappelle celui de Jessica
et Lorenzo dans le jardin, au 5e acte du *Marchand de Venise*, que Vigny venait d'adapter en 1828. (Cf. *Hist. du Rom.*, t. I, 2e partie, p. 261.) De la même famille, la rêverie
d'Amy Robsart après l'« orage magique » : « La musique continuelle qui s'élevait
des diverses parties du château, plus ou moins éloignées, inspirait les mêmes pensées
douloureuses au cœur de la comtesse. Quelques accords plus lointains et plus doux
semblaient sympathiser avec ses peines, et d'autres, plus bruyans et plus gais, semblaient insulter à son infortune... *Peu à peu le son des instrumens cessa, aucun
bruit ne se fit plus entendre... il était nuit.* » (*Kenilworth*, chap. XXXIII, trad. 1822.)
    (2) *Ibid.*, sc. 4 et 5. Cf. ici p. 355.
    (3) *H.*, V, 3 : « Mon duc, rien qu'un moment... » Cf. *R. A.*, I, 2, p. 264 :
        Oh ! que je suis heureux ! Près de moi, non, Hercules
        Et Jupiter ne sont que des fats ridicules !
        L'Olympe est un taudis ! Ces femmes, c'est charmant !
        Je suis heureux ! Et toi ?
Cf. *La Fantaisie de Victor Hugo, Thèmes et Motifs, le Couplet des Amants.*
    (4) *L. B.*, p. 444, 11 février 1833.
    (5) « A Saint-Blaise, à la Zuecca... » (février 1834), cf. ici p. 130.
    (6) D'où vient le favori Fabiano Fabiani : Hugo pourrait s'excuser sur les vues
de la Tamise par Canaletto, qui traite Londres à travers Venise.

droite, un palais plein de musique et de lumière... où l'on voit circuler les gens de la fête ».

Toujours donc une terrasse de palais, des lumières qui s'estompent, une musique évanouie, dans un parc où des couples travestis tracent en déambulant de mystérieuses arabesques : tel est le cadre constant dont la langueur nocturne favorise l'attente d'un événement imprévu et souligne par contraste l'âpreté de la catastrophe.

L'actualité a-t-elle une part dans cette insistance ? Par une coïncidence digne d'attention, le temps du Carnaval est marqué, à cette époque de la vie de Victor Hugo, par des événements capitaux, tour à tour dramatiques et joyeux. C'est pendant le Carnaval 1832 que Paris s'éveilla dans le choléra, « quand les Parisiens s'arrêtèrent de danser, et, soulevant leurs masques, se virent des visages éteints (1) ». La première victime fut un portier de la rue Jean-Goujon, où le poète habitait encore, et Charles Hugo enfant, atteint à son tour, faillit y succomber. Le Carnaval 1833, qui vit sa première nuit d'amour avec Juliette, réussit-il à effacer le sinistre souvenir du précédent ? On le dirait et que parallèlement le thème peu à peu se dégage de son implication tragique pour recouvrer sa grâce et sa gaîté originelle (2). Ce mariage de circonstance est près de se défaire. La *Première Journée* d'*Angelo* est datée sur le manuscrit 2 février 1835, la première des poésies apparentées de façon caractérisée aux « Trumeaux », *Passé*, 1er avril 1835 (3). Il n'y a donc aucune solution de continuité dans cette veine ; mais insensiblement, elle évolue ; le thème de la fête, d'utilité dramatique qu'il était devenu, est rendu à lui-même et pris alors pour tel. La grâce et quelque mélancolie l'emportent. Le thème du travesti tragique suit une évolution parallèle. S'il culminait dans *Ruy Blas*, dans un canevas de saynète de 1840-1844, don César, pour un troc inopportun de pourpoint, est bien conduit en prison et promis par malentendu au châtiment. Il s'en console :

Messieurs, c'est une erreur ; mais c'est une aventure (4).

Ce mot réconcilie le masque avec sa vraie destination qui est bien de tromper sur les identités, mais c'est pour « l'aventure », pour une nuit d'oubli et de folie. Il s'en faut qu'après 1840, les mascarades soient pour Hugo le prétexte ou le décor de scènes tragiques.

---

(1) G. BAUËR, *l'Epidémie*, *Figaro*, 8-9 novembre 1947. Cf. *V. H. rac.* chap. LVI.
(2) Cf. lettre de Victor Hugo à Juliette Drouet, 20 février 1849 : « Je n'oublierai jamais cette matinée où je sortis de chez toi, le cœur ébloui. Le jour naissait. Il pleuvait à verse ; les masques, déguenillés et souillés de boue, descendaient de la Courtille avec de grands cris et inondaient le boulevard du Temple (*in* BARTHOU, *les Amours d'un Poète*, p. 301 et M. LEVAILLANT, « *Tristesse d'Olympio...* », p. 110). C'était la nuit du dimanche gras 17 février 1833 (Cf. section I, chap. 1). Rapprocher de ce souvenir la rencontre du mariage de Marius qui croise au matin les groupes du carnaval (*Mis.*, V, VI, 1). L'allusion est évidente : le chapitre, intitulé *le 16 février* 1833, débute : « La nuit du 16 au 17 février 1833 fut une nuit bénie... Il pleuvait ce jour-là... Les masques abondaient sur le boulevard. Il avait beau pleuvoir par intervalles, Paillasse, Pantalon et Gille s'obstinaient. Dans la bonne humeur de cet hiver 1833, Paris s'était déguisé en Venise. »
(3) Sur l'édition : date probable 1er avril 1837. Mais l'intention de V. Hugo n'est pas douteuse.
(4) *Th. lib.*, *Don César*, I, plan attribué à 1840-1844, traité en 1868-1870.

Versailles.

L'actualité a sans doute une autre part dans cette prédilection pour les bals masqués et les travestis de la comédie italienne qui constituent une véritable mode. Ce goût, auquel on n'a guère prêté attention dans le cas de Victor Hugo, est aisément compréhensible. De la même façon, nous revenons en 1940-1950 à apprécier l'époque 1890-1900, naguère honnie, comme les générations romantiques, après l'avoir rejetée, se plurent à évoquer « la belle époque » du XVIIIᵉ, avec une nostalgie d'abord railleuse (1830-1840), puis attendrie (1840/1845-1860). Hugo, s'il n'est pas le seul, loin de là, est peut-être l'un des premiers, parmi ses contemporains en France, à l'avoir marqué. Cette veine est inséparable d'une évolution du goût et d'un retour au style Louis XV, dont on ne peut abstraire l'évocation attendrie dans le thème des *Fêtes galantes*. Il offre, si étroitement mêlés, tant d'aspects légèrement différents du passé fantasque, qu'il faut en faire le tour pour l'aborder convenablement.

Certes, Hugo était bien loin d'avoir toujours montré de la tendresse, fût-ce de l'indulgence, pour l'art des deux siècles précédents. Si, après deux ou trois voyages en Belgique, nous l'avons vu prendre goût à l'extravagance flamande (1), c'est qu'il y a été préparé par un de ces revirements d'une partie au moins de l'opinion qu'il a partagé, et il s'en fallait de beaucoup qu'en 1830 il eût cette attitude. En 1827, il reprochait avec quelque mépris au XVIIIᵉ siècle d'avoir confondu le goût avec « la coquetterie » et citait en témoignage « cette poésie fardée, poudrée, mouchetée, cette littérature à paniers, à pompons et à falbalas (2) ». Qu'on se rappelle avec quelle indignation il flétrissait dans *Notre-Dame* les mutilations imposées par les modes aux monuments du moyen âge, plus néfastes que celles du temps : « les modes, de plus en plus grotesques et sottes, qui, depuis les anarchiques et splendides déviations de la *renaissance*, se sont succédé dans la décadence nécessaire de l'architecture (3) ». Leurs surcharges étaient pires que leurs ratures :

Elles ont effrontément ajusté, de par *le bon goût*, sur les blessures de l'architecture gothique, leurs misérables colifichets d'un jour, leurs rubans de marbre, leurs pompons de métal, véritable lèpre d'oves, de volutes, d'entournements, de draperies, de guirlandes, de franges, de flammes de pierre, de nuages de bronze, d'amours replets, de chérubins bouffis, qui commencent à dévorer la face de l'art dans l'oratoire de Catherine de Médicis, et le fait expirer, deux siècles après, tourmenté et grimaçant, dans le boudoir de la Dubarry (4).

Pourtant ces « grimaces », ces « coquetteries » des façades font très précisément partie du charme des « fêtes galantes », dont elles forment, avec le parc qui entoure le château, le décor inséparable. Or, il est indé-

---

(1) Cf. IIᵉ partie, 1ʳᵉ section, chap. v.
(2) Préface de *Cromwell*, p. 48.
(3) *N. D. P.*, III, 1, p. 87.
(4) *Ibid.*, p. 88. Cf. encore en 1836, même sévérité de jugement, mais motivée par le « climat » breton et la nature du matériau : « Il y a çà et là quelques maisons du temps de Louis XV, mais elles ont peu de succès. Le goût pompadour n'a rien à faire avec ses chicorées dans ce pays-ci. Le rococo est malheureux avec le granit... La pierre bretonne ne s'est prêtée aux coquetteries d'aucune époque. Pas plus à celles de la renaissance qu'à celles de Louis XV. » (*V.*, II, p. 49, Fougères, 22 juin 1836.)

niable que, même en 1826, lorsqu'il opposait dans une comparaison
fameuse les jardins peignés de Lenôtre au désordre magnifiquement
naturel — vu à travers Chateaubriand — de la forêt américaine, figures
de l'art classique et de l'art romantique, il perçait malgré lui, à travers
ses sarcasmes, une fidèle et fine description du parc de Versailles qui
n'a été perdue pour personne, pas plus pour lui que pour d'autres :

Comparez un moment au jardin royal de Versailles, bien nivelé, bien
taillé, bien nettoyé, bien ratissé, bien sablé, tout plein de petites cascades,
de petits bassins, de petits bosquets, de tritons de bronze folâtrant en cérémonie sur des océans pompés à grands frais dans la Seine, de faunes de marbre
courtisant les dryades allégoriquement renfermées dans une multitude d'ifs
coniques, de lauriers cylindriques, d'orangers sphériques, de myrtes ellip-
tiques, et d'autres arbres dont la forme naturelle, trop triviale sans doute,
a été gracieusement corrigée par la serpette du jardinier ; comparez ce jardin
si vanté à une forêt primitive du Nouveau-Monde (1).

De plus jeunes suivent, Janin, Gautier, Musset, et reprennent en
variant, en modifiant parfois le thème et lui donnant un tour, une nuance

(1) Préface des *Odes et Ballades* (1826), p. 24-25. Hugo avait pu se souvenir de
l'*Épître XIV* de Voltaire, *Au Prince Royal de Prusse* (1738) qu'on cite à l'origine de
Sur trois marches de marbre rose (Delaruelle, *De Voltaire à Musset, R. H. L. F.*, 1924)
et où l'on trouve déjà la même nuance d'ennui développée par Musset et, en germe,
le mouvement d'énumération accumulative :
> Jardins plantés en symétrie,
> Arbres nains tirés au cordeau, etc...

A quoi on peut ajouter, pour mémoire, les descriptions de Delille dans ses *Jardins*
et l'*Ode à Versailles* de Chénier et, dans le même style, les descriptions de *la Plaisance*, dans *Kenilworth*, « des bosquets, des berceaux, des fontaines, des statues
et des grottes dont ce lieu était orné », des groupes qui « riaient et folâtraient » et du
bassin où Amy se regarde (chap. XXXIII). Voir notamment au chap. XXXVIII la description soignée du parc au clair de lune.

Mais il appartient sans doute à Hugo d'avoir fixé la forme et le mouvement de ce
thème ironique. Voici quelques textes où le mouvement général et certains motifs
d'illustration semblent avoir été plus ou moins repris de ce paragraphe de la Préface
(nous les soulignons d'aventure au passage) :

— Jules JANIN, *Contes fantastiques, la Fin d'automne*, éd. citée, t. II, p. 136 (1832) :
« Il serait difficile de trouver quelque part, même à Meudon, *un parc mieux ombragé
et plus obscur, des sentiers plus perdus dans des masses de feuillage, des allées plus rêveuses
qu'au château* de Lagarde... Ici *des griffons* au niais sourire, vieux enfans du dix-
huitième siècle, contemporains des magots de la cheminée, laissant échapper à regret
un mince filet d'eau de leur gueule entr'ouverte ; *là des têtes de bronze* sourcilleuses
et renfrognées, ornemens de l'Empire, qui aimait le fer, renvoient l'eau à gros bouillons dans des cuves de marbre... (*etc.*).
Le port de la maison a quelque chose d'antique et de seigneurial. Les murs
sont couverts d'un épais manteau de lierre ; les pierres de taille grises et cendrées
sont encadrées de mousse ; souvent même les pavés des cours ne se refusent pas
quelques touffes d'herbes. C'est une maison en vieux costume ; une *maison qui a
gardé les paniers, et qui met encore du rouge et des mouches.* »

— Théophile GAUTIER, *Watteau, P. C.*, II, p. 75, publié dans l'*Hommage aux
Dames* pour 1835 (cf. notice, *ibid.*, I, p. XXXIX) :
> Je regardai bien longtemps par la grille,
> C'était un parc dans le goût de Watteau :
> *Ormes fluets, ifs noirs, verte charmille,*
> *Sentiers peignés et tirés au cordeau.*

— Théophile GAUTIER, *les Grotesques*, p. 336-337 (1844), cité par R. JASINSKI
(*op. cit.*, p. 245) :
« Les arbres du parc de Versailles portent des boucles et des frisures comme les
courtisanes ; les poèmes sont tracés au cordeau comme les allées... Partout du marbre,
du bronze, des *Neptunes*, des tritons, des nymphes, des rocailles, des bassins, des grottes,
des colonnades, des ifs en quenouilles, des buis en pot-au-feu, tout ce qu'on peut imaginer de *plus noble, de plus riche, de plus coûteux, de plus impossible ;* mais au bout
d'une heure ou deux de promenade, vous sentez l'ennui vous tomber sur le dos

qui peut-être frappent par retour l'initiateur et le font rêver de nouveau.
Je crois à ces mouvements d'aller et retour, à ces excitations réciproques
inconscientes, qui font que chacun, comme Mallarmé le disait de la
poésie à la musique, est à son insu ou se croit justifié de *reprendre son
bien* à quelque autre. Mais il ne le retrouve jamais exactement tel qu'il
l'a laissé et sans s'en douter reste rarement insensible aux nuances dont
l'autre l'a dans l'intervalle enrichi. Tel est peut-être, pour une part du
moins, le mécanisme de ces modes de pensée et d'expression dont on dit
qu'elles sont « dans l'air ».

Ces nymphes et ces faunes, d'abord tant raillés, Musset les a amoureusement perpétués dans les vers fameux de *Rolla* :

> Regrettez-vous le temps où les nymphes lascives
> Ondoyaient au soleil parmi les fleurs des eaux
> Et d'un éclat de rire agaçaient sur les rives
> Les faunes indolents cachés dans les roseaux (1) ?

Il faut y voir sans doute l'effet de ces *Vœux stériles* exprimés dès 1831
et les prémices de ce retour à l'antiquité, surtout grecque, qui n'a pas
laissé les romantiques indifférents (2). Mais n'y a-t-il pas là du Boucher
aussi ? Dans un article de la même année 1831 à propos de la *Fête du*

---

en pluie fine avec la rosée des jets d'eau ; une mélancolie sans charme s'empare
de vous à la vue de ces arbres dont pas une branche ne dépasse l'autre, et dont l'ali-
gnement irréprochable ravirait d'aise un instructeur de la landwehr prussienne. »
— MUSSET, *Sur trois marches de marbre rose* (1849) :

> ... Je ne crois pas que sur la terre
> Il soit un lieu d'arbres planté
> Plus célébré, plus visité,
> *Mieux fait, plus joli, mieux hanté,*
> Mieux exercé dans l'art de plaire,
> Plus examiné, *plus vanté,*
> Plus décrit, plus lu, plus chanté,
> Que l'ennuyeux parc de Versailles.
> *O dieux ! ô bergers ! ô rocailles,*
> *Vieux Satyres, Termes grognons,*
> *Vieux petits ifs en rangs d'oignons...* etc.

M. Jasinski avait déjà fait le rapprochement de ces deux derniers textes entre
eux (*Années romantiques de Th. Gautier*, p. 245, n. 3), mais non avec Hugo. Noter
encore que dans la même page, Gautier écrit : « La poésie avait toujours des *habits
de gala* », ce qui semble rappeler le vers déjà cité de *Cromwell* (III, 2) :

> Avoir vu le soleil, en habit de gala !

— Enfin Hugo semble s'être souvenu plus tard de lui-même, lorsqu'il écrivit
dans *C.*, III, 28, 2 novembre 1854 :

> Shakspeare songe ; loin du Versaille éclatant,
> Des buis taillés, des ifs peignés, où l'on entend
> Gémir la tragédie éplorée et prolixe.

(1) Ces vers ont été publiés dans la *Revue des Deux Mondes*, 15 août 1833.
(2) Cf. R. JASINSKI, *Hist. litt. franç.*, t. II, p. 488-489. M. Jasinski cite à l'appui
la pièce de Victor Hugo *A Virgile*, qui est de 1837. Mais Virgile y est pris, nous
l'avons vu, plutôt comme un symbole d'idylle que pour lui-même, et il faut citer
avant la pièce « Anacréon... » (*C. C.*, XIX, 21 août 1835). Cf. ci-dessus, IIe partie,
2e section, p. 307. On a vu le sens symbolique que nous prêtions d'ailleurs à cette
dernière pièce ; on en trouve un commentaire dans cette déclaration du Reliquat
de *L. Ph. m.* (p. 274), d'une date sans doute à un an près contemporaine (1834 ou 1835):
« Or, nous voulons Virgile, nous, mais nous voulons Horace aussi. Virgile est une
moitié de l'art. Horace est l'autre. C'est une loi digne de méditation et d'étude que
celle qui place constamment auprès des poètes divins les poètes humains, à côté
de Virgile, Horace, à côté de Racine, Molière. » Horace ou Anacréon, qui représentent
le côté « humain » de la poésie, c'est-à-dire, je pense bien, le côté fantasque, mêlé
de rire, que Victor Hugo eût volontiers assimilé au sens large au « grotesque ».

Roi donnée à Versailles, Musset commençait d'évoquer, à côté des
« allées magnifiques » et des « perrons massifs » du parc, le craquement
du « talon rouge » sur ce parquet luisant et le froissement des robes de
satin qu'il reprendra, près de quinze ans plus tard, dans les *Trois
marches* (1).

Jules Janin, en 1832, dans cette « leçon d'amour dans un parc » qui suit
la préface de ses *Contes fantastiques*, raconte « l'amour d'un peintre italien pour la naïade du château de Versailles », manière de conte symbolique de la création artistique (2) :

> Il y avait à Versailles, dans la rotonde, sous l'un de ces mille jets d'eau,
> amusement d'un jour pour ce grand roi, une statue, je ne sais par qui, mais
> une belle et élégante statue de naïade, de formes si délicates, d'un visage si
> fin et si pur, d'un bras si blanc et si poli, d'une attitude si naturelle, que
> Louis XV fut sur le point de la faire briser, tant il la trouva difforme et mal
> à son gré...

Autour de la naïade, Janin prend soin de disposer les « monstres (3) »
mythologiques d'un parc classique : « lions aux gueules béantes, sirènes
à queues de poisson, amours aux ailes étendues, Vénus de toutes dimensions ». Précisant le discret froufrou de Musset, il ajoute à ce décor une
évocation indirecte des « dames galantes » du grand siècle, dont Musset
se souviendra peut-être à travers les développements que lui auront
donnés entre temps Gautier et Hugo : « La Vallière s'y était assise
un jour sans la voir ; Montespan l'avait heurtée du pied sans la voir ;
Mme de Maintenon et Mme Dubarry ne l'avaient pas même touchée... »
Dans un geste symbolique, le jeune artiste, « foulant aux pieds toutes ces
guirlandes, tous ces colifichets d'un jour (4) » qui la déguisaient, restau-
rait la pureté primitive de « l'admirable naïade, créature toute (*sic*) italienne ». Peu à peu, il concevait pour sa maîtresse de marbre une
fantastique passion, qui annonce, dirait-on, l'histoire de *la Vénus d'Ille* (5),
et, pour la sauver des souillures révolutionnaires, lui tranchait la tête et
l'emportait avec lui comme la reine Margot celle de la Mole (6) : Hugo
semble s'être rappelé cette violence amoureuse, lorsqu'il prétend avoir
aimé dans sa jeunesse — lui ou le personnage du monologue — la
nymphe de Coustou au point de l' « arracher palpitante à son marbre (7) ».

Gautier reprend en 1835 dans *Mademoiselle de Maupin* le thème du
château et de sa nymphe (8). Bien plus, c'est très précisément à Versailles

(1) *La Revue fantastique*, 4 mai 1831.
(2) Ed. citée, t. I, p. 65 sq. Il était donc fort près de l'esprit de comparaison qui
se dégageait de la Préface des *Odes et Ballades*.
(3) C'est le même terme, apparenté au « grotesque », qu'emploie Hugo dans une
remarque sur les motifs d'art : « Chaque époque de l'art a dans ses arabesques un
monstre... » etc. *L. Ph. m.*, 245.
(4) Même expression dans le passage cité plus haut de *Notre-Dame de Paris*.
Voir p. 359. Le canevas de Janin paraît illustrer la thèse développée par Hugo dans
ce chapitre sur les « mutilations » causées par l'homme à l'œuvre d'art : la mode et
la révolution.
(5) 1837.
(6) Conclusion de cet apologue : l'art, disait Janin, la véritable passion de l'artiste,
c'est « au lieu de la refaire (*la nature*) pour les autres, comme ferait un artiste vulgaire, (*de la*) briser pour lui-même ».
(7) Cf. épigraphe de cette 2ᵉ section, p. 305.
(8) *Mademoiselle de Maupin* parut en deux volumes à la fin de 1835 et au début
de 1836. Il s'agit du château où le faux Théodore, conduit par son nouvel ami Alci-
biade, rencontre la sœur de celui-ci, Rosette. Gautier s'étend beaucoup sur la description du parc : « Une haute vallée d'ormes, arrondie en berceau et taillée à la

qu'il consacre, à une date indéterminée entre 1832 et 1837, un sonnet
où il constate la mort de ce brillant passé (1). Versailles n'est plus « qu'un
spectre de cité ».

> Comme Venise au fond de son Adriatique

— rapprochement significatif qui associe les deux sources du thème des
« fêtes galantes » — une de ces cités mortes « aux fronts étranges, inouïs » :

> Sépulcres ruinés des temps évanouis (2)

qu'évoquait naguère Hugo, sans songer toutefois à ranger à côté des
Tyrs, des Babylones et des Carthages la ville du Roi-Soleil. Elle n'est
en effet que « surannée », pas même « antique » ; autant dire qu'elle est
morte :

> Les eaux de tes jardins à jamais se sont tues
> Et tu n'auras bientôt qu'un peuple de statues.

Voici pourtant que « la belle » se réveille de son long sommeil et à
nouveau intéresse. La naïade italienne de Janin revit sur le mode
pimpant de l'Andalouse de Musset (3) :

> Connaissez-vous dans le parc de Versaille
> Une Naïade, œil vert et sein gonflé ?
> La belle habite un château de rocaille
> D'ordre toscan et tout vermiculé (4).

Dans cette parodie narquoise, sans doute Gautier raille encore, mais
doucement. Il se prend au jeu et l'humour fantastique avec lequel il

vieille mode... Ces arbres avaient plutôt l'air surannés que vieux ; ils paraissaient
avoir des perruques et être poudrés à blanc... Après avoir traversé le rond-point...
il fallait encore passer sous une curieuse architecture de feuillage ornée de pots-à-feu,
de pyramides, et de colonnes d'ordre rustique, le tout pratiqué à grand renfort de
ciseaux et de serpes dans un énorme massif de buis. Par différentes échappées, on
apercevait, à droite et à gauche, tantôt un château de rocaille à demi ruiné, tantôt
l'escalier rongé de mousse d'une cascade tarie, ou bien un vase ou une statue de
nymphe... Un grand parterre, dessiné à la française, s'étendait devant le château ;
tous les compartiments étaient tracés avec du buis et du houx ; cela avait bien autant
l'air d'un tapis que d'un jardin : de grandes fleurs, en parure de bal, le port majestueux et la mine sereine, comme des duchesses qui s'apprêtent à danser le menuet,
vous faisaient au passage une légère inclinaison de tête... » etc. (chap. XII, *in.* éd.
Charpentier, 1882, p. 313 sq.) On remarquera comme les expressions se répètent :
« plutôt... surannés que vieux » revient dans le sonnet *Versailles* et les arbres à « perruques » dans le passage cité ci-dessus des *Grotesques*. Dans le même style, cf. la
description de la tapisserie, p. 315 et celle des trumeaux, p. 331, représentant « les
scènes les plus galantes des *Métamorphoses d'Ovide*... en camaïeu lilas clair » ; ainsi
que la p. 139 qui présente l'*illusion* sous les couleurs du parc : « ... de belles perspectives azurées s'ouvrent devant vous ; des allées de charmilles discrètes et humides
se prolongent jusqu'à l'horizon ; ce sont des jardins avec quelques pâles statues ou
quelque banc adossé à un mur tapissé de lierre... ». Hugo a lu ce roman ; il en avait
rendu compte, anonymement, dans le *Vert-Vert* (15 déc. 1835), cf. R. JASINSKI,
Années romantiques..., p. 319.

(1) *Versailles*, P. C., t. II, p. 144. Voir notice, t. I, p. XLVII : ce sonnet fut publié
dans la *Presse*, 14 février 1837, avec un feuilleton sur le *Musée historique* qui devait
s'ouvrir au printemps. Gautier notait : « Je composai ce sonnet, il y a quelques
années à Versailles... »

(2) *Pente de la Rêverie*, F. A., XXIX, 28 mai 1830.

(3)   Avez-vous vu dans Barcelone
        Une Andalouse au sein bruni ?

Pièce publiée en 1830.

(4) *Rocaille*, P. C., t. II, p. 73, s. d., publiée dans la *Comédie de la Mort*
(février 1838).

fait descendre l'escalier à sa naïade, comme Mérimée à sa Vénus, n'en trahit pas moins l'attrait d'un certain charme (1). Au surplus, son vœu a été exaucé, le château revit et la fête à laquelle se rend la naïade est peut-être de celles qui accompagnèrent l'inauguration du Musée de Versailles, le 10 juin 1837. Cet événement n'est pas une simple coïncidence, mais a certainement contribué au regain connu par ce thème pendant cette année 1837, dont datent, en même temps que les pièces de Gautier, trois pièces de Victor Hugo qui s'en inspirent également.

Pourtant — la réserve s'impose — Hugo n'avait pas attendu 1837 pour revenir sur ses préventions à l'égard du style Louis XIV et du style Louis XV. Dès avant son voyage en Belgique, Hugo, soit qu'il fût éclairé par le mouvement de *l'Artiste* et des romantiques de la rue du Doyenné, Gautier et Nerval entre autres, et tous ceux qui vont bientôt former en marge du romantisme le groupe « fantaisiste », soit que son goût se fût élargi en même temps que le leur, remarquait dans une note abandonnée de *Littérature et Philosophie mêlées :* « L'art sous Louis XV, à force de violence, de profusion et d'emportement, finit quelquefois par vous faire dire : c'est laid, mais c'est beau (2). » Le voyage en Belgique, nous l'avons vu (3), le confirmera dans cette opinion et lui révélera avec abondance que l'extravagance dans l'ornementation, qu'elle soit flamande ou Louis XV, n'est pas si éloignée de l'invention gothique, et qu'à tout prendre elle a son charme compatible avec la grande et seule loi romantique de la liberté de l'imagination. On observera l'effet de ce mélange dans la représentation de cet *être intermédiaire*, au « rictus de satyre », qui aux vieux souvenirs frénétiques de 1820 allie inopinément la résidence dans « des espèces de grottes Louis XV (4) ». Or, en l'espace de deux mois (février-mars 1837), Hugo compose des vers qui de près ou de loin sont inspirés par le thème du château, du parc et de la statue.

C'est d'abord le parc classique qu'évoquent discrètement les premiers vers d'une courte pièce datée 20 février 1837, c'est-à-dire composée entre les deux articles de Gautier sur le prochain musée de Versailles (5). Ce n'est pas une simple coïncidence, et, sinon les articles eux-mêmes, la même raison de circonstance qui est à leur origine a peut-être amené le choix de ce décor qui doit sans doute quelque chose aussi au souvenir des « Roches » et au souvenir plus lointain de « la Miltière (6) » :

(1) La fête vient ; la coquette Naïade
S'éveille en hâte et rajuste ses nœuds,
Se peigne, et met ses habits de parade
Et des roseaux plus frais dans ses cheveux.

Elle descend l'escalier, et sa queue
En flots d'argent sur les marches la suit :
La roide étoffe à trame blanche et bleue
A chaque pas derrière elle bruit.

(2) *Reliquat*, p. 247.
(3) 10 août-14 septembre 1837. Cf. IIᵉ partie, Iʳᵉ section, chap. v, *Art rococo*.
(4) *Oc.*, 429. Date indéterminée entre 1840 et 1860 (?).
(5) *La Presse*, 14 et 23 février 1837, ce qui prouve qu'il en avait été question pendant les préparatifs du musée, longtemps avant l'ouverture (10 juin). Rappelons d'autre part que Eugène Hugo, devenu fou le jour du mariage de Victor Hugo, mourut ce même 20 février 1837, date de douleur et de délivrance à la fois (cf. *V. I.*, XXIX, daté 6 juin 1837, surchargé 6 mars) : faut-il voir dans ces vers un double hommage symbolique au « passé » ? La date, si elle est vraie, est troublante.
(6) « Les Roches », voir ici, p. 155-156 et p. 156, n. 2, la description de Janin. « La Miltière », voir p. 105.

> Dans ce jardin antique où les grandes allées
> Passent sous les tilleuls, si chastes, si voilées... (1).

Cette esquisse mélancolique, dont le ton annonce déjà de loin l'accent verlainien de *Colloque sentimental* (2), ne renonce pourtant pas encore à la nuance gentiment railleuse, qui ne s'effacera d'ailleurs jamais complètement et apparaît dans le trait final de

> ... la grotte où le lierre
> Met une barbe verte au vieux fleuve de pierre.

Puis c'est précisément un détail du « vieux parc désert », la « statue », non pas d'un Tibre, mais d'un faune, qui va interpréter ce thème d'un charmant et intouchable passé dans le long poème du 19 mars qui lui est tout entier consacré (3). Le thème du « voyeur », déjà rencontré, se croise en sourdine avec le thème principal et trouve dans le sylvain — « le faune aux doigts palmés (4) », motif obsédant de ces mois — son expression déjà définitive, destinée à être abondamment exploitée après 1850. Ce faune dépouillé du prestige qui faisait sa vie, Victor Hugo ne peut cependant s'empêcher de le traiter en caricature, non sans un mouvement attendri et pitoyable :

> Il semblait grelotter, car la bise était dure (5).
> C'était, sous un amas de rameaux sans verdure,
> Une pauvre statue au dos noir, au pied vert,
> Un vieux faune isolé dans le vieux parc désert...

Dans ce décor de « marronniers », hérités des « Roches » ou de *Lucie*, le faune reste le seul témoin des fêtes oubliées « de ce passé trop vain, de ce passé charmant ». L'évocation, à peine indiquée par Musset en 1831, esquissée réellement par Janin l'année suivante et peut-être rappelée par le souvenir restauré de Villon et des *Dames du temps jadis* (6),

---

(1) *V. I.*, XXI. Cf. déjà une image du vieux parc (« les marronniers du parc et les chênes antiques... ») dans *Lucie* d'A. de Musset, publiée le 1er juin 1835 dans la *Revue des Deux Mondes*, et encore avant, dans le jardin féerique d'*A quoi rêvent les jeunes filles* (1832).

(2) « Dans le vieux parc solitaire et glacé... »

(3) *La Statue*, publiée seulement dans les *R. O.* (XXXVI).

(4) *A Albert Dürer*, *V. I.*, X, 20 avril 1837. La nuance toutefois incline au fantastique. Sur « le faune » avant 1830, cf. Ire partie, p. 98.

(5) Même sarcasme dans *Sur trois marches...* de Musset (1849) :

> Pâles nymphes inanimées...
> Par les jets d'eau tout enrhumées !

Cf. dans *la Statue* :

> ... Ou, près d'un grand bassin, des nymphes indécises,
> Honteuses à bon droit dans ce parc aboli.

Le « parc aboli » par exemple rappelle curieusement « la tour abolie » du prince d'Aquitaine de Nerval. Musset retiendra aussi « le bassin attristé » qui donne, poussé plus loin, fort irrévérencieusement les « cuvettes » des dieux, etc. Le mouvement d'appel de Musset : « Dites-nous, marches gracieuses... » était déjà chez Hugo :

> Je lui dis : « Vous étiez du beau siècle amoureux.
> Sylvain, qu'avez-vous vu, quand vous étiez heureux ?

Repris en écho comme le refrain varié d'une chanson :

> Quand vous étiez heureux, qu'avez-vous vu, Sylvain ?

(6) L'article de Th. Gautier sur *Villon* avait paru dans la *France littéraire* en janvier 1834 ; il fut recueilli en 1844 dans *les Grotesques* avec ceux de la même série qui suivirent sur les poètes burlesques et « fantaisistes » du XVIIe siècle, de Viau, Saint-Amant, etc... Victor Hugo appréciait Villon : « J'aime mieux Villon que

est seulement là développée dans toute son ampleur pour la première fois, plus de dix ans avant les *Trois marches* qui s'en inspirent de près. Engoncée dans la pompe du trop solennel alexandrin, elle manque encore sans doute du nonchalant abandon de Musset. Mais, fait nouveau chez Hugo, elle est indéniablement émue et ce passé « plein de flammes discrètes » se ranime aisément à la passion d'Olympio pour Juliette (1), qui va bientôt à son tour connaître l'épreuve de témoins plus oublieux, sinon aussi lointains, du passé et y peut trouver un exemple et une anticipation (2).

> ... Quand près de vous passait avec le beau Lautrec
> Marguerite aux yeux doux, la reine béarnaise...
> Faune! avez-vous suivi de ce regard étrange
> Anne avec Buckingham, Louis avec Fontange?...
> Étiez-vous consulté sur le thyrse ou le lierre,
> Lorsqu'en un grand ballet de forme singulière
> La cour du dieu Phœbus ou la cour du dieu Pan
> Du nom d'Amaryllis enivrait Montespan?...
> Avez-vous vu jouer les beautés dans les herbes,
> Chevreuse aux yeux noyés, Thiange aux airs superbes?...

Et, tandis que le faune ne semble lui demander que le calme et l'oubli, le poète s'enfonce dans le parc, « rêvant aux jours évanouis » et laissant sa pensée errer des « femmes de l'autre temps » aux « feuilles de l'autre été » dans un *fugit irreparabile*.

C'est le même thème qu'on retrouve développé douze jours plus tard dans la pièce intitulée *Passé* (3). Dans le parc désert, hanté des seuls marbres, le château, étroitement lié à une promenade amoureuse, symbolise, nouvelle « feuille d'automne », nouveau « chant du crépuscule », un regret pressenti d'Olympio. La seule différence est dans le déguisement des sentiments personnels et leur transfert au bénéfice d'un passé historique :

> Et je vous dis alors : — Ce château dans son ombre
> A contenu l'amour, frais comme en votre cœur,
> Et la gloire, et le rire, et les fêtes sans nombre.

Mais les motifs qui illustrent ce thème lyrique, s'ils n'ont pas encore conquis leur autonomie, se trouvent réunis là, plus variés, plus nombreux,

---

Marivaux, l'esprit gaulois que l'esprit français... » (*L. Ph. m.*, Rel., 261). L'association, même antithétique, est intéressante. Gautier dit dans le même esprit : « Marivaux et la Fontaine, ces deux expressions si opposées de l'esprit français... » (*Mlle de M.*, préf., éd. cit., p. 9). Lui-même semble s'être souvenu de la *Ballade* dans *Pastel*, *P. C.*, II, p. 74, daté 1835 et publié dans les *Annales romantiques* pour 1836. (Cf. notice, *P. C.*, I, p. xxxix) :

> Il est passé le doux règne des belles ;
> La Parabère et la Pompadour... etc.

Les deux noms se retrouvent dans *Sur trois marches*. Et Nerval dans les *Cydalises* retient du mouvement le sobre début :

> Où sont nos amoureuses ?
> Elles sont au tombeau.

(1) Pour laquelle a probablement été écrite cette pièce, comme l'est *A Virgile* du 23 mars et comme le seront les « Trumeaux » de 1840.
(2) Rappelons que *Tristesse d'Olympio* a été composée, après un pèlerinage aux Metz, entre le 15 et le 21 octobre de la même année 1837.
(3) *V. I.*, XVI, 1er avril 1837 (surchargé 1835). Pourquoi cette correction ? pour évoquer le souvenir particulier d'une promenade avec Juliette ou par manière d'hommage à *Fantaisie* de Nerval dont il n'aura pas vu qu'elle avait été déjà publiée en 1832, avant de l'être à nouveau en 1835 ? (Voir plus loin.)

dans le rythme assoupli des couplets de cinq alexandrins qui dénote un
travail et un progrès certains. Il gagne cet air détaché, tendre, enjoué
et mélancolique qui fait le charme particulier des « fêtes galantes ». Sans
doute l'ironie reste en éveil, mais voilée et finalement submergée de
tendresse. A côté de « l'hiver, morne statue », aussi peu réchauffé par
son « feu de marbre » que le fameux Faune, du « Neptune verdâtre »
en train de *moisir dans l'eau,* des tritons et de l'antre ennuyés (1), les
marbres, sur la perspective desquels nous laissait *la Statue,* réapparaissent
dans *Passé* pour incarner parfois les héroïnes d'une mythologie moderne,
« Gabrielle et Vénus, ces deux sœurs (2) », qui présagent la reprise des
évocations galantes. Mais au cortège ordonné d'un thème rhétorique se
substitue une dispersion étudiée des groupes et des couples qui, en même
temps qu'elle suit plus fidèlement la promenade, prépare la résurrection
du rêve qu'on verra bientôt dans *la Fête chez Thérèse.* Ici d'abord :

> Les manteaux relevés par la longue rapière,
> Hélas ! ne passaient plus dans ce jardin sans voix...

Puis là :

> Dans cet antre, où la mousse a recouvert la dalle,
> Venait les yeux baissés et le sein palpitant,
> Ou la belle Caussade ou la jeune Candale... (3).

Enfin au loin, comme dans le finale de *la Fête :*

> Au loin dans le bois vague on entendait des rires.
> C'étaient d'autres amants, dans leur bonheur plongés.
> Par moment un silence arrêtait leurs délires.
> Tendre, il lui demandait : D'où vient que tu soupires ?
> Douce, elle répondait : D'où vient que vous songez ?

Voilà bien cette fois le *Colloque sentimental* et son ton indécis et prenant. Quant au décor, ce parc est-il des Feuillantines, de la Miltière, des
Roches, de Fontainebleau ou de Versailles ? Sans doute de Versailles,
à cause des quelques détails précis (4) et de l'actualité, comme le pense
M. Levaillant. Seul, le premier vers, si beau d'ailleurs, détone et suggère
plutôt Fontainebleau :

> C'était un grand château du temps de Louis treize —
> Le couchant rougissait ce palais oublié.

Mais il a peut-être été imposé par une réminiscence du poème de
Gérard de Nerval que j'ai réservé pour cette rencontre :

---

(1) M. Levaillant remarque fort justement (*op. cit.*, p. 249) qu'il faut reconnaître
probablement là l'*Hiver* par Girardon et le bassin de Neptune du parc de Versailles.
(2) Gabrielle d'Estrées, favorite d'Henri IV.
(3) Est-il très nécessaire de se demander avec M. Levaillant (qui le fait d'ailleurs
apparemment sans conviction, *op. cit.*, p. 249) où Victor Hugo a été se documenter
sur les amours du roi Louis ? Et si l'on ne trouve rien, n'est-ce pas que, comme Villon
dans sa *Ballade des Dames...,* il s'est laissé guider par sa fantaisie et séduire par ces
deux noms côte à côte dans quelque recueil de *Mémoires,* ceux de Saint-Simon
par exemple, qu'il relit avec d'autres classiques du XVIIᵉ et du XVIIIᵉ siècles entre
1838 et 1845 (cf. *P. S. V., Critique,* p. 521 sq.). Le vers « Ou la belle Caussade ou
la jeune Candale » me paraît bâti sur le même schéma que « Le tragique Alcantor
suivi du triste Arbate » dans *la Fête chez Thérèse :* parce que sans doute il est d'un
modèle classique avec le balancement de ses deux noms respectivement accompagnés
de l'épithète de nature, il en émane le même charme suranné qui se dégage pour nous,
à raison ou à tort, du célèbre vers de Racine : « La fille de Minos... »
(4) « Le palais », le bassin de Neptune, la statue de l'*Hiver*...

> C'est sous Louis Treize... Et je crois voir s'étendre
> Un coteau vert que le couchant jaunit.
>
> Puis un château de brique à coins de pierre,
> Aux vitraux teints de rougeâtres couleurs,
> Ceint de grands parcs, avec une rivière... (1).

Avec une volontaire économie de moyens, *Fantaisie* de Nerval va plus loin que *Passé* de V. Hugo, approchant avant Baudelaire la zone mystérieuse d'une « vie antérieure ». La correspondance, pour Hugo, ne joue apparemment que sur l'amour à travers les âges. C'est chez Nerval une hantise plus profonde du passé qui trouvera sa forme de perfection après 1850 dans les retours à Châalis et le déguisement de *Sylvie* (2). Or, Nerval a publié *Fantaisie* dès 1832 et ses vers de jeunesse, qui remontent souvent à 1825-1828 répondent à une interprétation personnelle du style des *Ballades* et des variations ronsardisantes (3). Ainsi peut-on voir là un exemple de cet intermittent commerce d'échanges et d'excitations réciproques. Au surplus, ce « château de brique à coins de pierre » fait aussi bien penser aux maisons Louis XIII de la place Royale que Nerval a aimées, décrites et où il alla visiter Hugo (4). Ce dernier qui était installé au n° 6 depuis octobre 1832 a pu y trouver, sans aller jusqu'à Versailles ni Fontainebleau, un prétexte d'inspiration qui se sera subtilement mêlé aux autres images. Car le motif du château doré au crépuscule a chez Hugo une aussi ancienne filiation que chez Nerval, on peut le dire autant « rêvé dans la jeunesse » et il ne fait que s'épanouir doucement depuis le temps déjà lointain des *Soleils couchants* (5).

(1) Contrairement à ce que suggère M. Levaillant, on ne peut supposer que le tableau de V. Hugo ait inspiré ces vers de Nerval qui avaient paru dans les *Annales romantiques* en 1832 et de nouveau en 1835. La publication de cette pièce dans les *Petits Châteaux de Bohême* (1853) explique l'erreur. On trouve dans *le Troisième Château* ce commentaire : « Peu d'entre nous arrivent à ce fameux château de briques et de pierre, rêvé dans la jeunesse, d'où quelque belle dame aux longs cheveux nous sourit amoureusement à la seule fenêtre ouverte, tandis que les vitrages treillissés reflètent les splendeurs du soir. » Cette dernière image de la dame à sa fenêtre était déjà amorcée dans *A Trilby, le lutin d'Argail*. Cf. également *Sylvie*, chap. II, éd. cit., p. 159 (1853) : « Je me représentais un château du temps de Henri IV avec ses toits pointus couverts d'ardoises et, à sa face rougeâtre aux encoignures dentelées de pierres jaunies, une grande place verte encadrée d'ormes et de tilleuls, dont le soleil couchant perçait le feuillage de ses traits enflammés. Des jeunes filles dansaient en rond sur la pelouse en chantant de vieux airs... »
(2) *Sylvie* a été publiée pour la première fois dans la *Revue des Deux Mondes*, 15 avril 1853.
(3) Cf. par ex., l'*Odelette Avril*, publiée dans les *Annales romantiques*, de 1835, où pourtant les nymphes apparaissent « en un tableau » vert et rose où le XVIIIᵉ siècle semble avoir interféré. Sur Nerval et Ronsard, cf. *Choix de poésies*, publié par lui, de Ronsard, du Bellay, etc., Paris, Havard, Bricon et Méquignon, 1829 ; et cette mise au point parue beaucoup plus tard dans la *Bohême galante* (1853) : « En ce temps, je ronsardisais, pour me servir d'un mot de Malherbe. Il s'agissait alors pour nous, jeunes gens, de rehausser la vieille versification française, affaiblie par les langueurs du XVIIIᵉ siècle, troublée par les brutalités des novateurs trop ardents... Eh bien? étant admise l'étude assidue de ces vieux poètes, croyez bien que je n'ai nullement cherché à en faire le pastiche, mais que les formes de style m'impressionnaient malgré moi, comme il est arrivé à tant des poètes de notre temps. »
(4) Voir le début de *la Main enchantée*.
(5) 1828. Cf. *F. A.*, XXXV, 1 :
　　... Soit qu'ils dorent le front des antiques manoirs...
à rapprocher ici de :
　　Le couchant rougissait ce palais oublié...
　　Un doux rayon dorait le toit grave et maussade...

Ce n'est d'ailleurs pas tout pour Versailles. Comme un écho des *Fêtes de Versailles* sur lesquelles Gautier publie un article dans *le Figaro* du 19 mai 1837, quelques silhouettes des statues familières font irruption dans le songe d'un parc moins orné et sans doute plus déserté, souvenir des Feuillantines, en un mélange mythologique varié :

> Les tritons que Coypel groupe autour d'une conque,
> Les faunes que Watteau dans les bois fourvoya,
> Les sorciers de Rembrandt, les gnomes de Goya,
> Les diables variés, vrai cauchemar de moine,
> Dont Callot en riant taquine Saint-Antoine... (1).

Mélange sans doute auquel l'invite la perspective du temps, vrai bazar d'Albertus, Gautier mêlant Villon et Scudéry dans la même série des *Grotesques* (2), *l'Artiste* honorant côte à côte Watteau et Goya, telle anthologie prochaine des poètes du XVIIe et du XVIIIe illustrant cette mode confuse (3). Peu à peu, en effet, la note dominante glisse davantage vers le XVIIIe siècle. D'autres fêtes suivent : « dans l'été de 1837 », Victor Hugo assiste à une fête donnée à Versailles en l'honneur du mariage du duc d'Orléans (4). Lui et Dumas, en uniformes de la garde nationale, y rencontrent Balzac déguisé en marquis. A la visite du Château et au dîner succède le spectacle. Hugo gardera longtemps le souvenir burlesque de la « longue galerie » de cauchemar que les invités durent traverser pour s'y rendre :

> ... Le parquet ciré et luisant avait une telle transparence qu'on s'y serait jeté à la nage ; on y glissait comme sur une glace ; les maréchaux, les cordons bleus, les dignitaires, les personnages vénérables pressés et heurtés sur cette surface dangereuse, perdirent l'équilibre et s'étalèrent. Il en tomba bien une vingtaine. M. Victor Hugo en ramassa plusieurs... (5).

Ses yeux restent longtemps après impressionnés par le spectacle de la salle « vaste et riche ; les ornements sont d'un rococo charmant, ce qui fait qu'elle a en même temps de la grandeur et de la coquetterie ; elle était redorée à neuf, on avait multiplié les lustres et les candélabres ; Mlle Mars et l'élite de la troupe du Théâtre-Français jouaient le Misanthrope »... Mais il manquait à cette assemblée masculine, pour son goût, « les diverses et claires couleurs des étoffes, les fleurs dans les cheveux, l'étincellement des bijoux aux bras et aux cous, la blancheur des épaules, le frémissement des éventails... ».

Ainsi peu à peu, la grandeur le cède à la coquetterie ; au pur rococo, Versailles (6). Les marbres disparaissent derrière les couples et le parc désert s'apprête à revivre dans la grâce ranimée de Watteau.

---

(1) R. O., XIX, 31 mai 1839.
(2) Cf. R. JASINSKI, *op. cit.*, p. 222 sq.
(3) « *Le Panthéon littéraire* », *Petits poètes français depuis Malherbes* (sic), Paris, Aug. Desrez, 1838, 2 vol. in-4⁰ où l'on peut lire des vers de Segrais. Cf.
> ... Que vous disait Segrais ?
> (R. O., XXXVI.)

(4) *V. H. rac.*, chap. LXIII. Elle dut se placer entre le 20 juin, date de l'ouverture du Musée, et le 27 juin, date de la publication des *Voix intérieures*.
(5) *Ibid.* Cf. ces vers de la galerie des portraits, *Th. J.*, p. 521 :
C'étaient des maréchaux de camp, des chefs d'escadre...
(6) Il cherchera l'occasion de le revoir et saura recourir à sa paix consolatrice peu après la mort de Léopoldine. Cf. *L. aux B.*, p. 140, Paris, 30 septembre 1843 : « Nous allons passer quelques jours à Versailles, chez mon frère. Mes pauvres enfants ont besoin de distraction. Ils verront le parc, le château, le musée. »

26

Watteau.

Ce nom devient un thème et l'intitule (1). Un livre entier ne serait pas de trop pour en retracer la délicate genèse et préciser l'histoire de l'influence exercée par les peintres de fêtes galantes (2), par Watteau notamment, sur la littérature et la poésie en particulier. Il vaudrait la peine d'étudier par quel cheminement, oublié, sinon méprisé, en 1830, il est venu à la mode et s'est bardé de commentaires entre 1840 et 1855, pour être définitivement associé en 1869 au recueil fameux de Verlaine. Faute du travail d'ensemble qui manque encore, il faut nous contenter là-dessus d'aperçus partiels.

C'est vraisemblablement par l'histoire de l'art que cela commença. S'il est vrai que l'étude de Watteau se développa surtout après 1840, grâce aux articles de *l'Artiste* (3), cependant dès 1833, l'année de *Lucrèce Borgia*, *le Magasin pittoresque* publie des gravures du *Concert de famille* et du célèbre *Embarquement pour Cythère*, qui inspirera à Gérard de Nerval le poétique commentaire publié en 1844 dans *l'Artiste* (4). La même revue donnait en 1839 un article de Léon Gozlan sur Watteau. Les goûts d'Arsène Houssaye, critique et poète qui devait diriger longtemps *l'Artiste*, ne sont pas étrangers à cette insistance, mais ils ne font pas exception. Stendhal, Mérimée, Musset ne renoncèrent jamais au xviiie siècle et bien moins encore Gautier et Nerval, dont Houssaye fut le familier et qui apparaissent au cœur, sinon à l'origine de cette vogue parmi les poètes. Des pièces comme *Pastel* et *Watteau* de Gautier, déjà invoquées, ou *les Cydalises* de Nerval datent de ces années 1835-1836 du Doyenné. Peintres et poètes y vivaient côte à côte ; Gautier, qui avait fréquenté l'atelier, l'y retrouvait : ainsi, des peintres aux poètes, le thème va et vient, peut-être naît, au moins profite de leur rencontre.

C'est un peintre ami, Camille Rogier, qui, vers la fin de 1834, avait eu l'idée de s'installer dans une des vieilles demeures encore debout de l'impasse du Doyenné, quartier du Carrousel (5) où vinrent le rejoindre Nerval, et Houssaye, où Gautier, habitant tout près dans la rue du même

(1) Cité comme peintre dans *Albertus* de Gautier (1832), il sert de titre à une fantaisie de Gautier dans le style xviiie siècle vague, *P. C.*, II, p. 75, publiée en 1835. Voir dans l'œuvre de Nerval, *passim*, et notamment les passages ci-dessous cités : dans celle de Banville entre autres, *Stephen* (*les Cariatides*, 1842), *la Ville enchantée* (*la Silhouette*, 1er mars 1848, puis *Odes funambulesques*), *Arlequin et Colombine* (*l'Artiste*, 1er septembre 1853, puis *les Stalactites*).

(2) C'est sous ce titre, *les Peintres des Fêtes galantes*, que parut en 1854 chez P. Renouard l'ouvrage consacré par Ch. Blanc à *Watteau, Lancret, Pater, Boucher*. On trouvera sur ce sujet quelques documents dans la notice de Y.-G. Le Dantec sur *les Fêtes galantes, in* VERLAINE, *Œuvres poétiques complètes*, coll. La Pléiade, Paris, Gallimard, 1942, p. 893 sq. et dans l'édition E.-M. Souffrin des « Stalactites » *de Théodore de Banville*, Paris, Didier, 1942, notamment la notice d'*Arlequin et Colombine*. C'est seulement en 1867 que le Louvre s'enrichit des Watteau, Fragonard, etc... de la collection Lacaze.

(3) Après les comptes rendus de l'ouvrage d'Arsène Houssaye sur le xviiie siècle, *Galerie des portraits, le XVIIIe siècle...*, intitulé dans les éditions postérieures *Galerie du XVIIIe siècle* (1843-1845), trois articles de P. Hédouin sur Watteau (*l'Artiste*, novembre 1845) et encore une reproduction de *Fête galante* (*ibid.*, fév. 1846).

(4) Sous le titre *Un voyage à Cythère*, 30 juin-11 août 1844. Repris dans *Sylvie*, chap. IV, éd. J. Marsan, p. 165 sq. : « La traversée du lac avait été imaginée peut-être pour rappeler le *Voyage à Cythère* de Watteau... » Cf. *Angélique, in Filles du Feu*, éd. cit., t. I, p. 69 : « Le voyage à Cythère de Watteau a été conçu dans les brumes transparentes et colorées de ce pays. C'est une Cythère calquée sur un îlot de ces étangs créés par les débordements de l'Oise et de l'Aisne... »

(5) Cf. R. JASINSKI, *Années romantiques de Th. Gautier*, chap. VIII, p. 260 sq.

nom, passait ses journées et dont le premier décrira plus tard ainsi le célèbre salon rococo :

Le vieux salon du doyen, aux quatre portes à deux battants, au plafond historié de rocailles et de guivres, restauré par les soins de tant de peintres, nos amis, qui sont depuis devenus célèbres, retentissait de nos rimes galantes, traversées souvent par le rire joyeux ou les folles chansons des Cydalises (1).

Là s'harmonisent les deux panneaux de Fragonard, *Colin-Maillard* et *l'Escarpolette*, achetés peu avant par Gérard de Nerval, qui annoncent les quatre toiles de Lancret qu'on retrouvera dans la vente du mobilier de Victor Hugo (2). Nanteuil et Rogier pastichent Watteau ou Lancret pour les dessus-de-porte :

... Les deux trumeaux de Rogier où la Cydalise en costume régence, en robe de taffetas feuille-morte — triste présage — sourit de ses yeux chinois en respirant une rose (3).

Là, Gautier peut voir ou imaginer les « portraits jaunis des belles du vieux temps (4) », de là ou d'un cadre similaire Hugo gardera le souvenir visuel :

Des abbesses en noir rêvant dans un vieux cadre,
Des premiers présidents sous leurs bonnets carrés (5).

Car c'est peu à peu toute une contagion. Ce XVIIIe siècle honni, dont les romantiques se sont détournés avec dédain, ils y retournent à présent presque avec tendresse. La société bourgeoise, qui n'a pas eu les mêmes raisons de le mépriser et se donne volontiers des allures d'aristocratie, s'entoure dans ses hôtels de meubles de ce style, authentiques ou bientôt imités. A l'art la vie se conforme. Dans le salon doré du Doyenné, se succèdent les bals costumés où l'on peut voir Ourliac en Arlequin, Deburau en Pierrot et la verve étincelante de Th. Gautier. Ce dernier — actif émissaire de Victor Hugo dans la bataille d'*Hernani*, avec Nerval d'ailleurs, puis avec Nanteuil encore en 1832 pour *le Roi s'amuse* — qui venait d'être pendant deux ans le voisin immédiat, presque le familier, du « maître », place Royale, et qui l'était à présent de Rogier et Nerval (6), invita vraisemblablement Victor Hugo à quelqu'une de ces fêtes où celui-ci ne dédaigna pas de paraître (7). Notre poète put retrouver là ressuscitée cette brillante atmosphère, née des arts réunis, où éclataient dans la danse, comme des fleurs, les noms d'opéra de ces belles — actrices, cantatrices ou simples bonnes filles — Sylvanire, Cydalise (8), qui donnaient corps à ces visions de rêve.

Or, c'était précisément cela qui manquait à la fête morte de Versailles (9)

(1) *Les petits Châteaux de Bohême, Premier Château* (1853).
(2) Cf. Th. GAUTIER, *Histoire du Romantisme*.
(3) Voir la description de Nerval dans le *Premier Château*, cité ci-dessus.
(4) *Pastel, P. C.*, II, 74, « 1835 ».
(5) *Th. J.*, p. 521, s. d., peut-être postérieur à la *Fête chez Thérèse* d'ailleurs (1845-1855?).
(6) Il habitait un pied-à-terre dans la *rue* du Doyenné et vivait le plus clair de son temps au « château du Doyenné », cf. JASINSKI, *op. cit.*
(7) H. CLOUARD, *la Destinée tragique de Gérard de Nerval*, Paris, 1929, p. 61.
(8) Auxquels répondent les noms d'opéra, tout autant, dont les poètes romantiques aiment à s'affubler : Vigny, Stello, Musset, Silvio, Fantasio, Fortunio et Coelio qui tend la main à Olympio...
(9) Cf. ci-dessus, p. 369.

et partant au thème : cette animation, ce brillant absents du château désolé et de son parc à l'abandon. Le monde artiste se charge de rallumer les lustres, de repeupler ces ombrages et « Versailles » se réveille dans le carnaval. Ainsi se transforme insensiblement le thème : la vie, réunissant Versailles au bal, donne Watteau. Sa destination change aussi : les ombres évanouies d'un parc oublié ressuscitent dans les fêtes travesties et le symbole d'un passé désert devient la résurrection attendrie qui nous charme.

Le Doyenné n'eût-il pas existé, Hugo a vu bien d'autres fêtes. Le romantisme est tout traversé de bals. Waterloo éclata au milieu d'un bal. De 1818, un des premiers poèmes de Vigny portait ce titre (1). Raymond, Ordener, amoureux des années 1820, n'imaginaient pas Emma ou Ethel autrement que dans le tourbillon de leurs voiles et Victor, à travers une fenêtre, guettait éperdument les couples au milieu desquels apparaissait et disparaissait Adèle (2). Ainsi les occasions mondaines de la vie contemporaine, qu'un poète aussi soucieux de se répandre ne dut point manquer, interfèrent sans cesse avec une tradition poétique qui s'en nourrit. En 1825, on donne à Paris « des bals masqués avec déguisements empruntés aux *Waverley Novels* (3) ». Vers les années 1830, les Bertin en offraient aux « Roches », comme en témoignent une nouvelle de J. Janin et le tableau de Boulanger sur lesquels nous allons revenir (4). A la cour, chez les particuliers, dans le monde de l'art et du journalisme, de l'industrie et du commerce, à la Chaussée d'Antin comme aux bals populaires de la Courtille ou du Ranelagh, c'est partout une frénésie de danse qui ne fait, après 1832-1834, les épreuves du choléra et des émeutes, qu'augmenter par un phénomène aisément compréhensible de détente. Aucune période peut-être, non pas même le Directoire, ni cette Régence que ces poètes imaginent à travers leur temps, n'a connu une telle soif de plaisir et plus de folie ni de raffinement à la satisfaire. « A aucune époque — lit-on en 1836 — les mascarades ne se sont montrées ni plus brillantes ni plus nombreuses (5). » De la vie le bal se reflète constamment dans la poésie : parfois il se nuance d'émotion pathétique, par l'effet et le goût d'un contraste facile dont la réalité se charge de fournir des exemples ; tantôt il est rendu à sa pure destination de « bal folâtre », qui est de fantaisie, de lumière et de joie. Hugo montre à la porte du bal les misérables fardées de la nuit ou délègue au pauvre, au faune le soin de l'observer (6), aux héros de ses drames le rôle d'en souffrir (7). Les poésies de Gautier frissonnent de bals et de carnavals, fantastiques

---

⸪ (1) *Le Bal*, Paris, 1818, in *Poèmes, Poèmes modernes*, 1822 : pièce d'ailleurs assez terne, traitée dans la manière vaporeuse de l'élégie, sans pittoresque, mais le thème y est. Dans *Cinq-Mars* (1826), tout le chap. XXVI, intitulé *la Fête*, ressuscitait une fête sous Louis XIII, plutôt dramatique d'ailleurs.
(2) Cf. ici p. 41 sq.
(3) R. BRAY, *Chronologie du Romantisme*, p. 142.
(4) Cf. ci-dessous, p. 373.
(5) Chronique de la *Revue de Paris*, février 1836, citée par R. JASINSKI, *op. cit.*, p. 265.
(6) *Le bal de l'Hôtel de Ville*, C. C., VI, mai 1832. Cf. ci-dessus, p. 355. Dès *Fantômes, Or.*, XXXIII, avril 1828, Hugo avait donné le ton :

Quels tristes lendemains laisse le bal folâtre !

Le carnaval 1833, même ébloui, se réveille comme la fête de 1832 : « la boue aux pieds » cf. p. 358, n. 2.
(7) Cf. ci-dessus, p. 356 sq.

ou funèbres (1). Musset nous emporte dans le tourbillon de la valse, « la belle nymphe allemande aux brodequins dorés (2) » ; et plus tard le pèlerinage de Gérard tombera au milieu d'une ronde rustique à Mortefontaine (3). Mais ce qui domine cette variété et accorde ces poètes, la part faite des nuances dues au tempérament de chacun et aux circonstances, c'est le caractère irréel, onirique du bal : les « tristes lendemains » de V. Hugo ne font que souligner l'enchantement du « bal folâtre » ; le jour *après le bal*, c'est pour Gautier « la veille après le rêve », et Janin, contant dès 1832 avec un humour hoffmannien le bal fantomatique de *la Vallée de Bièvre*, auquel Hugo assista peut-être, ne faisait que développer ce que chacun d'eux va chercher au bal :

A peine entré, l'odeur des femmes me monte à la tête et au cœur, le bruit de la danse m'étourdit, le frottement de la valse m'enivre, les cris aigus de ces souliers de satin m'agacent les nerfs comme le son d'un harmonica. Oh ! moi, je suis étourdi par le bal, je suffoque dans le bal, je ne vois rien dans le bal, c'est un nuage de toutes les couleurs, c'est un murmure de tous les bruits, c'est une fusion de toutes les nuances, c'est un enchantement qui touche à tous les extrêmes. Au bal, je ne suis ni acteur, ni spectateur, je ne vois ni n'entends, je ne marche pas, je suis porté, je rêve (4).

S'il ne fut de ce bal, Hugo figure à cette fête allégorique dans le parc des Roches, *la Danse des Muses*, où son ami Boulanger l'a très probablement représenté dans le coin de la toile sous l'aspect de cet impassible témoin drapé de vert, au front ceint de laurier (5). Adèle est à son côté. Une nuit de carnaval 1833, c'est à un bal encore qu'avec Juliette il se rendait. Au printemps 1839, nous le retrouvons à la fameuse fête donnée aux « Plâtreries » par Léonie Biard, dont L. Guimbaud a pensé qu'elle était l'origine de *la Fête chez Thérèse* (6). La cavalière change, le bal demeure. Mais délesté de son message, de grave il devient peu à peu folâtre à travers ces expériences successives dont chacune laisse son signe et contribue pour sa part à l'image d'ensemble : ainsi survivront dans *la Fête chez Thérèse* les paons du parc des Roches, les masques

---

1) Un « charivari d'enfer » dans *Albertus* (1832), CXVI-CXVII, *P. C.*, t. I, p. 185
   Les virtuoses font, sous leurs doigts secs et grêles,
   Des stradivarius grincer les chanterelles...

   Le concerto fini, les danses commencèrent.

Après le bal (1834), *ibid.*, t. II, p. 98, donne à la nostalgie une nuance funèbre :
   Le bal est enterré. Cavaliers et danseuses,
   Sur la tombe du bal jetez à pleine mains
   Vos colliers défilés, vos parures soyeuses,
   Vos blancs camélias et vos pâles jasmins...

pressentiment trop justifié de la future disparition de Cydalise, *les Taches jaunes*, *P. C.*, t. II, p. 242 (notice, t. I, p. LVI : *l'Artiste*, 21 juillet 1844) :
   Toi qui, par un soir de fête,
   A la fin d'un carnaval,
   Laissas choir, pâle et muette,
   Ton masque et tes fleurs de bal ?

(2) *A la Mi-Carême*, *Revue des Deux Mondes*, 15 mars 1838 :
   Le carnaval s'en va, les roses vont éclore...

(3) *Sylvie*, chap. II.
(4) *Contes fantastiques*, éd. citée, t. II, p. 12 (1832).
(5) *Les Séjours*, p. 23. Cf. P. SOUCHON, *Olympio et Juliette*, p. 25.
(6) Voir ci-dessous ce qu'il faut en penser.

d'une aube grise avec Juliette et le singe, qui sait, de Mme Biard. Mais il serait un peu vain d'y chercher — Hugo l'eût-il prétendu, et il s'en est gardé — un hommage à l'une d'elles en particulier, Juliette ou Léonie, autant qu'une exacte « transposition d'art » de Watteau ou Lancret : c'est un hommage à la femme (1), à la fête, au bal travesti, à un XVIIIe siècle, à sa manière, bientôt aussi conventionnel que naguère le moyen âge, qu'il est en passe de supplanter comme source de poésie.

Car c'est tout cela, « Watteau ». « Watteau », c'est bien plus que Watteau, artiste flamand, contemporain de Louis XIV, mort en 1726, tout comme « Mozart » dépasse infiniment la personnalité musicale d'un compositeur né à Salzbourg en 1756 (2) : paradoxalement ces deux noms pris aux deux bouts du siècle ont le don d'éveiller en nous l'image symbolique de tout le XVIIIe siècle. Ce dernier y perd de sa profondeur, quelque âpre cavatine couverte par les trilles d'un perpétuel chant d'oiseau. Et Watteau, dans l'imagination des poètes, prête à des confusions que sa pure élégance ne méritait pas. S'il est bien évoqué dans l'esprit de Banville par « ces dignes Scapins »,

> Dans leurs manteaux d'azur que Watteau nous a peints (3)

c'est Boucher bien davantage à qui font songer « les petits amours tout roses de Watteau (4) ». Pour Gautier, c'est un parc « dans le goût de Watteau (5) » et pour Nerval, une fête sur l'eau dans les brumes légères du Valois qui font rayonner un soleil du Lorrain (6). Hugo pour son compte lui décerne des « faunes » qui feraient bien mieux l'affaire de Boucher encore et qu'il situe entre les « tritons de Coypel » et « les sorciers de Rembrandt (7) ». Puisqu'il cite, à la limite du fantastique, les « gnomes de Goya », alors peu connu, peut-être y mêle-t-il le souvenir de quelque *Pique-nique* du même, où des toréadors se prélassent galamment sur l'herbe avec leurs admiratrices, réplique au flamand d'une Espagne (8) que Hugo chérit particulièrement et dont Gautier va bientôt avant lui explorer les trésors d'art (9). Hugo n'a pas négligé ceux de Belgique qui rendent à Watteau un vague fond de style rococo flamand (10). Autant que *l'Embarquement pour Cythère* peut-être, la *Fête à Saint-Cloud* de Fragonard, les bergerades de Lancret (11) et tel pâtre antique

(1) On pourrait appliquer à Thérèse ce que Musset dit de sa Marianne : « Nulle part et partout, ce n'est une femme ; c'est la femme. » (Cité par J. MERLANT, *Morceaux choisis*, Didier, p. 177.)

(2) Dans une tentative du même ordre, voir la spirituelle stylisation de l'opéra de Mozart par Liszt dans *Réminiscences de don Juan*.

(3) *La Ville enchantée* (1846), citée ci-dessus.

(4) *Stephen* (1842), cité ci-dessus.

(5) *Watteau* (1835), cité plus haut.

(6) *Sylvie* (publ. 1853), cité plus haut.

(7) *R. O.*, XIX (1839), cité ci-dessus. « Watteau et Coypel » déjà réunis, *V.*, II, 85, Bruxelles, août 1837.

(8) Cf. *Autre Guitare*, pièce citée précédemment (*R. O.*, XXIII, 18 juillet 1838), avec ses *nacelles*, *alguazils* et *philtres* d'amour en relation avec le courant espagnol où il baigne avec *Ruy Blas* (acte II, sc. 4, cf. ci-dessus). Et le reflet d'une autre « transposition d'art » qu'il a peut-être remarquée dans *le Mariage de Figaro :* « la belle estampe d'après Vanloo appelée la *Conversation espagnole* ».

(9) Son voyage en Espagne est de 1840.

(10) Voyage de 1837. Cf. IIe partie, 1re section, chap. V, *Art rococo*.

(11) Cf. NERVAL, *Sylvie*, chap. X, p. 187 : « l'antique trumeau où se voyait un berger d'idylle offrant un nid à une bergère bleue et rose ». Cf. le trumeau évoqué par Gautier dans *Mademoiselle de Maupin*, p. 331, et celui de V. Hugo, *Rh.* XIX, 151 : « un pauvre

de Poussin (1). Ce seront ces « beaux paysans de Watteau », parce que les habitants de la Forêt-Noire portent encore tricorne et que le lieu excite au rêve (2). Les autres arts ne sont pas exclus, car Hugo est amateur de ces correspondances. Si « Sedaine est le Greuze du théâtre (3) », Watteau, c'est Marivaux qu'il n'ignore pas (4), c'est Beaumarchais qu'il relit et commente vers 1839-1840 — voyez ses variations sur le nom et le visage de Suzanne dont la chanson *Suzette*, *Suzon* est peut-être un écho (5) ; c'est Mozart, Haydn, Glück, c'est « tout Rossini, Mozart et Donizetti » hélas ! — comme il écrit un peu plus tard dans les *Choses vues* de 1847 (6) ; c'est Deburau et Ourliac, et après la parade du boulevard Montparnasse (7), celle du boulevard du Temple appelé maintenant du Crime (8), où Pierrot s'accompagne parfois d'un « singe timbalier ». C'est tout cela, oui, « Watteau » : c'est-à-dire un peu Watteau, et beaucoup de fantaisie. Comme le nom de Virgile l'amour, celui de Watteau annonce la fantaisie. Ainsi le thème du parc Louis XIII ou Louis XIV, peuplé de couples galants, hanté de mascarades, devient le thème « Watteau ». Et s'il est vrai que, lors de son ultérieure publication, tout le monde reconnut dans *la Fête chez Thérèse* « un Watteau mis en vers (9) », c'est, beaucoup plus qu'une véritable « transposition d'art », dont Gautier surtout eut le secret et l'ambition (10), une fantaisie de rêve à laquelle le XVIIIe siècle sert de prétexte.

La juste mesure semble donnée par Nerval. D'une part, il laisse entendre l'intention d'une « transposition d'art » en observant que « par une fan-

trumeau Louis XV, avec des arbres rocaille et des bergers de Gentil-Bernard... l'infortuné paysage vert-céladon, et le villageois embrassant sa villageoise, et Tircis cajolant Glycère ».

(1) *Rh.*, XVII, p. 137, cf. ci-dessus, *Voyages*, p. 181, et le « pâtre » dans le délicat trumeau de 1859 intitulé *Lettre* (*C. R. B.*, I, VI, 20).

(2) *V.*, II, Rel., 472-473 : « De beaux paysans de *Watteau* coiffés du tricorne équilatéral, en culotte courte, en gilet à ramages et en bas blancs serrent de fort près les jolies filles dantesques. » (19 oct. 1840). Il note le 22 : « Toujours des paysans *Louis XV*. Un ruban moiré et un large anneau d'argent à leur chapeau. » Ce qui prouve bien que *Watteau* égale *Louis XV*.

(3) *L. Ph. m.*, Rel., 273.

(4) *Ibid.*, Rel., 261 : « l'esprit français » de Marivaux.

(5) *P. S. V.*, 523 : « ... quoi qu'il y ait de puissance, et même de beauté, dans l'impudeur de Beaumarchais, je préfère sa grâce... J'admire Figaro, mais j'aime Suzanne » et la vive évocation des trois aspects de celle-ci, « Suzanne, Suzette, Suzon ». Une chanson attribuée dans l'éd. I. N. à 1853-1854, *T. L.*, VII, XXIII, 1 :

> J'adore Suzette,
> Mais j'aime Suzon.
> Suzette en toilette,
> Suzon sans façon...
> Au bal va Suzette,
> Au bois va Suzon...

évoque de si près la distinction entre Suzette « la jolie espiègle... la fiancée à la guimpe blanche » et Suzon « la bonne enfant... la belle gorge découverte » qu'on aimerait y voir un reflet direct et moins éloigné des réflexions sur Beaumarchais.

(6) I, p. 215-216, p. ex.

(7) Cf. à propos de *Marion de Lorme*, acte II, ici p. 143.

(8) Depuis l'attentat de Fieschi, 28 juillet 1835 (cf. *Ch. v.*, I, 26) : de 1830 à 1850 y étaient installés baraques et théâtres.

(9) BARBEY D'AUREVILLY, *le Pays*, 19 juin 1856, *in les Contemplations*, éd. Vianey, t. I, *Jugements*, p. CXX. *Ibid.*, p. 134, elle « brille comme un Watteau », écrit Laurent PICHAT, *Revue de Paris*, 15 mai 1856.

(10) Malgré des exemples comme le *Mazeppa* des *Orientales* (cf. ci-dessus, Ire partie, 2e section, chap. III, *Peintres et poètes*) et *Notre-Dame de Paris* (v. note de R. Jasinski, *in* Th. GAUTIER, *P. C.*, t. I, p. XXX) : mais ce sont de très libres « transpositions d'art » au sens large.

taisie pleine de goût, on avait reproduit une image des galantes solen-
nités d'autrefois (1) ». D'autre part, regrettant « le temps où les chasses
de Condé passaient avec leurs amazones fières », il ajoute légitimement :
« *C'est justement parce qu'il n'est plus,* qu'on en peut faire le refuge de
la poésie, le sanctuaire gracieux des amours rêvées, elles aussi poétiques,
parce qu'elles sont passées et ne peuvent revenir que dans le pastel
estompé du souvenir (2). »

Ainsi prévenus, nous pouvons, semble-t-il, aborder maintenant avec
moins de surprise, mais non pas d'enchantement, l'admirable réussite
de 1840, cette parfaite œuvre d'art qu'est *la Fête chez Thérèse.*

La Fête chez Thérèse.

Cette date a été contestée pour des raisons de circonstances (3).
Pour nous la question n'a pas tant d'importance, puisque ce n'est
ni le premier tout à fait, ni à coup sûr le dernier de ces poèmes
du style *Trumeau :* c'était le titre même de cette pièce sur le manuscrit (4).
Ce qui a induit les commentateurs à tant de recherches, c'est d'une part
sans doute l'ampleur et l'éclat exceptionnels de ce poème, mais aussi
le fait qu'ils le traitaient comme un cas isolé dans l'œuvre de Victor Hugo.
Par là il rejoint les titres d'essais similaires de Gautier, *Pastel, Rocaille*
ou *Rococo.* Jusqu'à preuve du contraire, on a tout lieu de croire que la
date du manuscrit est, sous les réserves générales que nous formulons
à ce sujet (5), approximativement exacte. Elle se trouve vraisemblablement
confirmée par un petit billet de Juliette à Victor, daté du lendemain 17 février 1840 et demandant à celui-ci d'apporter « ce soir, le reste
de mon cher *Trumeau* », sans doute oublié la veille (6).

1) A propos de la fête calquée sur le « voyage à Cythère », *Sylvie,* chap. IV.
(2) *Ibid.,* chap. XIV, p. 201. Je souligne.
(3) Cf. L. GUIMBAUD (*Victor Hugo et Madame Biard,* chap. IV), obnubilé par
l'idée de la « chose vue », voyait dans cette pièce la commémoration d'une fête cos-
tumée donnée par les Biard au printemps 1843 dans la propriété des « Plâtreries »
qu'ils avaient louée à Samois, en forêt de Fontainebleau, et attribuait de ce fait à un
égard délicat à la fois pour Juliette et Mme Hugo (l'année de la mort de Léopoldine)
la date ainsi falsifiée dès la rédaction, puisqu'elle est de la même écriture, sans rature.
Il était d'autre part limité dans le temps par la date de l'installation des Biard aux
« Plâtreries », printemps 1841. L'article de P. Souchon (voir n. 6) n'enlève pas leur
valeur à certaines constatations — son singe Mouniss, elle signait *Thérèse* de Blaru
— mais démolit seulement les excès d'une construction trop dialectique. P. AUDIAT
op. cit., p. 205-206) suit encore cette version et paraît ignorer la mise au point
de P. Souchon.
(4) Et *Dessus de porte* dans la table en tête du livre, cf. éd. cit., p. 135.
(5) Cf. notre conclusion, déjà invoquée, de *Promenade dans un album de voyage*
de *Victor Hugo* (1865).
(6) P. SOUCHON, *Quelle fut l'inspiratrice de la « Fête chez Thérèse »?, Mercure de
France,* 1er mai 1939, p. 554 sq. Je dis *vraisemblablement,* car on trouve par exemple
dans *Toute la Lyre* (VI, 17) une petite pièce inédite qui a gardé le titre *Trumeau*
et se trouve, par une bizarre coïncidence, datée 16 juillet 1840. J'y vois seulement
l'indice de confusions possibles. Quant à voir en Juliette la destinataire de l'œuvre,
à cause du 7e anniversaire de leur amour, c'est possible. Mais de là à en faire l'*inspiratrice?* à cause de « *mon cher* Trumeau »? l'argument est faible et le possessif indique
aussi bien le goût. Mais surtout il ne me paraît pas nécessaire que l'inspiratrice,
s'il y en a une précise, ne fasse qu'une avec la destinataire. Outre que, contrairement
à ce que prétend P. Souchon, Hugo a bien publié, dès les *R. O.,* des hommages à
d'autres que Juliette, il pouvait toujours lui donner le change et si la pièce devait
rappeler quelque souvenir commun, il ne manquait pas de fêtes, connues ou humble-
ment populaires, à compter de ce carnaval 1833 dont ce peut être un rappel symbolique : au surplus, cela même ne paraît pas indispensable. Et comment dans ce cas
faisait-il passer les « cheveux blonds » de Thérèse, sinon dans la mesure où il était

Il n'importe guère davantage de se demander si « Thérèse la blonde », la « duchesse Thérèse », qui s'appelait aussi dans une première rédaction

La duchesse Laura, brune à l'œil bien ouvert,

a pour original la blonde Léonie Biard ou la brune Juliette — supplantée en somme dans la rédaction définitive comme dans la réalité contemporaine — ou bien une vraie duchesse — et de quel ordre? empire, cour, citoyenne, ou faubourg Saint-Germain? — ou une fausse, une duchesse de théâtre, d'opéra. Le jour où l'on résoudra cette petite énigme, nous n'en serons guère avancés dans notre admiration, sinon dans notre curiosité. On a sans doute trop cherché la réalité, ce qui n'est pas d'une mauvaise méthode certes à l'égard d'un poète de « choses vues », sous une fantaisie à laquelle P. Souchon lui-même, optant sur quelques preuves pour Juliette, est obligé de recourir, l'admettant pour le choix du prénom et de la couleur des cheveux.

Pourtant, il est sans doute intéressant de déceler, autant qu'on en connaisse, la part de réalité qui entre dans cette composition de fantaisie. Sans doute il y a d'abord la possibilité d'une transposition d'un des quatre Lancret de V. Hugo, mais nous ne les connaissons pas. Il est douteux qu'un dessus-de-porte comprît une scène aussi importante, ce qui implique une marge assez grande laissée à l'imagination du poète, et nous en serions réduits aux hypothèses. Ce qui est dangereux. Si nous ne savions pas que, tout comme l'*Escarpolette*, le *Bal Masqué* ou les *Fêtes à Saint-Cloud*, inspirés de près par Watteau et Fragonard, la *Grande scène avec personnages* de Monticelli date très probablement de la période 1867-1870, de l'ouverture de la salle Lacaze et des *Fêtes galantes* de Verlaine, on trouverait là la source d'une transposition qui s'est peut-être exercée en sens inverse, encore que ce peintre ne paraisse avoir été influencé ni informé des mouvements littéraires (1). Dans des tonalités laquées de bistre et de jaune, sous un ciel bleu de Prusse, des couples Médicis rehaussés par quelques chiens clairs boivent, parlent ou se courtisent devant le vague décor d'une arche mauresque, de buissons fleuris et d'une terrasse à claire-voie sur laquelle un singe à collerette et quelque « blanc Pulcinella » jouent une pantomime. Mais c'est l'atmosphère, nous l'avons vu, que pouvait constamment retrouver Hugo, moins riche certes, mais en les combinant, dans la poésie, au théâtre, dans les hôtels particuliers, aux fêtes de la cour, à l'opéra surtout peut-être auquel il doit, comme on a dit, quelques inspirations, et pour n'en prendre qu'un exemple dans le bal masqué de *Gustave III*, livret de Scribe, musique d'Auber (2)!

question d'une autre que Juliette ou en lui expliquant qu'il la tirait vers le type conventionnel, mais, dans le cas, désobligeant de la beauté romantique. De toute façon, la thèse comporte des contradictions difficilement réductibles.

(1) Cf. Catalogue de l'exposition Monticelli (1824-1886) présentée en novembre-décembre 1942 à la Galerie Jacques Dubourg, pièce n° 29.

(2) Cf. la description du décor dans le livre de Léandre VAILLAT sur *la Taglioni* : « Le théâtre représente une immense galerie terminée au fond par une salle de spectacle. Les loges, les tribunes, les balcons, sont pleins de courtisans et de courtisanes, le parquet couvert de masques de toutes couleurs. Troupes de bergères, de folies, naïades et bacchantes, Cassandres et Pierrots, depuis Hercule jusqu'au nain blanc, depuis Jupiter jusqu'au valet de carreau, tous les personnages caractéristiques sont représentés dans cette fête. Un amour Louis XV se glissait dans le peuple tout bariolé de Cracoviennes et de Polichinelles, d'Arlequins et de laquais, de baya-

Mais à l'intérieur même du thème général se retrouvent des motifs dont la source peut être reconnue. Ce sont, par ordre chronologique, « les paons des Roches » dont Victor Hugo écrivait en 1833 que sa petite Adèle était tout occupée (1). Mais il est vrai d'ajouter que le paon est un motif fréquent dans les tapisseries des Gobelins ou de Beauvais du XVIIIe siècle (2) ; qu'on le retrouve dans un « paravent orné de paons et de perroquets brodés », dans le mobilier de la rue de la Tour-d'Auvergne qui faisait peut-être déjà partie de celui de la place Royale ; qu'on le retrouvera encore à Hauteville House dans une curieuse tapisserie brodée de perles de verre et mal identifiée, peut-être « un travail portugais du XVIIe siècle », suggère M. Delalande ; bref, que c'est un motif décoratif assez courant autant qu'un hôte familier des parcs. Le « singe timbalier » peut évoquer sans doute Mouniss, la guenon de Mme Biard, mais plus probablement le souvenir d'une parade de saltimbanques, d'une pantomime sur les tréteaux du boulevard du Temple, comme en recueillera, vingt ans après, Champfleury (3), ou quelque tableau ou tapisserie, le coin d'une kermesse de Brueghel ou de Rembrandt ou d'une fête de Véronèse (4) ou d'une de ces « singeries » Louis XV. C'est un tableau aussi, le *Printemps* de Botticelli, qu'évoque l'image tout à fait inattendue de Colombine dormant « dans un gros coquillage... son sein et ses bras nus » :

On eût cru voir la conque et l'on eût dit Vénus.

De même « le clair de lune bleu » que J. Vianey avait raison de rapprocher des « arbres bleus » de la Chanson d'*Eviradnus*, autre « *fête galante* », semble sorti d'un paysage d'Hubert Robert ou de quelque autre, soit que le bleu domine effectivement, soit que seul le bleu ait survécu au mélange instable que faisaient les peintres autrefois pour obtenir le vert. Ce « cintre à claire-voie », ce « théâtre en treillage » se retrouveraient dans bien des charmilles de Fragonard ou de Boucher. Enfin tous ces personnages de la comédie italienne ont été fixés dans des attitudes caractéristiques par des artistes originaux ou bons imitateurs, de Callot à Watteau, et incarnés, pour certains d'entre eux, sur le même boulevard du Temple par Deburau

dères et de gardes françaises, de naïades et d'Albanais, de tritons et de Chinoises. » Ce ballet fut représenté vers mars 1834. Mais je n'ai pas retrouvé dans le livret de Scribe, ces précieuses indications qu'autant que je me rappelle, ne disposant pas du livre sous les yeux, M. Vaillat cite, au moins pour le début, entre guillemets. Est-ce le récit d'un témoin ou le compte rendu d'un feuilleton ?

(1) « Dédé continue d'être très occupée des vaches et des paons des Roches », *L. aux B.*, p. 50, 22 novembre 1833. A rapprocher de *V. H. rac.*, chap. XLIX, t. II, p. 91 : les enfants Hugo « effarant les poussins et les *faisans dorés* ». Dans *la Fête* (*C.*, XXII) :

Et la voyant si belle, un *paon* faisait la roue.

(2) Dans l'exposition des *Tapisseries françaises* (mai 1946) présentée au Palais de Chaillot, on pouvait remarquer une grande pièce des Gobelins où, sur les marches d'un portique, occupé par quelques personnages traditionnels de la comédie italienne, un paon épanouissait sa queue aux multiples yeux bleus.

(3) Notamment le théâtre des « Funambules » (1816-1862) tenu par Gaspard et Ch. Deburau. Cf. NERVAL, *les Bateleurs du Boulevard du Temple* (*l'Artiste*, 17 mars 1844) recueilli dans *la Bohême Galante*, et Champfleury, *Contes d'automne, Un théâtre parisien* (1854) et surtout *Souvenirs des Funambules* (1859). Sur les « singeries » Louis XV, cf. ci-dessous la fin de ce chapitre. Sur le singe « capucin » Mouniss, fort célèbre, dessiné et commenté notamment dans un numéro du *Musée des Familles* de 1839, cf. L. GUIMBAUD, *op. cit.*, p. 76.

(4) Cité par Vianey, p. 136, pour le personnage du nain :

Un nain qui dérobait leur bourse aux cavaliers.

père et par Ourliac, enfin dans plus d'un des bals masqués auxquels Hugo a pu assister, puisqu'on doit renoncer à caresser l'image de cette fête des Plâtreries qui eut lieu non pas au printemps de 1839, mais au printemps de 1843.

On constate donc un étonnant parallélisme de ces sources d'inspiration, qui correspond à une réelle conformité de l'art, du style de vie d'une époque et des souvenirs personnels d'un poète qui, fort mêlé à son temps, le reflète. Toutefois, au milieu de ces « choses vues » domine l'hommage à la peinture. Aussi le poète F. Gregh est-il fondé à évoquer après d'autres le style de l'*Embarquement*. Mais pourquoi le voit-il bleuâtre (1)? Outre que la tonalité de Watteau est dans une alliance acide des verts et des roses, le clair de lune n'intervient guère dans *la Fête* qu'à la fin de la scène qui dure toute la journée (2). Je suis frappé au contraire de la variété des teintes, très nuancées contre toute attente. Plus qu'une grisaille estompée de Corot, *la Fête* annonce la palette monticellienne. Sur le vert uniforme du gazon et des feuillages (3), se détachent l'incarnat des joues de Thérèse près desquelles « les roses pâlissent », ses cheveux blonds et les citrons jaunes de Pantalon, les bleus distingués de l'azur puis du clair de lune, le violet de l'abbé et le mauve des lilas, les taches blanches enfin du cygne, de Pulcinella et de Pierrot, noires du masque, de Crispin et, si l'on veut, du singe. Ce ne sont point là des couleurs ordinaires, mais recherchées, bien que seulement indiquées, dirait-on, comme par de légers frottis. Et l'effet pictural n'est pas douteux du jeu d' « ombre des branches » sur la chair ensoleillée des « gorges blanches ».

Cependant, là n'a pas porté l'unique effort du poète. Ces légères touches de couleurs vives et claires n'apparaissent guère que pour égayer le paysage. On remarquerait au contraire une tendance de Victor Hugo à décolorer, à dégrader le ton à travers les différents « états » du début. Hugo qui a d'abord écrit « la duchesse Laura ... dans son beau jardin vert », deux vers d'un net contour, estompe la fin « dans son jardin charmant », puis efface et recommence un dessin nonchalant et imprécis avec les mots négligents d'un grand seigneur, obtenant le remarquable effet que l'on connaît :

(1) « ... la *Fête chez Thérèse*... tableau magique aux vagues plans multipliés comme ceux de l'*Embarquement pour Cythère*, au doux coloris bleuâtre fouetté de touches plus vives et doucement ébloui d'en haut par le clair de lune... » *l'Œuvre de Victor Hugo*, nouv. éd., Flammarion, 1933, p. 241-242.
(2) « A midi, le spectacle avec la mélodie. » C'est faute d'avoir compris le développement de la scène (concert, pièce, puis venue de la nuit et fuite dans les bois, note v. 77, éd. Vianey) que F. Gregh est amené à attribuer à la scène cet uniforme éclairage « bleuâtre » du clair de lune final et, ce qui est plus grave, à accuser le poète de négligence : « Détails, dira-t-on, qui n'enlèvent rien à la beauté... Certes, et ces légères étourderies, ces taches presque invisibles dans le rayonnement du « clair de lune bleu » ne vaudraient guère la peine d'être relevées, si elles ne nous montraient que tout ce poème, justement fameux, à la fois plein de grâce et plein de beauté, a été pourtant, comme il arrive souvent à Hugo, fait un peu trop de verve, et, si j'osais employer une expression de peintre, « de chic », et que dans la maîtrise du grand poète il n'y a pas toujours une conscience artistique absolument sans reproche. » Une lecture un peu attentive aurait détourné M. Gregh de porter, puis de maintenir dans une 2e éd., un jugement sans fondement.
(3) Première rédaction :
   La duchesse Laura, brune à l'œil bien ouvert,
   Nous avait conviés dans son beau jardin vert.
« La cage verte » du bouvreuil aussi.

> La chose fut exquise et fort bien ordonnée.
> C'était au mois d'avril... (1).

Cette impression est d'ailleurs accentuée par l'effort visible du poète pour désarticuler le vers et lui donner l' « air familier » de la prose qui rappelle la transcription de Molière en « lignes plates » imaginée autrefois par Sainte-Beuve pour défendre *Cromwell* (2). Car il y a la musique du vers, tour à tour mélodieuse ou croustillante, *sforzendo*, enragée par les timbales du singe, ou très savamment *decrescendo*, évanouie, comme celle des carnavals de ses drames (3) : « un peu de musique », comme dans *Eviradnus* (4) ; la nature mêle un peu de sa musique, le bercement des branches, le chant d'un rossignol dans les ténèbres, le « murmure joyeux » des arbres au « concert gracieux et classique » des violons, on attendait presque « les sanglots longs des violons ». Cela ne nous étonne pas d'un thème tout rempli de correspondances sonores et de l'écho tour à tour mourant et vif de fêtes vues et entendues.

Car la pièce n'est pas conçue à la manière statique d'un tableau, mais comme une petite comédie, ou mieux, comme un ballet (5). L'action est mince, mais elle existe et se déroule d'un peu avant midi jusqu'avant dans la nuit. Cependant on dirait parfois que les attitudes sont arrêtées en plein développement comme on voit dans d'habiles tableaux. Aucun mouvement brutal ne dépare la douce harmonie qui règne. Tout y épargne l'incohérence de gestes désordonnés, de mouvements mal réglés, et suggère les gracieuses et lentes évolutions des groupes d'un ballet :

> On était peu nombreux. Le choix faisait la fête.
> Nous étions tous ensemble et chacun tête à tête.
> Des couples pas à pas erraient de tous côtés.

Tous ces verbes, *erraient, rêvant, rôder*, évoquent des déplacements

---

1) Cf. éd. cit., p. 135. Comparer le ton de Musset dans *Sur trois marches...* (1849):
> Elles sont près d'un vase blanc,
> *Proprement fait et fort galant.*
> Est-il moderne ? est-il antique ?
> D'autres que moi savent cela ;
> Mais j'aime assez à le voir là...

et le ton d'un Horace Walpole, rendant compte d'une fête analogue en mai 1763 :
« The day was perfect and the scene transporting... »

(2) *Débats*, 13 août 1827, cité par Bray, *op. cit.*, p. 185. La même intention dans l'attaque d'*Une soirée perdue* (juillet 1840) :
> J'étais seul, l'autre soir, au Théâtre français,
> Ou presque seul...

Même travail dans le vers 65 dont la première rédaction était un vers fort régulier
> Rien de plus, rien de moins. Écoutait qui voulait.

corrigé en :
> Rien de plus. C'était simple et beau. — Par intervalles,
> Le singe...

(3) Cf. la remarque judicieuse de M. Levaillant sur les sonorités étouffées de « cette fin en mineur ».

(4) Titre de la division XI.

(5) Cf. Th. Gautier, note finale sur *Giselle, ballet fantastique* (1841), *in Théâtre*, éd. cit., p. 367 : « Qu'on ne s'étonne pas de nous voir attacher quelque importance à de frivoles canevas chorégraphiques ; Stendhal, que personne ne soupçonnera d'être un enthousiaste, admirait fort le chorégraphe Vigano, qu'il n'appelait jamais autrement que l'immortel Vigano et qu'il nommait l'un des trois génies modernes. Gœthe également faisait le plus grand cas du ballet, qu'il regardait comme l'art initial et universel. »

modérés : seul le tintement d'un rire apporte comme une note sensible
à cette gamme nuancée en bémols. On voit que Hugo a retenu la leçon
de ses rêves (1) et dose le savant équilibre de précis et d'imprécis,
de mobile et d'immobile. Tout au contraire, les figurants du décor, véritable « tableau vivant », sont figés, arrêtés ou ralentis de façon à composer
un de ces dispositifs d'ensemble qui sont « le clou » des ballets : Pulcinella qui sonne de la trompette, Trivelin saisi dans le rire qui le courbe
en deux, Colombine dormant, Crispin et Carlino, qui de son éventail,
qui de sa jambe pendante, animés d'un parallèle mouvement de balancier
indiqué, mais inachevé :

> Et son pied ébauchait de rêveuses gambades.

Les clowns rompent ce silence, cette paix irréels avec leurs gesticu-
lations d'un désordre calculé : Scaramouche, Alcantor, Arbate, qui vont
rejoindre l'inaudible dialogue de Pierrot « nonchalamment assis » avec
un singe sourd et déchaîné. Ainsi en une mélodie le compositeur jette
parfois des notes criardes et aiguës qui accentuent encore la douceur
de la mélopée. Mais les bruits peu à peu se font plus espacés, le galant
parle bas, l'abbé se contente de *fredonner* et l'ombre qui envahit peu à
peu le parc semble amortir ces derniers échos de la fête jusqu'à faire
régner un absolu silence où sombre la raison, seulement troublé par les
notes grêles d'un rossignol, le froissement des amoureux dans les buissons
et des rires dans la nuit (2).

Le décor s'inspire du même souci de mêler le précis à l'imprécis. C'est
le décor épanoui du parc classique : dans une journée « si douce » d'avril,
de « grands escaliers » sous les frondaisons naissantes, un théâtre de verdure bâti « comme un temple d'amour » près d'un bassin avec un cygne,
les essences précieuses des arbres, des charmilles, quelques tables de
jardin, un paon, des buissons, une roseraie suggèrent quelque Ermenon-
ville ou Trianon où les sons, les parfums, les visions enivrent tous les
sens. La nature, au lieu d'être raillée pour son ordonnance imposée, se
plie d'elle-même à l'artifice. Le soleil fait le lustre, le gazon le tapis et
les premières floraisons bizarres des ébéniers forment les falbalas Louis XV
de ces coulisses improvisées que la nature semble avoir préparées de toute
éternité. Ces complaisances de la nature, éloignées d'une baguette seulement des contes de Perrault et de Nodier où la citrouille passe carrosse,
élaborent une domestication consentie de la nature dont nous avons déjà
rencontré plusieurs symptômes. Elle va envahir la poésie de V. Hugo après
1850 et le paon figé dans l'admiration de Thérèse en est un symbole.
C'est la pure réalité pourtant, le poète nous demande de le croire : si
la nature stimulée par l'exemple des hommes accepte de partager leur
allégresse folâtre, son enjouement n'est pas feint. Ce sont « les vrais arbres
du parc » qui se *divertissent* à jouer leur rôle dans la fête et donnent au
rêve l'agrément de la réalité. Aussi les contours de celle-ci s'estompent
dans une atmosphère suscitée par des épithètes moins souvent sensorielles
qu'affectives : au hasard, *exquise, fantasque, serein, doux, charmant, pur*.

(1) Cf. 1re section, chap. III, *le Rêve*.
(2) Admirer l'audace que nous ne sentons pas assez de l'alliance : « leur molle
raison ».

Les personnages baignent dans cette même atmosphère qu'ils contribuent à créer. Ils sont tous, à peu d'exceptions près, issus de la comédie
italienne dont on dirait que pour l'occasion Hugo a épuisé les noms dans
les catalogues de Riccoboni ou de Du Gérard (1), mais ces exceptions
ont de l'importance, car elles. introduisent une marge de fantaisie gratuite, de pur jeu, en même temps qu'elles peuvent nous aiguiller sur des
pistes neuves. Amyntas et Léonore appartiennent à la pastorale et au
roman italien (2), fort en honneur au XVIIe siècle, auquel ressortissent
Alcantor et Arbate, personnages secondaires de Molière et Racine. Ce
« Watteau », tout autant que Watteau le peintre, incline, on le voit vers
ce XVIIe siècle de *Passé* et du *Faune*, des cours de Fontainebleau, Saint-
Germain et Versailles au temps des rois Henri IV, Louis XIII, et Louis XIV,
que rappelle au surplus le souvenir de la chanson d'Alceste « Si le roi ».
Mais il n'est pas facile de dater l'époque d'une pièce de fantaisie et Hugo
l'eût-il voulu ? Le *triste Arbate* peut évoquer fidèlement la morne figure
du confident, mais *le tragique Alcantor* est dit par antiphrase et le tout
pour parodier la composition d'un vers classique (3). Hugo s'amuse :
la *batte* d'Arlequin ou de Scaramouche à la rime amène *Arbate* qu'elle
harcèle, le *triste Arbate*, qui entraîne à son tour par pure allitération son
pendant *le tragique Alcantor*. Le travail de bouts rimés des *Ballades* et

(1) L. RICCOBONI, *Histoire du Théâtre italien... avec un catalogue des tragédies
et comédies depuis* 1500 *jusqu'à* 1660, Paris, 1798, et DU GÉRARD, *Table alphabétique
des Pièces représentées sur l'ancien Théâtre italien...*, Paris, 1750. C'est seulement en
1862 et 1867 que parurent les ouvrages de Maurice Sand et de Louis Moland sur
la *Comédie Italienne*, cf. Armand BASCHET, *les Comédiens italiens à la Cour de France*,
Paris, Plon, 1882. Cet ouvrage cite (p. 243-244) des fragments de la correspondance
de Malherbe (éd. Hachette, 1862, t. III, p. 350 sq.) qui éclairent l'intervention aux
v. 16-17 de Plaute : « Pourquoi jouer Plautus la nuit ?... » Il y est question à la date
du 15 septembre 1613 d'une représentation des Comédiens italiens au Louvre sous
la régence de Marie de Médicis : « Je fus samedi au soir à la Comédie Italienne par
commandement exprès de la Reine... Ils (Arlequin et Pétrolin) jouent la Comédie
qu'ils appellent *Dui Simili* qui est le *Menechmi* de Plaute... » ; et d'un voyage de la
troupe à Fontainebleau avec le Roi. Je ne serais pas étonné qu'en cherchant bien
on trouvât un texte du XVIIe siècle qui ait fourni à Victor Hugo un document de
départ. Il apparaîtrait peut-être que Thérèse la duchesse est tout simplement le
prénom de quelque « duchesse de Gonzague » ou de Mantoue, amateur de comédie
italienne. Car, contrairement à ce qu'affirme sans citer d'exemple P. SOUCHON (*art.
cit.* : « la fantaisie du poète et sa prédilection pour ce prénom de Thérèse que
nous trouvons tout au long de son œuvre »), il m'a toujours semblé que ce nom ne
court pas les vers de Victor Hugo. Je le retrouve dans une pièce du Reliquat des
C. R. B., p. 342, intitulé *la Figliola*, qui évoque peut-être le nom d'une comédienne
italienne. Ce qui a pu égarer jusqu'à présent les recherches, c'est la pensée
du XVIIIe siècle. On s'explique ainsi l'allusion à la Chanson du temps du roi Henri
louée par l'Alceste de Molière :

        Thérèse la duchesse à qui *je donnerais*
        Si j'étais roi, Paris...

Hugo aurait pu rencontrer ce texte à propos de ses projets de comédie
sur Mme de Maintenon (*Madame Louis XIV*) où l'on retrouve « Laure » (*Th. J.*,
p. 469) et le nom de Molière. Ainsi s'expliquerait par association la présence d'Alcantor du *Mariage forcé* et d'Arbate de *Mithridate*. Toujours dans les essais de comédie,
on trouve à propos d'une certaine Flora qui a tourné à la dévotion après avoir été
probablement une courtisane (cf. « la comtesse Floriane », *C. R. B.*, Rel. 326) ces
deux rimes du portrait de Thérèse :

        Le beau paon a perdu les plumes de sa *roue :*
        Lys du front, jais des cils et roses de la *joue...*

                              (*Ibid.*, p. 497.)

(2) Cf. éd. Vianey, p. 136, note v. 13 : Amintas, berger de la pastorale du Tasse.
(3) On a déjà vu des exemples de ce goût pour la parodie (cf. ici p. 54, 248 n. 1, 349)
et on en verra encore par la suite, p. ex. dans *la Forêt mouillée* (1854), qui en regorge.

des *Chansons* se retrouve dès que V. Hugo s'abandonne à sa fantaisie. C'est un jeu, mais c'est le jeu d'un grand poète.

Le style offre autant de subtilité que la prosodie. C'est toute une étude minutieuse de style et de rythme qu'il faudrait consacrer, mot par mot, vers par vers, à une œuvre aussi raffinée. Il y a ainsi tout un jeu de l'article. L'emploi de l'article défini pour les personnages typiques et connus de la comédie italienne va de soi : « le seigneur Pantalon ». Il s'appuie parfois finement sur l'épithète de nature, tant pratiquée par les poètes classiques : *le blanc Pulcinella, le tragique Alcantor*. L'ensemble de l'article et d'un qualificatif aussi simple produit un effet de signification à la fois si déterminé et si sommaire qu'il confère au personnage une personnalité unie, même unilatérale, une âme incapable d'exprimer d'autres sentiments que ceux de son clavier à une seule note, en bref la physionomie, tout ensemble précise et vague, d'une marionnette (1). Au pluriel, s'il rend un effet naturel de masse uniforme, il implique du même coup que les caractères des personnages déguisés s'arrêtent au type de leur domino. Plus paradoxalement qu'à l'ordinaire, il recouvre une profonde indétermination. Le mélange disparate des deux semble produire une impression de naturel mystère :

> C'étaient *les* fiers seigneurs et *les* rares beautés,
> *Les* Amyntas rêvant auprès *des* Léonores,
> *Les* marquises riant avec *les* monsignores.

Il n'est pas jusqu'au rossignol auquel l'adjonction de l'article défini ne paraisse conférer par une très subtile raillerie un rôle officiel qui fait coq-à-l'âne : « *le* rossignol chanta (2) ».

Comment reconnaître alors dans ce mélange de précis et d'imprécis l'original de la reine de cette fête : « Thérèse la duchesse », « Thérèse la blonde »,

> Cette belle Thérèse, aux yeux de diamant... (3).

Il faut certes l'aveuglement d'une érudition passionnée pour déduire Juliette ou Léonie (4) de ce portrait aussi peu caractérisé que celui de Mlle de Chartres dans *la Princesse de Clèves* (5). Ces *yeux de diamant*,

---

(1) Cette absence de détermination sociale des personnages éclate dans « un abbé violet » (v. 76) : le « monsignore » du v. 14 n'est plus même considéré dans l'ordre d'une vaine hiérarchie sociale, mais seulement pour la couleur de son costume qui tranche sur le vert du gazon et qui se retrouvera dans *Lettre* (*C. R. B.*, I, VI, 20), « un prélat violet ».

(2) Comme on dit : « l'huissier annonça » sans préciser quel huissier.

(3) *Cette belle : illa formosa...* Le démonstratif renforce encore la détermination du qualificatif par le signe de la réputation. Quant aux « yeux de diamant » qui semblent suffire à identifier Mme Biard selon GUIMBAUD (*op. cit.*, p. 10 et 75), rappelons que Juliette dont les « cheveux pétillaient de mille diamants » partageait ce trait avec Léonie Biard, cf. *A Ol.*, V. I, XII :

> ... et plus ardents encore...
> Ses yeux où l'on voyait luire son cœur brûlant.

(4) VIANEY, *op. cit.*, p. 133 : « J'avais toujours pensé que Thérèse la blonde était Mme Biard. » GUIMBAUD, *op. cit.*, p. 9 (n. 1) et p. 75 : Thérèse est blonde comme Mme Biard ; mais si Laura, la doublure projetée était brune, est-ce Juliette ? non, c'est pour « dépister les curieux ». L'argument est évidemment trop commode pour ne pas être aussi utilisé en sens inverse par Souchon en faveur de Juliette, « l'inspiratrice de *la Fête chez Thérèse* ».

(5) « Il parut alors une beauté à la cour qui attira les yeux de tout le monde, et l'on doit croire que c'était une beauté parfaite, etc... La blancheur de son teint et

ces joues de *roses*, en épuisant les termes de comparaison jusqu'au super-
latif, comment ne voit-on pas que, loin de préciser une physionomie,
ils la dépersonnalisent en un hommage précieux ? Ainsi le duc de Nemours
avait-il un noble visage et des cheveux blonds. Qui peut dire quelles
impressions et quelles surimpressions se jouent sous le masque de ce
nom, de cette « belle tête » qui, comme celle du buste de la fable, ne
cache peut-être que le vide.

Ce qui me frappe au contraire, c'est tant de motifs et de thèmes entre-
mêlés, c'est une atmosphère ainsi créée qu'on ne peut à coup sûr attribuer, malgré qu'on en ait, plus au XVIIIe siècle qu'au XVIIe, c'est le bal
Restauration, les fêtes de la cour citoyenne ou de la Chaussée d'Antin,
le carnaval, les masques, thèmes poétiques et choses vues. Et peut-être
cette complexité explique-t-elle l'éclat unique de cette pièce qui miroite
par tous ses vers comme par autant de facettes. C'est un travail de mar-
queterie où l'on ne voit pas les joints. Ce n'est pas tout : on voit qu'elle
est un très curieux mélange de fantaisie consciente, ou mieux artiste,
et d'une fantaisie ingénue qui obéit au mouvement du rythme et aux
associations dictées par les rimes. Des ratures et des éclairs, mais qui ne
se distingueraient pas dans l'ensemble, si l'on ne savait pas. Cela suggère
autant de bonheur inspiré que d'effets soigneusement pesés, calculés,
le tout dosé avec tant d'art que le résultat de cette élaboration garde une
fraîcheur, une simplicité toutes spontanées. Quand on compare aux déjà
nombreux *Pastels* et *Rococo* de Gautier, de Nerval, qui s'intercalent ici
ou là avant *Thérèse* dans la chronologie de ces premières « fêtes galantes »
de V. Hugo, une autre différence frappe : on constate que cette pièce a bien
près de cent vers, quand les autres n'en dépassent pas vingt, et que c'était
une gageure, que V. Hugo a tenue, de prétendre prolonger aussi longtemps une aussi intemporelle tapisserie. Aussi une certaine volonté
paraît-elle avoir présidé, même de loin, à l'élaboration de ce « Watteau »,
tout comme, plus visiblement, tel est le cas pour ce « Chénier », cet exercice
contemporain qu'est *le Rouet d'Omphale* (1). « Chénier », « Watteau »,
ne dirait-on pas déjà des titres prêts à entrer dans cette série d'évocations
que le poète rassemblera plus tard sous le nom de *Groupe des Idylles* (2) ?

Petite suite galante.

Ce dernier trait, l'étendue de la pièce, joint à son incomparable beauté,
explique qu'elle ait à la fois éclipsé d'autres essais plus réduits du même
poète et également ceux de ses contemporains. Mais elles ne doivent

ses cheveux blonds lui donnaient un éclat que l'on n'a jamais vu qu'à elle ; tous
ses traits étaient réguliers, et son visage et sa personne étaient pleins de grâce et de
charme... » (Ire *Partie*, éd. les Belles-Lettres, p. 10-11).

(1) *C.*, II, 3, 20 juin 1843. A propos du retour à l'antiquité vers 1840, son impression
sur « Arles et Avignon, deux admirables villes qui sont romaines par les monuments
et grecques par le soleil » *L. aux B.*, p. 117, 30 septembre 1839, Marseille ; l'églogue
de Chromis et Mnasyle, *T. L.*, IV, 2 (1844-1846 ?) et la description d'une coupe
d'étain, combat du Centaure avec le Lapithe (*ibid.*, IV, 3, Album, Cauterets,
22 août 1843). Ces esquisses « préparnassiennes » (cf. début Ire section) sont en étroite
connexion avec la veine XVIIIe siècle et le genre de la « transposition d'art » pratiqué
par Gautier : les soixante-dix premiers vers d'*A propos d'Horace* (*C.*, I, 13), attribués
avec grande apparence de raison à l'année 1846, portaient pour titre *Autre dessus
de porte* et dans la table simplement *Horace*. Titres et thèmes interchangeables,
ou presque.

(2) *L. S., N. S.*, XVIII.

nous faire oublier ni les uns ni les autres. C'est peu avant son départ pour le Rhin ce « placet futile » de huit alexandrins, dans la manière exclamative de l'élégie, de la pastorale classiques :

> O bonheur d'être aimé! Félicité suprême!
> Berger, rends grâce aux Dieux! on te désire! on t'aime!
> O berger! Vesper luit, ce bel astre éclatant.
> Ta maîtresse est là-bas qui brûle et qui t'attend.
> Traverse la forêt, traverse la clairière... (1).

Ce *Trumeau* est à la frontière de « Chénier » et « Watteau ». Ainsi se mêlent les thèmes que nous avons distingués pour les mieux connaître. La *Guitare* de 1844, que nous avons déjà citée, tournera la « guitare » de 1838 en madrigal (2) et l'on retrouve marquis et duchesses dans les « masques » du *Théâtre en liberté* (3). Bien plus, à la faveur d'un « rêve », scène de cauchemar « bouffonne et terrible » qui annonce l'imagination cruelle d'un Villiers de l'Isle-Adam, le rococo se mêle au grotesque dans un carnaval de « négresses vêtues en marquises (4) » et les hantises de 1825 se réveillent sous un travesti disparate : évocation grotesque d'un luxe hallucinant. Tant il est vrai que ces courants parallèles se rejoignent par des biefs avant de se séparer à nouveau, manifestant chacun à sa manière un même désir d'émancipation, une même intention de renouvellement et de revanche.

Nous n'avons pas fini désormais d'en suivre le cours. Pour ce qui est des « fêtes galantes » proprement dites, tout peut lui en fournir désormais le prétexte, « chose vue » ou poème lu.

C'est dans ce voyage de 1840 que pour la première fois Hugo visite, près de Rastadt, « la Favorite » et les *Jardins de la Margrave Sybille*. Ses notes d'album commentent le thème du château et du parc désert, mais transplanté sur les bords du Rhin et nuancé par le fantastique des *Burgraves* :

---

(1) *Trumeau*, T. L., VI, 17, 16 juillet 1840. Cf. note sur les *trumeaux*, p. 376. Ce trumeau » pourrait s'appeler « Properce », cf., p. 257, l'élégie célèbre qu'il évoque.
(2) *D. G.*, LXXII, 30 septembre 1844, anniversaire de son départ pour Versailles (cf. *L. aux B.*, p. 140, cité ci-dessus à propos de Versailles).
(3) *Th. J.*, p. 496-497 : « Mes grands seigneurs brodés... etc. »
(4) *Ch. v.*, I, p. 7-8 : « Un peu plus loin, les pieds dans le sang du bœuf, deux négresses vêtues en marquises, couvertes de rubans et de pompons, la gorge nue, la tête encombrée de plumes et de dentelles, hideuses à voir, se disputaient une magnifique robe de satin de Chine, que l'une avait saisie avec les ongles, et l'autre avec les dents...
Rien d'étrange... comme toutes ces modes charmantes du siècle frivole de Louis XV, ces larges paniers, ces habits à pasquilles, ces falbalas, ces caracos de velours, ces jupes de pékin, ces dentelles, ces panaches, tout ce luxe coquet et fantasque, mêlé à ces faces difformes, noires, camuses, crépues, effroyables... » Récit de la révolte de Saint-Domingue, *dicté le 25 septembre* 1845. Tout le prodigieux récit de ce sanglant carnaval noir est à lire : d'où — livre, tapisserie, rêve, ou combinaison de ces éléments — l'imagination d'Hugo a-t-elle tiré tant de détails ? Ce « cadavre d'un gros homme tout nu » d'où émerge un poignard « comme une croix sort de terre », ces « gnomes cuivrés, bronzés, rouges, noirs » dont deux « mettaient en même temps les deux manches du même habit et se gourmaient de leurs deux poings restés libres », le déménagement en carrosses, le magistrat jaune au rabat blanc talonnant de ses jambes nues un cheval ventru et les « cinq à six singes déguisés en soldats et tapant chacun au hasard sur un tambour », qui rappellent le singe timbalier de *Thérèse*, etc., d'où lui sont-ils venus ? Ce sujet avait déjà inspiré, dans les premiers temps du romantisme, à Ch. de Rémusat un drame en cinq actes, l'*Insurrection de Saint-Domingue*, 1824 (voir BRAY, *op. cit.*, p. 124) et à Hugo son *Bug-Jargal* remanié en 1825 et publié en 1826.

Mélancolique palais de la margrave Sybille, le gracieux devenu grave, le joli devenu lugubre, le coquet devenu sépulcral. On s'attend à rencontrer sous ces bosquets en ruine des spectres de poupées.

Jardin, grands marronniers. Je me suis promené dans ces allées dont le tracé se dérobait.

Statues tristes au-dessus d'une treille, brutalisées par des vignerons ; elles, ces Pomones et ces Dianes, qui, il y a cent ans à peine, étaient courtisées par des seigneurs. Charmant fronton rococo exhaussé sur perron de la chapelle bâtie par la margrave Sybille...

Sous les feuilles jaunes, fontaines taries, bassin effacé. Grand gazon devant la façade coupé par une allée en croix qui le fait ressembler à un blason de la croisade posé à terre... (1).

Pourtant le « cuadro » en seize vers, que lui ont inspiré à une date indéterminée les *Jardins de la Margrave Sybille* (2), ne semble se ressentir aucunement de ce funèbre nocturne rhénan. Le thème poétique a été plus fort et la fantaisie a triomphé de la réalité même qui l'a suscitée. Elle fait circuler de nouveau les couples travestis sous les ombrages du parc repeuplé, comme au temps où « ces Pomones et ces Dianes... étaient courtisées par des seigneurs » :

> ... et dans le clair obscur,
> On voyait les bras nus et les gorges de marbre
> Des déesses riant parmi les branches d'arbre.

C'est d'ailleurs une courte, mais évidente démarcation de *la Fête chez Thérèse*, dont le nonchalant bon goût, le ton dégagé, le tour bref, certains vers même sont reproduits :

> Le jardin était plein de bonne compagnie.
> Thérèse dans un coin, avec quelque ironie,
> Tenait sa cour, menant du bout de l'éventail
> Des ducs, des financiers, des prélats, son bétail... (3).

(1) *V.*, II, Rel., p. 479, 25 octobre 1840. Il y reviendra le 11 septembre 1863 : « *la Favorite.* Charmant palais rocaille. Chef-d'œuvre du fantasque et du charmant... » etc. (*ibid.*, p. 507) ; le 10 septembre 1864 : « Revu *la Favorite* et l'ermitage de Sybille. » (*ibid.*, p. 514). Il pouvait en lire une description dans la 31e excursion du *Guide* de Schreiber-Henry qu'il suivait (*op. cit.*, p. 49) : « Maison de plaisance et beau parc à six quarts d'heure de Bade et à une lieue de Rastadt... Rien de mieux choisi que la position de ce château à l'avant-scène d'un bocage d'arches et d'arbrisseaux étrangers mêlés aux chênes de la patrie... Ce *palais des fées* fut bâti en 1725 par la margrave Sybille-Auguste, princesse de Lauembourg, épouse du grand général Louis-Guillaume. La naïveté, qui faisait le caractère de la princesse,... paraît... dans tout l'ensemble de ce château. On y trouve une imagination brillante, enfantine, enjouée, un vrai goût pour l'art de la décoration des pièces... un bizarre assemblage de poissons, d'oiseaux, de fleurs », etc... Hugo a en effet remarqué en 1864 l'intérieur qui pouvait lui rappeler certains aspects du sien. Coïncidence : c'est en 1840 qu'on joue pour la première fois l'Opéra *la Favorite* de Donizetti (livret de Scribe).

(2) *T. L.*, II, 27. Il est attribué dans l'éd. I. N. à 1856-1858. Je me demande si l'éditeur a fait le rapprochement avec les divers fragments ci-dessus rappelés. Il devrait, j'imagine, être attribué — sauf compte de l'écriture qui n'est pas toujours aussi sûre — soit à 1840, soit à 1863-1864 (seuls les sifflets des rossignols semblent appartenir à la période postérieure à 1850). Or, c'est une si évidente démarcation de *la Fête chez Thérèse* qu'il convient de toute façon de l'en rapprocher. L. Guimbaud n'en doutait pas, qui écrit imperturbablement : « Celle-ci (la margrave Sybille) n'est autre que Mme Biard. Le jardin est encore celui des Plâtreries, le sujet, une conversation galante. » (*Op. cit.*, p. 82, n. 1). Mais avait-il lu ces textes ?

(3) Cf. *La Fête chez Thérèse*, même assistance aristocratique, même ton :

> On était peu nombreux. Le choix faisait la fête.

et l'attitude semblable de Thérèse à l'écart :

> Thérèse était assise à l'ombre d'un buisson.

Le site précis est si manifestement un prétexte dont il n'est pas autrement tenu compte que le poète, qui l'eût pu faire, ne se donne pas même la peine d'accorder le nom au titre (1). Tous les motifs connus, avec économie, s'y trouvent réunis : la « terrasse... en charmille », « un vieux faune courbé », « un jeune abbé », les « marquis en manteaux espagnols (2) », auxquels sont adjoints pour la circonstance « deux philosophes gris ». Rhadamire et Aramynthe (3) y remplacent Amyntas et Léonore. Mais l'impression vive de la « chose vue », le « pavillon démantelé plein de ténèbres » est resté à l'état d'ébauche et n'eût probablement pas effacé « les Trianons déserts, les Versailles croulants » auxquels l'acheminait ce projet inachevé (4). Que cet essai soit d'avant ou d'après 1850, il témoigne, parmi d'autres du même genre, de façon plus caractéristique peut-être, combien désormais le thème poétique, une fois fixé dans sa forme la plus heureuse, tend à l'emporter sur les « choses vues » qui en fournissent le prétexte et à conduire le poète à une apparente imitation de soi-même. L'imagination s'émancipe du réel auquel elle ne demande plus qu'un point de départ et pour ainsi dire une piste d'envol (5).

Tout à la fin de cette période, dans le même ordre d'inspiration, qui annonce la poésie d'appartement des impressionnistes, la description célèbre de sa chambre, dans la maison qu'il occupa entre 1849 et 1851, rue de la Tour-d'Auvergne (6), nous amène à exprimer des observations analogues. Le poète semble s'y soumettre d'abord à l'objet, laissant son regard errer au gré des trois dimensions :

> Vénus rit toute nue au-dessus de mon lit
> Qu'un damas écarlate à glands dorés plafonne,
> Des singes sur mon mur, bande agreste et bouffonne,
> Font cent choses avec ces rires furieux
> Qui ravissent Molière... (7).

(1) Il n'est d'ailleurs pas impossible que l'auteur ait accroché le titre après coup à ce trumeau. Mais le nom de *Thérèse* est lui-même une correction.

(2) Cf. *la Fête...* : « galant drapé d'une cape fantasque ». Seul signe imaginable d'un souvenir authentique : « Dans la chapelle, ... une madone, vraie madone espagnole,... vêtue de brocart d'or et de perles... » (*loc. cit.*, p. 479). Mais il y avait aussi des comédiens espagnols, sans compter la tentation de la rime.

(3) Rhadamire, nom forgé d'après Rhadamante, le juge mythique des Enfers, ou Rhadamiste de Crébillon. Aramynthe est le nom d'une des Précieuses de Molière : l'« y » ajouté comme à Amintas est-il une trace de préciosité ?

(4) Brouillon cité, *T. L.*, t. I, p. 365. On lit encore : « les Anet, les Chambord, les Chantilly, les Bagatelle en ruine — terrasses — bassins à sec », ce qui évoque assez les perspectives de *Passé* et de *la Statue*.

(5) P. Souchon, dans sa préface au catalogue de l'exposition *les Séjours de V. H* (*op. cit.*, 1935), écrit : « On y verra combien Victor Hugo était, comme disent les philosophes, « soumis » à l'objet » et combien son inspiration dépendait des lieux où il séjournait. » Sans doute, et je crois l'avoir assez montré à propos de ses voyages. Mais je dirais plutôt « intéressé à l'objet » et je souscris, à cette réserve près, qui dégage sa liberté. La suite rectifie d'ailleurs cette passivité en activité : « Nul, ainsi que l'a dit Théophile Gautier, n'a plus imprimé le cachet de sa *fantaisie* aux lieux qu'il habitait. »

(6) Au n° 37 (aujourd'hui 41). Hugo avait quitté la place Royale après l'envahissement de son appartement par les insurgés en juin 1848. Au 1er juillet 1848, il est installé 5, rue de l'Isly et rue de la Tour-d'Auvergne à dater du 15 octobre selon Hugo (*Ch. v.*, I, 364) suivi par Audiat et à dater de mai 1849 selon Levaillant, E. M. Grant, Souchon et Sergent, etc. On trouvera une description de cet hôtel particulier, situé encore une fois en bordure de Paris, faubourg Montmartre, quartier des anciennes « folies » du XVIIIe siècle, dans L. GUIMBAUD, *V. H. et Mme Biard*, chap. VII, qui se réfère à celles de Janin et Gautier (*Débats*, 7 juillet 1852, *Presse*, 7 juin 1852, *in Hist. du Rom.*, p. 126). Pour le cadre campagnard et suranné, voir NERVAL, *Promenades et Souvenirs*, chap. I, *in Petits châteaux de Bohême*, p. 186.

(7) *T. L.*, V., 9 (1849-1851).

Sans doute ces singes sortent d'une tapisserie dans le style du fameux
salon de l'hôtel de Rohan, à propos de laquelle il convient de rappeler
sa remarque :

> Chaque époque de l'art a dans ses arabesques un monstre qui lui est
> propre et qui revient sans cesse. Au moyen âge, c'est le démon, sous Louis XV,
> c'est le singe (1).

Très précisément, c'est l'arabesque qu'il retient, et, dans l'arabesque,
un motif particulier, au milieu de ce bazar que Juliette appelle « le joyeux
bric-à-brac de l'art », mince prélude encore à l'œuvre qu'il recréera
patiemment à Hauteville House, mais qui porte déjà, selon Gautier,
« le cachet de sa fantaisie ». Tous les romantiques ont couru avec passion
les brocanteurs et les antiquaires : Balzac, Nerval, Gautier, Banville (2).
Hugo a accumulé ainsi bois, cuivre, pierre, toile, tapisserie, tous les
matériaux, tous les styles, la terre cuite Louis XV à côté du cuir de
Cordoue, les soies et les porcelaines de Chine et du Japon, les faïences
de vieux Rouen, cette « Vénus » de Châtillon qu'on imaginerait de Boucher,
au milieu des céramiques, des laqués, des vieux ivoires, du vieux damas
des Indes, de la tapisserie du *Roman de la Rose* et des quatre Lancret :
« tout un monde de chimères, de potiches, de sculptures, d'ivoires
jonche les étagères, reflétés par des miroirs de Venise au cadre de cuivre
estompé (3) ». Pourtant, il choisit, il stylise sa description, évoque le
portrait de l'aïeule, auquel Gautier consacre un *Pastel* entier, en deux vers,
en une image, une fleur dans la main qu'il rendra bientôt à la petite infante,
et très vite, citant « confusément » djinns, brucolaques, mandarins véné-
rables et sournois, dragons, magots et démons, se laisse emporter par ces
introducteurs au pays du rêve. Ce mouvement est accusé dans la fin de
la pièce :

> Mon esprit dans ce monde étrange songe mieux ;
> Comme un oiseau tenté par de lointaines grèves,
> Il ouvre lentement les ailes dans ces rêves,
> Il part du chimérique et monte à l'idéal.

Ce n'est pas pour autant diminuer la part des « choses vues » comme
sources d'inspiration, mais au contraire en préciser la portée (4). Entre
ces deux dates, 1840 et 1849, les séries de fêtes données aux Tuileries,
une fête chez le duc de Montpensier dans le parc des Minimes, au bois

---

(1) *L. Ph. m.*, Rel., p. 245.
(2) Voir A. BILLY, *Vie de Balzac*, t. II, p. 88 et 130 : Diot, ami de Gautier, rattache
cette mode dans *le Cabinet de l'Amateur* (fév. 1861) aux « préciosités littéraires de
1830 ». On se rappelle les *Fragonard* de Gérard en 1832-1834 et son lit à baldaquin
Henri II ; Banville faisait les quais en 1844 à la recherche de gravures de Watteau.
(3) Th. GAUTIER, *Histoire du Romantisme*, loc. cit., Cf. l'avis de J. JANIN, *Histoire
de la Littérature dramatique*, t. IV, 1854, p. 420 : « Il avait la joie et le rire d'un enfant
pour ce qui luit, ce qui reluit, ce qui brille, et ce qui rit dans l'or, dans l'argent, dans
l'ivoire, dans l'étain, sur le grès de la Normandie, et sur la laque de Coromandel. »
(4) C'est dans le même sens que nous avons été amené, par une étude qui tâche
seulement d'être objective, à restreindre la part des dessins dans ses *Orientales*.
La vérité semble que la fantaisie de Hugo ne s'est pas communiquée du dessin ou
des « choses vues » par exemple au poème, mais qu'elle s'est exprimée par diverses
créations qui peuvent être successives ou parallèles dans le temps : sa manière de
voir, telle qu'elle se manifeste dans les « choses vues », ses dessins, ses diverses séries
de thèmes poétiques, mais aussi le choix de son cadre et de son mobilier, dont
bientôt, sous la pression des circonstances et aussi d'un certain besoin d'activité
manuelle pour s'équilibrer, il tracera les projets lui-même ou sculptera, peindra,
gravera, assemblera certaines pièces.

de Vincennes, un bal de bienfaisance offert au Jardin d'Hiver tiennent constamment l'imagination du poète en alerte. Hugo a noté ces impressions dans ses *Choses vues* (1). Ici ou là, Hugo retrouve, aux détails près, les mêmes thèmes, qui s'illustrent dans les mêmes motifs, et ceux-ci appellent les mêmes tours, les mêmes expressions. « C'était beau et charmant », note-t-il de la fête chez le duc de Montpensier, sur le ton de *Thérèse* ou de *Sybille*.

On dansait sous une immense marquise où se tenaient les princesses... L'allée principale du parc était éclairée en verres de couleurs... Les branches et les feuilles remuaient au vent parmi des clartés d'opéra... On dansait des contre-danses chantées. Rien de charmant comme ces voix d'enfants chantant au loin dans les arbres des mélodies tendres et gaies... (2).

Les « panoplies gothiques » du Musée de Vincennes, dressées pour la circonstance contre les murs, parmi les arbres, tels des « chevaliers enchantés arrêtés à jamais dans ce bois en écoutant la chanson des fées (3) », ajoutaient à la scène un éclat et des ombres fantastiques, que rehaussent d'une pointe d'exotisme « deux arabes en burnous blancs » parmi les « lanternes chinoises » semblables à de « grosses oranges lumineuses ». Tel est l'enchaînement du thème que, le poète ayant manqué la fin, son désir la suscite (4) et son imagination improvise à nouveau la décomposition énervée de *la Fête chez Thérèse* :

J'aurais voulu voir apparaître à travers les branches noires, au milieu de cette fête prête à s'éteindre, de ces girandoles ternies, de ces illuminations mourantes, de ces danseurs fatigués, de ces femmes couvertes de fleurs, de diamants et de poussière, de ces visages pâles, de ces yeux endormis, de ces toilettes défaites, cette première lueur du jour si blanche et si triste (5).

Mêmes « oranges de feu » au Jardin d'Hiver en 1849, qui ressemblent encore parmi les fleurs des taillis à « de grosses tulipes lumineuses ». Préparation analogue dont le but, plus ou moins conscient, est d'apprivoiser l'irréel : des bancs, de la mousse, du gazon, un jet d'eau, tout l'appareil du parc classique, « au milieu des arbres, des satyres, des nymphes toutes nues, des hydres, toutes sortes de groupes et de statues qui avaient tout ensemble, comme le lieu même où on les voyait, je ne sais quoi d'impossible et je ne sais quoi de vivant (6) ». C'est dire que la vie lui offre l'irréel réalisé. Baudelaire l'observe dans le *Salon de* 1846 : « La vie parisienne est féconde en sujets poétiques et merveilleux. Le merveilleux nous enveloppe et nous abreuve comme l'atmosphère, mais nous ne le voyons pas (7). » Les publications contemporaines se chargent de lui rappeler constamment cette vérité entre

---

(1) Allusion au « bal des pierrots », *Ch. v.*, I, 222 (1847) ; fête chez le duc de Montpensier, *ibid.*, I, 222 sq., 6 juillet 1847 ; bal dans le Jardin d'Hiver, *ibid.*, II, 31 sq., février 1849.
(2) *Ch. v.*, I, 223 sq. Cf. la voix d'un berger au loin dans son voyage p. 189. Pour de plus longs extraits, voir *la Fantaisie*, t. II.
(3) On songe au *Souper des armures* de Th. GAUTIER, *P. C.*, t. III, p. 77, 1859 : il était présent à cette fête. Cette impression est peut-être à ajouter aux sources suggérées par M. Jasinski dans sa notice, t. I, p. XCIII.
(4) Cf. de semblables désirs notés dans le chap. *Le climat des légendes*, p. 275-276.
(5) Cf. *Après le bal* de Th. GAUTIER, cité plus haut.
(6) *Ch. v.*, II, 32.
(7) XVIII, éd. Conard, p. 200.

1840 et 1849. Or, si Victor Hugo ne publie plus rien depuis l'échec des *Burgraves* et la mort de Léopoldine (1843), les poètes de la troisième génération romantique (1), ceux qu'on appelle encore du nom d'école de *l'art pour l'art*, n'ont pas cessé la lutte commencée depuis 1832 et accentuée en 1843 contre *l'école du bon sens*. Occupant la place laissée libre par le silence ou l'apparente abdication du maître, ils accaparent les revues et constituent ce que Sainte-Beuve va appeler un « rameau détaché du romantisme » qui groupera bientôt avec Nerval, Gautier, Banville et Arsène Houssaye autour de la revue *l'Artiste*, que ce dernier dirige, l'école « fantaisiste (2) ».

C'est en 1842 que Victor Pavie, disciple de Hugo, publie chez l'éditeur des romantiques Renduel l'œuvre posthume de Louis (Aloysius) Bertrand, mort l'année précédente : *Gaspard de la Nuit ou Fantaisies à la manière de Rembrandt ou de Callot* (3), où le fantastique se mêle très librement à la fantaisie pure. C'est celle-ci qu'un poète auteur d'opéras-comiques, Michel Carré, réclame pour « muse » dans le prologue d'un recueil publié en 1842 (4). Les vers sont médiocres, mais l'intention est significative et la fantaisie « artiste » très largement évoquée par les images de « petit maître » :

> Vous ne connaissez pas — ô profonds connaisseurs!
>   Outre les neuf muses,
>   Une petite muse
>   A l'air mutin
>   Qui soir et matin
>   S'amuse
>   D'une fleur ou d'un papillon.
>   Ce n'est pas celle qu'on vante
>   Pour une fille savante.
>   Mais son mince cotillon
>   Et ses brodequins à frange
> Ses colliers de rubis, ses bagues, ses turbans
>   A rubans,
>   Lui donnent un air étrange
>   Qui me charme par-dessus tout.
>   Oui, par le ciel! c'est la fille que j'aime
>   Elle a l'air d'une bohême.
>   Que m'importe! — J'en suis fou.
>   On la nomme *Fantaisie* (5).

(1) Les romantiques de la première génération, assez peu caractérisés, encore rattachés par goût au xviiie siècle et à la tradition classique, sont nés entre 1780 et 1790 : les libéraux, Stendhal (1783), Latouche (1785) et les légitimistes, Nodier (1780), Soumet et Guiraud (1788), Lamartine (1790), E. Deschamps (1791). La seconde génération se concentrerait autour de 1800 : Vigny (1797), Balzac (1799), Hugo (1802), Dumas (1803). La troisième, annoncée par Musset (1810), précurseur et indépendant, faisant la transition entre les tendances des deux générations, se situerait entre 1810 et 1820 : Nerval (1808), Gautier (1811), A. Houssaye (1815), Champfleury (1820), Banville (1823) parmi lesquels Baudelaire (1821) trouverait à certains égards sa place, et peut-être aussi Leconte de Lisle (1818).
(2) M. Jasinski a marqué l'accession progressive de cette tendance du romantisme qui s'insinue entre le romantisme proprement dit et l'école dite réaliste. Certains, comme Gautier, sont *romantiques fantaisistes;* d'autres, comme Champfleury, *fantaisistes réalistes.* Cf. *Hist. de la litt. fr.*, t. II, p. 334-335.
(3) Noter au passage le degré d'indécision du titre. On pourrait dire de certaines pièces de Gautier et des autres : *fantaisies à la manière de Watteau ou de Boucher.*
(4) *Les Folles Rimes et Poèmes.*
(5) Dans le second « couplet », il déclare avoir choisi « pour ses chansons et ses colifichets » cette « grisette du Parnasse » dont la folie lui plaît : « parfois elle met sa tunique à l'envers », c'est assez bien évoquer l'illogisme de la fantaisie. On retrouve

Gautier et Nerval continuent de publier des « pastels » que nous avons parfois signalés par anticipation (1). En 1845, le premier publie la première édition de ses *Poésies complètes*. A la même époque, des fragments du second prennent place dans *l'Artiste* (2). Hugo connaît fort bien ce mouvement et Arsène Houssaye qu'il appelle avec son aimable condescendance « mon cher poète (3) ». Gautier publie des « bastonnades » et des « arlequinades », dont ce *Pierrot Posthume*, en 1845, où se retrouvent les personnages de la comédie italienne, Pierrot, Arlequin, Colombine et le Docteur : « Est-ce que vous croyez, cher Albertus — écrit Hugo — que tout le monde verra votre charmant chef-d'œuvre excepté moi ? Je viens d'en lire des vers exquis (4). » Banville, pour qui « la Muse est un oiseau » (5), publie l'année suivante son second recueil de vers, *les Stalactites*, dont quelques pièces ont déjà paru dans *l'Artiste* en 1844 et 1845 : à côté d'un certain nombre de chansons anacréontiques figurent des « transpositions d'art » qui sont presque toujours des « fêtes galantes (6) ». La même année, paraît le *Salon de 1846* qui constitue un véritable manifeste. Baudelaire y pose le principe d'un nouveau romantisme, fondé sur « l'héroïsme de la vie moderne (7) ». Musset a publié en 1843 *Mimi*

dans les vers de ce recueil l'influence de Musset (avec un hommage à lui, la *Ballade à la mouche*), le rythme et les motifs mis en honneur par Hugo au temps des *Ballades*.

(1) Par exemple, *les Taches jaunes*, où flotte le souvenir de la Cydalise, *l'Artiste*, 21 juillet 1844.

(2) Par exemple le futur chap. IV de *Sylvie* cité ci-dessus.

(3) *Corresp.*, II, 76, lettre du 6 février 1847.

(4) *Ibid.*, II, 72, vendredi 4 août (1845). Toute une correspondance de Victor Hugo avec Gautier entre 1845 et 1849, pour l'inviter à une réception chez Mme Boucher, qui désire faire sa connaissance, « personne jolie et aimable », pour discuter, railler, ou rappeler les heures héroïques de 1830, montre que les œuvres de ce dernier ne lui sont ni inconnues ni indifférentes. Les bons rapports entre les deux poètes ont continué en dépit des voies divergentes jusqu'au « tombeau ». Ces fantaisies sont réunies dans le volume *Théâtre* (*Mystère, Comédies et Ballets*), éd. Charpentier, 1872.

(5) *Stal.*, IV.

(6) Dans l'édition Souffrin, *Stal.*, III (*Art.*, 4 mai 1845 : « les Amours des bassins, les Naïades en groupe ») ; VI (« Je vois un cortège fantasque ») ; XVII, « la *Fontaine de Jouvence* », transposition d'un tableau de W. Haussoullier exposé au Salon de 1845 (car il ne faut pas négliger tous les pastiches du XVIIIe siècle qu'ont fabriqués aussi bien les peintres contemporains) :

> Les couples sont épars : de jeunes femmes rousses
> Dont les yeux rallumés sont pleins de clartés douces
> Avec leurs amoureux assis sur le gazon
> Effeuillent les bouquets de leur jeune saison..., etc.

« la folâtre Colombine » évoquée dans la *Stal.* XXII ; surtout *l'Arbre de Judée*, *Stal.* XXV (*Art.*, 8 déc. 1844) :

> Sous ces bosquets charmants, épanouis pour eux,
> Pleins d'ombrages secrets et de faibles murmures,
> Voyez ces beaux enfants, ces couples amoureux
> Qui vont en écartant les épaisses ramures.
> C'est toi belle Rosine!...
> Abbé! votre musique est un charivari!
> Vous soupirez, Eglé! Que vous a fait Silvandre?...

(7) Dans le *Salon de 1846*, Baudelaire évoque ces « folles, évaporées et merveilleuses créatures que nous a laissées Watteau ». Plus tard, dans les *Petits Poèmes en prose*, éd. Conard, p. 24, les *Projets*, publié pour la première fois en 1857, se ressent de ce goût et manifeste un désir de l'imagination comme Hugo ou le héros de *Mademoiselle de Maupin* : « Il se disait en se promenant dans un grand parc solitaire : « Comme elle serait belle « dans un costume de cour, compliqué et fastueux, descendant, à travers l'atmosphère « d'un beau soir, les degrés de marbre d'un palais, en face des grandes pelouses et « des bassins ! Car elle a naturellement l'air d'une princesse. »

Pinson (1) et, deux ans plus tard, *Il faut qu'une porte...*, qui sera représenté
en 1848, un an après *Un caprice*, la même année qu'*Il ne faut jurer de rien*
et que *le Chandelier;* et en 1849, *On ne saurait penser à tout*, imité du
Distrait de Carmontelle ; tous contes, « comédies et proverbes » qui mêlent
la poésie fantasque du passé aux passions du présent. Cependant qu'en
1849, Houssaye, devenu directeur du Théâtre-Français, y fait jouer pour
la première fois l'une des plus anciennes fantaisies écrites pour la scène,
le Carrosse du Saint-Sacrement de Mérimée, Musset compose et publie
ses célèbres variations *Sur trois marches de marbre rose* — « Versailles »
— auxquelles répondent un mois après, dans la même revue, celles de
Gautier sur *le Carnaval de Venise* — « Watteau (2) ». Tel est, som-
mairement, un certain aspect de la production poétique à la veille de 1850.

* * *

Il est difficile d'établir un bilan positif de la fantaisie hugolienne à
cette date. D'une part, dans ses voyages, Hugo s'est enrichi l'esprit
d'images neuves qui se trouveront renforcées par le contact de l'exilé
avec la nature. D'autre part, fondant depuis 1830 le romantisme sur le
« libéralisme en littérature (3) », il a laissé de plus en plus le champ libre
à sa fantaisie, concurremment excitée par le spectacle de la réalité et les
productions de disciples ou de jeunes poètes qui ont repris ses thèmes
où il les avait laissés et les ont poussés plus avant. Ainsi en même temps
que sa fantaisie trouve dans la vie de Paris ou des voyages plus d'occasions de s'accrocher à des images qui se fixent en motifs, elle prend prétexte de ces mêmes motifs ou d'autres thèmes pour s'en émanciper
davantage. Complexe évolution, pleine de traverses et d'interférences,
paradoxale pour celui seul qui ne plonge pas jusqu'au fond de la création
poétique. Encore en sommes-nous loin et n'a-t-on pas même le réconfort
de penser que le poète lui-même fût le mieux qualifié pour y voir clair.
Mais que sa fantaisie ait évolué, nul doute. Elle a gagné des voies sinon
tout à fait nouvelles, au moins plus différenciées : les *ballades* sont deve-
nues guitares, puis chansons ; les fous de Cromwell ou de Louis XIII
ont renié leurs maîtres pour vivre d'une vie indépendante dans les saynètes
qui préparent le *Théâtre en liberté;* et la belle dame au balcon du moyen
âge s'est trouvé d'autres châteaux, d'autres parcs où promener le thème
amplifié des « fêtes galantes », qui, en même temps qu'il plonge au plus

(1) Comme *le Secret de Javotte* (1844), ce conte est une étude de grisette où sont
évoqués les bals de la Courtille, du Ranelagh (éd. Conard, p. 217).
(2) Dans *la Revue des Deux Mondes*, Musset, le 1er mars, Gautier le 15 avril.
Les *Variations* de GAUTIER sont toutes traversées des masques de la comédie italienne,
d'images de Canaletto et des trilles de Paganini. Le début : « Il est un vieil air populaire... » rappelle singulièrement celui de *Fantaisie* (Nerval) : « Il est un air pour qui
je donnerais... »
(3) *L. Ph. m.*, p. 150-152, préface aux *Poésies* de Charles DOVALLE (1830) : « Ces
hommes qui paraissent si fantasques, si désordonnés, ont obéi à une loi de leur nature
et de leur siècle. Leur littérature, si capricieuse qu'elle semble et qu'elle soit, n'est
pas un des résultats les moins nécessaires du principe de liberté qui désormais gou-
verne et régit tout d'en haut, même le génie. C'est de la fantaisie, soit ; mais il y
a une logique dans cette fantaisie... » C'est-à-dire que l'évolution de la littérature
est commandée par le même déterminisme qui régit les événements politiques.
Mais il l'entend du romantisme en général. Cependant, on peut remarquer qu'il
met l'accent sur le côté « caprice » du romantisme.

quotidien de la vie contemporaine, s'en échappe à travers des toiles de maîtres dans l'irréel domaine de la fantaisie.

Période d'élaboration, peut résumer l'observateur. Car il a l'avantage de connaître la suite et il ne se fait pas défaut d'éclairer ce qui précède par ce qui suit, ou inversement. Mais que dire, si la vie du poète s'était brusquement arrêtée là? Certes, cette fantaisie sporadique, inavouée, ne mériterait pas de nous retenir aussi sérieusement! Mais la veine épique du poète le ferait-elle davantage? C'est en 1840 que le poète en a pris conscience, c'est en 1846-1849 qu'il écrit *Verset du Coran, Aymerillot*. Quoique non publiés, ils sont là, créés. *La Fête chez Thérèse* aussi. Le cas de ces chansons, de ces trumeaux, de ces saynètes, tous inédits, n'est donc pas exceptionnel. Est-il plus étonnant que V. Hugo n'ait pas davantage publié ceci que cela? Le poète se laisse tenter par bien des sujets différents : lyrisme élargi, petite épopée, fantaisie renouvelée, sans oublier ce grand œuvre des *Misères*. Pourquoi cette fantaisie apparaîtrait-elle en son œuvre poétique plus que telle ou telle autre de ces veines en pleine élaboration? Le poète attend et travaille. Que de traverses dans sa vie! L'échec des *Burgraves* en février 1843 et, la même année, la perte de Léopoldine l'invitent, s'ils ne le condamnent, au silence. En 1845, l'accession à la Pairie, le scandale du passage Saint-Roch, l'activité judiciaire et politique où il s'absorbe suffisent à donner le change à cette apparente abdication. Le poète fût-il mort à ce moment, c'est le problème du silence de Racine qui se posait à son propos.

A-t-on songé que, à cette époque, Hugo est un poète terriblement mondain, accaparé et courtisan! Certes, les « fêtes chez Thérèse » ne lui manquent pas. Sans la rupture de 1851, qu'aurait donné le poète, et vraiment Hugo eût-il été aussi « hugolien »? Cette rupture peut-être était souhaitable. Parfois le poète semblait éprouver des scrupules à accorder sa vie et l'attitude qu'il désirait se donner. En 1849, le moment était-il aux «fêtes», à se pâmer «sur trois marches de marbre rose» ou « sur un carnaval de Venise »? Moins encore qu'en 1847, année déjà si troublée, où le poète médite sur la réprobation populaire qui montait en huées au passage des invités du duc de Montpensier. Gautier, à l'ordinaire « si turc dans sa tranquillité, en était tout pensif et tout sombre » et ce cor dans la fête rappelait peut-être à Victor Hugo les carnavals tragiques qu'il avait prétendu oublier et les anxiétés sociales et politiques dont il s'était promis et flatté de demeurer « l'écho sonore ». Le poète s'est-il endormi dans les délices de la cour? Jeté en pleine rencontre du « faste » avec les « misères », il se trouble et ne se dérobe qu'en reprenant à son compte l'ingénieuse et raisonnable justification économique et sociale que lui souffle cette bourgeoisie confortable dont il est en train d'éprouver malgré lui la façon de penser. « Le luxe est un besoin des grands états et des grandes civilisations (1) », car qu'est-ce que le luxe sinon la con-

---

(1) Voir cette page d'une psychologie très intéressante, *Ch. v.*, I, 225. L'argument de « bourgeois », comme aurait dit Louis Blanc, est que la préparation d'une fête paie « des semaines de salaire » à ceux qui y travaillent. Mais son intuition de poète lui fait sentir que ce luxe outrage le peuple qui l'observe : « il ne se dit pas que ce luxe le fait vivre... Il se dit qu'il souffre, et que voilà des gens qui jouissent; il se demande pourquoi tout cela n'est pas à lui... Il veut, lui aussi, non le travail, non le salaire, mais du loisir, du plaisir, des voitures, des chevaux, des laquais, des duchesses. Ce n'est pas du pain qu'il veut, c'est du luxe. Il étend la main en fré-

dition de l'art et l'aménagement pratique de la fantaisie ? Eh quoi, paraît-
il dire, toujours rester dans la pensée des pauvres gens et le poète ne
saurait-il prendre de vacances ? De tels scrupules l'ont-ils retenu de
mêler davantage à son lyrisme familial ou élégiaque des œuvres dont le
caprice exprimait trop impudemment la joie de vivre ? Ou un souci de
ne pas nuire à une carrière politique qu'il sut pourtant refuser en 1842 (1),
assuré d'en faire une plus belle, comme pair sous le roi citoyen, sinon
comme député sous une république avortée ? Était-ce par discrétion
— pudeur ou sagesse — de ne pas étaler des vers sur qui flottaient encore
les parfums divers des femmes dont l'entourage les avait plus ou moins
suscités, du carnaval 1833 à l'accident de 1845 ? Ou bien, plus simplement, parce qu'il ne « voyait » pas encore les recueils qui pussent encadrer
convenablement de telles pièces ? Autant de questions sans réponse.

Les événements se chargent de répondre, qui, en 1851, le détournent
brusquement du régime de vie dont il s'était accommodé, pour le rejeter
dans la quête, tel l'Ahasvérus errant de Quinet (2), et mettre d'un coup
au premier plan de ses préoccupations le soin de sa subsistance et l'action
politique. Depuis la révolution de février 1848, où il avait pris une part
active comme médiateur, alors partisan d'une régence plutôt que de
l'installation de la république, il militait politiquement par son journal
l'Événement fondé le 1er avril 1848 et par ses discours à l'Assemblée
constituante d'abord, puis à l'Assemblée législative. Pourtant, signe
d'une étrange continuité plus forte que les événements, cela ne l'empêchait
pas, la veille même du Coup d'État, d'écrire apparemment cette charmante chinoiserie :

> Vierge du pays du thé,
> Dans ton beau rêve enchanté,
> Le ciel est une cité
> Dont la Chine est la banlieue.
>
> Dans notre Paris obscur,
> Tu cherches, fille au front pur,

missant vers toutes ces réalités resplendissantes qui ne seraient plus que des ombres
s'il y touchait. Le jour où la misère de tous saisit la richesse de quelques-uns, la nuit
se fait, il n'y a plus rien. » Cacher ce luxe alors ? Mais « qu'est-ce qu'un luxe qu'on
ne voit pas ? » Hugo, saisi de ces contradictions troublantes, semble se résigner à
cette dérobade hypocrite et ne trouve point de solution que dans le vieil espoir chrétien
qui remonte : « Les inégalités de cette vie prouvent l'égalité de l'autre. »
    (1) Cf. lettre inédite publiée dans le Mercure de France (oct. 1847) pour refuser
une offre de candidature à la Chambre des Députés en 1852 : il visait plus haut.
    (2) On retrouvera dans sa bibliothèque d'exil des pages détachées du volume
qui avait paru en 1833. L'image du Juif-errant a certainement traversé l'esprit du
poète, lorsqu'il écrivait à Bruxelles, juillet 1852 (C., V, 2) :

> Adieu, patrie! adieu, Sion!
> Le proscrit n'est pas même un hôte,
> Enfant, c'est une vision.
>
> Il entre, il s'assied, puis se lève,
> Reprend son bâton et s'en va.
> Sa vie erre de grève en grève
> Sous le souffle de Jehovah.

Il ne pouvait lui échapper que l'exil constituait une promotion — « je mourrai
peut-être, mais je mourrai accru! » — dans l'ordre missionnaire : ainsi le ressentirent
Dumas en Belgique et Eugène Sue en Suisse. Une autre image lui est précisément
proposée par un rêve : celle du carme, « pauvre moine pieds nus », « prédicateur de
l'Avent à Versailles devant Louis XIV », foudroyant « la majesté du roi de la majesté
de Dieu » (Ch. v., II, p. 83, nuit du 15 juin 1852).

Tes jardins d'or et d'azur
Où le paon ouvre sa queue ...(1).

N'était-ce pas le plus gratuit défi aux événements qui se préparaient d'une fantaisie indomptée et étrangère à leur cours?

(1) *T. L.*, VII, 4. Les « chinoiseries » étaient à la mode dès avant les expéditions en Chine et Indo-Chine de 1847-1851, à peu près en même temps et pour les mêmes raisons que les « singeries » Louis XV. Cf. Th. GAUTIER, *Chinoiserie* et *Sonnet* (1835), *P. C.*, éd. cit., t. II, p. 193-194, notice, t. I, p. L, tous deux inspirés par Cydalise. Voir aussi Th. DE BANVILLE, *Symphonie de la neige, in Stal.*, XXVII (janvier 1844).

RUPTURE ET SITUATION DU MILIEU DU SIÈCLE
(1850-1851).

Jusqu'en 1850, la carrière poétique et même publique de Victor Hugo avait été caractérisée par le succès et dessinait la courbe d'une constante ascension dans le monde. 1851 est une année de rupture. Cette ascension, pour vingt ans, est mise entre parenthèses. Après quoi, 1870 verra le retour au monde d'un survivant, avec une auréole d'outre-tombe. Cependant, cette ascension se poursuit en marge et au delà du monde, dans une manière de postérité préfigurée au présent. C'est à celle-ci que, par delà son temps, à Jersey, puis à Guernesey, le poète proscrit songe en écrivant, c'est pour elle qu'il travaille à dresser la collection de ses prestigieux manuscrits bleus reliés de rouge (1).

Signification de la rupture.

La période qui va s'ouvrir est en effet dominée par le fait de l'exil, vingt années d'exil ininterrompu de 1851 à 1870.

Politiquement, cela veut dire que Victor Hugo, qui, jusqu'alors, avait toujours soutenu le gouvernement, aussi bien du roi Louis-Philippe que du président Louis-Napoléon Bonaparte, s'est trouvé pour la première fois et graduellement rejeté dans l'opposition. En 1848, il se définissait :

> Libéral, socialiste, dévoué au peuple, pas encore républicain, ayant encore une foule de préjugés contre la Révolution, mais exécrant l'état de siège, les transportations sans jugement et Cavaignac avec sa fausse république militaire (2).

La raison de ce changement est sans doute la menace de césarisme, incarnée par le général Cavaignac d'abord, puis par le prince Bonaparte. L'occasion en fut la divergence manifestée par Victor Hugo en octobre 1849

---

(1) Je me propose dans ce chapitre de liaison d'esquisser *grosso modo* les conditions nouvelles de la création hugolienne telles qu'elles seront développées dans la troisième et dernière partie de cet ouvrage. Mais je m'attacherai ici de préférence et très brièvement aux circonstances les plus extérieures, et par exemple à l'aspect des tendances littéraires dans les années 1850, par rapport auxquelles je chercherai à situer Victor Hugo, me réservant d'étudier par la suite l'évolution personnelle et intérieure du poète en fonction de sa situation nouvelle et des cieux étrangers sous lesquels il est appelé désormais à vivre.

(2) *Oc.*, Tas, p. 266, *Moi en* 1848.

sur le sens pris par l'expédition de Rome (1). Opposé à tout absolutisme, Hugo fut vivement heurté par les mesures réactionnaires du Pape Pie IX, dont il avait d'abord salué l'avènement avec enthousiasme (2), et par le revirement consécutif de la droite catholique. Le différend, annoncé dès avril 1849 par le débat sur *la Misère*, ne fit que s'accentuer entre janvier et juillet 1850 au cours des discussions de la loi Falloux, des lois sur les déportations, le suffrage universel et la liberté de la presse, pour culminer finalement dans le procès de révision de la Constitution (juillet 1851). A mesure que les conservateurs et les catholiques, par crainte du désordre, accordaient davantage leur appui au Prince-Président jusqu'au ralliement définitif, Hugo se vit acculer au combat contre celui qu'il avait d'abord soutenu et, du même coup, à un anticléricalisme grandissant, qui marquera parfois sa fantaisie elle-même : après le coup d'État, la fuite, puis l'exil, loin d'y mettre un terme, en accrurent seulement les proportions (3).

Ce fut alors peu de deux ou trois ans pour assouvir la révolte qui grondait en lui, faite d'indignation au spectacle de la légalité bafouée et de rancœur personnelle contre un homme dont il se sentait pour une part responsable d'avoir favorisé l'accession au pouvoir (4). Ainsi, l'activité politique de 1849-1851, loin d'être rompue par l'exil, s'amplifie au contraire au point d'absorber pendant ce temps le poète. En prose, en vers, il frappe et condamne, donnant coup sur coup *Napoléon-le-Petit* et *Châtiments* (5), préparant *Histoire d'un Crime* qui ne verra le jour qu'après 1870, sans parler des *Nouveaux Châtiments* qui s'entassent sans issue dans ses cartons. C'est seulement lorsqu'il se sera pour ainsi dire purgé de cette humeur par les terribles éclats des *Châtiments* qu'il pourra, à la fois soulagé et lassé, parvenu à une sorte de sérénité méprisante et meurtrie, considérer des intérêts politiques moins limités et, lorsqu'

---

(1) Cf. *A. P.*, I, p. 22 : « Quand il vit Rome terrassée au nom de la France, quand il vit la majorité, jusqu'alors hypocrite, jeter tout à coup le masque... » Le compte rendu des faits qui ont motivé la fuite de Victor Hugo peu après le coup d'État, le 11 décembre 1851, outre qu'il est bien connu, dépasse trop évidemment le propos de ce chapitre limité aux conséquences littéraires du changement imposé à sa vie par ces mêmes événements. On en trouvera un résumé objectif dans le chap. VIII de *The Career of Victor Hugo* que le professeur E. M. Grant intitule judicieusement « Prélude à la Satire » et qui résume son étude plus développée, *Victor Hugo during the Second Republic*, Smith College Studies in Modern Languages, 1935. Il n'y a pas eu « volte-face » (M. SOURIAU, *op. cit.*, II, p. 266) et Hugo n'a pas « changé d'opinion » (P. AUDIAT, *op. cit.*, p. 247) : abandonné seul ou presque seul à son indépendance de jugement, pendant que les conservateurs évoluaient vers une adhésion aveugle à un pouvoir autoritaire, il s'est trouvé par la force des choses porté de plus en plus vers la gauche de l'Assemblée.

(2) *A. P.*, I, p. 96-98, notamment : « ... un pape qui adopte la révolution française, qui en fait la révolution chrétienne... n'est pas seulement un homme, c'est un événement ».

(3) Voir *A. P.*, I, p. 156 sq. Cf. la note datée *mai 1851 in Oc.*, p. 250, où il constate amèrement sa séparation d'avec la bourgeoisie en ce combat : « Pour avoir défendu sous toutes les formes toutes les idées de liberté, de justice, d'humanité, de civilisation, de nationalité, de raison, de vérité, d'intelligence... je suis aux yeux de la bourgeoisie un monstre » et la conclusion datée *Coup d'État, 2 Décembre* où il prend son parti de son isolement : « ... étant résolu à me contenter de ma conscience » (*ibid.*, p. 439).

(4) Cf. le reproche de Jules Janin rapporté par M. SOURIAU, *op. cit.*, t. II, p. 266 : « Il est bien au regret, Béranger, et vous devez bien regretter comme lui d'avoir tant poussé à l'idée impériale, ô poètes que vous êtes! »

(5) Dont le titre se souvient peut-être du mot de Montalembert, disant en octobre 1849, après l'intervention de V. Hugo au sujet de l'expédition romaine, que « ces applaudissements étaient *son* châtiment » (Voir *A. P.*, I, p. 176).

aura gagné Guernesey en 1855, promener du haut de son « look-out » comme d'un phare le rayon de son jugement sur les événements du monde et intervenir partout où la défense de la justice et des «opprimés (1)» sera en cause. Sa situation exceptionnelle alors lui fera un poste de guetteur dans l'univers.

Socialement, l'exil marque encore pour Hugo une rupture. Contraint par l'événement de renoncer aux bénéfices d'une carrière d'écrivain à succès, il court le risque de devenir un génie isolé, un phénomène littéraire. Ce qu'il fut. L'exil lui a permis de prendre ses véritables dimensions, dans lesquelles il nous apparaît désormais. Il laisse là son titre de vicomte et se contente de signer *Victor Hugo*, simplement et orgueilleusement. Son écriture s'affranchit définitivement, semble-t-il, de quelques mièvreries précieuses qui lui restaient encore et, droite ou cursive, s'affirme avec une hautaine désinvolture (2). Il rompt ses amarres avec un monde de bourgeoisie et de noblesse mêlées dont il se flattait d'être tout en rêvant d'accéder plus haut. Alors bientôt, sans renier les Hugo de légende (3), il revendiquera son grand-père menuisier — le père du Christ le fut bien — se réservant de commencer son histoire à lui-même. Avec la bourgeoisie, il largue la respectabilité, les scrupules et les dernières timidités. Détail remarquable, pour la première fois de sa vie, il se relâche de sa stricte tenue vestimentaire, ouvre son col, parce que celui-ci le serre, renonce à l'élégance, parce qu'il est réduit aux tailleurs des îles, bref se met à l'aise. Tout cela ne va pas sans nuances pourtant : son premier soin, dès que *les Contemplations* lui auront rapporté une somme inespérée, sera de s'acheter une maison — et avec elle sans doute l'indépendance —et sur le contrat, en face du mot profession, il écrira « propriétaire », comme en 1834, au temps des voyages, il inscrivait sur ses passeports. Il n'était pas seul d'ailleurs à le faire : l'acte de décès de Chateaubriand porte la même mention. Écrire ne constituait pas un état. Et c'est un titre de Victor Hugo d'avoir contribué, par sa dignité, à le faire respecter comme tel.

Ce changement radical a ses répercussions littéraires. Sur ce plan, il signifie que la production d'esprit politique a occupé Victor Hugo d'abord complètement jusqu'à la fin de 1853, puis sporadiquement par la suite. Non pas au point toutefois d'éliminer ce qu'il appelle par opposition à la poésie militante « la poésie pure (4) ». Nous l'avons vu capable à la veille du coup d'État, quand grondaient les rumeurs, de s'abstraire, si l'on en croit le manuscrit, l'instant d'écrire une charmante et fraîche « chinoiserie (5) ». Parmi les poèmes de cette époque, quelques-uns prendront place dans *les Petites Épopées* comme le fameux *Après la bataille*, du 18 juin 1850, composé au milieu de ses inquiétudes romaines. Le manuscrit des *Misères* était abandonné, Hugo le constatait impuissant en octobre 1851 :

(1) *Ibid.*
(2) Cf. l'étude graphologique d'A. CIANA, *Victor Hugo*, éd. Helvetica, Genève, 1941.
(3) Cf. dans le mobilier de Hauteville House, le « fauteuil des ancêtres » où est gravée la date de 1534. Le *Dictionnaire des contemporains* de Vapereau (Hachette, 3ᵉ éd., 1865) mentionne encore sans discussion cette ascendance.
(4) Lettre du 7 septembre 1852 à l'éditeur Hetzel, *in Ch.*, Historique, p. 462.
(5) Cf. ici, p. 394.

Tu me dis : Finis donc ton livre des *Misères*.
Ami, pour achever ce vaste manuscrit,
Il me faut avant tout ma liberté d'esprit...
Rends-moi la solitude et la forêt muette!
Hélas! on ne peut être en même temps poète
Qui s'envole, et tribun coudoyant Changarnier... (1).

Les vers de cette épître sont mauvais, mais le sentiment est vrai et le reste des premières années de l'exil, moins exclusivement toutefois, comme nous verrons. Lorsqu'il eut peu à peu recouvré cette « liberté d'esprit », moins à Jersey encore, où il demeurait entouré des proscrits socialistes, qu'à Guernesey, où il vécut presque seul, alors l'exil dans une île au climat tempéré fut pour le poète la plus miraculeuse retraite imaginable pour poursuivre son évolution intérieure hors du jeu des influences extérieures, « tel qu'en lui-même enfin »... Un tel exil vaut bien l'éternité! Il s'en douta si fort que, loin de chercher à s'en évader, il résista aux instances des siens, gagnés par la lassitude, pour s'y maintenir.

Mais avant d'attribuer une valeur déterminante à cet exil qui reste une contrainte imposée, puis consentie, il faut d'abord en limiter la portée.

Romantisme de l'exil.

En 1849, Hugo en était presque arrivé au point de s'accepter tel qu'il s'était enfin reconnu. S'il n'avait pas encore assez mûri les thèmes nouvellement explorés par lui pour publier quoi que ce fût, nous savons par les dates des manuscrits, confirmées par l'étude de ses diverses écritures, qu'il n'avait pas attendu le choc de l'exil pour en donner des interprétations révélatrices. Dans la veine épique, il avait déjà composé des poèmes d'épopée anecdotique, des « petites épopées » comme il dira, qui continuaient d'exploiter, dans le filon oriental ou napoléonien, ce côté épique de son tempérament dont le poète avait pris nettement conscience en 1840 (2). Bien plus, entre 1830 et 1840, il avait pu composer deux poèmes d'épopée philosophique dans la manière de *la Bouche d'ombre*, *Pente de la rêverie* et *Saturne* (3). Si le premier parut dans *les Feuilles d'automne*, il est clair que le second n'a pas trouvé de recueil à sa mesure avant *les Contemplations*. Dans la veine lyrique, il n'est pas discutable que les deux poèmes d'Olympio annoncent ces *Contemplations* que le poète avait eu le projet d'intituler *les Contemplations d'Olympio*. Quant à sa veine de fantaisie, nous avons eu et nous aurons l'occasion de voir que le poète a exploité pour elle les trésors d'impressions accumulés pendant ses voyages et les thèmes renouvelés ou inaugurés entre 1840 et 1850. A y regarder de près, l'exil n'a pas marqué une coupure nettement tranchée.

Il n'est que juste d'observer qu'il s'est placé à une époque où, depuis 1843 déjà, le glas du Romantisme avait sonné. La révolution de 1848 et l'éphémère Seconde République ont enterré, au moins provisoirement, les espoirs généreux qu'avaient formés depuis 1830 les poètes missionnaires. Seul restait florissant ce « rameau détaché », le romantisme artiste,

(1) *T. L.*, V, 16.
(2) Voir Berret, éd. *L. S.*, t. I, Introduction, tableau chronologique, p. XLVI.
(3) *F. A.*, XXIX, éd. 28 mai 1830, et *C.*, III, 3, 30 avril 1839, qui eût eu le temps d'être publié dans les *R. O.*

demeuré fidèle à ses origines d'avant 1830 et maintenu étranger à toute
interférence politique ou sociale par des écrivains comme Gautier, Nerval,
par endroits Musset, qui, chacun à sa manière, reniaient la tournure
prise par le romantisme après 1830 ou ne s'en prévalaient guère. L'isolement a permis à Victor Hugo de poursuivre pour son compte son romantisme personnel hors de tout courant temporel. C'est l'époque de sa vie
où, parvenu en même temps à sa pleine maturité, à cet âge où l'on fait
le bilan de son passé pour jeter un regard timide ou courageux sur l'avenir,
Victor Hugo devait fatalement s'interroger sur lui-même et sur son art.
L'occasion rencontra ici et força le destin. L'exil coïncide avec les cinquante ans du poète, qui coïncident avec les cinquante ans du siècle.
Triple raison de réfléchir. L'épreuve eût pu l'abattre, il la surmonta
et s'en servit pour s'affirmer complètement. C'est un regard clair, dénué
d'illusion, mais aussi d'appréhension, de remords, de fausses hontes
qu'il jette sur son avenir poétique, avec lequel il conclut un nouveau
bail. Mais les clauses en sont modifiées et ce romantisme, qui avait toujours été un peu le romantisme de Victor Hugo, se confond désormais
avec lui seul. C'est l'époque de sa création où, en marge du temps et
pour ainsi dire de l'espace, Hugo va pouvoir être enfin soi-même le plus
complètement, comme il le confiera à Claretie à propos du recueil des
Chansons des rues et des bois (1). De cette libération totale de sa personnalité, il n'est pas surprenant en effet que la fantaisie du poète, qui ne
saurait s'en passer, ait largement bénéficié ; et autant en peut-on dire
de l'autre profil de Victor Hugo, du visionnaire fantastique. Fût-il resté
en France, dans le mouvement littéraire de son temps auquel il portait
toujours attention, peut-être eût-il davantage hésité à s'accomplir. A quoi,
pour entraîner la balance dans son propre sens, il faut ajouter l'influence
particulière qu'eut sur lui le séjour dans des îles d'une originalité caractérisée, pour la première fois au contact quotidien de cette mer, découverte en 1835 et soupçonnée dès lors d'être un des lieux privilégiés de
l'esprit et de la poésie (2). Béranger l'avait pressenti, qui lui écrivait en
1852 : « Mais vous, mon cher poète, vous voilà dans une nouvelle phase
d'inspiration poétique... Oh! mon ami, au bord de la mer, à la vue de la
France, chantez, chantez encore (3) ! »

Cependant, il serait inexact d'imaginer qu'au fond de ses retraites
anglo-normandes, Victor Hugo soit demeuré sourd aux échos du monde,
fût-ce de celui des lettres. De même qu'en politique il fut toujours
attentif aux déplacements d'opinion en Europe ou en Amérique, il a
été et reste aussi averti du mouvement littéraire, aussi prompt à saisir
ou même à deviner les tendances et les modes de son temps. Plus d'une
fois, il eut l'occasion de se remémorer les heures héroïques du romantisme : avec Dumas à Bruxelles en 1851 (4), à Jersey avec Mme de Girardin, ex-Delphine Gay, quand celle-ci y viendra en septembre 1853 lui

---

(1) Jules CLARETIE, *Victor Hugo*, cité *in* R. ESCHOLIER, *op. cit.*, p. 329 et ici dans
l'*Introduction*.
(2) Il n'y a guère prêté attention en 1834 à Brest, préoccupé de Juliette. La première
mention de cet ordre figure dans la lettre à L. Boulanger, Le Tréport, 1835 : « cela
remue en nous des abîmes de poésie » (*V.*, II, p. 34). Par la suite, il y revient constamment dans ses lettres de voyage de cette époque.
(3) *Corresp.*, éd. Perrotin, Paris, t. IV, p. 154, lettre du 21 septembre 1852.
(4) Cf. *C.*, V, 15, 18 juillet 1855 et la notice de Vianey.

rendre visite ; en lisant les souvenirs des anciens compagnons de lutte, les articles de Théophile Gautier qui seront réunis dans son *Histoire du romantisme* et l'*Histoire de la Littérature dramatique* de Jules Janin, dont le tome IV évoque Hugo et le drame romantique, ce qui vaut à l'auteur un hommage du maître dans *les Contemplations* (1). Ce dernier volume déclenche un cycle de poésie critique et d'apologie littéraire qui prendra place dans le même recueil. A Jersey encore, il aura avec un proscrit comme Pierre Leroux des entretiens jugés susceptibles d'avoir orienté le poète vers une inspiration plus largement humaine, à la fois philosophique et sociale (2). Ses disciples, Auguste Vacquerie et Paul Meurice, par sa présence le premier, frère du disparu et auteur de ce *Tragaldabas* qui fut représenté au Théâtre-Français en 1848, le second, par sa correspondance et son dévouement, le maintiendront dans une atmosphère d'adulation littéraire dont le maître eût sans eux cruellement éprouvé l'absence. Enfin, les lettres et les livres des jeunes auteurs, souvent médiocres, affluent qui le rattachent malgré tout à ce monde dont il est séparé. Il entretiendra en exil une correspondance qui, si elle n'approche pas en quantité ni en qualité celle de Voltaire à Ferney, n'en est pas moins considérable : on est loin à l'heure qu'il est d'en avoir épuisé l'exploration et dans leurs tiroirs ou leurs greniers les arrière-petits-enfants de ses correspondants en détiennent sans le savoir d'innombrables inédits. S'il arrivera plus tard à Victor Hugo de se plaindre d'un accablant courrier (3), il n'en fut pas toujours ainsi et l'on imagine que dans les premières années de l'exil il ouvrait avec empressement tout ce qui pouvait lui donner des nouvelles de la France et de son propre crédit. Il reçoit, lit ou parcourt journaux et revues, ne manquant jamais de remercier pour le moindre feuilleton le concernant (4). Il ne s'agit pas seulement de lui : il sait saluer, avec cette intuition critique qu'il eut toujours, l'apparition d'un Flaubert, d'un Baudelaire. Petits et grands « hommages de l'auteur » regarnissent les rayons de sa bibliothèque, que viennent compléter un certain nombre de livres épargnés par la vente de juin 1852 et, lorsqu'il sera sorti du premier embarras pécuniaire (5), les emplettes dont il charge à Londres, à Bruxelles ou en France, Charles ou François-Victor. Bibliothèque d'antiquaire, constituée au hasard des rencontres selon des perspectives arrêtées : curiosités, occultisme, histoire, science et poésie.

(1) Cf. *C.*, V, 8 et J. Vianey, éd. cit., Introduction, p. XLII sq.
(2) Cf. J. VIANEY, *ibid.*, p. XXXI-XXXII et LXXI. A rapprocher du compte rendu de Pierre Leroux (*Globe*, 8 avril 1829) sur le livre de J.-G. E. Œgger, ex-vicaire de Notre-Dame de Paris, *Essai d'un dictionnaire de la langue et de la nature ou Explication de huit cents images hiéroglyphiques, sources de toutes les anciennes mythologies*, Paris, 1831. M. Baldensperger, qui a signalé à plusieurs reprises cet article de Leroux (notamment *Revue de Littérature comparée*, janvier 1927, p. 74), y voit une source philosophique du « métaphorisme » des poètes romantiques, en particulier de Victor Hugo.
(3) Cf. R. ESCHOLIER, *op. cit.*, p. 315, l'extrait cité de P. STAPFER, *V. H. à Guernesey*, auquel il convient de comparer le témoignage de P. CHENAY, *V. H. à Guernesey*, p. 24 : « ... les lettres d'un intérêt cher à tous étaient lues à haute voix ; les revues et les journaux restaient en permanence à la disposition des lecteurs. »
(4) Exemple, à trois reprises, C. Caraguel, collaborateur du *Charivari*, puis des *Débats*, est remercié par Victor Hugo pour ses articles, et il n'est pas le seul. Cf. mon article *Trois billets de V. H. à un journaliste*.
(5) Une récente découverte faite aux archives de la Banque Nationale de Belgique a montré qu'il en sortit très vite, s'il est vrai qu'en février 1852, Hugo comptait déjà parmi les principaux actionnaires de cette banque. Cf. P. BOREL, art. cité *in* Bbg.

Or, que se passait-il à Paris au milieu du siècle, dans le domaine de la littérature? Sans doute a-t-on prêté à l'échec des *Burgraves* en 1843, comme au triomphe d'*Hernani* en 1830, et d'ailleurs comme à tous les événements du théâtre en France, plus d'importance qu'il n'en comportait, puisqu'en 1848-1849 Arsène Houssaye, devenu directeur du Théâtre-Français, y fit encore représenter des drames romantiques, notamment de Victor Hugo. Mais cet échec, coïncidant avec le renoncement du poète au théâtre et six mois plus tard, après la mort de Léopoldine, avec sa retraite de la scène littéraire, avait été le signal de ce qu'on appelle la décadence du romantisme. Précisons : du romantisme de combat. Car la bibliothèque de Hauteville House suffit à attester qu'il y eut un post-romantisme, comme il y avait eu un post-classicisme. Il persista au cœur même du symbolisme, et je crois bien qu'il n'est pas mort encore. Là-dessus, on a la chance que Victor Hugo se soit expliqué avec beaucoup de netteté :

On n'a jamais plus parlé du romantisme que depuis qu'on dit : *le romantisme est mort*. Ce cliché fait toutes les semaines le tour des journaux (presque). *Romantisme* n'a jamais été qu'un mot de guerre, la guerre est finie. Si l'on veut dire : *ce mot est mort*, on a raison. Si l'on parle de l'idée qui est plutôt voilée qu'exprimée par ce mot, on a tort. Le romantisme est mort comme *le socialisme est mort, la république est morte*, comme sont mortes beaucoup de choses à ce qu'il paraît, la liberté, la vérité, la raison, etc., remplacées par l'autorité (1).

Ces lignes rejoignent la mise au point de 1864, dans *William Shakespeare*, qui éclaire la pensée de l'auteur et fait la part des étiquettes d'école et des réalités qu'elles déguisent. Selon lui, le mot a l'avantage et l'inconvénient de sa « signification militante ». En réalité, « ce mouvement est un fait d'intelligence, un fait de civilisation, un fait de l'âme (2) ». A quoi fait écho le sous-titre donné par Hugo à ses *Contemplations* : les *Mémoires d'une âme*. Sans doute, le romantisme de combat a fait son temps, la lutte est finie, mais la poésie libérée — en ce sens Hugo n'aura pas tort d'évoquer à son propos le « bonnet rouge » de la Révolution — a reçu un influx de vie nouvelle. Avec lui, elle est revenue aux sources de l'humain et « quiconque s'inspire directement de l'homme est primitif (3) ». Elle n'a plus désormais qu'à se développer selon les tempéraments. Telle semble avoir été la pensée profonde de Victor Hugo. Il peut bien saluer Baudelaire et ceux qui le suivront. Il sait ce qu'ils lui doivent tous, fût-ce à travers Gautier. De chef d'école, Hugo est passé « au-dessus de la mêlée ». L'exil a favorisé cette situation privilégiée qui lui permet de poursuivre son œuvre personnelle, hors du monde, hors du temps, hors du souci des œuvres d'autrui. Mais celles-ci ne le laissent pas pour autant indifférent.

Réalisme et fantaisisme.

Devant le succès croissant des Ponsard et des Scribe, où se manifestait seulement la revanche d'un public qui ne s'était jamais laissé prendre

(1) *Oc.*, Tas, p. 349.
(2) *W. S.*, III, II, I, p. 208, cité ici p. 154.
(3) *W. S.*, Rel. p. 375.

aux succès du romantisme, les disciples ou les dissidents avaient relevé
le gant. Sur le grand arbre mort, seul le « rameau détaché » demeurait
vivace : les partisans de ce qu'on a appelé *l'art pour l'art*, représentés
par Th. Gautier, s'étaient dressés à plusieurs reprises, en 1832, en 1836
et encore en 1845, contre *l'école du bon sens* des anciens classiques, des
bourgeois voltairiens. Mais autour de 1850, la situation littéraire s'est
compliquée et ce serait la simplifier que de la réduire à cet antagonisme
élémentaire.

Depuis 1840, le positivisme d'Auguste Comte, répandu par la publication successive des tomes du *Cours de philosophie positive*, et le *Génie
des Religions* d'Edgard Quinet, répondant jusque dans le titre en ce
milieu du siècle à ce qu'avait été au début le *Génie du Christianisme* de
Chateaubriand, ont, sinon opéré, du moins consommé une révolution
intellectuelle amorcée par les inquiétudes de 1830 et le socialisme saint-
simonien. De telles œuvres, répercutées en sourdine par *l'Avenir de la
Science* de Renan, expression fidèle, quoique alors et longtemps encore
inédite, des aspirations d'un jeune étudiant en 1849, ont assuré les nouveaux fondements de la pensée et de l'art : la réalité scientifique substitue
son « credo » à l'autorité de la foi battue en brèche et le réalisme se dégage
d'un romantisme dont les soutiens spirituels sont ruinés. Comme il
est normal, ce réalisme, dont il n'est pas mauvais d'observer que le
romantisme militant de la Préface de *Cromwell* l'avait préparé, se fait
contre le romantisme même. C'est le moment de Flaubert et de Leconte
de Lisle, tous deux encore si romantiques à tant d'égards. Par un vœu
d'objectivité, la poésie archéologique de ce dernier rejoint de façon
imprévue les transpositions d'art d'un Th. Gautier.

Il sortirait de notre propos de souligner les concordances et les diver-
gences qui unissent ou séparent les écrivains de 1850. Tout ce qui nous
intéresse, c'est de constater que la date de 1850 ne marque pas seulement
l'avènement du réalisme, mais le développement simultané de ce « fantaisisme » dont nous avons observé la recrudescence dès 1840. Ces deux
tendances, apparemment extrêmes, ont coexisté : ceci explique que certains écrivains oubliés, qui eurent alors leur importance, comme
Arsène Houssaye et surtout Champfleury, ont pu paraître pris à la fois
dans ces deux camps mal distingués, bien que ce dernier, que rattachent
au « fantaisisme » ses premiers recueils de contes et ses *Souvenirs des
Funambules*, se soit défendu de *prendre garde* « aux agaceries de la fantaisie (1) ». Ainsi par-dessus la dépouille du romantisme des « montreurs »
et des « mages », dont le « cœur mis à nu » a fini de faire battre à l'unisson
ceux de leurs contemporains et dont le messianisme politique n'éveille
plus que des sourires de pitié ou de dérision, ainsi voit-on se rejoindre
curieusement poésie des intérieurs et poésie des extérieurs dans un
même effort de pudeur et de raffinement (2).

Les occasions ne manqueront pas par la suite de signaler, à propos de
tel ou tel type de fantaisie chez Hugo, les efforts correspondants de ses

---

(1) Cf. René DUMESNIL, *l'Époque réaliste et naturaliste*, p. 34 sq.
(2) Loin de moi la pensée de faire correspondre terme à terme la poésie des intérieurs avec le fantaisisme et celle des extérieurs avec le réalisme : je dis seulement
qu'il y a un certain accord observable, par exemple chez Gautier ou Banville, entre
la poésie d'appartement et une certaine nuance de fantaisie intime (natures mortes,
trumeaux, fleurs).

contemporains demeurés dans la métropole, à titre de témoignage et de comparaison. Qu'il suffise à présent d'indiquer, comme un encadrement général, les rééditions des poètes de la Pléiade et du célèbre *Tableau* de Sainte-Beuve (1), celles des poètes mineurs du xvii⁽ᵉ⁾ siècle, qui doivent leur résurrection aux articles que Gautier leur consacra sous le titre *les Grotesques*, et d'abord, il ne faut pas l'oublier, aux attaques des adversaires du romantisme qui les tirèrent de l'oubli pour se mieux moquer de leur barbare postérité. Celle-ci, loin de refuser la parenté, s'en était fait gloire. Ainsi Chapelle, Bachaumont, Colletet et Saint-Amant revoient-ils le jour entre 1850 et 1860, notamment dans la collection de la Bibliothèque elzévirienne (2).

Du côté des vivants, la fantaisie n'est pas moins à l'honneur dans les années 50. En 1850, Musset a un sursaut créateur : c'est pour donner cette fantaisie, *Carmosine*. On voit paraître en 1852 les exemplaires *Émaux et Camées* de Th. Gautier, dont les rééditions vont se succéder presque chaque année ; en 1853, *Sylvie* et, en 1854, *la Bohème galante* de Gérard de Nerval qui mourra l'année suivante ; de Théodore de Banville, en 1857, les *Odelettes* et les *Odes funambulesques*, dont le nom évoque les tréteaux du boulevard du Temple, Deburau père et fils et leurs commentateurs, Janin, Nerval et Champfleury, et dont pour sa part l'auteur attribue assez curieusement, mais non sans raison, l'inspiration au fameux acte IV de *Ruy Blas* : si la fantaisie de Banville prend un tour plus dégagé, plus précieux, moins pittoresque aussi et moins truculent que celle du Victor Hugo de 1838, ce n'en est pas moins un perspicace et légitime hommage qu'il rend là au premier « fantaisiste », c'est une filiation qu'il dégage à l'égard du grand romantique qui, de son côté, avait su reconnaître dans *les Stalactites* de 1842 « la gentillesse, l'élégance gamine du moineau franc (3) ».

Ces indications désignent un aspect de la poésie qui ne fera que s'accentuer autour des années 60, en accord peut-être avec les servitudes d'un régime autoritaire qui ne tolère ou n'encourage que les formes les plus légères et les plus insouciantes de l'art. La fantaisie alors devient une mode : elle aura sa revue, fondée en 1861 par Catulle Mendès, comme elle aura son musicien, Offenbach. On pourra voir alors un bachelier poète de Sens s'exercer dans un pastiche railleur à l'art « futile » du *Placet*. Le jeune Mallarmé ne fait que suivre l'exemple de Banville. Que celui-ci chante les corolles des fleurs, les petits lapins ou des galants imaginaires, tout y respire une charmante futilité, dont les mauvais vers que voici donnent sinon le ton — de meilleurs ne sont pas rares — du moins le mot :

> Le nectar me dit :
> O vous qu'engourdit
> La Poésie,
> Plus de vains sanglots!
> Buvez à mes flots
> La Fantaisie (4)!

(1) Du Bellay, *Défense et Illustration...*, 1839 ; du même, *Œuvres choisies*, 1841. *Le Tableau*, rééd. 1843. Cf. M. Fuchs, *Théodore de Banville*, Paris, 1912, p. 39 sq.
(2) Cf. J. Pommier, *Dans les chemins de Baudelaire*, Paris, Corti, 1945, p. 119 sq. : la fondation de la Bibliothèque elzévirienne date de 1853.
(3) Cf. Correspondance de Banville et Hugo, *Revue de France*, avril 1923, p. 513 sq.
(4) *Stalactites*, XII, septembre 1843.

C'était, on s'en souvient, la « muse » de Michel Carré, librettiste
d'opéra (1). A cette *Chanson du Vin* paraît répondre le *Chant du Bol
de Punch* :

> Je suis la flamme bleue.
> J'habite la banlieue.

> Je suis le bleu convive,
> L'esprit des lacs blafards,
> Le nain des joncs moroses ;
> Je viens baiser les roses
> Après les nénuphars... (2).

Mais c'est là une bien vieille histoire, dans les goûts de 1825, qui
remonte au moins au conte de Hoffmann, traduit et adapté par Nerval
en 1830, repris par Janin et Philothée O'Neddy. Si une telle poésie,
sortie par un biais d'une des nombreuses veines d'Hugo, a pu réagir
sur le poète en exil, ce serait comme une bouffée d'air de Paris avec
laquelle il montrait qu'il savait aussi bien composer, dans le ton du
badinage à la mode :

Quand il est mécontent — écrira Hugo — Paris se masque. De quel masque ?
d'un masque de bal. Aux heures où d'autres prendraient le deuil, il déconcerte étrangement l'observateur. En fait de suaire, il met un domino. Chansons, grelots, mascarades, tous les airs penchés de l'abâtardissement, pyrrhiques excessives, musiques bizarres, la décadence jouée à s'y méprendre,
des fleurs partout (3).

Car le temps de Leconte de Lisle est aussi celui de *la Belle Hélène* et d'*Orphée aux enfers*. Les pièces d'inspiration préparnassienne qu'on voit apparaître de-ci de-là dans la production de Victor Hugo tiennent aussi bien à sa
fantaisie qu'à sa veine épique. *Le Satyre* a des rapports avec l'une et

---

(1) Cf. ici p. 390.

(2) *T. L.* VII, XXIII, 20 (1852-1853 ?). Sous le titre *la Liqueur favorite d'Hoffmann*,
le conte traduit par Nerval parut dans le *Gastronome* du 2 déc. 1830, reprenant la
traduction publiée dans *les Dernières années et la mort d'Hoffmann* (*Rev. de Paris*,
t. VII, 1829), cf. *in Nouvelles et Fantaisies*, éd. J. Marsan, t. II, p. 123 sq. ; la composition du punch et ses effets magiques y sont minutieusement évoqués : « Quand
s'élèvent les flammes bleues, il me semble y voir de légères salamandres qui éclatent
et sifflent autour du vase... (les esprits de la terre) s'élancent en jets de flammes
jaunâtres à travers la vapeur bleue de leurs ennemis... », etc.

J. JANIN, dans *le Haut-de-chausse* (*Contes fantastiques*, 1832, éd. citée, t. II, p. 47 sq.)
reprend le thème du punch : « Le punch est un poème à faire plus difficile que tous
ceux de Mlle de Scudéri ; le punch est un enfant qu'on met au monde, un cœur
de femme qu'on fait battre, c'est une âme légère qui folâtre et qui se joue comme
une fée... » Il développe la théorie hoffmannesque des « effets (artistiques) distincts
produits par les diverses boissons » (NERVAL, *loc. cit.*), il existe pour lui une correspondance entre le goût du vin et les sons : « ... pour une haute composition romantique
comme le don Juan, je m'abreuverais d'un grand verre de cette liqueur merveilleuse
où se combattent les gnomes et les salamandres. »

On retrouve le thème dans *Feu et flamme* de Philothée O'NEDDY (1833) que cite
J. Marsan et qui relate une soirée dans l'atelier de Jehan du Seigneur :

> Au centre de la salle, autour d'une urne en feu,
> Digne émule en largeur des coupes de l'enfer,
> Dans laquelle un beau punch, aux prismatiques flammes,
> Semble un lac sulfureux, qui fait houler des lames,
> Vingt jeunes hommes, tous artistes dans le cœur.

A quoi fait écho, entre autres, l'évocation du diable dans l'atelier d'Albertus (1832),
cf. Th. GAUTIER, *P. C.*, éd. Jasinski, t. I, p. 182 :

> Une flamme jetant une clarté bleuâtre,
> Comme celle d'un punch, éclairait le théâtre.

(3) *Pa.*, p. 331, écrit déc. 1866, retouché avril 1867.

l'autre. Elles ne sont à proprement parler nouvelles ni dans l'œuvre du poète d'*Anacréon* et d'*Horace*, qui n'a jamais cessé de s'intéresser depuis son enfance inoubliée aux élégiaques latins (1), ni même dans ce siècle où les poèmes épiques de Ballanche, de Quinet, de Laprade et de Maurice de Guérin (2), sans oublier ceux de Vigny, ont maintenu vivants ces thèmes mythologiques qui ne font, après 1840, que connaître un regain d'actualité. A bien y regarder, il n'y a pas de renaissances antiques ; il n'y a que des réinterprétations. Les mythes grecs et latins, on le voit maintenant encore, n'ont jamais cessé de stimuler et d'attirer les efforts imaginatifs des poètes (3). C'était déjà en 1843 l'opinion du nôtre et il n'a eu besoin d'aucune mode pour la concevoir. S'il cherche à rivaliser parfois avec quelqu'un, ce n'est guère avec Leconte de Lisle, mais avec Chénier, dont il renouvelle pour son compte l'expérience et qu'évoquent le célèbre *Rouet d'Omphale,*

> Il est dans l'atrium, le beau rouet d'ivoire... (4).

et les gracieuses églogues où l'antiquité est symbole de plaisir, de clarté, d'amour et de soleil :

> Nous errions elle et moi dans les monts de Sicile... (5).

La mythologie chez Hugo, quand elle n'est pas mise au service de ses conceptions cosmogoniques, apparaît le prétexte à célébrer l'amour dans la nature.

D'un « naturalisme » humoristique.

Car maintenant que lui sont rendues « la solitude et la forêt muette (6) », c'est à la nature, son seul témoin, qu'il demande l'inspiration, la paix, le mystère et la distraction. Au moment où, au nom de la « nature », cette éternelle « nature » abstraite revendiquée tour à tour par les classiques de 1660 et les romantiques de 1827 (7), s'affirme en littérature l'école qui s'arroge ce nom et dont même *les Misérables* se réclameraient mal à propos, voilà pour vingt ans le poète enfermé dans la nature au sens propre. Aussi le naturalisme, si l'on peut dire, de V. Hugo n'a-t-il rien à

---

(1) Nous avons vu encore naguère, entre 1830 et 1850, des témoignages de cette constance, cf. p. 308.

(2) *Le Centaure* a été publié par George Sand dans la *Revue de Paris* en 1840 ; le reste paraîtra en 1861. Il faut citer aussi les fantasmagories helléniques de Nerval dont la prophétie, formulée en 1845, va se vérifier étrangement en 1852 avec les *Poèmes antiques* de Leconte de Lisle :

> Ils reviendront les dieux que tu pleures toujours...

Cf. *Vers dorés, Artiste,* 28 déc. 1845. Cf. également *le Temple d'Isis* (1845), repris en 1847 sous le titre *l'Iseum* (*Isis,* dans *les Filles du Feu,* 1854), et *Daphné in Petits Châteaux de Bohême* (1853).

(3) Cf. ici, p. 307-308.
(4) *C.,* II, 3, 1843.
(5) *C.,* II, 12, 1846.
(6) *T. L.,* V, 16, cf. ici p. 399.
(7) Pour mémoire :

> Et maintenant il ne faut pas
> Quitter la nature d'un pas !

La Fontaine, Lettre à Maucroix, 1661.

« Tout ce qui est dans la nature est dans l'art. La nature donc ! la nature et la vérité ! »

V. H., Préf. de *Cromwell.*

faire avec celui des Goncourt : c'est un « naturalisme » de fantaisie, ou si l'on veut, disons que son fantaisisme se fait pastoral pour une large part, qu'il s'inspire de la nature.

Ce n'était à vrai dire que la stylisation de sa conception lyrique de la nature, complice des amours ; une suite aux hommages rendus au chêne des Metz, confident de la correspondance avec Juliette, et à la forêt de Fontainebleau, dont le silence indulgent et protecteur avait contemplé ses promenades avec Léonie. Le charmant refrain de 1846 :

> La chanson la plus charmante
> Est la chanson des amours (1).

est d'avance complété par l'appel, verlainien à s'y méprendre :

> Écoutez la voix touchante
> De l'oiseau de l'air qui chante (2).

De plus en plus, la nature pour Victor Hugo devient le cadre inséparable de l'amour : elle l'abrite et elle l'appelle. Elle ne reste pas longtemps solitaire : le poète l'idéalise et la peuple de couples imaginaires appartenant à la mythologie antique ou moderne, nymphes et faunes, bergers et laveuses ou cousettes, autour desquels les oiseaux, les insectes, les arbres et les fleurs entrelacent les arabesques de leur joie pétulante.

Est-ce à dire que ce naturalisme se passe de modèle ? On a vu que la fantaisie de Victor Hugo, après avoir été d'abord artificielle et s'être nourrie de convention romantique dans le style gothique ou oriental, s'est revigorée aux sources de l'observation pendant les voyages, cependant que la veine artiste continuait de-ci de-là de se manifester tout en se modifiant. Le bénéfice de cette rééducation réaliste de l'imagination, s'il s'est déjà fait sentir, va apparaître en toute clarté après 1850, dès avant les Chansons, dans les Châtiments et les Contemplations, au grand scandale d'ailleurs des critiques contemporains. L'étude de ces recueils m'a rapporté la conviction que le paysage des îles tient la moindre place dans cette fantaisie de la nature, mais qu'en revanche leur influence a été considérable pour y exciter le poète. C'est au contact de la nature que les souvenirs de Normandie et d'Allemagne, lentement cristallisés, fixés et stylisés, se sont proposés à son esprit créateur pour devenir la matière de sa poésie. Une « chose vue » déclenche une « chose souvenue » ou motif, qui fut en son temps une chose vue, patiemment élaborée par l'imagination. C'est ce qui explique le caractère stylisé et pour ainsi dire stéréotypé de ces fantaisies naturelles qui n'évoquent généralement aucun paysage précis et étonnent chez un poète aussi bon observateur. Mais, installé dans le présent, il vit de souvenirs, de ses riches expériences

---

(1) C., II, 13, 8 septembre 1846. Impression confirmée par les deux premiers refrains :

> La chanson la plus paisible
> Est la chanson des bergers.
> . . . .
> La chanson la plus joyeuse
> Est la chanson des oiseaux.

(2) T. L., IV, 17, 21 juin 1843, lendemain du Rouet d'Omphale. On voit comme autour de l'amour et pour l'exprimer se rencontrent dans la création de Victor Hugo la mythologie et la nature.

poétiques dont il exploite, inconsciemment d'abord, puis, la répétition aidant, plus consciemment peut-être, l'inépuisable source.

A défaut de modèles pris dans la nature même, d'autres stylisations ont-elles pu servir à Hugo d'exemples, pour la sienne propre? J. Vianey citait Milton, Granville et surtout Gautier (1). Laissons de côté le premier, dont les évocations paradisiaques manquent pour le moins d'humour. Pour voir l'amour partout dans la nature, Hugo n'avait pas attendu 1854 ni n'avait eu besoin de lire Milton : ce n'est pas miracle. Ses goûts y suffisaient.

En revanche, c'est un fait à retenir que l'apparition de cette curieuse publication collective entreprise par P.-J. Stahl en 1840-1842 sous le titre de *Scènes de la vie privée et publique des animaux*, avec le concours de nombreux écrivains, tous plus ou moins connus de Victor Hugo, et du dessinateur Granville (2). Au surplus, P.-J. Stahl, de son vrai nom Pierre-Jules Hetzel, fut proscrit après le coup d'État et se réfugia également en Belgique, où il resta jusqu'en 1859. C'est là plus de raisons qu'il n'en faut pour que Victor Hugo n'ait pas ignoré cette publication, non plus que celles des *Fleurs animées* (3), en 1847, illustrées par le même artiste sur un texte de Taxile Delord, ce journaliste de l'équipe du *Charivari* avec laquelle Hugo entretenait des rapports cordiaux et où régna toujours à son endroit une admiration fidèle, y compris pendant l'exil (4). C'est sous un titre parodié de Balzac, un « raout », comme on disait, des amis de l'éditeur Hetzel, un divertissement romantique. George Sand y délègue un moineau franc et Musset son « merle blanc »; Balzac, Nodier envoient des représentants plus volumineux et plus exotiques à cette

---

(1) Voir éd. citée des *Contemplations*, Introduction, p. LXXXIV sq.

(2) Sous-titre : *Les animaux peints par eux-mêmes et dessinés par un autre. Études de mœurs contemporaines, publiées sous la direction de M. P.-J. Stahl, avec la collaboration de..., illustrées de cent grandes vignettes à part du texte dessinées par Grandville...,* 50 *livraisons à 30 centimes*, Paris, J. Hetzel et Paulin, 1840. Cote Bibl. Nat. : Rés. Y², 1007-1008, in-4º. La 2ᵉ page porte le millésime 1841, le tome II 1842. Selon le *prospectus*, le livre se fait gloire de n'appartenir à aucun genre : « tous les genres sont bons hors le genre ennuyeux ». Il semble que ce soit Granville, « le La Bruyère des animaux et le La Fontaine des dessinateurs », qui en fasse l'intérêt : les écrivains ne sont là, dirait-on, que pour écrire la légende de ses dessins, ils « ont associé leur plume au crayon de Granville ». Le but de cette publication de pure fantaisie est de sortir des « voies usées et monotones de l'apologue et de la physiologie descriptive et peindre sous une forme nouvelle et piquante les hommes par des animaux! » La grande nouveauté, ajoute P.-J. Stahl, « c'est l'animal qui s'inquiète de l'homme ».

Table des Matières du t. I : P.-J. STAHL, *Préface; Prologue, Résumé parlementaire; Histoire d'un lièvre;* — E. DE LABÉDOLLIÈRE, *Mémoires d'un crocodile;* — DE BALZAC, *Peines de cœur d'une chatte anglaise;* — P.-J. S., *les Aventures d'un papillon;* — P. BERNAUD, *les Animaux médecins;* — E. de L., *Cour criminelle de justice animale;* — L. BAUDE, *l'Ours;* — DE B., *Guide-âne à l'usage des animaux qui veulent parvenir aux honneurs;* — E. LEMOINE, *le Rat philosophe;* — G. SAND, *Voyage d'un moineau de Paris;* — Ch. NODIER, *Un renard pris au piège;* — J. JANIN, *le Premier feuilleton de Pistolet;* — P.-J. S., *Souvenirs d'une vieille corneille;* — DE B., *Voyage d'un lion d'Afrique à Paris;* — P.-J. S., *Au lecteur.*

Table des Matières du t. II : P.-J. S., *Encore une révolution;* — L'HÉRITIER (de l'Ain), *Pérégrination mémorable du doyen des crapauds;* — P. DE MUSSET, *les Souffrances d'un scarabée;* — L. VIARDOT, *Topaze peintre de portraits;* — P.-J. S., *les Peines de cœur d'une chatte française;* — Mme M. MÉNESSIER-NODIER, *Histoire d'une hirondelle à une serine élevée au couvent des oiseaux;* — P.-J. S., *le Septième ciel, voyage au delà des nuages;* — DE B., *les Amours de deux bêtes;* — P.-J. S., *Vie et opinions philosophiques d'un pingouin;* — Ch. NODIER, *Tablettes de la girafe;* — A. DE MUSSET, *Histoire d'un merle blanc;* — P.-J. S., *Oraison funèbre d'un ver à soie; Dernier chapitre.*

(3) Éditées chez Gonet.

(4) Cf. mon article, *Trois billets de V. Hugo à un journaliste.*

assemblée, présidée par le Mulet et conduite par le Lion, des débats
de laquelle Stahl donne un *Résumé parlementaire,* traité en charge, où
« l'Huître bâille » et le Dromadaire demande des nouvelles de la Question
d'Orient. Hugo s'était tenu à l'écart : peut-être trouvait-il alors l'entreprise irrévérencieuse?

Ces textes ont leur intérêt pour ce qui nous occupe. Qu'il s'agisse des
moineaux de G. Sand, « les plus hardis et les plus effrontés oiseaux qui
existent », des papillons de P.-J. Stahl ou du merle de Musset, bon adepte
du hoffmannesque *Chat Murr* dont Loève-Veimars avait présenté des
extraits, ils caricaturent dans le monde animal et végétal les traits d'une
société qui a ses gouvernements (*Rule Formicalia,* dans le conte de G. Sand),
ses castes, ses usages, ses amours et ses noces, et sa musique, comme
on verra bientôt dans *l'Oiseau* ou *l'Insecte* de Michelet (1), et avant que
ces mêmes thèmes n'aient été développés par Hugo avec une ampleur
presque systématique dans certaines pièces des *Chansons* telles que
Comédie dans les feuilles, l'Église, la Célébration du 14 juillet et *Clôture* (2).
La première en date et de beaucoup la plus importante, mais restée jusqu'en 1865 inédite, est la petite comédie de *la Forêt mouillée* (3). La
première publiée pourrait être *A Granville, en 1836...* qui parut dans
les Contemplations en 1856 (4). Aussi est-ce celle sur laquelle s'achar-
nèrent les critiques.

La coïncidence est si frappante qu'on se demande si Hugo n'a pas eu
en tête un soupçon de calembour lorsqu'il a intitulé ou daté deux pièces
des *Contemplations* (5) du nom de cette plage normande, qui est aussi
celui de l'illustrateur en question. Car, plus encore que les textes, les
dessins de Granville y développaient avec beaucoup de fantaisie, dans le
style un peu laborieux et fouillé des dessinateurs romantiques, un « pays
des merveilles » d'avant Lewis Carroll. Veuillot avait dès 1856 fait le rapprochement du premier livre des *Contemplations, l'Ame en fleur,* avec
cet esprit qui consiste à « communiquer aux arbres, aux fleurs, aux plantes,
le privilège humain de l'impudicité : grossière imagination, pillée du
lourd dessinateur Granville (6) ». J'attribuerais à ce rapprochement une
certaine importance, parce qu'il s'agit d'images et que Victor Hugo
aimait les images. Comme au temps où il applaudissait aux terribles
illustrations de Cruikshank pour l'édition anglaise de son *Han d'Islande,*
ou écrivait à Adèle de se reporter à telle gravure des *Voyages pittoresques
et romantiques* pour se faire une idée du paysage qu'il avait sous les yeux,
on voit encore Hugo à Hauteville House s'entourer d'images, de dessins
dont l'abondance frappe le visiteur (7) et entasser les numéros de l'*Illus-*

---

(1) Respectivement publiés en 1856 et 1857.
(2) Ces quatre pièces font partie des *C. R. B.* : dans l'ordre II, 1, 2 ; II, II, 3 ; II,
III, 3 ; II, IV, 4. A l'exception du 14 *juillet*, elles sont de juin 1859.
(3) *Th. lib.*, p. 287, écrite en mai 1854.
(4) *C.*, I, 14, 10 octobre 1854.
(5) *C.*, I, 14, ci-dessus citée et *C.*, I, 25, *Unité*, datée *Granville, juillet* 1836.
(6) L. VEUILLOT, *Études sur Victor Hugo,* 1886, p. 163, cité par J. VIANEY, *op. cit.*,
p. LXXXV. Le fait que j'aie été saisi de ce rapprochement de mon côté, avant de l'avoir
remarqué chez Veuillot ou Vianey, m'inciterait à y attacher une certaine importance.
Sur le jugement de Veuillot, cf. ces vers d'*Oc.*, CXXXIX :

> La rose ouverte a l'air de chercher aventure.
> Veuillot rougit. Mets donc une guimpe, ô Nature!

(7) Cf. le témoignage de Paul Chenay, nov. 1858, *in* R. ESCHOLIER, *op. cit.*, p. 284.

trated News sur la guerre de Crimée. Remarquons d'ailleurs que ce type de contes et d'images, et la fantaisie qu'ils développent, se retrouvent dans tous les contes de fées, livres et journaux pour enfants, auxquels Hugo portait de l'intérêt. Qu'un amateur de fantastique, Loève-Veimars, ait créé en 1833 le premier *Journal des Enfants* n'est pas exemple négligeable. Il n'y a pas si loin de l'un aux autres. C'est une réaction d'enfant de s'intéresser aux bêtes, aux fleurs, aux insectes, et, à cet égard comme à d'autres, Hugo eut le privilège de conserver et d'entretenir son âme d'enfant, ce qui est plus facile aux poètes, car ils en vivent (1).

Nous aurons l'occasion de revenir sur ces textes dans l'étude des pièces et recueils d'après 1850 qui témoignent de ce « naturalisme humoristique » et de voir que, partout où l'on propose des sources livresques, cette inspiration s'explique bien davantage par des raisons vitales. Car rien de tout cela n'était absolument nouveau chez Hugo qui n'avait pas eu besoin non plus des successives publications de Gautier « dont il a jadis éveillé la fantaisie et qui maintenant l'aide à développer la sienne (2) ». Certes, le schéma de J. Vianey a tous les avantages et les inconvénients de la logique, qui n'a pas grand'chose à faire au pays de la fantaisie : Gautier né de Hugo vers 1828-1830, Hugo rajeuni par Gautier en 1854, et Gautier fécondé par Hugo en 1855. Tout cela fait sans doute partie d'un courant fantaisiste, qui ne s'est pas limité d'ailleurs à l'époque romantique, mais auquel celle-ci a donné une certaine expression : on l'a vu à propos du thème des « fêtes galantes », autour duquel se donnent rendez-vous non seulement Hugo et Gautier, mais Janin, mais Nerval, etc. En revanche, l'on ne voit pas que Vigny ou Lamartine, sur le tard, aient songé à emboîter le pas de Gautier. Il fallait donc que V. Hugo eût un tempérament plus enclin à cette fantaisie. Or, nous en avons précisément rencontré des témoignages d'autant plus nombreux et, je pense, convaincants dans les voyages que, le poète s'y sentant en vacances, ceux-ci déchaînaient son humour et qu'au surplus le genre du récit de voyage se prête à ces traits enjoués ou piquants.

Sans préjuger de l'influence que, comme nous l'étudierons en son temps, telle ou telle forme donnée par Gautier à un motif dans le cadre de ces thèmes peut avoir exercée sur Hugo, au moment où il avait lu les *Émaux et Camées*, cueillons seulement un motif précis parmi ceux que propose J. Vianey : celui de la floraison des arbres fruitiers au printemps. Dans *Premier sourire du Printemps*, Gautier en tire ce quatrain :

> Dans le verger et dans la vigne,
> Il s'en va, furtif perruquier,
> Avec une houppe de cygne,
> Poudrer à frimas l'amandier (3).

Un an plus tard, dans *Floréal*, Hugo écrit :

> ... Quand le pommier
> Se poudre ainsi qu'un marquis pour le bal... (4).

(1) Cf. II⁰ partie, 1ʳᵉ section, chap. 1, *Pour ses enfants...* et 2⁰ section, *Amour, enfants, nature.*
(2) J. VIANEY, *loc. cit.*, p. LXXXVI.
(3) Publié dans *la Presse* du 7 avril 1851 et dans les *Émaux et Camées*, en 1852. *II :* le printemps.
(4) *Ch.*, VI, 14 mai 1853.

Oui mais, il avait déjà caressé le motif plus d'une fois auparavant, à
propos des « coiffures ébouriffées, des perruques formidables (1) » des
ormes : 1836-1843. Or, Gautier dans *Mademoiselle de Maupin* avait, on se
rappelle, évoqué un parc de style ancien dont « les arbres avaient plutôt
l'air surannés que vieux ; ils paraissaient avoir des perruques et être
poudrés à blanc (2) ». Nous voici rendus en 1835 : qui dit mieux ? Janin,
dans *le Haut-de-Chausse*, publié en 1832 : ... « déjà les premiers arbres
de la grande route se mettaient à défiler devant moi avec leurs têtes
rondes et poudrées à blanc comme des têtes de chambellans (3) ». Je gage
qu'on trouverait de ces arbres poudrés chez Nerval, peut-être chez Hoffmann. Et alors ? est-ce une enchère à qui se sera le premier servi de cette
image pittoresque ? et est-elle si originale qu'elle vaille ce soin, et que
chacun de nous ne puisse en refaire la banale découverte pour son compte ?
Autant en peut-on dire des « collerettes » des pâquerettes, qu'on retrouverait jusque chez les poètes de la Pléiade ou Ch. d'Orléans. Nerval
était sage lorsqu'il écrivait dans *la Bohème galante*, rappelant le temps où
il ronsardisait :

Eh bien ! étant admise l'étude assidue de ces vieux poètes, croyez bien que
je n'ai nullement cherché à en faire le pastiche, mais que les formes de style
m'impressionnaient malgré moi, comme il est arrivé à beaucoup de poètes de
notre temps (4).

Que, à son insu ou non, Hugo ait été « impressionné » par telle ou telle
forme de motif rencontrée chez un Janin ou un Gautier, à l'heure où il
ressassait ses souvenirs dans leurs livres reçus en exil, cela est peut-être
bon à dire, cela n'explique pas. Il est bien moins important pour l'étude
d'un poète de découvrir l'objet d'une rencontre que d'en reconnaître
l'esprit : que cherchait-il dans la rencontre et pourquoi l'a-t-il retenue ?
La fantaisie de Gautier, qui suit un développement parallèle à celle
de V. Hugo et, parmi d'autres, entretient avec elle de vraisemblables interférences, reste plus décorative, celle de V. Hugo plus sensuelle et parfois
plus absurde. Mais que de telles œuvres, parmi lesquelles je ne cite celles-
ci que comme des exemples, dessins de Granville ou textes, aient eu le
pouvoir d'éveiller, à l'insu du poète ou non, une certaine imagination
de la nature, qui, déjà apparue auparavant, sommeillait pendant le temps
de la colère, cela est tout à fait possible.

Cette collusion humoristique de l'amour et de la nature, je suis donc
disposé à croire qu'elle venait d'abord de Victor Hugo, ainsi que je me
suis attaché à en montrer l'existence avant 1850 dans ce qu'un critique
appelait avec mépris les « amusements de la partie enfant du poète »,
et qu'elle a bénéficié de Jersey comme autrefois de Granville, la plage
normande, ou de Bacharach. Le voyageur, privé de voyage, se trouve
soudain bloqué dans une escale indéfinie. Je dirais presque qu'il doit
désormais se contenter des moyens du bord et, comme son fils Charles
le disait de Guernesey, « c'est bon pour lui qui porte sa bibliothèque dans

(1) *V.*, II, p. 353, 1843, et se reporter à *Période des Voyages*, chap. II, *Études
d'arbres.*
(2) Chap. XII, éd. Charpentier, p. 313, cf. ici p. 363.
(3) *Contes fantastiques*, t. II, p. 36.
(4) Cf. ici, p. 368.

sa tête (1) ». La détente dévolue aux voyages de 1834 à 1843 et dont il
a bien besoin de nouveau, en attendant que le médecin lui en prescrive
l'ordonnance après son anthrax de 1858, ouvrant ainsi une seconde
période de séjours en Belgique et en Allemagne, c'est à Jersey, puis,
après 1855, à Guernesey que ce rôle échoue, et à son œuvre même. Une
seule exception jusque-là : quelques escapades à l'île voisine de Serk,
où il écrira en 1859 ces vers révélateurs :

> Les bois, les monts, les prés ont pour notre pauvre âme
> Un étrange pouvoir de mise en liberté (2).

Le climat particulier de ces îles et leur influence seront étudiés en temps
voulu. Mais dès maintenant, on peut avancer qu'elles ont agi sur le poète
de plus d'une façon, et notamment de deux : tout d'abord, l'éloignement
pur et simple de la France, de Paris et de sa chère banlieue rend ces lieux
plus présents à son cœur et impose à sa mémoire de très vives réminiscences selon un phénomène que le poète analysera dans une page pathétique
des *Misérables* (3). Mais surtout, d'une part, leur végétation si verte
qu'elle pouvait à bon droit lui évoquer la Normandie et leur exotisme
inattendu, étranger en tout cas au poète, ont accentué son « naturalisme »
humoristique, cependant que d'autre part, et par un effet parallèle mais
inverse, la mer et les tempêtes d'hiver aggravaient en lui un penchant à
la méditation sur l'abîme et, pour reprendre sa propre expression du
Promontorium Somnii, un « supernaturalisme », accru par les circonstances,
la déception et l'isolement, et aussi les expériences de spiritisme auxquelles
Mme de Girardin entreprit pendant son séjour de 1853 de l'initier. Ces
deux aspects opposés, mais non point sans communes frontières, et
pour ainsi dire complémentaires, se distribuent à présent le visage de
Victor Hugo en deux profils : enjoué, effaré. Il leur arrive de se super-
poser ou de se suivre, ou même de se dessiner simultanément de façon
apparemment déconcertante, mais significative. Ainsi verra-t-on le
poète composer dans la première quinzaine d'octobre 1854, en même
temps que *la Bouche d'ombre*, une série de pièces débordantes de cette
fantaisie printanière (4). Bien plus, en 1859, *le Satyre*, projeté en style
de chanson, commencé à la manière d'une fable de La Fontaine, se
transforme en apocalypse et se réalise sous la forme d'un poème d'épopée
symbolique, sinon symboliste. C'est le Faune devenu cosmophore.

On conçoit que ces deux dispositions maîtresses de son tempérament
aient eu des répercussions réciproques dans la vie psychique et créatrice
de ce poète. Outre que l'exercice d'une méditation philosophique aussi
intense provoque chez lui par manière de compensation la détente la
plus saugrenue parfois, la familiarité patiemment acquise avec les choses
de la nuit, dans une maison hantée au moins par les bruits de la mer,
exigeait pendant le jour un puissant contrepoids pour rétablir l'équilibre
compromis de l'esprit, et nulle distraction autant que des sens n'était
apte à l'apporter à sa constitution. La sensualité de son imagination s'est

---

(1) Cité par P. HAZARD, *V. H. en exil*, p. 26.
(2) *D. G.*, XVI, 30 mai 1859.
(3) *Mis.*, II, v, 1.
(4) Signalé par J. VIANEY, *op. cit.*, p. XL.

prodigieusement accrue de ce fait, non pas seulement dans sa vie, mais dans son œuvre, attentive à l'aventure au coin d'un champ, exacerbée par la solitude, le relâchement des scrupules, la présence sur une terre où il était un étranger. Aussi, de jour, la nature remplit sa fonction de « spectacle rassurant » à laquelle elle donne, de nuit, un formidable démenti pour un être sensible et doué d'une imagination visuelle et auditive comme l'était Victor Hugo.

Autrefois, je dormais comme un homme tranquille. Maintenant, je ne me couche jamais sans frayeurs, et quand je m'éveille le matin, c'est avec un frisson (1).

Sans doute, était-ce le résultat pour une part des veillées spirites, pour une autre du développement de l'occultisme, dans cette première moitié du xixᵉ siècle, des leçons d'Alexandre Weill et des livres que tant de correspondants bénévoles ne se font pas faute de lui faire parvenir (2). Mais on ne peut s'empêcher de retrouver là l'écho d'aveux antérieurs, dont je retiendrai celui-ci, qui, écrit en juillet 1846, n'est pas d'une date si éloignée des jours de septembre adonnés aux églogues :

> Seul au fond d'un désert, avez-vous quelquefois
> Entendu des éclats de rire dans les bois ?
> Avez-vous fui, baigné d'une sueur glacée ?
> Et, plongeant à demi l'œil de votre pensée
> Dans ce monde inconnu d'où sort la vision,
> Avez-vous médité sur la création
> Pleine, en ses profondeurs étranges et terribles,
> Du noir fourmillement des choses invisibles (3) ?

(1) *Journal de l'exil*, in P. BERRET, *Revue des Deux Mondes*, 1ᵉʳ août 1922, p. 563.
(2) Cf. R. JASINSKI, *Hist. de la Litt.*, t. II, p. 342-343 et D. SAURAT, *Victor Hugo et les dieux du peuple*, Paris, La Colombe, 1948, p. 20 sq. Pour les livres d'occultisme dans la bibliothèque de V. H., voir p. ex. J. DELALANDE, *V. H. à Hauteville House*, Paris, Albin Michel, 1947, p. 120.
(3) *T. L.*, II, 30, 7 juillet 1846. Sur les « éclats de rire », cf. *C. R. B.*, I, 1, 2 :
> Orphée, au bois du Caystre,
> Écoutait, quand l'astre luit,
> Le rire obscur et sinistre
> Des inconnus de la nuit.

L'impression visuelle du « noir fourmillement », qui n'est pas chez Hugo un simple mot, fournirait une longue liste d'exemples dans son œuvre. Elle reviendra surtout après 1851. Peut-être originaire du fameux « puisard » des Feuillantines, constamment sous-entendue dans des poèmes comme *la Pente de la Rêverie* (*F. A.* XXIX, 1830) et *A Albert Dürer* (*V. I.*, X, 1837), elle s'applique aux fouillis de l'architecture (*Rh.*, XX, 176, la Tour des Rats, 1840) et des forêts (*Oc.*, XXXII, 1840-1842). Par suite, avec des variantes (*horrible, terrible, hideux, lugubre...*), elle désigne les mystères de la nuit et de l'invisible. Ex. : notamment *Caravane*, *Ch.*, VII, 7, v. 60, nov. 1852 ; *l'Egout de Rome*, *Ch.*, VII, 4, v. 43, avril 1853 ; *la Bouche d'ombre*, *C.*, VI, 26, v. 520, oct. 1854. Elle abonde autour des années 70. Ex. : *V.*, II, 538, Waldschutt, 1869 (cafards) ; *Q. V. E.*, III, p. 355, 21 juillet 1870 (feuilles) ; *A. T.*, *Juin*, XIV, 8 juin 1871 (herbe) ; *la Terre*, *L. S.*, *N. S.*, I, 1873 (« Au fourmillement d'yeux ouverts dans la forêt ») ; *les Bonzes*, *Q. V. E.*, I, 26, 26 juillet 1874 (*i. e.* les prêtres : « Vous êtes l'implacable et noir fourmillement », doublé de l'équivalent auditif : « chuchotement hideux ! ») ; *A. G. P.*, IV, 7, p. 451, 5 sept. 1875 (bêtes sauvages) ; *le Synode d'Orient*, *P.*, p. 16, 1878 (encore les prêtres) présente une forme dédoublée également intéressante :
> ... Sachez,
> Que le fourmillement lugubre des péchés,
> O noirs vendeurs du temple, emplit votre opulence...

Enfin, cette profession de foi sans date, *Oc.*, *Tas*, p. 244 : « Laissez-moi en paix dans ma sombre contemplation des fourmillements de l'univers. »

Cette « sueur glacée » n'annonçait-elle pas le « frisson » du réveil à Marine-Terrace ? Oui, à présent que lui étaient rendues « la solitude et la forêt muette », il en éprouvait aussi le poids et il avait besoin, pour calmer ses transes nocturnes, des églogues siciliennes auxquelles, par un contraste naturel, le soleil frais du matin le conviait sans transition.

***

Ainsi, c'est en définitive par Hugo d'abord, mais Hugo à Jersey, à Guernesey, à Serk, en Belgique, en Allemagne, qu'il faut chercher à expliquer le développement de sa fantaisie. Comme de la nuit au jour, elle suit un cycle solaire d'éclipses et de réapparitions. Plus largement on peut dire qu'elle suit un cycle saisonnier : encore que l'entraînement suscite des exceptions, elle s'épanouit aux beaux jours de printemps, d'été et d'automne. Cette action conjuguée d'un climat favorable et d'une disposition créatrice devenue habitude et obtenue par le poète presque sur commande fait comprendre que l'œuvre de fantaisie se bloque par périodes où il nous est plus aisé de la cerner. Cela n'est pas surprenant : sans que pour autant le fond change, il y a des époques dans la vie et le génie d'un écrivain. En ce sens, l'observation des dates est instructive et elle continuera de nous guider, sous les réserves générales déjà formulées (1), dans le détail autant qu'il sera possible et qu'il y aura intérêt.

Une première période se dessine, une fois l'âme rassérénée et la vengeance exercée, dans les années 1853-1855 : on en trouvera les témoins dispersés dans *Châtiments* et réunis pour la première fois en gerbe ostensible dans les deux premiers livres des *Contemplations*, *Autrefois* et *l'Ame en fleur*, sans parler des pièces contemporaines qui attendront les recueils reliquaires. Le dossier du *Théâtre en liberté* s'augmente d'une saynète achevée, *la Forêt mouillée*, qui n'est à vrai dire qu'une églogue un peu importante. Fantaisie surtout pastorale : c'est l'époque du *Sylvain* (2).

Puis se produit une assez forte éclipse de sa fantaisie, pendant laquelle le poète se consacre à l'épopée d'apocalypse issue des *Contemplations* et redoutée par son éditeur Hetzel à l'égal d'un mauvais placement : *la Fin de Satan*, *Dieu*, *l'Ane*, etc. Cependant, le pipeau pathétique a rapporté au sylvain une maison dont l'installation va fournir à sa fantaisie un suffisant exutoire : cette œuvre d'un nouveau genre mais d'un même esprit, *Hauteville House*, commencée en mai-octobre 1856 s'achève dans l'hiver 1859. Au printemps, Hugo, suivant le conseil de son médecin, repartira pour un séjour à Serk, sinon beaucoup plus long que les autres, du moins plus marquant, pendant lequel sa fantaisie se déchaînera dans les premières *Chansons des rues et des bois*. Mais elle avait déjà percé dès le mois de janvier de cette même année dans quelques passages des *Petites Épopées* composées alors : *la Rose de l'Infante*, *le Satyre*, *Eviradnus*. Elle s'épanouit dans les *Chansons* de l'été 1859, pour ressurgir de-ci de-là par la suite dans *les Misérables*, *William Shakespeare* et le fameux *Promontorium Somnii* où, guidé par l'exemple du grand poète élisabéthain, Hugo dégage

(1) Cf. préface et mon article cité : *Promenade dans un album de voyage...*
(2) *C.*, I, 27 : « Si je n'étais songeur, j'aurais été sylvain » (1855).

les grandes voies de l'imagination poétique en général et de la sienne
propre. Entre temps, il a repris depuis 1861, à l'occasion du récit de
Waterloo, l'habitude des voyages réguliers de « vacances laborieuses ».
C'est dans le voyage de 1865 que s'achève le recueil, commencé en 1859,
des *Chansons des rues et des bois*, au sujet duquel il confie à Jules Claretie :
« Je n'aurais dû publier ce recueil qu'après ma mort... C'est le livre où
je suis le plus complètement (1). » Ces deux étés, 1859 et 1865, liés si
étroitement par cet ouvrage où la fantaisie de Victor Hugo s'affirme en
effet sans aucune réticence, délimitent une seconde période, pendant
laquelle le *Théâtre en liberté* largement accru, notamment en 1865, prend
enfin corps.

Nouvelle éclipse, ou du moins son imagination prend les proportions
épiques des *Travailleurs de la mer*, de *l'Homme qui rit* et de *Quatrevingt-
treize*. Pourtant de-ci de-là une fantaisie plus modeste apparaît au bord
de ces tourbillons. 1870 clôt provisoirement l'exil et rouvre enfin au
poète ému les portes de sa patrie et de la politique active, mettant sa
fantaisie en veilleuse. Mais l'amour veille aussi chez ce vieillard impénitent : autour de Blanche-Alba, si surveillée par la jalousie perspicace
de Juliette, se tresse vers 1872-1873 une nouvelle « guirlande de Julie »
— *Toute la vie d'un cœur* (2), le *Groupe des Idylles* (3) — qui, abandonnée,
reprise, 1874-1875, 1877, commente les amours passées et présentes
d'un septuagénaire dont la fantaisie reste toujours, sinon de plus en
plus, érotique, jusqu'à ce que le sourire de ses petits-enfants, retrouvé
en 1870-1871, lui impose d'en cataloguer le thème sous le titre *les Fredaines du grand-père enfant* (4). Si ce ne sont pas toujours celles de l'enfant
qu'il fut qui suscitent sa fantaisie, au moins est-il vrai que celle-ci, sur
le tard, se renouvelle encore une fois, comme il arrive chez les grands
créateurs : le thème du *grand-père* tout court lui fait inventer des contes
ou noter des histoires, ce que le père n'a pas toujours pris le temps de
faire. Au même moment où ceux-ci paraissent en volume dans *l'Art
d'être grand-père* (mai 1877) s'achève le *Groupe des Idylles*, dont beaucoup
datent encore de ces deux dernières années, et avec lui la *Nouvelle Série*
de *la Légende des Siècles*.

Aussi bien, après cette date, sa santé fort ébranlée et sa puissance créatrice très diminuée, Hugo ne fait plus guère que d'anticiper sur le travail de ses légataires, commençant la publication de ses manuscrits inédits
que n'interrompra pas sa mort. Cette mort, qu'il attend d'un jour à l'autre
et qui lui fait appréhender de ne pas terminer *la Légende des Siècles* (5),
se produira deux ans après la publication de ce dernier volume. Depuis
1850, tour à tour, il a vu disparaître ses compagnons de route : après
Nodier parti le premier (1844), Chateaubriand (1848) et Balzac (1850),
ce furent Nerval (1855), Musset (1857), Lamartine (1869), Dumas (1870),
enfin Gautier (1872), dont la mort l'affecte peut-être plus qu'une autre :

Je vois mon profond soir vaguement s'étoiler... (6).

(1) Cité *in* R. Escholier, *op. cit.*, p. 329.
(2) *T. L.*, VI, 18.
(3) *L. S., N. S.*, XVIII.
(4) *A. G. P.*, IX.
(5) Note de la *Nouvelle Série*, datée 26 février 1877.
(6) *T. L.*, IV, 36.

Les adversaires aussi cèdent le pas : Gustave Planche en 1857 (1),
Veuillot qui le manque de deux ans (1883) ; seul Barbey trouve encore le
moyen de l'enterrer (1889). Mais de nouveaux s'acharnent : Biré, Lasserre.
Et d'autres, des inconnus, ont eu le temps de recueillir sa fantaisie et de
la faire survivre dans la leur : même un Mallarmé. Lui-même, Hugo,
semble après 1850 l'héritier des deux grandes figures disparues au beau
milieu du siècle : Chateaubriand et Balzac, les deux dont, avant de quitter
la France, il a salué la mort en des pages sobres et profondes (2). Il unit
désormais en lui l'indépendance abandonnée de l'un au génial négligé de
l'autre. C'est l'époque de sa vie où il subordonne tout, non plus à sa carrière ni même tant à sa gloire, mais à l'épanouissement de sa puissance
créatrice. Il était assez normal que la fantaisie y trouvât son compte.

(1) *Oc.*, p. 257 : « C'est un ennemi que je perds. Je supporterai cette perte. »
(2) *Ch. v.*, I, p. 361 et II, p. 67.

Achevé à Esher, la Saint-Jean 1948.

APPENDICE I

VOYAGE DE 1839

DATES	LIEUX	RÉFÉRENCES
30 août	Paris.	Passeport délivré pour la Belgique (?) (*Séj.* nº 148.)
31 —	Strasbourg.	*Rh.*, XXIX, 347 (?).
1er sept.	—	*Rh.*, XXX, 355 (?).
2 —		
3 —		
4 —		
5 —	Freiburg-en-Brisgau.	*Rh.*, XXXI, 361, 6 sept. : « Voici mon entrée à Freiburg : — il était près de quatre heures du matin. »
6 —	Bâle.	*Rh.*, XXXII, 370, Bâle, 7 sept. : « Hier... A midi j'entrais dans Bâle. »
7 —	Bâle-Frick...	*Rh.*, XXXIV, 380, 8 sept. : « Le jour se levait hier matin quand j'ai quitté Bâle. » *Rh.*, XXXIII, 373.
8 —	Zurich.	*Rh.*, XXXIV, 379 : « Je suis à Zurich. Quatre heures du matin viennent de sonner... »
9 —	Shaffhouse-Laufen (?)	*Rh.*, XXXVII, 394 et XXXVIII, 397 ; — Rheinfelden, *ibid.*, 383.
10 —	Lucerne.	*V.*, II, 175 (arr. : minuit) ; — *Rh.*, Ms., 516 : 7 h. du soir.
11 —	—	Le Mythen « dessiné sur le sommet du Rigi, le 11 sept. 1839 au coucher du soleil » (?) (*Séj.* nº 161).
12 —	—	Ascension du Rigi, *V.*, II, 193 : « J'ai quitté Lucerne pour le Rigi, le 12, à huit heures du matin. » *Ibid.*, 186 : « Je suis parti pour le Rigi le 12 au matin. »
13 —	—	Dessin « Lucerne, 13 sept. 1839, ce que je vois de ma fenêtre, pour *ma* Didine », *Catalogue Maison V. H.* 1934, nº 63.
14 —	Altorf.	Dessin daté « Altorf 14 sept. 1839 » (*Séj.* nº 162).
15 —	Lucerne.	*V.*, II, 186 : « Je suis encore à Lucerne. »
16 —	Lucerne.	*V.*, II, 187 (*Alb.*).
17 —	Thun, Berne.	*V.*, II, 189 (*Alb.*) : « Thun à midi » ; — *V.*, II, 191 (arriv. Berne : minuit).
18 —	En route pour Lausanne.	*V.*, II, 195, 6 h. du mat. : « Je pars pour Lausanne. »
19 —	Fribourg.	*V.*, II, 214 (*Alb.*).
20 —		*Rh.*, XXXIX, 403, Vevey, 21 sept.: « Berne, où j'ai passé hier... » (?).

29

DATES	LIEUX	RÉFÉRENCES
21 sept.	Vevey, Lausanne.	*Rh.*, XXXIX, 402 ; — *V.*, II, 265 (*Alb.*), 21 oct. : « Il y a un mois, le 21 septembre, j'étais à Lausanne. »
22 —	Lausanne.	*V.*, II, 217, 24 sept. : « J'ai passé à Lausanne avant-hier. » — *Rh.*, XXXIX, 412 : « Lausanne, 10 h. du soir. »
23 —	Genève (?)	*V.*, II, 217, 24 sept. où il en parle.
24 —	Aix-les-Bains.	*Ibid.*
25 —	Avignon.	*V.*, II, 219 (*Alb.*).
26 —	—	*V.*, II, 223 (*Alb.*).
27 —	Le Rhône.	Descente du Rhône en bateau (*V.*, II, 228-229).
28 —		
29 —	Arles.	*V.*, II, 229, Marseille, 30 sept. : « Je suis descendu ce matin d'Arles à dix heures par le paquebot à vapeur. »
30 —	Marseille.	*V.*, II, 228 : « Marseille, 30 sept., 5 h. du soir. Je suis à Marseille, je débarque, j'ai déjà couru à la poste rue Saint-Anacharsis. La poste ne sera ouverte que dans deux heures. » (?)
1ᵉʳ oct.	Toulon.	*V.*, II, 230 : « 7 h. du soir. J'irai demain à Toulon, puis je reviendrai à Marseille exprès... »
2 —		
3 —	Aix.	*V.*, II, 242 : « J'ai quitté Marseille de grand matin. »
4 —	Draguignan.	*V.*, II, 244 (*Alb.*).
5 —	Antibes, golfe Juan (?)	*V.*, II, 246 (*Alb.*).
6 —	Saint-Raphaël (?)	
7 —		
8 —		
9 —	Ile Sainte-Marguerite.	*V.*, II, 248 (*Alb.*).
10 —	Fréjus.	*V.*, II, 249 (*Alb.*).
11 —		
12 —	Sur le Rhône.	Remontée du fleuve : *V.*, II, 252, « 2 heures après-midi. »
13 —	Saint-Andéol.	*V.*, II, 255 (*Alb.*).
14 —		
15 —	Valence.	Dessin daté 15 oct. midi, *V.*, II, 258 (*Alb.*).
16 —		
17 —		
18 —	Chalon-sur-Saône.	*V.*, II, 260 (*Alb.*) et *V.*, II, 259.
19 —	Dijon.	*V.*, II, 262 (*Alb.*).
20 —	—	*Ibid.*
21 —	Châtillon-sur-Seine.	*V.*, II, 266 (*Alb.*).
22 —	Troyes.	*V.*, II, 268 (*Alb.*).
23 —	Villeneuve-l'Archevêque.	*V.*, II, 270 ; — *V.*, II, 270 (*Alb.*).
24 —	Sens.	*V.*, II, 272 (*Alb.*).
25 —	Retour à Paris.	

APPENDICE II

VOYAGE DE 1840

> Et si l'on a tenté de résoudre ici ce petit
> problème, c'est que d'autres, d'abord — à
> commencer par lui — en avaient posé les
> termes, ou les avaient embrouillés.
>
> M. LEVAILLANT, *Victor Hugo*, *Juliette Drouet
> et « Tristesse d'Olympio »*, Delagrave, 1945,
> App. I, p. 112.

Il semble, d'après les quelques dates-repères, apparemment authentiques, que l'on confronte ici avec les dates du *Rhin*, que Victor Hugo ait systématiquement avancé d'un mois les dates du voyage de 1840 attribuées dans le livre à 1838, de manière à les faire cadrer avec celles du voyage de 1839, à peu près respectées.

J'extrais ces dates-repères de quelques documents datés, exposés pour les *Séjours de V. H.* (Maison de V. H., 1935), et auxquels j'ai lieu de croire plus qu'aux dates arrangées du *Rhin* : j'ai été amené à dresser ce petit tableau comparatif partiel, qu'il faudrait travailler et continuer de façon à l'amener au moins à l'état du précédent, par la remarque du catalogue de cette exposition, d'ailleurs fort précieux, à propos d'un dessin daté « Bacharach, 26 7bre » (p. 51, n° 186) : *La date sur papillon rapporté, découpé dans la même feuille, n'est probablement pas exacte. Il semble que ce dessin ait été exécuté au crayon à la même époque que la lettre XVIII du Rhin (Bacharach) datée d'août* (1840). C'est évidemment le contraire.

DATES APPAREMMENT AUTHENTIQUES	DATES CORRESPONDANTES DU *Rhin*
Départ, 28 août 1840 (*Séj.* 48 et M. Levaillant, *Œ. de V. H.*, 188). Givet, 29 ou 30 août 1840 (?). Namur, 2 sept. 1840 (*Corresp.*, II, 22).	Givet, 29 juillet 1838, *Rh.*, IV, 36. Liége, 3 août 1838, *Rh.*, VI, 52. Liége, 4 août 1838, *Rh.*, VII, 56. Départ pour Aix-la-Chapelle, *Rh.*, VIII, 63.
Aix-la-Chapelle, 5 sept. 1840 (*Corresp.*, II, 23). Cologne, 9-10 sept. (?).	Aix-la-Chapelle, *Rh.*, IX, 66, 6 août 1838. *Rh.*, X, 81 : « Andernach, 11 août. J'ai traversé Cologne comme un barbare. A peine y ai-je passé quarante-huit heures. »

DATES APPAREMMENT AUTHENTIQUES	DATES CORRESPONDANTES DU *Rhin*
Andernach, 10 septembre 1840. Dessin. (*Séj.* n° 183) : « Ce que je vois de ma fenêtre, Bords du Rhin, 10 sept. 1840. » Bois d'Andernach-sur-le-Rhin, 12 septembre 1840, *T. L.*, V, 5.	*Rh.*, XIII, 105, Andernach, s. d. : « Le paysage, de ma fenêtre, est ravissant. » *Rh.*, X, 81, Bords du Rhin, Andernach, 11 août. *Rh.*, XI, XII, XIII, Andernach, s. d. *Rh.*, XIII, 105 : « Je vous écris encore d'Andernach... où je suis débarqué il y a trois jours. »
Saint-Goar, 15 sept. 1840 (*Corresp.*, II, 24). Dessin *Le Reichenberg*, 21 septembre, 5 h. du soir (*Séj.* n° 184).	*Rh.*, XIV, 112 : Saint-Goar, 17 août (1re date). *Rh.*, XVII, 137, Saint-Goar, août 1838 : « Ce schloss, c'est le Reichenberg. »
Bacharach (24-26 sept. ?). Dessin daté Bacharach, 26 sept. (*Séj.* n° 186).	*Rh.*, XVIII, 142 : « Lorch, 23 août... J'ai passé trois jours à Bacharach. »
Bingen. « 27 sept. 1840, La Tour des Rats, Victor H. » (*Séj.* n° 187). 28 sept. 1840 (*Corresp.*, II, 25).	De Lorch à Bingen, *Rh.*, XX, 153, Bingen, 27 août. *Rh.*, XX, 175 : « Je savais qu'avant d'arriver à Bingen... je rencontrerais la Maüsethurm. »
Rhin-Main. Mayence, 1er oct. (*Corresp.*, II, 27) : un jeudi. Francfort, 3 oct. (?). Mayence, 4 oct. 1840 (*Corresp.*, II, 31).	Mayence, 15 sept., *Rh.*, XXII, 229. Mayence, 1er oct., *Rh.*, XXV, 262. Francfort-s-le-Mein, *Rh.*, XXIV, 251 : « J'étais à Francfort un samedi. » (= 3 octobre.)
Rhin-Neckar. Du 5 au 7 (?).	Worms, octobre, *Rh.*, XXVI, 282. Arrivé un soir. *Ibid.*, 295 : « Le lendemain, je me promenai dans la ville. » Mannheim, *Rh.*, XXVIII, 308 : « Je suis resté à Mannheim le temps de faire atteler ma voiture. » Spire, octobre, *Rh.*, XXVII, 302 (s'y est-il arrêté réellement ? il n'a rien vu, le chap. semble tiré d'un guide).
Heidelberg (du 6 au 17 environ ?). Heidelberg, 9 octobre 1840 (*Corresp.*, II, 32*).*	Heidelberg (octobre), *Rh.*, XXVIII, 308 : « Je suis arrivé dans cette ville depuis dix jours... et je ne puis m'en arracher.» Heilbronn, Stuttgart, *Rh.*, Rel., 490, octobre. *Ibid.*, 494 : « Une heure après je quittais Stuttgart et je me dirigeais vers Weldenbuch par la route des montagnes. »
Forêt-Noire. 19 oct. (Notes d'Album, *V.*, II, 472). Stockart, 19 oct. 40 (*Corresp.*, II, 34). Donaueschingen-Hausach, 22 oct. (*V.*, II, 473).	« J'ai traversé la plaine du Rhin en ligne

DATES APPAREMMENT AUTHENTIQUES	DATES CORRESPONDANTES DU *Rhin*
Hausach, 22 oct. 1840, *Lettres aux Bertin*, p. 124. Vallée de la Gutach, 23 oct. (*Ibid.*, 474). Hausach-Freudenstadt, le Kniabis (*Ibid.*, 476). Freudenstadt-Gernsbach, 24 oct. (*Ibid.*, 477). Rastadt, 25 oct. (*Ibid.*, 478). Durkheim, 27 oct. (*Ibid.*, 479). Cf. Dessin du Château-des-Cris-la-Nuit « situé près de Durkheim... » (*Séj.* n° 198). Retour par Forbach (*Corresp.*, II, 34 : « Ecris-moi maintenant à *Forbach, poste restante* »).	directe, dans sa largeur, de Heidelberg à Durkheim,... dix lieues dont j'ai fait une moitié le matin en chemin de fer et l'autre le soir en voitùrin. A Mannheim j'ai passé le Rhin sur un pont de bateaux. » (*V.*, II, 479, 27 oct.).

Victor Hugo a donc avancé les dates de ses étapes d'environ un mois de Givet à Mayence. Il n'était pas à Mayence le 15 septembre (*Rh'.*, XXII), mais il y était au début d'octobre (*Rh.*, XXV). Depuis lors, les dates du *Rhin*, dans leur imprécision extrême, sont justes. Pourquoi a-t-il modifié les dates ? Ce n'est pas pour les accorder avec celle du faux-départ de 1838, puisqu'il a avancé celle-ci dans le livre de la seconde quinzaine d'août à la deuxième quinzaine de juillet. Cela fait dans le livre près d'un mois pour aller de Bingen à Mayence. Est-ce pour lui permettre d'intercaler le conte du *Beau Pécopin* qu'il prétend avoir écrit à Bingen, quand il l'a écrit à Paris : cela expliquerait quinze jours à Bingen, mais pourquoi quinze jours à Mayence ?

BIBLIOGRAPHIE

N. B. — Cette bibliographie ne peut être qu'une bibliographie sommaire : on a beaucoup écrit sur Victor Hugo, mais, relativement, peu sur sa fantaisie. Je n'ai donc retenu ici que ce qui, par quelque endroit, avait rapport à ce sujet, en réservant une place plus large aux publications postérieures à 1938, qui n'ont pu encore être recensées dans les bibliographies générales. Il y aura lieu, éventuellement, de consulter : le *Manuel bibliographique* de LANSON, chap. VII, qui ne va guère au delà de 1900 (Paris, Hachette, 1914) ; la *Bibliographie de la Littérature française* de HUGO P. THIEME, t. I, p. 970-997, qui s'arrête en 1930 (Paris, Droz, 1933) ; et, quand ils auront paru, le second tome en préparation du *Manuel de Bibliographie littéraire* de Mlle Jeanne GIRAUD (Paris, Vrin...) et, notamment, la grande *Bibliographie* de MM. TAL-VART et PLACE, dont le prochain tome annoncé contiendra la lettre H.

I. — TEXTES

BANVILLE, Théodore DE, *Les Cariatides*, Paris, Pilout, 1842, in-12.

—   —   *Les Stalactites*, voir II, SOUFFRIN.

BÉRANGER, Pierre-Jean DE, *Œuvres complètes*, nouvelle édition illustrée par GRANDVILLE et RAFFET, Paris, Perrotin, 1843, 2 vol. in-8°.

—   —   *Œuvres posthumes, Dernières Chansons*, 1834-1851, Paris, Garnier frères, in-32, 565 p., s. d. (1857).

BYRON (Lord), *Œuvres poétiques*, trad. Amédée PICHOT, Paris, Ladvocat, 1819-1821, 10 vol. in-12.

—   —   *Œuvres*, 4e éd. entièrement revue et corrigée par A. P. [Amédée PICHOT], précédée d'une notice sur Lord Byron par Ch. NODIER, Paris, Ladvocat, 1822-1825, 8 vol. in-8°.

CARRÉ, Michel, *Les Folles rimes et poèmes*, Paris, L. Guérin, 1842, in-16.

CHAMPFLEURY, J.-F.-F., *Chien-Caillou, Fantaisies d'hiver*, Paris, Martinon, 1847, in-12 [contenant *Carnaval* ; cf. BAUDELAIRE, *l'Art romantique*, éd. citée, p. 394 : « *Carnaval*, ou quelques notes précieuses sur cette curiosité ambulante, cette douleur attifée de rubans et de bariolages dont rient les imbéciles, mais que les Parisiens respectent. »]

CHAMPFLEURY, J.-F.-F., *Souvenirs des Funambules*, Paris, Michel-Lévy fr., 1859, in-18.

DELORD, Taxile, *Les Fleurs animées*, illustrations de GRANDVILLE, Paris, Gonet, 1847.

FLORIAN, Jean-Pierre CLARIS de, *Œuvres de...*, Paris, Lepetit, an II (1797), 15 vol. in-12.

— *Estelle et Némorin*, suivi de *Galatée*, précédé de l'*Essai sur la Pastorale*, Paris, A. Hiard, 1831, in-18.

— *Fables de M. de...*, illustrées par J.-J. GRANDVILLE, Paris, chez Dubochet, 1842, in-8°.

— *Fables de M. de...*, notice de Ch. NODIER, Paris, chez Delloye, 1838, in-8°.

— *Fables de M. de...*, notes de Mme Amable TASTU, Paris, chez Lehubry, 1846, in-8°.

— *Arlequinades*, Paris, L. Hachette, 1853, in-16.

GAUTIER, Théophile, *Poésies complètes*, introduction et notices de René JASINSKI, Paris, Firmin-Didot, 1932, 3 vol.

— — *Théâtre : Mystère, comédies et ballets*, Paris, Charpentier, 1872.

— — *Les Grotesques*, Paris, 1844, Desessart, 2 vol. in-8°; éd. citée, Michel-Lévy, Paris, 1882.

GŒTHE, *Passions du jeune Werther*, trad. AUBRY, Paris, Lebègue, 1822, in-12.

— *Werther*, trad. P. LEROUX, préf. G. SAND, illustré par TONY JOHANNOT, Paris, J. Hetzel, 1845, gr. in-8° [réédition de *Werther, traduction nouvelle*, parue en 1829 sans nom de traducteur et elle-même remaniement de la trad. de Sevelinges, cf. D. O. EVANS, *Revue de Littérature comparée*, avril-juin 1938, p. 320-355].

GRIMM (Frères), *Traditions allemandes*, recueillies et publiées par les..., trad. par M. THEIL, Paris, Alph. Levavasseur, 1838, 2 vol.

HOFFMANN, *Contes fantastiques*, trad. LOÈVE-VEIMARS, notice par W. SCOTT, Paris, E. Renduel, 1829, 4 vol. in-12.

HOFFMANN, E. T. A., *Œuvres complètes*, trad. LOÈVE-VEIMARS, Paris, E. Renduel, 1830-1832, in-12.

— *Contes fantastiques*, trad. Henry EGMONT, Paris, Camuzeaux, 1836, 4 vol. in-8°.

— *Contes fantastiques*, trad. X. MARMIER, Paris, Charpentier, 1843, in-18.

— *Contes fantastiques*, trad. CHRISTIAN, Paris, Lavigne, 1844, in-18.

HOUSSAYE, Arsène, *Galerie de portraits, Le XVIIIe siècle, les poètes et les philosophes, la cour et le théâtre, la peinture*, Paris, nouv. éd., 1845 (1re éd., 1843).

— — *Œuvres*, Paris, H. Plon, 1860-1867, in-8°.

HUGO (Général), *Mémoires*, Introduction de L. GUIMBAUD, Paris, H. Jonquières, 1928.

HUGO, Victor, *Conservateur littéraire* (Articles publiés dans le), voir J. MARSAN.

— — *Muse française* (Articles parus dans la), voir J. MARSAN.

— — *Lettres à la fiancée*, 1820-1822, Bibliothèque Charpentier, Eug. Fasquelle, 1901.

— — *Correspondance*, Calmann-Lévy, 1896, 2 vol.

HUGO, Victor, *Lettres aux Bertin*, Paris, Plon, 1890, in-4º.

— — *Les Misères*, voir G. SIMON.

— — *Œuvres complètes*, Paris, Ollendorff-Albin Michel, 1904..., dite édition de l'Imprimerie Nationale, 42 vol. gr. in-8º, en 1948.

— — *Lettre à Nadar*, *Les Cahiers du Sud*, 35e année, nº 287, nº sp. sur le Merveilleux, Marseille, 1948.

JANIN, Jules, *Contes fantastiques et contes littéraires*, Paris, Alph. Levavasseur et Alex. Mesnier, 1832, 4 vol. in-12.

— — *Deburau, histoire du théâtre à quatre sous*, Paris, Ch. Gosselin, 1832, 2 t. en 1 vol. in-12.

— — *Les Beautés de l'Opéra ou chefs-d'œuvre lyriques, illustrés par les premiers artistes de Paris, avec un texte explicatif rédigé par* Th. GAUTIER, Paris, Soulié, 1845, 10 parties en 1 vol. in-4º.

LATOUCHE, Henri DE, *Adieux, Poésies*, Paris, Impr. de Lacour et Maistrasse, 1844, in-12.

— — *Les Agrestes, Poésies*, Paris, Impr. de Lange, Lévy, 1845, in-12.

LOÈVE-VEIMARS, *Ballades, Légendes et Chants populaires de l'Angleterre et de l'Écosse*, Paris, Ladvocat, 1825, in-8º.

— François-Adolphe (Baron DE), (trad. de Bronikovski, Gœthe, Van der Velde, Wieland, Zchokke, Hoffmann, etc.). Voir HOFFMANN.

MARCHANGY, Louis DE, *La Gaule poétique*, 1re éd. Paris, C.-F. Patris, 1815-1817; 4e éd., Baudin frères, 1824, 6 t. en 3 vol. in-8º.

MÉRIMÉE, Prosper, *Le Théâtre de Clara Gazul*, Paris, Sautelet, 1825; Paris, Champion, 1927.

MICHELET, Jules, *L'Insecte*, Paris, Michel-Lévy, 1856.

— — *L'Oiseau*, Paris, Michel-Lévy, 1857.

MILLEVOYE, Charles-Hubert, *Élégies*, suivies d'*Emma et Eginhard*, Paris, Rosa, 1812.

— — *Œuvres complètes*, Paris, Ladvocat, 1822, 4 vol. in-8º.

— — *Œuvres complètes*, précédées d'une notice de SAINTE-BEUVE, Paris, Garnier frères, 1865, in-12.

MUSSET, Alfred DE, *Œuvres complètes*, introduction et notes de F. BALDENSPERGER, Paris, Conard, 1923-1926, 4 vol. in-8º.

NERVAL, Gérard DE, *Œuvres complètes*, Paris, Champion, 1926-1929.

— — *Aurélia, Poésie et Théâtre*, introduction par Henri CLOUARD, Paris, Le Divan, 1928, 2 vol. in-16.

NODIER, Charles, *Jean Sbogar*, Paris, Gide, 1818, 2 vol. in-12.

— — *Mélanges de littérature et de critique*, Paris, Raymond, 1820, 2 vol. in-8º.

— — *Smarra*, Paris, Ponthieu, 1821, in-12.

— — *Du Fantastique en littérature*, *Revue de Paris*, novembre 1830, réimpr. en préface aux *Contes Fantastiques*, p. 5-30.

— — *Œuvres complètes*, Paris, E. Renduel, 1832-41, 13 vol. in-8º.

NODIER, Charles, *Contes fantastiques*, Paris, Charpentier, 1850, in-12.

— — *Œuvres d'histoire naturelle*, publiées par le docteur Antoine Magnin, Besançon, Impr. de Dodivers, 1911, in-8°, 151 p.

PANTHÉON LITTÉRAIRE (LE), *Petits poètes français, depuis Malherbes* (sic), Paris, Aug. Desrez, 1838, 2 vol. in-4°.

RONSARD, Pierre, *Les Œuvres de...*, chez Nicolas Buon, 1609, 1 vol. in-8°.

SEGRAIS, *Poésies*, Caen, Chalopin frères, 1823, in-8°.

SAINTE-BEUVE, C.-A., I. *Tableau historique et critique de la Poésie française et du Théâtre français au XVIe siècle*; II. *Œuvres choisies de Pierre de Ronsard...*, Paris, A. Sautelet et Cie, 1828, 2 vol. in-12.

SCOTT, Walter, *Œuvres*, trad. A. PICHOT etc., Paris, Gosselin, 1822, t. XXIV, 2 vol. in-8°.

— — *Œuvres*, t. XI, *Kenilworth*, trad. A.-J.-B. DEFAUCONPRET, Paris, Furne, Ch. Gosselin, Perrotin, 1835, 2 vol. in-8° [trad. très sensiblement identique à la première].

SHAKESPEARE, *Œuvres complètes*, traduites de l'anglais par LETOURNEUR (1776-1782), nouvelle édition revue et corrigée par F. GUIZOT et A. P. [Amédée PICHOT], traducteur de Lord Byron. Paris, Ladvocat, 1821, 13 vol. in-8°.

STAHL, P.-J., *Scènes de la vie privée et publique des animaux* (avec dessins de GRANDVILLE et collaboration de J. JANIN, Ch. NODIER, H. de BALZAC, G. SAND, A. DE MUSSET, etc.), Paris, Hetzel et Paulin, 1840-1842, in-4°.

TIECK, Ludwig, *L'Abbaye de Netley, histoire du moyen âge*, trad. par J.-F. FONTALLARD, Paris, Ledoux, 1801, 2 vol. in-12.

— — *Sternbald ou le Peintre voyageur*, traduit de l'allemand, revu et corrigé par Mme la Baronne DE MONTOLIEU, Paris, Librairie Nationale, 1823, 2 vol. in-12.

— — *Deux nouvelles et une pièce*, tirées des œuvres de *Ludwig Tieck*, Paris, Théophile Barrois père, 1829, 1 vol. in-12.

— — *Le Savant*, publié dans *Petits Romans allemands*, trad. par Mlle Élise VOÏART, Paris, A.-J. Denain, 1829, in-12.

— — *Contes d'artiste, Shakespeare et ses contemporains*, Paris, Ch. Vimont, 1832, 4 vol. in-12.

— — *Le Sabbat des Sorcières, chronique de 1459*, Paris, Renduel, 1833, 1 vol. in-8°.

— — *Œuvres complètes*, deuxième livraison, *Contes lunatiques*, Paris, Ch. Vimont, 1834, 2 vol. in-12.

— — *Le voyage dans le bleu*, commenté par Spazier de Leipzig, *Revue du Nord*, mars-avril 1835.

TRESSAN (Comte DE), *Œuvres*, Évreux, 1796, 10 vol.

II. — ÉTUDES

ALEXANDRE, Arsène, *La Maison de Victor Hugo*, Paris, Hachette, 1903, in-4°.

ASCOLI, Georges, L' « *Amy Robsart* » *de Victor Hugo*, *Revue des Cours et Conférences*, 30 mai et 30 juin 1931, p. 289-299 et 501-516.

AUDIAT, Pierre, *Ainsi vécut Victor Hugo*, Paris, Hachette, 1947.

BACHELARD, Gaston, *L'Eau et les Rêves*, Paris, José Corti, s. d.

— — *L'Air et les Songes*, Paris, José Corti, 1943.

BALDENSPERGER, Fernand, *Études d'histoire littéraire*, t. I, *le Genre troubadour*, p. 111-146; *la « Lénore » de Bürger dans la Littérature française*, p. 147-175, Paris, Hachette, 1907.

— — *Les Années 1827-1828 en France et au dehors*, XII, *Revue des Cours et Conférences*, 30 mai 1929, p. 337-351.

BARRÈRE, J.-B., *Promenade dans un album de Victor Hugo* (1865), *Revue d'Histoire de la Philosophie et d'Histoire générale de la Civilisation*, 1946, fasc. 41, p. 1-48 et fasc. 43, p. 244-284.

— — *Trois billets inédits de Victor Hugo à un journaliste*, French *Studies*, vol. I, n° 3, Oxford, Blackwell, juillet 1947, p. 252-257.

BARTHOU, Louis, *Victor Hugo, élève de Biscarrat*, *Revue de Paris*, 1924, t. V, p. 481-507.

— — *Les Amours d'un poète*, Paris, Conard, 1925.

BASCHET, Robert, *E.-J. Delécluze, témoin de son temps*, Paris, Boivin, 1942, p. 184-191.

BAUDELAIRE, Charles, *L'Art romantique*, XIX, I, *Victor Hugo*, éd. la Pléiade, t. II, p. 517-529, Paris, 1932.

BAUDOUIN, Charles, *Psychanalyse de Victor Hugo*, Genève, éd. du Mont-Blanc, coll. « Action et Pensée », 7, 1943.

BAUER, H.-F., *Les « Ballades » de Victor Hugo, leurs origines françaises et étrangères*, Paris, Les Presses Modernes, 1936.

BÉGUIN, Albert, *L'Ame romantique et le rêve*, Marseille, Cahiers du Sud, 1937, 2 vol.; cité d'après nouv. éd., Paris, José Corti, 1939, 1 vol.

— — *« Le Songe » de Jean-Paul et Victor Hugo*, *Revue de Littérature comparée*, 1934.

BELLESSORT, André, *Victor Hugo, essai sur son œuvre* (notamment sur les *Chansons...*), Paris, Perrin, 1930.

BENOÎT-LÉVY, Émile, *La Jeunesse de Victor Hugo*, Paris, A. Michel, 1928.

— — *« Les Misérables », de Victor Hugo*, Malfère, coll. « les Grands Événements littéraires », 1929.

BERRET, Paul, *Le Moyen âge européen dans « La Légende des Siècles » et les sources de Victor Hugo*, Paris, 1911, in-8°.

— — Introduction et notes de *la Légende des Siècles*, coll. « G. E. F. », Paris, Hachette, nouv. éd., 1922-1927, 6 vol.

— — Introduction et notes des *Châtiments*, coll. « G. E. F. », Paris, Hachette, nouv. éd., 1932, 2 vol.

— — *L'élève Victor Hugo*, *Revue des Deux Mondes*, 1928, t. XLIII, p. 859-882.

— — *Victor Hugo*, Paris, Garnier frères, 1927; cité d'après nouv. éd. 1939.

BERTAUX, Émile, *Victor Hugo artiste*, Paris, *Gazette des Beaux-Arts*, 1903, in-4°.

BIRÉ, Edmond, I. *Victor Hugo avant 1830*, nouvelle édition, Paris, Gervais, 1883; rééd., Librairie Académique Didier, Perrin et Cie, 1902.

BIRÉ, Edmond, II. *Victor Hugo après* 1830, 2 vol., Paris, Perrin et Cie, 1891 ; rééd., Perrin et Cie, 1902.

BOREL, Pierre, *Quand Victor Hugo se penchait sur son portefeuille, Tribune de Genève*, 11 juin 1948.

BRAY, René, *Chronologie du Romantisme* (1804-1830), Paris, Boivin, 1932.

BREUILLAC, M., *Hoffmann en France, Revue d'Histoire littéraire*, t. XIII, 1906, p. 437 sq. et t. XIV, 1907.

CATTAUI, Georges et ZUMTHOR, Paul, *Victor Hugo, Prose*, Introduction aux textes choisis, Fribourg, Egloff, 1944.

CHABERT, Samuel, *Un exemple d'influence virgilienne, Virgile et l'œuvre de Victor Hugo*, Index préalable (extrait des *Annales de l'Université de Grenoble*, t. XXI, n° 3, 1909), Grenoble, Allier frères, 1909.

CHARLES, P.-A., *Charles Nodier et Victor Hugo, Revue d'Histoire littéraire de la France*, 1932.

CHARLIER, Gustave, *Victor Hugo et un poète hollandais de langue française* (Ch. Beltjens) *in* Hommage à K.-R. Gallas, *Neophilologus*, 23e année, Groninguen, 1938, p. 304-310.

CHESNIER DU CHESNE, A., *Le « Ronsard » de Victor Hugo, Mercure de France*, 1er septembre 1924 ; Paris, Crès, 1929.

CIANA, Albert, *Victor Hugo* [étude graphologique], Genève, Helvetica, 1941.

CLAUDEL, Paul, *Le monument de Victor Hugo, Figaro*, 7 janvier 1947 [chronique, pour mémoire].

DAUBRAY, Cécile, *Victor Hugo et ses correspondants*, Paris, Albin Michel, 1947.

DEBIDOUR, V.-H., *Saveurs des lettres*, Paris, Plon, 1946, II. *Les quatre routes de l'irréel*, p. 17-64.

DELALANDE, Jean, *Victor Hugo à Hauteville House*, Paris, Albin Michel, 1947.

DITCHY, J.-K., *La Mer dans l'œuvre littéraire de Victor Hugo*, Paris, Les Belles-Lettres, 1925.

DUFAY, Paul, *Victor Hugo à vingt ans, Annales Romantiques*, III, p. 331-351.

DUMESNIL, René, *L'Époque réaliste et naturaliste*, Paris, Tallandier, 1945.

DUPUY, Ernest, *Victor Hugo, l'homme et l'œuvre*, Paris, Boivin, s. d. (1886).

ELLIS, Havelock, *From Rousseau to Proust*, Constable and Co, 1936, p. 252 sq.

EVANS, D. O. *Le Socialisme romantique, Pierre Leroux et ses contemporains*, Paris, Marcel Rivière, 1948, chap. IV, *Victor Hugo*, p. 133-166.

ESCHOLIER, Raymond, *Victor Hugo artiste*, Paris, Crès et Cie, 1926, in-4°,
—   —   *Victor Hugo, raconté par ceux qui l'ont vu*, Paris, Stock, 1931.

FUCHS, Max, *Théodore de Banville*, Paris, 1912.

GASTINEL, Pierre, *Le Romantisme d'Alfred de Musset*, Impr. du Journal de Rouen, 1933 ; Paris, Librairie Hachette.

GAUTIER, Théophile, *Histoire du Romantisme*, 2e éd., Paris, Charpentier, 1874.

GIDE, André, *Interviews imaginaires*, I, IV, Schiffrin, New-York, 1943, p. 52-53.
—   —   *Réflexions sur la poésie française*, III, *Figaro littéraire*, 31 juillet 1948.

GIRAUD, Jean, *Victor Hugo et « Le Monde » de Rocoles, Revue d'Histoire littéraire*, t. XVI, 1909, p. 501-539 et t. XVII, 1910, p. 497-530.

GRANT, Elliott M., *The Career of Victor Hugo*, Cambridge, Harvard University Press, 1945.

GREGH, Fernand, *L'Œuvre de Victor Hugo*, Paris, Flammarion, nouv. éd,. 1933.

GUILLAUMIE-REICHER, Gilberte, *Le Voyage de Victor Hugo en Espagne* (1843), Paris, Droz, 1936.

GUILLEMIN, Henri, *Un carnet [inédit, 1860] de Victor Hugo, Le Littéraire*, 6 avril 1946.

—   — *Hugo secret* (d'après un carnet inédit, juillet-décembre 1875), *Le Littéraire*, 14 décembre 1946.

GUIMBAUD, Louis, *Victor Hugo et Juliette Drouet* (avec des lettres inédites), Paris, Blaizot, 1914; nouv. éd. 1927.

—   — *Victor Hugo et Madame Biard* (d'après des documents inédits), Paris, Blaizot, 1927.

—   — *« Les Orientales » de Victor Hugo*, Amiens, Malfère, coll. « Les Grands Événements littéraires », 1928.

—   — *En cabriolet vers l'Académie*, Paris, Grasset, 1947.

HAZARD, Paul, *Avec Victor Hugo en exil*, Paris, Les Belles-Lettres, 1931, *Études françaises*, 23e cahier.

HEUGEL, Jacques, *Essai sur la philosophie de Victor Hugo du point de vue gnostique*, Paris, Calmann-Lévy, 1922, 143 p.

HEYWOOD-THOMAS, John, *L'Angleterre dans l'œuvre littéraire de Victor Hugo*, Impressions Pierre André, Paris, 1933.

HOFMANNSTHAL, Hugo VON, *Essai sur Victor Hugo*, trad. Maria LEY-DEUTSCH, Paris, Droz, 1937.

HUGUET, Edmond, *Notes sur quelques sources de « Notre-Dame de Paris »*, *Revue d'Histoire littéraire*, 1903, t. X, p. 287, sq.

—   — *Le sens de la forme dans les métaphores de Victor Hugo*, Paris, Hachette, 1904.

—   — *La couleur, la lumière et l'ombre dans les métaphores de Victor Hugo*, Paris, Hachette, 1905.

HULUBEI, Alice, *L'Églogue en France au XVIe siècle*, Paris, Droz, 1938.

HUNT, Herbert J., *Le Socialisme et le Romantisme en France, Étude de la presse socialiste de 1830 à 1848*, Oxford University Press, 1935.

—   — *The Epic in Nineteenth-Century France*, Oxford, Blackwell, 1941.

JACOUBET, Henri, *Le Comte de Tressan et les origines du genre troubadour*, Paris, Presses universitaires, 1923.

—   — *Le Genre troubadour et les origines françaises du Romantisme*, Paris, les Belles-Lettres, 1929.

JAMET, Claude, *Victor Hugo, poète de l'amour, Revue d'Histoire de la Philosophie et d'Histoire générale de la Civilisation*, fasc. 25, janvier-mars 1939.

JANIN, Jules, *Histoire de la Littérature dramatique*, t. III-IV, Paris, Michel-Lévy frères, 1854, in-8º.

JASINSKI, René, *Les années romantiques de Théophile Gautier*, Paris, Vuibert, 1927.

—   — *Histoire de la littérature française*, Paris, Boivin, 1947, 2 vol.

430   BIBLIOGRAPHIE

JOSEPHSON, Matthew, *Victor Hugo* [Biographie], New-York, 1942.

JOUSSAIN, André, *L'esthétique de Victor Hugo*, Paris, Boivin, 1920.

LE BRETON, André, *La Jeunesse de Victor Hugo*, Paris, Hachette, 1928.

LENÔTRE, Thérèse, *Victor Hugo enfant*, Paris, Grasset, 1946.

LEVAILLANT, Maurice, *L'Œuvre de Victor Hugo*, choix, notices et notes critiques par..., Paris, Delagrave, 1931, in-12.

—   — *Victor Hugo*, « *Hernani* », édition classique par..., Paris, Delagrave, 1932.

—   — *Victor Hugo*, « *Ruy Blas* », édition classique par..., Paris, Delagrave, 1934.

—   — *Victor Hugo, Juliette Drouet et* « *Tristesse d'Olympio* » *d'après des documents inédits*, nouvelle éd. augmentée, Paris, Delagrave, 1945 (éd. remaniée de l'étude publiée chez Champion, 1928).

LEY-DEUTSCH, Maria, *Le Gueux chez Victor Hugo*, Paris, Droz, 1936.

LIMA-BARBOSA, Mario DE, *Victor Hugo et Rosita Rosa*, Paris, Albert Blanchard, 3 pl. de la Sorbonne, 1927.

MABILLEAU, Léopold, *Victor Hugo*, Paris, Hachette, « Les Grands Écrivains français », 1893.

MAGNIN, Dr Antoine, *Charles Nodier naturaliste*, Paris, A. Hermann et fils, 1911, in-8°.

MARSAN, Jules, *La Muse française* (1823-1824), édition par..., Paris, Droz, 1907.

—   — *Le Conservateur littéraire* (1819-1821), édition par..., Paris, Droz, 1922.

MARTINEAU, René, *Ernest Fouinet et les* « *Orientales* », *Mercure de France*, 16 juin 1916, p. 648-659.

MAULNIER, Thierry, *L'énigme Hugo*, Paris, Laffont, *Les Lettres*, III, mars-avril 1941.

MÉCRÉANT, Marc, *Les Sources de* « *Torquemada* », *Revue d'Histoire de la Philosophie et d'Histoire générale de la Civilisation*, fasc. 32, oct.-déc. 1942, p. 329-338.

MOREAU, Pierre, *Le Classicisme des Romantiques*, Paris, Plon, 1932.

PÉÈS, S., *L'origine de la couleur locale scandinave dans le* « *Han d'Islande* » *de Victor Hugo*, *Revue de Littérature comparée*, avril-juin 1929, p. 261-284.

PÉGUY, Charles, *Victor-Marie, comte Hugo*, *Cahiers de la Quinzaine*, 23 octobre 1910 ; Paris, Gallimard, 1934.

PERTUIS, Gervais, *Autour d'un prix littéraire, Victor Hugo et Ernest Fouinet*, *Mercure de France*, 15 janvier 1924, p. 410-423.

POMMIER, Jean, *Dans les chemins de Baudelaire*, Paris, José Corti, 1945.

RAT, Maurice, *Mais non ! Victor Hugo n'a pas inventé le fameux Jérimadeth*, *Figaro littéraire*, 7 février 1948.

—   — *Où l'on voit Victor Hugo en rival d'amour* [Alice Ozy], *Figaro littéraire*, 16 octobre 1948.

RAYMOND, Marcel, *Hugo le Mage*, in *Génies de la France*, Neuchâtel, éd. La Baconnière, 1942 (*Les Cahiers du Rhône*, 4).

—   *Victor Hugo, Poésie* (introduction aux morceaux choisis), Genève, Skira, 1945.

RENOUVIER, Charles, *Victor Hugo le Poète*, Paris, Colin, 1893.

RENOUVIER, *Victor Hugo le Philosophe*, Paris, Colin, 1900.

RIGAL, Eugène, *La signification du « Satyre » dans la philosophie de Victor Hugo de 1854 à 1859*, *Revue d'Histoire littéraire de la France*, 1912, t. XIX, p. 85 sq. et 647 sq.

ROBERTSON, Mysie E.-I., *L'épithète dans les œuvres lyriques de Victor Hugo publiées avant l'exil*, Paris, Champion, 1927.

ROCHETTE, Auguste, *L'esprit dans les œuvres poétiques de Victor Hugo*, Paris, Champion, 1911, 289 p.

SAILLARD, G., *Florian, sa vie, son œuvre*, Toulouse, Privat; Paris, Picard, 1912.

SAINÉAN, Lazare, *L'argot ancien* (1455-1850), Paris, Champion, 1907.

SAINTE-BEUVE, C.-A., *Portraits Contemporains*, nouvelle étude revue et corrigée, 5 vol., Paris, Michel-Lévy, 1869-1871, t. I, p. 384-469.

— — *Les Grands Écrivains français*, Études des *Lundis* et des *Portraits* classées selon un ordre nouveau et annotées par Maurice ALLEM. XIXe siècle, *Les Poètes*, II, p. 3-64, Paris, Garnier frères, 1926.

SAURAT, Denis, *La Religion de Victor Hugo*, Paris, Hachette, 1929; rééd. *in Victor Hugo et les dieux du peuple*, Paris, La Colombe, 1948.

SCHENCK, Eunice Morgan, *La part de Charles Nodier dans la formation des idées romantiques de Victor Hugo jusqu'à la Préface de « Cromwell »*, Paris, Champion, 1914.

SCHWAB, René, *Victor Hugo troublé par l'Inde*, *Revue de littérature comparée*, 21e année, n° 4, oct.-déc. 1947.

SÉCHÉ, Léon, *Le Cénacle de la Muse française* (1823-1827), Paris, Mercure de France, 1908, in-8°.

— — *Le Cénacle de Joseph Delorme* (1827-1830), I. *Victor Hugo et les Poètes*, de Cromwell à Hernani, Paris, Mercure de France, 1911, in-8°.

— — *Le Cénacle de Joseph Delorme* (1827-1830), II. *Victor Hugo et les Artistes*, Paris, Mercure de France, 1912, in-8°.

SÉGU, Frédéric, I. *Un journaliste dilettante, Henri de Latouche et son intervention dans les arts*, Paris, 1931, in-8°.

— — II. *Un romantique républicain, Henri de Latouche*, Les Belles-Lettres, Paris, 1931, in-8°.

SERGENT, Jean, *Maison de Victor Hugo*, Préf. de Paul SOUCHON, Paris, 1934.

SIMON, Gustave, *Lamartine et Victor Hugo, Lettres inédites*, *Revue de Paris*, 11e année, n° 8, 15 avril 1904, p. 669-694.

— — *La Vie d'une femme* [Mme Victor Hugo], Paris, Ollendorff, 1914.

— — *Victor Hugo, « Les Misères »*, Paris, Baudinière, 1927.

SOUCHON, Paul et SERGENT, Jean, *Les séjours de Victor Hugo*, Catalogue d'exposition, La Maison de Victor Hugo, Paris, 1935.

SOUCHON, Paul, *Autour de Ruy Blas* [Juliette Drouet, I], Paris, Albin Michel, 1939, in-16.

— — *Olympio et Juliette* [J. D., II], Paris, Albin Michel, 1940, in-16.

— — *La plus aimante ou Victor Hugo entre Juliette et Mme Biard* [J. D., III], Paris, Albin Michel, s. d. (1941).

SOUCHON, Paul, *La Servitude amoureuse de Juliette Drouet à Victor Hugo* [J. D., IV], Paris, Albin Michel, 1943.

—   — *Juliette Drouet, inspiratrice de Victor Hugo*, Paris, Tallandier, 1942, in-16.

—   — *Les Prophéties de Victor Hugo*, Paris, Tallandier, 1945.

—   — *Les deux femmes de Victor Hugo*, Paris, Albin Michel, 1948.

SOUFFRIN, Eileen M., « *Les Stalactites* » *de Théodore de Banville*, éd. critique, Paris, H. Didier, 1942.

SOULAIROL, Jean, *Mesure et démesure de Victor Hugo*, Hier et Demain, n° 8, Paris, Séquana, 1944.

SOURIAU, Maurice, *La Préface de* « *Cromwell* », Paris, Boivin, s. d. (1897).

—   — *Histoire du Romantisme en France*, t. I, 2 vol., Paris, Spes, 1927.

TIERSOT, Julien, *La Chanson populaire et les écrivains romantiques*, Paris, Plon, 1931, in-8°, 326 p.

VAN TIEGHEM, Paul, *Le Mouvement romantique (Angleterre, Allemagne, Italie, France)*, Paris, Vuibert, 1912.

—   —   — *Le Préromantisme* [études de littérature comparée], Paris, Sfelt, 1947-48, 3 t. parus.

VIANEY, Joseph, Introduction et notes des *Contemplations*, coll. « G. E. F. », Paris, Hachette, 1922, 3 vol.

VIATTE, Auguste, *Les Sources occultes du romantisme, illuminisme, théosophie*, 1770-1820, Paris, Champion, 1928, 2 vol. gr. in-8°.

—   — *Victor Hugo et les illuminés de son temps*, Montréal, éd. de l'Arbre, 1942.

WEISS, René, *La Maison de Victor Hugo à Guernesey (Hauteville House, propriété de la ville de Paris)*, Paris, Imprimerie Nationale, 1928.

ZUMTHOR, Paul, *Victor Hugo poète de Satan*, Paris, Laffont, 1947.

INDEX DES NOMS CITÉS

30

INDEX DES ŒUVRES CITÉES DE VICTOR HUGO

TABLE

TABLE 447

11.806. — ARRAULT ET Cᴵᴱ, MAITRES IMPRIMEURS, TOURS (FRANCE).

Dépôt légal: 1ᵉʳ trimestre 1949.

FEb